장길산

3

장길산 3
특별합본호

초판 1쇄 발행 • 2020년 12월 21일
초판 2쇄 발행 • 2022년 11월 24일

지은이 / 황석영
펴낸이 / 강일우
펴낸곳 / (주)창비
등록 / 1986년 8월 5일 제85호
주소 / 10881 경기도 파주시 회동길 184
전화 / 031-955-3333
팩시밀리 / 영업 031-955-3399 · 편집 031-955-3400
홈페이지 / www.changbi.com
전자우편 / lit@changbi.com

ⓒ 황석영 2020
ISBN 978-89-364-3074-0 04810
ISBN 978-89-364-3290-4 (전4권)

3

장길산

황석영
대하소설

창비

제1장

황민

荒民

(계속)

4

홍복과 조카는 보안대로를 따라서 걸었다. 홍복의 잽싼 걸음을 좇느라고 아이는 숨을 헐떡였고, 홍복이 더 지체할 수가 없어서 아이를 냉큼 업어버렸다. 과연 박서방댁이 가르쳐준 대로 왕소나무 밑에 햇빛이나 달빛도 닿지 않을 음습한 곳에 봉긋한 봉분이 보였다. 위에는 잡초가 마음대로 자랐고 옆으로 물이 흘러내려 범람하면 산소 앞자리가 잠길 듯이 보였다. 자리고 뭐고 따지지 않고 아무 곳에나 파묻어버린 것이 분명하였다. 홍복은 보퉁이에서 술 한 병과 어포를 내어 봉분 앞에 벌여놓았다.

"어서 뵈어라."

홍복은 아이를 끌어다 산소 앞에 세웠다. 아이는 보아오던 대로 두 손을 이마 위로 쳐들고 절하였다. 삼배를 하고 있는 아이의 뒷전에 서서 흥복은 그 초라한 농투성이의 평생이 무겁게 자기의 등을 내리누르는 것 같았다. 그의 어디에서 사창으로 눈을 부릅뜨고 달려가던 의기가 솟아났던 것일까. 그가 자기와 더불어 대룡산에서 먼 고장으로 달아나지 못하고 산을 내려가 관군에게 스스로 포박되었던 것은, 식솔들 때문일 것이었고 또한 처음에 분기하였던 것도 그들 때문이었으리라. 흥복은 아이가 옆으로 물러선 다음에 이 외로운 사내의 무덤에 삼배를 올렸다.

"좋은 때가 오면 다시 모시리다."

중얼거려보지만 그것이 빈말뿐임을 흥복은 잘 알았다. 그는 술을 붓고 나서 다시 아이와 더불어 삼배를 올렸다. 흥복이 박서방네로 돌아오니 선흥이와 아낙은 길 떠날 채비를 끝낸 뒤였다. 아낙은 밤참을 해두고 그들을 기다리고 있었다.

"든든히 자셔두어야 밤길을 걷지요."

아낙은 으레껏 제가 함께 떠나게 되는 줄로 여기고 있어서 흥복이는 가부를 말하지 못하였다. 흥복이는 아이와 마주 앉아 밥을 먹고 나서도 얼른 일어나지 못하였다.

"안 갈 텐가?"

선흥이가 벌써 신을 신고 마루에 나가 앉았다가 재촉하였다.

"조금만 더 기다려보십시다."

"허허, 북두칠성을 보니 자정이 넘었겠네."

흥복은 아이가 자꾸만 어둠속으로 시선을 주는 양을 살피고 있었다. 제 어미를 기다리는 것이 분명하여 떨치고 일어날 수가 없었다. 그때 뒤꼍으로 돌아나갔던 박서방댁이 깜짝 놀라서 부르짖었다.

"에구…… 웬 횃불들일까. 저기 좀 보세요."

선흥이가 돌아가보더니 다급하게 말하였다.

"이쪽으로 오는군. 동네에서 뭔가 낌새를 알아챈 모양이지. 자, 빨리 빠져나가야 하네."

흥복이는 조카를 등에 업었다.

"내 목을 꼭 쥐어야 한다."

"엄마는 못 오시겠지요?"

흥복은 아이를 업고 나서면서 박서방댁에게 말하였다.

"함께 몰려가면 잡히기 쉬우니 새못으로 오시우."

"아니에요, 같이 따라가겠어요."

아낙이 울상으로 발을 굴렀다. 선흥이가 이리저리 찾아다니더니 굵직한 몽둥이를 주워들었다.

"새못이 우리 건너온 데가 아닌가. 내가 뒤에서 한바탕 장난치구 갈 터이니 그 사이에 모두 데리고 빠져나가게."

흥복이 내키지 않으면서도 밖으로 나서는데 아낙이 그의 소매를 잡아 이끌었다.

"이쪽으루 오셔요. 저기 동산에만 오르면 안전할 거예요."

아낙네는 등뒤에 아기를 업고 머리에는 보퉁이를 이고서도 제법 빠른 걸음으로 앞장을 섰다. 흥복이가 돌아보니 선흥이는 몽둥이를 어깨에다 걸치고 오히려 횃불이 일렁이는 곳을 향하여 어슬렁거리며 마주 다가가고 있었다.

"놓치지 마라. 최가놈과 한패다."

웅성거리는 가운데 드높은 목소리가 들리는데 마을의 약정인 듯하였다. 선흥이는 어디 잡아볼 테면 잡아보라는 듯이 몽둥이를 휘둘러 보이면서 밭고랑 사이에 우뚝 섰다. 횃불들이 한데 몰려서 천천히 다가들고 있었다.

"최가를 찾아야 한다."

"박가네 집에 숨어 있을 게다."

저희끼리 의논이 분분한데 어느 한 놈 달려들지는 못하고 주춤대는 것 같았다.

"어서 잡지, 뭘 구경하구 섰느냐?"

선흥이 건드리느라고 퉁겨보니 사람들 틈에서 검은 더그레 자락이 나타난다. 군졸들이 끼여 있었다. 아마도 낮에 그들을 발견한 자가 적경을 알리고 데려온 모양이었다. 그때 앞으로 나선 두 군졸이 뭔가 검은 작대기를 앞으로 내밀었다. 부시를 치는지 번쩍이는 빛이 반디처럼 빛나자 선흥이는 그제야 겁이 더럭 나며 상투꼭지께가 서늘하였다.

"총포로구나!"

선흥이가 달마산 토벌대에 호되게 혼난 적이 있어서 얼결에 상반신을 숙이는데, 쾅 소리가 간장을 떨굴 듯이 터지며 바람 가르는 소리가 지나갔다. 예미랄…… 또 맞는가 부다. 선흥이는 겁이 나는 중에도 화승총에는 뛰는 게 상책이라 싶어서, 등을 돌리지는 못하고 그대로 횃불의 꽃밭 가운데로 달려들어갔다. 그의 갑작스런 돌입에 놀란 마을의 장정들이 이리저리 흩어졌고, 오른편에서 총을 겨누던 자가 채 쏘지 못하고 주저하는 틈을 타서 선흥이가 달려들었다.

"끼눔, 어서 쏘아봐라."

몽둥이로 후리니 허리를 얻어맞은 포수가 숨막히는 소리를 내지르며 넘어졌다. 몽둥이를 이리저리 휘두르는데, 마을 장정들이라야 모두가 춘궁에 푸성귀죽이나 마시고 양지쪽서 해바라기하던 사람들이라, 앞으로 내어보는 작대기며 괭이 쇠스랑에 힘이 들어가 있을 리 없었다. 선흥이가 휘두르는 몽둥이에 부딪치자마자 맥없이 퉁겨져나가거나 자루 중동이 꺾여져버린다. 맨손이 된 사람들은 이리저리 어지럽게 횃불도 던져두고 멀찍이 달아났다. 선흥이는 얼른 돌아서서 떨어진 화승총을 포개어 들고 반대 방향으로 뛰기 시작하였고, 그에 용기를 얻은 마을 장정들이 와와 소리를 지르며 따라붙었다. 선흥이는 동산을 바라고 한참 뛰다가 일각이라도 벌어두어야겠다고 생각했다.

그는 숲으로 들어서기 전에 휙 돌아섰다. 역시 저쪽에서도 소리만 지르며 멈추어 섰다. 선흥이는 두리번거리다가 한 아름 되는 바위를 보자 성큼성큼 걸어가서 품에 안았다. 발꿈치와 허리에 힘을 주면서 들어올렸다. 그는 일단 바위를 품에 안았다가 두 손바닥에 올리고는 머리 위로 번쩍 쳐들었다. 놀라는 소리들이 군중 사이에서 요란하였다. 선흥이는 꼿꼿한 걸음걸이로 군중을 향하여 걸었다.

"어느 놈이 먼저 인절미가 되려느냐?"

장정들은 불 만난 개미처럼 흩어졌고, 선흥이가 휙 내던진 바위는 멀찍이 가서 육중한 소리를 내며 떨어졌다. 아마 이 바위는 두고 두고 마을의 얘깃거리가 될 것이었다. 그는 사람이 아니라 도깨비로 아이들 입에 오르내리게 될지도 몰랐다. 느릅나무골 농군들이 남대천의 장사 강선흥을 알 리가 없었다. 선흥이는 후 하고 긴 한숨을 한번 토해내고는 돌아서서 숲으로 뛰어들었다. 아무도 캄캄한 숲속으로 따라 들어오는 자들은 없었다. 그들은 아마 이런 성의를 보임으로써 관에서 받은 역적의 동네라는 오명을 씻게 될지도 몰랐다. 여하튼 선흥이는 제가 홍복이와 동행하기를 잘했다고 여기면서 새못으로 뛰었다.

"최서방, 어디 있나?"

선흥이가 강변으로 달려가며 고함을 지르니 어둠속에서 응답하는 목소리가 들려왔다. 새못 위쪽에는 신연강(新淵工)과 소양강(昭陽

江)의 지류가 합쳐지며 가운데에 섬이 생겨났는데, 물살이 빠르고 수심이 깊었다. 홍복은 새못나루를 미리 알고 있어서 박서방댁과 함께 강변에서 쓸 만한 배를 찾고 있었다. 선홍이가 소리나는 쪽으로 달려내려가니 홍복이 낙담하여 말하였다.

"나룻배는 한 척두 없구…… 주낙배 두 척뿐이우. 성님 노 저을 줄 알우?"

선홍이가 되물었다.

"내야 저을 리가 없지. 자네는 왜 못 젓나?"

"주낙배는 작아서 우리가 모두 타면 뒤집어지기 쉽습니다. 둘이 타면 꽉차는걸요."

곁에서 박서방댁이 나섰다.

"두 분이서 타구 가세요. 저두 노를 저을 줄 알거든요. 아이들은 내가 데리구 건널게요."

"그게 좋겠군……"

홍복이 배를 물 위로 밀어내는데 선홍이가 아낙네에게 물었다.

"정말 괜찮겠수?"

"어릴 적부터 탔어요. 강촌 사람이 배를 젓지 못한다면 말이 되나요?"

홍복이가 뱃전을 잡고 서서 아낙에게 재촉하였다.

"자, 어서 먼저 가슈."

"어떻게 하실라구요?"

"먼저 건너가라니까."

아낙네가 아이를 업은 채 고물간에 올라탔고, 홍복은 머뭇거리는 조카를 번쩍 들어다가 허릿간에 앉혀놓았다. 홍복은 배를 앞으로 밀어냈다.

"건너가서 기다리오."

배가 휘적이며 앞으로 나아갔다. 홍복은 다시 배를 밀어냈다.

"성님이 먼저 오르슈."

선흥이가 올라타고 나서 홍복이 고물간에 올라탔다. 그때 여러 사람들의 고함소리와 횃불빛이 언덕 위에 나타났다.

"빨리 건너야겠는걸. 혹시 포수가 늘어났을지두 모르잖나."

선흥이는 역시 화승총이 가장 두려웠다. 그것 앞에는 재간이나 힘자랑도 아무 쓸데가 없었다. 홍복이 노를 젓는데, 주낙배의 뒤편 옆구리에 설밎이라는 넓적한 노를 달아 한 손의 손목을 춤추듯 위아래로 힘을 주어 젓는 것이다. 홍복이 원래 강촌 사람이라 배가 뒤뚱거리며 강 가운데로 나아갔고, 강변에는 횃불들이 이리저리 몰려다니고 있었다.

"이놈들…… 게 섰거라!"

드디어 그들을 발견했는지 호통치는 소리가 들려왔다. 홍복이 배를 저어 나가려니 얼마 안 떨어져서 박서방댁이 젓는 주낙배가 앞에 보였다.

"강심이 가장 위험한데, 거기만 벗어나면 될 거요."

홍복이 말하였다. 요란한 폭음이 들리더니 바람을 가르는 날카로운 소리가 들려왔다.

"총을 빼앗았는데……"

선흥이가 얼결에 허릿간으로 상반신을 숙이며 중얼거렸다. 연이어 두 방이 터졌다.

"어이쿠……"

선흥이는 방포소리가 딱 질색인 모양이었다. 그러나 홍복은 침착하게 배를 저어 나갔다. 다시 잠잠해졌다. 사이가 생기자 홍복이 중얼거렸다.

"포수 셋이 붙었군. 염려 말구 일어나슈."

홍복이 선홍이의 어깨를 툭툭 두들겼다.

"셋이서 장약을 재는 사이에 우리는 강심을 넘어가겠수. 제아무리 천리안이라 할지라두 겨냥을 못허우."

선홍이가 엉거주춤 고개를 들었다.

"내가 탄환을 빼내느라구 고생한 걸 생각하면 끔찍하네."

그들의 배는 강의 한가운데를 지나 차차 저쪽 강안에 가까워지고 있었다. 다시 방포소리가 들렸으나 탄환 흐르는 소리는 그렇게 날카롭지가 않았다. 그들은 뭍에 닿았고 선홍이가 허둥지둥 자갈밭 위를 뛰어갔다. 먼저 당도했던 박서방댁과 조카가 그들을 반겼다. 홍복은 배를 다시 물 위로 밀어보냈다. 어디든 떠다니다가 엉뚱한 곳에 대어지거나 하류로 흘러가기를 바라는 것이다.

"자, 여기서 밤새 걸어서 춘천 계는 빠져나가야 합니다. 영평까지 가는 길은 질러가기는 하지만 경계가 너무 멀고, 일단 가평으로 내려갑시다."

"예서 가평까지가 몇리인가?"

"이십 리를 나아가면 석파령(石破嶺)을 넘게 되는데, 그 뒤부터 가평 계가 되지요. 가평서 연천 삭녕을 지나 도계를 넘어 평산까지 가면 안전하게 되겠지요."

그들은 강변을 따라서 서남쪽으로 걸어내려갔다. 석파령에 당도했을 때 보슬비가 내리기 시작하여 모르는 결에 옷이 흠뻑 젖었고, 아낙은 헌옷가지를 내어 아이를 덮었다. 그들은 새벽녘에 가평 읍내로 들어가지 않고 막바로 한아비내를 따라 오르다가 연동의 주막에 들었다. 포천과 영평으로 갈리는 삼거리였다. 역시 춘궁은 어디엘

가나 심했고, 특히 내륙지방이 심하여 어떤 곳에는 온 마을에 사람의 자취가 끊긴 곳도 있었다.

그들이 오후에 연동서 떠나 운악산 줄기가 흘러내려온 굴치를 바라고 넘는데, 맞은편에서 식솔을 거느린 사내들이 내려오는 중이었다. 그들이 먼저 주춤하니 서버렸고 홍복과 선흥이는 의아하였으나 개의치 않고 내쳐서 걸어올라갔다. 부자인 듯한 중년 사내와 떠꺼머리 그리고 젊은 가장으로 여겨지는 사내가 셋이었는데, 그들 뒤로 남부여대하여 따라붙은 식솔들이 어린것들과 처녀들까지 도합 스물이 넘어 보였다. 보아하니 등에 솥이며 거적때기를 짊어지고 옷이 남루하고 상투가 흐트러져 오래 전에 마을을 떠나 유민이 되어버렸음이 분명하였다. 선흥이 일행은 어쩐지 그들 가운데를 비집고 지나가기가 꺼림칙하였다. 마주 가면서 보니, 뒤에 섰던 식구들이 길 아래로 비켜서는 것이었다. 그러고는 사내 장정들이 슬그머니 벌려서는데, 아니나다를까 호미며 낫이며 작대기 등속을 슬슬 꺼내들고 있었다.

사흘 굶어 도둑이 된다더니, 춘궁에 유민이 변하여 폭도가 되어버린 것이다. 저들이 보기에도 홍복과 선흥이는 의복이 깨끗하고 패랭이나마 산뜻하여 보상으로 보여지기에 충분했고, 등뒤에 짊어진 봇짐 속에 값진 물건이 들었을 줄로 짐작한 모양이었다. 두어 놈이 일시에 내달으며 불문곡직하고 앞서가던 선흥이의 골통을 바라고 작대기와 호미를 휘두르며 달려들었다. 선흥이가 얼결에 한 손으로 작대기를 받아쥐고 호미 휘두르는 자를 발길로 내질렀다. 그러고는 작대기 잡은 채로 앞으로 끌어당겨 그자의 멱살을 거머쥐었다. 보따리 끌러라, 어쩌고 하면서 위협조차 하지 않는 것으로 보아 그들은 몇번인가 저지른 일이 있어 대수롭지 않았던 모양이다. 굶주릴 대로 굶주린 유민들은 남대천의 장사인 선홍이의 적이 아니었다. 여기에다 홍복이까지 싸움터로 뛰어드니 유민들은 꽁무니를 빼고 달아나기 시작했다. 선홍은 먹살을 잡힌 총각에게 메고 있던 봇짐을 선뜻 끌러주었다. 총각이 얼결에 봇짐을 안고는 믿어지지 않는지 주춤거렸다.

선홍이가 말해주었다.

"어른이 맞아 번 것이니, 아이들 떡이나 사먹여라."

총각은 몇번이나 허리를 굽신거려 보이면서 일행들의 뒤를 따라 뛰어내려갔다. 선홍이들은 고개를 넘어 영평을 지나갔는데 그러한 유민의 일행을 몇무리나 만났다. 도중에는 울타리가 모두 뜯겨버린 빈집도 많았다. 연천에 이르렀을 때 선홍이가 말하였다.

"허, 이거 노자가 다 떨어지겠는걸. 쌀독에서 인심이 난다는데 요즘 같아서는 어디 가서 과객질도 못 하겠군."

"아무 데서나 집털이를 합시다."

"굶은 놈이 많으면 배 터지는 놈두 있게 마련이라, 걸려들겠지."

제각기 봇짐을 내어 따져보니 무명이 반 필이요 돈은 서른 푼도 못 되었다. 박서방댁이 말하였다.

"저기기 마을이 보이는데 무명을 주고 양식을 얻어 중화라두 지어 먹구 가지요."

"어디 하룻밤 유숙할 곳에 가서 아예 잠자리까지 얻지."

홍복의 말에 아낙네가 고개를 저었다.

"우리네야 배가 적어 괜찮지만, 두 분은 펄펄 뛰시는 장정인데 끼니를 놓치구 길을 어이 가신다구 그래요. 우선 중화는 자셔야지요. 그리구 저녁때엔 두 분 말씀처럼 어디 부잣집이라두 털든지……"

"어…… 이 사람이……"

선홍이는 어이가 없어 박서방댁을 바라보았으나 여자는 개의치 않고 종알거렸다.

"걱정 마셔요. 저두 망을 보든지 속이구 들어가서 빗장을 따든지 할 테니까요."

홍복이와 선홍이는 하는 수 없이 너털웃음으로 대꾸하였다. 강이 바라보이는 마을에 들어가니 임진강의 지류로 흘러들어가는 제법 너른 시내가 나왔다. 밝은 햇살을 받아 바닥에 깔린 자갈이 탐스럽게 비치는데 물 흘러내려가는 소리가 귓전을 말갛게 씻어주었다.

마을의 이름은 그대로 옥계(玉溪)였으니 물소리가 사방에 배어 있는 듯하였다. 그들이 마을로 들어가 잠깐 밥 지어 먹을 집을 찾으니 모두들 유민 패거리에 한두 번씩은 귀찮은 꼴을 당한 적이 있었는지 반응이 신통치 않았다. 겨우 동네의 끄트머리에 외떨어진 집에 가서 무명 반 필을 내어주니 전미(田米) 넉 되밖에 줄 수 없다는 것이었다.

"아무리 춘궁이라지만 무명 반 필에 쌀이 넉 되라면, 평년 쌀값의 네 배나 되는데 너무하오."

하였으나 집주인은 맥없이 웃으며 쌀자루를 거두었다.

"햇보리가 나올 때까지 대개가 초근을 섞어 죽을 쑤어 먹는 판인데, 옷은 벗어도 살 수 있으나 양식이 없으면 어찌 연명하겠소. 시세가 맞지 않으면 다른 집으로 가보시구려."

이제 옥계를 지나면 고내재까지 인가가 없으니 다른 방도가 없어서 그냥 쌀을 받아 밥을 짓기로 하였다. 주인이 그래도 경우는 있어서 건어와 나물 등속의 반찬을 내주어 중화를 들고 나서 그들은 오후 느지막하게 옥계마을을 나섰다. 북편의 고개를 넘고 나니 한눈에 너른 강변의 경치가 시원스레 전개되는데 들판에 희끗희끗한 것은 죽 쑤어 먹을 나물이나 다북쑥을 캐는 아녀자들이 분명하였다. 강 건너편에 장경석벽(長景石壁)이 병풍처럼 둘러섰고, 맑고 푸른 물이 도영암의 가파른 암벽 사이로 흘러가고 있었다. 강변의 이쪽은 너른 들판이요, 저쪽은 끊긴 산봉우리들이 그림처럼 서 있었다.

선흥이 일행이 이마에 와닿는 훈풍에 가슴을 펴고 즐거워하는데, 문득 어디선가 질탕한 삼현육각 소리와 계집들의 웃음소리가 들려오는 것이었다. 아래를 내려다보니 소슬한 바람에 푸른 연기가 솔솔 오르고 있는 게 보였다. 원래 풍류는 상것들의 것이 아니고 배부르고 할 일 없는 나리들의 것인지라, 봄볕이 따스해지고 푸른 싹이 돋아나니 놀기 좋은 철이 돌아왔던 것이다.

선흥이가 짐작을 하고서 흥복을 돌아보며 씩 웃었다.

"행로에 뜻 아니한 육것을 잡숫게 되었구먼."

흥복이도 싱글대며 중얼거렸다.

"잘하면 기생년들의 패물에다 화대까지 걷어 가겠구려."

"나두 구경할 테요."

박서방댁과 조카아이가 두 사내를 믿고서 겁도 없이 나섰다. 그들은 선흥이와 흥복이가 무슨 일을 벌이려는지 잘 알고 있었던 것이다.

"가만있자……"

흥복이가 머리를 기웃하고서 잠깐 생각하더니 무슨 안을 내어 세 사람에게 속닥거렸다. 선흥이와 흥복이는 놀이가 벌어진 곳이 내려다보이는 데까지 가서 한가하게 주저앉았고, 박서방댁이 아이를 업고 조카의 손을 잡아끌고는 아래로 내려갔다. 선비들의 답청(踏靑)놀이가 한창 흐드러졌는데 과연 자리는 좋은 데다 잡아서, 아래로 시욱진(時郁津)의 굽돌아나가는 강물과 석벽에서 떨어지는 쌍줄기 폭포가 내려다보였다. 악공과 기생 셋이 앉아서 해금을 켜고 거문고를 뜯으며 시조를 뽑았다.

좌중은 그래도 마전 연천서 밥술깨나 먹는다는 자들인데 시회(詩會)랍시고 호남 간지에, 강진향 벼룻집에, 백옥 연적, 팔신공묵 갖추어 눌러두고 운자를 부르고 야단이었다. 노구에서는 이밥이 익고 채반에는 쇠고기 닭고기 갖은 어포 등속이 그득하며 감홍로가 한 준(樽)이며 갓 나온 잔디 위에 화문석이 깔려 있고 기생들 뒷전에는 미리 받아두었는지 부담이 놓여 있었다. 박서방댁이 후줄근한 표정을 하고서 아이를 앞세워 그들 앞에 나아갔을 제 한창 시흥이 도도한 자가 수염을 쓰다듬으며 지껄이는 중이었다.

"난간 나무 빽빽하나 그래도 골짜기 감추고(樹密仍藏谷) 처마가 훤하여 산을 가리지 않네(舊虛不礙山). 물소리 베개 위에 들려오고(水聲來枕上) 구름 그림자 창 사이에 떨어지네(雲影落窓間)."

한잔 술에 노곤하여 목침 베고 누워서 한세상 사노라는 기분이니, 밭고랑에 어느 놈이 꾸부려 있건 웬년이 산야에서 쑥을 뜯건 상관할 바 아니라는 투였다. 역시 그 입으로 감홍로가 부어지고 닭다리 하나 들어갔다. 모두들 절귀라고 떠들고 기생년은 술을 치기 바쁜데, 악공의 뒤에 와서 섰는 것은 무명옷 입고 아이들을 데리고 섰는 촌부였다. 박서방댁은 아무 말 없이 서 있기만 하였고, 드디어 그들에게는 어울리지 않는 일행이라 모두들 음식 집어먹기를 멈추었다. 또한 웃음과 말도 멈추게 되어 그래도 속이 있는 자는 어흠, 큰기침하면서 돌아앉았고 한 사람이 불쾌한 얼굴로 물었다.

"뭔가…… 여기는 아녀자 올 자리가 아닌데?"

그래도 박서방댁은 썰렁한 시선으로 음식이 벌여진 다담상을 내려다보았다.

"허허, 거기 뭣들 하느냐?"

선비 하나가 놀이터 아래편에서 저희끼리 몰려앉았던 구종배들에게 한마디 하자 그들은 무료하던 참이고 각각 제 주인이 바라보는 판이라 세 녀석이 함께 일어났다.

"이거 여기가 어느 자리라구 와서 청승이야."

"어서 가지 못해."

한 녀석은 박서방댁의 등을 밀고 다른 녀석은 조카아이의 손을 잡아끌었다. 기생이 있다가 그래도 동정이 가는지,

"뭐 먹을 것 좀 들려서 보내구려."

한마디 하였고, 곁에 앉았던 젊은 선비도 기생의 말에 거들었다.

"밥을 퍼서 찬이랑 주어 보내게나."

또다른 자가 말하는데 그는 이미 술이 거나해져 있었다.

"가만있거라. 이 자리는 시회하는 곳이고 누구든 한수 읊기 전에는 음식 참예를 할 수가 없다. 거 아무거나 소리라두 한마디 듣자꾸나."

"조옳지, 보아하니 살결두 희구 인물이 그만허면 네년들보다 낫구나."

아예 희롱하고 나오는 자도 있었다.

"아이고, 그저 계집이라면 입술을 적시는구려. 아무러면 매란국죽 마다허고 잡화를 탐할 학사가 어디 있나요?"

"모르는 소리다. 월야에 다소곳한 박꽃도 또한 마다 않으리라."

박서방댁은 그들의 오가는 희롱을 모르는 체 구종배들이 덜어주는 음식을 따로 받아 아이들에게 먹이고 앉았고, 처음부터 소리를 청하던 자가 비틀걸음으로 일어났다.

"여보게, 그 뉘 마누라인지는 모르되 이런 예가 있나. 춘흥이 가득한데 잡가가 되었든 타령이 되었든 한자리 해보라니. 내 술도 한잔

쳐주지."

속 있는 자는 선비 체모에 조금 과하다는 생각을 하고 있었는데, 웬 초라한 사내 하나가 놀이판으로 다가와서 큰 소리로 외쳤다.

"마누라, 어디 갔나 했더니 여기 있었구먼."

하고는 좌중의 사람들은 거들떠보지도 않고서 그릇에 담긴 음식과 밥을 와락 움켜쥐어 틀어넣는 것이었다.

"아니, 저런……"

나리가 손가락질을 하기도 전에 하인들은 나중에 집에 가서 치를 곤욕부터 두려워 제가 미리 지나치게 나올밖에. 우선 나간다는 게 욕설이었다.

"이런 망할 자식 같으니, 예가 어디라구 초상집 개처럼 얼씬거려."

"예가 어디긴 어디야, 구휼청 활인서두 아니구 청보에 싸논 개똥 두엄께지."

선비들이 저런 저런, 하면서 손짓 입맛 다시기 바쁘니 하인은 오랜만에 주인들 앞에서 꿩 잡은 매의 행세라 신이 나서 손찌검을 하였다. 볼퉁이를 찰떡 치듯 하는 판인데, 아무리 홍복이가 별다른 재간이 없다고 하나, 한창 시절에 주막거리에서 당초망이란 소리를 듣던 사람이라, 슬쩍 손을 올려 막으면서 손가락을 비틀어쥐었다. 그러고는 한 바퀴 꺾어서 등뒤로 밀어붙였다.

"글 한다는 것들이 앉아서 굶주린 양갓집 유부녀나 희롱하고 있으니, 겉물골은 선비로되 속은 썩은 내가 나지 않느냐?"

하고는 발길로 하인의 궁둥이를 호되게 걷어차고 좌중을 향하여 돌아섰다.

"에잇, 냄새나서 못 먹겠다."

홍복이가 씹던 밥알을 좌중에다 대놓고 길게 뱉어버리니 모두들 도포자락을 들어 안면을 가렸다.

　"왜 씹던 밥알이 더러우냐? 너희 오장육부보다는 한결 정갈하다."

　궁둥이 얻어맞고 나뒹굴었던 자가 채 일어나기도 전에 나머지 두 놈이 소매를 부르걷고 달려드는데, 나무 사이에서 선홍이가 두 팔을 벌리고 마중을 나왔다. 이 녀석들이 언제 건넛마을 김풍헌을 본 적이 있나, 이놈이나 그놈이나 한통속이겠거니 여겨 개나 걸이나 잡는다고 주먹을 부르쥐고 덤벼들었다. 선홍이가 가볍게 두 놈의 옷깃을 잡아당겨 한쪽 팔을 양손에 틀어쥐고는 그 자리에서 빙빙 돌며 맴돌이를 실컷 먹이다가 좌우로 패대기쳐버렸다. 두 놈이 사지를 허재비처럼 뻗고 땅 위에 구르더니 흙냄새가 고소한 모양이었다.

　"봄 낮잠에 불알이 살찌는 게여."

　선홍이가 허허대고 돌아와서 우선 궁둥이가 화문석에 붙어버린 듯한 놀이판 가운데로 덥석 들어가 병째로 감홍로를 꿀꺽이며 마셨다. 홍복이는 달아날까 덤빌까 움찔거리는 나머지 하인 한 놈에게 손가락질하며 조용하게 으르대었다.

　"거기…… 꼼짝 말구 앉았어."

　하인이 널브러진 동무를 두어 번 돌아다보더니 엉거주춤 쭈그려 앉았다.

　"어이구, 이게 다 뉘 댁 광에서 나온 산해진미일꼬."

　선홍이가 여로에 나물과 조밥만 대하다가 그럴듯한 화주와 고기를 만나고 보니 우선 다른 여념이 없었다. 그래도 홍복이가 생각이 빠른지라 다섯이나 되는 선비와 기생 셋과 악공 둘을 수습해두는 것이 안전할 것이라 생각하고 박서방댁에게 눈짓하였다. 그들은 무엇보다도 선흥이의 몰골이 험상궂어 그가 음식을 대강 먹고는, 저 남생이 잔등 같은 손으로 상투라도 뽑지 않을까 염려하여 안색이 푸르죽죽 설익은 살구빛이었다.

"성님, 일하구 나서 잡수시우."

흥복이 보다 못해 한마디 하니 선흥이는 그제야 병에 남았던 술을 한모금에 비웠다.

"거 참 오라를 지니구 다니는구나?"

선흥이가 선비들의 도포에 휘감은 술띠를 끄르며 말했다. 그는 술띠를 풀어다가 하인놈들부터 차례로 나무에 묶어놓았다. 기생은 기생들끼리 묶어놓고는 흥복은 나리들의 갓을 모두 벗기고 도포도 벗겼다.

"그래놓으니 털 뜯어놓은 병아리 꼴이로구나."

선흥이가 다시 주합(酒盒)을 열며 빈정거렸다. 흥복은 나리들의 몸에서 값진 것들을 골라내고 있었다.

"어이구, 이이는 은동곳을 했구먼. 이건 옥풍잠이고……"

사정없이 머리를 흩트려놓으니 나리들은 꼭 하도감(下都監) 검은 방에 떨어진 사졸과 같았다. 박서방댁은 한창 기생들의 몸뒤짐을 하는 중이었다. 옥지환 은지환은 물론이요 금박댕기 은박댕기 노리개에 은장도 향갑 등속을 사정없이 떼어냈다. 선흥이가 기생들의 뒷전에 놓였던 부담을 끌어다 열어보니 돈이 열 냥에 갖은 방물이 들어있었다.

"이거 이녁 갖다 할라우?"

선흥이가 박서방댁에게 물으니 그 여자는 입을 비쭉거렸다.

"갓을 줏어다 쓰시지요."

"허허허, 내가 갓을 써? 차라리 목을 베구 말지."

선흥이는 돈만을 끄집어내어 챙겼다. 워낙 장신구와 패물들이라 한데 모았어도 작은 보퉁이에 지나지 않았다.

"가면서 여기저기 적선해두 되겠다."

선흥이는 진 음식은 놓아두고 마른 음식들만 그러모아 싸기 시작하였다.

"거, 아주 종이가 부드럽구 야들야들한걸."

붓도 대지 않은 새하얀 호남 간지를 뚤뚤 말아 고기며 전이며 육포를 싸면서 선흥이는 감탄하였다.

"뒤지로도 아주 좋겠구먼."

선흥이는 나머지 종이까지 꾸려넣었다.

"가만, 가만…… 이거 뭐라구 그려놓았는지 도대체 알아먹을 수가 있나."

선흥이는 절귀라던 시가 적힌 간지를 비뚜름하니 들고서 들여다보다가,

"에이, 못쓰겠다."

하면서 머리 뒤로 던져버리니, 물소리 베개 위에 들리고 구름 그림자가 창 사이에 어쩌고 하던 글귀가 봄바람에 휘적이며 날아가버렸다. 박서방댁이 선흥이에게 말을 넣었다.

"아예 그 찬합이랑 반합도 들구 가십시다. 들에 나와 있는 아이들이나 갖다주게."

역시 제 손가락 찔려봐야 남의 아야 소리 알아듣는다고, 박서방댁은 느릅나무골의 메를 캐던 아이들이 생각났던 모양이다. 선흥이가 고개를 주억거리고 큰 손에 찬합 반합을 들었다. 좀도둑 지나간 자리에 쌀 변한 물건[糞]이 남듯이, 한판 저지르고 사설이 없을 수 있나. 말주변깨나 있는 흥복이가 돌아서서 파흥된 자리에다 한마디 보

태놓는다.

"답청이란 쟁기 잡고 가랭이 걷고 맨발로 일하는 이에게나 쓸 문자속이지, 너희처럼 두 다리 뻗고 어깻죽지 주물리는 놈들에겐 당치두 않다. 오늘의 운자는 파(破)자이니 우리가 간 뒤에 골 맞대구 지어봐라. 내가 우선 한 수 남기구 갈란다. 긴긴 봄날 배고파, 쑥개떡도 먹고파, 도둑질도 하고파, 봇짐 지고 가고파, 자아, 우리는 가네. 고뿔들면 마누라한테 갈근탕이나 달여달래게."

그들은 갓과 도포를 들고 나와서는 나뭇가지에다 여기저기 걸어두었다. 내처서 강변의 들판으로 나가 선홍이가 먼저 큰 소리로 아이들을 불렀다.

"얘들아, 잔치 음식이 예 있다. 어서 먹어라!"

아이들은 무슨 영문인지 모르고 그냥 주춤하니 섰을 뿐이었다. 박서방댁이 다시 입나발을 하여 외쳤다.

"이밥에 고기반찬이 그득하단다. 여기 두고 갈 테니 가져다 먹으려무나."

아이들이 슬슬 움직이기 시작하고 그중 용기 있는 계집아이가 뛰어오는 것이 보이자 그들은 들판 위에 찬합과 반합을 내려놓고 돌아섰다. 시욱진의 강변으로 지나치는 바람에는 풀냄새가 싱그럽게 실려 있었다. 그들은 삭녕을 지나 평산에 닿아서야 패물 등속을 팔았다.

노자는 이미 넉넉하였고 도계를 넘어오니 집에 다 온 것같이 느긋한 기분이었다. 홍복의 조카아이가 어린 몸에 수백 리 길을 따라다니느라고 고생이 심했고 박서방댁도 겉으로 내색은 않았지마는 어린애를 업고 먼길을 걸어 지칠 대로 지쳐 있었다. 홍복이와 선홍이가 아이를 번갈아 업고 가기도 하였는데 평산서 돈이 생긴 김에 서

홍까지만 세마를 내기로 하였다. 이번 행로에 선흥이와 박서방댁은 허물없는 사이가 되었으니, 선흥이는 그 여자의 시원시원하고 인정 많은 꼴에 저도 모르게 엇구수한 정이 들어버렸던 것이다. 그런데 선흥이가 무뚝뚝하나마 가끔씩 그런 정다운 기미를 보일수록 아낙 네는 웬일인지 그를 어려워하기 시작하였다. 가는 길은 엿새가 걸렸 는데 돌아가는 길은 더디어서 달포 남짓 걸려서야 그들은 동선관에 닿았다.

동선관 주막에서 하루를 푹 쉬고 나서 그들은 동선령의 새 산채로 올라갔다. 이미 집 두 채가 서 있었고 나머지 집들도 골격이 갖추어 져 있었다. 모두들 나와서 그들을 맞았다. 길산이 흥복이의 손을 잡 아주며 다정하게 물었다.

"그래…… 별 고생들은 없었느냐."

"고생이랄 게 뭐 있겠습니까. 선흥이 성님이 동행해주셔서 여러 가지로 수월하였지요."

"수고들 많았다."

길산이 흥복의 조카아이 머리를 쓰다듬으며 한쪽에 섰는 박서방 댁을 돌아보았다.

"아주머니도 고생이 많으셨소."

선흥이가 박서방댁의 등을 밀었다.

"우리 성님인데 인사하슈."

박서방댁이 수줍은 가운데 고개를 숙이고 중얼거렸다.

"어서 올라가십시오. 인사 올리겠습니다."

"인사는 무슨……"

길산이 마루로 올라갔고, 흥복은 그의 등뒤에서 나직하게 말하 였다.

"저희 형수가 아닙니다. 이웃집의 과수댁인데……"

"왜, 고향에 계시지 않던가?"

그러나 홍복은 더이상 말을 꺼내지 못하였다. 길산이 자리를 잡아 앉았고 박서방댁은 밖에서 등에 업었던 아이를 풀어 내리니 선흥이가 자연스럽게 받아 안았다. 아이가 제 어미를 떠나 칭얼거리자 선흥이는 혀를 두드려 아이를 달랬다. 홍복이 길산을 돌아보며 싱긋이 웃었고 길산은 아직 별 느낌이 없는 듯이 보였다. 박서방댁이 얹은머리를 두 손으로 쓰다듬어 올리고는 길산에게 얌전히 큰절을 올렸다. 길산도 맞절을 하였고 이어서 홍복의 조카아이가 두 손을 이마에 올리고 절하였다. 박서방댁이 고개를 숙인 채로 길산에게 말하였다.

"저는 느릅나무골서 최서방네 이웃에 살다가, 최서방이 고향을 떠날 때 사단에 얽혀서 가장을 잃었습니다. 가장이 돌아간 뒤로 겨우 품을 팔아 연명해오더니, 이번 춘궁에는 온 고장에 기근이 우심하여 꼼짝없이 누운 채로 굶어죽게 되었다가 두 분의 도움으로 가까스로 회생하였습니다. 의지할 데가 없어 고향에서 죽느니보다는, 노중 객사라도 하는 게 나을 듯하여 염치 불고하고 두 분을 따라나서게 되었지요."

길산이 홍복이와 선흥이에게 물었다.

"거기서 별일은 저지르지 않았던가?"

"하마터면 총포에 맞아 물귀신이 될 뻔하였지요. 동네에서 눈치를 챘습니다."

선흥이가 말하니 길산은 고개를 끄덕였다.

"그렇다면 어차피 아주머니께서도 나중에 관의 핍박을 받게 될 형편이었군. 어쨌든 동행하기를 잘하였으나 보다시피 여기는 여염의 살림도 아니고……"

박서방댁이 고개를 들고 말하였다.

"제가 아무리 소견 없는 아녀자라 하오나, 두 분과 함께 수백 리 길을 오면서 모두 짐작하여 알았습니다. 사내들끼리 있는 곳에서는 빨래나 밥시중을 들어줄 계집이 있어야 살림에 규모가 잡히는 것입니다. 절대루 거추장스럽게 하지 않겠어요."

"거추장스럽다니 거 무슨 말이우. 그렇지 않아두 안식구들을 데려다가 안돈을 시키려는 판인데, 내가 집이라두 지어드리리다."

선흥이가 성급하게 나서며 제 가슴을 두드렸고, 박서방댁은 눈을 흘기면서 선흥이를 올려다보았다. 선흥이와 노상에서 친해진 갓난아이가 그의 무릎 위에서 겅정거리며 뛰고 있었다. 길산은 그제야 박서방댁과 선흥이의 낌새를 눈치채고 홍복이 쪽을 돌아보았다. 홍복이는 바로 맞았다는 듯이 천천히 고개를 끄덕였다.

"자네 형수는……"

"무관과 살구 있었습니다. 함께 오려고 했으나…… 벌써 늦었지요."

길산이 여자에게 말하였다.

"여기서 이렇게 산다는 게 기약 없는 일이긴 하지만 여염 마을이나 똑같이 사람 사는 도리도 있고 이웃끼리의 정도 두터운 곳입니다. 선흥이가 저렇게 큰소리를 치니 설마 굶기기야 하겠습니까. 다만 여기가 아직 자리가 잡히지 않았으니 당분간 홍복이네에 가 있든지, 아니면 동선관 주막에 내려가 있으시지요."

"아니어요. 제가 보기에 역사가 있어서 모두 바쁜 모양인데 밥도 짓고 빨래도 해야겠어요. 여기 있도록 해주십시오."

길산은 응낙하지 않을 수 없었다. 이 소문은 곧 산채에 파다하게 퍼져서 마감동 김선일 강말득 등은 서로 수군대며 즐거워하였다. 저녁을 먹을 때 박서방댁이 상을 차리는데 말득이가 불쑥 부엌을 들여다보며 농을 던졌다.

"형수, 나는 누룽지를 좋아허우."

밥을 푸던 박서방댁이 형수라는 말에 곧 얼굴이 빨갛게 되며 돌아서는데 선일이도 들여다보며 덧붙였다.

"형수님, 나는 푸근한 밥을 좋아허니 아래쪽을 퍼주시우."

박서방댁은 다시 일을 계속하지 못하고 돌아선 채로 부엌 안에 웅숭그리고 있었다. 선홍이가 마루에 앉았다가 이들의 하는 짓거리를 보고, 여자가 안된 마음이 들어 부끄러움도 잊고 마당으로 내려섰다.

"아니 저 자식들이 애들처럼 뭐 하는 짓이여."

선일이와 말득이는 서로 어깨를 건드리거나 쿡쿡 찌르며 웃음을 참고 있었다. 선홍이가 다가와 그들의 목덜미를 잡으려니, 말득이가 외쳤다.

"형수, 안 말려줄 거요?"

"젠장 누룽지는 서방님 몫으루 챙기려우?"

선일이도 지껄이며 달아나니 선홍이는 그들을 쫓아가려다가 뒷전에 섰던 홍복이와 감동이를 보고는 쑥스러워져서 슬며시 돌아서다가 부엌을 넘겨다보며 한마디 던졌다.

"애나 풀어놓구 하슈."

여자는 더욱 부끄러워져서 기어들어가는 소리로 대답하였다.

"어서 저리루 가요. 무슨 사내들이 부엌을 기웃거린담."

선홍이는 이제 얼굴이 지지벌겋게 되어 동무들 사이로 돌아왔다. 감동이가 눈짓하여 일부러 무덤덤히 마루에 앉았는데, 선일이와 말득이가 상을 맞들고 오면서 또 한마디씩 하였다.

"이 가운데 고봉으로 담은 밥은 서방님 차례일세."

"아따, 나두 여편네를 붙여두어야지 이러다가는 누른밥이나 한술 얻어먹기두 어렵겠는걸."

선흥이는 아예 입맛을 다시며 대꾸가 없다가 상이 앞에 놓여지자 벌떡 일어났다.

"성님 밥 먹으라구 해야지."

말득이가 받기를,

"길산이 성님두 이제는 우리나 매한가지여. 형수께서 구월산에 계시는데 언제 서방님 밥상 들여다볼 틈이 있겠다고."

하는데 선흥이가 드디어 역정이 났는지 버럭 소리를 질렀다.

"걱정 마라 이놈아, 나 장가들 테니까."

박서방댁은 아예 부엌에서 나오지도 못하였고, 선흥이는 짜장 부아가 돋은 듯이 쿵쾅거리며 마루 위로 올라갔다. 선흥이가 미닫이를 열면서 불쑥 말하기를,

"성님, 나 장가들라우."

하였고, 길산이 되물었다.

"그래 누구허구 하려느냐?"

"누구긴 누구요, 춘천댁이지."

"그것 참…… 성미가 급하구나. 총각이 어디 너 하나뿐이냐?"

"깐놈들 나를 놀려대는 꼬락서니가 장가가자면 산 호랑이 눈썹 뽑드키 가망 없는 자식들이우."

길산이 껄껄 웃었다.

"그놈들이 새암이 나서 그러는 게다. 헌데 춘천댁은 이미 아이까지 낳은 과수댁이고 너는 숫총각인데 밑지는 기분은 없느냐?"

"아니 거 무슨 말씀이우. 춘천댁이 저자의 곤달걀이우, 방물전의 이 빠진 참빗이우. 애는 아무나 낳는 게고, 나 대신에 박가 성 가진 이의 살림 해주었으니 언년은 뭐 고각에 앉아서 사타구니 도사리구 풍월한답디까. 다들 지어미가 되어서 이러구러 살다가 이빨 빠진 할망구가 되는 게여. 나는 춘천댁하구 구수하게 살 터이니 성님두 딴소리하지 마슈."

"알겠다. 네가 나중에 물르자구 나올까봐 그랬다. 제 마음에 괴어야 궁합이라는데 네가 그토록 춘천댁이 좋다니 과연 연분은 묘하구나. 그런데 네가 막상 장가를 든다 하니 그냥 하품타령으로야 지낼 수 있겠느냐. 이번에 산채가 정돈되고 구월산 식구들도 안돈시킨 연후에 너희 가족들에게도 통기하여 지내도록 하자꾸나."

"그럼 성님이 좀…… 해주슈."

선흥이가 더 말하지 않고서 쓱 돌아앉았고, 길산은 알아듣지 못하였다.

"뭘, 장가두 대신 들어주랴?"

"저…… 저 자식들 함부로 농치지 못하게 봉해달란 말이지요."

"그래 알겠다. 어서 들어오라구 해라."

저녁밥을 먹고 나서 모두 둘러앉은 뒤에 길산이 아우들에게 말을 꺼냈다.

"이번에 선흥이가 춘천댁과 성혼을 하기로 작정이 되었다. 기왕에 나온 얘기니까 너희들두 남의 일 같지 않게 들어두어라. 우리가 아무리 세상을 등지고 숨어 산다고는 하나, 대개가 정처 없이 떠다니다가 집도 잃고 혈육도 없으니 이런 적막할 데가 어디 있겠느냐. 모두들 볼썽사나워 헛상투를 틀었으되 이건 도무지 사내들끼리 왁자거리는 것이 부허하여 못 보겠구나. 이제는 제각기 아낙을 맞아 여염의 생활을 해야겠다. 선흥이 장가간 뒤에 누구든지 인연을 맺어서 안식구를 거느리도록 해라."

모두들 막상 그런 말을 듣고 보니 공연히 사내끼리 둘러앉은 것이 싱겁기 짝이 없었다.

"이제는 춘천댁과 선흥이는 부부나 다름없으니, 공연히 놀리거나 농담하지 말구 아주머니처럼 대하여라."

장본인 선흥이는 멋쩍어서 천장도 올려다보고 방바닥도 내려다보며 딴전을 피우는데, 말득이가 처진 목소리로 말하였다.

"우리 끝춘이는 그럼 누구한테 시집을 보낼꼬……"

"누이가 방년 몇이우?"

김선일이 불쑥 물었다. 말득이가 대견찮게 여겨 그를 힐끗 바라보고는 묵묵부답하였다. 길산이 선일에게 말하였다.

"그래, 끝춘이를 자네가 본 적이 있던가?"

"본 적은 없습니다만…… 얘기는 많이 들었습니다."

길산은 선일의 은근히 바라는 눈치를 알고서 말득이에게 말하였다.

"전에두 얘기했지만 끝춘이 중신은 내가 서야겠다. 자네 생각은 어떠한가?"

말득이가 별수 없이 머리를 숙였다.

"성님께서 해주신다면야 저두 할 말이 없습니다."

마감동도 새삼 장가드는 얘기가 나오고 보니 어쩐지 심란한 생각이 들었다.

"하여튼 이사나 끝내구 보십시다."

감동이가 말하였다. 그믐께에 가서야 산채가 대강 정돈이 되었고 길산을 비롯한 식구들은 모두 구월산으로 돌아갔다. 오만석은 구월산 산채에 남고자 하였는데 마감동도 그 생각은 같았다.

김기도 그의 고향이었던 봉산 근처로 식구들을 데리고 가는 것은 꺼려하였으므로 결국 동선령으로 이사 갈 가족이 있는 것은 길산과 말득이뿐이었다. 김기는 식구들을 탑고개에 남겨두고 혼자서 동선령으로 가기를 원하였다. 이따금씩 은율로 가서 식구들을 돌아보고는 다시 산채로 오르면 될 것이라 하였다. 오만석과 마감동도 무슨 일이 생기면 곧바로 달려가리라 다짐하였다. 길산은 산채의 식구들이 나누어지는 것을 처음에는 반대하였으나, 아버지 장충과 안무당이 탑고개를 뜨기를 싫어하는 것을 보고는 드디어 구월산에 패거리를 남기기로 하였다. 장충이 말하였다.

"우리는 이젠 다 늙었다. 또 어디로 가서 새로 정 붙이고 살겠느냐. 우리는 탑고개를 떠나지 않을 작정이니 네 처와 수복이나 데리구 가거라."

그러나 봉순이는 늙은 부모님을 탑고개에다 떼어놓고 갈 수는 없다는 것이었다. 장충이 달래었다.

"예서 봉산이 지척인데 뭘 그리 염려하느냐. 우리 걱정은 말구 네 남편을 따라나서거라."

길산이 드디어 말득이와 선일이와 선흥이를 데리고 구월산을 떠나는 날, 봉순이는 할 수 없이 수복이를 업고 그들을 따라나섰다. 김기는 식구들을 남겨놓고 길산을 따라서 동선령으로 향하는데, 감동이와 만석이도 일단 선흥이의 혼례에 참례하려고 동선령까지 같이 갔다. 그들이 동선령 산채에 당도한 지 사흘쯤 지나서 곧 선흥이와 춘천댁의 혼례가 이루어졌고, 선일과 끝춘이는 맞선을 보았다. 마감동과 오만석이 동선령서 며칠을 묵고 나서 강말득과 함께 길을 떠났다. 말득이는 송도로 박대근을 찾아갔다가 우대용을 만나고 돌아올

참이었다.

5

봄부터 기근이 전국을 휩쓸고 있었다. 사월에 변덕스러운 날씨가
폭풍과 우박을 몰고 와서 평안도와 황해도 일대에 극심한 보리의 피
해가 있었다. 연이어 굶주린 백성들을 역병이 덮쳐버렸고, 유월이
될 때까지 비는 한줄금도 비치지 않았다. 이제 가뭄과 기근은 전국
을 휩쓸고 있었다. 굶주림으로 역병이 일어나고 따라서 농사를 짓지
못하며 거기에다 날씨의 변화로 추수마저 할 것이 없게 되니 흉년은
일 년이 아니라 실상은 몇년씩 누적되는 법이었다. 팔도가 모두 굶
주림과 병에 시달리고 있었는데 그 가운데서도 황해도 지방이 가장
심하였다. 노상에는 양식을 구하러 다니다가 쓰러져 죽은 자의 시체
가 즐비하고 버려진 아이들이 무리지어 대처를 떠돌았다. 기운이 남
은 자는 곡식 한두어 되를 빼앗기 위하여 함부로 사람을 죽이곤 하
였다.

흉년의 붉은 해가 메마르고 갈라진 들판을 모두 태워버릴 듯이 이
글거렸고, 빈 마을에는 굶어죽은 자와 역병으로 쓰러진 자의 시체들
만이 까마귀와 더불어 남아 있을 뿐이었다. 고을마다 진휼한답시고
관가 앞에 죽솥을 두어 찾아오는 기민에게 솔잎과 쌀가루 섞인 진휼
죽을 한 그릇씩 먹였다. 살아남은 자들은 또한 자식을 팔고, 가족들
은 사방으로 흩어져 살 길을 찾다가 노비가 되는 것을 자청하기도
하였다. 부자들은 양식을 광 속에 산더미처럼 쌓아두고 굳게 대문을
걸어잠그고서, 하인배로 하여금 기민이 얼씬거리지 못하도록 엄중

히 단속시켰다.

간혹 그 가운데 진휼을 원하는 이가 있었으나, 대개는 공명첩을 바라고 하는 일이라 고작해야 쌀 수십 석이었으며, 그것으로는 한 고을의 백성들이 사나흘 동안 죽으로 연명할 뿐이었다. 어떤 곳에서는 명년의 농사에 직접 일하게 될 장정들 중심으로 구제를 하여 어린아이와 노인들이 많이 죽었다. 공명첩과 쌀을 바꾸려는 자도 제법 많아서, 흉년에는 찰방, 별좌, 판관, 첨정, 부정, 통례정, 첨지, 동지 등등의 가설직의 사태가 났고, 양민은 차츰 천민으로, 돈 있는 자는 자꾸만 양반으로 상승되었다. 이제는 돈 가진 자가 천자문 한 권을 읽지 못하였어도 관 쓰고 도포 입어 스스로 양반임을 자처하게 되었다.

대개 양민으로서 가설직을 살 정도로 재산을 모은 자들이란, 지방 관리나 토호들에게 붙어서 제 주변의 같은 처지의 사람들을 짓밟고 빼앗아 대지주가 된 사람들이었다. 재물뿐 아니라 공명첩까지 얻게 되었으니 비록 흉년에 수십여 명에게 죽사발을 먹이느라고 쌀을 약간 축냈다고는 하나, 명년부터는 생존자들을 동원하여 더 큰 재물을 모을 권력까지 얻게 된 셈이었다.

유월의 막바지에 그야말로 천지는 이위화(離爲火) 격으로 불타는 듯하였다. 해안지방에서는 게나 잡어를 주워다가 끓여먹기도 하였고, 깊은 산속에서는 열매를 얻기도 하였으나, 역시 농사를 짓던 마을마다 굶주림이 혹심하여, 뱀이건 개구리건 닥치는 대로 잡아먹다가 기운이 없고 지쳐서 나무 그늘에 누워 서서히 죽어가곤 하였다.

서흥 중부지방의 객관인 용천관 앞의 넓은 마당에는 임시로 기민을 위한 진휼처가 열렸다. 객관은 낡은 건물이라 기둥과 서까래가 썩고 문이 떨어져나갔으며, 기와가 파손되어 관원은 아무도 유숙하지 않아서, 문루와 동헌 서헌에는 유랑민들이 땡볕을 피하여 이리저리 눕고 앉았다.

동헌 앞에 커다란 쇠솥 셋이 걸려 있었고, 아전이 친히 관노들을 데리고 나와서 인근 부락에서 몰려나온 자들의 호패를 점검하고 죽을 퍼주고 있었다. 이곳에 호적이 없는 자들은 뒤로 미루어지는 것이었고 동네마다 저희끼리 패를 짜두어야만 하였다. 따라서 늦게 오는 자들이나 끼이지 못한 자들도 뒤로 밀려나게 되니, 자연히 언성도 높아지고 욕설이 오가는 것이었다. 겨울부터 봄까지 변덕스런 날씨로 하여 싹도 내기 전에 농사의 절기가 지나가버리자 곧이어 입춘이 지나면서부터는 비가 한 번도 내리지 않았다.

봄은 영영 없어져버렸으며 곧 염천과 같은 무더위가 다가와 그나마 모판을 바라던 백성들의 가냘픈 기대마저 말려버리고 말았다. 논과 밭에는 자라나는 것이 전혀 없었고 열병까지 나돌아서 들판에는 여름 절기에 아무것이나 생산해내려고 꿈틀대는 사람의 자취도 끊겼으며 천지가 온통 붉은 땅뿐이었다. 이제는 풀과 나무뿌리를 캐러 다니는 자들도 없었다. 쑥도 곡식이 없으니 캐나마나였지만, 명아주 비듬 송도화도 절기가 다 지나자 먹을 수도 없이 시들었고 샘과 개천은 말라버렸던 것이다. 그래도 죽을 얻어먹으러 나온 사람들은 봄에는 식량이 조금 남아 있던 부류였고, 먼 곳에서 온 유민들은 이미 오래 전에 식구들과 헤어져 걸식하며 다닌 지가 오래된 자들이었다.

"어느 동네여?"

나졸이 구기를 솥에 넣어 휘휘 저으면서 앞으로 나오는 자에게 물었다.

"예, 목감방이올시다."

"거긴 아까 지나갔어. 이따가 죽이 남거든 오고 시방은 율리방 사람들만 앞으로 나와."

"아이구…… 간신히 십 리 길을 왔는데 이거라도 받아다가 아이들을 먹여야 합니다."

머리가 흐트러지고 안색은 이미 부황이 들다 못해 시꺼멓게 죽은 중년의 사내가, 앞으로 내밀었던 양푼을 솥 안에 막무가내로 넣으려 하면서 사정하였다.

"저리 못 가? 어디다가 들이밀고 지랄이야."

옆에 섰던 관노가 그를 억지로 줄에서 끌어냈고 뒤에 섰던 자는 그를 아랑곳하지 않고 합세하여 밀어냈다.

"율리방입니다."

나졸이 구기를 담가서 두 번을 퍼내어 그의 내밀어진 그릇에 쏟았으나 그는 빠져나가지 않고 사정하였다.

"마누라가 누워 있어 데리고 나오지 못하였습니다. 한 몫만 더 주시우."

그러나 나졸은 구기로 솥을 두드리며 중얼거렸다.

"일인 일식일세. 자, 다음……"

"아이들도 있습니다."

"내일부터 데리고 나오든지 이따가 저녁때 모두 데려와."

그럴 수밖에 없는 것이 기민은 한정 없이 먹으려 하고 구휼미는 이리저리 빼돌려 재고가 모자라, 권분이라 하여 관아에서 지방의 부자들에게 권하여 구휼미를 내도록 해서 겨우 끓이는 시늉이나 하는 때문이었다. 진곡이 따로 있어야 하건만 대개의 수령들은 갖은 명목으로 사복을 채우고 겨우 진휼하는 시늉만 내게 마련이었다. 줄에 끼여 있지도 않던 노파 하나가 깨어진 사기 대접을 들고 반열에 내달려오며 사정하였다.

"나으리, 벌써 이틀이나 아무것도 넘기지 못하였소. 한 구기만 떠주시오."

"호적 대조는 하였는가?"

"저희는 신계에 살다가 식구들이 먹을 것을 찾아 모두 흩어지고, 저하고 손자만이 남았수."

나졸은 거들떠보지도 않았고 관노가 그래도 동정하며 말하였다.

"신계 관아로 가시우. 왜 여기 와서 죽을 달라고 허우, 우리 고을 사람들 먹을 것도 없는데."

"되돌아가려도 걸을 기운이 있어야 가지."

"저리 비켜요. 어이, 율리방은 다 끝났다."

이러한 혼란과 애소가 죽솥 앞에 끊임이 없는데 아직도 기민의 행렬은 동헌 앞뜨락을 지나 문루 아래까지 뻗쳐 있었다. 모두들 땀을 흘리며 그늘에 웅기중기 모여앉아 제각기의 그릇을 들고 죽을 마시는데, 보릿겨와 모래가 섞인 싸라기에 솔잎을 잘라넣어 멀겋게 끓인 보리죽이었다. 요행히 한 그릇을 먼저 타먹었던 타관 사람이 말하였다.

"평산에서는 사또가 바른 이라 흰죽에 푸성귀를 넣었는데 여긴 지독하구만."

"진곡으로 남겨둘 것을 모두 사용으로 써버렸을 테지."

"이나마도 하루 두 번밖에 주지 않으니, 매양 수십 리 길을 걸어다닐 기력도 없어 온 가족이 아예 여기서 노숙한 지 닷새째요."

말하면서 그는 뒷전에 모여앉아 죽을 마시는 네 사람의 처자를 돌아보았다. 다른 사람이 가볍게 비워진 죽그릇을 손가락으로 훑어 빨고 나서 탄식하였다.

"망할 놈들…… 볏모를 다 뽑으라더니 메밀을 심으라지 않소. 오늘부터 모두 동네로 쫓아낸다고 합디다. 종자도 안 주면서 덮어놓고 메밀갈이를 하랍디다."

"아무거나 종자가 있었더면 그것으로 온 식구가 메밀죽이나마 트림이 나오도록 먹어치우겠다."

"이달 안으로 무엇이든 심지 않으면 가을까지 진곡도 내주지 않는답디다."

"이제 추수는 아예 그른 판이니 겨울이 오면 떼죽음이 날 게요."

그들은 한결같이 누렇게 부어오른 얼굴 위로 콩알만 한 땀을 그득히 흘리고 있었다. 죽그릇을 가진 자는 저희끼리 둘러앉았고, 그나마도 못 얻어먹은 자들은 멀찍이 떨어져서 땅바닥에 눕고 문루의 기둥에 기대어 있었다.

"여긴 활빈도가 나오지 않으려는가."

"그게 무어요?"

젊은 사내가 중얼거렸다.

"평산이나 신계에는 진작에 활빈도라고 자처하는 자들이 나타나 부잣집을 털고 곡식을 나누어주었다고 합디다. 노상에서 어떤 식구들을 만났는데 너 말가웃 되게 얻어서 여름을 나게 되었다고 기뻐합디다. 떡 해먹고 이밥 해먹을 분량은 못 되지만 이 같은 흉년에 그만했으면 아무거라도 섞어서 끼니를 때울 수가 있겠지."

"가히 상제께서 보내신 천군이구려. 벼슬아치들은 아닐 테고……"

"여보, 벼슬 가진 놈들이 제 밑구녕이 느슨한데 미쳤다고 우리 대신 부자를 턴단 말이우."

"그래두 어사라든가……"

말을 꺼냈던 자는 갑자기 기분이 잡치는 모양이었다.

"헛…… 말 못 할 손일세. 여보, 가재는 게 편이라구 어사또가 무엇이 답답하여 자기네에게 어여삐하는 토호를 들이치겠소. 고을 원이나 어사나 그게 그놈들이야. 우리가 욱하여 들구일어날까봐 미리 저희끼리 단속을 하는 게여."

말을 가로막힌 자는 주위를 둘러보고는 목소리를 낮추었다.

"쉬이, 큰일 날 소리를 하는군. 아무리 허기가 졌다구 일가 구몰할 말을 함부루 내대지 마슈."

"제미랄 것, 죽사발도 비었지, 배는 이젠 건더기두 없이 바람만 가득 찬 통장고지, 남아봤자 목구녕이구 혓바닥인데 사설이나 늘어놓다가 뒈워지는 게 낫소."

"그러니까 벼슬아치도 아니고 군사도 아닌 사람들이 쌀을 막 나누어준다 그 말이오?"

타는 듯이 바라는 시선으로 다가앉으면서 다른 사내가 물었고 타관에서 온 자가 말하였다.

"우리네하구 똑같은 사람들이라니까. 아주 상것들이 분명하답디다. 하두 날쌔고 기운들이 장사라 관군들은 모두 대적하지두 못하구 달아난다구 그럽디다."

징 치는 소리가 들려오기 시작하였다. 아전은 이미 돌아갔고 나졸들이 관노들을 재촉하여 죽 나누어주는 일을 폐하고 있었다. 행여나 하고 늘어섰던 자들이 빈 그릇을 흔들며 하소연하였으나 그들은 객관을 떠나고 있었다.

"이따가 저녁참에들 나오슈. 다 끝났으니까."

죽도 못 얻어먹은 자들은 다시 뙤약볕을 피하여 객사의 처마밑이나 나무 그늘을 찾아 흩어졌고, 동헌 앞마당에는 비워진 가마솥만 덩그러니 남았다. 아이들과 어른들이 한 덩어리가 되어 솥에 늘어붙어 바닥과 가에 남은 죽의 물기를 손바닥으로 훑어서 부지런히 빨았다. 그짓도 자리다툼이라 밀치고 넘어지고 하는데, 아직은 체면이 남은 자들이 멀찍이서 바라보며 혀를 차는 것이었다.

"용천관이 아니라 아귀관이로구나."

"이러다가 입추 전에 살아남을 사람 하나두 없겠네."

아까부터 누각의 마루 아래편 바람맞이가 되는 기둥 뒤에 질펀히 누워서 자고 있던 사내가 부스스 깨어 일어났다. 그는 죽도 못 얻어먹었는지 그릇도 없었고 땟국이 흐르는 조그만 보퉁이를 베고 누웠던 것이다. 그의 맞은편에는 그 사내와 발바닥을 맞댈 듯이 길게 뻗고 잠든 자가 보였다. 두 사람이 한결같이 봉두난발에 다 해진 무명옷 차림인데, 어디서 참새나 개구리라도 잡아 구워먹었는지 얼굴에 검정이 지저분하게 묻어 있었다. 먼저 깨어난 사내는 맞은편 사내의 발을 툭툭 건드렸고, 그가 돌아누우려다가 알아채고는 벌떡 일어났다.

"저 위로 올라가보아."

먼저 깨어난 사내가 손가락을 세워 문루의 마루 판자를 가리켜 보이자, 그는 눈을 비비면서 죽솥 부근을 돌아다보았다.

"다 갔군."

그는 일어났는데 몸집이 크고 가슴에 가득한 털이 고름도 없이 돌띠만 질끈 맨 저고리 사이로 시커멓게 드러나 보였다. 남은 사내는 그가 두고 간 물건을 제 보퉁이 옆에 놓았다. 거적을 둘둘 말아 새끼줄로 매었으니 아마도 그것이 깔고 덮고 하는 침구인 모양이었다. 사내는 아까부터 제 등뒤에서 지껄이고 있는 젊은 사내의 목소리를 하나도 빼놓지 않고 듣고 있었던 모양이다.

"자세한 것은 모르지만 우리처럼 굶주린 백성은 분명한데 무리를 짓고 감히 일어난 것뿐이겠지요."

"아무렴, 활빈도가 따루 있나. 이판이 사판이고 칼 물고 뜀뛰기인데."

"너 좋고 내 좋고……"

"서흥서 누가 가장 부자고 인색하던가."

"그야 뭐 따루 있어? 도상방(道上坊) 조동지(趙同知) 댁이지. 세평방에서 수하방으로 하여 동현령(東峴嶺)까지 자기 땅만 밟고 온다는 사람이니까."

"이번에 진미 좀 냈을까?"

"어이구, 진미가 다 무에야. 그자가 이미 오래 전에 권분에 응하여 동지직을 따냈는데, 사또의 봉물이라면 또 몰라도 미곡 한 섬을 안 냈을 걸세."

하는데 저쪽에서 누군가 받은기침을 터뜨리더니 이윽고 숨넘어가는 듯한 소리로 변하였다. 손자를 데리고 나와 죽을 얻어먹지 못하였던 노파였다. 이윽고 토사가 일어나는지 가까스로 머리를 쳐들고 구역질을 하였다.

"또 한 사람 가는군……"

얘기를 끊으며 누군가 무심하게 지껄였다.

"잔치 음식 먹구 체했다면 평위산 한 첩으루 내려갈 테지만, 이 기근에 쌀 한 톨을 구경 못 했을 터이니 필시 더위 먹고 빈속에 물을 많이 들이켰겠군. 부황 나고 물에 체하면 죽는 게여."

과연 노파가 몇번 더 자지러지게 토하는데 말간 물기가 한없이 쏟아져나오는 모양이었다. 일곱 살쯤 되어 보이는 아이가 기운이 없어 큰 소리로 울지도 못하고, 어른처럼 멀거니 바라보며 소리 없이 눈물만 흘리고 있었다. 기둥에 기대어 여러 사람들의 얘기를 듣고 앉았던 사내가 앉은걸음으로 다가갔다. 아이는 무력하게 제 할미의 손을 잡고 울고 앉았고 사내가 부축하여 끌어올렸다.

"놓아두시우."

노파가 가냘프게 중얼거리는데, 바람맞이를 하고 앉으니 한결 나은 모양이었다. 노파의 이마에는 땀이 번져 있고 입술에 백태가 끼어 말라붙었다. 사내가 봇짐을 끌어다가 손을 쑤셔넣더니 쌈지 같은 주머니에서 환약 비슷한 것을 한 줌 꺼내었다. 그가 아이에게 그릇을 내어주며 부드럽게 일렀다.

"가서 물을 떠오너라."

아이는 할머니만을 바라볼 뿐 움직이려 하지 않았다.

"이것이 구황하는 황랍환(黃蠟丸)이다. 이걸 잡수시면 곧 나으신다."

그러나 노파는 아이의 손을 꼭 잡고 놓지를 않았다.

"그만두오. 내가 더 살아서 무얼 하겠소. 저것이 이제 노중에서 아무도 돌보지 않아 죽고 말 터이니, 먹을 것이나 있거든 내 보는 앞에서 저애를 먹여주었으면 그게 약이지요."

사내가 일어났다. 그는 노파의 빈 사발을 들고 문루를 나서서 숲을 향하여 걸었다. 시냇물에 이끼가 끼고 물때가 덮여 먹지 못하겠고, 아무래도 샘까지 찾아가야 하였다. 마침 샘가에는 그와 비슷하나 폐의파립(弊衣破笠)의 선비와 구종배인 듯한 남루한 차림의 사내가 쉬고 있었다. 그들은 서로 아는 사이인 모양이었다. 선비가 물었다.

"장두령, 일이 무르익어가오?"

"기다리구 있으시우. 지금 홍복이하구 선홍이가 슬슬 부추기구 있소."

샘으로 물을 뜨러 나온 사내는 길산이었고, 그와 나란히 자는 체하다가 문득 위로 올라간 사내는 선흥이, 그리고 사람들에게 다른 고장에 활빈도가 나타났다고 떠들던 사내가 흥복이었던 것이다. 샘가에서 기다리고 있던 이는 김기와 말득이었다.

"선일이는 어디루 갔수?"

"방금 객관의 형편을 살피구 오겠다며 그쪽으로 올라갔네."

길산의 물음에 김기는 대답하고 나서 말득이와 길산을 번갈아 바라보면서 말했다.

"역시 부잣집보다는 관창이 더 낫지 않을까?"

"우리 마음대루 할 수는 없는 노릇이우. 이 고장 사람들의 원한이 가장 많은 쪽으루 택해야겠지. 저들이 바라는 대루 하십시다. 들어보니 조동지라는 자가 있는 모양인데 제각기 그를 들어 말하는 것이 서흥에서는 지독한 짓을 많이 저지른 모양입디다."

"그렇다면 무리가 하는 대루 따라가야겠군. 우리네야 팔짱 끼구 뒷전에 있다가 어지러운 일만 바로잡아주면 될 테니까."

길산은 샘에서 물을 떠가면서 말득이에게 일렀다.

"너는 우리가 이곳을 떠난 뒤에 관군이 쫓아오면 선일이하구 둘이 남아서 지체시키도록 해라."

"아무 일도 없으면 어찌할까요?"

"그러면 일단 우리 뒤를 따라오너라."

길산이 물을 떠가지고 용천관의 문루 아래로 돌아오니, 노파는 벌써 기진하여 가쁜 숨을 내쉬고 있었다. 황랍환을 먹이려 하였으나, 때는 이미 늦어버렸던 것이다. 노파가 가물가물한 시선으로 길산을 올려다보며 중얼거렸다.

"우리…… 새끼를…… 잘 부탁허우. 제발 거두어서 살려……주시우."

노파의 턱이 바르르 떨리더니 눈이 고정되고 모든 동작이 멈추었다. 길산이 눈을 내리쓸었고, 아이는 소리 없이 울기만 하였다.

"여기 사람이 죽었소……"

길산이 그늘의 이곳 저곳에 누워 헐떡이는 사람들에게 외쳤으나, 모두들 머리를 돌려 두려운 듯이 한 번씩 넘겨다보고는 움직이려 하지 않았다. 뿐만 아니라, 근처에 있던 자들은 슬그머니 일어나 되도록 먼 곳으로 자리를 옮겨갔다.

"아니…… 아무리 굶주리고 지쳐 있다 하나 우리는 하늘에서 낸 곡식으로 밥을 먹고, 두 발로 땅을 딛고 서는 사람인데 인도가 이럴 수 있단 말이오. 이렇게 사람의 도리를 저버리고 어찌 흉황에 살아남기를 바라겠소."

그러자 저쪽에서 얘기를 나누던 사람 중의 하나가 고개를 들고 대꾸하였다.

"여보, 원래가 인정이란 저 살고 남지기에서 나오는 법인데, 지금 모든 사람의 코앞에 주려죽는 일이 닥친 형편에 인정과 도리 따위가 무엇이란 말요. 만약 이 땡볕에 그 할멈을 끌고 나가 땅을 파고 묻는다 치면, 한 사흘 버틸 원기를 모조리 뽑아버릴 게 아니오. 내 몸 하나 가누기도 벅찬 때에 오죽하면 그 사람들을 가족들이 버렸겠소."

그러나 길산은 기다렸다는 듯이 말하였다.

"그러면 이대로 앉아서 멀건 보리죽이나 마시면서 차례로 죽어가기를 바라겠소, 아니면 나허구 같이 쌀을 가지러 가겠소?"

그의 말이 끝나기도 전에 여러 사람들 틈에 끼여 있던 흥복이 일어났다.

"여보, 쌀만 구할 수 있다면 어찌 앉아서 죽기를 기다리겠소. 어디 가서 곡식을 구한단 말이우?"

"내야 타관 사람이니 어찌 알겠소마는 아무리 흉년이라 하여도 오십 결이 넘는 토지를 가진 부자가 어느 고을이나 있게 마련인데, 그만하면 수만 석지기가 될 것이니 웬만한 흉년에도 창고는 가득 차 있을 것이오. 이미 이렇게 되면 어느 한 사람의 곡식이 아니라 우리들 모두의 것이니 갖는 자가 임자요."

길산과 흥복이 주거니받거니 수작들을 벌이자, 사람들 사이에서 동요가 일어났다. 길산이 노파의 시체를 팔에다 가볍게 들어올리고는 마루 밑을 나와서 동헌의 마당 가운데로 걸어나갔다. 문루 위에서는 선흥이가 제 가슴을 두드리며 떠들고 있었다.

"이 천동(天動)도 지동(地動)도 모르는 사람들아! 굶어죽기가 정승 지내기보다두 어려운 법인데, 지척에다 백옥 같은 양식을 두고 멀건 보리죽을 삼키느라구 다투구들 섰어. 느이들은 사람이 아니라 굼벵이, 무숙이, 바구미, 딱정이, 설설이, 오살이, 쥐며느리 들이다. 에이, 나는 못 참겠다. 도상방 조동지네 집에 가서 창고를 부수고 쌀을 꺼내와야겠다."

선흥이가 쿵쾅거리며 누각에서 내려오자 사람들은 홀린 듯이 그 뒤를 따라 내려왔다. 지쳐서 늘어져 있던 노약자들도 끈이 달린 듯이 무리들의 뒤를 따랐다. 흥복이가 외쳤다.

"도상방으루 몰려갑시다. 오랜만에 이밥을 메어지게 먹어봐야지. 활빈도가 따루 있겠소. 굶은 놈들이 먹구살려는 게 바루 활빈도여."

문루의 마루 아래에서도 사람들은 꾸역꾸역 몰려나왔고 처마밑에 늘어졌던 사람들도 천천히 일어났다. 그들은 비어 있던 마당을 금방 메웠고 뒷전에서 계속 말없이 모여들고 있었다. 길산은 주림에 죽은 노파의 앙상한 시신을 땅 위에 내려놓았다. 사람들의 틈을 비집고 아이가 길산의 곁으로 왔고 길산은 자연스럽게 아이의 손목을 잡았다.

"이 아이는 돌볼 사람도 없으니 관가에서 끼니라도 먹인다면 국법대로 노비가 되고 말 거요. 관가에서 거두어 돌보는 데 사십 일이 넘는 자는, 장정과 노약을 불문하고 관노로 박아도 되게 되어 있소이다. 그래도 죽는 것보다는 하천으로 살아남기를 도모하는데, 지척에 살 길을 두고 서로 사람의 도리까지 저버려서야 될 말이오? 인륜은 대저 형편에 따라 가장 합당한 경우를 좇는 것이오. 조동지라는 이가 미곡을 수없이 창고에 쌓아두었다 하니 그것을 찾아 먹읍시다. 이는 필시 평년에 우리의 작료를 받아 모아둔 것이 분명하니 우리들의 것이외다. 우리는 수백의 입이고 그자는 제 한 입을 위하여 편히 보료에 기대앉아 창고에 드나드는 새앙쥐나 염려하고 있으니, 어찌 천지가 바르다고 하겠소. 이 길로 도상방으로 가서 쌀을 꺼냅시다."

"자, 가자. 도상방으로 가자."

선홍이가 군중의 틈에서 외치며 용천관 앞마당을 빠져나가는데 그뒤로 많은 사람들이 우르르 따라나갔고, 그들은 아무 말도 없이 꾸역꾸역 움직여 나가기 시작하였다. 아직도 기운이 남고 젊은 축들은 훨씬 앞서 갔으며 노약자들은 바야흐로 이밥을 배불리 먹는다는 헛것에라도 씌운 듯이 발을 끌며 나아갔다.

어느덧 동헌 마당에는 길산과 아이와 노파의 시체만이 남았다. 아예 움직일 수 없는 사람들은 아직도 그늘에서 지쳐 누워 있었으나, 그들 중에도 서로 부축하여 군중들의 뒤를 따르려는 자들도 있었다. 김기와 말득이가 선일을 앞세우고 마당으로 들어오고 있었다.

"성님은 나허구 함께 갑시다. 너희는 우선 시체를 묻고, 이 아이를 수습해두어라. 우리가 떠나고 한 식경쯤 되도록 관가의 기척이 없으면 곧 뒤를 따라오도록 해라."

길산이 선일과 말득이에게 이르고는 김기와 함께 도상방을 향하였다. 선일이와 말득이는 주변에 즐비하게 버려진 사기 그릇 따위를 집어들고 노파의 시체를 맞들고 용천관을 벗어났다. 길 위에는 아무도 보이지 않았다. 농로에서 비켜 나무가 뜸한 풀숲에 시체를 내려놓고는 사기 그릇을 깨어 둘이서 땅을 팠다. 그들도 힘에 부쳐서 벗어붙인 잔등 위에 방울만 한 땀이 가득 솟아 번질거렸다.

"어이구, 힘들어…… 하루 두 끼 처먹고는 도저히 못 할 노릇일세."

"누가 아니래, 술 한잔을 입에 대어본 지가 벌써 몇달째야."

선일과 말득이는 번갈아 쉬어가며 땅을 파헤쳤다. 마른 땅이어서 먼지가 풀썩거렸다. 그들은 초여름부터 길산이 내린 율에 따라 하루에 두 끼의 밥밖에는 먹지 못하였고, 산채에서는 따로이 절량하는 독을 두고 그나마 덜어내는 것이었다. 녹림당이란 생산하는 자가 아니니 뜻이 없으면 백성의 적이라는 것이었다. 흉년에 녹림의 무리가 옳은 행적이 없다면 그는 역병보다도 더욱 무섭게 백성을 해치리라는 것이었다. 그들은 말 두 필에 행자를 싣고서 한 달 전에 산채를 떠나 해서의 곳곳을 쏘다니고 있었다. 그들은 여러 곳의 부잣집과 사창을 털었다. 그러나 언제든지 그들은 굶주린 백성들을 통하여 그런 일들을 해냈다. 이제 두려움은 빈 창자뿐인 백성들뿐만 아니라 재물을 많이 가진 자들일수록 견디기 힘든 계절이 되어가고 있었다. 길산이네가 다녀간 뒤로 평산에서는 두 부자가 아예 고래등 같은 기와집을 비우고 감영이 있는 해주로 피난하기도 하였다.

"애야, 거기 앉아 있거라."

아이가 칭얼거리며 그 자리를 떠나려 하자 말득이가 당황하여 아이를 잡아 앉히고는 허리에 전대 비슷이 차고 있던 주머니에서 껍질째로 볶은 보리를 한 줌 꺼내어 내밀었다.

"옜다, 내 길양식이니라."

아이가 앙상한 조막손으로 그것을 움켜 재빠르게 입안에 털어넣는 것을 보고는 선일이도 자기 것을 한 줌 꺼내어주었다.

"너는 틀림없이 우리 같은 녹림당이 될 게다."

혼잣말 비슷이 중얼거렸고 말득이가 되물었다.

"녹림당이라니 어린것에게 당치두 않네."

"그러면 노상에서 부모를 잃고 굶주림 가운데 혼자 남아 할미의 시신을 묻은 적이 있는 아이가 어찌 양민의 생활을 하겠나. 나두 춘궁의 긴긴 날을 양지쪽에서 해바라기하면서, 늘 우리에게 납료를 받아가던 관차의 목을 치는 꿈을 꾸었다. 나는 그자들의 대갈통 비슷해 보이는 돌담의 한 모퉁이에다 자갈을 던져 맞히곤 했었지."

두 사람은 노파의 시신을 맞들어 구덩이에 누이고 잠시 망설이다가 말득이가 아이를 먼저 길가로 데려간 뒤에 선일이가 흙을 덮었다. 아이는 제 할머니가 드디어 땅속에 묻힌 것도 아는지 모르는지, 얼굴이 젖은 채로 보리를 움켜넣고 있었다.

흉년이 돌아올 적마다 아이들과 노인들은 이곳 저곳에 내버려졌다. 기근 뒤에 살아남아 일을 할 수 있는 자들이 먹어야 했기 때문이다. 흉년이나 난이 일어날 적에 구멍 뚫린 시루는 아이들을 버리는 도구가 되었으니, 그 안에서 숨을 쉬며 짐승에게 먹히지 말고 고이 죽으라는 뜻이었다. 당시 북관에서는 맏이를 낳고 나서 그 다음에 나오는 아들을 죽이는 습속도 있었으니, 조정에서는 이러한 처참한 습속은 살기가 워낙 어렵기 때문이라고 시인하였다. 딸은 색상들이 사러 오면 많은 무명과 바꿀 수 있으나, 아들은 변방에서 군적에 올라 끊임없이 군포를 물어야 하고 부역에 시달리게 하는 액덩어리기 때문이었다. 아이를 정들기 전에 죽이려니 갓난아이 적에 생매장을 하는데, 아버지는 구덩이를 파고 어머니는 마냥 울어서 곡성이 아닌 밤중에 들판을 울린다는 것이었다. 장사가 나면 나라에서 알기 전에 스스로 죽여 없앤다든가 하는 일은 사실은 굶주림 때문에 생겨난 풍문일 따름이었다. 먹고살기에도 힘든 집안에 아이가 생겨나면 어깨에 비늘이 돋친 아이가 나와서 나라를 근심하여 죽여 없앤다고 핑계를 대는 것이었다. 이미 인륜을 따질 계제의 삶이 아니었다.

말득이가 아이를 업고서는 뒤처져 내려오니 불볕이 내려앉은 용천관에는 관리라고는 전혀 내비치기조차 아니하였다. 그들은 어디선가 시원한 곳에서 땀을 들이고 있는 것 같았다.

"아무도 쫓아나올 것 같지 아니하군. 뒤쫓아가세."

선일과 말득이는 도상방을 바라고 걸음을 재촉하였다. 가다가 보니 무리를 쫓아가다 뒤떨어져 나무 그늘에 앉아 쉬는 사람들도 있고, 아예 길바닥에 쓰러진 자도 있었다. 도상방까지가 삼십 리 넘는 길이라 도중에 지쳐서 뒤떨어진 이들이 많았다. 말득이와 선일이는 나무 그늘에 앉아서 헐떡이고 있는 사람들에게 말을 걸었다.

"여보, 쌀을 준다는데 왜 이러고들 있수?"

"아이구, 입술이 타구 다리가 휘청거리며 눈앞에 서리가 뽀얗게 어리는데 걸음을 뗄 수가 있어야지요."

다른 사람이 말했다.

"아무튼 조동지네로 해 안에 당도하면 쌀을 나누어준답디다."

"남들은 몰려가서 난입을 하든지 창고를 부수든지 여하튼 곡식을 낼려구 애를 쓸 터인데 이러구들 앉았단 말요?"

말득이가 못마땅하여 그들에게 핀잔을 주었고, 중년 사내가 대답하였다.

"마음 같아서는 난입이 아니라 아예 그 집구석에 불을 확 싸지르구 싶소. 우리가 그 집의 소작을 지낸 지가 벌써 이대째요."

말득이와 선일은 두말 못 하였다. 저렇게들 얘기할 적에야 포한 맺힌 온갖 사연이 쌓여 있을 터였다. 사람들의 말 없는 행렬은 동헌령 어름을 지나 도상방에 이르고 있었다. 그들은 선적진(善積鎭)의 군영에서 동쪽으로 우회하였으니 관군과 일부러 충돌할 필요가 없었기 때문이다. 맨 앞에는 흥복이 서고 그 뒤로 사람들의 무리가 따랐고 선흥이와 길산은 그들 틈에 끼여 있었다. 김기는 행렬에서 조금 떨어져서 천천히 따라갔다. 지산골은 낮은 야산을 등에 지고 남향받이에다 작은 내를 앞에 끼고 자리 잡았으니 과연 이 근처의 토호가 가택을 정할 만한 동네였다.

거의가 쇠락한 초가집인데 동네의 가장 위편에 기다란 반화방(半火坊) 담이 보이고 날아갈 듯한 솟을대문을 낀 칠 량(七樑)짜리 기와집의 학 날개 같은 추녀가 보였다. 그들은 곧장 조동지네 집으로 트인 마을 중앙의 길로 밀려갔다. 한두엇씩 내다보던 동네 사람들이 무슨 일인가 하여 여기저기에서 몰려나왔다. 동네 사람들은 대문 앞에 이르러 옹기종기 둘러선 사람들을 멀찍이서 구경하고 서 있었다. 그들이 난민이라는 것은 옷 꼴이나 제각기 간편하게 들고 있는 자루나 식기봇짐 따위로 한눈에 알아볼 수 있었다. 그러나 동네 사람들이 가담하지 않았던 것은 그들만은 아무리 흉년이라 할지라도 겨우 버틸 만한 양식은 있었으니, 조동지가 지산골 자기 동네에는 진작부터 진곡을 냈던 터이다. 바로 담 하나를 사이에 두고 술에 떡에 고기반찬을 혼자서 해먹을 수는 없었기 때문이다. 옛말에 이사를 가려면 부잣집 행랑 근처로 가라듯이, 그래도 동네 사람들은 기근을 면했던 것이다. 몰려들기는 하였으나 워낙에 집 꼴이 대단하여 차마 대문을 밀치지 못하고서 주춤거리는데, 앞장섰던 흥복이가 대문을 두드렸다.

"문 열어라, 문 열어!"

사뭇 두드리니 안에서 웅성거리는 소리가 들리고 문틈을 엿보는 눈치였다. 아마도 하복들인 모양인데 바깥에 빽빽이 늘어선 무리를 보고는 난민으로 짐작하여 기겁을 한 모양이었다.

"이놈들, 물러가지 않으면 모조리 잡아서 치도곤이를 앵기겠다."

하면서도 그들은 안에서 우왕좌왕할 뿐이었다. 사다리를 놓고 올랐는지 담 위로 수노인 듯한 늙수그레한 자가 얼굴을 내밀었다.

"웬놈들이 백주에 몰려와서 난동이냐, 여기가 어디라구 감히……"

수노는 큰소리를 치기는 하지만 이 많은 사람들의 이글대는 눈총을 혼자 받으려니 정수리께가 서늘하였던 모양이다. 그들은 아무 말도 없이 땀과 먼지로 범벅이 된 얼굴을 들고 그를 지그시 노려보고 있었다. 수노가 뒷전에서 웅기중기 구경하고 섰는 마을 사람들에게 다시 외쳤다.

"게 뭐 하구 섰나. 이것들을 동네에서 냉큼 쫓아버려."

동네 사람들 사이에 동요가 일어나며 그중 젊은 자들 몇이 작대기를 들고 쫓아나오는데, 선흥이와 길산이 뒤에 섰다가 마주 섰다.

"성님은 가만 계슈."

선흥이가 웃통을 벗어젖히면서 마을 사람들 앞으로 나섰다. 벌써 누가 보기에도 선흥이의 어깨와 팔뚝에 용이 어린 듯 꿈틀거리는 것이, 과연 사내자식이 밥 먹고 힘 쓰려면 저만은 해야겠다고 느낄 만큼 그럴듯하였다.

"아서라…… 누구든지 거기서 세 걸음만 떼면, 다리몽갱이를 딱 분질러서 머리에 이게 해주지."

하고는 성큼성큼 걸어가서 멍하니 섰는 총각의 작대기를 덥석 잡았다. 상대가 놀라서 지레 겁을 먹으며 작대기도 놓고 물러났고, 선흥이는 그것을 두 손아귀에 쥐어 어깨에다 약간 힘을 주더니 삭정이처럼 부러뜨렸다. 아무리 몽둥이라 하나 굵기로 보아서는 무릎에다 대어도 한참 힘을 써야 할 텐데, 그것을 허공에서 잡고 간단히 꺾어버리는데야 누가 보아도 완력이 대단하였다.

"좀 비켜요, 비켜."

마을 사람들의 사이를 비집고 선일이와 말득이가 나타났다.

"김서방! 저놈 입 좀 닫아놔라."

길산이 빙그레 웃으며 담장 위로 내밀어진 조동지네 하복의 머리를 눈짓하였고, 선일은 땅바닥을 한 바퀴 휘둘러보고서는 맞춤한 돌멩이를 집어들었다. 선일이는 돌멩이를 두어 번 손바닥에서 추스르더니 한 발을 내디디며 던졌다.

"어이쿠나……"

외마디 소리와 함께 담 위에는 아무도 없었다. 사람들은 돌이 그의 면상에 들어붙는 꼴을 보았던 것이다. 아마도 사다리를 안은 채 뒤로 나가떨어졌을 터이다.

"문을 부숴버리자."

그제야 흥복의 말이 떨어지기가 무섭게 굶주린 무리들이 우하니 달려들어 제각기 대문을 떼밀었다.

"전부 비켜. 그깐 대문 하나를 가지고……"

선흥이가 무리를 헤치고 다가섰다. 사람들은 설마 하면서 뒤로 물러났다. 선흥이는 두 손에 침을 뱉더니 대문에다 갖다붙였다. 그리고는 한 발을 내딛고 다른 발은 버티면서 대문을 밀기 시작하였다. 어깨가 잔뜩 부풀었고 몇번인가 미끄러지곤 하였으나, 선흥이는 잠

깐 늦추었다가 에라 하면서 일시에 힘을 넣었다. 우지직 하는 소리
가 들렸다. 빗장이 뻐개지는 것 같았다. 선홍이는 이번에는 돌아서
서 등을 대고 온몸으로 밀어붙였다. 끼이익 하는 소리가 들리더니
문이 양쪽으로 벌어졌다. 사람들은 모두 몰려들어 대문 안으로 쏟아
져들어갔다. 마당에서 주춤거리던 하인배들이 저마다 작대기나 쇠
스랑 괭이 따위를 휘두르며 사람들을 몰아내려 하였다. 먼저 들어갔
던 사람들 중에는 머리나 허리를 얻어맞고 쓰러진 자들도 있었다.

"헛간에 작대기가 많이 있소."

홍복이 대문간의 헛간에서 고무래를 들고 나오며 소리쳤다. 그들
모두가 농기구를 밥숟가락처럼 써오던 농투성이들이라 제각기 헛
간에 몰려가 각종 작대기와 곡괭이, 삽에 낫에다 심지어는 절굿공이
까지 이손 저손 들고 나오니 하인배들은 이어 중문으로 후퇴하였다.
그러나 채 중문을 닫기도 전에 굶주린 자들이 강풍처럼 몰아쳐들어
갔다. 일단 가택 난입하여 병장기삼아 농기구를 잡은 기민들은 세상
의 어느 누구도 막을 수 없는 기세였다. 앞장서서 조동지네 사랑채
와 안채로 쏟아져들어가는 것은 대략 오십여 인이 넘었고, 그 뒤로
도 백여 인이 꾸역꾸역 몰려들어갔다. 하인배들은 모두 성한 자가
없었다. 마루 밑에 기어들어 숨는 놈, 변소에 뛰어들어 문고리를 잡
고 떠는 놈, 하녀들의 방으로 뛰어들어 함께 홑이불을 뒤집어쓰는
놈, 마당에 엎드려 혼절한 채 자빠진 놈, 장독간에 올라 빈 독에 상반
신만 박고 있는 놈, 하여간에 각양각색이었다. 길산은 맨 뒤에서 따
라 들어가다가 말득이에게 말하였다.

"너는 여기서 망을 보구 있거라."

길산은 김기와 더불어 사랑채로 나아갔다. 온통 마당과 마루마다
난민들이 뛰어들어 법석이고 있었다. 아무리 제정신이 없으나 순박

한 촌사람들이라 감히 내정 돌입은 못 하고서 우선 몰려든 곳이 광 앞이었으니, 자연히 사랑채 앞에 더 들어설 틈이 없이 몰려들게 되었다. 길산은 꿰진 짚신을 신은 채로 방안으로 들어가, 복건에 까치 두루마기 입은 손자를 안고 방 귀퉁이에 처박혀 있던 조동지를 끌어 냈다.

"이리 나와서 손님 접대 하시우."

길산이 마루 위에 앉으니, 김기가 정중하게 인사를 올렸다.

"이거 주인장께 실례가 많소이다. 우리는 이런 흉황에 백성들이 굶어죽는 것을 더이상 볼 수가 없어서 스스로 활빈하기 위하여 일어 난 사람들이외다. 서흥의 사정을 보니 수령이 무능하여 진곡을 비축 하지 못하였고, 제민곡이나 영진곡이 오지 않는 것으로 보아, 이미 허류(虛留)인 것을 위에서는 실제 재고가 있는 줄로 알고 그것을 배 정한 듯하오. 그러니 백성들은 아무 구휼도 받지 못하고 기약 없이 보리죽이나 얻어먹고 있소이다. 영을 기다리지 않고 편의로 창고의 곡식을 내어주는 것은 관과 민이 있는 어느 나라든지 예부터의 도리 였소. 이제 보니 동지께서는 이미 권분으로 가설직(加設職)을 얻었으 나, 그때에는 사재(私財)를 내고 이제 와서 길가에 즐비한 기민을 모 른 체한다는 것은 도리가 아니외다. 세평방, 수하방, 동현령에 이르 기까지 온통 전답을 독차지한 이가 창고에다 쌀을 묵혀둔다니 될 말 이오? 쌀은 하늘이 낸 것이고 사람을 먹이기 위한 것이라 어찌 주인 장 혼자의 것이라 하겠소. 이제 진휼에 시기가 있으니 이 사람들이 차조나 메밀이나 늦콩을 대파(代播)하려면 농량이 있어야 할 것이오. 지금 양곡을 내어주지 않으면 겨울에 살아남을 사람이 하나도 없을 게요. 다만 그저 내놓으라는 것이 아니라, 이 사람들이 환난을 모두 겪은 뒤에 환곡시키도록 하면 될 것이오."

조동지라는 이가 손자를 안고서 이리 추스르고 저리 추스르며 김기를 바라보았다가 몰려든 사람들을 보았다가 겨우 한다는 말이 이러하였다.

"나도 생전에 피땀을 흘려서 모은 재산인데 일시에 털리고 보면 어떻게 하란 말이오. 더구나 저들을 한 번도 본 적이 없고 어디 사는 누구인지도 모르는 터에 환곡이란 다 무에요?"

조동지의 말이 떨어지자마자 김기가 마루 아래 무리들 틈에 끼여 섰는 홍복에게 지시하였다.

"창고 문을 모조리 열고 양곡이 얼마쯤 되는가를 알아보도록 허게."

홍복이 명을 받고 사랑채 맞은편의 담에 잇대어 있는 광으로 달려가니 문이 나란히 넷이나 되는 장광이었다. 중앙의 광문을 바라고 가보니 문마다 맹꽁이자물쇠가 걸려 있는데 누군가가 도끼를 건네주었다. 두어 번 쳐서 문고리를 쳐내고 광문을 열었다. 사람들은 젖혀진 광문을 통하여 천장까지 닿도록 쌓아올려진 쌀섬을 보고서 입을 벌리고 서 있었다.

"뒤채에두 광이 있습니다."

난민 중에서 소리가 들렸다.

"쌀을 꺼내자!"

"양곡을 구경하러 온 거냐, 뭐냐?"

왁자거리는 소리가 들리고 광에서 가까이 섰던 자들이 안으로 들어가려고 하였다.

"여러분, 이 쌀은 분명히 우리들의 것입니다. 그렇지만 우리는 양민들이우. 주인이 진미로 내놓고 나서 차례로 얻어가도 늦지 않소."

홍복이 말하였고, 마루에 앉았던 김기가 부드럽게 이었다.

"좋게 가져갈 구실을 만들어드릴 참이오. 지금 여러분이 꺼낸다 할지라도 기껏해야 몇말밖에는 가져갈 수가 없소이다."

말을 듣고 보니 딴은 그럴듯하였다. 이렇게 지쳐서 허기진 몸으로 쌀 한 섬을 지고 갈 기운도 없는 사람들이었다. 그러나 우선은 쌀 구경이라도 하고 싶은 그들이었다.

"여보, 구경이나 합시다. 저게 정말 쌀인가……"

홍복이 빙긋 웃더니 자물쇠를 쳐냈던 도끼로 밑동의 쌀섬을 콱 찍었다. 벌어진 틈으로부터 낟알이 줄줄 새어나오기 시작하였다.

홍복은 두 손으로 그것을 수북이 받아들었다.

"보시우. 백옥 같은 쌀이오."

그리고 그는 쌀을 사람들에게로 뿌려주었고 모두들 환성을 내질렀다. 홍복은 이어서 나머지 세 군데의 광문을 부수고 활짝 열어젖혔다. 그러고는 아래서부터 대강 헤아려나갔다. 어림짐작으로도 삼사천 석은 되어 보였다. 다시 사랑채 뒤꼍에 돌아가니 그 같은 장광이 있었다. 홍복은 이번에도 광문을 모조리 열어젖혀두고 돌아왔다.

"사랑채의 광에만 오륙천 석이 넘는 듯합니다."

김기가 그 말을 흘려듣는 듯이 조동지에게 물었다.

"우리가 더 조사해보아야 알겠으나, 동지어른의 양곡이 모두 얼마나 되겠소?"

동지는 아직도 손자를 무릎에 앉힌 채 대답이 없었다. 김기가 마루 아래 서 있는 길산을 힐끗 올려다보고 나서 손자를 턱짓하였다. 길산은 알아채지 못하고 머뭇거리는데 김기가 말하였다.

"도련님 때문에 대답을 못 하시는 듯허니 우리가 대신 돌보아드리지요."

선홍이가 섬돌을 딛고 올라가 동지에게서 아이를 잡아떼니, 그 손짓의 우악스러움과 인상이 험악하기가 장승 도깨비 꼴이라 아이는 불에 덴 듯 울어대고 동지는 안색이 변하여 무력하게 두 손을 내저었다.

"그애에게는 손대지 마시우."

길산은 참지 못하여 뒤를 돌아보았다.

"선일아, 그애 어쨌느냐, 이리루 데려오너라!"

선일이가 용천관에서부터 업고 왔던 어린아이를 이끌어다 무리들 앞으로 내밀어주었다. 아이는 얼이 나간 듯 마루 위를 멍청히 올려다볼 뿐이었다. 길산이 조용하게 말하였다.

"이 아이를 자세히 보시오."

아이는 맨발이었고 옷은 거의 찢겨 살이 다 드러났고 온몸엔 모기에 뜯겨 긁어 부스럼을 낸 자리가 덕지덕지 앉아 있었다. 어린 얼굴에 노란 꽃이 피어 펑퍼짐하고 수족은 앙상하였으니 어린애다운 활기라곤 찾아볼 구석이 없었다. 조동지는 얼굴을 다시 쳐들지 못하였다.

"이 아이의 식구는 모두 굶어서 죽었거나 노중에서 객사하였소. 서흥에는 처처골골마다 이런 아이들의 시신이 들판에 버려져 있소."

"성님, 이것을 섬돌 위에다 패대기쳐버릴까?"

선흥이가 까치 두루마기에 복건 쓴 어린 양반을 머리 위로 번쩍 쳐들자, 조동지가 턱수염을 떨며 말하였다.

"가…… 가만, 내 시키는 대루 하리다. 우리집에는 쌀이 육천 석에 보리가 이천 석쯤 있소이다. 그 외에 잡곡도 있소."

김기가 고개를 끄덕였다.

"좋소, 그렇다면 쌀 오천 석과 보리 천 석을 진곡으로 내놓으시우.

나머지 양곡으로도 이 집 식구가 석삼 년 동안 잔치를 차리구 살아두 남겠소. 또한 주인장께서는 아무도 떠가지 못할 땅이 있으니 너무 심려하지 마오."

김기가 일어나 방에서 지필묵을 들고 나왔다. 그는 백지를 펼쳐놓고 먹을 듬뿍 찍어서 조동지에게 권하였다.

"어서 부르는 대로 받아쓰시오. 도상방 지산골에서 진미를 낼 터이니 기민은 누구든지 와서 받아가시오. 갑자 유월 초칠일 조동지. 그리고 수결(手訣)을 하든지 인장을 찍으시오."

조동지가 선홍이 안고 있는 아이를 한번 올려다보았다. 아이는 기가 죽어서 큰 소리도 못 내고 흐느끼고 있었다. 그는 백지 위에다 시키는 대로 썼다. 김기가 먹물이 마르기를 잠깐 기다렸다가 길산이 쪽에 내주며 말하였다.

"이따가 용천관 앞에 갖다 붙여두도록 하오."

김기는 다시 조동지에게 말하였다.

"이젠 서흥의 관민이 모두 주인장의 진휼하고자 하는 뜻을 알게 되었소. 진휼은 모두 공평하게 식구에 따라서 양곡을 나누어주되 앞으로 사흘 안에 끝내야 하오. 주인장께서 사람을 보내어 호방(戶房)을 데려다 협조토록 하여도 좋겠소."

그러자 사람들 사이에 웅성거리는 소리들이 일어났다. 관리가 온다는 데는 모두들 놀란 모양이었다. 홍복이 섬돌 위로 올라서더니 팔을 저었다.

"잠깐만 조용히들 하십시오. 우리는 예사 양민이 아니라 깊은 산속에서 숨어 사는 녹림당들이오."

그러자 그들은 더욱 놀랐는지 서로 얼굴을 마주 보며 두런거렸다. 김기가 마루 위에서 일어났는데 폐의파립의 초라한 행색이긴 하였어도 유일하게 먹물 먹은 태가 나도록 점잖게 말하였다.

"모두 들으시오. 온 나라가 방백 수령들의 학정과 토호들의 강탈에 백성들은 사람답게 살 수가 없소이다. 우리는 해서에서 일어난 장두령을 모시고, 당신네와 같은 힘없는 백성들과 더불어 좋은 세상을 이루고자 녹림산간에 숨어 있는 무리들이외다. 각처를 다니며 활빈을 하다가 서흥에 이르러, 그 참상이 다른 골보다 더욱 심하다는 것을 알고 여러분을 이끌고 이 집에 오게 된 것입니다. 우리는 비록 나라를 등진 도적에 불과하나 여기 있는 쌀은 여러분이 진작에 빼앗긴 것이라 돌려주는 데 약간의 힘을 보탠 것뿐이올시다. 급한 대로 기운껏 가져갔다가 나중에 식구들과 더불어 진곡을 받으러 오시오. 남보다 먼저 와서 쌀을 내는 일에 협력하였으니, 이것은 서로를 도운 요미(料米)로 생각을 허시우. 나중에 말썽은 생길 리가 없겠지요. 어째서냐 하면 이미 권분으로 동지의 직함까지 받은 이가 이제 진휼한 일을 새삼 우리 같은 도적들에 미룰 리가 없겠으니 말이오. 여러분께는 아무런 해가 없도록 우리가 모두 뒷감당을 하리다. 자, 차례로 가져가게 하시우."

길산이 사람들에게 열을 짓기를 당부하였고, 흥복이와 선일이도 문 하나씩을 지키고 열을 만들었다. 김기가 다시 사람들의 뒤통수에다 대고 외쳤다.

"모두 돌아가면 이 일을 널리 알리시오."

김기는 다시 조동지에게 말하였다.

"일이 끝났으니 우리는 이제 돌아가겠소. 진휼이 다 지나간 뒤에 이 고장에 아사자가 훨씬 줄어 내년 이맘때가 되면 주인장은 우리에게 고맙다구 해야 될 게요. 환곡이 이보다 더욱 많이 쌓일 테니까, 알았소? 호방을 데려다가 몸소 진휼에 나서시오. 그리구 저 도련님은 우리가 며칠간 잘 돌보아드리리다. 양곡이 모두 말썽 없이 풀려나간 뒤에 머리끝 한올 다치지 않구 보내드리겠소."

조동지가 그제야 선흥이 손자를 빼앗아간 뜻을 깨닫고 당황하였다.

"제발 그애만은…… 우리 씨종손이오. 내가 당신네 뜻을 대강 짐작하였으니 어김없이 시행을 하리다. 절대로 자의로 할 것이니 아이는 돌려주오. 발설하지 않으려니와 어기지도 않겠소."

그러나 김기가 엄숙하게 말하였다.

"우리도 혈육의 정을 모르는 배 아니고 주인장의 마음도 믿어 의심치 아니하오. 허나 믿을 수 없는 것은…… 재물이오. 재물은 언제나 사람의 진심을 해치고 애초의 뜻을 상하게 하지요. 저 오천 석의 양곡이 주인장의 마음을 배반할지도 모르오. 우리도 인륜을 알고 도리도 가릴 줄 아는 자들이라 어찌 저 어린것을 해코지하겠소. 이 사람들 틈에는 우리들의 식구가 있을 것이니 절대로 딴생각 말고 끝까지 진휼을 하기 바라오."

광 앞에서는 실로 눈물겨운 정경이 일어나고 있었으니, 어떤 자는 쌀을 쥐어 입에 털어넣고 씹기도 하고 어떤 자는 자루에 담다 못해 옷을 벗어 쓸어넣기도 하고 또다른 자는 쌀을 놓고 어루만지며 소리 없이 울기도 하였다.

"자, 하인들을 불러다 잘 수습하도록 하시오."

김기가 마지막 당부를 하고 나서 내려서니 기다렸다는 듯이 길산을 위시하여 선일이, 선흥이, 홍복이 등이 뒤를 따랐다. 그들은 인파에 섞여 대문을 나서는데 말득이가 마주 뛰어들어오고 있었다.

"저쪽 동구에 털벙거지들이 까맣게 몰려옵니다."

아마도 지산골 사람 중에 누군가가 난민의 돌입을 알린 모양이었다. 그러나 김기는 침착하게 중얼거렸다.

"우리는 조용히 뒷산을 넘어가자. 우리 손에 종손이 잡혀 있는 한 조가는 어쩌지 못할 것이다."

"여보시오, 활빈당 어른들……"

조동지네 집 쪽에서 누구인가가 헐레벌떡거리며 뛰어오고 있었다.

"우리를 부르는 모양인데……"

김기가 발을 멈추었고, 그들은 모두 뒷산으로 오르는 길에서 그 사내를 기다리고 있었다.

"어디루들 가시려구요?"

그들은 서로 얼굴을 마주 보았다. 어린 도령을 안고 있던 선흥이가 얼굴을 일그리며 되물었다.

"댁이 누구여?"

"아…… 저는 용천관에서부터 따라왔던 사람입니다. 이걸 보시오."

하면서 그는 쌀이 가득 담긴 자루를 내보였다.

"장사님들은 이 고장이 처음이실 텐데 아무 데나 갈 수는 없지 않겠습니까? 제가 좋은 은신처를 알구 있으니 진휼이 모두 끝날 때까지 거기 가서 계시지요."

모두 망설이는데 길산이 대답하였다.

"어서 앞장을 서시오."

사내는 자기를 믿어주는 것만 반가운지 산 위로 올랐다. 김기가 말득이에게 당부를 하였다.

"자네는 여기서 형편을 보았다가 관군이 모두 돌아간 뒤에 조동지네 집으로 들어가 식객을 자청하게. 아마 다른 마음은 품지 못할 테니까."

"젠장 나는 매일 파장이나 보구 다니라는 게로군."

투덜대는 말득이만 남겨두고 그들은 뒷산을 넘어갔다. 산을 한참이나 올라서 동현령으로 들어가니 깊은 골짜기에 찬바람이 일어나고 물이 마르지 않은 제법 큰 시내가 나왔다. 그 위에 빈터가 있었는데 다 허물어진 집 한 채가 보였다. 앞서가던 사내가 말하였다.

"바로 여기입니다. 극락사라는 절이 있던 곳입니다. 예전에 주지를 역모에 몰아 죽이고 장정들을 동원하여 불을 질러버렸지요. 그뒤로 워낙 사연이 있는 절터라 아무도 올라오지 않고 낮에는 나무꾼들도 꺼리는 곳이 되어버렸지요."

김기와 길산은 서로 고개를 끄덕였다.

"임시 산채로는 아주 그럴듯한 곳이로군."

서까래가 떨어져서 하늘이 훤히 보였고 벽의 흙이 다 떨어져서 수수깡이 얼기설기 드러났는데, 방마다 버섯과 잡초가 그득하였다. 선일이가 뒤로 돌아갔다가 뒷방의 찬방으로 쓰던 곳이 그런대로 쓸 만하다고 알려왔다. 과연 방은 비좁았으나 구들이 꺼지지 않았고 흙바닥이긴 하여도 마른 풀을 깔면 그런대로 쓸 만해 보였다. 우선 잠든 도령을 안아다가 방 안에 뉘고, 선일이가 용천관서 업고 왔던 아이도 함께 있도록 하였다. 모두들 점심을 굶었는지라 우선 급한 것이 밥이었다. 길산과 선흥이는 벌써 시내에 옷을 입은 채로 들어가 더위를 식히고 있었고, 흥복이는 사내와 함께 쌀을 내어 밥을 지었다. 김기는 잠든 아이들의 머리맡에서 쉬고 있는데, 도령이 먼저 깨어나 다시 칭얼대며 울기 시작하였고, 할미를 여읜 아이도 깨어났다.

"애, 울지 마라. 아저씨들이 밥을 해준단다."

남루한 차림의 아이가 오히려 복건 쓴 아이를 달랬다.

"싫어, 싫어, 집에 갈 테야."

"나하구 밖에 나가자. 산딸기 따줄게."

아이들은 잠시 후에 손을 잡고 밖으로 나갔다. 김기는 그 아이들의 하는 양을 바라보다가 어언 눈물이 핑 돌았으니, 그들은 아직 반상의 구별이 없는 시절이었던 것이다.

"그럼 저는 이만 내려가보겠습니다."

그들을 안내하였던 자가 김기에게로 와서 말했고, 김기는 그를 물끄러미 바라보았다. 아마도 그는 갓을 쓰고 연설하던 김기를 이들의 우두머리로 알았던 것 같았다.

"댁이 어디시오?"

김기가 물으니, 사내는 대답하였다.

"예, 중부방 부근입니다. 아이들이 배곯고 기다릴 듯하온데⋯⋯ 마음이 급하여 더 머물지 못하겠습니다."

"중부방이라면 읍내가 아니오?"

"용천관서 가까운 곳이지요."

사내는 연신 쌀자루를 등에 올렸다가 내려놓았다가 하고 있었다.

"여기서 잠깐 기다리오."

김기는 물을 뒤집어쓰고 그늘에서 쉬고 있는 길산에게로 다가갔다.

"장두령, 어찌할까⋯⋯ 저 사람이 돌아가겠다구 하는데."

"보내죠."

길산이 대수롭지 않게 말하였다.

"글쎄⋯⋯ 집이 용천관 부근이라던데, 변심하여 관군을 끌구 올지두 모르잖소."

김기가 걱정하였으나 길산은 그렇지가 않았다.

"내가 보기에는 사람이 믿어두 될 듯합니다. 백성들이란 다 착하지는 않지만, 그래두 착한 마음은 많이 남아 있지요. 조동지네 마당에서 나는 그 사람들이 불이라두 싸지르든지 내정 돌입을 할까 은근히 걱정했습니다. 그러면 진휼이 고루 시행되지 못하였겠지요. 보신대로, 사람들은 쌀만을 다투어 꺼냈습니다. 저 사람은 관군들이 나타나는 것을 보고 달아나지 않고 우리들에게 길을 안내하였습니다. 변심할 자라면 은밀히 관군에게 내려가 우리가 오른 산길을 가르쳐주었을 거요. 보십시오, 저자의 장사치라면 몰라도 농사꾼들은 한번마음을 주면 좀체로 바꾸지 않습니다. 그래서 활빈하기가 어렵기도하지요."

김기는 고개를 숙이고 그의 말을 들었다. 길산이 흥복을 불렀다.

"아까 성님이 불러준 방(榜)을 어찌하였느냐?"

흥복은 허리춤에서 네모반듯하게 접어넣었던 방문을 꺼내주었다. 길산이 말하였다.

"진휼하니까 쌀을 받아가라는 방문이니 이걸 용천관에 붙여야 되겠지요? 저 사람을 보낼 뿐만 아니라, 이걸 갖다가 붙이도록 시켜야겠습니다."

사내가 불려왔다. 길산이 방문을 내주면서 말하였다.

"참 고맙소. 덕분에 여기서 며칠 동안 편안히 지내게 되었으니 이녁도 우리와 같은 활빈행을 한 게요. 그런데…… 이것은 조동지네일을 모르는 사람들에게도 쌀을 타러 오라는 방문인데, 집에 가시는길에 좀 붙여주시겠소?"

"여부가 있겠습니까?"

사내는 얼른 받아넣으면서 말하였다.

"하지만 낮에는 어렵겠습니다. 제가 오늘밤에 아무도 모르게 내다 붙이도록 하지요."

사내는 여럿에게 일일이 인사를 하고 나서 쌀자루를 짊어지고 말하였다.

"제가 읍내 형편을 보아 내일 다시 와서 알려드리겠습니다."

"고맙소."

길산이 말하니 사내는 멀뚱한 얼굴을 들어 그를 보았다.

"고맙다니요. 이런 일을 보는 건 평생에 처음이올시다. 이렇게 남의 쌀을 가지고 보니, 어쩐지 이건 내가 꼭 가졌어야 될 쌀루 보입니다."

"곡식은 요순시절부터 일하는 이들의 것이외다."

김기가 빙그레 웃으며 말했다.

"서흥 고을의 기민들이 이번 진휼로 살아남게 되었으니 이 은혜는 모두 평생을 잊지 못하겠지요."

사내는 인사를 올리고 바삐 내려갔다. 그들은 둘러앉아 저녁을 먹었다. 길산이 말하였다.

"다음에는 곡산으로 가자. 곡산은 워낙 산고을이 많은 고장이라 굶주리는 이가 더욱 많을 것이다."

"저쪽에서는 시작을 했을까?"

선흥이가 묻자 김기가 말하였다.

"마두령 말이 초순경부터 활빈을 나간다고 하였고 풍열스님은 이미 절의 비축곡을 모두 내어버리고 옥여스님과 더불어 벽곡하고 계시다네."

길산은 어두운 표정이 되어 밥그릇을 내려다보았다. 흉년의 찌는 듯한 하루 해도 쫓겨서 서산 마루턱에 걸렸다. 그들은 묵묵히 밥을 떠넣었다. 연기 한 점 오르지 않는 들판께의 마을이 내려다보였다.

"내일쯤엔 저 마을마다 밥짓는 연기들이 무럭무럭 올라갈 게요."

김기가 무거운 분위기를 털어내리는 듯이 말하였다.

"어…… 시원한 탁배기나 한잔 걸쳤으면 원 없겠네."

선흥이가 중얼거리다가 길산의 노리는 눈길과 마주치자 움찔하여 입을 다물었다. 조동지네 집에 들이닥친 것은 장교 이하 십여 명의 포졸들이었다. 그들은 동지네 집에 난민이 돌입하였다는 발고에 접하자 진압하기 위해 달려왔던 것이다. 포졸들은 이리저리 피해 달아나는 난민들의 무리를 쫓아가서 서너 사람을 잡았는데 그들은 제각기 쌀자루에 그득히 백미를 담아 운반하고 있었다. 장교가 그들의 볼때기를 쥐어박으며 문초하였다.

"네 이놈들, 폭도의 당이로구나. 이 쌀을 조동지 댁에서 훔쳐낸 게 분명하렷다."

"아…… 아닙니다. 우린 그 댁에서 주는 대로 얻어왔을 뿐이오."

"저희들이 아닙니다. 장정들이 나와서 창고를 부수고……"

장교는 눈을 번쩍 떴다.

"장정들이라니 그게 웬놈들이냐?"

그러자 곁에 있던 자가 발설한 자의 발등을 밟으면서 말을 돌렸다.

"누구긴요, 그게 다 서흥 고을에서 성미깨나 있다는 젊은이들입죠. 동지어른께 여쭈어보십쇼. 그분이 저희를 가긍하게 보셨는지 진휼하기로 마음을 정하셨답니다."

장교는 그들을 앞세우고 조동지네 집으로 가니 대문은 활짝 열려 있고 곡식은 사방으로 흐트러져 있는데 마당으로 가는 하인배들을 보니 풀이 죽어서 모두 입을 다물고 있고, 머리가 깨진 놈, 눈 생채기 난 놈, 부어오른 놈 등등으로 각양각색이었다.

아무래도 무슨 일이 벌어진 게 분명하였다. 장교가 사랑채로 현신하여 동지를 보자 청하니 그가 나오는데 수심이 가득하였다.

"난민이 일어났다고 하여 급히 달려오는 길입니다. 별일 없으십니까?"

"아무 일도 없네."

"저 창고의 문이 다 부숴졌는데 혹시 난동을 부린 게 아닌가요."

"젊은 아이들끼리 작은 충돌이 있었으나 잘 처리되었지. 우리 고장 사람들이 전부 굶어죽는 것은 차마 못 볼 일이라, 여럿이 몰려와서 애소하길래 내가 광문을 열기로 하였네. 자네는 돌아가 사또께 내 뜻을 알리고 호방을 이리 보내어 동네마다 인구의 다소와 호구의 대소를 보여주었으면 진휼하기에 편하겠다고 전하게."

"과연 생불(生佛)이십니다."

장교는 그렇게 맞장구칠 수밖에 없었다. 뭔가 낌새가 이상하긴 하였으나, 굶주린 난민들이 몰려온 것만은 사실이고 정작 피해를 받고 해야 할 주인이 나서서 진휼한다는데야 더이상 미주알고주알 따질 필요가 없었던 것이다. 관군들이 모두 지산골을 떠나자 뒷산에 앉아 내려다보던 말득이는 천천히 조동지 댁으로 발을 옮겼다. 조동지네 집 앞에는 아무도 보이지 않았다. 이미 어둠이 깔리기 시작하였는데, 대문은 새 빗장이 걸려 굳게 닫혀 있었고 외등도 내걸지 않은 마당은 캄캄하여 마치 초상집과도 같았다. 말득이는 서슴지 않고 대문을 두드렸다.

"이리 오너라……"

한참이나 부른 뒤에 발소리가 들리고 잔뜩 주눅이 든 하인의 겁먹은 목소리가 들렸다.

"뉘시우?"

"이 집 도련님을 모시구 있는 사람들이 보내어 왔수."

"에구……"

자지러지게 놀란 하인이 들어갔다가 잠시 후에 뭐라고 떠드는 소리가 들리고 나서 황급히 문을 열고 나온 것은 동지네 수노였다. 그는 터진 이마빡에 된장을 붙이고 수건을 친친 동여매고 있었다. 그가 허리를 구부렸다.

"나으리께서 어서 안으루 모시랍니다."

말득이가 그들의 뒤를 따라 사랑채로 들어갔고 마루 위에는 조동지가 안절부절못하며 서성대고 있었다.

"우리 아이가 어찌되었소. 제발 데려와주시우. 벌써 진휼을 관가에 통기하였소."

말득이가 마루 아래에 서서 공손히 말하였다.

"진휼이 모두 끝나는 날 저녁때에 도련님을 보내드릴 겁니다."

조동지는 말득이에게 적개심을 드러내기는커녕 혹시 그의 기분이 상하지나 않을까 몹시 조심하는 눈치였다.

"어디 다친 데는 없는지…… 울거나 두려워하지는 않던가요. 헌데 저녁은 드셨소?"

"물린 상이 있으면 적당히 차려주시우. 좀 시장합니다."

"애들아, 손님을 바깥채에 모시고 어서 저녁 차려드려라."

말득이가 다시 물러가기 전에 말하였다.

"내일 새벽부터 기민이 밀어닥칠 터인데 준비를 해두어야 할 것입니다. 어서 진휼이 끝나야 도련님이 돌아오시지요."

"알겠소. 지체없이 시행하리다. 어디 있는지…… 우리집 아이들을 시켜서 이불이며 음식을 날라다 주었으면 좋으련만, 정말 관가에는 절대로 알리지 않을 텐데……"

"염려 마십시오. 우리가 비록 산간에 있다 하나 무도하고 몰인정한 놈들은 아니우."

말득이가 바깥 행랑채에 자리 잡고 식객이 되었는데, 밖에서는 마당에 멍석을 펴고 나눠주기 편하게 창고의 쌀섬을 내어다 쏟아놓는 일이 시작되었다. 과연 이튿날 새벽 어스름이 부옇게 밝아올 무렵부터 기민들이 지산골에 몰려들기 시작하였다. 말득이가 하인들과 더불어 그들을 맞았고, 이들의 대부분이 어제 쌀을 얻어간 사람들이 사는 동네에서 소문을 듣고 날이 새자마자 찾아온 자들이었다. 어둠 속에서 희끗희끗 나타나기 시작한 자들이 대문 앞의 빈터를 메우기 시작하였는데 꼭 유령 같은 몰골들이었다. 날이 훤해지면서부터는 지산골로 들어오는 길과 들판이 새 장이라도 선 것처럼 인파에 덮였다. 말득이와 하인들이 나가서 술렁대는 그들을 동네별로 따로따로 세워두었다. 그들은 두려운 중에도 왜 쌀을 주지 않느냐고 웅성거렸고, 수노가 나서더니 관가에서 호방이 오면 식구가 많은 사람은 더 많이 주고 식구가 적은 사람은 그에 따라 적게 줄 것이니 기다리라 일렀다. 이윽고 호방이 몇사람의 사령배를 거느리고 당도했을 때는 용천관에 죽을 얻어먹으려고 모여들었던 기민들이 나붙은 방문을 보고 남부여대하여 조동지네 집으로 모여들었다. 말득이가 제안하여 쌀을 나누어주기 전에 우선 그들의 허기를 구제하는 일도 급하다 하여 잡곡과 쌀을 두고 죽을 끓여 그들에게 나누어주었다. 햇볕은 어느결에 뜨겁게 내리쬐기 시작하고 줄 섰던 자들이 하나둘씩 쓰러지기도 하였다. 드디어 진곡을 나누기 시작하는데 사람들의 행렬은 자꾸 불어만 갔다. 당시 서흥을 지나던 이가 백성들의 참상을 이렇게 기록하였다.

황해도는 어디를 가나 논밭이 쓸쓸하고 촌락은 비어 있었다. 제 고장을 등진 사람들의 떠도는 모습은 차마 볼 수 없고 주민들 역시 불안에 떨고 있었다. 길거리마다 걸인들이 들끓었는데 늙은이로부터 아이들까지 여럿이 모여 떼를 지어 돌아다닌다. 갓난아기를 길가에 버리는가 하면 어미와 자식이 서로 길을 잃어 울고불고하는 광경이 비일비재하였다. 그들의 용모는 파리하기가 흡사 귀신이다. 아침저녁으로 우리가 주막에서 음식을 먹을라치면 걸인들이 구름같이 모여들어 둘러싸고 한술만 달라고 사방에서 아우성이다. 눈뜨고 차마 볼 수 없으며 밥이 어찌 목구멍으로 넘어가리요. 만약 그들에게 남은 밥을 주면 그들은 형제간, 부부간에도 서로 조금도 사양함이 없었다. 다투어 한술이라도 더 얻어먹으려고 다투고 빼앗았다. 이런 형편에서 염치나 인륜 같은 것은 도저히 찾아볼 수 없었다. 힘이 센 자는 구걸하다가 얻지 못하면 주인에게 원한을 품고 밤에 몰래 불을 싸지르니, 집 가지고 사는 백성들조차 피해가 막심하였다. 실상 걸인들에게 줄 것이 없지만, 또 안 주자니 보복이 두려운 것이다. 걸인들은 소, 말, 닭 등의 아무 가축이든지 닥치는 대로 잡아가며 명화적의 기습 때문에 새벽에 길 떠나는 것을 모두 삼가고 있었다. 어느 마을이든 외모가 번듯한 집이 있어 안에 들어가보면 밥을 해먹은 지가 오래되었음을 알 수 있었다. 지금이 농사철임에도 종자마저 다 먹어 치워 사실상 폐농상태의 농가가 태반이다. 나물 캐는 사람들로 산야가 뒤덮여 있으며 겨를 구해다가 나물과 죽을 쑤어 배를 채웠다. 사람들은 부기(浮氣)가 떠올랐으며 사람의 사는 즐거움을 잃은 지 오래였다.

기민들이 이러하였으니 죽 한 그릇 먹었다고 곧 회생될 리가 만무하였다. 저녁 늦게까지 진휼은 그치지 않았다. 다음날은 전날의 두어 배가 넘을 만큼 인파가 모여들었는데, 그 가운데에는 소문을 들고 이웃 고을에서 지경을 넘어 찾아온 사람들도 있었다. 말득이는 수노와 의논하여 그들에게도 적당량을 배급하였다. 진휼이 계속되어 사흘이 지나서야 창고가 비워졌다. 점심때쯤에 흥복이가 동지네 집을 찾아와 말득이와 함께 동지에게 나아가 말하였다.

"서흥의 온 백성들은 동지어른을 일컬어 묵적(墨翟) 같은 이가 환생하였다고 칭송이 자자합니다. 일이 끝났으니 이제 돌아가서 곧 도련님을 보내드리지요. 그리고 이 댁의 하인 한 사람만 저희에게 붙여주십시오. 도련님을 업구 와야 할 테니까요."

동지는 침통한 얼굴로 아무 대답이 없었다. 그는 지난 며칠 동안에 완전히 기진맥진해버린 것이었다. 그렇지만 아무리 마음에 없는 진휼을 베풀었다고는 하나 벌써 태산 같은 선행으로 인근 사방에 알려지고 사또는 감영을 통하여 조정에 장계까지 올렸으니, 이제 와서 도적들의 강압적인 사주를 받았다고 광설할 수도 없는 노릇이었다. 그는 어서 일이 조용히 끝나 종손이 무사히 되돌아오기만 바랄 뿐이었다.

"어서 보내주시오."

동지는 힘없이 중얼거렸다. 하인배들이 아무리 세상 도리에 어둡다 할지언정, 굶주리는 자들에게 미곡을 나누어주고 그들의 기뻐하는 모습을 대하다 보니 모두들 진휼이 어떠한 일인가를 깨닫게 되었던 것이다. 이른바 관상가에서 말하는 길기(吉氣)라는 것은 선행을 한 뒤에 마음의 안정을 찾은 안색을 말하는 것이니, 길흉화복이란 모두 사람이 지어서 스스로 받는 것이다.

"패가하셨다 여기지 마시고, 서흥 곳곳에 인심을 쌓아 수만 전의 없어지지 않는 재물을 얻었다고 여기십시오."

흥복은 동지에게 이르고 나서 하인을 데리고 말득이와 함께 집을 나섰다. 그들은 동현령 극락사의 절터에 당도하여 진휼의 과정을 자세히 알렸다.

"아이를 데리구 오너라."

김기가 이르자 선일이가 아이의 이름을 부르는 소리가 들리고, 복건도 까치 두루마기도 모두 벗어버리고 더벅머리를 흩트린 채로, 도련님이 아니라 상인의 아이 같은 조동지네 종손이 웃으며 뛰어왔다. 그 아이는 버려진 아이와 동무가 되어 인근 산골짝을 뛰어다니며 노는 데 정신이 팔려 있었던 것이다.

"어이구, 도련님······"

"싫어, 여기서 놀 테야."

하인이 두 팔을 벌려 안으려 하자, 아이는 달아나며 거부하였다. 하인이 간신히 잡아서 끌어안았으나 아이는 동무와 헤어지는 것만 싫어서 발버둥질을 쳤다.

"어서 내려가보게."

하인은 우락부락한 사내들 틈에 끼여 있는 것만 조마조마하여 뒤도 돌아보지 않고 뛰쳐내려가는데 아이의 칭얼대는 소리만 먼 데까지 들려왔다. 길산이네가 용천관에서 얻었던 아이도 정이 들었는지 울먹울먹하는 것이었다.

"저 아이는 어른이 되어서도 이 일을 잊지 못하게 될 거요. 신분의 엄격한 구분은 사람의 정까지 상하게 하고 있으나, 이것은 억지로 되는 짓이라 세상에서 조금만 벗어나도 맥없이 무너져버리고, 더구나 국법이 바뀐다면 한 삭도 못 가서 모두 없어지고 말 게요."

김기가 아이의 머리를 쓰다듬으며 중얼거렸다.

"자, 떠나지."

길산이 재촉하였다.

"애는 어찌합니까?"

선홍이가 물으니 길산이 말하였다.

"네가 업어라. 춘천댁이 잘 보살펴주겠지."

신천(信川) 우산포(牛山浦)는 동북 삼십여 리에 걸치는 어루리벌(魚蘆坪)을 끼고 안악의 맞임개(延津)와 접하였고 갯가에 수세(收稅) 창고가 즐비하였다. 세곡선이 맞임개로 하여 나무리벌을 지나 월당강(月唐江)으로 접어들어 대동강 수로를 빠져나가게 되는 것이었다.

따라서 내륙의 맞임개가 세곡선의 집결지가 되었고 월당강 쪽의 지진나루와 밤곳이나루가 나무리벌의 미곡을 실어내가게 되어 있었다. 근년에 들어 뻘흙이 자꾸 쓸려내려와 하상이 높아져서 우산포는 먼저 있던 장소에서 북쪽으로 올라가야 하였다. 보통때에는 맞임개에서 들어오는 배가 빽빽이 들어차서 어루리벌 너머로 대도회가 내다보이던 것이었지만, 때가 흉년인지라 예년보다 쓸쓸하고 떼지어 몰려다니는 유민들의 무리가 배라도 끌어주고 쌀겨나 얻으려고 우산포의 갈대밭 곳곳에 노숙하고 있었다.

이곳에는 세곡선뿐만 아니라 관북과 관서의 내륙지방에서 내려오는 주상(舟商)들의 배도 심심치 않게 드나들어 비록 경강(京江)에는 미치지 못하였어도 객줏집도 있고 선창도 있었다. 그러나 객주에서는 저희 식구 살아갈 일이 급하여 거의가 장사를 폐한 곳이 대부분이었다. 우산포란 지명은 들판 한가운데에 크고 작은 두 산이 있는데 그 모양이 엎드린 소의 형상과 같아서 생겨난 것이다. 인근에 큰 마을이 있어 소메골이라 하였다.

소메골에 구씨 성을 가진 양민 부호가 살았는데, 일찍이 우산포에서 객주를 여러 집 운영하고, 한편으로는 어루리벌에 장토를 마련하여 직접 담배나 목화 같은 작물을 생산하고, 돈놀이와 관서 관북 물화의 교역으로 크게 일어난 사람이었다. 그가 비록 아무런 직함이 없었으나 재령, 신천의 원과 트고 지내는 사이라, 때가 되면 철철이로 온갖 진물을 올려바치고 무시로 관가에 드나들어 아무도 그를 능멸할 자가 없었다. 부자에게는 흉년이 따로 없는 법이라 때가 마침 구부자의 환갑이었는데, 일가 권속들이 모여들고 인근에서 제법 사노라는 자들이 모여서 흐드러지게 지낼 모양이었다. 사랑 마루에 기다란 다담상이 차려지고 마당에는 구름 같은 차일에다 멍석을 깔고 가운데에는 기생과 광대들의 놀이판을 차렸다. 겸인을 시켜서 광대들을 데려오기로 하였고, 특별히 신천 관아에서는 관기를 내보내주었다.

온 집안은 물론이요 소메골에 고기 냄새와 기름 냄새가 진동하였으니, 또한 이 소문을 듣고 인근 사방의 각설이꾼 유민배들이 소메골을 찾아 모여들었다. 사랑채 마루의 중앙 상석에 구부자 내외가 앉고 그 좌우로 친지들이 둘러앉았으며, 권속들은 마당의 멍석에 차례로 앉았는데 혈육붙이들이 나와 술잔을 올리며 수복을 축원하였다. 술잔 올릴 적마다 기생이 지화자를 불렀다. 밖에서 술렁이는 소리가 들리고 나서 마당으로 들어서는 자들은 벌써 몸가짐이 건들거리며 각색의 차림과 악기 등속을 지닌 꼴이 광대가 분명하였다. 그들에게 한 상 그득히 차려주고 술 한 동이 내어 미리부터 신명을 올려두게 하였다.

"어이구, 쉰밥이라두 좋으니 한술만 줍시오."

"떡이 되나 술이 되나 조금만 줍시오."

대문 밖에서 요란하게 떠들어대는 소리가 들리니 겸인이 하인들을 데리고 나가 멀리 쫓아내도록 하였다. 그러나 소메골 구부자네

환갑 잔치는 이미 인근 사방에 소문이 자자하여 있었다.

먼저 꽹과리, 북, 징, 장고 등의 사물(四物) 갖춘 잽이들이 한판 흐드러지게 짓쳐돌아가고 나서 괴뢰배들이 포장을 열고 덜미를 노는 것이었다. 포장 뒤에는 대잡이가 가운데 서고 양쪽에 대잡이손이 앉아서 돕도록 되었다. 구부자는 소싯적부터 보아오던 놀음이라 기중 마음에 두었던 대목이 있었는지 친히 광대에게 말하였다.

"꼭두각시거리가 아주 재미있더라. 거기는 두 번을 거듭하여보아라."

좌중에는 취흥이 슬슬 무르익어 명석에 내려앉은 자들 사이에서는 벌써 타령장단이 나오고 법석이었다. 꼭두각시거리가 포장에서 시작되는데 꼭 이렇게 되어지는 것이었다.

아 여보게, 한 상 놀게.

그러세.

자네 우리 마누라 못 봤나?

봤지, 며칠 전에 맨발로 옷도 남루하게 입고 가는 것을 보았소.

그게 정말인가.

정말이고말고, 저 산모퉁이를 울면서 가는 것을 보았네. 불쌍해서 못 보겠데.

여보게, 내가 우리 마누라 나간 지가 수십 년이 되어, 우리 마누라를 찾으려고 방방곡곡 면면촌촌 참빗 새새 다 찾아다녀도 마누라를 못 보겠데. 혹시 이런 데 없나 한번 불러보겠네.

어디 불러보게.

그럼 불러보겠네. 여보 할멈, 할멈.

여보 영감, 영감. 영감을 찾으려고 일원산(一元山) 가 하루 찾고 이 강경(二江景)에 이틀 찾고 삼포주(三浦州)에 가 사흘 찾고 사법성(四法聖)에 가 나흘 찾고 오강화(五江華)에 닷새를 찾아도 영감 소식 몰랐는데, 어디서 영감 소리가 나는 듯 나는 듯하구려. 여보 영감, 영감.

저리 저리 절씨구 지화자 절씨구, 거기 누가 날 찾나, 거기 누가 날 찾나, 날 찾아올 이 없건마는 거기 누가 날 찾나, 지경성지 이태백이 술을 먹자고 날 찾나, 거기 누가 날 찾나, 거기 누가 날 찾나, 상산 봉네 노인이 바둑을 두자고 날 찾나, 날 찾을 이 없건마는 거기 누가 날 찾나, 여보게 할멈, 할멈.

여보 영감, 영감.

만나보세, 만나를 보세.

만나봅시다, 만나봅시다.

아고, 할멈이오.

아이고, 영감이오. 여러 해포 만이구려. 잘되었소, 잘되고도 잘되었소. 영감 꼴이 잘되었소. 정주 탕관은 어디다 두고 개가죽 감투가 웬말이오.

거 다 할멈 없는 탓이오.

잘되고도 잘되었소. 영감 꼴이 잘되었소. 청사 도포는 어디다 두고 광목 장삼이 웬말이오.

그도 다 할멈 없는 탓이오.

여보 영감, 젊어 소싯적에는 어여쁘고 어여쁘던 얼굴이, 네에미 부엉이가 마빡을 때렸나 웬 털이 그렇게 수북하오.

야야 이것 봐, 사내 대장부라 하는 것은 위엄 주세가 우긋해야 오복이 두리두리한 거여.

오복, 육복이라 하시오.

육복 칠복은 어떻고.

칠복보다 팔복이라 하시오.

야야 이년 복타령하러 나왔냐, 야야 이년아 너도 젊어 소싯적에 어여쁘고 어여쁘던 얼굴이 율묵이가 마빡을 때렸나, 우툴두툴하고 땜쟁이 발등 같고 보리 먹은 삼뇌 같고 비트러지고 찌그러지고 왜 그렇게 못생겼나.

여보 영감, 그런 말 마소. 영감을 찾으려고 방방곡곡 얼레빗 참빗 새새 다니다가 먹을 것이 없어서 저 강원도 들어가서 도토리밥을 먹었더니 얼굴이 요렇게 되었소.

아따 그년 능글능글하기도 하다. 야야, 이년아 내 말 들어봐라. 너는 빤들빤들한 도토리밥을 먹어서 그러드냐. 나는 이 앞 들의 세모나고 네모난 메밀로 국수만 눌러 먹어도 얼굴만 매끌매끌하다.

여보 영감, 오랜만에 만나서 싸우지만 말고 같이 들어갑시다.

야야, 이리 와. 아내가 나간 지 수십 년이 되어 늙은 내가 혼자 살 수 있던가. 그래 내 작은집을 하나 얻었네.

옳지 옳지, 내 알았소. 영감이 나간 후로 알뜰살뜰 모아가지고 작은 집을 한 칸 샀단 말이지요.

왜 기와집은 안 사고, 이 능대가 할켜갈 년아.

그럼 뭐 말이오.

그런 게 아니라 작은마누라를 하나 얻었단 말이다.

옳지 옳지, 내 알았소. 내가 갔다 돌아오면 김장할려고 마늘을 몇 접 샀단 말이죠.

왜 후추 생강은 어떻고, 우라질 년아.

그럼 뭐 말이오.

자 자, 이리 와. 작은여편네는 아느냐.

옳지 옳지, 내 알았소. 내가 가면 영영 안 올 줄 알고 작은여편네를 하나 얻었단 말이죠.

아따 그년, 이제 삼일 강아지 눈뜨듯 하느냐.

여보 여보, 기왕지사 그렇게 되었으면 작은마누라 생면이나 시켜주시오. 인사는 시켜줘야죠.

아하, 이 꼴에 생면을 시켜달라네.

암요, 시켜주셔야죠. 개천에 나도 용은 용이요 짚으로 만들어도 신주는 신주 법대로 있지 않소.

그럼 생면을 시켜줘야 하나.

시켜줘야지.

그럼 생면을 시켜줄 테니 저리 돌아섰거라.

왜 돌아서라 그러우.

옳는다 옳아.

뭐가 옳아.

얼굴 옳는단 말이여. 저리 돌아서 이쪽을 보면 안 돼. 생면을 시켜줄 테니 정신 차려 받어라.

무슨 인산데 정신 차려 받으라우.

벼락인사다. 벼락인산가. 용산 삼개 덜머리집네 거드럭거리고 나오는구나. 아이구 요걸 깨물어 먹을까. 요걸 꼬여 찰까. 그저 그저. 야, 야, 이것 봐 저기 큰마누라가 돌아왔다. 인사해야지. 응, 그렇게 돌아서면 되나. 어서 가서 인사해요.

한참 덜미 마주치기가 진행되는데 놀이판 뒤로 차례를 기다리던 광대들 틈에는 우락부락한 사내들이 날카로운 눈초리로 건너편의 마루 위를 올려다보고 있었다. 그들 가운데 말뚝벙거지에 괴적삼 바람에다 얼굴은 진한 잿빛이요, 광대뼈가 불거진 자가 있었는데 놀이를 끝내고 나오는 광대들에게 술을 퍼주고 있었다. 아마도 짐꾼이나 되어 보이는 자가 곁에서 그들이 준비할 물건들을 챙기고 매어주고 하였는데, 그는 키가 훌쩍 크고 등이 꾸부정하며 얼굴이 길쭉한 사내였다.

"대문으로 가보아."

얼굴 시커먼 자가 키 큰 자에게 말하니 그는 고개를 끄덕이고 나서 안마당을 지나 바깥마당으로 나갔다. 대문 앞에는 두어 명의 하인이 지켜섰을 뿐이고 모두들 놀이판에 정신이 팔렸는지 계집종 하나 얼씬거리지 않았다.

"어이, 낮술에 얼굴이 벌게서 이 무슨 꼴이람. 한숨 자야겠네."

키 큰 사내가 중얼거리고 나서 행랑 처마밑 그늘에 가서 쭈그려앉았다. 아무도 그에게 주의를 돌리는 자가 없었다. 키 큰 사내는 툇마루 아래 걸터앉아 끄덕끄덕 조는 시늉을 하고 있었다.

대문 밖에는 아직도 걸인과 유민배들이 흩어지지 않고 햇볕을 피하여 건너편 송림의 그늘에 웅기중기 둘러앉아 있었다.

"대문이 열리면 곧장 뛰어들어가야 한다."

십여 명의 사내들이 나무 아래 눕고 기대고 하였는데, 그들 중에 나이 지긋하고 터럭이 희끗희끗한 자가 말하였다. 그는 둘둘 말아 새끼로 동인 거적을 등에 짊어지고 있었으며 다른 자들도 거적이나 망태기를 가지고 있었다. 모두가 다 한결같이 남루한 복색이었다.

"저 사람들이 쫓아오면 어쩌려우?"

망태기를 가진 자가 저쪽에 둘러앉은 유민배들을 돌아보며 말하자 나이 든 사람이 말하였다.

"쫓아오도록 놔두어. 대문만 닫아걸면 될 테니까."

그들은 풍악소리가 낭자한 구부자네 높은 담장을 바라보며 무엇인가를 기다리는 듯하였다. 놀이판에서는 아직도 덜미가 계속되고 있는지 관객의 웃음소리와 굿거리장단이 요란하였다.

　문안이오.

　문안이고 문밖이고 웬 벌거벗은 놈이냐. 대빈상이다. 벌거벗은 놈은 얼씬도 말아라.

　허허, 상여 뫼시러 왔소.

　벌거벗은 놈은 대감상여에 얼씬도 말아라.

　다 틀렸다. 다 틀렸어. 벌거벗은 놈은 대감상여에 얼씬도 말라네.

　애애, 그럼 좋은 수가 있다.

　뭐여.

　내 시키는 대로 해여. 상제님이나 상두꾼이나 모두 사타구니 그것 떼어서 아랫목에 묻고 왔느냐고 물어봐라.

　야야, 경칠려고.

　괜찮어.

　야 무서워 안 되겠다.

　너 일곱 동네 장사 아니냐.

　허 참, 안 되면 그까짓 것 발길로 차고 주먹으로 쥐어박고 이승에서 못 살면 저승에서 살지…… 야 이거 못 하겠다.

　이놈아, 내질러봐.

　그렇지 해봐야지. 상제님.

　왜 그래.

　상제님이나 상두꾼이나 그런 것 떼어서 아랫목에 묻고 왔소.

　아따 벌거벗은 놈이 말 한번 잘한다. 네 재주껏 모셔라.

포장 뒤에서는 상여가 나가는데다 셋째 거리 들어갈 찰나였다. 광대들 틈에 끼여 있던 자가 징을 들어 세차게 두드렸다. 잔치 손님들은 아무도 눈치채지 못하고 있었다. 징소리는 집 안에 길게 울려퍼졌다.

행랑채 처마밑에서 쭈그리고 앉아 있던 자가 일어났다. 하인 하나는 툇마루에 길게 팔베개를 하고 누웠고, 다른 하나는 중문간에 엇비슷하게 기대어 사랑채 마당을 넘겨다보느라고 정신이 없었다. 키 큰 사람은 그들을 눈여겨보고 나서 허리춤에서 무엇인가를 꺼냈다. 그것은 명주실에 꿴 열 닢의 돈이었다. 키 큰 사내는 그것을 마당 가운데 살그머니 내려놓고 다시 앉았던 자리로 가서 하품을 하고는 큰 소리로 말하였다.

"허, 이 댁이 과연 부자로군. 마당에 웬 돈이 굴러다니나."

중문간에 섰던 하인이 돌아보았고 키 큰 사내는 마당으로 걸어갔다. 툇마루에 누웠던 하인도 그 소리에 잠이 깨어 상반신을 일으켰다. 키 큰 자가 일부러 잽싸게 돈을 주워서는 소매 속에 챙기는데, 두 하인들은 저놈 봐라, 하는 식으로 눈길을 맞추었다.

"어이, 그 돈 내놓아라."

"허, 줏는 사람이 임자지 왜 이러는 게여."

키 큰 사내가 마당 구석의 헛간 쪽으로 뒷걸음질을 치자, 하인들은 그를 따라서 헛간으로 들어섰다. 쫓기던 자는 우선 돈을 헛간 안쪽에다 던졌고, 앞섰던 자가 그를 지나쳐 안으로 뛰어드는데 뒤이어 다른 자가 앞을 다투며 들어선다. 키 큰 사내는 뒤미처 들어오던 자의 배를 무릎으로 올려찼다. 그가 입을 딱 벌리더니 배를 안고 무릎을 꿇었으며, 다시 이번에는 돈꿰미를 주우려고 엎드린 하인의 등판을 발뒤꿈치로 내려찍었다. 목에 헉, 걸리는 듯한 숨소리가 들리며 길게 뻗으니, 키 큰 사내는 널브러진 두 하인의 다리를 잡아 헛간 깊숙이 끌어다 두었다. 그는 저고리를 잡아흔들어 바람을 내면서 유유히 대문으로 가서 빗장을 빼고 한쪽 문을 열더니 고개를 내밀었다. 십여 명의 사내들이 안으로 우르르 밀려들었다. 그들의 뒷전에는 영문을 모르는 유민배가 어리둥절하여 바라보고만 있었다. 키 큰 사내가 대문을 다시 닫고 빗장을 지르면서 물었다.

"다 들어왔지?"

나이 든 자가 끄덕였다. 그는 등에 짊어지고 있던 거적때기 안에서 환도를 빼내들었다.

"오두령님……"

들어온 사내 중의 하나가 지팡이로 짚고 다니던 기다란 막대를 키 큰 사내에게 넘겨주었다. 그는 지팡이 막대를 잡아 끝을 비틀어 뽑았는데, 막대기 끝에 창날이 나타났다. 그것은 단창(短槍)이었다. 뒤따라서 다른 자들도 거적 속에서 환도를 뽑았고 망태 안에 숨겨둔 쇠몽치들을 꺼내들었다.

"너희는 중문을 지켜라."

키 큰 사내가 말하고 나서 나이 든 자에게 일렀다.

"변두령은 밖으로 도망쳐나오는 것들을 안채로 몰아넣으시오."

그들이 중문을 지나 사랑마당에 몰려들어갔는데도 아직은 아무도 눈치채는 자가 없었다. 그들은 사방의 차일 치고 멍석을 편 담장 밑마다 간격을 두고 빈틈없이 지켜섰다.

"비켜라……"

얼굴 검은 사내가 광대들에게 이르자 그들은 좌우로 물러났고, 그는 광대들의 봇짐 속에서 칼을 뽑아들고 뛰어나갔다. 그가 멍석의 놀이판 가운데로 뛰어나갈 때까지는 모두들 놀이치고는 어딘가 이

상하다 여길 뿐이었다. 그런데 그는 멈추지 않고서 마루 위로 성큼 뛰어오르더니 칼끝을 상좌에 앉은 구부자의 턱밑에 갖다대었다.

"저런……"

"아니 저놈이 환장을 하였나?"

구경꾼 중에서 웅성거리는 소리가 들리고, 마루 위에 올라선 자가 한 손을 내저어 보이자 그들의 등뒤로부터 무기를 가진 장정들이 놀이판 가운데로 뛰쳐나왔다. 상이 엎어지고 음식이 쏟아지는 혼잡이 일어나는 중에 마루 위의 사내가 외쳤다.

"꿈쩍 마라. 모두들 이 자리에서 한걸음이라도 움직였다간 목이 달아난다. 그 대신에 시키는 대로만 한다면 머리털 하나 상하지 않고 무사히 돌아갈 수 있을 것이다."

"이거 문자속이 밝아 안되었소마는 숙불환생(熟不還生)이라 하였으니, 이 많은 음식들을 파리에게 내줄 수야 없지."

마감동이 부하들에게도 권하며 술을 들이켰고 옥여가 중얼거렸다.

"해가 지려면 아직 멀었으니, 저 밖에 기민들이나 불러다 잔치하구 갑시다."

"나중에 뒤가 귀찮게 되지 않을까……"

오만석이 걱정하였으나, 감동이는 거리낌없이 응낙하였다.

"걱정 없네. 우리는 배를 탈 테니까 모두 뿔뿔이 흩어지겠지. 변두령, 어서 모두들 안으루 들이시우."

변가가 졸개 몇을 데리고 대문을 열러 나갔다. 옥여는 감동이가 내어주는 감로주를 잔에 받아들고 차마 홀쩍 넘겨버리기가 아쉬운지 코 아래 가까이 대고 냄새를 맡았다.

"흠…… 아찔한 속세의 내음이로다! 벽곡 수십여 일에 곡차를 마

셨다가 육근이 노하여 불심이 사라지면 이런 파계가 또 어디 있을
꼬. 에라…… 나무관세음보살……"

승려 옥여는 염불을 중얼중얼하더니 첫 잔을 넘겼다. 웅성대는 소
리가 들리면서 늙은이 젊은이 아이들 여편네 할 것 없이 구부자네
음식 냄새를 맡고 인근 사방에서 모여들었던 유민의 무리들이 중문
안으로 꾸역꾸역 밀려들었다.

"자, 어서 그 상 앞으로 다가앉으시오."

그리고 감동이는 부하들께 지시하여 안채에 갇힌 아낙들 중에 이
집의 찬모와 하녀 서넛을 나오게 하여 부엌과 찬방에 남은 잔치 음
식을 모두 내오게 하였다. 백여 명이 넘는 굶주린 사람들은 그들을
두려워하기는커녕 어제 본 마을 사람에게 대하듯이 음식도 권하고
자리도 좁히는 것이었다.

"자네들은 계속 풍악도 잡히고 춤도 추게나."

"암, 여부가 있겠나. 이제부터 정말 우리 판인데……"

광대들이 다시 나와서 풍물을 두드리고 돌아가니 대기근에 때아
닌 빈민잔치가 벌어진 셈이었다. 옥여는 술잔을 들다 말고 그러한
광경을 내려다보며 합장하고는 눈을 감고 중얼거렸다.

"살불생천(殺不生天)이라도 미래세중(未來世中)에 용하보리수하(龍
下菩提樹下)에 역득치우(亦得値遇)하야 발무상도심(發無上道心)하리라."

"여보, 뭘 그리 중얼중얼하오. 술이 들어가니 과연 중생의 진면목
이 훤히 보이슈?"

감동이가 농을 던지자 옥여는 슬그머니 일어섰다.

"스님, 어디 가우?"

"이 댁에 적선할 물건이 얼마나 되는가 알아보아야겠소."

감동이도 그 말에는 술잔을 놓고 환도를 칼집에 넣고는 마루에서

내려섰다. 취흥이 오른 유민들이 본색이 농투성이들이라 새봄에 논배미에서 배불리 먹고 농주 마시던 때가 생각났는지 모내기노래를 부르고 흥겨워하는 것이었다.

연주봉에 점심 광주리 올라간다
오늘 점심 늦어졌다 집에 있는 큰애인들 삶은 팥에 밥 못 하리
개똥밭에 잡풀들은 이슬 맞고 굽힌다네
양친부모 모신 앞에 잔을 들고 굽힌다네
골챈 논 쌀을랑은 우리 부모 공양하고
어이허야 더덩지로다
날 오라네 날 오라네 산골 처자 날 오라네
천장미 조밥 새우젓 놓고 혼자 먹기 심심해서 날 오라네
모야 모야 노랑모야 언제 커서 열매 열고
이달 크고 훗달 크고 칠팔월에 열매 열지
모시적삼 세적삼에 연적 같은 저 젖 봐라
많이 보면 병난다네 살금살금 보고 가자
못다 한 일 다 하려나 봉채동곳 잃고 가네
봉채장사 굶어 사나 봉채동곳 내 사줄세
바삐바삐 저 둑까지 얼른 나가 쉬어볼까 어어허야 더덩지로다
불볕을 등에 지고 진흙물에 들어서서
이 농사를 이리 지어 누구하고 먹자 하노
사람마다 벼슬하면 이 농사를 누가 짓나
의원마다 병 고치면 북망산천 왜 생겼나
앞동산에 비 져온다 누역사립 갖추어라
밤이 오면 잠깐 쉬고 잠을 깨면 일이로다

녹양방초 저문 날에 석양풍이 언듯 불어

호미 메고 앞장구에 그 또한 낙이로다

배야리광지 흰저고리 아마도 우리네 점심인가 어어허야 더덩지
로다

여러 동모 일심해서 한일자로 나가보세 어어허야 더덩지로다

여보 동모 정신을 차리소 아차 실수 베폭이 뜨네 어어허야 더덩지
로다

오날 해도 다 갔는지 산골마다 그늘일세

해가 가서 그늘인가 산골 높아 그늘이지

우리 논엔 물채가 좋아 한 말지기 열닷 섬 어어허야 더덩지로다

점심 먹고 쉬여들어 첫참 하기 나는 싫데

물늬행장 차려놓고 첫가락장기 나는 싫데

오늘 낮에 모인 동모 해 다 지니 흩어지네

석자수건 목에 걸고 내일 낮에 또 만나세 어어허야 더덩지로다

노랫가락이 한창인데 옥여와 감동이가 광이며 방안을 대강 둘러
보니 미곡이 수천 석에 돈과 피륙이 만 전이 넘는 듯하였다. 그들은
부하들을 휘동하여 우선 돈과 피륙을 행랑채에다 쌓아두기로 하고,
광 속의 미곡은 날이 어두워지면 모두 우산포까지 나르기로 하였다.
구월산 사람들이 문가에 서서 지나는 기민들을 빼놓지 않고 불러모
으니 어언 이백여 명이 넘는 것 같았다. 저녁 어스름이 내릴 때 잔치
를 파하기로 하고 나서 아직도 놀이의 흥이 가시지 않아 아쉬워하는
이들 앞에 마감동이 나서서 말하였다.

"우리가 남의 환갑잔치에 뛰어들어 배불리 먹고 마음껏 놀았소.
이제는 모두 제 갈 길을 찾아야 할 터인데, 이곳에는 우리들뿐만 아

니라 양식 없어 굶주리는 이들이 사방에 있소이다. 지금부터 내가 하는 말을 잘 들으시오. 광에 있는 미곡을 모두 합력하여 우산포까지 나릅시다. 거기서 여러분들에게 고루 나눠드릴 것이오. 그리고 나머지는 우리가 다른 이들께 나눠줄 터이니 한 사람도 빠지지 말고 미곡을 나릅시다."

구월산 식구들이 열 사람쯤씩 대를 나누어 맡아 지휘하도록 하였다. 일단 일이 모두 끝날 때까지 오만석과 변가가 네댓 명의 부하들과 같이 구부자네 집을 단속하기로 하고 나머지는 모두들 미곡 나르는 일에 나섰다. 그들은 광문을 부수고 들어가 섬을 나르는데 앞에는 마감동이 횃불을 켜들고 행렬을 인도하였다. 거기서 우산포까지가 지척이라, 질척한 진흙펄을 피하여 둑 위에다 길게 미곡을 쌓았고 거룻배를 다섯 척이나 끌어왔다. 구부자네 객주 앞에는 돛 달린 세곡선까지 있어 아예 사공과 함께 끌어다 놓으니 재령 안악 지경인 맞임개까지 하룻밤도 걸리지 않을 것이었다. 미곡이 대충 운반되자 그들은 절반쯤을 갈라놓고 힘에 닿는 만큼 그들이 각자 가져가도록 하였고, 되도록 많은 사람들에게 알려서 함께 나누어먹어야 나중에 관의 성화에도 무사할 것이라고 일러주었다. 그들은 끝으로 남은 미곡을 다섯 척의 거룻배와 세곡선에 실어주기를 청하였다. 일렬로 늘어서서 거룻배에다 우선 미곡을 차곡차곡 싣는데 다섯 척의 뱃전에 물이 찰랑대도록 실었는데도 쌀섬은 반도 줄어들지 않았다. 이어서 세곡선에다 싣고 보니 겨우 팔백여 석을 실었을 뿐이다. 시간은 어언 삼경이 가까워질 무렵이었다. 국자 모양의 칠성이 하늘에 번듯 넘겨졌는데 먼산 숲속에서는 굶주린 부엉이가 떡해먹자고 자꾸만 보챘다. 배에 미곡 싣는 일을 끝까지 도와주었던 기민들 삼십여 명은 강변에서 구월산 일당들과 헤어졌다.

마감동을 위시한 두령들이 세곡선에 타고 나머지 부하들 중에 기운깨나 쓰는 자들이 둘씩 짝지어 거룻배에 타고 삿대와 노를 앞뒤에서 밀고 젓고 하였다. 그들은 좁다란 강변을 따라 흐르다가 적당한 곳에서 거룻배를 한 척씩 대어놓고 캄캄한 마을로 올라가 고함을 질렀다.

"진곡이 강에 있으니 가져가시우."

"모두들 들으시우. 진곡을 강변에 대어놓았소. 마을 이정은 어서 나와서 가져가우."

이렇게 몇번 고함을 지르고 돌아서서 나오다 보면 집에 하나둘 불이 켜지는 게 보였다. 그들은 미곡을 가득 실은 거룻배를 그와 같은 방법으로 어루리벌 주변의 절량된 마을 어귀에다 떨어뜨렸다. 맞임개와 마룬내(馬鳴川)로 갈리는 삼지 수로에 이르렀을 때에는 세곡선 한 척밖에는 남지 않았다. 여름밤은 짧아 샛별 까무룩한데 그들은 마룬내 쪽에 선수를 돌려서 배를 대었다. 천지사방이 고요한 새벽이었다. 이 많은 쌀을 구월산까지 나를 수는 없었고 또한 이대로 두었다가는 관군이 나와서 모두 수거해갈 참이라 바삐 서둘러야 하였다. 그들은 둘씩 대를 나누어 마룬내와 맞임개와 오리고개 부근의 사방 십여 리에 퍼져 있는 산골마을로 찾아가, 백성들께 알리고 그들로 하여금 적당한 장소까지 운반을 시킬 작정이었다. 마감동, 오만석, 변가, 옥여스님은 마룬내에서 그들이 몰려오기를 기다렸고, 이윽고 동이 부옇게 밝아서 사람들이 드문드문 나타나기 시작하였다. 해가 떠올라 강변의 안개가 걷혀가자 사람들은 더욱 불어나 삼백여 명에 이르렀고 서로 쌀을 많이 가져가고자 마을마다 기운이 남은 자는 남녀노유를 가리지 않고 몰려들었다. 마감동이 세곡선의 뱃전에 올라가 외쳤다.

"모두 잘 오셨소이다. 우리는 해서에서 일어난 활빈당이오. 이 쌀은 어루리벌에서 인색하고 매정하기로 소문난 구부자 집의 곳간에서 끌어낸 쌀이니, 여러분들이 기왕에 수년간의 무거운 작료로 빼앗겼던 것입니다. 우리가 대신 빼앗아오는 것이니 관차들이 몰려오기 전에 한시바삐 가져가야 되겠소이다. 허나 여기서는 나눌 수 없고 이미 날이 밝았으므로 어디 으슥한 골이 있으면 그쪽으로 일단 숨겨두어야 되겠소이다."

마감동의 말이 끝나기도 전에 한 중늙은이가 무리를 헤치고 앞으로 나섰다.

"마침 마땅한 곳이 있습니다. 마룬내 위편에 사방 시오 리 되는 드넓은 갈대밭이 있는데 우선 그 안에 쌀을 숨겨두었다가 밤에 다시 화연령까지 옮겨놓으면 될 것입니다."

화연령은 안악 지경이므로 그쪽에 숨겨두는 것이 안전할 듯하였다. 배에다 기다란 삼밧줄을 세 줄로 엮고 이물에다 매어서 모여온 사람 중에 젊은이들로 하여금 배를 마룬내 상류로 끌어올리도록 하였다. 위로 오를수록 내의 폭과 수심이 좁고 얕아져서 배는 몇번씩이나 수초에 엉기거나 모래톱에 얹히고는 하였다. 그럴 때마다 힘을 내어 끌어내니 배는 기우뚱하였다가 다시 거슬러오르고는 하는데, 아무래도 이 좁은 수로를 되돌아나오기는 불가능할 것이었다.

드디어 수면의 수초가 빽빽한 곳에 이르러 배는 더이상 나아가지 않았다. 뭍에서 두어 걸음밖에 되지 않았으나 워낙 미끄러운 진흙바닥이라 쌀섬을 나를 수가 없어서, 배와 나란히 하여 냇가의 돌로 축대를 쌓아올리기로 하였다. 뱃전과 수평이 되도록 쌓고 나서 거기에 통나무와 판자를 가로질러 한 사람이 간신히 왕래할 다리를 만들었다. 쌀을 실어내기 시작하는데 신천 쪽에서 연화령을 지나 안악으로 나가는 길이 들판 건너편에 내다보였다. 작은 언덕이 솟아 있고 들판은 온통 갈대밭이었다. 그들은 쌀섬을 지고 언덕을 향하여 갔는데, 갈잎에 다리와 허리가 찔려서 베어지고 상처가 나는 줄도 몰랐다.

구월산 일당들은 배에서 내려와 금품이 들어 있는 부담롱만을 꾸려 짊어지고 냇가를 따라 올라갔다. 위로 오르면 내의 끝이 바로 구월산의 초입인 실토봉에 닿게 되는 것이다. 옥여스님만은 그들과 동행하지 않고 일이 모두 끝날 때까지 남기로 하였다. 구월산 일당들이 떠나고 기민들이 미곡을 거진 운반하였을 즈음하여 거룻배 두 척이 맞임개를 돌아 마룬내로 올라왔다. 그것은 구부자에게서 적경을 받고 신천 관아에서 나온 포졸들이 타고 있는 배였다. 포졸들은 멀리에서부터 상류에 배가 멎어 있고 사람들이 하얗게 모여들어 미곡을 운반하는 광경을 볼 수 있었다. 그들은 부지런히 삿대를 밀어내며 거슬러올라왔다.

"쌀을 빼앗겨서는 안 되오. 가까이 오지 못하도록 합시다."

옥여가 몇몇 젊은이들에게 말하자 그들도 웃통을 벗어젖히고 나섰다. 쌀을 운반하던 자들까지 모두 몰려와 냇가의 이쪽에 늘어서니 포졸들을 지휘하던 장교가 저쪽에 나와서 소리를 질렀다.

"도적들이 어디 있는가, 우리는 도적을 잡으러 왔다."

"도적들이 어디 있단 말이냐. 이 쌀은 아무도 못 가져간다. 맞임개로 돌아가라."

이쪽에서도 장정 하나가 나서서 외쳤다.

"소란을 피우면 적당과 동률로 징치한다."

"굶어죽느니 차라리 맞아죽는 게 낫다. 가까이 오면 그냥 두지 않을 테다."

그러나 거룻배는 주춤거리며 다가들고 있었다. 그들이 오면 모처럼 들어온 양식을 모두 압수당하게 되리라는 것은 누구든지 알고 있었다. 몇사람이 냇가의 자갈을 집어 거룻배를 향하여 던지더니 이어서 돌맹이들이 우박처럼 거룻배 위로 쏟아져갔다.

앞에 나서서 외치던 장교가 뒤로 넘어지고 거룻배는 이리저리 흔들거리다가 포졸들이 좌우의 뱃전을 넘어서 물속에 뛰어드는 것이 보였다. 흉년의 굶주림에 악이 받칠 대로 받친 백성이 얼마나 무서운가 그들은 알지 못하였던 것이다. 스무 명쯤의 포졸들이 가까이 오지도 못하고 돌팔매에 쫓겨간 뒤에 오후 늦게까지 관헌은 근처에 얼씬도 못 하였다. 미곡이 완전히 비워지자 사람들은 세곡선에다 불을 질러버렸다. 그리고 밧줄을 끄르고 모래톱 너머까지 끌어다 놓으니 물의 흐름을 따라 맞임개 쪽으로 흘러가면서 배는 맹렬한 기세로 타오르고 있었다. 세곡선은 불길과 연기를 내면서 맞임개의 격류를 따라서 흘러내려갔고, 방금 돌팔매로 포졸들을 쫓아버린 기민들은 하나같이 이 쌀이 자기들의 것임을 확신하였다. 쌀을 빼앗기는 것은 바로 목숨을 빼앗기는 일과 같다고 그들은 믿었다. 아무도 두려워하거나 불안해하는 사람이 없었다. 마룬내의 마을에서 나왔다는 노인이 저도 모르게 삼백여 명의 기민들을 이끌게 되었으니, 그는 예전에 북관에서 장교 노릇을 하던 이였고, 육순이 넘었건만 아직도 등줄기가 꼿꼿하고 어깨가 딱벌어져 누가 보더라도 사십대로 여겨졌다. 희끗희끗한 머리에 눈에는 총기가 역력하였다. 그가 구월산 일당들에게 화연령에서 미곡 나누어주기를 제의했던 사람이다. 마룬내 노인은 인근 사방에서 몰려온 기민들 중에 의기가 팔팔한 사람들로 쌀을 온전히 지키고 기민들에게 균등히 나누어줄 동아리를 짰다. 그들은 대략 오십여 명쯤이었다. 두 사람을 맞임개 쪽으로 내보내어 관군의 동향을 살피게 하고, 나머지는 모두 갈밭 가운데 솟은 언덕으로 미곡을 운반하도록 하였다. 언덕 위에는 굵직한 노송들이 그늘을 드리우고 있어서 진휼하기에는 매우 적당하였다. 중화참이 훨씬 지나서 이번에는 사십여 명의 관노 사령들이 풀려나와 맞은개에 배를 대고 백사지에 내렸다. 망보던 사람 하나가 헐레벌떡 달려와 그들이 강안에 당도하였음을 알렸다. 마룬내 노인이 말하였다.

"대에 뽑힌 사람들은 강변에 나가 지키다가 세 불리하면 달아나는 척하고 갈대밭에 숨으시오. 그러고는 좌우로 갈라져 포졸들이 들어올 길을 터놓으란 말이오. 그러면 저들이 안심하고 언덕 아래까지 쫓아오면 여기서 남녀노유를 막론하고 돌을 던져서 쫓아내고 갈밭에 숨었던 패가 합세하여 협공하십시다. 미곡을 차압당하면 어루리벌의 굶주린 백성들은 올해를 넘기지 못할 거요."

이윽고 오십여 명이 먼저 세곡선이 대어졌던 마룬내 냇가로 나가서 늘어서고 언덕 위에 남은 사람들은 아이들까지도 돌을 그득히 무릎 아래 쌓아두고 기다렸다. 아이들과 젊은 총각들은 꼭 대보름날의 투석놀이나 되는 듯이 희희낙락하며 연습팔매를 한답시고 허공중에 돌을 날려보는 것이었다. 멀리 강변을 따라 뛰어오고 있는 포졸들의 행렬이 보였는데 육모방망이에 털벙거지 둘러쓰고 더그레를 펄럭거리며 다가오고 있었다. 갓 쓴 자가 끼여 있었으나 그는 아마 친히 난민 진압에 나선 병방인 듯하였다. 그들은 이쪽에서 돌을 쥐고 서 있는 사람들을 보자 멈추었다. 병방이 앞으로 나서더니 그들을 향해 외쳤다.

"작당하여 관군에게 대적하면 포박 효수형에 처하고 그 식구는 관노비로 떨어진다는 것을 모르는가. 비록 흉년이라 하나 엄연한 국법이 있으니 모두 작당을 풀고 흩어지면 죄는 묻지 않겠다. 미곡은 개인의 재물이니 아무도 손댈 수 없다. 어서 물러서지 못할까."

이에 지지 않고 사람들이 한마디씩 떠들었다.

"국법이란 백성을 지키기 위하여 있는 것이지 언제 모두 굶어죽도록 내버려두라는 것이 국법인가."

"아니…… 기순 지경에서는 진휼미가 한 삭마다 나온다는데, 감사에게는 달리 보고하고 쌀 한 톨 진곡으로 내놓지를 않으니 그것을 누가 떼어먹었느냐. 먼저 징치할 자는 고을 수령들이다."

"이런 기근에 아무리 개인 것이라지만 창고에다 수천 석을 쌓아두고, 저 혼자서 잔치를 벌이는 자의 재물이 어찌 한 사람의 것인가. 곡식은 하늘의 것이다. 하늘을 거역하는 자의 재물을 지키는 것이 관장의 할 일인가?"

이어서 마룬내 노인이 앞으로 나섰다.

"원래가 폭민이 따로 없소. 백성이란 날씨와도 같은 것이오. 화창한 볕이 들어 사위에 화평한 기운이 충만하다가도, 바람이 불고 천둥 번개가 치면 천군만마 철옹성을 가지고도 막아낼 수가 없는 게요. 교만방자히 꾸짖지 마시오. 흥황의 난민들은 언제나 새해의 대사령 때마다 죄가 없다고 판결이 내렸소. 이는 환난에 있는 백성이 얼마나 무서운가를 조정 대신들도 잘 알기 때문이오. 제 처자식과 부모를 버리는 지경에 댁네들은 악독한 부자의 재물을 지키려고 오히려 당신네와 똑같은 자들을 몰아내리는 게요? 모두들 이판사판이라 지금 당장 물러간다면 우리끼리 질서를 지켜서 미곡을 균등히 나누어 사경을 헤어날 것이로되, 만약에 쌀을 빼앗으려 든다면 우리도 죽기를 각오하고 지킬 테요."

말이 떨어지기가 무섭게 병방은 안면을 잔뜩 찌푸리고 장교를 돌아다보았다.

"쫓아버리게!"

"물러나지 못할까……"

장교가 외치며 포졸들을 이끌고 앞으로 뛰쳐나왔다. 기다렸다는 듯이 강변에 섰던 자들이 일시에 돌팔매를 날리니 돌 떨어지는 소리가 화로에 밤 튀는 듯하였다. 포졸 몇사람이 쓰러졌으나 첫 번째의 실패로 동헌에서 시달림깨나 받은지라, 막무가내로 밀고 들어오면서 육모방망이를 휘둘렀다. 어깻죽지고 머리고 등판이고 가릴 데 없이 이리 치고 저리 박으니, 돌팔매란 일정한 간격이 있어야 던지게 마련이라 뒤로 밀려나며 서투른 진이 일시에 무너지기 시작하였다.

"모두들 갈대 속으로 흩어져라."

누군가 고함을 질러서 쫓긴 사람들은 갈대밭 가운데로 뛰었다. 그러고는 미리 짜놓은 대로 양쪽으로 멀찍이 흩어져갔다. 포졸들 쪽에서 보니 갈대가 사방으로 너울거리는 것이 보일 뿐이요, 앞에는 언덕이 솟았는데 희끗희끗한 사람의 자취와 미곡의 더미가 보였다.

"어서 가서 저곳을 지켜라. 미곡이 저기에 있다."

병방이 외치자 포졸들은 갈대를 헤치며 곧장 언덕을 향하여 내달렸다. 그들이 언덕 밑에까지 닿을 즈음하여 돌팔매가 날아오기 시작하는데, 마치 오뉴월에 빈틈없이 쏟아지는 장마비처럼 빽빽하였다. 그들은 갈대 사이에 머리를 박고 숨는다고 허둥지둥하였건만 돌이 사정없이 그들의 등판에 떨어지는 것이었다. 병방도 그 틈에서 주먹만한 돌에 맞아 갓이 찢어지고 등판을 펼 수도 없이 호되게 얻어맞았다. 그도 그럴 것이, 언덕 위에서 내려다보면 사람의 허리 정도에 오는 갈대밭에 숙이고 엎드려보았자 발끝까지 훤히 내려다볼 수가 있었던 것이다. 뒤늦게 그것을 깨닫고 병방은 장교를 찾았다.

"어이구, 걸을 수가 없네. 날 좀 잡아주게."

"뒤로 물릴까요?"

그들은 깨지고 터진 상처를 손바닥으로 가리고 허겁지겁 갈대 사이로 빠져나오는데, 일시에 우 하는 소리가 들리더니 좌우에서 다시 돌팔매가 퍼부어지는 것이었다. 정신없이 빠져나오느라고 병방과 장교는 뒤를 돌아다볼 틈도 없었다. 강변에 나와보니 겨우 칠팔 명의 포졸이 그들을 따라 빠져나왔는데, 육모방망이는 어디로 던졌는지 보이지 않았고, 옷은 온통 피투성이요 털벙거지도 어디다 벗어던졌는지 맨두건 차림이었다. 이어서 여기저기서 머리가 깨어지고 코가 터진 포졸들이 기어나왔다. 간신히 수습하여 서로 부축들을 하는데, 뒤에서 함성소리가 일어나며 먼저 쫓겨갔던 자들이 달려나오고 있는 것이 보였다. 병방 이하 장교도 숫제 싸워볼 생각은커녕 대오를 수습할 소리 한번 못 지르고, 강변을 따라서 쫓기는 오리떼처럼 뒤뚱뒤뚱 절뚝이며 달려내려갔다.

관군들은 맞임개까지 가서야 한숨을 돌리고 거룻배 잡아타고 우산포로 돌아갔다. 그동안에도 미곡을 나누어준다는 소문이 어루리벌 삼사여 리에 자꾸만 퍼져가서 무리는 더욱 불어났다. 그들은 아예 온 가족을 이끌고, 갈라져서 먼지만 풀썩이는 어루리벌을 가로질러 마른내로 모여들었다. 병방이 돌아가 수령께 자초지종을 고하고 동헌에 엎드려 정죄를 청하니, 이제는 포졸 몇명 보내어 해결될 문제가 아니었다. 수령은 고심 끝에 책방 이방 좌수를 불러앉혀두고 숙의를 하는데, 결론이 나질 않았다.

"만약에 감영에서 알게 되면 비축미에 포흠이 있다고 당장에 봉고파직감이요, 또한 내버려두자니 구아무개가 계를 올릴 것이라 그 또한 안 될 일일세. 그뿐 아니라 난민이 일어났다면 우리가 무엇을 하였느냐고 닦달이 올 터이다."

"사또, 염려 마십시오. 지금 구모에게 사람을 보내어 한편으로는 그가 진미를 스스로 내었다고 권분의 의를 알리도록 하며, 대신에 세를 감면하겠다고 하십시오. 또한 난민들에게는 좌수를 보내어 구휼을 친히 담당하게 해준다면 사또는 양쪽으로부터 원망을 듣지 않게 될 겁니다. 기왕에 팔도의 민심이 흉흉하여 조정은 멀고 사나워진 백성은 가까운 판인데, 수령의 위의를 세우느니 자애를 보이면서 과만을 적당히 넘기다 보면 다른 직으로 발령이 날 게 아닙니까?"

이방의 그럴듯한 말을 듣고 사또는 더이상 관군을 내지 않기로 작심하였다. 이미 그때는 산간 고을의 수령들은 아예 동헌을 비워버린 자들도 있었고, 백성이 두려워 엄중히 삼문을 지키게 하고 나다니지도 못하는 자들이 많아졌다. 역병이 일어나면서부터 고을 수령이 관가를 비우는 곳은 더욱 늘어갔다. 팔도 가운데 해서의 민심이 가장 흉흉하여 부잣집에서는 아예 하인들께 무장을 시키고 난민의 돌입을 방비하는 실정이었다. 사또는 곧 방침을 바꾸자마자 좌수로 하여금 성난 백성들을 무마시키고, 기왕에 나간 쌀이라면 관가에서 생색이나 내두려고 결정하였다.

마룬내의 언덕에다 미곡을 모두 쌓는 일이 끝나자, 그들은 자체적으로 결정하여 어느 사람에게나 닷 말씩 나누도록 하였다. 이미 부황에 견디지 못하고 식솔을 죽인 사람들은 쌀을 두 손아귀에 그득히 쥐고 털썩 주저앉아 하염없이 울기도 하였다. 어떤 사람은 미처 집에까지 가져갈 여유가 없어 그 자리에 둘러앉아 쌀을 한 움큼씩 집어서 입안에 털어넣고 씹는 것이었다. 굶주림이란 사람 사는 세상의 모든 것을 빼앗아서 뭉개고 짓밟고 사람답지 못하도록 만드는 가장 무서운 재앙이니, 이것이 사람 사이에서 비롯된 일이라면 피를 흘리고라도 없애야 할 것이며, 이는 바로 하늘 아래 온갖 만물이 생명의 섭리 안에 자라듯이 하늘의 뜻을 들어 바로잡아야 될 것인지라.

어허, 백성이 사람다웁게 살고자 하여도 저잣바닥 새새틈틈 처처 골골마다 하늘을 가리는 철벽이 가로막고 있으니 어찌 한 고을의 난민뿐이겠느냐. 갈데없는 백성들이 가슴으로 떠밀고 주먹으로 두드리고 머리로 치받아서 팔도가 온통 북새통인데, 어찌 흉년의 마른 하늘이나 바라보며 땅을 두드리고 있겠는가. 팔도는 물론이요 한양 백여 리 사방의 기순지간에 토호와 수령 방백을 습격하는 일이 잦아, 관료는 물론이요 갓 쓴 자의 통행할 길이 끊기는 지경에 이르렀 것다.

권분하지 않는 자는 아예 장토를 버리고 식솔들과 재산을 배에 실어 용산, 삼개, 마포 동막으로 피난을 하든지, 아니면 광문을 열어 기민들에게 미곡을 풀어낼 수밖에 없었으니, 그즈음 곡산 고을에서는 살변이 일어나기까지 하였다. 대개 일 년 농사가 끝나고 관가에 환곡을 할 적에 흉년을 대비한 비축미를 포함시키도록 되어 있었으나, 대개의 수령들은 비축미를 문건으로만 적어두고 다시 장리로 비싸게 농가에 내놓는 것이었다. 그러다가 막상 흉년을 당하고 보니 중앙으로 올라간 장계에는 비축미가 있는 것으로 되어 있어, 따로이 진휼할 미곡이 없어 겨우 보릿겨나 메밀로 끓인 멀건 죽이 고작이었다. 곡산에서 살변이 일어나게 되었던 것은 흉년을 틈탄 수령 서리배와 미곡상인들의 농간이 밝혀졌기 때문이다. 수령은 이서배를 시켜서 비축미를 빼돌리고 썩은 전두(田豆)로 구황곡을 대신하였는데 어른들은 그 죽을 먹고 무사하였으나, 아이들은 배탈이 난데다 극도로 쇠약하여져 이질 설사를 일으켜서 몰죽음을 당하였던 것이다. 이에 자식을 잃은 어버이들이 울부짖으며 진휼처로 되어 있는 장터로 몰려가 하소하니, 수령은 시절이 어느 때인지도 모르고 그들 모두를 하옥시켜버리고 말았다. 남은 농군들과, 농투성이나 다름없는 선비들 몇이 작당이 되어 곡산 장터의 중도아들과 북관 상인들의 여각 객주에 불을 질렀다. 북관에서는 쌀 한 되가 무명 한 필에 거래될 정도로 곡가가 폭등하여 중도아들은 어수룩한 고장의 구황곡을 빼돌려 저자 가격을 어지럽히는 데 혈안이 되어 있었던 것이다.

또한 그뿐이랴. 토호들은 똥값이 되어버린 토지를 늘리기에 여념이 없었다. 구황곡을 빼돌려 고리를 꾀하고 또한 그 이익으로 땅을 사는 것이니, 흉년이야말로 저들에게는 부를 늘릴 좋은 기회가 되었던 셈이다. 수령 방백들은 이 틈에 향리에다 제 권속의 세를 심고자 하여 사돈에 팔촌뻘에 이르기까지 낙향시켜서 장토를 마련하는 것이었다. 아무도 지켜주지 않는 백성들은 길에서 죽지 않으면 관가 마당의 죽솥 앞에서 죽었고, 고향 인근의 산간에 들어가 작당하는 무리들이 생겨났다. 이른바 팔도 기근, 사방 군도 발기라는 당시에 조정 대신들의 간언에 이 같은 사정이 상세하게 나타나 있다.

곡산의 선비와 농군들은 장바닥이 활활 불타오르는 가운데 난민을 이끌고 객관을 점령하였다. 수령은 이서배들과 더불어 관아의 삼문을 굳게 닫고서 나오지도 못하였다. 객관에서는 삼문 앞으로 사람을 보내어 하옥되어 있는 사람들을 전원 내놓지 않으면 삼문을 부수고 들어가겠음을 통고하였다. 하옥된 사람들도 옥 칸살에 매달려 저마다 외치고 부르짖으니, 바깥의 함성과 안의 부르짖음으로 곡산 관아는 낮이나 밤이나 잠드는 이 하나 없었던 것이다. 하리배들은 수령과 백성들의 사이에서 어찌할 바를 모르고 눈치나 살피는데, 저자의 무뢰배들과 관아의 이속들 간에 의논이 되어 한밤중에 객관을 습격하였다. 거기서 쌍방에 사상자가 났는데, 이튿날 구황미를 전매하였던 간상배와 이방을 군계에서 난민들이 잡아가지고 저자로 들어왔다. 격노한 백성들은 고례에 준하여 그들을 중형에 처하기로 하고 서 솥에다 물을 부어 그 안에 앉히고는 차마 끓이지는 못하고서 장 터 다릿목에다 벌거벗겨 매달았을 뿐이다. 그러나 중형에 처하였다 는 소식은 꼬리에 꼬리를 물어, 인근 부호들과 관리들은 새벽밥을 지어 먹고는 보다 치안이 든든한 대처를 찾아서 달아났다. 곡산 수 령도 관아의 담을 넘어 달아났는데, 며칠 뒤 들판에서 시체로 발견 되었다. 타고 가던 말은 근처에서 양식 대신 잡아버리고 네 굽만 덩 그러니 남아 있었다.

이렇게 사방에서 기민들이 들고일어났으니 누가 백성과 같이 있 는가 하는 것이 빤히 드러나게 된 세상이었다. 백성과 등진 자는 팔 도의 산하에 발 디딜 데가 없었다. 마른내에서도 그것은 마찬가지였 다. 수령과 의논한 좌수가 통인을 데리고 미곡이 쌓여 있는 언덕에 당도하자 처음에 난민들은 그가 앞으로 나갈 때까지 묵묵히 길을 틔 워줄 뿐이었다. 그는 안심하였는지 점잖게 석 자 수염을 쓰다듬고 이 고을에서 인망을 잃지 않았음을 새삼 자부하였던 것이다. 마른내 의 노인이 나와 예도 갖추지 않고서 그와 마주 섰다.

"웬일로 오셨소이까?"

그는 통인 아이에게 들려온 사또의 하명을 받아서 펼쳐들었다.

"사또께서는 고을 백성의 참상에 가슴이 아파서 구부자에게 권분 의 의를 밝히도록 하고, 그 대신에 이 양곡을 관가의 진휼미로 정하 여 여러분들에게 나누어주라는 지시를 하셨소이다."

말을 하고 나서 좌수가 관문을 읽으려 할 때 노인이 재빨리 가로 챘다.

"지금 어느 마당이라고 이런 글을 읽으려 하오. 권분이라니 가당 치 않소. 우리의 비축미는 온데간데없고 백성들이 들고일어나 미곡을 실어 내어오니 포졸들을 보내어 빼앗으려다가, 이제 후환이 두려워 우리를 무마하려는 게요? 미곡이 탈취되었다고 어서 감영에 알리지 그러오. 당신이 향소의 임을 가지고 수령과 한통속으로 우리를 못살게 굴더니 이제 와서 허울 좋게 우리 편을 드는 척하는 게요?"

곁에 있던 장정들이 나서며 제각기 한마디씩 떠들었다.

"향소 직임은 무슨 직이여. 좌수라는 것이 비 올 때 한번 쓰다 버릴 도롱이 아닌가."

"에이, 군노 사령보다두 못한 놈 같으니……"

"좌수란 게 저희끼리 시켜먹고 나누어먹는 자리이니 허재비보다두 못하지. 이런 놈을 그냥 보내어서는 안 되겠소."

"꼴에 갓을 썼네그랴."

"어이구, 뼈다귀가 드센 집안의 웃어른이신데, 망신살이 뻗쳐두 유분수지 이게 무슨 꼴이우. 다음부터는 나설 자리 숨을 자리 가려서 나다니시우."

누군가가 갓을 잡아서 죽 찢어 팽개치고 흙손으로 백옥같이 빨아서 호남 간지보다도 말쑥하게 다려 입은 도포자락을 잡아당기니, 덕망 높은 지방 어른이 그야말로 봉변이었다.

"허, 이러고도 당신들이 후환이 없을 줄 아는가?"

새파랗게 질린 좌수어른이 턱수염을 떨며 중얼거렸고, 사람들은 오히려 껄껄 웃었다.

"공연히 나서서 동헌의 개 노릇을 하더니 요즘 같은 세월이 와야 자네들 따위가 백성을 무서워하지."

"자못 양반 행세를 한답시구 구름 같은 갓에 학 같은 도포 입고, 고을 어른이라구 이 사람 저 사람 욕이나 보이더니 거 아주 물에다 처박아버립시다."

이곳 저곳에서 한마디씩 나오는 말들이 이러하여 좌수는 아예 달아날 셈으로 사람들 사이를 헤치고 뛰었다. 누군가 그의 궁둥이를 걷어찼지만 뒤도 돌아보지 않고 뛰는데 맨상투에 홑저고리 차림이라 누가 보아도 채마밭이나 맬 촌늙은이였다. 그저 시골서 밥술깨나 조금 먹게 되면 제 이웃에 사는 사람이나 저보다 못한 사람들과 정을 나누며 살아갈 생각들을 하기보다는 수령의 위의에 붙어서 관권에 기대어 축재를 하려는 것이 이런 자들의 속성이었다. 쥐꼬리만한 직임이라도 얻으면 그것을 이용하여 다른 이들을 누르고 속이고 위협하며, 온갖 특혜를 누려서 백성이 당하는 고통을 외면하는 데에서 나아가 그들을 빨아먹는 쪽에 가담하게 마련이다. 그런 하찮은 직분마저 워낙 살기에 편한지라 서로 머리통이 깨져라 하며 달라붙어 각축을 벌이는 것이다.

가난한 선비들은 그들을 비웃고 능멸하나, 막상 앞에 나서면 그들의 거드름을 고분고분 받아들였고, 그들은 나름대로 시골 선비들을 경멸하였다. 고작해야 논밭뙈기 장만하고 하인이나 두엇 거느리고 『소학』권이나 떼어본 처지에 하다못해 공명첩을 얻든가 향소 임직이라도 얻으면 대번에 군자로 변하는 세상이었다. 그래서는 자기네가 없으면 고을의 정사는 다 망쳐질 것처럼, 서리배들에 앞장서서 군수의 공덕비를 세운다, 잡부금을 걷는다 설쳐댔다. 효자열녀라도 제 집안에서 내어보려고 고시가 있을 적마다 안에 올리고는 하였다. 이런 자들은 백성이 악정을 하는 관리배들보다 더욱 마음속 깊이 미워하는 자들이었다. 좌수가 창피한 꼴을 당하고 내려가자마자 기민들은 곧 그를 잊어버리고 다시 미곡을 나누어주는 일에 열중하였다. 스스로 나서서 나누는 것이니 서로의 사정을 오죽이나 잘 알겠는가. 누군가가 쌀을 퍼내주며 무심코 한마디 하였다.

"해마다 함께 추수하여 우리끼리 이렇게 나누어먹구 살면 좋겠다. 간섭하는 놈들두 없고 빼앗아갈 놈들두 없을 테니 요순시절이 뭐 따로 있나."

"그러게나 말여. 농사지은 놈이 배고픈 사정은 가장 잘 알지. 임금두 나서서 농사를 지어봐야 해여."

"허허, 이 사람들 경칠 소리들을 하네. 임금을 욕하면 역적이 되는 거야."

"백성이 있으니 주상이지, 우리가 다 죽고 보면 제 혼자 궁궐에 앉아 임금 노릇 헐 수 있나?"

"저런 좌수나 참봉이나 선달이나 동지입네 하는 놈들이 백성 노릇을 할 테지."

"그것들이 백성 축에 들지, 우리네야 어디 사람인가. 아마 그리되면 그런 잘난 어른들두 모두 달아나버릴 게여."

하루에 겪은 일이 너무도 큰일이라서 기민들은 저도 모르는 사이에 소원대로 그럴듯한 말들이 마구 터져나왔다. 누가 일러주지도 않았건만 그들은 무심결에 잘 깨달아 알고 있었다.

좌수가 통인과 더불어 마룻내를 떠나 들판을 허둥지둥 달려갈 때 어찌나 놀랍고 기가 막혔던지 어서 돌아가 화채그릇에 시원한 꿀물이나 타서 벌컥이며 마시고 싶었다. 그런데 우선 갈증이 심하여 침이 마르고 목구멍이 뻑뻑한지라 아무 데나 들어가서 냉수 한 사발이라도 얻어먹으려 하였다. 가까이 외딴 농가가 있거늘 통인 아이를 시켜 물을 얻어오게 하였다. 통인이 달려가 물그릇을 들고 오는데 물빛이 누르게하였다. 좌수어른 살펴볼 사이도 없이 대접을 들이켜고는 죽을상이 되어서 뱉어냈다.

"에익 퉤퉤, 이 무슨 구린내냐?"

그때 사립 밖을 내다보던 아낙네가 하도 어이가 없는지 한마디 하였다.

"때가 기근이라 물을 급히 찾길래 그래두 사람 사는 인정이라 진 간장을 타서 주었더니, 참 별사람 다 보겠네."

좌수가 망신을 하노라고 그릇을 던지니 사정없이 깨어져나갔다.

"별사람이라니 그 무슨 말버릇인고?"

아낙네도 아랫입술이 길고 눈꼬리가 치켜 있어 말본새나 성깔에 알심이 들어 있을 법해 보였다.

"건져주니까 보따리 달랜다고, 왜 남의 대접은 깨구 지랄이여. 저 것두 요즘 세상에 곡기를 처먹구 사는 인간인가?"

"아니, 저 고얀 것이……"

하는데, 안에서 기직이라도 매다 나왔는지 손을 비비면서 사내가 뛰 어나왔다. 그러고는 다짜고짜 나오는 소리가 욕설이었다.

"이 자식아, 지난 사흘간에 먹은 거라군 모밀겨 두어 줌이여. 그렇 지만 네까짓 늙은이 모가지를 비틀어버릴 기운은 남겨두었다. 쌀을 나눈다기에 천지개벽한 세상인 줄 알았더니 너 같은 놈이 살아 있어 개벽하기는 글렀겠다."

달려들어 좌수의 멱살을 잡고 와락 흔들었다.

"이놈, 내가 누군 줄 알고 감히 이러느냐. 내가 이 고을의 좌수 되 는 사람이다."

그랬더니 이 농군 멱살을 놓기는커녕,

"옳아, 네가 바루 좌수란 놈이여? 그래 고을에서 무슨 짓을 어떻 게 했길래, 기근에 비축미가 없어 구휼도 못 한다더냐. 너는 얼굴을 보아하니 이밥에 비린 것이나 먹고 혈기가 버언하구나. 꼬락서니 아 래위로 살펴보니 못된 짓을 하였다가 나 같은 상한에게서 톡톡히 욕을 본 모양인데, 그릇값이나 하구 가거라."

　일사천리로 중얼거리고는 보기 좋게 양볼때기를 몇대 줴질렀다. 좌수는 불이 나는 듯한 볼을 싸쥐고 뒷걸음질로 달아났다. 백성들의 성난 마음이 이러하여 벼슬아치나 잘난 척하던 자들은 길가에서 하정배를 받기는커녕 감히 물렀거라 섰거라를 외치며 벽제할 수도 없게 되었다.

6

　해서지방 곳곳에서 이러한 일들이 생길 때 진원을 살피다 보면 언제든지 활빈당을 자처하는 장두령의 무리들에 닿아서, 어언 백성들뿐만 아니라 관리들 사이에서도 소문이 났다. 비록 수령들이 장계를 올리지 못하였으나, 이러한 소문은 감영에까지 들어가서 관찰사 이세백은 각 고을에 장두령이라는 자의 무리에 대하여 알아보라는 지시를 내렸다. 그리고 몇몇 유능한 무관들을 통하여 그것이 사실은 구월산 깊숙이 숨어 있는 화적 장길산의 무리라는 것이 알려졌다.

　길산은 일찍이 참형수로 갇혀 있다가 감영의 옥을 탈출한 자라는 것도 알려졌다. 그러나 감사의 임기가 과만이 되어가고 있었다.

　구월산의 마감동, 오만석을 위시한 일당들은 연이어 황해도 서남쪽 지방에 출몰하였으며, 자비령의 장길산 이하 식구들은 동북지방의 관가에까지 나타났다. 백성들의 입에서 입으로 전해진 소문은 계속하여 감영으로 들어갔다. 감영에서는 무관 여섯 사람을 뽑아 구월산을 탐지하고 그 두령 되는 장길산이란 자의 목을 쳐오도록 지시를 내렸다.

장교들 중에는 김식(金植)이란 사람도 끼여 있었다. 그는 한양에서부터 관찰사 이세백을 따라온 자로서 늘 감영과 선화당의 측근에서 감사를 모시고 있었다. 그의 검술 솜씨가 출중하여 이세백이 고향의 가족에게 전답을 떼어주었다는 소문도 있었다. 나이는 스물여덟이요, 어려서부터 무과에 오르기가 소원이어서 활터에 나다녔으나 글을 배우지 못하여 포도청 장교 자리를 겨우 따냈던 것이다.

난리 이후로 훈련원에서는 무엇보다도 단병접전에 유리한 창 칼 쇠몽치 쓰기를 익히는 십팔반무예를 권장하여, 김식은 정식으로 예도의 기를 닦게 되었는데 그를 가르친 자는 포도관 최형기(崔衡基)라는 당대 제일의 무장이었다. 최형기가 십팔반무예를 훈련시킬 때 김식의 뛰어난 기량을 알아 그를 따로이 집에 유숙시키면서 무예를 전수하고, 삼각산에 보내어 벽곡 수련까지 겪도록 하였다. 김식은 언제나 검은 조끼에 검은 토시 끼고 한 팔 길이의 예도를 들고 이세백의 서너 발짝 뒤를 지키며 따라다녔다.

이세백은 과만을 말썽 없이 넘기고 싶었으나 자꾸만 소문이 일어나고 민심이 동요하여 다른 이가 부임하여 오기 전에 황해도에서 큰 난리라도 치르게 되지 않을까 염려스러웠다. 그리하여 아예 후환을 끊고 나중에 토포사가 파견되어 오는 일이 일어나기 전에 구월산 일대를 염탐하리라는 안을 내게 되었다. 이세백은 무엇보다도 관리와 부자들이 무서워하는 장두령이란 인물을 제거해야만 해서에 낭자한 풍문을 일축하게 되리라 여겼다.

이세백의 영이 떨어지자 김식은 감영 군관 가운데에서 제법 무예와 힘이 출중한 자들을 다섯 명 가려내었다. 그들은 깊은 밤중에 다른 사람들의 눈에 띄지 않도록 하나씩 선화당으로 모여들었다. 이세백의 앞에 정좌하고 모여앉자 김식이 그들을 차례로 뵙도록 하였다.

이세백은 제법 건장하고 우락부락한 그들을 흡족한 얼굴로 둘러보았다.

"때가 흉년이라 기근에 몰린 백성들의 동태가 어지러운데, 이런 틈을 타고 좀도적들이 일어난다 하니 하루도 마음 편한 날이 없구나. 알아보니 구월산 인근에 그 괴수인 장모라는 자가 숨어 있다는데, 너희들은 지체하지 말고 구월산을 속속들이 뒤져내어 그자를 죽여 없애라. 아마도 군병을 일으켜 토포하려면 그는 반드시 달아날 것이다. 오히려 난민인 체하고서 그들에게 가까이 가는 것이 도모하기에 쉬울 것이다."

김식이 날카로운 눈으로 제 동료들을 둘러보고 나서 말하였다.

"대감마님께서 보시는 대로 이들은 모두 일당백의 기량을 가지고 있습니다. 저희는 장사꾼으로 가장하여 구월산에서 가장 가까운 고을로 찾아들 작정입니다. 한 닷새쯤 묵으면서 살피노라면 그자가 어디에 있으며 일당들이 어디서 사는지 자세히 알아낼 수가 있습니다. 저희는 그를 유인하여 궁지에 몰아넣고, 제가 단칼에 목을 베어 오겠습니다."

"그리된다면 오죽이나 좋겠느냐. 나는 김서방만 믿겠다. 각 고을마다 장모가 처단되었다는 방을 붙이게 되면 비로소 편한 잠을 자겠구나."

이세백은 은자 삼백 냥을 그들 앞에 내보였다.

"이번 일을 성사하고 오면 너희들에게 상급을 내리겠고, 장모의 수급을 얻어오는 사람에게는 따로이 이 은자를 주겠다. 발분하라."

"명심하여 봉행하겠습니다."

"이번 일은 내가 사사로이 도모하는 것이라 아무에게도 발설하여서는 안 되느니라. 어느 고을에서든지 관아 것들에게 내색하지 마라.”

“예, 저희들도 암행할 준비를 갖추고 있습니다.”

“어서 떠나거라.”

그들은 하직인사를 올리고 선화당을 나섰다. 김식은 패랭이에 봇짐을 짊어지고 말 두 필에 길양식을 실었는데 마부가 둘이요, 나머지 셋도 봇짐을 하나씩 짊어졌다. 그들은 송화를 목적지로 정하고 있었다. 일단 문산을 넘어 해지점까지 가서 오전 내내 쉬고 오후에 다시 길을 가기로 하였다. 해지점에서 송화까지는 제법 노상이 험하여 가끔씩 좀도적이 그들의 봇짐을 노리고 나타나기도 하였으나, 김식이 나설 것도 없이 다른 장교들이 단칼에 해치워버리곤 하였다. 저쪽은 굶주림에 시달리다 못하여 거리로 나온 어설픈 도적들인지라 아무것도 모르고 덤벼들었다가 무참한 죽음을 당하곤 하였다.

그들은 송화에 당도하여 무더리의 몇 안 남은 객줏집에 들었다. 때가 흉년이라 제가 먹을 양식도 없어 객주 여각 대부분이 집을 비우고 대처로 나가거나 장사를 폐하였던 것이다. 그들은 어물을 가져왔다고 핑계를 대고 유숙을 하는데 미곡도 귀한 처지에 어물이 거래될 리가 없었다. 그들은 무더리를 근거로 하여 두셋씩 나뉘어서 구월산 일대를 돌아다니며 인근 백성들에게 풍문을 주워모으기 시작하였다. 그러고는 열흘 남짓 되어서 그들은 모여앉아 숙의를 하였다. 김식이 말하였다.

“들은 바에 의하면 구월산 일당들이 자주 출몰하는 곳이 은율과 안악이라는데, 은율에는 그들의 식구가 모여 사는 곳도 있다더군. 아예 그곳으로 들어가보는 게 어떨까?”

“제가 알기로는 수렛고개에 그들이 나와서 목을 지키는 데가 있다고 합니다. 그들은 목을 지키다가 양반이나 부호의 행차를 보면 어김없이 덮친다고 그럽니다. 오히려 그런 식으로 저들을 꾀어내는 게 낫지 않을까요?"

다른 자가 말하였다.

"은율에 그들의 식솔들이 산다는 말은 저도 들었습니다만, 우리가 거기에 가면 대번에 탄로가 날 것이고 설령 가족 중의 몇을 잡을 수 있다 하더라도 저들이 잡아가도록 그냥 버려두지는 않겠지요. 그것은 나중에 토포할 적의 일이고, 지금은 장모라는 두령의 수급을 베는 일이 시급합니다."

역시 수렛고개에서 두령 되는 자를 끌어내기로 의논이 정해졌다. 이튿날 수렛고개를 점령하기로 작정이 되어 감영의 여섯 무관들은 이른 아침에 밥을 든든히 먹고서 출발하였다. 봇짐 속에는 저마다 환도나 쇠몽치를 감추고 있었다. 말 등에는 일부러 그럴듯이 부담롱과 짐을 가득 실었으며, 김식은 일부러 전대를 등에다 엇갈려 메었다. 누가 보아도 대금과 값진 물품을 지닌 부상이 북로를 향하고 있으니, 이들이 평양 부고라고 여길 게 분명하였다. 그들은 들판을 지나서 산으로 오르는 오솔길로 들어섰다. 차차 송림이 울창해졌고 햇빛이 엷어져갔다. 수렛고개 중턱에 가까워가는데, 아니나다를까 고갯마루 위에 두 사내가 나타났다. 김식이 봇짐에 끼운 예도를 어루만지며 중얼거렸다.

"봐라, 나타났다."

"우리 뒤에두 있습니다."

곁을 따르던 장교가 말하였고, 김식은 땅만 내려다보며 낮게 말하였다.

"돌아보지 마라. 다 알구 있으니까."

"싸움이 붙으면 모두 죽여버릴까요?"

"아니…… 한 놈은 살려야 한다."

그들은 모른 척하고 고개를 향하여 그냥 걸었다. 오른쪽의 나무숲 속에서 마른 가지가 꺾이는 소리가 들려왔다. 그쪽에도 두엇이 있는 모양이었다. 오른쪽은 숲인데 왼편은 거북 모양의 넓적한 바위가 가로막은 데에 이르렀다.

"섰거라!"

고개 위에서 기다리던 사내 중의 하나가 손을 내밀며 말하였다. 그들은 덤덤하게 도적들을 바라보며 서 있었다. 앞의 두 사내는 환도를 들었고, 뒤에 선 자들과 오른쪽의 사내들은 장창을 겨누고 있었다.

"보아하니 돈냥이나 있는 모양인데, 우리는 식구가 많아서 먹일 입이 많다. 보따리 모두 내놓고 가면 입은 옷과 의관은 다치지 않겠다. 모두 말짐과 등짐을 내려놓아라."

김식은 팔짱을 끼고 그들을 지그시 노려보고 있었으며, 곁에 섰던 장교들이 턱을 쳐들고 웃었다. 먼저 말을 꺼냈던 자는 어이가 없는 모양이었다. 그리고 당황하는 기색이 얼굴에 스쳐지나갔다. 그는 환도를 죽 뽑았다. 그와 나란히 섰던 자도 칼을 뽑아서는 곁에 늘어진 나뭇가지를 날쌔게 베어 보였다. 껄껄 웃던 장교가 대거리를 하였다.

"언놈이 그따위 꼬챙이 휘두른다구 자라 모가지가 되어 봇짐을 내놓겠느냐. 우리두 쇠꼬지라면 조금은 쑤실 줄 아는 사람이니 어디 한번 가져가보아라."

김식은 여전히 팔짱을 풀지 않고 있었으며, 다른 장교들이 등뒤의 봇짐 속에서 칼과 쇠몽치를 뽑아들었다. 재빨리 벌려서는데 쇠뿔 형국이었다. 앞으로 뛰쳐나간 둘이 김식의 좌우로 벌리고 그 뒤에는 두 사람이 간격을 좁혀 섰으며, 맨 뒤에 섰던 자는 김식과 등을 반대로 하여 돌아섰다. 앞의 도적 두 사람은 칼을 휘두르며 들어왔고 벌려섰던 자들은 감싸듯이 그들의 좌우를 막았다. 측면으로 창을 찌르며 달려들자 김식은 창날을 비껴가도록 하면서 안으로 몰아넣었고, 역시 뒤에서 뛰어드는 자들도 뿔의 안쪽에다 몰아넣었다.

그러자 상대편 일곱 도적들은 장교들의 벌려선 진 안에서 서로 부딪치면서 사방으로 등과 옆구리를 드러내게 되었다. 김식이 다리를 굽히며 전신(轉身)으로 창을 찔러들어오던 자들의 하반신을 베었고, 다른 자는 하나의 어깨를 베었다. 일시에 셋이 쓰러졌다. 그러나 그들은 진이 흐트러지지 않게 다시 간격을 두었다. 안쪽에 몰린 도적들이 뒤늦게 싸울 태세로 돌아서는데 진의 안쪽 끝에 섰던 김식이 칼을 흩뿌리면서 비집고 들어갔고, 그들 좌우의 두 장교도 쇠몽치와 칼을 휘두르며 김식과 엇갈렸다. 창날과 칼날로 간신히 받아내며 빠져나오는 자들을 남은 장교들이 맞아서 칼로 후려쳤다. 김식의 칼날에 하나가 쓰러지고 다른 자는 쇠몽치에 등판을 얻어맞고 뒹굴었다. 김식은 이어서 위에서부터 직도로 후렸다가 참풍(斬風)으로 하나 남은 자의 목덜미를 베었다. 칼등으로 가볍게 쳤건만 그자는 칼을 떨구며 땅 위에 엎어졌다.

"이런 것들이라면 우리 여섯이서 산채를 점령할 수가 있겠군."

김식이 칼을 집어넣으면서 중얼거렸다. 부상자의 신음소리가 들려왔고, 장교들은 기절한 소두령의 다리를 잡아 질질 끌고 왔다. 그들은 기절한 자를 나무 그늘에 뉘고 주위에 둘러앉았다. 김식이 말하였다.

"시체는 따로 치워두고 부상자는 나무 아래에 묶어두어라."

그러고는 소두령의 목덜미를 주무르고 겨드랑이를 비벼주니 그는 한숨을 토해내며 눈을 떴다. 그가 눈을 뜨고 휘둘러보자마자 달아나려는 듯 벌떡 일어섰으나, 장교 하나가 다리를 걸어서 넘어뜨리고 상투를 잡아젖혔다. 드러난 목줄기에다 차디찬 비수를 들이대고 장교가 낮게 으름장을 놓았다.

"일부러 살려주었으나 두 번 살릴 생각은 없네."

김식이 그 앞으로 다가앉았다.

"우리는 너희 두령을 도모하러 온 사람들이다. 너희들은 아무 해가 없을 테니 염려 마라. 만약에 우리 일을 도와주면 사면은 물론이려니와 상금을 두둑이 내릴 터이다."

소두령은 상투를 잡힌 채로 부르짖었다.

"이렇게 잡힌 게 분하다. 어서 죽여라."

비수를 들이대고 있던 장교가 소두령의 의연한 말투에 김식을 바라보았다. 김식이 빙긋 웃으며 장교에게 일렀다.

"그 사람이 두통이 심한 모양이로다. 머리를 따로 떼어두면 나을 듯하니 어서 이사를 시키려무나."

장교가 비수를 소두령의 목줄에 슬며시 눌렀고 상처에서 피가 흐르면서 소두령이 고함을 쳤다. 김식이 말하였다.

"정말 죽을지언정 우리를 돕지 못하겠단 말이지."

소두령의 이마에는 구슬땀이 송골송골 맺혀 있었다.

"그렇다. 너희를 죽이지 못하는 것이 한스러울 뿐이다."

김식이 보아하니 이것은 보통의 좀도둑들이 아니었다. 무엇인가 믿는 구석이 없는 다음에야 저토록 뻣뻣하게 기를 내세울 리가 없었다. 김식은 손짓으로 비수를 대고 있는 장교를 비켜나도록 하였다. 그가 장교들에게 물었다.

"부상자가 몇명이던가?"

"다리를 베인 자와 쇠몽치로 맞은 자가 있는데 하나는 곧 죽을 듯합니다."

김식이 소두령에게 말하였다.

"들었는가, 수렛고개의 네 부하들은 모두 죽고 남은 두 사람도 언제 죽을지 모른다. 우리는 저 둘을 끌고 내려갈 터인데 너는 산채에 가서 네 두령에게 알려라. 내일 정오 무렵까지 송화 무더리 장터에 와서 아이들을 데려가라고 전하란 말이다. 곁에 누가 있으면 안 된다. 그대와 둘이서 오도록…… 만약 그가 의기 있고 담이 있는 자라면 내가 한번 겨루어보겠다."

소두령은 이글거리는 눈길로 김식을 노려보며 물었다.

"기찰포교들인가?"

김식이 잠깐 사이를 두었다가 대답하였다.

"아니다, 너희 두령에게 포한이 있는 사람이 보내서 왔다."

"어떤 포한이냐?"

김식의 곁에 있던 장교가 거들었다.

"우리도 너희들처럼 먹고 사는 사람들인데 구월산이 탐이 나서 그런다. 우리 두령은 너희들 때문에 해서에서 몸 둘 곳이 없어졌다. 녹림의 법도에 따라 장단을 판가름하자는 뜻이지."

소두령은 장교를 손가락질하면서 꾸짖었다.

"너희가 우리들과 같다면 필시 세간에서 살지 못하여 쫓겨들어온 백성들일 것이다. 우리도 수령 방백과 토호들의 압박에 견디지 못하여 녹림에 숨은 무리들인데, 우리는 여태껏 가진 것 없는 양민과 작은 장사치들을 해친 적이 없다. 너희가 녹림에 있는 자들이라면, 우리 일당이 요즈음 해서의 각처에서 활빈하는 소문을 들었을 것이다. 어찌하여 너희 두령은 이러한 의로운 일에 합세하여 우의로 지낼 생각을 못 하는가. 내가 구월산에 들어온 지 벌써 반십 년이거늘, 무예가 닿지 못하여 사로잡혔다 하나 우리는 너희 무리를 그대로 용서하지 않을 것이다."

김식이 그의 멱살을 잡아 일으켜세웠다.

"허, 그놈 말하는 남생이로구먼. 너를 소진이 동접으로 믿고 보낼 터이니 네 두령께 모두 전하여라. 내일 정오 무렵 무더리 장터에 오너라. 늦으면 저 두 놈은 무더리 냇가에 악머구리 잔칫감으로 내줄 터이다."

김식은 그를 돌려서 앞으로 내질렀다. 소두령이 몇걸음 비칠대며 곤두박질치려다가 간신히 몸을 세우더니 그들을 돌아다보았다.

"내일 꼭 간다."

"공연히 꾀쓰지 말라구 하여라."

소두령은 나무들 사이로 사라졌다. 그들은 부상당한 두 졸개들을 떠메고 수렛고개를 내려왔다. 다리를 베인 자는 스스로 옷을 찢어 동였고, 등판을 얻어맞은 자는 목을 쳐들 수 없을 정도로 중태였다. 그들은 아랑곳없이 말등에 가로 걸쳐 싣고서 무더리까지 돌아왔다.

송화 무더리가 어느 고장이라고 구월산의 정탐꾼이 없겠는가. 그들이 무더리 사근다리께로 올 적에 인적 끊긴 주막거리 앞에서 졸고 앉았던 사내 하나가 고개를 번쩍 들었다. 그는 말 위에 실린 자들이 누구인가를 대번에 알아보았다. 그는 슬슬 일어나 고름도 떨어져 앞섶이 훤히 드러난 저고리를 펄럭거리며 그들에게로 나아갔다.

"돈이 되나 양식이 되나 좀 보태줍시오. 처자를 모두 굶겨 죽이고 혼잣몸이 목숨은 모질어서 이렇게 살아 있소. 조금만 적선하시우."

그들은 사내의 가슴을 떼밀어냈다.

"아이구, 제발 보태줍시오."

사내가 말 안장을 잡을 듯이 달려들었다. 다리를 다친 자가 눈짓을 해 보이면서 그를 돌아보았고, 김식이 사내의 등덜미를 잡아 뒤로 젖혔다.

"적선은 해주겠는데, 우리는 장사치가 되어놔서 공것을 모르는 사람이다. 코를 뭉개줄까 이빨을 뽑을까, 매값은 두둑이 줄 터이다."

"어어…… 동냥 물립시다. 물러주오."

"그래, 물러라."

김식이 껄껄 웃으며 그를 밀어냈다. 사내는 흐트러진 상투를 쓰다듬으며 섰더니 그들이 멀어지자 집 옆을 따라서 천천히 쫓아갔다. 그는 방금 구월산 수렛고개의 식구들이 잡혀 있는 것을 확인하였던 것이다. 그는 장터의 주막거리를 한눈에 내다볼 수 있는 대추나무집 앞에 이르러 바깥으로 달린 툇마루에 앉아 그들을 지켜보았다. 그들이 우물집이라는 객주로 들어가는 것을 확인하고 나서 사내는 다시 사근다리 쪽으로 향하여 올라갔다. 그는 앉아서 졸던 집의 안마당으로 들어가 다급하게 외쳤다.

"성님, 큰일 났소이다."

미닫이를 열어놓고 누워 있던 중년의 사내가 부스스 일어났다.

"뭐야…… 산에 무슨 일이 있다더냐?"

"큰돌 성님, 수렛고개 식구들이 당한 모양입니다."

큰돌은 예전부터 길산이 갑송이들과 재인말에서 함께 살아왔고, 그들이 은율 탑고개로 이사한 뒤에도 같은 마을 사람이 되었더니, 아예 구월산 식구들과 한통속이 되어버렸던 것이다. 큰돌이가 비록 기운도 재간도 없었지만 사내들의 거친 싸움이나 의기라든가 하는 일에 신을 내는 성미라서, 다른 광대들보다 먼저 길산이와 그 동무들에게 가담하였다. 길산이 등이 자비령으로 나간 뒤에 큰돌이는 김기의 지시로 송화로 나왔고, 주막을 열었으나 기근으로 장사를 폐하고 있었다. 말득이가 길산을 따라간 뒤에 안악 배고개 밑의 주막은 변가의 처가 맡았다. 큰돌이는 탑고개에서 식구들을 데리고 아예 이사를 나왔다. 구월산의 동쪽은 안악 배고개 토막과 그 아래 주막에서 살피고, 서쪽은 송화의 수렛고개 토막과 무더리 주막에서 살피도록 되어 있었다. 무더리 주막과 수렛고개의 일당들은 서로 긴밀하게 연락을 하고 있었다.

"관군이 왔나?"

"뭔지는 모르겠으나 험상궂은 장정들 여섯이 말등에 우리 식구들 둘을 잡아 싣구 갑디다. 하나는 거의 죽었고 또 하나는 다리를 다쳤습니다."

"어디로 가더냐?"

"우물집으로 들어갑디다."

큰돌이는 안절부절못하면서 저고리를 입었다.

"이거 큰일 났구나."

"산채에 알려야죠?"

"여기서 장정들 몇을 모아 빼내올 수 없을까?"

"안 되우. 내가 자세히 살폈는데 쉽사리 볼 놈들이 아닙디다. 목자에 제법 살기가 비치고 등에는 보퉁이나 거적에 싼 물건들을 짊어졌는데, 그게 아마 병장기가 틀림없을 게요."

큰돌이는 고개를 끄덕였다.

"그렇겠군. 토막의 소두령이 만만한 사람은 아닌데, 식구들이 저 꼴이 되어 끌려가는 것을 맨손으로 보구만 있었을 리는 없겠지. 모두 어육이 된 모양이구나. 어떤 자들일까?"

"성님, 이렇게 하십시다. 저는 이 길로 산채에 올라 두령들께 알리고, 성님은 우물집 주인과 의논하여 그놈들을 사로잡을 궁리를 짜놓으시우. 여기가 어디유, 송화 무더리 장터는 우리 마당이란 말이우. 후환이란 게 있어 서리배도 우리 일은 쉬쉬하는 판인데, 타관 것들이 이 바닥에서 어쩌겠소."

"그래, 여기 일은 염려 말구 어서 가거라."

큰돌이와 정탐꾼은 밖으로 나왔다. 큰돌이는 마음을 가다듬고 우물집으로 향하였다. 아무리 우물집 주인이 돈을 받았다지만 저들은 곧 떠나고, 그는 여기서 처자식을 거느리고 살아야 할 사람이 아닌가. 그가 누구의 편을 들 것인가는 자명한 노릇이었다. 뿐만 아니라 구월산 인근 사방의 민심은 이미 그들의 것이었다. 구월산 일당들이 누구의 편인가를 자신이 너무도 잘 알고 있었던 것이다. 무더리 장터를 올라가는 큰돌이는 차츰 마음이 평온해졌다. 길은 텅 비어 있었다. 사람들은 모두 방문을 열어두고 더위에 지쳐 늘어진 것 같았다. 큰돌이는 헛기침을 몇번 하고 나서 우물집의 사립문을 밀었다.

"웬놈이냐?"

소리가 벽력같이 들리며 누구인가 큰돌이의 뒤통수를 주먹으로 내려치며 앞발을 걸었다. 큰돌이는 눈앞에서 불이 번쩍하는 것을 느끼면서 앞으로 넘어졌다. 두개골 속에 열이 화끈 달아오르는 듯하였다. 잠깐 까무룩하였다가 제정신이 돌아오는데 살펴보니 먼지가 풀썩이는 땅바닥이었다. 누구인가 그의 등을 밟고 있었다. 그는 재빨리 앞쪽을 살폈다. 사내 넷이서 웃통을 벗고 마루 위에서 점심을 먹는 참이었다. 그들은 자기를 거들떠보지도 않았다. 큰돌이는 고개를 돌리면서 가까스로 중얼거렸다.

"어이구, 나 죽네……"

마당을 건너오면서 우물집 주인이 떠들었다.

"이게 누군가. 큰돌이 아니여?"

"아는 사람인가?"

큰돌이의 등을 딛고 있던 자가 물었다.

"아다뿐입니까. 저기 사근다리 앞에서 주막을 하구 있는 우리 계원입지요."

"아무두 드나들지 못하게 하라니까 왜 말을 안 듣는 거야?"

큰돌이를 내려다보며 사내가 아까보다는 덜 험악하게 말하였고, 주막 주인이 큰돌이를 일으켰다.

"같은 동네 사람끼리 서로 오삭가삭하는 것을 어찌 막습니까?"

"누구든 안 돼. 그만한 돈과 양식을 주었을 텐데."

마루 위에서 김식이 말하였다. 그는 문 옆에 지키고 섰는 자에게 다시 물었다.

"밖에 누구 또 없지?"

"아무도 없습니다."

큰돌이는 독살스러운 눈빛을 해가지고 주막 주인을 쏘아보았다. 주막 주인이 그의 얼굴을 마주 보다가 흠칫하면서 질겁을 하였다. 큰돌이가 말하였다.

"어유…… 골이야. 나는 자네가 술이 없다구 해서 술이나 팔까 하구 왔던 참인데, 이런 봉변이 있나."

큰돌이의 이 말에는 마루 위에 있던 장교들 모두가 귀가 훤하여져서 내려다보았다. 이런 시절에 시골 저자에 술이 있다면 그것은 두엄더미 속에서 옥지환이 나온 격이었다. 주인은 큰돌이가 누구임을 잘 알고 있었고, 그의 눈길에서 하는 대로 따르지 않으면 뒤에 어떤 일이 있으리라는 것을 깨닫고 있었던 것이다. 마침 손님들은 술을 찾는데 양식도 모자라던 판에 술이 있을 리가 없었다. 그는 큰돌이의 처분대로 맡기고자 하였다.

"허, 그 참 잘되었군. 그렇지 않아두 자네는 장사 수완이 있으니, 오래 묵은 화주라두 한 독쯤 쟁여놓지 않았을까 궁금했었네. 지금 가려던 참일세."

"계당주가 한 항아리 있다네."

마루 위에서 누군가 말하였다.

"무슨 술이 있다구?"

주인이 굽신하면서 되뇌었다.

"계당주라구 그럽니다."

계당주란 계피와 꿀을 넣어서 적어도 석삼 년을 넘겨야 맛이 난다는 술이니, 약주 중에도 가장 상품이라 시골에서는 부자의 회갑연에서나 가끔 내놓는 술이었다. 김식도 술 얘기가 나오고 계당주란 말을 듣자 벌써 혀끝이 짜르르하여 자기도 모르게 입맛을 다시면서 경계심을 느슨하게 풀어놓았다.

"그래, 자네 집에 지금 그 술이 있단 말이지?"

곁에서 주막 주인이 다시 양념을 쳐서 거들었다.

"때가 이래서 겨우 그런 술이지만, 이 사람 주막은 오래 전부터 상고들 가운데 명주의 집이라구 소문이 났습니다."

"겨우 한 항아리라면 모래 위에 물 쏟는 격이 아닌가. 우선 가져오게."

김식이 큰돌이를 재촉하였다. 큰돌이가 뒤통수를 주무르면서 말하였다.

"헌데 술을 담근 곳이 까막내가 되어놔서 한 시오 리 길이니 저녁참에나 드셔야 할 겁니다."

"여하튼 언제라도 좋으니까 많이만 가져오게나."

"값은 얼마나 주시렵니까?"

"허 이 사람, 거북 등의 털 깎는 소리로다. 물건을 봐야 돈을 따지지."

큰돌이는 수걱수걱 돌아서도 될 것을 일부러 질겅질겅 씹고 늘어졌으니 저들의 의심을 풀어주기 위해서였다.

"우리는 돈 필요 없소이다. 양식으로 주셔얍지요."

"글쎄 알았다니까."

큰돌이가 다짐을 받고 나오면서도 곁눈질로 주막 안을 살펴보는데 아까부터 부엌 뒷방 쪽으로 자꾸만 눈이 가는 것이었다. 그 방에는 밖으로 문고리가 걸려 있었고 숟가락이 질러져 있는 것이 누군가를 가둬놓은 것이 분명하였다. 큰돌이가 집으로 돌아와 걱정이 태산같아졌는데, 얼결에 술 소리는 꺼냈지만 계당주를 구하는 일은 자신이 없었다. 큰돌이가 생각다 못해 주막에 묻힌 독을 모두 열어보니 화주가 반 동이쯤 바닥에 남아 있었다.

"계당주가 따로 있다더냐. 카하고 달착지근하면 되는 게지."

큰돌이는 아내를 불러 의원을 찾아가 계피와 산청을 두어 근 사오도록 시키고 따로 열 냥을 내주며 은근히 일렀다.

"비상을 조금만 달라고 부탁하라구. 아무러면 약 한 줌에 열 냥인데 방문을 허가내느니 어쩌느니 하지 못할 게야."

"그래두 어디에 쓸 거냐고 물으면 어찌하우."

"십 년 묵은 담증 때문에 운신을 못 하고 누워 있다고 그래."

큰돌이는 아내를 내보내고 술을 떠냈다. 맛을 보니 신맛이 약간 있는 듯하여 팥을 내어 솥에다 볶았다. 볶은 팥을 자루에 넣어가지고 술항아리 가운데 담가두었다. 어제 거른 술처럼 맛이 평순하고 담백해질 것이었다. 아내가 소용될 약재를 구하여 왔는데 아무래도 비상의 용처가 궁금한 모양이었다.

"아니, 그 찌꺼기 술은 무엇 하러 떠내고 법석이슈. 비상으로 이 염천에 꿩을 잡으려우, 돼지를 잡으려우?"

"우리 식구들이 잡혔다네."

큰돌이가 연(硯)에다 계피를 넣고 빻으면서 중얼거렸다.

"에구머니, 누가 잡혔다구요?"

"수렛고개 식구들이 붕어찜이 되었단 말이여. 모두 결딴나고 둘이 잡혀 있네."

아내가 화들짝 놀라며 그의 코앞에 주저앉았다.

"그러니 어쩌우?"

"우리가 해치워야지."

"비상을 술에 타서 먹일려구요?"

"해봐야지."

큰돌이는 항아리에 술을 넣어 휘저었다. 금향색의 계핏가루를 타고는 맛을 보았다.

"비슷하군. 계당주가 따로 있나."

"어쩔려구 그래요. 나는 아이들 데리고 청송으로 나가 있을라우."

큰돌이는 한 손으로 입을 막고 조심조심 비상가루를 술항아리에 타넣었다.

"이제 떼죽음이 나겠구나."

"그 사람들이 어떤 이들인지두 모르는데 몰살을 시켰다가 무슨 일을 당하려구 그러슈?"

"염려 말어, 부득이하면 탑고개로 들어가버리지. 내가 무더리에 주막 주인으로 나와서 이만한 일이라도 해치워야 산채 식구들께 면목이 설 게 아닌가?"

큰돌이는 다시 항아리 속을 휘젓고 나서 냄새를 맡아보았다. 진한 계피 냄새가 코를 찌를 뿐이었다. 큰돌이 자신도 비상을 탔든지 녹용을 탔든지 간에 그 냄새에는 목젖이 동할 지경이었다.

"커, 냄새 한번 그윽하구나."

큰돌이는 누르께해진 속곳을 뜯어서 항아리를 단단히 봉하였다.

"이따가 어둑어둑해지면 자네가 이걸 이구 가서 값은 내일 와서 받겠습니다, 이러고는 내려놓고 나오란 말이야."

아내가 큰돌의 말에 펄쩍 뛰었다.

"나는 못허우. 차라리 당집에 가서 신칼을 물고 오라면 모를까."

"나허구 함께 가세나. 이런 일에는 사내보다 계집이 수월한 게야."

큰돌이는 구월산 식구들이 오기 전에 정탐으로 나온 점주의 수완을 보여주고 싶었던 것이다. 수렛고개가 결딴이 나버린 책임이 꼭 자기에게 있는 듯만 여겨져서 잡혀 있는 두 사람을 생각하니 안달이 났다.

"자정까지는 당도하겠지만⋯⋯"

그전에 두 사람을 옮겨두고서 산채 사람들은 저쪽 놈들의 시신이나 거두면 될 듯하였다.

땅거미가 내려덮이고 나서 큰돌이는 못내 마다하는 아내를 달래어 등을 밀었다. 큰돌의 아내가 술항아리를 머리에 이고 들어가니, 역시 삽짝 옆에 장정 하나가 칼을 짚고 지켜 서 있었다.

"이거 뭐요?"

"수⋯⋯ 술입니다."

마루에 앉았던 자가 방 안에 대고 외쳤다.

"술이 왔습니다."

김식이 마당 쪽으로 고개를 내밀었다.

"어서 가져오라게."

큰돌의 아내는 오금이 저려 곧 주저앉을 것 같은 두려움을 억누르면서 섬돌 가까이에 내려놓고는 돌아섰다. 문 옆에서 따라왔던 자가 뚜껑을 열고 냄새를 맡았다. 봉해놓은 헝겊에 술이 배어 계피 냄새가 주위에 퍼지자, 서로 입맛을 다시며 감탄을 하였다.

"향기가 진동하는구나."

"혀끝에 닿는걸."

김식은 나가려는 아낙네의 등뒤에다 대고 물었다.

"값은 안 받을려우?"

큰돌의 아내는 멈칫 섰다가 등을 보인 채로 대답하였다.

"내일…… 주인께서…… 받으신답니다."

"어, 그러한가."

김식이 아낙네가 나간 것을 확인한 뒤에 갑자기 눈꼬리를 빳빳이 치키고는 나직하게 중얼거렸다.

"혼자 왔던가?"

"아뇨, 저쪽에 그자가 따라왔었습니다."

김식은 고개를 끄덕거렸다. 그는 장교가 들고 온 항아리를 제 앞에 놓고 헝겊을 벗겨냈다.

"한잔도 입에 델 생각 말아라."

그는 상투꼭지에서 은동곳을 뽑아냈다. 그러고는 술 속에 담갔다가 꺼내어 등잔불빛에 대고 살펴보았다.

"그럴 줄 알았다."

그는 푸르게 변색한 은동곳을 장교들에게 내보여주었다.

"이걸 마셨다가 모두 피 토하고 고택골로 직행할 뻔하였구나."

다른 장교가 칼자루를 움켜쥐고 벌떡 일어났다.

"당장에 그것들을 처치해버려야지."

"두어라."

김식이 장교에게 눈짓으로 앉으라고 일렀다. 김식의 주위로 장교들이 둘러앉았다.

"내가 뭐라더냐. 벌써 오랫동안 놈들이 구월산에 진치고 들어앉아 있었으니 구월산 인근은 도적들의 판도에 들어가 있다고 생각해야 한다. 송화 무더리라면 구월산 서쪽에서는 가장 오래된 장터이다. 이 장터 놈들이 모조리 적당이라고 여겨야 한다. 우리는 두령의 모가지만 가져가면 되니까 섣불리 나서지 말아야지. 내일 정오까지 이 주막 안에 꼼짝 말고 엎어져 있어야 한다."

장교 하나가 김식에게 물었다.

"부장, 만약에 화적들이 떼지어 여길 습격해오면 어쩝니까?"

"이들은 보통의 도적이 아니다. 스스로 활빈의 무리라고 자처한다. 수렛고개에서 소두령 되는 자의 태도를 보았겠지. 아랫것들이 그만하다면야 군율이 어느 정도인가는 짐작할 수 있겠지. 잡힌 두 놈을 살리려고 갖은 술책을 써올 것이다. 다른 놈들 같으면 잡힌 놈들이 죽거나 살거나 우리를 습격하겠지."

"어쨌든 믿을 바는 못 되우."

김식이 동곳을 다시 상투꼭지에 꽂았다.

"우리가 기척 없이 누워 있으면 그자가 올 것이다. 사로잡은 뒤에 그자의 주막도 우리가 점령하여 지킨다. 자, 나는 이제 자빠질 참이다."

김식이 보퉁이를 윗목에 놓고 누웠다. 다른 장교들도 하나둘씩 차례로 마루와 건넌방에 드러누웠고, 삽짝을 지키던 자만이 마당으로 내려서서 비어 있는 마구간에 숨었다. 장교가 김식에게 속삭였다.

"불을 끌까요?"

"그냥 놔두게."

그들이 넘어져서 침 삼키는 것도 억제하고 한 식경을 보내는데, 건너편 안채 쪽에서 문이 열리더니 주막 주인이 나왔다. 그는 차마 마루 위까지는 오르지 못하고 마당에 선 채로 넘어진 사내들을 휘둘러보더니 삽짝을 밀고 밖으로 나갔다.

큰돌이는 아내와 아이들이 청송의 친척집으로 간 뒤에 줄곧 우물집 건너편에 쭈그리고 앉아서 동정을 살피고 있었다. 주막 주인이 슬그머니 나와서 장터로 올라가는 것을 보고 큰돌이는 바삐 쫓아갔다.

"어디로 가는 게여?"

"아이구, 깜짝이야. 자네 집으로 가는 길일세. 이거 봐, 나는 어쩌란 말인가? 그놈들이 술을 마시고는 모두들 마른안주처럼 뻗어버렸네."

"술을 마시던가?"

"냄새를 맡고 감탄들을 하고 법석이더구면."

"에이고, 잘코사니야."

큰돌이는 끼들끼들 웃음을 가까스로 참으면서 주막 주인의 손을 잡고 흔들었다.

"허, 이거 큰탈이로군. 송장 치울 일은 고사간에 이제 우리 주막은 흉가가 되어버렸으니."

"걱정 말게, 두령께 알려서 그 댓가는 해줄 터이니…… 어서 우리 식구들을 데리고 나와야지."

큰돌이는 두려움에 행동거지가 굳어진 주막 주인의 등을 밀며 재촉하였다. 삽짝을 밀고 들어가니 집안은 고요한데 봉놋방에서 새어 나온 불빛이 마루와 마당을 비추고 있었다. 큰돌이는 마루에 넘어진 세 사내를 보았다. 방 안에도 기척이 없는 것으로 보아 사내들이 널 브러져 있을 것이다.

"지관(地官)을 잘못 만난 탓들이여. 노중객사 원혼이니 내가기 전에 장구춤이라두 추어줘야겠네."

큰돌이가 여유작작하여 이렇게 흰소리를 내지르며 섬돌 위에 오르는데, 마루에 누웠던 사내들 중에 하나가 상반신을 발딱 일으켰다.

"혁······"

큰돌이는 눈을 크게 뜨고 입을 벌린 채 얼어붙었고, 주막 주인은 하도 놀라서 마당에 궁둥방아를 찧었다. 사내들이 차례로 일어났다. 그러고는 나직하게 웃어대기 시작하였다. 큰돌이는 그야말로 외눈박이 소뿔에 받힌 듯 삽짝을 향하려고 돌아서는데 다른 사내가 마당을 가로질러 막아섰다. 우물 안의 고기가 되어버린 셈이다. 장교들은 우르르 달려내려와 큰돌이와 주막 주인의 덜미를 잡아 마루 아래로 끌고 갔다. 김식이 퇴창문을 열고 내다보며 말하였다.

"내 이미 너희들이 적당과 내통한다는 것을 눈치채고 있었다. 너희 패거리와 무슨 연락이 어떻게 이루어졌는지 직고하라."

"저는 모릅니다. 뒤가 무서워서 이 사람이 시키는 대루 모른 체하구 있었을 뿐입니다."

주막 주인이 수없이 이마를 조아리며 말하였으나 큰돌이는 입을 굳게 다물고 앉아 있었다.

"허, 저놈이 아마도 정승 판서에 턱을 걸은 모양이구나. 굳은 턱은 놓아두고 연한 양물이나 베어버려야지."

장교가 지체없이 큰돌이의 사타구니를 더듬어 큰돌이의 물건을 비틀어 잡았다.

"어…… 어이쿠나."

"그놈의 턱이 이제야 노는구나."

큰돌이가 허겁지겁 상대방의 팔뚝을 잡으며 사정하였다.

"말하겠수, 말하겠다니까…… 이걸 좀 놓아주오."

"너희 일당들이 어찌하기로 의논하였는가?"

김식이 묻자 큰돌이는 재빨리 대답하였다.

"산채로 사람이 올라갔는데, 오늘밤이 새기 전에 무더리로 급히 내려오라 전하였소."

"어디로 오기루 되었느냐?"

"우리 주막이오."

"이 자의 집이 어딘가?"

김식이 물으니 주막 주인이 급히 대답하였다.

"사근다리 앞입니다."

"음, 장터 초입이로군."

김식은 큰돌이를 재갈 물려 묶어서 두 사람과 함께 끌고 가기로 하였다.

"저 자를 앞세워 우리가 그 집으로 간다. 모두 나서자."

그들은 큰돌이네 주막 주위를 싸고 산채에서 내려오는 도적들을 맞기로 하였다. 깊은 산에서는 부엉이가 울었고 보름에 가까운 달이 중천에 떠서 지붕과 담장을 부옇게 비춰주고 있었다. 김식을 위시한 감영 장교들은 인질들을 끌고 사근다리의 큰돌이네 주막으로 옮겨 갔다. 큰돌이네 집은 텅 비어 있었다. 그들은 안방에다 잡힌 자들을 모두 쓸어넣고 김식만 남았으며, 나머지는 맡은 자리에 흩어져갔다.

무더리 장터에서 읍치까지가 시오 리 길이요, 까막내는 이십 리

길이었는데, 구월산 방면에서 들어오려면 사근다리를 거치지 않으면 추산을 돌아서 동쪽으로 수십 리를 내려와야만 하였다. 까막내는 구월산 서쪽 수렛고개가 진원이요, 아래로 흘러내려와 두 갈래 물이 합쳐져 수회천(水回川) 무더리가 되는 것이다. 구월산 일당들은 무더리로 들어오는 사근다리를 지나야 할 터인데 큰돌이가 서투른 짓을 하여 주막까지 점령당하였으니 아무것도 모르고 들어오다가는 패하기 십상이었다. 장교들은 다리 건너편에 셋이 잠복하였고 큰돌이네 주막으로 들어서는 울바자 사이에 둘이 숨었다. 그들 모두가 칼과 쇠몽치 쓰는 데는 자신이 있다는 자들이라 감영 군관 중에 뽑혀나온 것이었다. 김식은 해서에 소문이 널리 퍼져 있는 장두령이란 자와 겨루는 것이 원이었다. 해서감영의 옥을 벗어나간 자이니 용첩하기가 보통이 아닐 듯하였다.

김식은 포도관 최형기의 수하에 있을 적에 예도 쓰기에는 그를 당할 자 팔도에 없을 게라는 칭찬을 들었다. 한 팔 길이의 칼날만 있으면 그는 장비가 살아온다 하여도 두렵지 않았다. 김식은 무릎 앞에다 칼을 놓고 조용히 앉았으나, 모든 감각은 바깥으로 곤두세워져 모기의 나랫짓이 어느 쪽으로 움직이는가도 알아챌 수가 있었다. 달은 차츰 기울었다. 풀벌레 소리와 개구리 소리가 사방에서 끊임없이 들려왔다. 주위에서 들려오던 개구리 울음은 수만 개의 자갈이 서로 미세하게 비벼대는 듯했는데, 몇각이고 연이어 변하지 않고 들리던 소리가 잠깐씩 사이를 두었다. 김식은 그때 칼자루를 당겨 손아귀에 잡았다. 그것은 마치 움직이기 시작한 찌를 보고 대끝에 손을 가져가는 낚시꾼과 같았다. 개구리 울음은 잠깐씩 사이를 두었다가 한두 마디로 이어져 다시 산발적으로 퍼져나가고 종전의 평이한 울음소리로 되돌아가는 것을 반복하였다. 누구인가 저 들판으로 오고 있는 것이다. 김식은 칼을 잡고 일어나 삽짝문을 밀고 나섰다. 울바자 사이에 섰던 장교 둘이 그를 돌아보았다.

"온다……"

김식이 소곤거렸고 장교들은 그제야 긴장을 하면서 앞을 바라보았다. 처음에는 달빛에 드러난 오솔길이 하얗게 보일 뿐이었다. 달은 희봉산 머리에 두어 뼘의 높이로 걸려 있었다. 사근다리 아래 잡초 틈으로 드러난 모래밭이 드문드문 하얗게 빛났다. 물은 좁아들 대로 좁아버려서 실 같은 개천의 흔적이 구석으로 가늘게 지나고 있었다. 그것마저 위쪽에는 땅속으로 자취를 감추었는지 달빛의 반사가 거기서 끝나 있었다. 역시 누구인가 다가왔다.

"저기…… 옵니다."

그들이 다리 너머를 살펴보니 희끗희끗한 사람의 자취가 움직여오는 게 보였다. 그들은 주저하지 않고 사근다리로 들어섰는데 세 사람이었다.

"자, 나서자."

김식은 장교 두 사람을 데리고 길 위로 나아가 다리를 막아섰다. 건너오려던 세 사내가 주춤 서면서 뒤를 돌아보는 모양이 보였다. 불과 열 걸음 안팎이었다. 저쪽 다리 입구에도 장교 세 사람이 막아서고 있는 게 보였다. 그러나 다리 가운데 둘러싸인 자들은 당황하지 않았고, 하나가 나직하게 물었다.

"우리 아이들을 맡은 것이 자네들인가?"

"네가 구월산 화적의 두령이냐?"

김식도 나직한 목소리로 되물었다. 이번에는 물어오던 자 곁에 기다란 지팡막대를 짚고 서 있던 키 큰 자가 말하였다.

"무슨 원한으로 이러는가?"

그러나 김식은 대답 대신에 칼을 천천히 뽑았다.

"나는 해서감영의 김식이라는 사람이다. 검에 자신 있는 자만 나서라."

다리 위의 세 사람은 전혀 동요하지 않았다. 그중 먼저 말했던 사내가 고개를 젖히고 껄껄 웃었다.

"난 또 뭔가 했더니, 관가 밥을 얻어먹는 개들이로군."

장교 하나가 달려들기 전에 손가락질을 하며 외쳤다.

"너희들은 앞뒤로 둘러싸였다. 순순히 꿇어앉으면 살려주겠다. 두령만 나서라."

그러나 그들 중의 하나가 대꾸를 하는데 바라보니 어제 수렛고개에서 사로잡혔던 소두령이었다.

"무더리에는 이미 우리 식구들이 하얗게 들어가 박혔다. 여기가 어딘 줄 알구 찾아들어왔느냐?"

장교들은 제풀에 놀라서 잠깐씩 뒤를 돌아보았다. 역시 사람들의 발걸음 소리와 두런거리는 인기척이 들렸다. 큰돌의 주막으로부터 몇사람이, 길 위로 여럿이 몰려나오는 중이었다. 다리 위의 키 큰 사내는 오만석이요, 또 하나는 마감동이었다. 그들은 기별을 받자마자 산을 내려와 장교들 쪽에서 이른 대로 소두령과 마감동 오만석 등이 사근다리 쪽으로 나왔고, 다른 식구들은 청송으로 하여 무더리의 서쪽 길로 들어섰던 것이다. 그들은 적이 어디에 숨어 있든 배후나 빈틈을 노리든 거칠 것 없이 막바로 들어오는 판이었다. 김식의 일행이 그들을 너무나 얕보고 딴에는 계략을 이리저리 꾸며본다는 것이 아무 소용이 없었다.

큰돌이가 보낸 정탐꾼은 미처 수렛고개도 못 가서 그들과 마주쳤고, 그간의 일을 고하였으나 마감동 일행은 대수롭지 않게 여기는 것 같았다. 무더리 장터로 먼저 들어왔던 일행들은 우물집을 은밀히 덮치고 나서 그들이 큰돌이네 주막에서 은신해 있는 것을 알고는, 마두령의 일행이 사근다리에 당도할 때까지 울타리와 처마밑에 박혀서 기다리던 중이었다. 김식이 사세가 그른 것을 알면서 칼솜씨를 믿고서 마감동의 머리를 얻고자 달려들었다. 그 칼날을 오만석이 창대로 받는데, 마감동은 뒤로 몇걸음 물러나며 김식을 끌어들였다. 그는 난간을 짚으며 다리 아래로 가볍게 뛰어내렸고, 김식은 오만석의 옆구리로 빠져나가 난간을 넘어섰다. 만석은 단장을 휘두르며 두 장교를 사근다리 밖으로 몰아냈는데, 연이어 밀려든 배후의 장교들을 다른 식구들이 맡았다.

아무리 저희가 단병접전에 자신이 있다 하나 제법 조련을 받고 실전을 여러차례 겪어온 구월산 일당들을 어찌 당하랴. 둘이 죽고 나머지는 칼을 던지고 사로잡히는 몸이 되었다. 이렇게 쉽사리 접전이 끝나버리는데, 사근다리 밑에서는 아직 칼날도 마주치지 않은 채 마감동과 김식이 서로를 노려보기만 하였다. 그들은 모래밭 가운데 칠팔 보쯤 떨어져 서 있었다. 감동은 칼을 느슨히 늘어뜨렸으며, 김식은 팔을 수평으로 벌리고 칼을 일직선으로 세우고 있었다. 마감동은 움직이지 않는데 김식이 슬그머니 발을 떼었다. 그는 간격을 두고 옆으로 천천히 발을 옮기기 시작하였다.

김식은 마감동의 왼쪽으로 한 발 두 발씩 걸어나가고, 감동은 칼을 늘어뜨린 채로 서 있으니 비도(非刀)라 하여 아예 검법이 아닌 자세였다. 방어도 공격도 하지 못할 자세인데, 상대방에게 자기의 기량을 감추어 저쪽에서 공격해 들어올 적의 허점을 틈타 되받아치려는 것이다. 김식이 아무리 훈련원의 뛰어난 기술을 배웠다고는 하나 마감동의 검을 알지 못하고, 또한 비도의 자세로 서 있으니 막상 달려들지 못하고 있는 것이었다. 싸우는 자들은 마주치는 첫 찰나에 상대방의 기량을 아는 법이었다. 김식이 아까부터 수두(獸頭) 자세로 칼을 수평으로 쳐들고 서 있으면서 적을 가늠해보았다.

칼을 늘어뜨린 마감동에게서는 흐트러지지 않고 단단한 어떤 느낌이 그와 상대방 사이에 물샐틈도 없이 가득 찬 것 같았다. 숨이 막힐 지경이었다. 김식은 그자가 보통이 아님을 느낄 수 있었다. 마감동의 비도는 마치 바람이 그친 들판의 풀과도 같았다. 아니면 비 오기 직전의 연못과도 같았으며 돌 끝에 앉은 개구리의 정지처럼 여겨졌다. 바람이 불면 풀이 거세게 흔들려 방향에 따라 이리저리 눕고 일어서고 할 것이며, 비가 오기 시작하면 매끄럽던 연못의 수면 위에는 무수한 물방울이 솟아오르고 거친 파문이 일어날 것이고, 개구리는 정지를 그치고 돌에서 펄쩍 솟아올라 긴 혀를 내밀어 나비를 덮칠 것이었다.

김식이 움직이기 시작한 것은 따라서 저절로 이루어진 동작이었다. 땅이 있음에 하늘이 있으며 물 있는 곳에 불이 있고 정(靜)한 곳에 동(動)이 있는 것이다. 마감동은 그의 움직임을 유도하였고 그것을 온몸과 느낌으로 받아들여 바람과 비에 춤추는 파도가 될 것이었다. 마감동은 칼이 도구가 아니라 그의 팔의 일부분이 되어버린 듯 자연스럽게 늘어뜨리고 서 있었다. 그의 살기는 큰 바위 속에 녹아 있는 옥처럼 마음에 깊숙이 감춰져 있었다. 마감동은 굳어버린 듯이 서서 스스로를 안으로 밑바닥으로 가라앉혀서는, 살갗과 사지와 감각의 모든 부분만을 열어두어 안에서 무심하게 외계를 내다보는 듯했다. 감동의 측면으로 돌던 김식이 문득 멈추었다. 그런데 그것은 반 호흡이나 되었을까, 그대로 칼을 거두어 두 손아귀에 모으며 마감동에게로 뛰어들었다. 김식은 좌측으로 마감동의 어깨를 내리치며 엇갈리는데 마감동은 상장(相藏)으로 칼을 엇비슷이 돌려 다만 칼을 퉁겨낼 뿐이었다. 두 사람이 부딪칠 때 월광이 칼날에 반사되어 번쩍이다가 투명한 쇳소리가 들리며 떨어져나갔다.

감동은 다시 팔을 늘어뜨린 자세이고, 김식은 칼을 두 손에 쥐고 감동의 왼쪽으로 빠져나가 몸을 돌린 순간이었다. 몸을 돌릴 때 그의 왼쪽 옆구리가 비어 있었으니 두 손에 그러쥔 칼날이 오른쪽 어깨 너머로 수직으로 서 있게 되었던 때문이다. 그것은 명익(名翼)의 세였다. 바람을 가르는 소리가 맵고 차갑게 들리는가 하자 김식은 왼발을 떼어 뒤로 물러서며 상반신을 숙였다. 왼쪽 옆구리에서 배로 타는 듯한 통증이 지나갔다. 김식이 내려다보니 베어진 저고리 자락이 너덜거렸다. 손을 대었다. 축축한 피가 흘러나와 있었다. 그의 빈틈을 놓치지 않고 공격했던 마감동은 다시 그 자리에 칼을 늘어뜨리고 서 있었다. 김식은 초조해지기 시작했다. 저 고요함을 깨뜨려야만 하였다. 지금의 동작은 스치는 미풍의 동작에 불과했던 것이다. 김식은 정공(正攻)으로는 더이상 마감동의 허를 노릴 수 없음을 깨달았고 이제부터 기격(奇擊)으로 그를 혼란의 와중으로 끌어낼 작정이었다.

이와 같이 검술이 비슷한 상대끼리의 싸움에는 마음의 기(氣)가 가장 먼저 중요하나니 무릇 합치고 변하는 두 칼의 형세는 승패가 간발의 기회에 달려 있는 것이다.

반 호흡에도 못 미치는 그 사이를 놓치지 않고 붙잡는 능력을 가진 자가 이기는 법이다. 자기도 모르는 사이에 반사적으로 기를 잡아채어 쓰는 자는 실로 검을 아는 자이며, 눈을 부릅뜨고 기를 살펴서 쓰지는 못해도 방어할 줄 아는 자는 검을 배운 자이며, 그것을 볼 줄도 쓸 줄도 모르는 자는 검에 죽을 자라고 도홍경(陶弘景)은 『도검록(刀劍錄)』에서 말하였다.

기를 보고 쓸 줄 아는 길은 맹수가 몰리기 시작하면 동자(童子)라도 창을 가지고 쫓을 수 있고, 벌이 독(毒)을 내면 장사라도 당황하여 실색하게 되는 것이니, 그 화(禍)를 남이 헤아리지 못하게 하고 속히 변하여 생각하지 못하게 하는 것이라고 제갈량『심서(心書)』에 썼다.

김식은 아까와는 반대 방향에 마감동을 바라보며 섰다. 그와 엇갈리는 순간에 감동은 돌아선 채로 다시 움직이지 않았다. 김식은 일부러 전신의 힘을 빼고 칼 쥔 손목도 허술하게 했다. 그러고는 내쉬어 북받치려는 긴장과 분노를 흐트러뜨렸다. 옆구리에 베인 상처로 하여 몸이 굳어지면 어깨와 팔이 뻣뻣해져서, 상대의 변화무쌍한 칼날을 제때 받아내지 못하게 되는 것이다.

마감동은 시선을 제 발의 서너 발짝 앞에다 떨구고 칼을 늘어뜨린 채 바람소리를 듣고 있었다. 그 가운데 김식의 숨소리의 변화와 높낮음이 또렷이 들려왔다. 달이 지면 그는 죽는다. 마감동은 이제 자신이 있었다. 판단으로 싸우는 자는 감각으로 대응하는 자를 이기지 못한다. 그는 검을 배운 이래로 월정사의 풍열스님으로부터 마음을 비우는 법을 다시 배웠다. 칼은 그의 마음처럼 무심해질 것이다. 어둠이 내리면 김식의 칼은 맹목이 되어버려 쓸모가 없어질 것이다. 김식은 처음과 같이 견적출검(見賊出劍)으로 칼을 수평으로 쳐들고 조금씩 휘돌리면서, 오른발을 들어 방향을 바꾸면서, 이내 봉두(鳳頭)가 되어 칼을 휘둘러치고 들어왔다. 봉황이 날카로운 부리로 쪼는 것과 같아서 칼을 휘둘러 머리와 양어깨를 찍어대듯 한 동작으로 재빨리 찌르는 검법이었다.

마감동은 네 동작이 합쳐진 은망(銀蟒)의 세를 취하였으니 이는 바로 봉황에 대항하는 구렁이가 된 셈이었다. 상대가 날카롭고 재빠르니, 이쪽은 유연하게 연결된 검으로 나간 것이다. 구렁이처럼 몸을 전후좌우로 굴신하면서 상대의 칼날을 머리 위로 흘려보내는 것과 동시에 돌아서면서 그의 사방을 공격하였다. 앞을 향할 적에는 그의 왼손목과 왼발을, 뒤로 돌면서는 그의 오른손목과 오른쪽 발을 베고, 움직여 그를 다시 돌아나가며 좌우를 베었다.

　칼날이 맞부딪쳐 불빛이 반짝거렸고, 쟁겅대는 쇳소리가 들렸다가 그들의 두 몸이 합쳐졌다. 그들은 칼을 맞대고 붙어 있는데 칼날이 서로 비벼대어 끼꺽거리는 참을 수 없는 소리가 났다. 발을 들어 그를 차려고 하자 마감동은 무릎을 굽혀 막으면서 그를 밀어냈다. 김식은 뒤로 넘어져가면서 칼을 옆으로 휙 베어나갔다. 김식이 뒤로 벌렁 자빠졌을 때, 마감동은 오른편 팔뚝에 쓰라린 통증을 느꼈다. 마감동이 그를 밀어내느라고 상체가 허술해진 순간을 김식은 놓치지 않았던 것이다. 감동은 한 손을 대어보았다. 자상(刺傷)이 별로 깊지는 않았으나, 찢어진 옷자락 위로 피가 축축하게 배어나왔다. 마감동은 상대가 흐트러진 틈을 타서 공격하려는 마음을 눌러앉혔다. 아무리 죽이고 살리는 싸움이라 할지라도 사람이란 금수와는 달라서 마음이 있는지라, 이기려는 자는 심정에서부터 상대방의 위에 있지 않으면 아니 되는 것이었다. 근병접전에서는 특히 순간적으로 상대를 제압하거나, 그쪽에서 어언간에 이쪽으로 순응하여오게 하는 심치술(心治術)이 검법만큼 중요한 것이다.

　어두운 곳에서도 사람은 못 속이나니(欺暗尙不然) 밝은 데서야 더욱더 벌을 받는다(欺明當自戮).

　일찍이 옛글에 바둑을 두는 자의 암수(暗手)를 경계한 말이다. 이어서 『기경(棋經)』에서도 말하기를 대저 바둑의 도는 근엄함이 귀하니 정도(正道)로 그 형세를 합하여야 한다는 것이다. 때문에 궤도(詭

道)를 함부로 쓰고 변사(變詐) 경망한 운영을 하면 실패한다. 정정당
당하게 전략을 세우면 상대의 마음까지 굴복시키며, 떳떳한 승리에
는 원망이 따르지 못한다고 하였다. 돌을 쥐었거나 칼을 쥐었거나
사람 사이의 일은 언제나 마찬가지인 셈이다.

마감동은 당황하며 일어나는 김식을 공격하지 않고 오히려 두어
걸음 물러나, 그가 다시 완벽한 방어의 자세로 돌아올 순간까지 기
다려주었다. 김식이 옆으로 비스듬히 서면서 요략세(撩掠勢)로 칼을
왼쪽으로 숙이고 앞으로 나서려다가 동작을 그쳤다. 그의 마음에 잠
깐의 어지러움이 일어났던 것이다. 그는 마감동에게서 들어올 칼날
을 받아 아래로부터 왼편에 가리면서, 상대의 칼날을 위로 치키고는
그대로 비벼대면서 심장을 찌를 셈이었다. 그러나 마감동이 그의 안
전한 자세를 위하여 기다려주었고, 다시 처음처럼 칼을 늘어뜨린 비
도(非刀)로 돌아가자, 여태껏의 자기의 모든 공격과 방어가 마감동에
의하여 수동적으로 이루어졌음을 김식은 느꼈던 것이다. 그의 몸에
는 보이지 않는 끈이 매어졌으며 그 끈을 마감동이 잡고 조종하는
듯하였다. 김식은 언제나 선수를 치는 듯하였으나 늘 빼앗기고 있었
다. 그제야 김식은 마감동의 비도 자세가 태산처럼 묵중하고 튼튼함
을 깨달았다. 그것은 마치 날렵한 목을 갑옷 깊숙이 집어넣고 있는
거북의 등과도 같았다.

저 동작을 흐트러지게 할 수 없을까. 김식은 마감동에게 매어달린
추와 같이 그의 중심으로 들어서지 못한 채 자꾸만 밖으로 퉁겨져나
왔다. 마감동은 아까부터 서 있던 그 자리에서 앞뒤 좌우 두어 걸음
씩 움직였을 뿐이다. 김식은 공격을 멈추었다. 그는 칼을 정면으로
모으고 그 칼끝에 감동의 전신을 올려놓고서, 좌우로 갈라진 그의
형체에 눈을 주고 있었다. 그가 칼날 위에서 한 치라도 벗어나가면

김식은 곧 표두(豹頭)로써 그의 머리를 벽력같이 쪼개며 들어설 것이었다.

사근다리 위쪽의 둑에서는 구월산 일당들이 몰려서서 두 사람을 내려다보고 있었다. 고수(高手)의 싸움이란 쥐 죽은 듯하다더니 풀벌레 우는 소리며 바람소리가 언제보다도 더욱 또렷하게 들렸고, 사위 공기는 기침소리에도 금이 가버릴 듯 엷은 살얼음이 끼어 있는 것 같았다. 둑 위에서 구경하는 오만석은 마감동이 이처럼 신중하게 검을 쓰는 것을 본 적이 없다고 생각하였다. 그도 역시 창봉술을 익힌 사람이다. 두 사람의 싸움이 어떻다는 것을 알아볼 수 있었다. 오만석은 수회천의 시냇물을 내려다보다가 얼핏 고개를 돌려 뒤를 돌아보았다. 달의 동그란 모양이 가까스로 완전할 정도로 희봉산 봉우리에 얹혀 있었다. 그렇다, 달이다! 시냇물의 전면에 내려앉아 있던 빛의 편린들은 차츰 가늘게 쫓겨가고 있었다. 마감동은 그 가느다란 빛조각의 띠를 앞에 두고 서 있었고 김식은 희봉산을 향하고 서 있었다. 마감동이 뭔가 기다리던 것은 바로 시냇물에서 빛의 파편이 완전히 사라지는 시각이었다. 그것은 감동의 등뒤로 달이 지는 때를 의미하며, 곧 어둠을 기다린다는 뜻이다.

해주 군관 김식과 구월산 화적 마감동의 싸움은 나중에 수회천(水回川)의 결(決)이라 하여 세간에 알려졌는데, 지네와 닭으로 비유되었다. 결국 달이 지고 나서 닭은 봉황이 되어 승천하였다는 것이다. 새벽닭은 모든 암흑을 이기는 것이기 때문이었다.

김식은 칼날 위에 마감동의 전신을 얹고 칼끝을 노리고만 있었다. 그때 칼끝에 은빛 줄이 짤막하게 줄어든 것을 보았다. 빛이 스러져가고 있었다. 그는 칼끝에서 잠깐 시선을 떼었다. 희봉산 너머로 사라져가는 달의 반쪽 얼굴이 보였다.

그가 다시 칼끝으로 시선을 모았을 때, 마감동의 전신은 옆으로 두어 걸음 비켜나가 손가락 하나 길이만큼 떨어져 있었고, 그 대신에 뾰족한 칼끝에 꺾쇠 같은 저쪽의 칼이 걸려 있었다. 김식은 마감동이 늘어뜨렸던 칼을 마치 솥을 쳐들듯이 머리 위로 비스듬히 치켜올린 것을 보았다. 거정세(舉鼎勢)는 이제부터 바야흐로 자유자재로 치솟고 휘돌아치려는 모든 자세의 기본형인 셈이었다. 김식은 그때 한기가 온몸에 끼쳐오는 느낌을 받았다. 칼끝에서 월광이 사라졌다. 뿌옇던 외계는 먹물이 퍼진 듯 캄캄해졌다. 희부옇게 서로의 옷과 자취가 보일 따름이었다. 김식은 눈과 귀에 모든 주의를 집중하였다. 모래땅 위로 소리 없이 마감동이 움직이고 있었다. 김식은 그의 동작을 보려고 눈을 가늘게 떴다. 상대는 천천히 돌고 있었다.

마감동은 달아나지 못할 먹이를 앞에 둔 맹수처럼 침착하고 집요하였다. 그는 을(乙)자 모양으로 오른편으로 비스듬히 왼편으로 비스듬히 돌면서 김식과의 간격을 좁혔다. 세 번쯤 제자리에 멈추었을 때, 실로 그것은 멈추었다기보다는 발을 바꾸어 디딘 것에 불과하였다. 칼을 곧추세우고 창룡(蒼龍)이 물을 뚫고 나오듯 일직선으로 김식을 찔러들어갔다. 김식이 가까스로 칼을 세워 오른편으로 그의 칼날을 어긋나게 하는데, 마감동은 그대로 칼날을 끝까지 밀고 나가면서 칼을 엇갈려 비벼대어 바깥쪽에서 안쪽으로 쑤시고 들어갔다. 김식이 간신히 칼을 휘돌려서 바깥으로 다시 걷어내는데 마감동이 그의 측면으로 돌면서 거위 형용과 오리걸음으로 칼을 흩뿌려쳤다. 김식도 만만치는 않아서 위로 경중 뛰어올라 날개를 파닥여 오르는 참새가 되어 멀찍이 떨어지는데, 그의 등뒤를 스친 마감동의 칼날이 밑으로 내리는 김식의 칼에 부딪쳐 퉁겨나갔다. 김식은 등뒤가 갑자기 서늘해진 것을 느꼈다. 바람에 저고리의 앞섶이 헐렁헐렁하게 부풀어올랐다. 등판이 쓰라렸다. 저고리의 등뒤가 마감동의 칼에 일직선으로 베어졌던 것이다. 김식은 귓전에 소름이 짜릿 퍼져가는 것을 느꼈다. 그는 허리춤을 더듬었다. 진작에 쌍검(雙劍)을 썼더라면 그를 비도의 부동한 동작에서 끌어낼 수 있었을 것을…… 그러나 어둠은 그에겐 아무 지장이 없는 것처럼 보였다. 김식은 단검을 뽑아 왼손에 들었다. 방어와 공격을 한 동작에서 동시에 해낼 수가 있는 것이다. 그는 단검을 마감동이 눈치채지 않도록 역으로 쥐고 어깨 위로 쳐들었고, 환도를 얼굴 앞으로 세워들었다. 그는 마감동을 다리 밑으로 유인할 생각이었다. 어둡기는 마찬가지였는데 다리 아래는 나란히 기둥이 늘어서 있었다. 마감동의 변화무쌍해진 검의 반경을 기둥으로 줄이려는 것이었다. 그리고 김식은 쌍검으로 그를 역습하려 하였다. 김식은 환도를 얼굴에서 머리 위로 번쩍 쳐들어 아래를 훤히 드러내며 달려들었다. 마감동이 비어 있는 김식의 가슴을 위에서 아래로 베어내리는데 김식이 역으로 쥐어 쳐들었던 단검으로 건어냈다. 그러고는 다른 손의 환도로 허리를 베었다. 마감동은 그의 칼날이 또다른 칼에 걸려 멈추자마자, 상반신을 뒤로 마음껏 굽히면서 칼을 거두어 아래에서 위로 쓸어올리면서 물러섰다.

김식은 재빨리 다리 아래로 뒷걸음질쳤다. 여기서 먼동이 트기까지 이리저리 돌면서 시간을 끌 작정이었다. 아예 해가 떠오르면 그처럼 자기에게 유리한 일은 없을 듯하였다. 하늘에는 샛별들이 차츰 빛을 잃어갔고 연달아 닭이 우는 소리가 들려왔다. 푸르스름한 빛으로 어둠이 엷어져가는 중이었다. 다리 안쪽에서는 바깥의 모래밭과 사람이 잘 내다보였다. 기둥은 모두 여섯 개였고 기둥과 기둥 사이의 통로는 열한 군데였다. 김식은 가운데의 뒤편 기둥을 등에 지고 서 있었다. 그는 눈짐작으로 전면의 통로를 일단 셋으로 나누어보았다. 김식은 헐떡거리고 있었다.

마감동은 움직였다. 그는 곧장 다리를 따라 나란히 올라가서 맨 왼쪽의 통로에 들어섰다. 그는 나름대로 자기가 다리 밑에 속한 일직선의 세 통로를 맡기로 하였다. 그곳이 그의 동작 영역이 될 것이다. 감동은 자기의 왼쪽 다리를 힐끗 내려다보았다. 그러고 나서 한 걸음 두 걸음 첫 번째 기둥 사이를 지났다. 김식은 쌍검을 엇갈려 들고 가운데 기둥의 한쪽에 기대어 서 있었다. 마감동이 그때 금강보운(金剛步雲)으로 달려들자, 김식은 칼을 수평으로 하여 받으며 맞은편 기둥으로 돌아나갔다. 그가 세 번째 기둥 사이로 빠져나가려는데, 마감동은 자신이 정한 통로를 곧장 나갔다가 되돌아 들어오면서, 맹호가 발톱을 펴고 달려드는 자세로 무릎을 구부리고 상반신을 앞으로 숙이며 칼을 허리 뒤로 돌려쥐었다. 김식은 앞에 맞부딪치자 비어 있는 마감동의 허벅지를 단검으로 콱 찌르고 그와 함께 환도를 위에서 아래로 죽 내리그었다. 그러나 그의 칼은 그냥 흘러내렸고 무엇인가 아래로 지나간 게 있었다.

마감동은 동작을 멈추고 기다렸다. 무릎을 꿇고 칼을 앞으로 내밀고 있던 감동의 뒤에서 김식이 털썩 넘어지는 소리가 들렸다. 그제야 마감동은 상을 찡그리고 허벅지에 남아 있던 단검을 뽑아서 던졌다. 마감동은 뒤로 돌아서서 칼을 칼집에 넣으면서 김식을 내려다보았다. 그는 앞으로 엎어져서 신음하고 있었는데, 고개는 가까스로 돌려져 있고 한 손은 땅을 그러쥐고 있었다. 마감동이 그의 쌍검을 당하기 위하여 단도를 자기의 허벅지로 받고, 그의 왼쪽이 비는 틈을 타서 왼쪽 옆구리를 깊숙이 베었던 것이다. 그것은 치명적인 상처일 게 틀림없었다. 묵묵히 내려다보는 마감동에게는 저도 모르게 적에 대한 경외의 마음이 일어났다. 그가 겪어왔던 싸움 중에서 가장 어려운 상대였다고 그는 생각하였다. 김식의 신음은 아직도 끊기지 않았고 그쪽에서도 제 뒤에 마감동이 서 있다고 느꼈는지, 일어나 보려고 두 팔을 버티며 안간힘을 쓰는 모양이었다. 마감동은 김식의 마지막 숨통을 끊어주고 싶었다. 그는 태어나서부터 지금껏 제 스스로를 세워보지도 못하고, 권력자와 세도가의 수족 노릇이나 하면서 살아왔을 것이다. 죽는 순간까지도 자기 적이 누구며 자기의 편이 누구인가를 깨닫지도 못하고, 권력의 하수인인 자기의 칼이 옳은 칼이라고 믿으면서 마감동을 공격했다. 그가 만약에 그 칼이 찔러 들어갈 향방을 미리 깨달았다면 얼마나 많은 도움을 백성들에게 주었을지 모를 일이었다. 마감동은 칼자루에 다시 손을 대면서 스스로 탄식하였다.

"아…… 참으로 아까운 일이다."

그의 등뒤에서 발걸음 소리가 들리고 여럿이 둑을 내려오는 기척이 있을 때, 마감동은 숨을 몰아쉬며 칼을 휙 뽑아서 아래를 향하여 날렸다. 짧고 연약한 부르짖음 뒤에 김식은 허우적거리던 동작을 그쳤다. 마감동이 그의 꼭뒤 급소를 단칼에 끊어버렸던 것이다. 그는 다리 밑으로 구월산 일당들이 몰려오기 전에 이미 칼을 꽂아넣었다.

"어디 다친 데 없수?"

뒷전에 다가온 오만석이 물었다. 마감동은 오히려 되물었다.

"죽거나 상한 사람은 없는가?"

"아이들 서넛이 가벼운 상처를 입었수. 저쪽 놈들은 둘이 죽고 하나는 상하고 둘은 사로잡혔수. 이제 이 녀석까지 밥숟갈을 놓았으니 놈들이 모두 여섯이었구려."

오만석이 얘기하다가 그가 다리를 절룩이는 것을 알고 저고리 자락을 찢어서 그의 다리에 붙들어매었다.

"상처가 깊은 모양인걸……"

"괜찮다. 잡은 놈들을 이리루 데려오라구 그러지."

마감동의 앞에 살아남은 두 장교가 끌려나왔다. 아직 어둠침침하였으나 짧은 여름밤은 거의 다 지나가고, 새벽닭이 울기가 무섭게 하늘에 뿌연 빛의 전조가 퍼져가는 중이었다.

"너희들은 누구의 명을 받고 나왔는가?"

마감동이 묻자 장교는 제법 분을 내어 말하였다.

"관찰사께서 직접 하명을 하셨다. 너희 두령 장모의 머리를 베어 오라 하셨다."

주위의 식구들이 어지럽게 웃어젖혔다.

"그깟 솜씨로 장두령의 목을 바라다니 과연 범 모르는 오소리구나."

마감동이 다시 잠잠하기를 기다려 물었다.

"김식이란 이에게 가족이 있는가?"

"그런 것은 물어 무엇 하느냐. 어서 베어라."

"끼놈들……"

누군가 칼을 쳐들고 앞으로 나서는데 그는 바로 변두령이었다. 변가의 칼날을 오만석이 재빨리 단창을 쳐들어 막았다. 마감동이 다시 물었다.

"토포군이 아니 오고 어째서 너희들만 왔느냐?"

분을 내던 자는 고개를 숙인 채 입을 다물고 있고 다른 장교가 대답하였다.

"때가 흉년이고 관찰사의 임기가 과만이라 감히 거병할 여유가 없소. 그래서 민심을 진정시키기 위하여 두령만을 도모하려던 것이외다. 당신들은 멀지 않아 한양으로부터의 토포군을 맞게 될 거요.

지금이라두 늦지 않았으니 귀순하여오면 양민으로 살 수가 있소."

마감동은 큰돌이를 불러오라 이르고 나서, 두 장교에게 부드럽게 말하였다.

"그 좋은 용력과 재주를 가지고 어찌 백성을 괴롭히는 자들을 위하여 살려고 하는가? 댁네들도 우리와 마찬가지로 수령 방백 토호들에 시달리고 천대받으며 살아온 사람들이다. 우리는 양민으로 살 수가 없어 녹림에 작당하고 옳지 않은 재물과 곡식을 권세가와 부자에게서 빼앗아 백성들에게 나누어주는 일로 업을 삼으려 한다. 우리를 토포하는 것은 곧 하늘을 치는 것과 같은 일이니, 먼저 진휼과 무마에 힘써서 민심을 등지고 우리를 치는 일을 벌이지 말라."

큰돌이가 나서자 마감동이 물었다.

"자네는 이제 무더리에서 떠나고 다른 이가 내려와야 할 터인데, 비축한 용전이나 포목이 얼마나 되는가?"

"포 다섯 동에 한 백여 냥이 있소이다."

"그럼 잘되었다. 가서 오십 냥만 가지구 오너라."

큰돌이가 어리둥절해하자 마감동은 다시 재촉하였다.

"어서 가져오라니까. 그리고 이 사람들의 시신을 수습하여 이쪽으루 모셔주어라."

큰돌이가 돈을 가지러 가고, 구월산 식구들이 둑 위로 올라가 시체를 끌어내렸다. 마감동은 큰돌이가 가져온 돈을 두 장교에게 내주며 말하였다.

"의리대로 한다면 우리가 자네 사람들을 손수 장사 지내주어야 하겠지만, 우리는 세상을 등지고 사는 이들이라 그럴 수는 없네. 곧 날이 밝을 테니 이 돈으로 사람을 사서 매장하도록 하고 부상자는 세마를 내어 해주까지 실어가도록 하게."

그제야 그들을 살려보낼 마감동의 의향을 알아챈 변가가 시뜩하여 나섰다.

"아니…… 마두령, 저것들을 제 발로 걸어 돌아가도록 하겠단 말이우?"

"싸움은 끝났네. 사로잡힌 이들을 해칠 게 뭐가 있나. 우리가 아무리 녹림당이라 하나 의를 지켜 세상에 보여주는 것두 좋은 일일세."

그러나 오만석도 변가를 거들고 나섰다.

"허, 성님두 의가 통할 데에 그것을 내세워야지요. 저들은 은밀히 변복하여 구월산 지경에 숨어들어와 우리의 뒤통수를 엿보던 자들이우. 만일 저들이 우리 같은 녹림의 무리로서 자리다툼이나 판도다툼으로 찾아왔다면, 일단 혼을 내고 의기도 보여줄 수가 있겠지요. 하지만 저것들은 감영의 장교들이우. 지금은 비록 감읍하는 기색이 보인다 할지라도 일단 관아로 돌아가면 전보다 더욱 이를 갈게 될 게요."

"여하튼 나는 저 사람들과 약조를 하였다. 빈손으로 무력해진 사람들을 어찌 벤단 말이냐?"

마감동은 김식의 명을 끊어주며 생각하였던 것을 굽히지 않을 기색이었다. 변가는 답답하였던지 주먹으로 제 가슴을 두드려 보였다.

"저것들은 벌써 여러 날 동안 구월산 인근의 지세와 형편을 기찰하였고, 우리와 접전하여 실력도 알아챘을 겁니다. 마두령 혼자의 일이 아니라 구월산 식구들 모두의 일이니 절대로 살려보내서는 아니되오."

마감동은 상대 않고 오만석에게 명하였다.

"날이 밝는다. 어서 수렛고개로 올라라. 나는 고개까지 말을 타고 오를 테다."

오만석은 더이상 우기지 못하고서 일당들을 휘동하여 사근다리를 건넜다. 마감동은 큰돌이가 끌고 온 말에 가까스로 올라타면서 사경을 모면한 장교들에게 다시 물었다.

"김식에게 가족이 있느냐고 물었는데……"

　장교 하나가 대답하였다.

"한양에 아우가 있다고 들었으나, 아직 처자식은 없는 줄로 아오."

"다행이로군."

　마감동은 부하들의 뒤를 따라서 사근다리를 건넜다. 이로써 감영에서 나왔던 여섯 명의 자객 가운데 두 사람만이 겨우 죽음을 면할 수 있게 되었던 것이다. 그러나 살아남은 이 두 사람이 구월산 일당들에게는 가장 큰 후환거리로 남게 되었다. 뒷날 포도 종사관 최형기는 이들을 앞장세워 토포군의 길잡이로 삼았던 것이다. 사실 수회천의 결은 구월산 토벌의 초전이던 셈이었으니, 숙종 십 년 갑자 유월의 일이었다. 같은 해 시월에는 팔도의 기근으로 조정에서 장기적인 진휼의 대책을 논의하게 되는데, 가뭄과 굶주림으로 역병이 창궐하기 시작하였다.

　자비령 일대의 장길산 일당들은 이곳 저곳에 출몰하여 장토가 드넓은 지주들과 저자의 간상배들을 괴롭혔고 구월산 일대에서도 활빈행은 계속되었다. 『서경(書經)』에 나와 있기를, 백성은 오직 나라의 근본이다, 근본이 튼튼하여야 나라가 편하다 하였고, 또한 우리를 사랑해주면 임금이고 우리에게 모질게 하면 원수이다 하였는데 이처럼 임금과 백성 사이는 매우 두려운 것이다. 옛날 성왕이 백성 보호하기를 갓난아기같이 하며, 보살피기를 제 몸이 상한 듯 하란 것은 모두 백성을 어루만지고 어여삐 여겨 근본을 튼튼하게 하려는 뜻이었다. 무릇 위를 줄여서 아래를 이익 되게 하는 방법이면 경사(卿士)에게 의논하지 않고 비용도 걱정하지 않으며, 어진 정사를 펴려는 모든 의도가 오직 백성을 자기 몸으로 여긴 데에 있었던 것이다. 그러나 높직한 궁궐 깊숙이 들어앉아 자리나 보전하려고 왕권을 굳히고, 그 굳힐 구실과 발판이 되는 세력들만 비호한다면, 이는 마치 무너진 흙더미 위에 가까스로 버틴 바윗덩이와 같아서 조금만 풍우가 닥쳐와도 굴러떨어지고 말 것이었다. 일찍이 백성 다스릴 자리란 하늘이 내린 바라, 어느 한 필부의 것이 아니요 적선에는 태산도 못 미칠 높이로 쌓아올릴 수가 있고, 악행은 염병이 옮기듯 두루 퍼져나갈 것이다. 이 무섭고도 엄숙한 자리를 교만방자하게 깔고 앉은 자가 어찌 스스로에게 충성함을 바랄 수 있으랴. 비록 착한 임금과 어진 정승이 다스림의 도를 날마다 강구할지라도 혜택이 아래에 미치지 못하고 교화가 외방까지 닿지 않는 일이 흔하거늘⋯⋯

7

광주(廣州) 삼전나루는 흉년이라 장이 한산하여졌지만 그래도 시골과는 달랐다. 도선장에는 여전히 배가 드나들었고 객줏집에는 비록 서속에 나물죽이나마 사먹을 음식이 있었다. 그대신 여러 좌판 행상의 무리와 가가(假家)들이 자취를 감춘 것은 예년과는 달랐다. 송파에서는 아직도 이현 칠패 그리고 왕십리 흥인문을 통하여 난전을 계속 중이라 마포 삼개와 성내의 난전 무뢰배들이 유일한 경기를 바라고 사방에서 모여들었다.

때가 중화참인데 삼전나루의 객주에서는 금지되어 있는 술을 버젓이 개다리소반에 엎어두고 마시는 자가 있었다. 그는 의관도 끼끗하고 갓을 반듯이 썼는데, 연신 윤선(輪扇)을 들어 활활 부쳐대고 있었다. 그는 부들부채로 청 안에 가득한 파리들을 내쫓는 객점 주인에게 볼멘소리로 말하였다.

"아니, 이 자들이 약조를 구워먹은 겐가 회쳐먹은 겐가. 어찌 아직도 안 나타나는 게여."

주인은 채 알아듣지도 못하고 파리를 몰아내느라 부채를 위아래로 내저으며 문가에 서 있었다.

"무슨 놈의 파리떼가 이리도 극성인지 모르겠군. 차라리 이것들이 낱알이나 된다면 죽을 쑤어 식량을 하든지 아니면 볶아서 반찬이라도 하지."

갓 쓴 손님은 부채로 상머리를 거칠게 두드렸다. 주인이 그제야 돌아다보았다.

"왜요, 술은 이제 없소이다. 그저 아는 분에게만 화주로 병들이나 되게 내어 팔고 있으니, 장것들이나 뱃놈들이 알면 우리도 골치 아픕니다."

"그게 아니라, 어째서 이자들이 안 나타나는가 말일세."

"글쎄 모르겠습니다. 저는 분명히 그렇게 전했지요. 아마 틀림없이 올 겁니다. 시절이 어떤 때라고 쌀 두 말에 나서지 않을 놈이 있겠소?"

손님은 붕어찜을 한술 떠서 천천히 씹으며 고개를 끄덕였다.

"몇 사람이나 올 수 있다던가?"

"한 너덧 사람이 올 테지요."

손님은 다시 땡볕이 하얗게 깔린 모랫길을 내다보고 앉았다. 그는 광주 목내(廣州牧內)의 몽촌(夢村)에 있는 판관 한씨네 겸인으로 있는 자였다. 그는 벌써 이틀째나 삼전나루 부근에 와서 돌며 타관서 떠돌아다니다 광주에 들른 낯선 사람들 몇을 모집하고 있었다. 그는 소문이 나지 않도록 객점 주인에게도 단단히 주의를 주었고, 무슨 일인지는 몰라도 품삯도 후하여 돈이 아니라 백미로 두 말에 무명 세 필이나 주겠다는 것이었다.

양근에서 올라온 사공 두 사람과 서강에서 왔다는 장사치 두 사람이 겸인과 닿게 되어 그들은 몽촌으로 금일 안에 들어가도록 약속이 되어 있었다.

"저기 오는군요."

부들부채로 파리를 쫓으며 문가에 섰던 주인이 반색하여 말하였고 겸인도 고개를 기웃이 하여 바깥을 내다보았다. 모두들 허우대가 큼직하고 어깨가 널찍한데 네 사람이 어슷비슷해 보였다. 겸인은 스스로도 잘 골라내었다고 여기고 있었다.

"어이쿠, 좀 늦었습니다. 우리도 객주에서 아예 함께 만나가지고 오느라고 지체가 되었지요."

그들은 우렁우렁하는 목소리로 떠들어대면서 청 안에 들어와 겸인이 앉은 자리 앞에 나란히 섰다. 겸인은 앉은 채로 말하였다.

"가까이 모여앉게나."

장정들이 둘러앉았고, 겸인은 빙글빙글 웃으며 말하였다.

"별일은 아니고, 우리가 누구 혼사 좀 거들어줘야겠네. 얘기는 대강 들었겠지?"

"예, 자세히는 모르지만 삯이 후하다고 하여 우리도 만사를 제쳐두고 올라오는 길이우."

겸인은 얼굴이 길고 수염은 듬성듬성하며 코허리가 잘록하였다. 그는 주위에 권하지도 않고서 화주를 홀짝홀짝 들이켜며 나직하게 중얼거렸다.

"글쎄 우리집에 왜 장정이 없을까마는 모두들 얼굴을 안단 말일세."

"누가 압니까?"

"색시가 알지 누가 아나."

"그 과부 말이지요?"

"쉿, 조용히."

겸인은 입에 가져갔던 손가락을 들어 양근 사공의 머리를 퉁겼다.

"거 참, 자네는 상판대기가 꼭 꽹과리 같네그랴."

"그러니까 누군가 겪어내기 힘든 상대가 근처에 있는 모양이구려. 뒤를 다지려고 우릴 불렀을 테지."

과연 대처 무뢰배답게 서강 장사치 중의 하나가 넘겨짚었다. 겸인은 그에게 고개를 끄덕이며 깔깔거리고 웃었다.

"자네가 으뜸이여. 그 집에 아주 성미가 독하고 개차반인 자가 더부살이를 하는데 그놈만 떼치면 일은 수월하네."

양근 사공이 잇바람소리를 냈다.

"그까짓 시골 아해 성미란 부려봤자 닭털 세우기요, 그놈 하나에 우리는 넷인데 열 놈에 죽 한 숟갈이우. 차라리 부르지나 말지."

"이봐, 그러니까 무는 개를 돌봐줘야지, 시방 큰소리치지 말고 일이나 틀림없이 해놓게. 자, 일어서지."

겸인이 남은 화주를 호리병째로 들어 콸콸 털어넣고는 붕어찜을 한입 그득히 씹으면서 일어섰다. 서강 사람이 투덜거렸다.

"대문 보고 반찬 짐작한다고, 아니 그래 술청에 불러다 앉혀놓고 혼자 다 마시고선 우린 혀끝이나 두드려 털라는 말이우? 그런 인심으로 누굴 부릴려우?"

겸인은 체머리를 흔들듯 연신 끄덕이며 손을 내저었다.

"알았네, 알았어. 이제 집에 가면 다담상이 그득하게 차려져 있을 테니 거기 가서 실컷 퍼자시게. 이를테면 자네들이 중신애비들인데 아무러면 된장국에 조밥 말아줄까 걱정이여."

겸인은 그들을 이끌고 삼전나루에서 십 리 떨어진 망월봉 아랫녘의 몽촌으로 데려갔다. 너른 들판 가운데 숯내가 흐르고 숲이 울창하였다. 몽촌에는 가장 깊숙한 송림 가운데 날아갈 듯한 기와집 한 채가 들어앉았으니, 다른 집들은 그 집을 중심으로 옹기종기 엎드려 있는 것과도 같았다. 한판관이 밥술이나 먹는 정도가 아니요, 농토와 과목이 넓고 수다하여 과천 수원 광주지간에 모르는 이가 없었다. 그는 이제 칠순을 바라보는 나이에 만년을 몽촌에서 신선처럼 보내고 있었다.

겸인은 그들을 행랑 안마당에 세워두고 혼자서 후원으로 들어갔다. 한노인은 별장의 정자에 앉아서 바람을 쐬고 있었다. 겸인이 다가가 읍하며 말했다.

"나으리…… 아이들 몇을 사가지고 왔습니다."

판관은 반색을 하면서 손짓하였다.

"그래 수고하였다. 오늘밤에 곧 시행하도록 하여라."

"오늘밤에요?"

겸인이 주저하는 기색을 보이자 노인은 갑자기 목소리가 칼칼해지면서 미간을 모았다.

"아니 그러면 어느 세월에나…… 날더러 아예 늙어 죽으라는 말이로구나."

"다름이 아니오라, 서방님께서 행랑아이 하나를 보내어 그 집의 동정을 살피라 하였는데 아직 돌아오지 않았습니다. 앞뒤를 살피고 탈없이 해내야 되겠기에……"

"듣기 싫어. 오늘밤에 당장 데려오지 못하면 모두들 이 집 대문간에 발 들여놓을 생각을 말아라."

겸인이 이러지도 저러지도 못하고 뒤통수에 손만 얹고 있다가 나오니, 마침 이 댁의 장남이 그가 돌아왔다는 말을 듣고 들어오던 참이었다. 그는 목소리를 낮추어 겸인에게 물었다.

"그래 아버님께서 뭐라시던가. 아주 희색이 만면이시지?"

"노여우셨습니다."

"무엇 때문에……"

"오늘밤에 당장 모셔오라니 글쎄…… 나중에 망신당하면 어쩝니까?"

그러나 판관의 장남은 턱을 들어 껄껄 웃었다.

"허허허, 아버님께서 회춘하시려나 보이, 저렇게 다급하시니. 정작 모셔오면 얼마나 기뻐하시겠는가."

"산진이란 놈이 보통 악소패와는 다르니 조심해야 됩니다. 그자가 제 누이 일이라면 사생결단을 한답디다."

장남은 별당으로 나가며 흡족하게 말하였다.

"염려 놓게, 내가 다 조처를 해두었으니까."

"그러면 어찌…… 오늘 해치우랍시오?"

"지당이 물론이지. 달이 지거든 널다리(板橋)에 가서 냉큼 끌어와. 데려온 자들 저녁이나 먹이구 술시중두 해주어. 절대루 난폭하게 다루지 말구, 어디루 데려와야 할지 잘 알구 있겠지."

"예, 반골(盤谷) 젖어미 댁으루 말씀입죠."

판관의 장남은 고개를 끄덕였다. 그는 잔뜩 짜증이 나 있는 제 아비에게로 가서 나직하게 말을 걸었다.

"아버님, 오늘은 심기가 어떠하시온지요."

"듣기 싫어. 그래 너희들은 뭐 하는 일이 있다구 내 혼사를 요 평계 조 평계로 미루려고 하느냐? 내가 네 에미 세상을 떠난 뒤 뒷방 것들께 다리나 주물리고 사니까 아주 팔자가 늘어진 줄 아는 모양이구나. 네 요놈, 젊은 것들끼리 밤마다 국수나 말아다 먹고 소곤거리고, 나는 뭐 뒷간의 몽당 싸리비라더냐? 오늘부터 이 별당 안으로 출입할 생각 마라."

"요즈음 계복이년을 보니 갑자기 화색이 돌고 바야흐로 터지는 꽃망울과도 같습니다. 아버님…… 계복이더러 침석 시중이나 들게 할까요?"

늙은 판관은 더욱 성이 나서 그를 흘겨보았다.

"난대기성(難待其成)이로구나. 나는 그 널다리 사는 석(石)씨 아니면 안 되겠다."

하고 나서 노인이 수염을 떨며 외쳤다.

"이 불효막심한 놈, 어서 썩 나가지 못해?"

아들이 연신 웃으면서 다소곳하게 말하였다.

"노여워 마십시오. 오늘 혼사를 올리기로 되었습니다. 헌데, 모셔 올 분이 과수댁이라 성대한 초례는 치를 수가 없고, 그저 오붓한 곳에서 은근히 신혼을 보내시고는 내달쯤에 함께 들어오십시오."

그제야 늙은이의 얼굴이 활짝 펴지며 총기라고는 전혀 보이지 않는 짓무른 눈을 끔쩍이며 다가앉았다.

"그래, 석씨를 오늘 데려온단 말이야?"

"반골 유모 집으로 모시겠습니다."

늙은이가 그 아들의 숙인 어깨를 토닥였다.

"그 참, 기특한 일이다. 어서 내가 먼저 가서 기다려야지."

노인이 나서려는 것을 아들은 간신히 주저앉혔다.

"다 성사가 된 일이니 고정하셔야지요. 해가 지면 아이들이 가자(架子)에 태워 모셔다드릴 겝니다."

"수고하였다. 나는 그런 줄도 모르고 어찌나 서운하던지……"

"아버님, 그저 오래오래 사십시오."

장남은 만면에 웃음이 가득한 아비를 바라보며 긴 숨을 내쉬었다. 판관이 이제 나이 칠십 안팎이언만, 노망기가 있달 뿐 그것에 대한 근력은 끊기지 않은 모양이었다. 젊은 시절에도 광주목의 한판관이라면 술 잘 먹고 돈 잘 쓰고 인물 훤출한 오입쟁이로 기방에 뜨르르한 사람이었다. 집안의 종년을 건드리지 않은 것이 없고 남의 울안도 엿보는 한량인데, 늙어 잦아지려니 하였더니 넓어지는 것은 고쳐진 대신에 집안이나 동네에서 소소한 말썽을 부리는 것이었다.

지난봄에 학나루로 뱃놀이를 나갔다가 숯내에 나와서 빨래하던 웬 아낙을 먼발치로 보고 와서는 심사를 끓이고 집안 사람들을 들볶았다. 수소문하여 알아보았더니 널다리 사는 과수댁인데 아이가 둘이나 있고 살림도 요족하다는 것이었다. 그 여자의 무명 짜는 솜씨가 또한 인근에 알려져 있으니, 감히 단자를 들여 청혼할 수도 없는 상대였다. 비록 판관이라 하나 현숙한 수절 과부에게 억지로 재혼하게 할 수는 없는 노릇이었다. 그러나 노인네의 꼴이 하도 안절부절 못하니 남은 명도 채우지 못할까 하여, 혈족들은 의논 끝에 매파를 넣어서 혼담을 꺼내보기로 하였다.

즉 과수댁이 응해온다면 재취 정실로 맞아들여 집안의 안어른으로 모실 뿐 아니라, 노인이 작고하면 망월산 아랫녘의 기름진 전답을 떼어주기로 조건을 내었다. 그러나 그 집에 범상하지 않은 떠꺼머리 하나가 살고 있는 것을 알지 못하였다. 그가 바로 산지니란 총각인데 삼전나루에 나다니며 어릴 적부터 거칠게 자라나 표한하기가 꼭 길들이지 않은 새매 같다는 것이었다.

산지니란 별호가 그대로 산진(山陳)이란 이름이 되었을 정도였다.

그는 석과부의 작은아버지 되는 이가 송파 객점의 표모에게서 얻은 자식이었다. 과부는 이 손댈 길 없는 서사촌동생을 친혈육처럼 여겨오더니, 남편을 여의고는 그가 드나들며 농사도 돕고 무명도 내다 팔아 살림에 없어서는 안 될 사람이 되고 말았던 것이다. 주위에서는 그들 사이를 수상쩍게 여겨 입방아도 찧었으나 틀림없는 오누이 사이인데다, 워낙에 석씨가 요조하니 그런 소문은 아무 데도 헛나가지 않았다. 매파는 욕지거리만 얻어들었으나, 따라갔던 친척 사내는 코가 곁으로 옮겨앉을 만큼 얻어맞고 돌아왔다. 그래서 요즘에 생각해낸 것이 바로 시속에 따른 겁간혼이었다.

기름진 음식과 약주가 다담상에 그득히 차려져서 행랑채로 나갔고, 장남은 친히 나가서 네 사내들에게 일일이 술을 한잔씩 따라주며 격려하였다.

"아무 말썽이 없을 걸세. 너무 난폭하게 다루지 말고 조심해서 모시게."

서강 사내가 닭다리를 뜯으며 투덜거렸다.

"삯이 너무 박하오. 쌀 두 말에 무명 세 필이 뭐란 말이우. 이런 댁이라면 한 섬씩을 내어도 되겠수. 미리 합의가 되어 있는 보쌈도 아니고, 앙탈이 심할 텐데 어찌 난폭하게 아니 할 수가 있소이까?"

"아니, 까짓 나약한 부녀자를 장정 넷이 업어오는 게 뭐가 그리 대견한 일이라구."

겸인이 곁에서 힐책하자 미리 어떤 의논들이 돌았던지 양근 사공이 대꾸하였다.

"헛, 오뉴월 닭이 여북하면 지붕을 쑤시겠소. 이런 흉년에 그래두 먹구살겠다구 이짓 저짓 가리지 않는 터인데, 우리두 서서 오줌 누는 자식들이 과부 겁간에 쌀 두 말이 뭐요?"

장남이 아무리 잡짓이라 하나 반상이 유별한데 막가는 말로 마주 받기도 뭣하여 일어나며 다짐을 주었다.

"그래, 알았네. 잘해내면 네 사람에게 백미 한 섬씩 주겠네."

"어이구, 참말 충신 효자의 집안이십니다. 어느 말씀이라구 잘해내지 않겠습니까."

장남이 자리를 뜬 뒤에 겸인이 말하였다.

"널다리서 우리집 아이가 올 텐데, 그애가 길안내를 설 걸세. 이런 일이 자주 생기면 자네들은 대번에 형편이 피겠구면."

서강 장사치가 말하였다.

"내가 그전에 서소문 밖으루 보쌈품을 팔러 간 적이 있었는데, 그 때에는 지겟작대기, 낫, 몽둥이를 들구 들어갔지. 허허, 막상 뛰어들어가니까 고것이 샐쭉 웃더니 자루에다 머리를 들이미는 게 아닌가. 그저 돈만 안 받았다면 먼저 침을 발라보구 싶더구면."

"에이, 그 부정 탈 소릴랑 말게. 다시 이르는 말이지만 여자 몸에는 손가락 자국 한 군데 나서두 안 되네. 그저 등잔을 들구 오듯이 하란 말일세."

겸인이 안심이 안 되는지 네 사람을 노려보며 주의를 주었다. 저물 녘이 되어 널다리로 나갔던 하인이 돌아와 아뢰는데, 석씨 댁의 산지니란 떠꺼머리가 홍인문 밖에 다녀오기로 되었다면서 집은 오늘밤부터 비우게 될 거라는 것이다. 판관의 아들이 돈냥이나 내어 널다리의 동네 사람을 끌어들였고, 그는 홍인문 밖에서 보리 한 섬을 져올 일이 있는데, 가져오면 반을 나누어주겠노라고 산지니를 꾀었다. 한나절 다리품에 보리 반 섬이 어딘가 하여 산지니는 별로 이상스레 여기지도 않고서 쾌히 응낙하였다는 얘기였다.

"그 업 같은 녀석이 없다니, 과연 이 혼사는 정히 이루어지는 혼사로다."

아들은 곧 다른 하인들을 시켜서 아비를 반골 유모 집으로 모셔가게 하였다. 곧 가자가 나오는데 안석과 들것만 달린 것인데 앞뒤로 두 사람이 들고 안석에 다리를 들고 앉게 되어 있었다. 아비는 위엄 있게 정자관을 쓰고 눈부신 도포를 입고 신랑이나 된 듯이 앉았으니 아랫것들도 대강의 눈치를 아는지라 입을 비쭉거리며 냉소하였다. 아들은 반골까지 따라가서 이 괴이한 혼사를 주관할 것이었다.

몽촌에서 널다리가 한 십리지간인데 들판 건너 맞은편이요, 널다리는 바로 숯내의 천변에 붙어 있는 마을이며 지척에 낙생역(樂生驛) 말이 있었다. 석씨네 집은 비록 혼자 사는 여인의 집이지만 토지 근본이 있어나서 집이 열 칸은 되는 포실한 초가였다. 집 앞은 숯내의 자갈밭이 내다보이고 흙빛은 생생한 토홍빛이라 주위가 한적하고 깨끗해 보였다. 담은 흙담인데 짚을 섞었으며 위에다가는 기와도 얹었다. 밖으로 가시나무를 심어놓았고 길 아래는 꼼꼼하게 석축을 쌓아 숯내가 범람할 때를 방비하여두었다. 이 모두가 산지니 총각의 수고에 의하여 이루어진 것인데, 석씨 역시 바지런하여 집의 처마에는 거미가 줄을 치어볼 여유가 없고 마당에는 잡초가 자라날 사이가 없었다. 어린아이 둘과 석씨 그리고 산지니가 식구의 전부요 머슴이나 품앗이는 비치지도 않았다.

근검하여 살아가는지라 석씨의 의복은 언제나 수수한 무명옷인데 그것도 해어진 곳은 깔끔하게 기워입었다. 석씨는 말수가 적은 편이고 기껏 감정을 드러낸다고 하여도 흰 이가 보일 듯 말 듯 엷게 웃는 게 고작이었다. 이마는 훤칠하고 눈이 기다랗고 코와 입술이 오종종하여 둥근 볼이 도탑고 부한 느낌을 주는 얼굴이었다. 산지니는 이름 그대로 몸집이 자그마하고 사지도 가냘프지만, 코가 뾰족하고 볼이 얇고 입을 다무지게 악물고 있어 여간내기가 아님을 누구나 알아볼 수 있었다. 그는 언제나 아래에서 위로 쏘아보는 버릇이 있어서 누가 보든지 강렬한 적의를 담은 시선으로 느끼도록 만들었다. 뒤에서 산지니의 걸음걸이를 볼작시면 몸집도 작고 가냘픈 것이 어울리지도 않게 좌우로 어깨를 재며 걷는 버릇이 있었다.

석씨네 집에서도 저녁참이라 산지니는 마당 가운데 모깃불을 지피기 시작하고 석씨는 저녁상을 차리고 있었다. 산지니는 땋은 머리를 두건에 말아올리고 땅바닥에 털썩 주저앉아 쑥대를 묶어서는 불씨 위에 성기도록 올려놓았다. 마른 쑥대가 타오르면서 매캐한 연기가 피어올랐다. 산지니가 기침을 터뜨리고 눈물을 소매로 닦아내노라니 석씨가 밥상을 들어 대청에다 갖다놓으면서 한마디 하였다.

"얘, 모기보다두 네 숨이 먼저 막히겠다. 어서 저녁이나 먹어."

산지니는 못 들은 척 저 혼자 중얼거리듯이,

"웬놈의 날씨에 모기는 들끓어서 어디, 이러다가는 사람이 빈 쑥정이가 될 판이니."

하였다. 상이 나오자 아이들이 모여들어 제각기 수저를 집는데 석씨가 조그만 소리로 주의를 주었다.

"삼촌이 드시면 먹어야지."

"씨…… 삼촌은 맨날 늦는걸 뭐."

석씨가 혀를 차니까 아이들도 볼이 부푼 채로 얌전히 앉았다. 산지니가 모깃불을 지피고는 상에 앉으니 석씨는 마루 끝에 가 앉는다.

"오늘은 호박죽이로구나."

산지니는 마치 가장 그대로였다. 석씨는 맛있게 먹기 시작한 그들을 대견스레 지켜보고 앉았다.

"어…… 누님은 어째 안 드시우?"

"나중에 먹지."

산지니도 구태여 더 보채지 않았다. 석씨는 언제나 그와는 같은 상에서 먹지 않았기 때문이다. 잡곡에다 늙은 호박을 쑹덩쑹덩 잘라서 넣고 쑨 죽이라 맛이 달콤하고 구수하였다. 산지니는 단숨에 죽 그릇을 비웠다.

"더 먹으련?"

석씨가 말끔히 비워진 그릇 속을 들여다보며 물었다.

"아니요, 호박이 얼마나 든든하게요. 벌써 속이 더부룩한걸."

산지니는 석씨와 마주 보고 씩 웃었다. 양식이 없는 바 아니되 금년의 흉황으로 실농하였으니 명년에 적농기가 올 때까지는 겪어야하였고, 사방에서 기근으로 어수선한 판에 밥 세 때를 먹을 수도 없었다. 석씨의 소견으로는 이런 시절에 밥을 먹으면 죄로 간다는 것이었다.

"누님, 나 오늘 다녀올 데가 있수."

"오늘이라니…… 이제 다 갔는걸."

산지니는 자랑스럽게 말하였다.

"지금 나가서 흥인문 밖까지 다녀와야 허우."

"글쎄 홍두깨같이 난데없는 흥인문엔 왜 가니? 그리구 내일 아침에 떠나두 정오 전에 닿을 텐데 그래."

"내일 새벽에 게서 누굴 만나기루 했거든요. 그러니 지금부터 걸어서 한밤중에 당도하여 한숨 자구 내일 아침에 돌아오면 되지요."

석씨가 아쉬웠는지 한숨을 쉬었다.

"그러면 오늘은 죽말구 밥을 해줄 걸 그랬구나."

"아니에요, 내가 남태령서 기어가는 시골놈두 아닌데 까짓 한걸음 거리에 기운 찾겠나요. 헤, 오늘 운수대통하였지요. 원립이 아저씨가 작년 이맘때 담뱃값으로 떨구어둔 보리 한 섬이 있는데 지난번에 독촉을 갔더니 경주인 하는 이가 내일 오면 주겠다구 하더래요. 헌데 자기는 하루거리가 걸려서 온종일 이불을 들쓰구 꼼짝 못 한대나요. 그래서 날더러 그걸 저다 주면 반 섬이나 나누어주겠대요 글쎄."

석씨가 깜짝 놀라서 조그만 입을 벌렸다.

"에구머니, 반 섬을……?"

"아마 그 아저씨 요즈음 배때가 벗은 모양이지요."

"얘, 말 마라. 날마다 쏘가리나 잡으러 다니는 이가 무슨 대수가 나겠니. 무슨 조가 있을까?"

석씨의 얼굴이 잠시 흐려졌다. 근실한 노고로 먹고사는 이란 횡재를 달가워하지 않는 법이고 경험에 의하여 그런 횡재는 결국은 손재로 변한다는 것을 잘 아는 까닭이었다.

"그만두지 그랬어."

"헤, 보리 반 섬이 동작진 왕모래라면 또 모를까, 그거면 우리가 여름을 난단 말예요."

산지니는 벌써 빈 지게 위에다 삼줄을 친친 동이고는 달랑 메고 나섰다. 석씨가 재빨리 들어가서 농을 열고는 엽전 닷 푼을 내어 그의 손에 쥐여주며 말하였다.

"그러면 낼 아침은 성 밖에서 국밥을 든든하게…… 꼭 사먹어라."

"싫어요. 경주인 댁에서 얻어먹지요."

"안 돼. 요즘 어느 집에서 손님에게 아침으로 밥을 대접하겠니. 또

죽이 고작이지. 장정이 땡볕에 멀건 죽을 먹고 나다닐 수는 없어요."

실랑이를 하다가 산지니가 늘 그러듯이 석씨에게 지고 말았다.

"내일 일찍 올게요."

"삼춘, 한양 가면 엿 사와."

"나는 약과 먹구 싶은걸."

아이들이 제각기 떠들자 석씨가 오금을 박았다.

"주전부리만 하구 자라면 이담에 커서 풍병 걸린다."

석씨는 지게를 지고 멀어져가는 산지니의 등을 보며 저도 모르게 눈시울이 젖었다.

자시 무렵하여 네 사람의 장정들은 판관 댁 하인의 인도를 받아 널다리로 나갔다. 그들이 석씨네 집이 보이는 둑에 이르자 하인이 나직하게 말하였다.

"여기서 좀 기다리슈. 산지니란 놈이 출타하였는지 알아보고 오지요."

그러나 서강 장사치는 처음부터 겸인을 비롯하여 그 댁 서방님짜리와 하인들까지가 모두들 혀끝에 산지니의 말만 나왔다 하면 어딘가 겁을 내고 불안해하는 듯하여서 어쩐지 아니꼬웠다.

"제기랄…… 아 그놈이 무슨 염라 태수나 금강역사라도 된단 말인가. 보나마나 삼전나루에서 탁배기잔이나 마시구 목소리 좀 높은 놈이겠지. 산지니구 수지니구 모가지를 비틀어서 구워먹어버릴 테니 걱정 말게."

"허, 큰소리치지 마시오. 이게 다 집안 체모 때문에 이러는 게요."

양근의 사공들도 자못 기분이 상하는 모양이었다.

"산지니인지 참새인지는 한번 완력을 보아야 알지 않나. 공연히 병아리 보고 지레 겁을 먹은 듯하군."

"여하튼 기다리슈. 그놈이 아직 집에 있다면 오늘은 그대루 돌아가야 허우."

하인이 네 사람을 남겨두고 어둠속으로 사라진 뒤에 그들은 우두커니 어둠속에서 기다리고 섰기도 쑥스럽고 오기도 치밀어서,

"에이, 어떤 놈인지 모르지만 우선 그 자식부터 물고를 내구 과부를 들어내세."

하면서 먼저 서강 장사치가 앞으로 나섰다. 다른 자들도 그를 따라 먼발치 어둠에 싸여 있는 석씨네 토담 쪽으로 다가갔다. 마당 안쪽을 넘겨다보니 안방 쪽에 등잔불빛이 가물거리고 창호에는 석씨의 기다란 그림자가 비쳐져 있었다. 앞선 자가 제 동무의 옆구리를 쿡 지르며 건넌방을 가리켰다. 두 놈이 먼저 발을 들고 걸어가 방문 앞에 가더니 귀를 기울였다. 아무 기색이 없어 그들은 그래도 여럿에게서 들은 말이 있었던지라, 마당에서 이리저리 더듬거려 몽둥이나 돌멩이라도 찾으려는데 한 녀석이 잘못 디뎌 장독대의 항아리를 발로 내질러버렸다. 모두들 움찔하였다가 재빨리 집 뒤의 광문 뒤로 숨는데, 문이 열리고 석씨의 떨리는 목소리가 들려왔다.

"게 누구요?"

석씨는 잠시 문을 열어두고 있더니 차마 밖으로 나오지는 못하고서, 스스로 두려움을 떨쳐버리려는 듯이 헛기침을 콩콩 하고는 문을 닫았다.

그래서 사내들은 방 안을 엿보게 되어 그 안에 과부와 나란히 누운 두 아이를 볼 수 있었고, 산지니란 녀석이 분명히 집에 없음을 눈치챘다. 서강 장사치가 광문 뒤에서 나오며 일행을 향하여 이빨을 드러내 보이며 손을 내저었다. 다른 치들도 고개를 끄떡이고는 주저할 것도 없이 우르르 밀려와 마루로 올라섰다. 찰칵, 하는 소리가 들

리는데 석씨가 인기척을 눈치채고 문고리를 거는 참이었다. 사내들이 문을 당기니 안으로 걸려 있었다.

"이 집엔 아무것도 없고 부엌에 가면 봉당에 묻힌 독에 곡식이 있으니 그거나 가져가요."

침착하게 문 뒤에서 말하는 석씨의 목소리가 들려왔다. 그들은 사정없이 문을 잡아챘다.

"이년아, 우리가 낟알이나 주우러 온 줄 아느냐?"

두어 번 당기자 문고리가 숫제 빠지면서 문이 덜컥 열려버린다. 문이 열리자 네 사내가 왈칵 밀려들었고, 석씨는 소리를 지르면서 방구석으로 쫓겨들어갔다. 두 아이가 깨어나 울음도 터뜨리지 못하고 제 어미에게로 기어서 다가가려는 것을 네 사내들은 싱글거리며 서서 내려다보았다.

"왜…… 왜 이러는 거예요?"

석씨가 얼른 손을 뻗쳐 먼저 큰놈을 끌어다 가슴에 안았으니 우선 아이를 보호하자는 것도 있겠지만, 아이를 앞에다 가리우고 너희들이 아무리 나쁜 사람들이겠지만 설마 아이 어머니를 어쩌랴 하는 태이기도 하였다.

"가만히 있으슈, 우리가 아주머니를 호강시켜드릴 테니……"

작은아이가 뒤따라 기어가는 것을 한 놈이 답삭 집어 팔에 안았다.

"메태기를 쳐버릴라!"

석씨는 자지러지게 앞으로 나섰다.

"에구머니, 뭐 땜에 이러는 거예요?"

아이가 불에 덴 듯이 울어댔다. 서강 장사치가 낄낄거리면서 석씨의 손목을 콱 움켜쥐었다.

"허, 고년 눈매를 보아하니 아직도 음기가 탱중하여 있구나."

석씨가 경황 중에도 얼핏 머리에 스치는 느낌이 있어 눈앞의 봉욕은 면해야겠다는 생각이 들었다.

"옳아, 이제 보니 댁네들이 나를 싸업어갈려구 품을 파는 모양이지요. 내 발로 갈 테니까 손 저리 치워요."

서강 녀석은 이미 잡은 손이라 내쳐서 가슴이라도 한번 움켜보려고 다른 손을 내미는데 석씨가 날렵하게 입을 대어 물어버렸다.

"이그그……"

이런 아수라판인데 뒤에서 인기척이 들리며 하인이 고개를 내밀었다.

"뭣들 허슈, 빨리 하지 않구. 동네가 수런거린단 말요."

석씨는 방구석에서 일어나 그들을 독기에 찬 눈으로 노려보았다.

"너희 상전이 누군지는 모른다만, 내가 겪은 대로 말할 터이다. 합의가 있어 업어가기두 한다는데 내가 혀를 물고 죽는 꼴을 볼 터이냐?"

그러고는 머리를 들어 벽에다 세게 부딪쳤다. 다시 부딪치려는 것을 양근 사내 하나가 저고리 앞섶을 왈칵 당겨 끌어냈고, 되는대로 바느질감을 입안에다 꾸역구역 처넣고는 가져온 홑청을 씌우고는 둘둘 말아서 앞뒤로 들었다. 아이들이 이제는 숨이 넘어가게 울어젖혔다.

"자, 빨리 뛰세."

사내들도 이것이 좋은 짓은 아닌지라 뒤가 켕겨서 얼른 집을 나서서 둑길을 뛰는데, 동네 사람들이 평소부터 석씨에 대해서는 좋은 생각을 갖고 있어 두런두런하다가 되는대로 소리를 지르며 몰려나왔다. 그러나 어떤 놈들인지 몰라 잘못 건드렸다가 되우 경을 치지나 않을까 하여 어둠속에다 대고 소리만 질렀다.

"어떤 고얀 놈들이냐?"

"저놈들 잡아라."

그들은 뛰어가다가 얼른 하인 녀석이 꾀를 내어 돌아서서 소리를 질렀다.

"이놈들아, 남의 걱정 말구 네 집이나 살펴봐라. 우리가 이럴 줄 알구 지붕마다 불씨를 던져두었다."

하니, 마을 사람들은 서로 놀라서 이리저리 몰려다니며 집마다 살피느라고 경황이 없었다. 그 틈에 보쌈꾼들은 무사히 널다리를 빠져나왔다. 교대로 석씨를 업고 가는데, 이미 기진하여 홑청 안에서 축 늘어져 있었다.

그들이 반골에 들어간 것은 축시 사경(四更) 무렵이나 되어서, 사위는 적막하고 풀벌레 소리는 고즈넉한데 별빛은 달이 지고 나자 더욱 초롱초롱하여 있었다.

반골의 젖어미란 판관의 큰아들이 어릴 적에 삼 년 동안이나 품에 안겨 자라던 여인인데, 오입쟁이 한판관이 그냥 내버려두랴, 몇번 집적거린 적이 있었다. 미리 약조는 해두었으나 막상 늙은이가 새서방이나 된 듯이 가자에 올라타고 당도한 뒤로 군불을 넣는다, 술상을 차린다, 금침을 낸다 하면서도 늙은 젖어미는 어쩐지 속이 끓어오르는 것이었다. 한판관은 새로 도배하고 병풍 둘러치고 금침이 깔린 건넌방에 앉아 연신 방문을 여닫으며 안절부절못하였다. 큰아들은 그의 젖어미에게 후한 댓가를 치렀으므로 마치 제 집이나 되는 듯이 안방 건넌방 할 것 없이 딸이 거처하는 뒷방까지도 서슴없이 드나들었다.

"도대체 누굴 업어오길래 이 난리야. 어디 얼마나 미색인지 똑똑히 보아두어야지."

유모가 마루에서 서성대는 큰아들에게 시샘 비슷하게 말하였다.

"미색이기보다는 아주 복스럽구 끼끗하게 생겼습니다. 어찌나 집안 사람들께 재촉이 심하신지 이 혼사가 끝나면 저두 발을 뻗구 자겠습니다."

"글쎄 도련님이 하시겠다면 몰라두, 나으리두 무슨 춘정이라구 이런 노망이란 말이우."

"어쩝니까, 심기를 편하게 해드리려니…… 헌데 소문내지 말구 한 보름만 여기 모셔두고 시중들어주셔야 합니다."

젖어미는 받은 돈이 있어 귀찮은 내색은 하지 못하였다.

"그거야 여부가 있겠수. 한 달 아니라 일 년이라두 모셔야지. 도련님은 집에 돌아가실 게유?"

"될 수 있으면 여기서 함께 모시구 지내야지요. 급한 볼일이 있으면 집에두 다녀오구요."

밖에서 기침소리가 들려오고 삽짝이 열리는지 놋쇠방울 소리가 딸그랑거렸다.

"에구머니, 오는 모양이구려."

사내들 둘이 어깨에다 허연 홑청에 싸감은 사람의 형체를 떠메고 들어섰고 뒤이어 나머지 사내들이 따라 들어왔다.

"별일 없었는가?"

하인이 큰아들에게 말하였다.

"예, 벼락같이 해치웠습죠. 동네 것들이 쫓아나올려구 해서 불을 질렀다구 엄포를 놓았더니 제 집 걱정에 나서는 놈 하나 없습디다."

"잘했다. 어서 안으로 모셔라."

미닫이가 벌컥 열리며 판관이 고개를 내밀었다.

"오는가, 어서어서 이리 데려와 얼굴이나 한번 보자꾸나."

사내들이 낄낄 웃었고, 젖어미는 곁에 큰아들이 있는데도 내놓고 푸념하였다.

"쯧쯧, 나으리, 세상에 믿을 수 없는 것이 두고 보자는 이하구 노인네 근력이랍니다. 이리 나와서 천천히 대보탕이나 마시구 따루 주무시게 하셔요."

"아니야, 자네가 어찌 내 근력을 탓하나. 대보탕은 우리 아이나 주게. 나는 강변 씨름판에라두 나가야 할 판이여."

사내들이 움직이지 않는 홑청 덩어리를 그대로 들어다 금침 위에 놓았다. 큰아들이 달래듯이 말하였다.

"아버님은 나오십시오. 아주머니께서 잠깐 들어가셔야 할 테니까요."

"무슨 소리냐? 내가 곁에 있어야지."

판관은 오히려 방 안으로 들어가 버티고 앉아버렸다.

"나으리, 이리 나오셔요. 아녀자끼리 볼일이 있다니까요."

젖어미가 말하였으나 판관은 볼멘소리로 대꾸하였다.

"볼일은 무슨 볼일이 있다는 게야?"

판관이 비단 금침 속으로 기어들려는 것을 큰아들이 어린애 달래듯 하면서 소매를 끌었다.

"아버님, 지금 이분은 혼절하여 있으니 손발도 주무르고 달래주고 해야 됩니다. 그 일은 유모밖에 할 사람이 없어요."

판관이 아들의 말을 듣자 조금 납득이 갔는지 마지못해 물러나 앉았다.

"엥이, 그렇다면 오늘두 그른 일이 아니냐. 내 애간장이 다 타버리겠고나."

"달래보아서 고분고분 듣질 않으면 저희들이 조처를 해놓겠으니 아버님은 심려 마십시오."

유모만 남기고 판관과 아들은 물러나왔다. 아들은 자꾸만 방 안을 기웃거리려는 늙은이를 억지로 안방으로 데려갔다. 그러고는 하인을 앞세워 수고한 자들을 몽촌 집으로 보내어 백미 한 섬씩 주도록 하였다. 유모는 그들이 나가자마자 홑청을 벗겨내렸다. 안색이 창백하고 숨을 나약하게 쉬고 있는 석씨의 입에 물렸던 재갈을 끄르고 입안에서 헝겊뭉치를 꺼내주었다. 손을 만져보니 동짓달 자리끼처럼 싸늘하다. 우선 저고리를 벗기고 치마끈을 푸는데 탐스럽게 솟은 젖무덤과 머루알 같은 젖꼭지가 드러났다. 유모는 같은 여자이면서도 어쩐지 기분이 야릇해져서 그것을 두 손으로 콱 움켜쥐고 싶었다.

"노망한 늙은이 같으니……"

유모는 혀를 찼다. 노망든 노인의 늦바람 상대로는 과연 아까운 인물이었다. 속곳을 무릎 위로 들쳐보면서 유모는 저도 모르게 젊을 적에 사내들이 몸달아하던 생각이 떠올라서 볼이 뜨거워졌다. 석씨의 살결은 희고 도톰하며 부드러웠다.

유모는 얼른 속곳을 내리고 이불을 가슴까지 덮어주고는 손을 잡아 비벼주었다. 다시 아래로 내려가 버선을 벗기는데 발은 몸의 어느 부분보다도 가장 은밀한 곳이라, 통통한 발등이며 매끄러운 바닥과 흰 뒤꿈치와 앙증맞은 발가락을 손안에 쥐고 보니, 유모는 다시 야릇한 생각이 드는 것이었다. 그럴 적에 그의 손안에서 발이 살아난 짐승같이 잽싸게 이불자락 안으로 사라졌다. 고개를 들어보니 여자가 상반신을 일으켰고 이불을 잔뜩 앞에다 끌어모아 어깨를 감추고는 옷을 찾는지 두리번거리고 있었다.

"정신이 좀 들었수?"

"내 옷…… 어딨어요. 어서 내놔요."

석씨가 노려보며 말했고 유모는 윗목에 구겨져 있던 저고리 치마를 얼른 집어다 옆구리에 끼면서 능청스럽게 말하였다.

"이건 빨아야겠네. 어서 푹 주무시우. 내일 아침이면 녹의홍상 비단옷이 머리맡에 걸릴 테니까."

"어서 이리 내놓지 못해요?"

유모는 옷 대신에 대접을 쟁반째로 들어 내밀었다.

"목이 갈할 터이니 이 꿀물이나 드우."

석씨가 답답하고 애가 켜는지 스스로 고개를 젓고 눈을 감으며 차분하게 되뇌었다.

"어떤 이들인지 모르지만 사람을 잘못 봤어요. 공연히 집안에 원혼 불러들이지 않으려면 그 옷을 이리 내세요."

"마음 한번 잘 먹으면 북두칠성이 굽어보시는데, 원혼이 웬말이우. 어서 꿀물이나 드시우."

석씨가 쟁반 위에서 대접을 집었다. 이불자락 밖으로 나온 팔의 맨살이 희고 탐스러웠다. 유모가 옳다 되었다 하고는 이제부터 슬슬 왁새 여울목 넘어다보듯 과수댁을 꾀어 환심이나 사두자는 속셈인데, 대접이 벼락처럼 날아가 미닫이에 맞았다. 꿀물이 창호지에 번져 얼룩졌고 유모의 안면에도 튀었다. 석씨는 유모에게 달려들어 옷을 빼앗으려는데, 아무리 늙은이라지만 이곳은 제 집이라 기가 죽지 않았다. 옷을 잡아채고 한편으로 석씨의 가슴을 힘껏 떠다밀며 일어섰다.

"이런 복철이 여편네를 보았나. 예가 어디라구 함부로 행패야."

석씨는 뒤로 맥없이 넘어갔다가 어깨와 아랫도리가 드러난 것을 깨닫고는 다시 이불을 끌어다 가리며 고개를 파묻고는 울기 시작하였다. 유모가 석씨의 옷으로 방바닥에 번진 물을 훔치며 다시 부드럽게 뇌까리는 것이었다.

"이것 봐요. 열녀는 두 남편을 섬기지 않는다지만 그거야 등 따뜻하고 배부른 양반네들의 얘기구, 우리 같은 상사람은 어디 기대구 살 데가 있어야 되는 게유. 그런다구 망자가 환생할 리두 없구 또 누가 알아주냐구. 홍살문두 가문 보아 선답디다. 나 같으면 짚신짝 거꾸로 신고 돌아서겠네. 마음만 달리 먹으면 평생 먹고 쓰고도 남을 기름진 전답이 들어오것다, 노비 두 쌍에 온갖 세간이 들어앉은 서른 칸 기와집이 내 차지것다, 아이들이 있다는데 논에서 새나 보게 기르노니 까치 두루마기에 복건 씌워 서당에 보내어 사서삼경을 가르치면, 이 댁의 문벌로 보아 이팔에 과거 급제를 하겠구면. 난데없는 한림학사의 어미가 되는 게요."

그러나 석씨는 붉게 충혈된 눈을 들어 유모를 노려보았다.

"알았어요. 당신네들이 어느 집 사람들인지 다 알아요. 이 수모는 내 동생이 꼭 썼을 거예요."

그때 기침소리가 들리며 미닫이가 벙긋 열렸다.

"좀 들어가겠습니다."

유모가 나가라고 손짓을 하면서 눈을 끔쩍거려 보였건만 관관의 아들은 모른 척하고 방 안에 들어섰다. 석씨는 자지러질 듯 놀라 다시 이불을 머리까지 둘러쓰고 벽에 가서 붙어앉았다. 큰아들은 유모의 곁에 가서 정좌하고는 점잖게 말하였다.

"요즈음 시속에 따라 무례한 행동을 하였으니 용서해주십시오. 저희 아버지께서 아주머니를 그리시다 실로 깊은 병환이 들었기로, 어리석은 자식의 마음을 어찌지 못하여 아랫것들을 시켰지요. 저희 뜻을 용납해주신다면 받들어 서모님으로 모시겠으나, 만약에 끝까지 마다하시면 하는 수 없는 일이지요. 다만 걱정되는 것은 아까 보쌈해온 자들이 이미 저질러놓은 일이라, 혼사가 깨어진다면 자기들이 감당하겠노라는 것입니다. 세상에 그렇게 된다면 너무도 봉욕이 크실 줄 압니다."

그의 얘기로는 우리의 청혼을 물리치면 이왕에 비례가 저질러졌으니 내쳐서 폭한들이 무리로 겁간한다더라도 모르겠노라는 협박이었다. 그러나 석씨는 듣는지 못 듣는지 이불을 쓰고 아무 대꾸가 없었다. 큰아들은 유모에게 눈을 끔쩍였다.

"잘 생각하십시오. 오늘은 피곤하실 터이니 푹 주무시고 내일 저희 아버님과 상면하시기 바랍니다."

유모와 판관의 아들은 서로 눈짓을 주고받으며 방을 나섰다. 큰아들이 짐짓 큰 목소리로 석씨가 들으라는 듯이 중얼거렸다.

"아이들을 불러다 번을 들게 해야겠군. 무슨 일이 일어날지 모르니."

큰아들은 가자를 메고 왔던 두 사람의 하인을 불러 다시 목소리를 크게 하여 분부하였다.

"너는 이 자리에 꼼짝 말구 앉아서 아무도 방에 들어가지 못하도록 지켜라. 그리고 너는 문간에 나가 누가 오는가를 살피다가 별일이 있으면 내게 알려라."

물론 과부를 되업어갈 자를 막으려는 지시이기도 하였거니와, 무엇보다도 여자가 이상한 짓을 하거나 달아나려는 생각을 아예 포기하도록 하려는 것이었다. 그리고 유모는 마루 끝에다 마늘등 둘을 번듯하니 매달아두었다. 초상이나 잔치를 만난 집같이 온 마당이 훤해졌다.

석씨는 애가 타서 연신 이불을 쥐어뜯었다. 자기가 치른 곤욕은 고사간에 산지니도 없는 빈집에 남은 두 아이들이 걱정이었다. 울다 울다 지쳐 혼절하였든지, 아니면 캄캄한 어둠속으로 엄마를 찾으러 나섰다가 시냇물에 빠졌거나 길을 잃어 숲을 헤매다가 짐승에 물렸을지도 몰랐다. 석씨는 상대가 누구인지 환히 짐작할 수 있었다. 칠십 노인을 두고 혼담을 내는 미친놈들을 두들겼다며 주먹을 쥐던 산지니의 말이 떠올랐다. 당상관은커녕 목사도 못 되는 판관 댁에서 감히 우리 누이를 넘본다고도 하였다. 이들은 틀림없이 한판관네 일족일 것이었다.

그런데 집 꼴로 보아 몽촌에 있다는 그들의 궁궐 같은 집은 아닌 모양이었다. 자기네 집이나 다름없는 범상한 농가였다. 여기가 어디인지나 알아야 밤을 타고 도망이라도 해볼 것이다. 석씨는 달아나기는 글렀음을 다시 깨달았다. 지키는 자도 그러려니와 이렇게 속곳 바람으로 여인이 어디를 어떻게 나다닌단 말인가. 산지니는 날이 밝으면 한양에서 돌아올 테지만, 이미 밤을 넘겼으니 자기에게 일이 일어났을 것으로 지레짐작을 해버릴 것이었다. 깨어진 그릇을 어이 되붙인단 말인가, 하고는 그를 찾으려고 하지 않을 수도 있었다. 산지니는 차라리 자기가 자진하여 스스로를 지켜주길 더욱 바라고 있을지도 몰랐다.

"그렇다…… 죽어야지."

입술을 옥물고 다짐하지만 눈앞에는 울부짖는 어린것들의 애처로운 얼굴이 스쳐지나갔다. 석씨는 느닷없이 높은 소리로 부르짖었다.

"여보아요, 게 아무도 없나요?"

마당에서 다가오는 소리가 들리고 유모가 고개를 들이밀었다.

"왜 그러우?"

"제발 이렇게…… 빕니다. 어린것들을 두고 왔어요. 그애들을 보게 해주셔요."

유모가 혀를 찼다.

"에구, 불쌍해라. 에미를 부르며 밤새 울겠구먼. 그렇지만 다 사람 사는 세상이니 동네 사람들이라두 보살펴주겠지. 글쎄 내일 성혼이 된다면 얼른 데려다가 함께 살면 되지 않우. 어서 응낙을 해요."

"내 수절을 못 하는 것두 하늘의 뜻일 터이니, 누구든 지아비로 섬기겠어요."

석씨의 생각으로는 일단 피할 수 없는 일이니 짐짓 따른 체하였다가 산지니의 구원을 기다릴밖에 도리가 없을 것 같았다. 그러고는 어찌하면 그에게 알릴 수가 있을지 궁리하였다. 그는 유모를 어떻게 쓸 방도가 없을까 생각하고 묘안이 떠올랐다.

"이것도 팔자려니 생각하고 마음을 고칠까 합니다. 시방은 놀란 김에 가슴이 뛰고 두통이 심하여 며칠만 여유를 주었으면 좋겠어요."

라고 말해주니 유모는 득달같이 판관과 아들에게 전하였고, 그들도 반 성사가 된 줄로 믿었다.

"이제부터는 당분간 여기가 집이고, 본가에 들어가기까지 푹 쉬시우."

라는 얘기가 있었다. 이튿날 날이 밝자 판관은 전보다 일찍 일어나 세수하고 새옷 갈아입고 공연히 마루를 서성대며 부산을 떨었고, 유모는 석씨를 위하여 영계를 잡아 수삼과 찹쌀을 넣어 삼계탕을 끓였다. 탕을 들고 방으로 들어가기 전에 판관의 큰아들이 다짐을 주었다.

"기한은 사흘밖에 없다구 말하세요. 저러다가 노인께서 기색이 몹시 상하시면 몸을 해칠까 두렵습니다."

"알았수, 이제 겨우 하룻밤인데 혼담을 받아들이겠다구 했으니 또 마음이 달라질 게유. 어느 시러베 미친년이 이런 복을 마다할까."

유모가 탕을 들고 들어가니, 석씨는 벗은 어깨를 어쩌지 못하고 미간을 찌푸리고 말하였다.

"아무 옷이나 좀 내주셔요."

"몸이 괜찮수? 아무렴, 일어나셔야지."

하고는 내달아 준비하여두었던 흰저고리와 남치마를 갖다주었다. 석씨는 옷을 갈아입고 유모가 가져다준 삼계탕을 국물 하나 남기지 않고 말끔히 비웠다. 유모가 흡족하여 바짝 다가앉으며 말하였다.

"어디 오늘 상면을 하실라우?"

석씨는 유모를 물끄러미 쳐다보았다.

"꼭 성례를 서둘자는 건 아니구, 노인네가 하두 애달아하시니 서루 얼굴이라두 보자는 게지."

석씨가 힘없이 고개를 끄덕였다.

"소세를 좀 했으면……"

"아이구, 깜박 잊었네. 내가 시중을 들 터이니 어서 하시게."

마루에서는 벌써 이런 수작이 오가는 것을 듣고 별 같은 놋대야에 맑은 샘물 가득 부어놓고, 양칫물과 타구며 무명 수건에 퍝비누 경대와 지분 등속을 준비하였다. 소세도구 일습을 가지고 유모가 들어가니 석씨는 단정히 얼굴을 씻고 머리 빗고 단장을 하였다. 누가 보기에도 기품 있고 의젓한 가문의 부인 모습이었다.

"에구, 저러니 나으리께서 식음을 잊게도 되었지."

유모가 뒤치다꺼리를 하면서 들락거리는데, 석씨는 손수 이불을 개어두고 유모에게 앉기를 권하였다.

"오늘 뵙기로 하겠습니다. 그런데 아이들 일이 걱정이라 도무지 마음이 진정되지를 않으니 누군가를 보내어 당장 데려오도록 해주십시오."

"아 그야 어렵지 않지. 마음만 정해졌다면야……"

"아주머니께서 다녀오시든지 이 댁 큰아기를 보내든지 하셔요."

그런 얘기가 오가는 것을 듣고 마루에 섰던 판관의 아들이 또 끼여들었다.

"데려오는 것은 어렵지 않으나, 서사촌동생이 가만있을까요?"

"비록 혈육이라고는 하나, 장본인이 저인데 무어라 할 말이 있겠습니까. 정 믿지 못하겠으면 아이들을 데리고 함께 와서 저를 보도록 해주십시오."

판관의 아들은 그 말에 더는 의심하지 못하고 감복하였다.

"실로 좋은 생각이십니다. 곧 사람을 보내도록 하지요."

그의 어깨 너머로 늙은 한판관은 연신 고개를 내밀고 석씨를 보느라 정신이 없었다. 석씨가 보자 하니 노인이 한 군데도 총기 있는 구석은 없어 보이고 위엄도 없으며 터럭은 세었는데, 눈가에는 젊을 적의 주색잡기 흔적인 듯 지저분한 음기가 서려 있어 어딘가 깨끗지 못하였다. 눈길은 엇비스듬하고 자꾸만 좌우로 흘깃거리는데 꼭 늙은 쥐 같았다. 젊은 것이 그리하여도 꼴불견이거늘 이제 내일 모레 칠성판을 짊어질 산송장이 저러하니 석씨에게는 끔찍한 생각이 들었다. 석씨는 저도 모르게 흠칫 몸서리를 치고는 쏘는 듯한 시선으로 늙은이를 지켜보았다.

"에구, 저 어름장 같은 눈을 보아. 나는 못 참겠다."

오히려 그런 눈길에 자극을 받았는지 판관이 뛰어들었고, 그의 아들도 건성으로만 말리는 체하는 것이었다.

"허허, 아버님 왜 이러십니까?"

"잔소리 마라. 이건 내 혼사야. 지아비가 색시의 얼굴을 못 보면 누가 본단 말이야."

늙은이의 차디찬 손이 뱀의 꼬리처럼 손목에 휘감겼을 때 석씨는 눈을 감고 입술을 옥물었다. 절대로 내색을 하여서는 안 된다. 섣불리 굴기에는 자식이 둘씩이나 있는 에미가 아니냐. 그렇지만 않다면 이런 봉욕을 당하느니 차라리 치마 허리끈 내어 목을 졸랐든지 혀를 깨물고 죽었을 것이다. 석씨는 스스로 침을 꿀꺽 삼키고는 기어드는 목소리로 간신히 말하였다.

"지체와 체모가 있으신 터에 이러시면 안 됩니다. 일에는 법도와 순서가 있으니 남들 하는 대로 지키십시오."

판관은 그 목소리에 또한 마음이 뛰었던 모양이다.

"그게 옳은 말이다. 참으로 현숙한 사람이로구나."

하면서도 손목을 놓지 못하는데, 아들이 보다 못하여 겨드랑이를 끼어 일으켰다.

"아버님, 그 말씀이 옳다면서 왜 이러십니까. 어서 건너가십시다."

"얘, 홀아비 홀어미끼리 새삼스레 무슨 전안지례(奠雁之禮)란 말이냐. 그냥 작수성례(酌水成禮)로 해야겠다."

아들이 빙글빙글 웃으며 대꾸하였다.

"예, 그리해얍지요."

아들과 유모는 마주 웃고 있는데 고개를 숙인 석씨의 눈에는 눈물이 가득 고였다. 신분이 중인이라 하여 별것도 아닌 지방 세력자에게 당하는 수모가 뼈저리게 서글픈 까닭이었다.

"지금 널다리로 가서서 아이들과 그 산지니란 녀석을 데리구 오시우. 이미 본인이 혼담에 응낙하였다고 하시구, 법석을 부려봤자 누님만 괴롭히는 짓이라고 따끔히 일러요. 혼사가 이루어지면 몽촌서 반골까지 이르는 우리 모든 장토의 마름을 시키겠노라고 전하구요."

"염려 말아요. 다 내게 맡기시우."

유모가 자신 있게 제 가슴을 두드려 보였다.

석씨는 산지니의 애통해하고 격노하는 모습을 상상하며, 그제야 그와 자신이 이제껏 혈육이라는 것만으로 그렇듯 뜨겁게 연결되었던가를 의심하게 되었다. 산지니는 겉으로 서사촌동생이었달 뿐, 사실은 집안의 소중한 가장이었던 것이다.

흥인문 밖 경저리에게서 약조대로 보리 한 섬을 받은 산지니는 새벽에 출발하여, 왕십리를 얼른 지나 딱섬을 훌쩍 건너고 봉은사 건너편에 당도하였다. 해는 높다라니 떴는데 그는 삯을 아끼노라고 강변에 걸터앉아, 마포와 삼개나 동작나루에서 거슬러올라오는 배를 바라보며 삼전나루의 낯익은 사공을 살폈다. 마침 송파 쪽으로 오르는 배가 있어 외쳐 부르니 사공이 투덜대면서도 안면을 어쩌지 못하여 강안에 배를 대어주었다. 그가 삼전나루서 제법 말발깨나 통하고 장정들 사이에 주먹 내력이 있어서 사공들도 산지니를 업수이여기지는 못하였던 것이다. 삼전나루에서 내려 보릿섬을 지고 널다리까지 삼십 리 길을 걸어오자니 보는 이마다 그게 장에서 오는 양곡이냐고 물어왔다. 다만 심부름을 해주는 게라며 여러 번 대꾸를 하다보니 과연 식량이 귀한 시절이라 훤한 대낮에 곡식섬을 지고 다니기가 민망스러웠다.

멀리 널다리가 보이는데 건너편에 동네 사람 몇이 나와 섰다가 그를 향해서 뭐라고 외치면서 달려오는 게 보였다. 그러나 무슨 소리인지 알아들을 수가 없었다. 아마도 양식을 보고 어려운 형편을 하소하고 좀 나누어달라는 것이겠지 생각하며, 그는 기다렸다가 저문 뒤에 동네로 들어올 걸 잘못하였다며 후회하였다.

"이 사람아, 어딜 갔다가 인제사 오는가."

다리를 건너자 동네 사람이 마주 뛰어오며 소리쳤다.

"난데없는 횡재를 만나 흥인문 밖에 다녀오는 길이우."

"횡재구 횡액이구 큰 난리가 났네. 자네 자주(姊主)께서……"

산지니는 가슴이 덜컥 내려앉으며 하마터면 지게에 짊어진 섬을 내동댕이칠 뻔하였다.

"뭐라구요, 우리 누님이 무슨 변을 당하셨수?"

뒷전에 섰던 이가 덧붙여 말하였다.

"간밤에 보쌈을 당하셨네."

산지니는 눈앞이 희미해지며 일순 무릎이 꺾일 뻔하는 것을 가까스로 참아냈다. 그가 의외로 별로 내색이 없자 동네 사람들은 다투어 얘기를 해주었다.

"뭇놈들이 내정 돌입하여 홑청에 싸가지고 다리를 건너가더구먼."

"우리가 뒤를 쫓으려니 동네에 불을 질렀다구 엄포를 놓아서 모두 속았지. 우물쭈물하는 사이에 그놈들은 다리를 건너가버렸네."

산지니는 일부러 장딴지에 힘을 넣고 더욱 어깨를 숙이고는 집을 향하여 걸어갔다.

"어느 동네 것들인지두 모르지요?"

"캄캄한 밤중에 후닥닥 뛰어가는 형체만 보았으니 얼굴은커녕 몇 놈인가도 모르겠데."

산지니는 머릿속에 피가 몰려오르는 것을 느꼈다. 그럴수록 주먹에 힘을 주고 걸었다. 동네 사람들은 조심스럽게 그의 뒤를 따랐다.

"아이들이 벌떼같이 울어대어 모두들 깊은 잠이 깨었지. 시방 누가 돌보고 있지만 작은것은 자꾸만 보채는 모양이여."

산지니가 마음이 바빠서 비척거리며 걸음을 빨리하여 집에 당도하니, 마루에 우두커니 앉았던 큰아이가 울음 섞인 목소리로 외치며 내달아나왔다.

"어머니가…… 잡혀갔어."

산지니는 지게를 받쳐두고 아이를 안아 머리를 토닥여주었다.

"곧 오신다. 걱정 마라."

아이를 달래며 마루에 털썩 주저앉았으나 산지니는 미칠 것만 같았다. 벌써 밤이 지나버렸으니 땅 위에 쏟아진 물이나 다름없었다. 그는 제 머리를 두 손으로 감싸고 다리 사이를 노려보았다.

"그러니 어쩌겠나. 아무튼지 저쪽에서 무슨 소식이 오기나 기다려야지."

"이 고장 놈들이면야 소식이 있겠지만, 배에 태워 먼 곳으로 데려갔다면 가망 없는 노릇일세."

"광주목 근처라고 하여도 그런 일이란 다 끝난 뒤에나 알려지는 게여."

"우선 본인이 알리고 싶지 않을 수도 있겠지. 참 답답한 일이로군."

"혹시 이 댁에 드나들던 자가 아닐까. 보쌈 혼례가 요즘 팔자 고치는 방편이거든."

산지니가 고개를 번쩍 들었다. 그는 매서운 눈을 치뜨고 사람들을 노려보았다.

"절에 가면 중인 체 촌에 가면 속인인 체하지들 말구, 어서 가서 피죽이라두 한 사발씩 처먹어. 여기가 무슨 동네 우물가나 구리개

약전의 사랑방인 줄 아슈."

그는 걱정하는 체하면서 사실은 석씨가 당한 봉욕을 이러쿵저러쿵 즐기고 있는 동네 사내들이 미웠다.

"어서 못 가겠으면 내가 후문을 질러드리지."

아이를 보고 있던 동네 여자도 힐끔대고 눈치를 살피며 사내들 뒤를 따라 나가버렸다. 그는 명치끝이 쓰리고 목이 부푸는 듯하였다. 보쌈은 과수댁을 집에서 빼내오는 즉시 겁간하여 수절을 그르치도록 해놓는다. 그러면 남들에게도 발명할 명분이 서고 여자도 기왕에 그릇된 일이라 포기하고 사는 법이었다. 범하기 전이라면 모르거니와, 일단 남자의 살을 접하고 나면 대부분의 여자들은 자진하지도 못하였다. 자진할 구실이 없는 것이다. 그러므로 보쌈해가는 쪽에서는 여자가 스스로 죽지 못하도록 빈틈없이 방비하고 먼저 덮치게 되어 있었다. 산지니는 석씨가 어떤 여인인가를 잘 알고 있었다. 하룻밤이 지났으니 어쩌면 벌써 차디찬 시체가 되어 있을지도 몰랐다. 산지니는 자기가 석씨를 서사촌누님으로서가 아니라, 한 여자로서 얼마나 사랑하고 있었는가를 깨달았다.

어릴 적에 심부름 와서 방에도 들어가지 못하고 마당 구석에 섰을라치면 누님이 가만히 손짓하여 뒤꼍으로 데려가서 떡이나 밤이나 과일 주전부리를 먹여주던 생각이 났다. 송파 객주의 빨래어멈이던 산지니의 어머니는 속상한 일이 생길 적마다 무턱대고 그에게 욕설을 퍼붓고 때리고 하면서, 이 웬수야 차라리 나가서 강에나 빠져죽으라는 말을 입버릇처럼 뇌까리곤 하였다. 그는 먼발치서 누나를 보기 위해 큰댁의 울타리를 맴돌았다. 이제 다시는 다른 남자에게 빼앗기지 않도록 홀몸이 되어 한식구로 살아온 석씨를 산지니는 마치 명부에서 되살아온 전생의 젊은 어머니처럼 여겼다. 또는 아내로 느겼을지도 모르지만 하도 소중한 감정이라서 그런 생각은 저도 모르는 사이에 잘라내버렸을 것이다.

"만약에 알아낸다면……"

산지니는 이를 꼭 악물었다. 그의 누님을 덮쳐간 장본인을 알게 되면, 일가 몰살을 해버려서 포한을 갚으리라 결심하였다. 이제부터 그런 소문을 걷으러 다니기 위해 행상이라도 나설 작정이었다. 흔히 보쌈을 당한 가족들은 관가에도 알리지 못하는 것이 상례였다. 동네에서 닭서리를 시속놀이의 한가지로 묵인하듯, 관가에서도 과부 보쌈을 한풀이의 민원으로 여겼다. 수절은 아무나 하는 것이 아니므로 일반 부녀자들은 음양의 이치대로 따르는 것이 인지상정이라 여겼던 것이다. 물론 지체 높은 집안의 과부는 함부로 넘보지 못하였고, 석씨의 경우처럼 양민의 부녀자를 제법 재산이 있다든가 권세가 있는 자들이 강제로 취하게 마련이었다. 사람의 마음에 맺힌 일이 많아서 그것이 하늘에 닿으면 그 고을에 가뭄이 들거나 질병이 도는 줄로 여겼다. 그러므로 어떤 고을의 수령들은 쟁송이 밖으로 드러날 때 가운데 들어서 화해를 붙이고 새로운 인연을 맺어주기도 하였다. 산지니는 석씨가 틀림없이 죽은 것으로 여겼으므로 저도 원수를 갚고는 누님 뒤를 따를 생각이었다. 아이들은 그전에 친가로 통기하여 돌보게 하면 될 것이었다. 산지니는 석씨가 몸을 그르치고 봉욕과 수모를 당한 채로 낯선 사내의 살붙이로 산다는 것은 도무지 상상도 할 수가 없었다.

"삼춘…… 배고파."

그는 아이들에게 오촌아저씨뻘이 되건만 석씨가 산지니를 친동생이라 여겨 스스로 삼촌이라고 불러왔던 것이다. 산지니는 중화참이 훨씬 지난 것을 뒤늦게 깨닫고 저도 몹시 시장함을 느꼈다. 그래,

우선 밥을 지어 먹고 기운을 차려야지.

"옳지, 보리 한 섬을 지고 왔다. 삼춘이 밥을 해줄게."

하다가 불현듯 스쳐가는 생각이 있었다. 이런 흉년에 보리 반 섬을 내어 품을 사는 놈이 어디 있을까. 느닷없이 일이 벌어지던 간밤에 그런 횡재가 굴러들어왔던 것이다. 누님이 미심쩍게 중얼거리던 대로 원립이란 자는 요즈음 살기 위해 강변에 나가 고기라도 낚으려고 초췌한 얼굴로 나도는 형편이었다. 무슨 부가옹이라고 보리 반 섬을 공으로 내어주랴.

"이런 망할 자식이……"

산지니는 보릿섬이 얹힌 지게를 돌아보며 얼결에 중얼거리고 말았다. 틀림없이 자기를 집에서 내몰기 위하여 헛다리품을 놓게 만들었을 것이다. 하필이면 새벽에 홍인문이라니 난데없는 주문이었다. 새벽까지 대기 위하여 밤중에 집을 떠나도록 만든 것이 틀림없었다. 산지니는 광에서 낫을 꺼내어 움켜쥐었다.

"삼춘 나갔다 올 테니까 잠깐만 기다려라."

아이들이 우는데도 산지니는 낫을 쥐고 원립이란 자의 집까지 한달음에 뛰어들었다.

"네 이놈, 어디 갔느냐. 한통속인 줄 내가 모를 것 같으냐?"

외치니, 부엌에서 뭔가 빨고 있던 아낙네가 눈이 휘둥그레져서 내다보았다.

"누구한테 그러우?"

"댁네 서방 말이지 누군 누구여."

완전히 보통때의 산지니가 아니었다. 그는 분김에 놈의 계집이라도 찍어버리겠다는 듯 낫을 쳐들며 짓씹었다.

"서방이 어디 갔는지 대지 못해?"

"새벽에 어디 간다 말없이 훌쩍 나간 이를 내 어찌 알우?"

산지니는 언뜻 짚이는 데가 있어 부엌으로 고개를 기웃이 하여 넘겨다보았다. 아니나다를까 부엌 구석에 절구를 감춰두고 찧고 있던 것은 백미였다. 산지니는 손으로 쌀을 한 움큼 집어 아낙네의 턱밑에 들이댔다.

"이년, 이 쌀 어디서 생겼니. 바른대루 이르지 않으면 코를 베어버릴 테여."

"모…… 몰라요. 며칠 전에 웬 장정들이 지구 왔어요. 주인이 절대루 동네에서 알면 안 되니까 조심하라구 그래서……"

산지니는 제 짐작이 틀림없다고 여겼다. 원립이란 자가 곡식에 넘어간 것이다. 그에게 쌀을 주어 꼬드겼을 것이다.

"얼마나 가져왔길래 죄 없는 사람을 짐승 같은 놈들에게 팔았느냐?"

산지니가 여자를 젖히고 부엌에 들어가 봉당을 살피니 독이 둘이나 묻혔는데, 양쪽 다 벼가 가득 차 있었다. 두어 섬은 실히 되어 보였다.

"제 배때기나 채우려고 인륜을 그르치는 일을 하다니…… 내 이놈을 끝내 하늘 아래 바로 서도록 내버려둘 줄 아느냐. 만약에 보쌈 패거리가 어느 놈의 집구석에서 나왔는지 바로 대주면 이빨이나 몇 대 부러지구 말겠지만 오늘 안으루 나타나지 않았다간 네년이랑 새끼들이랑 모두 살아남지 못할 줄 알아라."

산지니는 독살스럽게 을러대고 집으로 돌아왔다. 이제 길은 생겼으니 내처 달려들어가 원한을 풀 일이나 생각할 셈이었다. 그런데 울타리로 들어서자 아이들과 웬 할미가 마루에 나란히 앉아 있는 게 보였다. 산지니가 동네에서 못 보았던 낯선 할머니였다. 그가 안색이 푸르뎅뎅하여 들어서니 낯선 노파는 만면에 웃음을 가득 띠고 맞았다.

"아이구, 이제 오시는구먼."

"뉘십니까?"

하면서도 산지니는 아이들이 조용한 연유를 살폈다. 아이들은 보기에도 탐스러운 백설기를 목이 메어지게 먹고 있었던 것이다.

"댁이 산지니란 총각인가베."

노파가 여유 있게 한마디 하고는 마루 위를 가리켰다.

"좀 앉읍시다. 할 얘기가 있으니……"

산지니는 어쩐지 가슴이 두근거리기 시작하였다. 그가 엉거주춤 걸터앉자 노파는 서슴없이 말을 꺼내었다.

"댁의 서사촌 자씨가 되시지, 그이가…… 보내어 온 사람이우."

"누님이……"

"그러우. 날더러 집에 가서 아이들이랑 총각을 데려오라구 이르십디다."

"어느 놈이우?"

노파는 산지니의 험한 어조에 당황하지 않았다.

"보아허니 세상사에 어두운 모양이구려."

노파는 소리를 내어 웃었다.

"팔자 지키는 일이란 제 마음먹은 대루 되는 게 아니여. 본인두 아지 못할 일이지. 댁이 어찌 자씨의 속내를 알겠수. 아무리 분하다구 펄펄 뛰어두 이건 어디까지나 당사자들끼리의 일이우. 자씨는 개가하시기루 마음을 정하셨수."

산지니는 온몸에 끓던 피가 이제는 바람이 되어 빈가슴을 따라서 헤실헤실 새어나오는 듯하였다. 죽지도 않았고 오히려 아이들과 자기를 부르다니, 산지니는 끓던 원한을 붙들어매어둘 데가 없어졌다. 그는 힘없이 고개를 떨구었다.

"자, 어서 가십시다. 가서 자씨를 우선 만나 말씀을 들어보시우."

산지니는 울음이 나올 것 같았다. 그렇게 믿었던 석씨마저 이러하니 세상의 계집들이란 것은 모두 노류장화임을 감추고 겉으로만 현숙한 듯이 꾸미는 듯 여겨졌다. 산지니는 일어났다. 아이들을 데려다주고 나서 그는 누님이 보는 앞에서 댓돌에다 머리를 박고 목숨을 끊을 작정이었다. 그는 더이상 애간장을 태울 근거를 잃어버렸던 것이다.

"자, 어머니께 가자."

마음을 정한 산지니는 작은아이를 들쳐업었다. 큰아이의 손목을 잡고 나서니 유모가 일이 뜻대로 되어감을 보고 깔깔 웃으며 말하였다.

"그래야지요. 동기간이 다르긴 다르구면. 아, 혼자 공규(空閨)로 말라죽느니 팔자를 고쳐야 하는 건데…… 좌우간 거기 자씨는 복이 터진 사람이구면."

산지니가 돌아서서 노파의 주름살투성이인 목을 잡아 비틀어버리고 싶었지만, 이제는 모든 집착을 놓아버렸는지라 그저 고개 숙여 땅만 내려다보며 걸어갈 뿐이었다.

반골 유모네 집에서 석씨는 애를 태우고 있었다. 산지니가 노파를 따라올지도 모르는 일이고 자기의 속마음을 어떻게 전해주어야 할까도 생각이 떠오르지 않았다. 방문 밖에는 두꺼비 같은 하인놈이 버티고 앉아 있었고, 아들은 산지니가 혹시 행패를 부릴까 하여 몽촌 본가로 하인배를 대여섯 사람 불러오게 하였던 것이다. 그는 초조하였는지 연방 마루 위를 서성대고 있는 눈치였다. 관관 늙은이는 오전 내내 보채다가 점심을 먹고는 낮잠을 자는 모양이었다. 석씨는 무엇보다도 산지니가 섣불리 성깔을 내어 이 집 마당에서 몰매를 맞든가 장살을 당하든가 하는 일이 걱정이었다. 이미 재가하기로 정하였다고 말이 갔을 터이니 산지니의 낙망과 분을 짐작해볼 수가 있었다. 석씨는 무슨 생각이 들었는지 방 안을 두리번거렸다. 역시 농 아래 반짇고리가 보였다.

얼른 끌어다 보니 가위며 실패며 바느질거리들이 들어 있었다. 석씨는 얼른 가위를 집어냈다. 무엇인가 써서 산지니에게 전해주어야만 하였다. 그러나 그는 글을 몰랐다. 중인의 딸로서 석씨는 천자문에 『소학』권이라도 뗐다지만 산지니는 천자는커녕 언문도 배워본 바가 없었다. 석씨는 망설였다. 산지니는 그러나 영리한 사람이었다. 자기가 무엇인가 써서 내준다면 틀림없이 알 만한 사람에게 물을 것이었다. 석씨는 글자를 생각하자마자 가위를 펴들어 손가락을 힘껏 찔렀다. 피가 장판 위에 방울져 떨어져내렸고, 석씨는 속치마 자락을 찢어내어 손가락으로 썼다. 하얀 무명 위에 번지면서 구(求)자가 나타났다. 밖에서 헛기침 소리가 들렸고 석씨는 그것을 치맛자락 안에다 넣고, 속치마로 방바닥을 얼른 훔쳐냈다. 피가 연신 흐르는 손가락을 버선발 뒤꿈치로 꼭 밟았다.

"서동생이 와서 그쪽에서 혼사에 응할 눈치가 아니면 절대로 나오지 마십시오."

방문을 열고 큰아들이 말하였고, 석씨는 침착하게 대꾸하였다.

"그러지요. 아이들만 만나겠어요. 그리구 저희 집에 양식이 떨어졌을 테니 아이들이 돌아갈 때 쌀이나 한 섬 보내주세요."

큰아들은 석씨의 의외의 부탁에 놀라서 눈을 둥그렇게 떴다.

"아이들을 보고 싶으시다더니…… 집에 돌아가다니요."

석씨는 잠깐 사이를 두었다가 한숨을 폭 내쉬었다.

"아무래도 내가 이 집의 살림을 하려면 아이들은 떼어두어야겠어요. 동네에 양식만 보내주면 돌볼 이들이 있을 테니까요."

큰아들은 금방 안색이 달라지며 허리를 구부렸다.

"네, 그러셔야지요. 모든 것에 부족함이 없도록 잘 보살펴두겠습니다."

판관의 큰아들은 이제는 완전히 마음이 놓이는 모양이었다.

석씨는 미닫이가 닫히자마자 찢은 치맛조각을 얼른 소매 속에 넣고 나서 다시 자락을 뜯어 다친 손가락에 감았다. 하인들 대여섯이 몽촌서 내려왔고 그들은 모두 덩치가 그럴듯한 장한들이었다. 산지니가 호락호락 넘어갈 상대는 아니므로 판관의 큰아들은 하인들을 마루 양쪽과 대문 앞에 세워두었다.

망보러 나갔던 자가 동구 밖에서부터 뛰어와 산지니와 유모가 아이들을 데리고 나타났음을 알렸다. 판관의 아들은 몽둥이를 짚고 선 하인들을 벌려세우고 마루 위에 점잖게 앉아 있었다.

산지니가 아이를 업고 한 손에 다른 아이의 손목을 잡고서 문안으로 들어섰는데, 그의 얼굴은 핼쑥하였고 어딘가 풀이 죽어 있었다. 산지니는 좌우에 널려 선 하인들은 거들떠보지도 않고 마루를 향하여 곧장 걸었다.

"어서 오게나."

큰아들이 무덤덤한 듯이 앉은 채로 말하였다.

"애들 에미 되는 사람 어딨수?"

산지니는 누님이라는 말을 올리지 않았다.

"우리 서모님은 자네와 아이들께 할 말이 있으시다네."

판관의 큰아들이 산지니의 말을 되짚어서 받았다. 산지니는 온 얼굴에 바늘이 박힌 듯이 따갑고 수치스러워서 아이를 마루 위에 올려놓으며 중얼거렸다.

"할 말이 있으면 아들께나 하라고 그러지…… 내가 아무리 곁다리로 태어났으나 핏줄은 있는 놈이여. 어떤 년인지는 모르지만 우리집안 사람이 아니니까."

판관의 큰아들은 마음이 자못 통쾌하여 산지니의 고통스러운 얼굴을 그냥 지나칠 수가 없었다.

"허허, 객줏집 외입에도 피가 있는가. 새벽참에 논둑에 나가보면 동네 워리는 모두 동서라더니."

그 말은 표모에게서 태어난 산지니를 개에다 비유한 것이었다. 산지니의 주먹이 부들부들 떨리고 있었다.

"봉놋방에 드나드는 년의 자식이 이간지 김간지 어디 알 수가 있나."

판관 아들 농지거리가 너무 지나쳤다. 그는 지난번에 혼담을 넣었다가 호되게 당한 산지니가 풀이 꺾인 것을 보고는 신바람이 났던 것이다. 산지니가 이빨 사이로 식, 하는 소리를 내고 마루 위로 한 발 올려놓는데, 하인들이 좌우에서 몽둥이를 치켜들고 막아섰고, 큰아들은 재빨리 일어나 마루 안쪽으로 피하였다. 아이들이 겁을 집어먹었는지 울음을 터뜨렸고 안방의 미닫이가 열렸다. 이미 신방에 들었던 색시 차림으로 비단옷을 입고 나타난 석씨와 마주치자 산지니는 스스로 고개를 떨구었다.

"애들아, 가자."

산지니가 아이의 손을 잡았고 아이들은 엄마를 보자 반기면서 소리쳤다.

"저건 늬 에미가 아니다."

산지니는 아이를 잡아끌며 중얼거렸다. 그래도 설마 했던 것이다. 이미 밤을 치르고 나서 저렇게 기방물림과 같은 꼬락서니가 되어 식구들 앞에 나타나다니…… 석씨는 그에게 헝겊조각을 전해주기 위해 한 걸음씩 접근하였다. 석씨는 한편으로 아이들을 끌어안고 다른 쪽으로 산지니의 팔을 잡으려고 손을 내밀었다.

"산진아……"

산지니는 벌레라도 닿은 듯이 몸을 피하면서 석씨의 가슴을 홱 떠밀었다.

"세상에 더러운……"

석씨가 마루에 나뒹구는데 판관의 아들이 자신만만하게 외쳤다.

"저놈을 매우 쳐서 쫓아내라."

하인들은 기다렸다는 듯이 우르르 달려들어 산지니의 어깨와 등판을 몽둥이로 타작하였다. 둔중하게 매 떨어지는 소리가 들리고 그는 섬돌 위에 엎어졌다.

"아…… 안 돼요."

석씨가 재빨리 비집고 들어가 산지니의 등뒤에 엎어지며, 한 손은 그의 손을 잡았다. 그러고는 헝겊조각을 쥐여주면서 손등을 꼬집었다. 매를 맞아 정신이 없는 중에도 그는 역시 빠른 총각이라 무엇인가 석씨에게 다른 의중이 있었음을 눈치챘다. 뿐만 아니라 지금 그로서는 무너진 비탈 끝에서 밀려내려가지 않으려고 안간힘 쓰는 중에 풀뿌리라도 잡고픈 심정이었다. 산지니는 그것을 받아 손안에 꼭 쥐고는 벌떡 일어났다.

"후살이를 하든지 겹재가를 하든지 내가 알 바 아니다."

하면서 산지니는 떨어지지 않으려는 작은아이를 끌어안아올렸다. 그러고는 큰아이의 손목을 잡아당겼다. 석씨는 두 뺨에 눈물을 흘리면서 이 답답하고 하소할 데 없는 통분을 삭였다.

"진작 분수를 알아 그렇게 나와야지."

큰아들은 고개를 끄덕이고 섰는데, 유모가 가장 장한 듯이 종알거렸다.

"이번 혼사에 내가 없었다면 연분이 끊길 뻔하였수."

석씨는 아이들을 데리고 나가는 산지니의 뒷모습을 보지 않으려고 스스로 몸을 돌려 안방으로 뛰어들어가 방바닥에 엎어졌다.

산지니는 몽둥이에 설맞은 어깻죽지가 터져서 피가 배어나온 채로 아이들과 더불어 반골을 나섰다. 손안에 쥐어준 물건을 살피니 치맛자락이 분명한데 검붉게 말라붙은 피로 무엇인가 글자가 씌어 있는 것이 아닌가. 산지니는 가슴이 뭉클하였다.

"아, 누님……"

피로 썼을 제야 얼마나 안타까웠겠는가. 누님의 그런 마음도 모르고 더러운 생각을 떠올린 스스로가 오욕스러웠다. 산지니는 걸음을 빨리하였다.

"어머니는 곧 오신단다. 걱정 마라."

산지니는 널다리로 오자마자 글을 아는 이를 찾아가 사연을 말하고 표를 보여주었다.

"앞뒤 전말의 사정으로 보아 구할 구(求)자가 씌어 있으니, 자네 자씨께서 어떻게든지 구하여달라는 뜻일세."

산지니는 더이상 설명도 듣지 않고 달려나갔다. 이제 밤이 되기를 기다릴 작정이었다. 밤이 오면 그는 반골로 되돌아가 어떻게 해서든지 누님을 업어올 것이었다. 그는 마을의 마음 맞는 총각들 두엇을 만나 도움을 청하였고, 그들도 보쌈을 당한 뒤에 산지니를 보기가 민망하였던지라 곧 응낙하였다. 산지니는 숫돌을 꺼내어 낫을 갈아두었다. 그는 단호하게 결심하고 있었다. 그 늙은이가 다시는 여염 아낙네를 탐내지 못하도록 없애버릴 것이었다. 그는 이러한 쥐꼬리만 한 세도를 가진 시골 향반들을 태어나서부터 겪어 잘 알고 있었다.

석씨의 요구대로 다 들어준 판관네 사람들은 어서 혼례를 치르고자 서둘렀다. 먼저 유모가 들어와 방에다 화문석을 깔고 뒷전에는 열두 폭 병풍을 둘러치고 눈앞에 학무늬 발을 쳤다. 석씨는 뜻을 이루었는지라 태도가 돌변하여 벽을 향하여 돌아앉아 있었다. 벌써부터 늙은이는 애가 달아서 아직 해가 지려면 멀었는데도, 관과 도포를 벗어던지고 자꾸만 안방으로 넘나들었다. 석씨는 어쨌든 오늘밤에는 무슨 일이 벌어질 줄 짐작하고서 판관의 일속들을 달래었다.

"그동안 이리저리 마음을 쓰다 보니 이제는 심기가 기진하여 도저히 앉아 있을 수도 없습니다. 내일 맑은 정신으로 모실까 합니다."

"두 분은 곧 주무실 것이라 뭐 따로이 기력이 필요하겠수? 오늘부터 다정히 동침하시지."

유모가 은근히 말하였고 큰아들도 이제는 더이상 아비를 달랠 자신이 없어 오늘밤에는 그들이 함께 자기를 원하였다. 석씨는 더 버틸 수가 없었다. 만약에 늙은이가 제 몸에 손을 댄다면 석씨는 대번에 늙은이를 이불로 눌러 죽이든지 하고서 스스로 치마끈을 풀어 목을 맬 생각이었다.

이윽고 저문 하늘에 별이 나타나기 시작하였고, 유모네 집에서는 청사초롱에 불을 밝혀 대청마루에다 걸었다. 본가에서 큰아들 또래의 혈족 두엇을 데리고 겸인이 찾아왔고 그들은 건넌방에서 오붓이 앉아 술을 마셨다. 모두들 판관 아들의 효성을 극구 칭찬하는데 또한 석씨를 엿보고 와서는 인물이 아깝다고 시샘도 하였다. 저녁이 끝나고 안방의 발이 걷혀졌으며 혈족들은 마루에 둘러앉고 큰아들이 제 아비를 가운데 앉혔다. 유모 딸이 늙은이 앞에 정화수 한 그릇 올려놓은 소반을 갖다놓았고 양쪽에 와룡촛대를 두어 불 밝혔다. 유모가 안방으로 들어갔다.

"어서 나가서 맞절을 합시다."

"제발 오늘만은⋯⋯"

유모가 다시 속삭였다.

"이봐요, 그까짓 맞절 한번 꾸뻑 하고 나서 오늘은 피곤하다며 그냥 누워버리면 될 텐데 뭘 그러우."

석씨는 피하지 못할 일임을 알았다. 석씨는 아랫입술을 깨물며 일어섰다. 어쨌든 욕보지 말고 이 집을 빠져나가야만 하였다. 석씨의 팔을 곁에서 부축하며 나선 유모가 팔꿈치를 지그시 당기며 주위에서 다 듣도록 말했다.

"자, 인사를 드려야지."

석씨는 숫제 눈을 감고 좌중의 사람들을 보지 않았다. 그리고 천천히 몸을 아래로 끌어내려 큰절을 했다. 석씨에게는 다만 늙은이의 답삭거리는 수염 끝이 보일 뿐이었다. 늙은이도 마주 인사를 하였던 모양이다. 나란히 앉은 그들 앞으로 먼저 큰아들이 나와 큰절을 올렸다.

"두 분, 백년해로하십시오."

석씨는 귓불에서 뺨으로 퍼져가는 수치스러운 느낌을 감추지 못하고 저도 모르게 벌떡 일어나 안방으로 뛰어들어 문을 닫았다.

"허허, 이럴 수가⋯⋯"

주위의 혈족들이 혀를 차는 소리가 들려왔다. 밖에서는 잠시 아무런 기척이 없더니 누가 밀어넣었는지 늙은 판관이 엉거주춤하며 방 안으로 들어섰다. 윗목에는 감주에 화채에 약과며 감로주 등속이 그득한 통영반이 놓였고 그 반대쪽에는 신방답게 놋요강이 반짝였다.

"여보게, 우리가 이렇게 속현(續絃)하고 보니 천생연분이군. 아이들 보기도 부끄러우니 어서 불이나 끄지."

늙은이가 이렇게 중얼거리며 석씨에게로 다가앉으니 석씨는 놀라서 늙은이의 손길을 뿌리치며 벽 쪽으로 물러나 앉았다.

"허허, 내가 그리도 싫은가?"

석씨는 타는 듯한 시선으로 늙은이를 노려보았다.

"가까이 오면 죽어버릴 거예요."

늙거나 젊거나 사내란 마찬가지여서, 계집의 독을 뿜는 모양에는 더욱 자극을 받게 마련이었다. 늙은이가 와락 달려들어 석씨의 가슴을 움켜쥐는데 두 손이 와들와들 떨리고 숨은 벌써 턱에 닿았다.

"요것을……"

"에구머니."

석씨가 뱀이 엉기는 듯 늙은이의 마른 손목을 잡고는 사정없이 발길로 행가래를 쳐버렸다. 늙은이는 배와 가슴을 채고 벌써 안색이 하얗게 되어 마른기침을 터뜨렸다.

"저것이 나으리를……"

하면서 문틈으로 들여다보던 유모가 안달을 하였고, 큰아들과 혈족들은 제 아비가 기운이 쇠잔하여 과수댁의 혈기를 꺾지 못하는 것을 보고는 안타까운 모양이었다.

"저것을 어찌할꼬."

"기운으로는 안 되겠수."

"그렇다고 서모가 될 사람을 여럿이 함부로 다룰 수도 없지 않소."

유모가 문득 무슨 생각이 들었는지 손뼉을 마주쳤다.

"진작 그 생각을 못 했구면. 몽혼탕을 먹여 잠을 재울 걸 그랬네."

"내게 맡기면 저것을 대번에 요절을 낼 터인데……"

침을 꿀꺽 삼키면서 다른 사내가 말하였다.

"오늘은 이미 늦었소. 그냥 내버려둡시다."

과연 잠시 후에는 방 안이 조용해졌다. 늙은이는 금침 위에 엎드려서 숨을 헐떡이며 흥분을 가라앉히는 중이었고, 석씨는 벽에 바짝 기대앉아서 한 손에는 베개를 들어 방비하고 있었다.

"내 그냥 잘 테니…… 염려 마라. 네가 아무래도 오랫동안 수절하고 운우의 정을 멀리하더니 이렇게 갑자기 그럴 수야 있겠느냐. 오늘은 이만 잘란다."

석씨는 아직도 안심을 못 하고 벽에 기대어 있었다.

"잘 생각하셨습니다. 저도 여기서 이렇게 앉아 새우렵니다."

늙은이는 한숨을 푹 몰아쉬며 천장을 향하여 돌아누웠다. 방 안에서 기척이 없어지자 마루 위에서 두런거리던 사람들은 서로 입가에 손을 갖다대고 옆구리를 지르고 킥킥거리면서 건넌방으로 들어갔다. 이제는 둘이 나란히 누웠겠거니, 그리하여 새벽녘에는 살을 대게 될 것이고 내일 아침이면 나란히 한 베개를 베고 잠을 깨겠거니 하였던 것이다. 석씨는 여전히 구석에 베개를 가슴에 안고 쭈그려 있었고 늙은이는 엉금엉금 기어가서 상을 끌어당겨 화채를 벌컥이며 들이마셨다.

이때쯤 산지니는 벌써 담을 넘어 이 집의 뒤꼍에 들어와 있었고 문을 따주어 함께 온 두 총각을 끌어들이는 참이었다. 산지니는 별빛에도 날이 새하얀 낫을 들고 있었으며, 두 사람은 제각기 큼직한 작대기를 가지고 있었다. 그들은 먼저 애기 소리가 들려오는 건넌방을 눈여겨보았다. 산지니는 몇번이나 의논한 대로 낮에 눈여겨두었던 뒷방 쪽을 손짓하며 총각들 중의 하나를 밀어냈다. 그는 발소리를 죽여 건넌방의 뒤로 돌아갔다. 그들은 그동안 부엌문 뒤에 바짝 붙어서 동정을 살폈다. 뒤로 돌아갔던 자가 살그머니 되돌아나왔다.

"들여다보니까 늙은 것은 아직 깨었고 처녀는 자더구먼. 하인 녀석들은 없던데……"

그가 속삭이자 산지니는 스스로 고개를 끄덕이고 낮을 고쳐쥐었다. 하인들이 돌아갔든지 아니면 인근에 방을 빌려 자고 있을지도 몰랐다. 산지니는 눈으로 신발을 헤아려보았다. 짚신 둘과 가죽신이 셋이었다.

하나는 늙은이 것이라 치고서 건넌방에는 모두 넷이 있는 듯하였다. 기운 쓰며 달려들 놈이라고는 판관의 큰아들 녀석밖에 없을 것이며, 그 또한 아랫것들 앞에서나 호통칠 뿐 그리 버틸 힘이 있을 것 같지는 않았다. 갓 쓰고 도포 걸친 녀석치고 팔씨름이나마 제대로 용쓰는 놈을 보지 못했던 산지니였다. 그는 마루 위로 가벼이 올라서서 미닫이 틈으로 방 안을 들여다보았다. 두 사내는 이미 술이 과하였는지 하나는 아예 목침 베고 드러누웠으며 다른 하나는 벽에 기대어 늘어져 있었다. 술상을 마주하고 잔을 주거니받거니 하고 있는 판관의 아들과 그 친척 젊은이는 아직 상머리에 붙어 있기는 하였으되 눈시울이 게슴츠레하였다. 저것들을 모두 한 낮으로 찍어버릴까…… 산지니는 혼자서 생각해보다가 다시 마루에서 내려섰다.

"뒷방 것들이 깨어나 동네로 달려나가지 못하게 가서 지켜라."

일행에게 이르고는 다른 총각을 손짓하여 둘이 문가에 붙어섰다. 산지니가 일부러 헛기침을 하니 안에서 거나한 목소리로 물어왔다.

"밖에 누구냐?"

산지니는 대답 대신 미닫이를 벌컥 열어젖혔다. 판관의 아들은 그의 짚신부터 무릎 위로 멍하니 훑어올라갔다.

"저…… 저놈이."

산지니가 성큼 달려들어 낫을 치켜들었다. 방금 내리찍으려는 자세였다.

"죽을테?"

그의 등뒤로 쫓아들어온 총각도 신이 나서 우선 마주 앉았던 자의 갓을 작대기로 후려쳐서 찌그러뜨려놓았다. 그들은 닭서리라도 나온 듯 제법 재미가 들어 있던 중이었다.

"살고 싶으면 모두 방바닥에 엎드려라."

모두들 허리를 낮추어 방바닥에 엉거주춤 엎드리는데 비죽이 위로 솟은 궁둥이를 산지니의 동행이 쿵덕쿵 밟아놓았다. 판관의 아들만은 비록 상대가 살기에 차 있어도 이미 구면인지라 엎드리기는 너무하였던지 머뭇거리면서 그를 올려다보았다. 설마 이 자가 나를 어쩌랴 하는 표정이었다.

"이러고도 뒤에 광주 목내서 살기를 바라느냐?"

산지니는 낫을 허공으로 몇번 찍어보며 코웃음을 쳤다.

"내 걱정은 말구 네나 살 생각을 하여라. 나 같은 천출이야 이미 내놓은 목숨이고, 요조하신 우리 누님 강상의 법도에 따라 수절하였으니 오히려 나라의 치하가 있을 것이다. 빨리 엎드리지 않으면 낫으로 방바닥에 네 등판을 박아놓을 터이다."

산지니의 독살스러운 어조에 판관의 아들은 흠칫하면서 엎드렸다. 그가 엎드리자마자 산지니는 낫의 자루로 그의 뒤통수를 호되게 내려쳤다.

그가 늘어지며 혼절하는 꼴을 보자 산지니는 다락을 열고 이불을 꺼내 즐비한 네 사람의 머리 위에 마구 덮어버렸다. 꿈틀거릴 적마다 곁의 총각이 몽둥이로 이리저리 어지러이 두드리며 으름장을 놓았다.

"조금이라도 움직이면 아예 해골을 바수어버린다."

총각이 그러고 있는 동안 산지니는 얼른 안방으로 건너갔다. 문을 열어보니 불은 꺼졌으나 건넌방에서 비추인 불빛으로 방 안이 어슴푸레하니 보였다.

"누님…… 저 왔습니다."

방 구석에 쪼그리고 앉아서 늙은이의 끝없는 시달림을 받고 있던 석씨가 일어나 문가로 뛰어나왔다. 여태 치근덕거리다 잠시 쉬고 있던 늙은이가 상반신을 일으키며 석씨의 치맛자락이라도 당기려는 양으로 손을 쳐들었다. 그때 석씨의 머리카락은 어수선하게 흐트러져 있었고 두 손으로 감싸쥔 저고리의 고름은 다 뜯겨져나갔다. 산지니는 제 누님을 등뒤로 돌려세우며 발을 쳐들어 늙은이의 팔을 막았고, 얼결에 늙은이가 산지니의 바짓가랑이를 움켜쥐었다.

"끼놈……"

산지니가 터져나오는 분노를 그대로 늙은이에게 퍼부으면서 낫을 곧추세워 내리찍었다. 낫이 판관의 가슴 복판 흉당에 정통으로 찍혔고 그는 바람에 불린 빈 자루처럼 옆으로 비스듬히 넘어졌다. 산지니는 누님이 볼까 하여 얼른 돌아서서 석씨의 등을 한 팔로 감싸안았다.

"어서 가십시다."

마루로 내려서며 손짓으로 재촉하니 총각은 산지니가 사람을 죽인 것도 모르고 재미가 들려서, 다시 몇번 이불 밑의 사람들을 작대기로 후려패고는 돌아섰다. 산지니가 대문을 나서서 석씨의 팔을 당거 재촉하며 물었다.

"뛸 수 있지요?"

"뛰다마다…… 내 걱정 마라."

그들이 어둠속으로 치달리다 보니 어느결에 반골의 동구 앞인데 뒷전에서 동행 총각들이 뛰어오는 소리가 들렸다. 그들은 일단 걸음을 멈추고 동행을 기다렸다. 가까이 온 총각들이 킬킬대면서 엮었다.

"어이, 이거 재미나는데 가자구 보채나. 우리두 이 동네서 과부 하나 요절내구 가자꾸나."

"나두 늙은 것만 없었드면 그 처녀하구 정분이 날 뻔하였다."

그들이 시시덕거리는 것을 보고 산지니가 오금을 박았다.

"여기 사람들이 보통 상사람들인 줄 알았니. 한판관네 일속들이다. 잡히면 멍석말이에 난장으로 맞아죽는다."

다른 총각은 입을 다물어버렸지만 방 안에서 작대기로 두들겨대던 총각은 더욱 신명이 넘쳐서 떠들었다.

"진작 가르쳐주지 그랬어. 그런 줄 알았드면 모두 바지를 벗기구 물볼기를 때려주고 오는 건데. 자넨 소문두 못 들었어. 미구에 양반은 상사람이 되고, 상사람은 양반이 된다더라."

산지니는 동무의 말을 귓전으로 흘리며 길을 빠져 산굽이로 들어섰다. 지금쯤은 반골에서 큰 소동이 일어나 있을 것이었다. 이 길로 널다리로 돌아갈 수는 없게 되었던 것이다. 그는 널다리 부근까지 아무 말 없이 가다가 숯내에 이르자 먼저 다리쉬임이라도 하려는 듯이 주저앉았다. 그는 석씨에게 조용히 말하였다.

"누님, 내가 할 말이 있수."

산지니는 먼저 석씨의 손을 잡았다.

"놀라지 마우. 내가 사람을…… 죽이구 말았어."

석씨가 잡힌 손을 흔들었다.

"죽이다니…… 네가 언제 그랬어."

"아까 늙은이가 잡으려고 하길래 낫으로 가슴팍을 찔러버렸어요."

석씨는 그 말이 떨어지자 산지니의 어깨를 부여잡았다.

"그래 이 일을 어쩐단 말이냐. 차라리 내가 혀를 깨물고 자진해버렸더면 네가 이런 짓을 저지르지도 않았을걸."

"아니에요, 잘되었어요. 이제는 누님을 모시고 집으로 갈 수는 없습니다. 곧 사람들이 널다리로 쫓아올 거예요."

"집을 떠나면 어디로 가겠단 말이냐?"

"일단 송파로 가서 숨어 있다가 경강을 떠나겠습니다. 사공들이나 난전꾼들하고 의논하면 좋은 곳을 알려주겠지요. 누님은 오늘밤 집으로 가지 마십시오. 내일 날이 밝자마자 관아로 찾아가 형방을 만나셔요. 돈 스무 냥만 주면 송사도 맡아줄 게고 관문도 유리하게 써줄 거예요. 저는 사람을 죽였으니 잡히면 곧 죽게 되겠지요."

산지니는 석씨가 먼저 관가로 가서 수절하는 과부의 설움을 하소하고 억울하게 침탈당했던 일과 서사촌동생이 격분하여 살인하게 된 일을 밝히면 주위의 소문을 동정적으로 끌어모을 수가 있으리라 믿었다. 산지니가 없어지면 누님은 오히려 비슷한 신분의 사람들에게서 보호를 받게 될 듯했다. 석씨는 산지니의 어깨에 이마를 얹고 하염없이 느껴 울었다. 산지니는 이제까지 뭉쳤던 정한이 스르르 녹아서 저도 모르게 긴 한숨을 내쉬었다.

"이제는 너를 못 만나겠구나……"

"누님……"

산지니는 망설였다.

"나루터에서 어머니에게 쫓겨났을 때 큰아버지 몰래 밥을 갖다주시곤 하였지요. 누님이 시집가실 때 저는…… 숯내 건너편으로 줄곧 따라왔었어요."

석씨가 산지니의 어깨를 꽉 잡았다.

"나도 보았단다."

"누님도 보셨어요?"

산지니는 목이 터질 것 같아서 침을 삼켰다. 그들은 그 이상을 말하지 않았다. 동행한 총각들도 심상치 않은 기미를 눈치채고 곁에 묵묵히 서 있었다.

"자네들께는 이번 일이 누가 되었네. 이 길로 동네에 가면 다른 이들께 절대로 발설하지 말고 조용히 들어가서 자는 게 좋을 거야. 내일 아침 포졸들이 나와서 조사할지도 모르지만 시치미를 떼구 있어. 누가 갔었는지 모를 테니까. 나중에 내가 잡히게 되더라도 자네들은 곤장 한 대 맞지 않도록 할 테야."

석씨는 산지니의 손을 잡고 놓지를 않았다.

"누님, 너무 염려 마세요. 제가 살 만한 동네로 가게 되면 사람을 보내겠습니다."

"차라리…… 나도 아이들 데리고 따라나서겠다."

"땅이 있는데 항산(恒産)을 버려두고 어디로 가시겠어요. 저도 어딘가 찾아가서 장가도 들고 아기도 얻어야지요."

"가장이 없는 집을 어이 지킨단 말이냐."

산지니는 누님의 잡은 손을 거칠게 뿌리쳤다.

"제가 가장이라니 될 법이나 합니까. 여보게들, 우리 누님 좀 잘 보살펴드리게."

산지니는 얼른 돌아서서 숯내를 따라 북쪽을 바라보고 뛰었다. 숨이 턱에 닿을 때까지 뛰고 나서 뒤를 돌아다보니, 이미 사방이 캄캄하여 석씨의 모습은 어둠속에 잦아들고 말았다. 삼전나루로 가면 널다리서 가깝고 동네 사람들도 만날 듯하여 봉수대를 돌아 송파나루로 빠졌다. 날이 새기 전에 거여 객점거리로 들어가야 하였다. 여름밤이 짧아서 송파나루가 내려다보이는 야산의 중턱에 오르니 이미 푸르스름하게 하늘이 터지고 있었다. 산지니는 거여 객점의 사공들이 묵는 봉노나 난전꾼들이 모이는 화초방을 찾아가 도움을 청할 작정이었다. 그들은 서로 관에 대하여는 구린 구석이 많아서 되도록이면 상대방이 무엇을 하는지 애써 알려 하지도 않았고, 쫓기고 있다는 것을 알면 자신에게 해가 미치지 않는 한 적당히 도우려 들었다. 산지니는 화초방을 찾기로 하였으니, 사공들보다는 난전꾼들이 더욱 약점이 많았기 때문이다. 그는 거여 객점거리의 복판에 있는 화초방을 찾아갔다. 바야흐로 아침 술국을 끓이는 구수한 냄새가 마당에 맴돌았고, 화초방 삼촌은 푸석푸석한 얼굴로 그날 나갈 약주를 거르는 중이었다.

"아저씨, 안녕하우?"

그는 눈을 둥그렇게 떴다. 그는 집에다 투전 벌이는 화초방을 두엇 차려놓고 자릿돈도 받고 뒷시중도 들어서 먹고살았다. 누구든지 이 초로의 사내에게 삼촌이나 아저씨라고 불렀으며 한결같이 반말을 주고받는 처지였다. 화초방 삼촌은 가끔 돈을 잃고 난동을 부리는 시골 무뢰배나 장꾼들을 눌러놓으려고, 장거리에서 주먹다짐깨나 한다는 악소패들에게 공술도 내고 돈도 나누어주곤 하였다. 비록 출입이 뜸해졌다고는 하여도 산지니를 모르는 악소패는 거여 객점거리에 발을 붙이지 못함을 아는 그는 언제나 친절히 대하였다.

"떠꺼머리가 어디서 삼패 외입이라두 하구 오는가. 아예 화초방엔 들어갈 생각을 말어. 부정 탄다구 소금을 덮어씌울 게야."

"막장일 텐데 개평이나 볼까 하구 오던 참인걸."

"이거 또 살인나겠구먼. 시방 까마귀가 전대를 몽땅 털리구 내게서 어음까지 빌려 쓰고 눈에 불이 났는데. 자네가 개평을 뜯으면 응하긴 하겠지만 공연히 다른 아이들을 달달 볶을 텐데."

산지니는 자기도 술광의 문턱에 쭈그려앉으면서 한 바가지 떴다.

"커, 시원하다."

"웬일이여?"

"기러기 좀 잡아야겠어."

"기러기……?"

삼촌은 산지니를 찬찬히 살펴보았다.

"요새는 장거리에두 발길을 끊었다던데 무슨 잘못이 있다구 달아나?"

산지니는 그냥 뱉어버렸다.

"물고장을 썼지."

삼촌은 그제야 일하던 손을 멈추고 광문을 닫았다.

"누군데?"

"한판관."

"몽촌 산다는 늙은 대인 말인가?"

"낫으루 뚫어버렸어."

삼촌이 혀를 끌끌 찼다.

"저런…… 너무 비싸구먼. 가만있어, 이럴 게 아니라 뒷방으루 들어가지."

하면서 그는 산지니를 돌아다보았다.

"며칠이나 있게?"

"하루가 급하지."

삼촌이 고개를 끄덕였다.

"어디 은신할 데를 찾아보자구."

산지니는 화초방 삼촌의 뒤를 따라 그 집 뒷방으로 들어갔다. 그가 방 안에 들어가 앉으니 삼촌은 방문을 닫아주며 당부하였다.

"절대루 밖에 나오지 말어. 다른 이들 눈에 띄면 위험하니까."

"우선 시장해 못 견디겠으니 뭐든지 먹을 것을 좀 주어."

"아따, 이런 흉년에 맨손으로 찾아와 음식을 찾네……"

"송파 화초방에 술밥 떨어지는 날두 있던가."

산지니의 이죽이는 말은 맞는 얘기였다. 송파에서나 삼개 동막에서나 화초방이란 난전꾼들의 소굴이고 보면, 언제나 물자가 풍부하여 성내의 권세가에서 구하지 못할 진물이 흔하게 마련이었다. 이런 흉년에도 하다못해 닭다리에 소주 한잔쯤은 있을 법하였다. 한참이나 기다리는 중에 밤새 잠을 못 잔 산지니는 절로 눈이 감겨져 팔을 베고 모로 쓰러져 잠이 들었다. 방문이 열리는 기척이 있어 눈을 게슴츠레 뜨는데 두 사내가 밖에 보였다. 산지니는 얼결에 벌떡 일어나 벽에 기대어 앉았다. 밖에서 껄껄 웃는 소리가 들려왔다.

"족제비 난장 맞구 홍문재 넘어가듯 왜 그렇게 펄떡거리나?"

산지니가 올려다보니 다래목의 깍정이패 꼭지인 까마귀가 빙글거리고 있었다.

"누가 보겠다. 어서 들어가 앉어."

삼촌이 그의 등을 밀어 방에 앉히고 문을 닫았다.

"죄진 놈 옆에 오면 방귀도 못 뀐다더니, 이거 복철에 문 닫아걸구 한증을 하겠는걸."

산지니는 까마귀의 입담에 별 대꾸를 하지 않았다. 까마귀가 저고리를 헤치고 옷깃을 잡아 부채처럼 활활 부쳐대면서 물었다.

"물고장 냈다지?"

산지니가 고개를 끄덕였다.

"몇이나 냈어?"

"늙은이 하나여."

"제길 난 또 행역질하는 타관 것이나 몇 명 비틀어버린 줄 알았더니, 고작 저승패 하나를 치우구 그렇게 코가 쑥 빠졌구나. 잘되었다. 우리 다래목에 가서 내 밑에 상번수나 하지."

산지니는 잠자코 앉았는데 삼촌이 토를 달았다.

"저승패라구 다 송장인 줄 아나. 바로 몽촌 한대인이란 말여."

까마귀가 고개를 끄덕였다.

"자네 검계(劍契)라는 당이 있다는 걸 들었나?"

"그게 뭔데……"

"지금 한양성 밖 백여 리에 홍동계(鬨動契)다 검계다 하는 당이 퍼져 있는 줄을 모르는 모양이군."

화초방 삼촌이 까마귀를 돌아보며 혀를 찼다.

"경칠 소리를 하는구나. 나라가 뒤집어진다구 날뛰는 녀석들이나 그러는 게야. 나는 상관없는 일이니 자네들끼리 이야기하지."

삼촌이 일어나려고 하자 까마귀가 그를 주저앉혔다.

"이거 왜 이래, 지난번에는 솔부리에 같이 가놓구선……"

삼촌이 하는 수 없이 도로 눌러앉았고 까마귀는 말을 이었다.

"명년에 나라의 주인이 바뀔 것이라네. 그래서 우리 같은 상것들이 서로 모여서 준비를 하구 있는데 자네두 들겠다면 솔부리에 데려다 주지."

날이 밝자마자 석씨는 아이들을 동네 사람들에게 맡기고 광주목으로 찾아갔다. 석씨는 집에서 짜던 피륙과 돈을 스무 냥쯤 준비하였고, 발고가 들어오기 전에 형리를 만나려는 것이었다. 아직 이른 아침이라 길청은 문을 닫았고 관노가 나와서 길청 뜨락을 쓸고 있었다.

"원서(顧書)를 내려 하는데 형방의 댁이 어딘가 가르쳐주오."

관노는 아직 졸음이 덜 깼는지 푸석푸석한 눈두덩을 열고 석씨의 아래위를 훑어보았다.

"아직 삼현육각도 없거늘 때아니게 무슨 원서란 말이우?"

"나중에 문책받지 말구 어서 알려주오. 살변이오."

석씨의 살변이란 말에 그는 화들짝 놀랐다.

"그런 변이면 길청에 오지 말구 대번에 삼문 앞으로 가서 발고하시우."

"사또께 직소할 것이나, 아녀자로서 글을 아지 못하여 개청 전에 형방을 만나 원서를 써서 내려는 거예요."

석씨의 말이 그럴듯하다 여겼는지 그가 이리저리하며 형방 집을 상세히 가르쳐주었다. 석씨는 한달음에 내달아 성내에 있는 형방의 집을 찾아갔다. 마침 그는 방금 일어나 마당에서 양치질을 하던 참이었다. 석씨가 하인을 부를 것도 없이 그대로 열린 문으로 들어가 허리를 굽히니, 형방이 제 깐에는 중인이라 내외가 있어 등거리 바람에 여자를 대하기가 난처하여 황급히 물을 배고는 옆으로 비켜섰다.

"웬 여자가 내외도 없이 이러는지……"

"식전부터 비례가 이만저만이 아니올시다마는 긴히 드릴 말씀이 있다고 여쭙니다."

"얘, 개암아……"

형방이 여종을 부르려는 것을 석씨가 만류하였다.

"사랑에 들어가 긴히 아뢸 말씀이 있사온데 구태여 내외를 가르다 보면 늦어지고 맙니다. 살변이 있어서……"

하니까, 형방은 머뭇거리다가 앞장을 섰다.

"들어오시오."

등거리 위에 저고리를 입고서 형방이 말하였다. 석씨가 들어가 한편 눈물짓고 또한 비분한 어조로 혼자 살아온 얘기며 서사촌동생 산지니의 얘기를 하고 나서, 전 판관 한노인의 가속에게서 피침당하였던 전말을 상세히 늘어놓았다. 처음에는 지루하였는지 하품을 하며 코나 어루만지던 형방이 얘기가 한판관에 이르고 그들이 사람을 보내어 보쌈하던 대목에 가서부터는 무릎을 조이며 상반신을 숙이고 연방 허허, 그래서 하는 것이었다.

"아무리 관가에서 보쌈을 묵인한다 하지마는 세상에 그럴 수가 있는가?"

원래가 아전이란 같은 중인이면서도 일반 백성들에게는 천시를 받는 업이었다. 그들은 뇌물에 약하고 권력에 아부하였으나, 한편으로는 양반과 권세가에 대해 깊은 증오를 감추고 있기도 하였다. 아전이 앙심을 품으면 고을 원의 감투가 흔들거린다는 말은 그들의 보복이 교묘하기 때문이다. 어쨌든 형방은 전 판관 한가의 말이 나오자 눈을 빛냈으니, 바로 제 아비 적의 상관이어서 치죄도 받고 다스림을 받아 식구들이 얼마나 두려워하던가를 뼛속 깊이 새기고 있던 탓이다.

"그래서 제 동생 산지니가 저를 구하려다가 부지중에 한노인을 죽이고 말았어요."

석씨의 하소 끝마디에 형방은 자못 실망하는 눈치였다.

"보쌈된 즉시로 관가로 와서 직소하였더면 그 늙은이 망신은 물론이려니와, 우리 서리들도 가만두지 않았을 터인데 잘못되었소."

"관가에서도 큰 죄를 주지 않을 것이고 저희들만 망신하지 않겠습니까."

형방은 고개를 저었다.

"그렇지를 않소. 처지가 같으면 몰라도 한쪽은 전에 관인이었던 사람이고 이쪽은 약한 백성인데, 일단 동네에서 여럿이 연서하여 소를 올리면 한가를 치죄하지 않을 수가 없소이다. 물론 매는 다른 자가 맞겠지만 그런 망신이 또 어디에 있겠소."

"이제는 살변의 죄를 면할 도리가 없을까요?"

"나를 찾아오길 잘했소. 물론 동생의 살인죄는 모면할 수 없소. 잡히면 목숨값을 치러야지요. 그렇지만 나라에서는 수절하기 위해 스스로 기개를 가지고 범간하려는 자를 해치는 일은 의기로 여겨 죄를 주지 않습니다. 이번 일은 서로가 불리하고 서로의 잘못이 있으니, 우선 원서를 내고는 집에 돌아가 저쪽에서 발고받은 포교가 잡으러 갈 때까지 기다리시오. 나는 그전에 목사의 제사(題辭) 판결을 받는다는 빌미로 원서를 읽게 해두겠소. 이미 마음이 움직인 쪽을 편드는 것이 사람 상정이 아니겠소. 그리고 한편으로는 인근에 소문을 내어 댁네가 옳음을 진정하도록 해야 되오. 촌로들 여남은 명이 함께 진정한다면 비록 동생의 죄는 남지만 한가는 광주서 얼굴을 들고 나다니지 못하게 될 거요."

석씨는 형방의 의중이 판관네 일속을 망신 주려 함에 있는 줄도 모르고 산지니의 죄는 모면하지 못한다는 얘기에 안타까워 부르짖었다.

"저는 비록 죄를 받게 되어도 좋으니 동생을 살릴 길이 없을까요?"

"글쎄, 상대방이 죽지만 않았다면야 무슨 방법이 있겠지만······ 정상을 본다 하여도 장형을 면치 못할 것이니 그런 모진 매에 살아날 수는 없을 게요. 이 고장을 떠나 살게 하면 되지 않소. 여하튼 홍살문은 세우지 못한다 하더라도 댁네가 동정받을 길은 얼마든지 있으니 염려 마시오. 그럼 함께 의논하여 원서를 써보십시다."

하고는 형방이 지필묵을 꺼내들고 머뭇거리니 영리한 석씨는 가져왔던 보퉁이를 풀어 보였다. 돈과 피륙을 본 형방이 거리낌 없이 그것을 끌어당겨 문갑 안에 넣었다.

"진정이 오르려면 비용이 좀 들 게요. 이쯤이면 충분할 듯하오."

석씨와 형방이 일의 자초지종을 의논하면서 원서를 적어나갔다.

원정(願情)하올 일은 몽촌 전 판관 한이서가 그 호부함을 믿어 홀홀단신으로 향곡에 유락하여 근검하게 살아가는 이 몸 석분이를 범간하려다가, 이 몸의 서사촌동생인 석산진에게 피살된 일에 대해 아뢸까 합니다. 이 몸의 선벌은 삼대 전에 충익위의 신분으로 유학도 있더니 가산과 문벌이 구몰하야 광주로 와서 고임자생(雇賃資生) 채초자생(採樵資生)으로 겨우 일가를 이뤄 양심으로 가산을 지키며 근근이 살아오던 중, 이 몸의 하늘 같은 가장이 병을 얻어 가신 뒤로 두 아이와 서사촌동생과 살아오고 있습니다. 지난봄에 전 판관 한씨 댁에서 매파를 보내어 통혼하여왔으나, 강상의 도리가 충신 불사이군이요, 열녀 불경이부라 하였으니 거절하였습니다. 그때에도 이 몸의 동생은 크게 놀라고 분하여 동행하였던 한가의 가속을 때려 쫓은 적이 있습니다. 그뒤 아무런 기미가 없더니 나흘 전에 한판관가에서

강상무뢰배를 시켜, 산지니가 홍인문 밖으로 출타한 틈을 타서 이 몸을 강제로 보에 씌워 반골에 사는 판관의 유모가에 끌고 갔습니다. 이미 범간할 계책이 서 있는지라 아녀자의 정절은 목숨보다 소중한 것이어서 스스로 죽는 길밖에 없었으나, 또한 이 몸에게는 두 자식이 달려 있어 차마 목숨은 끊지 못하고 모면할 방도를 찾게 되었습니다.

이 몸의 서사촌 석산진이 저를 구하고자 달려왔다가 때마침 겁간하려는 한이서를 보고는 분심을 누르지 못해 낫으로 가슴을 찌르게 된 것입니다. 이미 수절한 여염 과부의 내정을 짓밟았으니 저들의 패륜무도한 행위는 두말할 필요가 없지마는, 그 위에 혼인을 구실로 하여 자식 있는 어미의 정을 끊으려 하며 음욕을 채우고자 핍박하니, 예의와 풍속이 엄연한데 상민의 위에 서는 양반으로서 차마 하지 못할 악행이로소이다. 고을의 규모를 세우고 법령을 밝히며 예의를 숭상하고 염치를 장려하면 퇴폐한 풍속과 기강이 바로 설 것인즉, 시속에 이르는 보쌈이라는 행태는 요순 이래로 부모 없는 어린 것들과 지아비 없는 계집을 긍휼히 여겨 보살펴주는 아름다운 풍교를 더럽히고, 오히려 겁간을 용납 선양시키는 짓이 아니고 무엇이오니까. 사람을 죽이면 목숨으로 갚는다지만 이 몸의 동생 산진이 한이서를 살해한 것은 분심에서 나온 충동이며 양민의 수절과부를 겁간하려던 한가에 먼저 죄가 있으니, 그들 부자를 주종범으로 하여 죄를 주어 이 포한을 풀어주옵소서. 이 몸의 서사촌동생 석산진은 그날 이후로 도주 중이지만 사죄만은 모면케 하고 자수를 시켜서 다시 양민으로 살아갈 수 있도록 해주십시오.

대전(大典)을 훤히 알고 있는 형리가 낱낱이 법을 밝혀 원서를 썼다. 아마도 등청하면 한씨가에서 벌써 살변의 발고가 들어왔을 것이다. 형방이 아침을 먹는 동안 석씨는 안방에 가서 그들 가족에게 끼여 밥을 먹고 나서 형방과 더불어 관가로 나아갔다. 그러고는 형방의 지시에 따라 삼문 밖에서 기다렸다.

그날 사또의 판결이 떨어지는데 이미 죽은 자의 죄는 물을 수 없고, 아무리 보쌈에 항거하였다지만 역시 사람을 죽였으니 석산진은 죄를 면할 수가 없다. 따라서 살변 도주한 죄인의 예에 의거하여 숨겨준 자는 장닉죄에 연루되며 죽거나 살거나 그를 잡는 자는 논상하리라 하였다.

또한 스스로 수절하려던 과부 석씨나 그 아비를 위하여 저지른 한씨네 장남의 행위는, 양인이 모두 본래 뜻이 풍교에 어긋나지 않는 일이라 저들의 죄에 연좌시킬 수는 없다고 하였다. 다만 석씨가 석산진의 장처를 발고하지 않거나, 젊은 한씨가 그 아비에 대한 복수로 석씨에게 어떤 침탈을 하면 모두 중죄로 다스린다는 판결이었다.

각 진과 역과 나루에는 산지니의 범행 사실과 용모파기가 회람되었으며 기찰포교들이 경강 일대로 풀려나갔다. 석씨가 저녁때가 되어서야 널다리로 돌아오니 인근에 벌써 소문이 자자하여 그네들을 동정하고 한판관 댁을 비난하였다. 판관의 일속들은 우선 석씨를 벌주지 못함을 한탄하더니 기찰포교들을 따로이 불러 사비를 들여 수색하였고, 민정들에게는 현상금을 걸어 발고를 재촉하도록 하였다.

산지니는 화초방 호의로 그날 하루만은 뒷방에서 문을 꼭 닫고 숨어 있었다. 어두워지면 까마귀와 함께 다래목으로 가기로 약속이 되어 있었다. 벌써 산지니의 수배가 역과 나루터마다 내려진 뒤라, 송파에 나와 있는 별장과 포졸들은 들고 나는 행객들을 살피고 호패를 조사했다. 기찰포교들은 적경이 있을 적마다 객주 여각과 봉노와 화초방을 뒤지게 마련이었다. 갓 쓰고 도포 입은 자와 긴 저고리에 띠를 매고 패랭이를 쓴 두 사람이 송파 화초방에 들어섰다. 삼촌은 첫눈에 그들이 누구인가를 알아차렸다.

"여보, 방 하나 내주오."

그러나 삼촌은 툇마루에 앉아 곰방대를 빨면서 시큰둥하니 대구하였다.

"여긴 주막이나 객줏집이 아니우."

도포 입은 자가 패랭이 쓴 자에게 슬며시 눈짓을 하자 그가 어슬렁거리며 집 뒤로 돌아갔다. 삼촌은 애가 달았으나 그것을 얼굴에 나타내지는 않고서 중노미의 이름을 불렀다.

"이손이, 어디 갔나?"

뒤꼍에서 장작을 패던 중노미가 구슬땀을 흘리며 돌아왔다.

"왜 그러우?"

삼촌은 곁에 서 있는 낯선 사내는 거들떠보지도 않고 말하였다.

"얘, 어서 나가서 별장께 알려서 몇사람 나와보라구 해라."

중노미의 표정이 병벙해졌다. 삼촌은 곰방대를 마루 끝에 요란하게 털면서 다시 말하였다.

"영업하는 집이 아니란데두, 나가지 않구서 빙빙 돌며 살피니…… 어찌 요즘 세상에 마음을 놓겠느냐?"

그러자 뒤꼍으로 돌아나가던 패랭이가 돌아왔고, 그들은 서로 마주 보며 어이없다는 듯이 껄껄 웃었다. 도포가 말하였다.

"다 알구 왔는데 이러긴가?"

삼촌이 발끈하였다.

"뭘 안단 말이우? 댁네가 어떤 시러베아들놈인지, 명화적인지 어찌 알겠소. 공연히 여염집에 와서 행패부리지 마우."

"허허, 이 자가 언제 뒤꿈치 물리려구 이렇게 잡아떼는가."

도포가 혀를 차더니 허리춤에서 통부를 꺼내어 슬쩍 비쳤다. 삼촌은 미리 짐작하고 있었으므로 보는 둥 마는 둥이었다.

"그래, 포교면 다요?"

패랭이가 뒷짐을 지고 마당 가운데를 어슬렁대면서 말하였다.

"이 집이 뭐 송파서 가장 큰 화초방이라면서?"

포교가 말을 이었다.

"기찰해볼 일이 있어 왔으니 앞장을 서게."

삼촌은 끄떡도 하지 않았다.

"기찰이구 찰떡이구 간에 이 집은 여염집이오. 지은 죄두 없으니 댁네 맘대루들 허우."

그는 뻗대었으나 한편으로는 가슴이 조마조마하였다. 낯선 것들이니 목내에서 일하는 자들이 분명하였고, 삼촌은 설령 송파 것들이 나온다 할지라도 두려울 게 없었다. 그들도 매 보름마다 찾아와 인정전을 거두어갔기 때문이다. 패랭이가 삼촌을 젖히고 툇마루로 오르며 중얼거렸다.

"투자(投子)나 지패(紙牌)나, 하여튼지 골패(骨牌) 한 조각이라두 나오기만 했단 봐라. 당장 모양을 내어 끌구 갈 테니깐."

삼촌은 얼굴이 상기되어 벌떡 일어났다.

"어어…… 남의 집에 마구…… 어디 두고 봅시다. 이런 행패를 부리고도 관문을 드나드는가."

기찰포교들은 날카로운 눈을 굴리며 화초방 여러 곳을 뒤졌다. 삼촌은 될 대로 되라는 심정이 되어서 그냥 툇마루에 우두커니 앉아 있었다. 포교들이 바깥채를 다 뒤지고는 뒷마당으로 돌아가는데 그곳은 정말 살림집이라, 삼촌이 아무리 산지니를 숨겨놓고 뒤가 구리다지만 분이 안 날 도리가 없었다.

"여보, 이제는 아주 내정 돌입까지 하겠단 말이우?"

"그러니까 자네더러 앞장서라구 하지 않았는가."

"만약에 이 집에서 댁네가 바라는 것을 아무것도 얻어내지 못하면 그때엔 어쩌려구 이러시우?"

삼촌은 되도록 시간을 끌어 뒷방에 숨은 산지니가 달아나도록 하자는 생각이었다. 척하면 삼척이니 갯가에서 굴러먹은 산지니가 요령껏 알아서 하리라고 믿는 때문이었다.

"이거 보슈, 술을 한잔 들겠다면 마다하지 않을 수도 있고, 용전이 필요하면 내줄 수도 있소. 내가 이래뵈도 송파 살림이 대물림이오. 괜히 이러지들 말구 안면 좀 익히구 사십시다."

뭔가 구리긴 구리구나, 느낀 포교는 삼촌의 가슴을 탁 밀어냈다.

"이거 왜 이러시나. 우리가 바지저고리인 줄 아는가. 하여튼 털어봐서 서캐 한 마리라두 나오면 사돈댁이 봉변이야. 어서 뒤져라!"

패랭이가 거침없이 안방문을 열어젖히니 가족들이 놀라서 비명을 지르는 소리가 들렸다. 이윽고 뒷방 차례가 되었다. 문을 벌컥 열어본 패랭이가 떠들었다.

"허, 이것 봐라."

그가 들고 나온 것은 아투전(雅鬪賤) 짝들이었다.

"흥, 이래두 여기가 화초방이 아니란 말인가?"

그러나 삼촌은 누그러지지 않았다.

"여염집에 지패나 골패 없는 집이 거여 객점거리서 어디 있나 찾아보슈. 댁네들은 동무끼리 한 번두 놀지 않았단 말이우?"

딴은 그럴듯한 말이었다. 포교들도 집뒤짐을 하고 나서 좀 미안했고 이런 때에는 삼촌도 슬슬 눙치게 마련이라,

"좋게 술 한잔 먹자 하면 나두 옹색한 놈은 아니라 그런 말이우."

해버렸고, 포교들도 객점거리 화초방이라면 이곳에 나와 있는 포교들과도 따로이 거래가 있겠거니 싶어서 더이상 따지려 들지 않았다.

"좌우간 우린 성내에서 나왔으니 서루 얼굴이나 익히자는 게 아닌가."

이런 수작들이 오고 가면서 그들은 바깥채로 나갔고, 툇마루에는 어느틈에 조촐한 술상이 차려져 있었다. 그러나 인사조로 한잔씩 들이켰을 뿐 곧 이런 자리는 서로가 겸연쩍은 자리라, 다음날에 와서 사귀기로 하면서 포교들이 물러갔다. 삼촌은 한숨 돌리고 나서 뒷방 쪽으로 다가왔다.

"이 사람 어디루 갔나……"

툇마루가 통통 울렸다. 마루 밑에서 손가락으로 퉁기는 소리였다. 허리를 굽히고 들여다보니 안쪽 끝에 산지니가 바싹 쭈그리고 엎드려 있었다.

"어서 나와. 나는 그동안 불알이 녹는 줄 알았다."

"화초방 삼촌이 다르긴 달러. 그나저나 한번 들렀으니 오늘은 오지 않겠지."

"이 사람아, 잠깐 들으니 시방 광주 일대에 기찰포교들이 하얗게 깔려 있는 모양일세."

저녁이 되어서 다래목의 깍정이패 꼭지인 까마귀가 상번수 두 사람을 데리고 화초방에 나타났다.

"어이, 아무래도 안 되겠는걸. 우리 동네에 벌써 두 차례나 다녀갔다네. 오늘밤에 아예 강을 건너야겠어. 헌데 포교들 하는 말이 자네가 아직 광주에 있을 거라는 얘기여. 돈 백 냥이 걸려 있다더군."

삼촌이 농을 던졌다.

"예미랄 거, 그런 줄 알았으면 아까 슬며시 일러주고 백 냥을 버는 건데."

"우리 누님이 어찌되었다던가?"

"그건 잘 모르겠는데. 어쨌든 솔부리까지는 못 가더라도 일단 노적사(露積寺)로 가야겠네. 통기는 해두었으니 그쪽에서도 기다릴 걸세."

그들은 밤이 깊어지기를 기다렸다. 까마귀가 기우는 달을 올려다보며 중얼거렸다.

"올 때가 다 되었는데, 이년이 뭘 하구 있는 게야."

"누굴 기다리나."

"우리 여편네를 기다리네."

삼촌이 혀를 끌끌 찼다.

"잘하는구나. 살림 차린 지 달포두 못 되어 이런 일에나 끌어들이다니."

"그럼 깍정이 꼭지 여편네가 무슨 안방마님인 줄 알았담."

까마귀는 거의 객점거리에 창기를 서넛 거느리고 있었다. 물론 머리얹어준 인연밖에는 없지만 이들 모두를 마누라라고 불렀고, 그쪽에서도 까마귀에게 싫은 내색이나 덤덤한 기미를 보였다가는 손님 받는 일은 끝장이었다. 달이 까무룩하게 지고 나서 얼굴이 해끔한 어린 창기가 화초방으로 찾아왔다. 까마귀는 대뜸 욕설부터 나왔다.

"이년아, 한시가 급한데 왜 이제 오는 거야?"

"아이 참, 저 성미 좀 보게. 나두 먹구살려면 끝손님 보내구 술상 치우구 와야 되잖아요."

"가져왔어?"

"이거 구하느라 아주 혼났네."

창기는 보퉁이를 옆에 끼고 있었다. 까마귀가 보퉁이를 끄르자 그

안에서 먹물 들인 장삼과 염주와 송낙이며 단주에 목탁까지 일습이 쏟아져나왔다. 까마귀가 그것들을 걸치고 뒤집어쓰고 하는 동안 여자는 노랑 저고리 다홍 치마를 흰 소복으로 갈아입었다.

"어디…… 어디 보자. 저런, 머리에 달린 댕기를 풀어야지."

"에구, 내 정신 좀 보아."

여자가 얹은머리에서 나풀거리는 금박댕기를 풀어버렸다. 삼촌과 산지니는 이게 다 무슨 소란한 광대놀음인지 알아차릴 수가 없었다.

"이게 다 무슨 짓인가?"

산지니가 얼떨떨하여 물으니 까마귀는 싱글거리면서 받았다.

"동무 잘 두어 자네 호강하네. 자네는 염라 태수 앞으루 가줘야겠어."

뒷전에 있던 그의 상번수들이 킬킬 웃었다.

"염라 태수라니……"

"송장이 되어야겠단 말이야."

하고 까마귀가 돌아보니 둘이 달려들어 그에게 무명을 씌우고 밧줄로 발끝에서부터 머리까지 친친 동여매는 것이었다.

"이…… 이게 무슨 짓인가?"

"오늘밤 장사를 지내러 가는 게야. 송장을 잡으려구 그러진 않을 테니까."

산지니는 알아듣긴 하였으나 불안하여 연신 꿈틀거렸다. 까마귀가 걷어차면서 일렀다.

"밖에 나가면 방귀 새지 않게 힘주고 있어야 하네."

송장치레를 끝마치고 나서 상번수들은 산지니를 허술한 송판으로 만든 관 안에다 뉘었다. 산지니가 덥고 답답하여 머리를 움찔거리며 우물우물 입안엣소리로 웅얼거렸다.

"이 송장 좀 보게. 자칫하면 포졸들이 도깨비 잡으라는 방을 놓겠네. 꼼짝 말라니까."

상번수들은 다시 관 위에다 송판 두 장을 얹고서 귀퉁이에만 못을 쳤다. 그러고는 둘이 어깨에 둘러메고 마당으로 나섰다. 화초방 삼촌이 따라나오며 관 뚜껑을 토닥였다.

"잘 가, 이 사람아. 가서 자리 잡으면 송파루 기별두 해주어."

"허, 북망에 가는 놈 보구, 재작년 그르께 돼어진 둘쨋놈 돌잔치에 술 먹으러 오라는 격이로군."

송낙에 가사 장삼을 입은 까마귀가 앞장을 서면서 농을 쳤다.

"배는 준비해두었나?"

"수장을 지내는가, 배는 찾아서 뭘 해. 아예 들판에서 장작불로 화장을 시켜버릴 텐데, 나무아미타불."

여하튼 이렇게 묘한 장례 행렬은 곧 거여 객점거리로 나왔다. 앞에는 발등거리를 들고 까마귀의 첩이 소복에 머리를 풀고 걷는데, 뒤로는 관을 둘러멘 상번수들이요, 맨 뒤에 송낙을 내려쓴 까마귀가 목탁을 두드리면서 따랐다. 객점거리를 지나 장터를 내려오는데 행인이 끊겨서 한산해진 주막에 앉았던 기찰포교들이 앞을 가로막았다. 그들은 술청에 앉아 장터를 빠져나가는 자가 없나 살피던 중이었다. 하나는 술청에 그대로 앉아 있고 다른 하나가 검정 더그레를 입은 포졸을 데리고 길 복판으로 나섰던 것이다.

"뭐냐……?"

포졸 대신 평복 차림의 기찰포교가 턱을 올리며 물었다. 앞에서 관을 들고 가던 상번수가 어이가 없다는 듯이 혀를 찼다.

"허허, 밥상머리에 앉아 쌀이 무슨 곡식이냐구 물어보슈."

포교가 발칵 화를 냈다.

"곁말 쓰지 말구 그 관이나 내려놓아."

발등거리를 위로 비춰보면서 까마귀의 첩이 좋알거렸다.

"오오, 이제 보니 사근내서 남태령 기찰하던 박포교시구랴. 세상에 인심이 이럴 수 있수. 청에 와서는 날마다 공술이요, 적경이 있으면 실정을 캐달라구 온갖 감언으로 구슬리더니…… 이제 노류장화 청산하고 들어앉아 아이 낳고 남편 섬겨 살렸더니 이렇게 한 삭도 못 채워 관격으로 숨졌으니, 이 괄세받는 설움을 어디 가서 달랠꼬."

과연 송파 거여 객점거리서 물장수로 이력이 났던 창기라 광주 목내의 수십 명 포교들을 뜨르르 꿰던 모양이었다. 포교가 입맛을 다시면서 그래도 켕기는지 청에 앉은 자를 돌아보았다.

"이것 참 난처하군. 적경이 있을 적마다 이렇게 인심 잃다가는, 아예 자리 내놓구 나가서 동냥은커녕 발가벗고 맞아죽게 생겼구먼."

포졸은 땅에 내려놓은 관을 멀거니 내려다보면서 실상 어찌할까를 모르는 양이었다.

"저승길이 바쁘오. 차사가 노하시겠소이다. 나무관세음보살."

뒷전에서 잠시 목탁 두드리기를 멈추었던 까마귀가 염불을 나직하게 엮어내리며 은근히 재촉하였다. 술청에 앉았던 자가 어슬렁대며 나오더니 대뜸 한다는 소리가,

"관 뚜껑을 열어라!"

하는 것이었다.

"인두겁을 썼구먼!"

상번수가 투덜거렸고, 까마귀의 첩은 이내 곡성을 터뜨렸다.

"아이고나, 원통하여 어찌 사나. 천한 년은 남편이 죽어도 장사나마 마음대로 지내지 못하니 이런 법이 어느 세상에 있을까."

낯선 포교는 기가 죽기는커녕 매우 차갑고 침착하게 뇌까렸다.

"지금 목내에 살변이 일어나 그 대죄인을 잡으려고 경이 도처에 풀려 있거늘, 상시에 장사 지내지 못함도 또한 악운이라 어찌하오. 죽은 이도 나라에 죄지은 자를 잡으려는 데 도움을 주는 일이라 공이 없겠소. 어서 잠깐만 열어 보이고 가시우."

까마귀가 첩에게 넌지시 말하였다.

"그러게 내가 뭐라 하였소. 의원을 통하여 관가에 알리자구 하지 않았소. 어서 열어 보입시다."

상번수들이 대강 쳐두었던 못을 뽑고 송판을 떼어내는데 혹시나 산지니가 재채기라도 터뜨릴까 하여 모두들 조마조마하였다. 뚜껑이 젖혀지고 보니 흰 무명에다 밧줄까지 친친 동인 시체의 모습이 분명하였다. 이때 까마귀가 송낙 아래로 두 팔을 가져가 장삼자락으로 코와 입을 가리우며 물러서는 시늉을 해 보였다. 허리를 굽히고 들여다보던 포교들이 불안한 기색이 되어 물어왔다.

"아니, 왜 그러는가?"

"관가에 알리자던 일이 무어야."

까마귀가 뒷걸음질로 물러나서 코와 입을 가린 채로 중얼거렸다.

"역병이오. 관가에 알리자 하였더니 한 달간 금줄을 치라고 하면 생계가 막연하다기에……"

포교들은 본능적으로 코와 입을 가리고 물러났다. 그리고 말은 하지 않고 손으로만 어서 가라고 앞을 가리켰다. 상번수들이 다시 꾸물대며 뚜껑을 덮자 포교들은 멀찍이 떨어져서 외쳤다.

"인가를 피하고 물을 피하도록 하게. 어서 가지 못하구 뭘 하나?"

그들은 가까스로 웃음을 참으면서 송파 장터를 지났다. 장터를 나서면 곧 나루터라, 별장이 몸소 나와서 요소마다 포졸들을 풀어두고 들고 나는 선창의 거룻배 야거리 주낙배까지도 샅샅이 조사하고 있었다. 그들은 광나루와 송파나루 사이의 인적이 드문 곳에다 주낙배를 대어놓았던 것이다. 이제는 여기가 마지막 관문인 셈이었다. 나루터로 내려가면서 까마귀가 주의를 주었다.

"이번에는 아예 여기서부터 울고 가야겠어. 잘해, 눈치채지 않게. 관을 열어 보이라면 군말없이 보이잔 말이야. 설마 염병 걸려 뒈진 놈의 상판대기를 상면해보자는 놈은 없겠지."

그들은 아까와는 달리 곡성을 드높이 목탁소리도 요란하게 나룻가로 내려갔다. 나룻가에는 장대 위에 횃불이 달려서 주위가 벌겋게 밝혀져 있었다. 모든 사공들과 장사치와 포졸들의 시선이 쏟아져왔다. 그들은 전혀 개의하지 않고서 강변을 따라 오르는 소로에 접어드는데, 아니나다를까 별장이 소리를 질렀다.

"게 멈춰라."

그들은 다소곳이 서 있었다. 여자는 푸념도 않고 흐느끼기만 할 뿐이었다. 상변수들이 다가오는 포졸들에게 말하였다.

"과연 이 사람은 염라국 가는 길이 험하군. 벌써 장터에서 기찰을 받구 오는 길이외다."

"이번에 관을 또 열면 송장이 일어설지두 모르겠는걸."

포졸이 되물었다.

"벌써 기찰을 받았소?"

"예, 죽을 죄를 지었소이다. 그만 금줄이 두려워서 관가에 알리질 않았는데 염병이오."

상변수가 말하니 나루터의 포졸들 역시 모두 놀랐다.

"삼남에 염병이 창궐한다더니, 이제 경강에두 큰 변이 났군."

별장은 황급히 손짓하였다.

"어서 물러가라. 그리구 너희들은 따라가서 시신을 어찌하는가 확인하고 오너라."

나루터를 빠져나가는 것은 좋은데 포졸들이 화장을 지켜보기 위해 따라나선다니 더 곤경이 되는 셈이었다. 까마귀가 별장에게로 다가가니 별장은 짜증스런 목소리로 말하였다.

"가까이 오지 말라니까…… 어서 지나가도록 하라."

"원래 염병에 죽은 시체는 들판에 내려다가 바람을 쐬어 악한 기운이 다 날아간 뒤에 화장을 하는 것입니다."

"그런가……"

"방금 포교나으리가 그리하라구 이르고 명일 개청이 되는 대로 혈속들에게 죄를 내린다 하였습니다."

별장은 얼굴을 찌푸리고 고개를 끄덕였다.

"어서…… 어서 가보게."

화장에 입회하여 검시하겠다던 서슬이 도로 쑥 들어가버렸다. 그들은 광나루 쪽으로 한참이나 올라가서 인적이 완전히 끊긴 들판에 나와서야 관을 내려놓았다. 산지니도 거기가 어디쯤이라는 것을 대강 짐작하였는지, 관 안에서 우우 하는 소리를 내면서 무릎을 굽혀 관을 두드렸다.

"가만 좀 있어. 열어줄 테니까."

까마귀가 송낙을 벗고 주위를 두리번거렸다.

"이쯤이 맞을 텐데…… 그 발등거리 좀 주어."

까마귀는 여자에게서 등불을 받아 위로 쳐들고 좌우로 여러 번 흔들었다.

"우리 계원이 나오기루 하였으니 곧 나타나겠지."

아직도 관 속에서 산지니가 꿈틀대며 관에 몸을 부딪는 소리가 들렸다.

"열어줘라."

송판을 떼어내고 나서 상번수들은 묶었던 밧줄을 풀었다. 아래를 채 풀기도 전에 무명을 헤치고 산지니가 머리를 내밀었다. 그는 강바람을 맞으며 몇번이나 길게 숨을 내쉬었다.

"송장 노릇 하다가 정말 죽는 줄 알았다."

"잘 참았네."

"배가 오는 모양이우."

상번수가 까마귀에게 말하였다. 어둠속으로 자세히 살펴보니 주낙배 한 척이 강심으로 저어나오는 중이었다. 배가 닿자마자 까마귀가 갯가로 나갔다.

"빠져나왔네."

"모두들 기다리구 있어."

"달근이 성님은 한양서 돌아왔나?"

"어제 왔지. 양주 사람들도 몇 보이던데."

까마귀가 산지니를 불렀다. 그러고는 첩과 상번수들에게 일렀다.

"여기서 관을 태워버리구 돌아가 있으라구. 너희들은 다래목에서 며칠간 나오지 말구 처박혀 있어."

산지니가 배에 오르자 그들은 강 건너편으로 배를 저어 나갔다. 산지니가 불안하게 물었다.

"어디루 가는 게야?"

"노적사로 가오."

낯선 사내가 말하였다.

광나루 어름에서 배를 띄워 옥산내를 지나서 평구역말에 이르는 데 물길이 완만하고 강폭도 드넓게 휘돌았다. 산지니는 배를 타고 경강이나 양근 가평까지 다녀보기는 하였으나 바로 지척인데도 강 건너에 발길을 대어보기는 이번이 처음이었다. 그들은 마을의 불빛을 짐작하여 조금 아래쪽에 배를 대었다. 강변을 따라서 중량포와 양근을 잇는 길이 뻗어나가 있었다.

"잘되었네. 오늘이 바로 광주 장날 전날 밤이지? 우리가 모이는 날이여."

"뭐…… 검계 말인가?"

까마귀의 말에 산지니가 물었다. 까마귀는 고개를 끄덕였다.

"다음번에는 흥인문 밖이나 왕십리에서 모임이 있고, 경강에는 내달이지. 경강 검계에는 따로이 살주계(殺主契)라는 별대가 있네."

그들은 자갈밭을 건너 묘적산 계곡으로 가는 삼십여 리의 산길로 접어들었다. 들판에는 개똥벌레들이 반짝이며 날아다녔고 서늘한 바람이 불었다.

"내 얘기를 했던가?"

산지니가 불안하여 물으니 까마귀는 껄껄 웃었다.

"전부터 자네를 끌어들이라구 말이 있었네. 헌데 마음 고쳐먹구 밥보가 되어 초군질이나 다니는 자네를 믿을 수가 있어야지. 살변이 나게 되어 내가 산으로 아이를 보냈더니 곧 데리고 오라구 하더구먼."

"누가 우두머리여?"

까마귀는 잠깐 대답이 없었다.

"광주에서는 정원태가 제일이고, 경강에서는 모신이가 제일이고, 양주에서는 이도장이라는 사람이 제일이고, 교하에서는 홍서방이라데. 헌데 실상은 한양 성내의 벼슬아치와 선비들 몇이 우리하구 연락이 있다던데 우리는 거기까지는 잘 모르네."

산지니는 어쩐지 자기가 세상 물정을 모르는 어린아이같이 여겨졌고, 이미 세상의 판국이 이쯤 돌아가고 있다면 자기가 전 판관짜리 하나 죽였단들 두려울 게 없다는 생각이 들었다. 진작부터 일당이 되었더라면 이번 일도 그렇게 서투르게 저지르지는 않았을 것 같았다.

한밤중이나 되어서 그들은 묘적산의 광활한 계곡에 이르렀다. 퇴계원으로 내려가는 계곡의 개천이 있었으나 가뭄으로 한 팔 정도가 될까 말까 한 실개천이 되어 있었다. 물이 지나던 곳마다 잡초가 자라나 바람에 을씨년스럽게 흔들거리고 있었다. 주위는 짙은 송림의 어둠이 둘러싸고 있었다. 송림 사이로 가까이 불빛들이 번져 있는 것이 보였다. 앞서가던 자가 말하였다.

"벌써 회의가 시작된 모양이우."

"이번에 무슨 일이 있다던가?"

"흥인문 밖에서 거사할 일이 있다는 것 같던데."

그들은 송림을 베어넘긴 공터에 이르기 전에 좌우에서 파수 보는 자들에게 둘러싸였다. 까마귀 일행인 것을 알자 그들은 공터로 안내되었다. 낮은 초막들이 세워져 있었고 가운데에는 장작불이 타올라 주위를 밝히고 있었다. 모두들 열기와 불빛으로 번들거리는 상반신을 돌려서 그들이 오는 것을 돌아보았다.

"성님들, 안녕허우?"

까마귀가 인사하니 좌중에서 제각기 아는 체하는 말이 나왔다. 스무 명 남짓한 사내들이 웃통을 벗고 탁배기라도 마시는지, 자리 앞에 대접과 동이가 놓여 있었다. 까마귀가 산지니의 팔을 이끌고 중앙으로 데리고 나아갔다.

"이 사람이 바루 전 판관 한이서를 찍어죽이구 달아나온 널다리 사는 석총각이우."

까마귀가 스물 남짓 되는 사내들에게 인사조로 말하였고, 산지니는 어디라 할 것 없이 막연한 곳에다 대고 장바닥 인사로 머리를 껍죽 흔들었다.

"산지니라구 허우."

"대덕(大德)님께 인사를 드려야지."

좌중에서 누군가 말하자 여기저기서 암 그래야지, 어쩌고 하는 소리들이 들렸다. 까마귀는 산지니의 팔을 끌어 흰옷에 흰 건(巾)을 쓰고 있는 사내 앞으로 데려갔다. 검은 수염이 흰저고리 위로 자못 위엄 있게 드리워져 있었다. 어리둥절해 있는 산지니를 보고 까마귀가 팔을 건드리며 속삭였다.

"어서…… 큰절을 올리게."

그러나 산지니로서는 아무리 사세 부득이하여 남의 굴에 더부살이 들어온 처지라고는 하나, 코빼기도 모르는 자에게 국궁배례한 적은 없었다. 머뭇거리다가 역시 장터에서 무뢰배들 인사 트는 식으로 고개를 까딱하며 내뺐었다.

"객주거리서 산지니라면 대강들 압니다."

건을 쓴 자는 웃는지 찡그리는지 알 수가 없는데, 누군가 킥킥 웃더니 드디어 여럿이 껄껄대는 웃음으로 변하고, 대덕인지 장떡인지 하는 이도 고개를 뒤로 젖힌 것으로 보아 따라 웃는 모양이었다. 까마귀가 대신 허리를 굽히고 말하였다.

"장터에서 싸움질로 뼈가 굵어 버릇이 요 모양입니다."

"기개가 그래야지. 땅바닥에 엎드리라는 것부터 잘못이 아닌가?"

건을 쓴 자가 말하였다. 그는 제 앞의 사발을 들어 산지니에게 내밀었다.

"한잔 들구, 어서 끼여 앉게."

다른 자가 동이에서 술을 한 바가지 떠서 산지니의 잔을 채워주었다. 산지니는 선 채로 단숨에 들이켜고 대덕이란 사람에게 도로 내밀었다.

"잘 먹었수. 이렇게 오갈 데 없는 놈을 받아주어 고맙소."

서슴지 않고 한 바가지 떠서 술이 철철 넘치도록 따르고는, 돌아서서 어디에 끼여앉을까 망설이니 웬 사내가 그의 바짓가랑이를 당기며 말하였다.

"총각, 여기 앉게나."

산지니는 거기가 휑하니 비어 있는 것을 보고 털썩 주저앉았다. 그에게 자리를 내주던 사내가 말하였다.

"사람이 지렁이 갈빗대처럼 물렁해서는 못쓰지. 자네가 까마귀의 동무인가?"

산지니가 돌아보니 사십대의 중년 사내인데 얼굴이 가물치 빛에다 박박 얽은 곰보였다. 제 마음대로 말을 놓는 것도 배알이 꼴리거니와 무엇보다도 까마귀의 동무라는 말이 아니꼬웠다. 사실 까마귀가 송파 다래목의 깍정이패 꼭지이긴 하지만, 나루터에서의 두 번 싸움으로 완전히 짓눌러놓았던 것이다. 장터 난전꾼들과 다래목 깍정이 상번수들이 둥글게 둘러서서 지켜보는 가운데 그를 타누르고 모래에서 강물까지 끌고 가 물을 실컷 먹여준 바 있었다. 그래서 떠꺼머리 산지니는 상투잡이에 첩까지 있는 까마귀와 말을 트고 지내던 것이었다. 실상 대처 여염 동네가 아니라 녹림에서라면 까마귀는 산지니를 성님으로 받들어야 할 처지였다. 곰보는 산지니의 떨떠름한 침묵을 보더니, 제 동무인 듯 퉁방울눈에 텁석부리 사내를 연신 돌아보며 큰 입을 주욱 찢고 히죽거렸다.

"사내자식이 이만해야지. 호기(豪氣)가 오패부장(五牌部長)이로군."

그러나 곁에 있던 퉁방울눈은 마뜩잖다는 표정이었다.

"갯가 망둥이가 용궁 소식을 알까."

엇비슷이 대놓고 산지니를 깔아뭉개더니 이내 반말지거리였다.

"자네 광주 토박이여?"

"건 왜 물어?"

"나는 동작진 사람인데 아마 자네 애비뻘이 될 듯해서……"

산지니는 픽 웃었다. 그러고는 아예 상대를 않으려는 눈치였다.

"어어, 그러다 정말 애들하구 싸움나겠다. 내가 자네 얘기를 까마귀한테서 듣고 만나구 싶었네. 나 안성 달근이여. 내가 자네를 데려오라구 까마귀에게 일렀지."

산지니는 모닥불빛에 붉은 기가 일렁대는 중년 곰보 사내의 얼굴을 찬찬히 훑어보았다. 그러고 보니 그가 가끔 장물 먹이러 드나들던 것이며 화초방에도 끼이던 것이 생각났다. 산지니는 고개를 까딱하였다.

"생각해줘서 고맙수. 헌데 이건 뭐…… 만만찮기가 꼭 사돈댁 안방 같아서 무슨 속내가 있는질 알아야지."

고달근은 얼른 산지니의 어깨에다 손을 얹고 툭툭 두들기며 그와 퉁방울눈을 돌아보며 말하였다.

"염려 놓게. 우리두 거북하기는 매일반이니까. 자네는 애초부터 까마귀가 데려왔으니 우리 식구일세. 오늘 모임이 끝나면 내일루 당장 우리하구 같이 솔부리에 들어가세."

산지니는 기왕에 몸 붙일 데 없는 신세라 한식구라는 말에 풀이 꺾였다. 고달근이 제 동무의 잔을 걷어다가 내밀었는데 그는 다름 아닌 동작진 출신의 황회였다. 황회가 원래 사람이 붙임성이 없어서 그렇지 산지니에게 무슨 뚜렷한 유감이 있는 바도 아니었다.

"자, 한잔 들게. 요즘 바깥세상에서야 어디 냄새나 맡을 것인가. 이게 이래봬두 곡주일세."

산지니는 수걱수걱 잔을 받았다. 그가 무심결에 내려다보니 옆에는 짧은 환도가 놓였고, 황회의 궁둥이께로 비죽이 나와 있는 것은 분명히 화승총 대가리였다. 얼른 주위를 둘러보니 제 옆자리에 앉은 자는 외팔인지 저고리 소매를 접어서 돌띠에다 질끈 매어두고 있었는데, 그의 곁에도 길쭉한 화승총의 총열이 보였다. 예사 무리가 아닌 것이다. 달근이가 산지니의 왼편 사람을 불렀다.

"얘, 전생아, 서루 턱인사라두 맞춰라."

그가 산지니를 돌아보는데 팔 하나 없는 것은 고사하고 왼쪽 눈도 질끈 감겨 있었다. 그는 두건을 둘렀는데 머리타래가 두건 속으로 접혀올라간 것으로 보아 저 같은 총각이 분명하였다. 그자가 무뚝뚝하게 말하였다.

"파주 사는 전생이라구 허우."

산지니는 도무지 정신이 없었다. 이런 자들이 어디서 이렇게 모여 무엇을 하자는 것인지 짐작이 가지 않았다. 술이 대강 몇순배 돌아가고 나자 건을 쓴 대덕이라는 사람이 일어나 말하기 시작하였다.

"미륵의 마음은 곧 백성의 마음이오. 세상에서는 미륵의 마음이 원래 자기들의 마음이라는 것을 모르오. 이것은 세상의 권세와 물욕이 저들의 눈을 가리우고 있기 때문이오. 도솔천의 극락계란 하늘 아래 빈부귀천의 구별이 없고 누구나 미륵의 자비로운 마음이 되어 온갖 천지만물도 평등히 사랑하게 되는 세상이 올 적에 실현되는 것이지요. 지금 우리는 그릇된 세상을 건지고 도탄에 빠진 창생을 살려야만 합니다. 묵은 세상이 망할 때에는 권세를 믿는 자들의 압박이 태산처럼 무거워지고, 금력을 누리는 자들의 욕심이 강처럼 그침이 없을 적에 미륵의 마음이 상하여 백성을 성나게 하고, 백성에 의해 새세상이 오게 되는 것이오. 이제 온 나라는 기근에 빠지고 조정은 붕당의 폐가 극에 달하여 서로 몰아내고 죽이는 일이 헐벗고 굶주린 백성들을 보살피기보다 더욱 중한 일이 되었으며, 왜국에서는 다시 난리를 일으키려고 청국의 형편을 은밀히 살피고 있소이다. 이제 더 기다렸다가는 몇 안 되는 양반들 때문에 나라는 망하고 다시 왜의 침탈로 모두 죽게 되었소. 우리가 미륵님을 어서 불러 모시지 않으면 도솔천을 이룰 날은 그만큼 멀고 늦어지게 되오. 이제 양주의 대사께서 말씀하시기를 무진(戊辰)에는 양반은 상사람이 되고 상사람은 양반이 된다 하셨으니, 바로 하늘이 때를 알린 것이오. 우리가 지금부터 준비하지 않았다가 그때에 이르러 수백 번 후회한다 한들 무슨 소용이 있겠소. 이미 세상은 바뀌게 되어 있소이다. 근자에 한양에서 우리 계의 통문이 온 것을 보니, 왜국 국서로 시국에 대한 논의가 들끓어 권세가와 부자들이 날마다 흥인문을 빠져나가고 있다는 것이오. 아마도 조정에 실직이 없는 양반들이 시골의 장토를 찾아 피난하려는 모양인데, 저들은 일찍이 우리의 고혈을 빨아 권세와 금력을 누린 자들이고, 앞으로도 우리의 것을 더욱 빼앗아가고 우리의 거사를 가로막을 자들이오. 이들을 모두 잡아서 재물을 빼앗아 우리의 거사에 쓸 병장기와 마필을 준비해야 합니다. 그래서 통문에서는 우리에게 중량포와 왕십리 광나루의 길을 막으라고 알려왔소. 경강의 용상과 마포에서는 동작나루와 노량나루를 맡을 것이고, 서강에선 청파의 살주계와 협력하여 서대문과 남대문 그리고 경강 수로를 맡는다고 알려왔소. 오늘 모임에서는 교하 파주를 위시하여 양주 분들도 오셨으니 북로에서는 우리와 같은 일을 하게 될 것이오."

고달근이 벌떡 일어났다.

"우리 솔부리에서는 직접 홍인문 앞에까지 나아갈 참이오. 중량
포는 군영이 동서로 오리지간에 둘러싸고 있어서 세가 불리하고 광
나루 또한 별대가 지키는 곳이라 차라리 왕십리가 훨씬 유리합니다.
그러니 노적사의 식구들은 왕십리로 나가시우."

정작 실권 없는 솔부리의 두령으로 밀려난 복만이가 달근이의 말
에 트집을 잡았다.

"그러면 홍인문 앞에서 먼저 한 패거리를 겪은 사람들이 왕십리
로 나오게 될 테니 그들의 목숨이나 내놓으랄밖에 할 일이 없겠구
먼."

"광주로와 과천로가 갈려 있으니 서로 상관이 없을 거요."

곁에서 황회가 달근이를 거들고 나섰다.

"하여튼 우리가 맡은 곳은 한양 동편이니 일단 홍인문서부터 왕
십리까지로 정합시다."

건을 쓴 자가 말하자 모두들 별 반대가 없었다. 조금씩 마음도 놓
이고 뭔가 알지 못할 뜨거운 느낌이 가슴에 닿았던 산지니가 고달근
에게로 숙이며 가만히 물었다.

"저기 건을 쓰고 있는 이가 누구요?"

"글쎄…… 우리하구 상관이 전혀 없달 수야 있나. 미륵도를 한다
는 도인이지. 정원태는 한양에두 연줄이 많다네. 천지가 개벽한다구
날마다 알 수 없는 소리를 하는구먼."

"천지개벽이라뇨? 구름을 일으키고 바람을 몰아오는 도술이라도
부린답디까?"

산지니의 어수룩한 물음에 고달근은 웃음을 터뜨렸다.

"안개와 이슬만 처먹구 사는 신선이란 묘한 물건이 있다면 모를까, 마누라 데리구 이따금 그짓두 벌이구 곡물은 물론이요 간장 된장에 썩은 물까지 들이켜는 사람이 어찌 구름과 바람을 부릴 수 있겠나. 하늘 자리와 땅 자리가 엇갈려 바뀐다는 소리겠지. 아까 못 들었는가. 이를테면 나라의 주인이 바뀌고 양반이 상놈 된다는 말이여."

산지니는 눈을 크게 떴다.

"아니 그러면…… 역적질 아니우?"

황회와 전생이가 동시에 고개를 돌려 산지니를 노려보았다. 고달근은 다시 웃는 얼굴이 되었다.

"살인죄에 쓸 모가지 따로 있고 역적죄에 쓸 모가지 따루 있나. 여벌 모가지를 여러 개 보퉁이에 싸서 짊어지고 다니다가 패랭이 바꿔 쓰듯 하면 되겠구먼."

"그래두 임금을……"

"나라 훔친 놈에게서 대대로 태어난 놈들이 임금이지."

하고 나서 달근이는 산지니의 어깨를 툭툭 두들겨주었다.

"자네는 그저 나만 따라다니면 되는 게야. 천지가 바뀌든 뒤집히든 나는 알 바가 없다네. 한양 성내가 무슨 산간에 암자는 아니란 말여. 그렇게 쉽게 깨어질 리가 없지."

달근이는 썩은 입내를 산지니의 코에다 내뿜으면서 나직이 일렀다.

"이보라구, 내가 저따위 귀신 세워들구 나오는 작자들허구 같은 줄 아나. 하여튼 시골 상머슴이나 왈짜아이들은 정가의 말만 들으면 곧바로 자기가 삼정승 육판서나 되는 줄로 알구 신바람을 내거든. 우리는 부지런히 재물이나 모으는 게야. 보아허니 기가 있어서 웬만한 일로는 놀라지 않을 듯하군. 이봐, 언제나 산골짜기 은신처에 박혀서 검은 옷자락만 보아도 혹시 포교가 아닌가 간을 졸이구 살겠나. 기름진 전장에 제비 날개 같은 기와집을 마련하구 노비에 소작에 마름 두고서 살아봐야지."

산지니는 어쩐지 그의 친근하게 대하려고 애쓰는 태도가 못 미더웠고, 우선 구취가 고약하여 어깨에 돌린 달근의 팔을 잡아내리며 고쳐앉았다.

"이녁이야말로 모가지 갯수가 여럿이구려. 나는 죄 없수. 우리 누님을 겁간하려던 반송장 늙은이를 죽였는데, 나라의 법이 반상에 구별없이 고르게 퍼져 있다면 그 늙은이는 양가녀 겁간죄로 타살되어야 마땅허우."

"허, 내 말을 못 알아듣는구먼. 여기 죄 있는 놈이 어디 있나. 다 세상 잘못 만나구 부모 잘못 만난 탓이지. 우리 검계에두 자네같이 수배된 사람두 있구 이미 경을 치구 나온 사람두 많어. 서강 모신이네 드나드는 홍가란 자도 일찍이 경을 치고 이마빡에 자자되었다가 내 빼온 사람이라 상주처럼 방갓을 깊숙이 눌러쓰고 다닌다네. 내 말은 제 속두 차리구 계에서 하는 일에 발을 맞추잔 소리지."

이때 건을 쓴 정원태라는 이가 까마귀를 불러 뭐라고 이르더니 그가 산지니 앞으로 다가섰다.

"잠깐 나오게."

산지니는 그저 어리둥절하여 고달근이 쪽과 까마귀를 번갈아 바라보는데, 달근이가 빈정대듯이 중얼거렸다.

"또 그 신입례인지 무슨 푸닥거리인지를 벌이는 모양이로군."

산지니는 까마귀가 이끄는 대로 둥글게 모여앉은 사람들의 가운데로 나아갔다. 집사는 복만이가 맡을 모양인지 그도 나와서 산지니의 옆에 섰다.

"오늘 우리 계에서는 새로운 계원을 맞이하게 되었으니, 이는 마치 연당에 연꽃봉오리가 만개하여 새 꽃으로 피어나는 일과 같이 경사스런 일이올시다. 우리 검계는 백성을 괴롭히는 양반 부호들을 징치하고 그 재물을 빼앗으며 이제껏 겪어온 수모를 그들에게 되돌려주고, 드디어는 진인을 찾아 상감을 바꾸고 천민들의 나라를 세우자고 모였소. 미륵의 뜻에 따라 석산진을 동무로 받아들일 제 다른 생각이 있으면 말허시우."

좌중의 사람들이 제각기 중얼거렸다.

"이는 미륵의 뜻이외다."

집사인 복만이가 산지니를 향하여 말하였다.

"땅에 엎드리라."

산지니가 제사 지낼 때처럼 무릎을 꿇고 땅에 엎드리자 그의 이마 앞에 흰 간지를 덮은 소반이 놓아졌다. 정원태가 일어나 산지니의 앞으로 가서 역시 무릎을 꿇고 앉았다.

"미륵의 가르침에 따라 서원하옵니다. 이제부터 죽는 날까지 이는 검계의 혈당으로 기쁨과 고통과 두려움과 용기를 함께 나누어 가질 동무이오니 받아 안으소서."

정원태가 같은 억양으로 중얼거리고는 말하였다.

"머리를 들라."

산지니가 머리를 들었고, 정원태는 소반 위에 얹은 대접 안에 손가락을 담갔다. 소의 피가 맞겠지만 아마도 닭의 목을 따낸 모양이었다. 그는 먼저 자기의 입술에 피를 바르고 나서 산지니의 입술에도 발랐다. 비릿하고 역한 피냄새 때문에 산지니는 입을 꾹 다물고 있었다. 정원태가 중얼거렸다.

"그대는 미륵의 세상이 기필코 찾아온다는 것을 믿으며, 미륵이 내려주신 힘은 어떠한 것으로도 꺾을 수 없고, 미륵의 뜻은 크고도 넓다는 것을 믿는가?"

까마귀가 산지니를 툭 치면서 대신 예,라고 말해주었다.

"그대는 온갖 멸시와 천대로 죽어간 백성들이 도솔천을 준비해온 것을 믿는가?"

"그대는 미륵의 군사로서 양반과 부호를 미워하며 계원을 혈육같이 사랑하고 천민을 위하여 죽을 수 있다는 것을 믿는가?"

"그대는 이 일을 계원이 아닌 누구에게도 말하지 않으며, 계의 명령과 규율에 복종하니, 지키지 못하면 목숨을 바치겠음을 맹세하겠는가?"

산지니는 자기도 모르게 가슴이 뛰고 온몸의 혈관이 부풀어오르는 듯한 느낌을 받았다. 대답이 끝나자 까마귀가 그의 저고리를 벗겼다. 정원태가 말하였다.

"돌아앉아 미륵의 응답을 받으라."

산지니는 시키는 대로 등을 돌리고 돌아앉았다. 정원태가 손을 내밀자 복만이가 모닥불 속에서 기다란 작대기를 빼어서 건네주었다. 끝에는 걸쇠 모양의 동그란 쇠꼭지가 달려 있었는데 불속에서 이미 벌겋게 달구어져 있었다. 정원태는 그것을 산지니의 오른 어깨에 대고 눌렀고 산지니는 뜻밖의 아픔에 놀라서 비명을 질렀다. 정원태가 다시 틈을 주지 않고 왼쪽 어깨를 지졌다.

"이제 그대는 검계의 혈당이다."

정원태가 말하였고, 좌중은 함께 중얼거렸다.

"미륵의 뜻이외다."

8

경조(京兆)를 중심으로 하여 이전부터 행정의 그늘 아래서 여기저기 사는 터전 나름으로 패거리를 가져오던 천류와 무뢰지배들은, 드디어 조정이 혼란해지고 왜국이 재침한다는 소문으로 양반들이 동요하자, 제각기 천민이 주인이 되는 나라를 세우기 위하여 모여들게 되었던 것이다.

검계에서도 한양에 가까운 곳에 있는 자들의 모임은 따로이 살략계(殺掠契)를 이루었다. 난리 때에 왕궁에 불을 지르고 부잣집을 습격하던 난민들이 실상은 다 이러한 무리들이었으니, 고금에 대처 저자란 모두 이러한 불씨를 안고 있는 셈이었다. 겉으로는 눌려서 눈도 제대로 치뜨지 못하고 대청 아래에서 설설 기며 죽는 시늉을 하고는 있으나, 그들의 가슴속에는 태어나기 전부터 물려내려오던 불덩이가 이글이글 타오르고 있는 것이었다. 언제나 남의 세상에 얹혀서 제대로 숨 한번 크게 못 쉬고 살았으니, 혼란한 때만 오면 자기를 제외시켰던 그 세상을 되찾으려는 그들이었다. 옛글에 이웃의 설움은 안락한 자의 가슴에 꽂히는 비수와 같다더니, 저들 한 줌도 안 되는 양반의 무리들은 시국이 날로 어수선한 분위기가 되면서 종이나 상한들의 눈치를 살피기에 급급하였다.

산지니는 고달근의 일당을 따라서 묘적산으로부터 산줄기를 따라 천마산 북녘으로 내려갔는데 으슥한 계곡에 솔부리골이 있었다. 복만이가 명색이 두령이었으나, 사실 모든 일은 달근이와 황회가 맡아서 처리해나가고 있었다. 복만이는 그들이 솔부리로 들어온 뒤부터는 어찌된 셈인지 졸개들이 대단치 않게 여기는 눈치여서 체모가 말이 아니었다.

언제나 그렇지만 사내들끼리 겨루고 뻗대고 하는 판에서는 가장 중요한 일이 있으니, 우두머리 되는 자가 계집을 밝히면 아랫사람이 믿지를 못하게 되는 것이다. 왈짜패들끼리 농지거리가 오가다가 불끈 화를 내는 경우란 상대가 오입쟁이라고 이죽거릴 적이었다. 여하튼 색을 드러내놓고 좋아하는 놈치고 아랫것의 배신을 당하지 않는 자가 드문 법이다. 그럴 때 우두머리는 그런 약점을 덜어버릴 만큼 다른 수완이 있어서 부하들의 배를 불려주거나, 아예 다른 마음을 먹지도 못하게 짓눌러버리거나 하면 몰라도 마음을 놓으면 곧 몰락하게 되는 것이다. 계집 밝히는 일이 몰락의 원인이기도 하고 몰락하면서 그것을 떨쳐버리려고 색을 찾아나서기도 하였다.

복만이도 일찍이 황회를 거사로 거느리고 있던 동작나루 사당패의 모가비였다. 황회와 고달근이 스스로 거느리고 있던 사당들에게는 비교적 담백하였으나, 복만이는 조금 해끔하고 나이 어린 사당만 들어와도 꼭 먼저 잡아먹곤 하였다. 복만이는 황회와 고달근이 당진서 한바탕 일을 치르고 쫓겨들어올 때 그들을 꺼려하여 받으려 하지 않았으나, 황회와 정원태와의 관계 때문에 반대할 수가 없는 터였다. 황회는 진관사에 있을 적부터 정원태의 아내를 보살님이라 부르며 가까이 지내는 사이였다.

복만이 혼자 솔부리를 통솔하고 있을 때에는 졸개들이 다소곳하더니, 고달근과 황회가 들어온 뒤로 과연 복만이는 빛을 잃었다. 우선 배포가 적어서 고작 벌이는 일이 난전치기요, 언제나 노적사 정원태의 턱짓에 놀아나는 것이었다. 복만이는 사당을 둘씩이나 노적사에 들어앉혀두고 드나들었고, 졸개들은 그가 흥인문 밖에도 은근짜를 박아두고 있음을 눈치챘다.

복만이가 솔부리를 비우는 날이 차츰 많아지고, 고달근은 그를 부하들과 떼어놓기 위하여 벌이에서 얼마를 나누어두었다가 복만이에게 내밀었다. 복만이는 자기가 솔부리의 두령이라는 것을 실감하였으며 노적사나 숭신방(崇信坊)에서 달포씩 처박혀 있다가 마지못해 솔부리로 기어드는 형편이 되었다. 산지니가 노적사에서 검계에 들고, 고달근을 따라 솔부리에 왔을 적에도 그는 노적사에 남았다. 자기네들이 흥인문 밖으로 피난 봇짐을 털러 가면 사람을 보내라는 정도였다. 그는 고달근이 사람을 보내지도 않을 것이며 나중에는 탈취한 재물의 얼마를 떼어 그의 몫으로 내주리라는 것도 알고 있었다. 고달근은 산지니를 여러 졸개들에게 인사시키고 나서 그를 따로이 자기 침소로 불렀다.

고달근과 황회는 집 한 채에 마루 하나는 같이 쓰고 방을 각각 차지하여 지냈는데, 황회는 시동이와 함께 있고 달근이는 안성에서부터 따라다니던 박거사와 같이 지냈다. 박거사는 윗목에서 잠들었고 달근이와 산지니는 목침을 나란히 하여 다정하게 누워 있었다. 달근이가 비록 이익에 밝고 야박하기는 하여도 일단 자기 사람이라 하면 간이라도 떼어주듯 하는 자라, 산지니에 보이는 태도가 그리 곰살맞고 다정할 수가 없었다. 우선 달근이는 산지니에게 새옷을 갈아입혔고, 아랫것들 보이기가 민망하다 하여 그의 떠꺼머리를 틀어올려 상투잡이로 만들어주었다. 고달근은 그렇지 않아도 박거사가 충직하기는 하여도 영리한 구석이 없고 대가 약하여 늘 등뒤가 허전하던 판이었다. 황회와 시동이는 서로 그림자 같아서 누가 보아도 동기간처럼 든든하게 보였던 것이다.

"그러니 자네 말을 들어보면 평생 소원이란 게 간단하구먼. 누님을 모셔다 편히 살도록 해드린다는 얘기 아닌가. 그까짓, 재물만 모은다면야 저어 북관의 수자리 동네나 찾아가서 의젓하게 유건 하나 쓰고 책 읽는 시늉이나 하며 살면, 무변들이 찾아와 굽실거릴 터인데 무에 걱정인가. 이제 양반을 처없애는 일이야 자네의 평소 성미에도 맞는 일이것다, 저절로 재물이 들어오것다, 아주 검계에 맞춤할 시절에 입당하였구먼."

산지니는 갑작스런 변화에 자기를 어디다 맞춰야 할지 분간하지 못하고 있었다. 그것은 마치 양어깨에 찍힌 낙인같이 어딘가 불편하고 남의 것 같은 느낌이었다. 정원태의 언변은 바늘처럼 심장을 쿡쿡 찔러대었건만, 고달근의 어물쩍하는 말은 어딘가 가슴에 와닿지 않았다.

"재물은 있으나 없으나 마음이 편해야지요."

하고 나서 산지니가 더듬거리며 물었다.

"우리 수가 많고 용맹하다면 한양을 뒤집을지두 모르잖소."

"그야……"

고달근은 이마를 찌푸리며 그를 힐끗 돌아보았다.

"무슨 일이든 재물은 있어야지. 내일 슬슬 올라가볼까 하는데…… 자네는 무슨 재간이 있나?"

"재간이라니요?"

"그럼 웃는 얼굴하고 비쩍 마른 두 손바닥 가지구 흥인문 밖으로 가려나?"

산지니는 그제야 씩 웃었다.

"별다른 재간은 없고…… 그저 어릴 적부터 대가리 터지고 사지가 성한 데 없이 장바닥에서 싸우며 자라다 보니 싸움이라면 조금 하지요."

고달근도 그의 말이 마음에 드는 모양이었다.

"아무렴, 치고박는 게 무슨 법식이 따로 있나. 그러나 털벙거지를 상대하려면 간단한 칼쓰기는 알아두어야 하네. 나는 사당패에 있을 적부터 말채찍 한 벌을 지니고 다니며 곧잘 휘두르는데 가지 위에 내려앉은 참새 정도는 떨어뜨리지. 요즈음은 계에서 창포검을 지니게 하여 칼두 지니고 다니지만, 내야 어디 쓸모가 있어야지. 자네 주겠네. 칼쓰기가 따루 있나. 결국은 단병접전이니 역시 해본 놈이 이기는 게야. 병장기 잡든 맨주먹이든 매일반으로 싸움질이니까. 아침 저녁으로 작대기 써먹듯이 휘둘러보란 말이야."

달근이가 벽에 걸어두었던 짜른 환도를 내려서 산지니에게 건네주었다.

산지니는 고달근이 그것을 내밀자 기쁨을 감추지 못하였으니, 가끔 대상부고의 차인패들이 허리에 차고 다니는 것을 보기는 하였으되 제 손에 쥐어보는 일이 처음인 때문이었다.

"풀뭇간에서 나온 뒤로 썩은 등걸 하나 베지 않은 새 칼날일세. 한 번 뽑아보지 그래."

산지니는 조심스럽게 칼자루를 쥐고 천천히 뽑았다. 시르릉 하는 쇳소리가 가늘게 떨려나왔다. 칼날은 새하얗고 차가웠으며 칼끝은 예리하게 곤두서 있었다. 혈조가 칼자루에까지 패어 있는데 날부분은 가파르게 두드려져 있었다. 산지니는 칼을 얼굴 정면에 세워들고 위로부터 찬찬히 훑어내렸다.

"살 뻗치네. 얼른 집어넣어."

산지니는 칼을 집어넣었다.

"진기를 쓰게 되면 사람이 무서워진다더니 그럴 법하군."

산지니가 혼자 중얼거렸고, 달근은 미처 알아듣지 못하여 덧붙였다.

"칼 든 놈이야 총 든 놈밖에 무서운 놈이 있을라구."

이튿날 동이 트자마자 솔부리의 계원들은 제각기 행장을 수습하여 산을 내려갔다. 고달근, 산지니, 황회, 시동이와 십여 명의 솔부리 사람들은 모두들 괴나리봇짐이며 부담 실은 마필과 지게로 인근 난전꾼이나 장돌림의 모양을 내었다. 그들은 중랑포를 넘어 청량사 어름에 있는 돌곶이 주막에 들어 정세를 살필 작정이었다.

홍인문 밖에서 탈취한 물건은 동활인서 밖에 모여 사는 깍정이패들의 움에 숨겼다가 밤을 타고 송파 까마귀에게로 빼낼 것이었다. 그들은 언제나 그렇게 해오고 있었던 것이다. 시구문 밖의 황량한 들판을 뒤지러 다닐 포교는 아무도 없었다.

성내에서는 풍문이 돌기를 미구에 난리가 일어나 성중은 물론이요, 인근 백여 리에 닭의 울음소리가 끊길 것이라 하여 드러내놓고 가장집물과 가족을 빼돌리는 양반가의 짐과 가마가 동대문 밖으로 잇달았다. 그래도 체면은 있어서 그들은 주로 이른 새벽에 성문을 나서거나 황혼녘에 성문이 닫히기 직전에 빠져나갔다. 돌곶이 주막에 이르러 사정을 들으니 남쪽보다는 역시 동쪽으로 나가는 자들이 많다는 것이었다.

유언비어에 들뜬 자들은 거의가 재산 있고 귀한 자들이요, 일반 백성들은 불안해하면서도 시절이 흥황이라 그날 그날 호구하기에 발치를 바라볼 힘도 없었다. 달근이가 실정을 알고 나서 고개를 끄덕여 장담하였다.

"아침에 한 번, 저녁에 한 번, 하루 두 차례씩 여러 대를 모아다 털어먹으면 되겠구먼."

"새벽에 나오는 자들은 대개 전날에 짐을 꾸려두었다가 먼 길을 가려고 나서는 자들이니, 홍인문 밖에서 세마를 빌리거나 교꾼을 사려고 할 게야. 크고 작은 피난짐을 모조리 빼앗을 수는 없으니 살펴보다가 그중에서 짐이 가장 많은 일행을 노려야지. 저녁 무렵에 나오는 것들은 일단 성문을 나와서 왕십리를 지나거나 돌곶이 주막거리로 나오거나, 퇴계원으로 빠져서 한숨 돌리고 이튿날 모두 수습 정리하여 떠나겠지. 그럴 때는 밤에 주막을 들이치거나 아니면 길 떠난 직후에 호젓한 곳에 앞질러가서 해치우도록 하지."

황회가 말하니 시동이가 일깨워주었다.

"헌데 말이우, 홍인문 밖을 나와서 일단 동이나 북으로 오르는 것들은 우리 솔부리와 양주계의 차지가 되겠지만, 왕십리나 한강진 광나루 등지로 빠져나가는 것은 노적사계에서 맡기루 하였수. 공연히 뒤에 가서 서로 차 치고 포 치고 할까 걱정이우."

고달근은 시동이의 말에 발끈하였다.

"문은 하난데 사방에서 지신(地神)에 붙이고 성주에 붙이면 남는 떡이 있냐. 여하튼 홍인문에서 우리가 보아둔 것들을 따라가다가 여의치 않으면 강원도까지라두 가야 할 판이다."

"거 뭐, 예에 따라서 하지. 우리가 맡은 데를 벗어나면 그쪽 아이들께 상주물림을 하면 되지."

상주물림이란 한 지역의 도적이 다른 지역의 도적에게 노략질할 상대를 돈 받고 팔아넘기는 것을 뜻하였다. 이렇게 들어오지도 않은 재물을 두고 이론이 분분한데, 산지니는 제 봇짐을 메고 드러누워 아무 말이 없었다. 고달근이 그를 발로 툭 건드리며 말을 걸었다.

"이봐, 자네는 어찌했으면 좋겠나?"

"걱정 마우. 나는 내일부터 문안으로 들어가 손님이나 끌어올 테니 성님들은 좋은 자리나 보아두시우."

말이 오가는 중에 자연히 서로 맡은 일이 정하여진 셈이었다. 이

틋날은 하늘이 맑게 개고 날씨도 제법 선선하여 지방으로 빠져나가는 이들이 더욱 많을 듯하였다. 그들은 인시(寅時) 무렵에 일어나 돌곶이를 출발하였다. 두어 식경이 되어 숭신방에 당도하니 이미 성문은 열어젖혀져 있었고, 문루에 수직 군사들도 두 사람밖에 보이지 않았다. 원래 수직은 장교 하나에 스무 명의 군졸이 문마다 배치되어 있었다. 황회와 고달근은 동묘 앞에서 먼 길 가다가 뒤처진 일행을 기다리는 것 같은 행색으로 짐을 풀고 기다렸으며, 산지니와 시동이가 대여섯을 데리고 흥인문으로 왔던 것이다. 일단 문안으로 들어갈 때는 시동이와 산지니 둘뿐이었다. 그들은 종루 이교(二橋)까지 나아가 돌다리 난간의 좌우에 걸터앉았다. 가끔씩 내행을 거느린 단출한 행차가 지나갔고, 그들은 그때마다 비켜서며 허리를 굽혔다. 드디어 먼 데서 행렬이 오는데, 앞에는 짐을 짊어진 하인배들이고 뒤에 노인 한 사람만이 말을 탔으며 다른 가속들은 모두 걷고 있었다. 이인교가 두 채, 사인교가 한 채였다. 그 가마들마다 여종들이 역시 보퉁이를 들고 따르고 있었다. 시동이와 산지니는 약속이나 한 것처럼 서로 마주 보며 빙긋 웃었다. 임자가 온다는 뜻이었다. 눈으로 대충 헤아려보기에도 짐보따리가 여섯은 되어 보였다. 그들은 일단 다리 한쪽에 허리를 굽히고 서 있기로 하였다. 그러면서 연신 눈을 들어 수노(首奴)가 누구인가를 살펴보았다.

내행이 셋이나 되니 일가가 통틀어 하향하는 모양이었다. 아마도 그 집안은 지금쯤 텅텅 비어 있고 청지기가 행랑것들 몇명을 데리고 남았을 것이다. 산지니가 일단 예를 보이고는 재빨리 짐을 짊어지고 걷는 자들의 틈에서 나이가 들고 기중 행색이 나은 중년 사내를 점찍고 물었다.

"여보, 문밖에 미리 맞춰둔 경주인이라두 있소?"

사내는 흰창이 많은 눈으로 곁눈질하면서 대답하였다.

"이제 십여 년 만에 내려가시는 길인데 경주인이 어디 있겠소?"

산지니는 슬그머니 행렬에 끼여들며 말을 걸었다.

"아무래두 모두 가시는 게 아니라 대부분은 집으로 돌아가겠지요. 우리는 세마와 짐꾼을 데리구 있는데 나는 길라잡이요. 산길 들길이 어찌될지 누가 알겠수. 우리는 장사차 왔다가 때가 흉년이라 거래가 한산하여 재미도 못 보고 돌아갈 판인데, 요즈음 하향하는 댁이 많다고 하여 노자나 뽑을 겸 곁꾼으로 나섰소이다."

수노가 그럴듯이 여기는지 반색하는 표정이 완연하였다.

"횡성(橫城)까지 얼마면 따라나서겠소?"

산지니는 장바닥에서 자란 사람이라 흥정에는 이골이 나 있었다. 너무 눅게 부르면 의심할 터이고 너무 비싸게 불러도 어긋나게 마련이라, 대충의 식비를 어림하여 불렀다.

"우리가 말 두 필에 장정이 여섯이우. 세마는 십 리에 열두 푼씩 주시고 양근서 하룻밤 묵을 터이니 저희들께는 이틀 품을 셈하여 한 사람에 열 냥씩만 주십시오."

수노가 속으로 중얼중얼 따져보더니 마상의 늙은이는 놓아두고 젊은 주인에게로 뒤처졌다. 그들이 뭐라고 수군거리는 모양이더니 수노가 그를 손짓하여 불렀다.

"이리 좀 오우."

젊은 주인은 번듯한 통영갓에 명주 술띠를 매고 갓신을 신고 있어 돈푼이나 있는 집안이 틀림없었다.

"마침 문밖에서 곁꾼을 사려던 참인데 잘되었다. 허나 품이 좀 비싼걸. 우리가 시세는 잘 모르지만 말 한 필에 십 리마다 열두 푼이라면 과하지 않겠느냐."

산지니는 능숙하게 대꾸하는데 곁꾼질로 평생을 보낸 사람 같았다.

"아이구, 무슨 말씀입니까. 여기서 횡성까지가 이백오십 리 길인데, 십 리마다 열두 푼이라면 겨우 삼십 냥이올시다. 두 필을 쓰시면 육십 냥이지요. 그리고 저희 일행이 모두 여섯이라 이틀로 쳐서 하나에 열 냥씩이면 역시 육십 냥입지요. 겨우 백이십 냥이올시다."

"백 냥에 갈 테면 가고 싫으면 그만두어라."

"허허, 양근서 숙박하실 일은 생각 않으십니까. 마필을 마구간에 맡기고 꼴도 먹여야지요. 저희들이 봉노에 들어 서속밥이라도 사먹어야 되지 않겠어요."

"문밖에 나가면 경주인의 말과 곁꾼이 쌨는데 너희뿐이라더냐."

"글쎄 나가보십시오. 말 두 필에 곁꾼 여섯을 구하시려면 아무리 못 주어도 백오십 냥은 드십니다. 그러면 백 냥을 주시고 양근 가셔서 저녁에 술이나 한잔 내십시오."

젊은 주인이 껄껄 웃었다.

"그까짓 탁주에 비기겠느냐. 우리 짐에 백로주가 여러 준 있으니 염려 마라."

산지니가 속으로, 백 냥이든 이백 냥이든 네 멋대로 하여라 생각하니 그자의 쩨쩨한 홍정이 새삼스럽게 얄미워 보였다. 젊은 주인은 늙은이에게도 뭐라고 말을 하는데, 아마도 곁꾼과 세마 구한 일을 자랑하는 양이었다. 산지니가 다시 수노와 나란히 걸으며 물었다.

"이게 어느 댁 행차요?"

"어느 댁이라면 당신이 알겠소?"

수노가 거만하게 되물었다.

"이 정도의 가세라면 당상관은 되겠지요?"

"전 호조판서 대감이 이 댁의 작은집 되시고 사위가 좌포도대장이시여."

산지니는 입을 벌리고 멍청한 얼굴로 우선 주위를 둘러보았다. 사실 그도 놀랐던 것이다. 간 큰 도적이 호조의 담을 뚫고 포도청 문고리를 뺀다더니, 이건 제대로 짚은 셈이었다. 좌포도대장 이인하(李仁夏)라면 우대장 신여철(申汝哲)과 함께 한양 인근의 왈짜와 무뢰배들이 개가 호랑이 여기듯 하는 터였다. 산지니는 판서니 참판이니 하는 벼슬아치가 어떤 것인지 짐작할 수도 없었지만, 포도대장이라면 너무나 실감을 하고 있었다. 홍의에 남빛 동달이 전복 걸치고, 구슬 상모에다 환도와 병부를 비껴 차고, 팔목에는 팔찌 한 손에 등채 들고, 마상에 올라앉아 포도부장들을 거느리고 지나는 행차를 성내에서 한번 본 적이 있었다. 그러나 마음 한편으로는 까짓 거, 기왕에 내친 신세인데 기왕이면 포도부장의 수염을 뽑더라도 두려울 게 없었다. 산지니는 뒷전에 처진 시동이를 기다렸다.

"자네는 어서 문밖으로 나가서 동무들께 준비시키고, 누굴 보내어 동묘에 알리도록 하게."

"앞뒤로 찬찬히 살펴보니 큰 짐이 다섯이요 작은 짐이 여덟인데, 또한 가마 안에는 패물함이 있을 것이니 누천냥의 재산일세."

"쉿, 조용히…… 어서 가라구, 이 댁 사위가 좌대장 이인하라구 하데."

"뭐라구……"

시동이도 놀란 모양이었다. 그는 앞서서 뛰어갔고, 산지니는 행렬로 되돌아갔다. 홍인문을 나서니 먼저 나온 사람들이 제각기 경주인들과 흥정하느라고 법석이었다. 시동이가 일행들과 말을 데리고 길가에 기다리고 있었다. 젊은 주인이 말을 살펴본 뒤에 다른 사람을 불러 먼저 태웠다.

"견마 잡히겠습니까?"

"필요 없다."

그는 하인들을 불러세워 자기들이 없는 동안 집안을 어떻게 보살펴야 하는가를 자세히 가르치고 나서, 산지니 이하 솔부리의 여섯 식구에게 짐을 지도록 하였다. 시동이가 분주하게 나다니며 지게를 걷어왔고, 부상들 모양으로 그들은 산더미 같은 짐을 지게 위에 얹고 걸머지었다. 다시 행렬이 출발하는데, 길라잡이로 나선 산지니는 기중 작은 짐을 질빵 걸어메고 앞장을 섰다. 동묘 앞에 이르렀으나 고달근과 황회는 어디로 갔는지 보이지 않았다. 저희들간에 다 꿍꿍이속이 있겠지 여기면서도, 산지니는 애가 달아서 연신 주위를 둘러보고 시동이에게 눈짓으로 묻기도 하였다. 동묘의 앞길은 돌곶이와 중량포 나가는 길과 왕십리로 나가는 세 갈래 길이 나 있어서, 도대체 이 자들이 어디로 앞질러갔는지 가늠할 수가 없었다.

"아래여…… 아랫길."

시동이가 턱짓하는 곳을 바라보니 길가에서 신들메를 고치는 시늉을 하고 있는 고달근이 보였다.

"쳇, 자칫하면 묘적사 식구들께 넘어가겠는걸."

시동이가 중얼거렸다. 활인서 앞을 지나면 곧 왕십리인데, 왕십리와 한강진은 묘적사에서 나오기로 의논이 되어 있었던 것이다.

"죽 쑤어 코 빠뜨리겠어."

그들이 아랫길로 접어들자 고달근은 뒤를 힐끗 돌아보고는 휘적휘적 앞장서서 걸어갔다. 오간수에서 흘러내린 물은 동으로 중량포에 닿는데 동묘에서 내려가다 보면 영도교(永渡橋)가 걸려 있었다. 영도교 아래에서 오간수교까지는 깍정이패들의 움이 많았다. 산지니는 길라잡이로 맨 앞에서 갔으므로 고달근이 멀리서 걸어가는 양을 자세히 살필 수가 있었는데, 영도교를 지나더니 다시 털썩 주저 앉는 것이었다. 산지니는 그제야 비로소 이들을 덮칠 장소가 다리라는 것을 깨달았다.

이곳은 실로 백주대로라 하여도 지나치지 않았다. 바로 성문의 코 앞이었다. 그런데 왕십리로 내려오는 길은 휜한 들판이라 마을에서 멀리 떨어져 있었고, 인적도 드문 편이었다. 재빨리 움직인다면 다른 상대나 행인이 오기 전에 해치울 수가 있었다. 설령 상대나 몇몇 행인이 오더라도 그들은 두려워서 피하거나, 당하는 쪽이 양반의 행차이니 못 본 듯이 지나칠 게 분명하였다. 산지니는 다리에 가까워질수록 가슴이 조마조마하였다. 다리를 건너고 이제 막 맨 뒤의 젊은이가 탄 말이 다리를 벗어나는데, 길 옆에 비켜섰던 고달근이 내놓고 소리 지르며 늙은이가 탄 말께로 달려들었다.

"어어…… 저놈, 저놈이……"

젊은 주인이 놀라서 손짓을 하는데 고달근은 노인을 말에서 우악스럽게 끌어내렸다. 마상의 젊은 사내가 길 떠나며 차고 나온 환도를 빼어들고 서투르게 달려드는데 시동이가 뒷전에서 먼저 칼을 날렸다. 도포자락 뒤가 온통 붉게 물들었다. 다리 밑에서도 서너 명이 우르르 몰려나왔고 곁꾼으로 따라왔던 자들도 칼을 빼들었다. 그러고 보니 일행이랬자 가마를 짊어진 교꾼 여덟에 남은 젊은이 하나와 수노를 비롯한 하인 셋, 그리고 여종 둘이었다. 황회가 약을 잰 화승총을 겨누며 남은 젊은이에게 지시하였다.

"살고 싶으면 네 아비와 하인들을 데리구 다리 아래로 내려가거라."

교꾼들은 물론이려니와 하인들은 모두 맨손이었고 우선 첫판에

기가 콱 질려서 눈도 제대로 뜨지 못할 지경이었다. 젊은이가 사색이 다 되어버린 노인을 부축하여 앞장서고 하인들은 시동이와 산지니가 칼로 내몰았다. 그들을 다리 아래 으슥한 구석으로 데려가자 일당들은 손을 다투어 그들을 차례로 묶어나갔다. 다리 밑에서 그런 일이 벌어지는 동안 고달근은 다시 짐을 나누어 비어 있는 마필에 실었고 교꾼들에게 으름장을 놓았다.

"만약 가마 옆에서 한 발이라도 떼거나 어깨를 빼면 대번에 칼 들어간다. 꿈쩍 말고 섰거라."

가마 안에서는 겁에 질린 부녀자들이 숨소리도 내지 못하였다.

"어이, 빨리 해라. 눈에 띌라."

고달근은 짐을 둘러보며 흡족한 중에도 불안한지 들판 주위를 휘둘러보고는 하였다. 드디어 다리 아래서 황회 이하 식구들이 모두 올라왔다.

"에이, 시원하다. 모두 굴비두름으로 엮어놓았지."

담배 한 죽을 태울 참도 채 못 되어서 약탈이 모두 끝난 것이다.

고달근은 넘어진 젊은 주인을 내려다보더니 중얼거렸다.

"죽진 않았군. 마주칠 때 매운 맛을 보아야 아예 기가 죽거든. 얘들아, 어서 밑에다 치워두어라."

일당들 둘이 아직 신음하고 있는 젊은 주인을 끌어다가 다리 아래로 옮겨두었다. 그러고는 황회에게 뭔가 이르고 산지니와 시동이와 다른 식구 셋을 더 불러내어 가마 주위를 둘러쌌다.

"우리가 가자는 데까지 가야 된다. 만약에 길가에서 소리를 지르거나 허튼 짓을 하면 남김없이 베어죽이겠다. 알겠느냐?"

교꾼들은 모두 꿀먹은 벙어리처럼 발끝만 내려다보았다. 그들은 가마 안에서 훌쩍이는 소리를 들었다.

"이년들, 조용히 하지 않으면 가마째로 개천에다 던져버린다."

고달근은 걸으면서 연신 난봉가를 흥얼거렸다. 그들은 가마를 이끌고 들판을 가로질러 안정사(安定寺) 계곡까지 올라갔다. 몇사람의 행인과 지나쳤으나 하인배를 거느린 어느 대가의 내행이 재를 올리러 절에 가려니 여길 것이었다. 이 길은 그런 모습에 늘 익어 있는 곳이기도 하였다. 계곡에 이르러 고달근은 교꾼들을 하나씩 나무둥치에다 묶었다. 그리고 가마는 차례로 져다가 가파른 바위 위에 올려두었다.

"나오려구 요동하면 지켜섰다가 발길로 내질러버릴 테여."

이제 뒷수습이 모두 끝난 것이다. 그들은 동활인서로 이르는 진창길을 이리저리 피하면서 올랐다. 아직 중화참도 이르지 않은 시각이었다. 개천가에 이르니 저쪽 둑 위로 황회와 깍정이 하나가 마중 나와 있었다. 장물 운반이 시작될 것이었다. 달근이는 시동이와 산지니만을 데리고 오간수의 깍정이패 꼭지 두꺼비를 만났다. 두꺼비는 말 그대로 눈두덩이 아래로 축 처지고 코는 뭉툭하며 입술은 잘못 썰어놓은 홍어 토막 같았다.

"요즈음은 기찰이 심하여 여기다 물건을 둘 수도 없고 이 길로 성안으로 가져가 칠패 중도아들께 넘기겠수."

"그러면 우리는 돌곶이로 나가 있을 테니 그리루 보내주어."

"곡식으로 하리까, 돈으로 하리까?"

"그야…… 돈이 좋지 않을까."

황회가 말하니 산지니가 반대하였다.

"흉년에 돈은 있으나마나요. 역시 곡식이 유리할 듯허우."

"그러면 곡식으로 하되 운반하기가 난처할 것이니, 마포 동막 앞으로 송중이나 떼어주어. 배로 실어나를 테니까."

"패물이나 포목은 어찌하려우?"

"음, 그것은…… 여기서 해치울 필요가 없겠군. 우리가 알아서 할 것이니 내어주게."

따로이 두 짐이 남은 것을 먼저 돌곶이로 보내고 그들은 따로따로 흥인문 앞길을 피하여 돌곶이로 돌아갔다. 그들은 성내에 물건을 먹이고 셈이 끝날 때까지 물주를 기다리는 시늉을 하였다. 거기서 사흘 동안을 무료히 보내고 나서 고달근과 산지니는 북어라든가 몇가지 건어물을 챙겨 등에 지고 정탐을 나서기로 하였다.

"아예 성내에서 적당한 집이 눈에 뜨이면 집털이를 해버려야겠군."

산지니도 이제는 해본 장사라 슬슬 담대해지고 있었다.

"적당한 집이 따루 있소? 담 길구 대문 높직한 집은 모두 우리 거요."

고달근은 산지니의 그런 양이 자못 귀여운 모양이었다.

그들이 종루 시전거리를 거슬러올라가는데 곳곳마다 기찰포교와 포졸들이 풀려나와 문에서 들어오는 행인들을 살피고 있었다. 어딘가 성내의 분위기가 살벌해 보였다. 달근이와 산지니는 도중에서 보퉁이를 검사받기도 하였으나 누가 보기에도 건어물장수라 더이상 들볶이지는 않았다.

"우선 광통방(廣通坊)으로 가자. 거기는 술집이 많고 훈련원이나 포청의 잡색들이 드나드는 곳이니 필경 소문을 들을 수 있을 게다."

종루에서 서린방 쪽으로 돌아 광통교로 나가니 천변에 기와집들이 즐비하게 서 있었다. 소문난 술집들이 늘어서 태평방에까지 이어지고 있었다. 으스름한 저녁 무렵이라 한산한데, 달근이와 산지니는 청사초롱이 걸린 술집 대문을 밀고 들어섰다. 앞마당을 중심으로 넓은 대청이 보이고 돌아가며 미닫이들이 보이는데 그들이 첫 손님인 모양이었다.

"손님이 오셨다."

하며 마루 위에서 내다보던 주모가 외우다가 그들의 행색을 보고는 어이가 없는지 아래위로 재삼 훑어보았다. 맨상투에 두건을 질끈 동여맨 자와 패랭이 쓴 자이니 뉘 집 아랫것들이거나 시골 장사꾼이 분명하였던 때문이다. 사동이 길게 외치며 마당으로 나서다가 역시 그들의 행색을 보고는 기가 질린 모양이었다.

"방이 없수. 활터 손님들과 별감 어른들께서 모두 방을 맞춰놓았는데 방금 들이닥칠 거요."

주모는 아예 돌아서서 방으로 들어가버리고 사동이 주워넘겼다. 고달근은 안색이 굳어지면서 눈꼬리가 치켜올라갔다.

"아니…… 색주가에서 선래자 후래자가 있고 신입구출이 있다는 말은 들었어도 술자리를 미리 맞춘다는 말은 처음이로구나."

"이곳은 은근짜나 삼패 외입처가 아니라 일패 기방이오. 그런 데를 가시려거든 홍제원 색주가나 잿배로 가보시지요. 들어오시면서 등불도 못 보셨나요. 용수가 아니라 청사초롱이올시다."

사동이 누누이 설명하였으나 고달근은 오히려 껄껄 웃었다.

"그런 것을 모르는 무지렁이배들인 줄 아느냐. 우리는 여기서 모낭관과 만나기로 하였느니라. 장꾼 행색이라고 너무 괄시하지 마라."

고달근의 태연한 말에 사동이 허리를 굽혔다.

"아, 그러면 진작 그렇게 말씀하시지요. 들어와서 기다리십시오."

그들은 대문 곁에 딸린 길쭉한 방으로 안내되었는데 먼저 과일 나부랭이가 들어온다.

"술은 무얼 드시렵니까?"

"그래, 어떤 것이 있느냐?"

"시절이 곤핍하여 화주나 백로주는 없고 약주 일색이올시다."

"그것으로 가져오너라."

술상이 들어오는데 이번에도 사동이 다담상에 약주와 서너 가지 안주를 얹어서 들고 왔다. 몽당치마의 계집종은 상을 맞들고 와서는 드러내놓고 아니꼽다는 투로 흘기고 나가는 것이었다.

"이렇게 불편한 자리에서 굳이 마실 게 뭐 있수?"

산지니가 물으니, 고달근은 상머리로 고개 숙이면서 낮게 속삭였다.

"이곳은 대개 한양 세도가들의 세밀한 소문이 낭자한 곳이니, 우리가 정탐을 하러 들어와서 이런 술집을 빼놓을 수가 있겠느냐."

이윽고 손님들이 들이닥치는데 고달근이 문틈으로 내다보니 활과 전통을 둘러멘 한량패들이었다.

"헛허, 오늘은 이 집 술이 좀 진해졌는가?"

"술맛 보고 오나, 소향이 노래 때문에 오는 게지."

"아이구, 어서들 오십시오. 얘들아, 청룡정 서방님들 오셨다."

주모가 외치니 안방 쪽에서 화려한 치맛자락을 끌면서 얹은머리에 금박댕기를 물린 기생들이 제각기 몰려나와 그들을 반겼다. 고달근이 기방의 풍속을 모르는 바 아니지만 은근히 분통이 터지는 것이었다. 이윽고 술이 몇순배 돌아가지 않아서 가야금 뜯는 소리와 단가의 가락이 건너왔다. 저들은 무장의 혈족들로서 무과하기 전에 사정에 다니며 활쏘기를 익히는 자들이었다. 청룡정(靑龍亭)은 목멱산 아랫녘에 있었고 일가정(一可亭) 가회방 뒤에 있는데 모화관의 사정과 더불어 세 패거리의 한량패가 나뉘어 있었다.

"그런데 말이야, 정말로 난리가 나기는 날 모양이더군."

"쉿, 그런 소리 말게. 요즈음 그런 소문을 내거나 거기에 동요하여 우왕좌왕했다가는 반상의 구분 없이 장형을 받게 되어 있네."

"갑자년 국서의 내막이 뭐라던가?"

"그야…… 왜국에서 청국의 사정을 은근히 물어온 게지. 임자년에도 그랬다고 하지 않던가. 역가에서도 꼭 난리는 난다는 얘기야. 왜국에서 침공할 준비를 갖추고 있다는구면."

고달근은 산지니에게 들어보라는 듯이 눈짓을 하면서 미닫이를 빠끔히 열었다. 갓 쓰고 도포 입은 젊은 사내들의 모습이 보였다.

"그럼 우리 무과는 어찌되는 거야?"

"어찌되긴, 무장이 출사하는 길이란 난리가 나면 더 유리하지."

"이 사람아, 그것도 일단 급제 뒤에 말단 권관이라도 따놓은 다음이라야 전공을 세워 이름을 내는 게지. 조보에 오르기도 전에 무슨 수로 누구와 거병하여 나라를 지킨단 말인가."

"허허, 그나저나 세상 인심이란 참으로 바람에 불리는 수면과도 같단 말일세. 난리가 일어난다는 소문을 내면 엄벌을 하겠다, 궁성은 철통같이 지켜줄 것이다, 어쩌구저쩌구 하는 놈들이 제 일가 친척들을 시골로 옮겨놓고 있단 말이야."

"기호지간에 도둑과 난민의 떼가 끓어 일어나 한양성 밖으로 나가면 온통 환도나 병장기 가진 폭민들로 들끓는다더군."

"실은 말일세, 세곡선도 줄어들고 있는 마포 동막에서도 성내에 댈 양곡이 벌써 달린다는 게야. 난리는 고사하고 이러다가는 한양 성내가 기근으로 뒤집혀질 걸세. 벌써 무명값이 폭등했네. 돈 주고 양곡을 살 수가 없단 말일세. 이런 술집도 겨울까지에는 모두 끝장이 날 걸세."

주모의 맞장구치는 소리가 들려왔다.

"그럼요, 이제 두고 보세요. 시골에 전장이 있는 사람들만 서울 살림을 지탱할 수가 있을 거예요. 이런 흉황이 내년까지 계속된다면 굶어죽는 이가 성내에서도 즐비할 거예요. 우리집에서도 이게 작년에 담근 술인데 이미 나라에서 금령이 내렸으나 서방님들이 아시듯 새로 담근 술은 아닙니다. 선선한 바람이 불면 우리도 장사를 걷어치우고 양주나 고양으로 나갈 거예요. 한양은 점점 인심이 흉흉해지고 있거든요."

"포도청에는 요즈음 경이 빗발치듯 하여 포도부장들이 모두들 뜬눈으로 밤을 지새운다는데."

"좌대장 이인하의 처가 식구들이 흥인문 밖에서 적도에게 가산을 탈취당하였다는 소문을 알고 있는가?"

"지금 그 일로 기찰포교들이 숭신방과 왕십리 일대에 나가 있지만, 워낙에 백성들의 인심이 사납게 들떠 있어서 도무지 발고는커녕 맞아 죽기가 십상이라고 하더구먼."

그때 갓 쓴 사내 하나가 소리도 없이 들어와 마당에 우두커니 섰더니, 모두들 주고받던 얘기를 뚝 그쳤고 주모가 그를 바라보며 반색을 하는 것이었다.

"아이, 기척도 없이 들어오셔서 깜짝 놀랐어요. 어서 오십시오."

사내는 마루의 사내들에게 격식대로 인사를 던졌다.

"평안하오. 무사한가?"

나중의 말은 물론 주모에게 던지는 인사였다.

"나 좀 보세."

주모와 사내는 고달근과 산지니가 있는 방으로 다가왔다.

"여기도 손님이 있군."

"예, 옆방으로 들어가시지요."

그들이 미닫이를 열고 고달근과 산지니가 있는 옆방으로 들어가는 소리가 들렸다. 마루에서 수군거리는 소리도 들려왔다.

"누구야?"

"포도 종사관 최형기일세."

"아, 그 유명짜한……"

"저 사람이 환로에 오를 적의 일은 무장들 사이에 널리 알려져 있지."

고달근과 산지니는 아예 옆방의 벽에다 머리를 붙이고 열심히 들어보려는 시늉을 하였다. 산지니가 못내 불안하여 중얼거렸다.

"슬그머니 나갑시다."

"쉿……"

고달근은 방 벽에 귀를 찰싹 붙이고 입술에 손가락을 세워 흔들었다. 웅얼거리는 말소리가 정확하지는 않았으나 처음에는 한량 패거리들에 관하여 묻는 듯했다. 다시 목소리가 작아져서 잘 안 들리게 되자 고달근은 얽은 낯에 굵은 주름을 지으며 침울한 빛을 보였다.

"잘못 들어왔는걸. 이 집이 저런 놈에게 의세(依勢)하는 집인 줄 몰랐는데."

일패에서는 흔히 무장이나 포청의 장교들에게 연줄을 달아 왈짜나 무뢰배들이 넘보지 못하도록 하였고, 장교들은 그런 집을 중심으로 자기가 얻고 싶은 소문이나 수상한 자들의 동향을 살피는 것이었다. 어찌 포도 종사관 최형기가 줄을 댄 집이 한양 성내에 이 집 하나뿐이겠는가마는 광통교 변이란 언제나 성내의 한량패들이 가장 많이 모여들어 정확한 소문의 진원지나 다름없었다. 최형기는 종오품(從五品)으로 한양의 좌우포청에 소속한 여섯 명의 종사관들 중 하나에 지나지 않았다. 그들의 밑에는 마흔 명 남짓한 부장들이 있었다. 이들 부장들이 그들의 상관인 종사관을 어떻게 보느냐 하는 것은 바로 범법자들이 그들을 어찌 여기는가에 달려 있는 것이었다.

고달근은 최형기의 소문을 자세히 들어서 알고 있었다. 그는 어려운 시절을 보냈고 원래가 몰락한 중인 출신에서 자라났는데, 소싯적에는 성내의 악소패들 중의 하나였다. 따라서 최형기는 무뢰배의 습성이나 약점을 스스로의 경험을 통하여 너무나 잘 알고 있었던 것이다. 고달근은 잔에 남아 있는 술을 벌컥 들이켜지 않고 한 모금씩 천천히 마시면서 불안하게 주위를 두리번거렸다.

"저놈이 나오기 전에 우리가 먼저 나가자."

고달근은 산지니에게 속삭이고는 허리춤에 질러두었던 말채를 한번 잡아보았다.

"여차직하여 내가 뛰면 너는 일단 나를 바싹 따라붙어라."

"달음박질이라면 염려 마우. 허지만 성내에서는 뛰는 게 숨는 일보다는 못할 거요."

달근이가 일어서면서 고개를 끄덕였다.

"그래, 네 말이 맞다."

말하고 나서 그는 먼저 숨을 크게 들이켰다가 천천히 내쉬었다.

침착한 몸짓으로 달근이가 보퉁이를 짊어지더니 미닫이를 열고 툇마루에 나섰다. 산지니도 뒤를 따르는데 아니나다를까 마루 위의 한량들이 일시에 뒤를 돌아다보았다. 고달근은 그들에게 등을 돌리고는 신을 꿰면서 헛기침을 하며 중얼거렸다.

"서방님이 안 오시니 가야겠군."

산지니도 그 뒤를 따라서 신을 신었고 사동이 달려나왔다.

"셈이 얼마냐?"

"두 냥 반이우."

달근은 일부러 천천히 엽전을 빼어 헤아리며 한량패들에게 물었다.

"혹시 박선달님 오시지 않았습니까?"

선달이라면 무과에 일차 급제하였으나 실직도 없는 이를 말함이니, 한량패들은 은근히 기분이 상하였는지 대답하는 자가 없었다. 그들은 일패 집의 대문을 밀치고 나섰는데, 그때 옆방의 미닫이가 한 뼘쯤이나 되게 열려 있던 사실은 알지 못하였다. 최형기는 주모와 얘기할 적부터 벽에 이상한 인기척을 느꼈고, 주모에게서 그들이 어떤 젊은 무인을 기다린다는 말을 듣고는 어딘가 수상하게 생각하였던 것이다.

그들이 상위 신분의 사람을 만나려면 적어도 노는 데보다는 활터나 마장으로 나가는 것이 훨씬 자연스러울 듯했기 때문이다. 간혹 패랭이짜리가 일패에 나타나는 일이 있긴 하지만, 그것은 그들을 두호하는 상전을 따라왔다가 저희끼리 따로 자리를 피하여 술을 먹을 때뿐이었다. 주모는 나름대로 상것들도 이제는 일패를 우습게 안다고 종알거렸다. 여하튼 그런 일로 불러세워 주의를 주거나 벌을 내릴 수는 없는 노릇이었다. 담이 크거나 무엇인가 믿는 구석이 없다면 단출하게 두 상것이 들어올 리가 만무하였다. 최형기는 그들이 문밖으로 나가자마자 주모에게 일러 제가 거느리고 온 기찰포교 아이들이 있으니 곧 불러오라고 일렀다. 주모가 대문 밖으로 나가 휘둘러보니 상노 차림의 젊은이 하나와 늙수그레한 자가 말뚝벙거지에 마부처럼 행전 치고 동달이 입고 서성대고 있었다. 주모는 그들에게 최종사관을 따라왔느냐고 물었고 그들은 아무 말 없이 기방으로 달려들어왔다.

"방금 두 사내가 나갔는데 심히 수상쩍다. 이미 성문이 닫힐 시각이라 그들은 천상 성내에서 자고 갈 것이니, 어느 집에 가서 어찌하는지 소상하게 기찰하여 오너라. 만약에 도중에서 몹시 급박하여 놓칠 듯싶으면 부근의 순라들과 힘을 합하여 아예 잡아놓도록 하여라."

두 포교가 허리를 굽히고 물러갔다. 그들은 대문을 나서자마자 좌우로 흩어져갔다. 상노 행색의 기찰포교는 작은 다리 쪽으로 올라갔고 마부로 차린 중년의 포교는 큰 다리 쪽으로 내려갔다. 그들은 네거리로 나아가 각기 사방을 살핀 연후에 태평방 삼거리에서 만나기로 하였던 것이다.

작은 다리로 나아간 포교가 주위를 둘러보니 바로 건너편 길로 나란히 걸어가는 두 사내가 보였고, 패랭이와 두건의 꼴이 방금 기루에서 나간 자들이 틀림없었다. 그는 아래쪽 큰 다리 위에서 둘러보는 동료에게 손짓하였다. 그들은 함께 작은 다리를 건너 태평방을 향하여 재빨리 걷고 있는 두 사내들을 따르기 시작하였다.

행인들이 제법 있는 편이어서 뒤꼭지만 가지고는 구별이 어려워 놓칠 염려가 있었으므로, 그들은 상대가 의심할 것도 잊고 바삐 따라잡았다. 젊은 기찰포교가 투덜거렸다.

"제미랄, 보아하니 별것들도 아니고 남의 하천이거나 잡상배가 분명한데 공연히 꼬리를 달라고 성화일세."

"최종사가 어떤 분이라고 우리를 헛걸음시키겠나. 그이는 한눈에 턱 보면 새벽녘인지 먼 산인지 다 안단 말일세. 저놈들 보게, 연신 뒤를 돌아보지 않는가. 뭔가 꼬리가 있긴 있어."

"음, 태평방 삼거리를 그냥 지나치는 것을 보니 오늘 성내에서 잘 판이군."

삼거리에서 오른편으로 곧장 나아가면 미동(美洞)과 남별궁(南別宮)이 나오고, 회현방과 금동(金洞)이 나오면서 숭례문, 속칭 남대문에 이르게 되는 것이었다. 그들이 길을 건너고 이어서 저동 쪽으로 꼬부라지는 게 보였다.

"그냥 돌아가지. 명례방, 저동, 초동 등의 동네는 모두 대가들이 자리를 잡았고 그 뒤로는 곧 남산골이니 글깨나 한다는 샌님들 동네일세. 아마 저희 상전 심부름을 갔다가 돌아오는 길이거나 시골서 방자로 올라왔는지도 모르네."

젊은 포교가 말하였으나 그 동료는 아주 열중하여 그들의 뒤통수에 시선을 박고 걸었다. 저동서 골목길이 갈리는데 그들은 계속 초동 쪽으로 올라갔다. 큰길이 나서는데 목멱산을 향하여 오르면 주동(注洞)과 필동(筆洞)이었다. 시전도가나 점포도 그곳에서는 끊겨 있었고, 여러 수십 칸의 기와집들과 높직한 담장이 연이었으며 소나무와 은행나무가 울창하여 한적하고 조용한 곳이었다. 주위는 벌써 어두컴컴하여 집마다 등불이 대청 위에 내걸릴 즈음이었다.

앞서 걷던 자들이 무슨 생각을 하였던지 두리번거리며 집을 찾는 시늉으로 걸음을 멈추었다. 기찰포교 두 사람은 그냥 서서 기다리고 있기도 뭣하여 어찌하는가 살필 겸 그들에게로 가까이 다가갔다.

처음에 고달근은 태평방 삼거리에서 숭례문 쪽으로 나갈 작정이었다. 아직 인정(人定) 전이므로 떳떳이 성문으로 통과하여 삼개나 동막으로 나가면 어디든 안전하게 자고 먹고 할 데가 많았다. 그러나 그는 아무래도 뒤에 따르는 자들이 꺼림칙하였던 것이다. 그는 일단 이들을 성내에서 떼어버리고 광희문을 빠져서 돌곶이로 돌아갈 작정이었다. 물론 광통방에서 종로로 나와 흥인문으로 나설 수도 있었으나 종루 중부의 좌포도청에서 포교와 포졸들이 풀려나와 흥인문까지 물샐틈이 없는 것을 보았던 것이다. 좌대장 이인하는 처가의 약탈당한 일이 있은 뒤부터 적당의 용모파기를 자세히 점고하여 포교들에게 알려왔던 터이다. 그러나 고달근은 아무것도 두려워하지 않았다. 날은 이미 어두워져 있었고 어두운 뒤의 성내의 골목과 길은 모두 그의 은신처로 생각되었던 것이다. 포교들이 가까이 가자 그들은 우두커니 섰더니 말을 걸어왔다.

"여보, 말 좀 물읍시다. 도대체 주동이 어디쯤 되우?"

포교들은 서로 눈을 마주치고 나서 대답하였다.

"그 오른편 길로 죽 나아가면 주동이우."

"주동의 어느 댁을 찾으시우?"

고달근이 빙긋 웃으면서 말하였다.

"왜 그 댁 대문 앞에까지 바래다줄려우?"

"허, 이 사람이……"

"최종사가 우리 꼬리를 밟으라구 그럽디까?"

고달근이 직접 말을 질러 들어가니 포교들은 어이없는 모양이었다.

"공연히 나중에 경치지 말구 돌아가시우. 우리 대감께 직고하면 최 종사든 포장이든 모두 삭탈관직이여."

젊은 포교가 발끈하였다.

"아니 이놈아, 남의 하천이나 되는 놈이 함부로 주둥이를 놀리는구나."

중년의 포교도 어찌되었든지 잡아놓고 보자 하여 허리춤에서 육모방망이를 뽑아드는데, 산지니가 잽싸게 달려들어 포교의 손목을 낚아챘다. 그러고는 뒤로 바싹 꺾어올리면서 팔굽으로 포교의 등판을 내려찍으니, 방망이 휘두를 사이 없이 땅바닥에 엎어져버린다.

달근이도 젊은 포교의 멱살을 움켜잡았는가 싶더니 무릎을 들어올려 가슴팍을 쥐어박았다. 숨이 걸려서 헉 하는 소리와 함께 젊은 포교는 기운을 못 쓰고 주저앉았다.

"어디 허리춤에서 방망이가 나오던데 또 무엇이 나올지 훑어볼까."

산지니가 중년 포교의 동달이 자락을 들치고 만져보니 나무에다 불로 지진 포청의 통부와 붉은 오랏줄이 나왔다. 고달근도 젊은 포교에게서 육모방망이 통부 오라 같은 것들을 뒤져냈다. 그때 기운을 차렸는지 뻗대며 힘을 써서 일어나려는 기색이 보였다.

"어라, 이놈이 내 성미를 모르는구나. 당장이라두 돌로 바가지를 깨어버릴 수가 있으니 달아날 생각 마라."

하고는 발을 들어 사정없이 젊은 포교의 아랫배를 걷어찼다. 곧 실신해버리는데 그 참에 다른 포교가 틈을 엿보더니 산지니의 다리 사이에 제 발을 엇갈려넣고 일어나며 홱 밀어젖히고는 어둠속으로 뛰어나갔다. 산지니가 따라서 쫓으려 하니 고달근이 말렸다.

"어서 없어져야겠다. 이젠 낭심에서 찬바람나게 생겼구나. 뛰자!"

그들은 재빨리 필동 쪽으로 꼬부라져서 골목길을 뛰었다. 이윽고 먼 데서 서로 외치고 부르며 뛰는 소리가 들렸다. 포청뿐만 아니라 훈련도감 금위영 어영청에서 순행(巡行)하는데, 땅거미 무렵부터 날이 밝기까지 이들 별순라패(別巡邏牌)가 성내의 곳곳으로 돌아다니는 것이었다. 그리고 성내의 요로에 일곱의 복처(伏處)가 있어서 다섯 사람씩 배치되어 있었다. 첫 패가 회현방 동구에 있었으니 그 구역은 숭례문에서 타락동까지였다. 둘 패는 위패가 남산방에 있어서 구역은 타락동 동쪽에서 영희전 서쪽까지였고, 아래패가 필동 다리에 있는데 그 구역이 주동에서 생민동까지였다. 아래 둘 패의 복처에서 경을 받고 순라들이 뛰어오는 것이었고, 그들은 요란하게 목편(木片)을 두드려서 근처의 다른 복처에도 군호를 보내고 있었다. 세 패가 청량교 아래에 있었는데 구역이 생민동 동쪽에서 수구문(水口門)까지였다. 그쪽에서도 곧 목편 두드리는 군호가 응답해오고 있었다. 달근과 산지니는 좌우에서 들려오는 딱딱이 소리에 질겁을 하였다. 그도 부근의 구역마다 복처가 있음을 난전꾼들에게 들어 잘 알고 있었다.

"하는 수 없다. 산중으로 들어가 밤을 지새고 숭례문으로 나갈밖에."

달근이 앞장을 서서 목멱산 남별대(南別臺)로 오르는 비탈길을 뛰어올라갔다. 산지니도 부지런히 뛰는데 그들은 남별대의 왼쪽 길에서 떼를 지어 내려오는 장정들과 맞부딪치게 되었다. 그쪽에서도 멈칫하는 것 같더니, 좌우로 넓게 흩어지는 것이었다. 고달근이 먼저 송림 속으로 뛰고 산지니는 뒤로 내뺐다. 그러나 그들은 넓게 원을 벌려 두 사람을 둘러싸고 있었다. 달근이가 먼저 송림으로부터 두 사내에게 몰렸는데 그들은 모두 짜른 환도를 뽑아들고 있었다.

칼날이 가슴에 와서 닿자 고달근은 멈칫 서지 않을 수 없었다. 길 아래로 끌려내려가니, 산지니도 맨손에 칼날 앞에서는 별수가 없었는지 세 사내에게 둘러싸여 끌려와 있었다. 살펴보니 장정들은 열 명이 넘는 듯하였다. 놀랍게도 그들은 모두 칼을 빼어들고 있었다.

"보퉁이와 몸을 뒤져보게."

누구인가 말하자 우르르 달려들어 그들의 괴나리봇짐을 떼어내고 허리춤을 더듬었다.

"아니, 이건 포교의 통부가 아닌가."

암등(暗燈)을 가진 자가 불에 비춰 보였고, 어떤 사내가 말하였다.

"우리 뒤를 밟은 모양이로군. 없애버려."

두엇이 칼을 치켜들며 고달근에게로 다가설 때 그는 문득 어떤 생각이 떠올랐다. 맨저고리 차림의 장정들이 모두 칼을 차고 야밤에 목멱산에서 내려온다는 것은 그들이 포청이나 영문의 군사가 아닌 게 분명하였다.

"자, 잠깐만…… 우리는 포교가 아니라 광주의 검계 혈당이오."

그들 사이에 수군거리는 소리가 들렸다.

"그렇다면 어째서 포교의 통부를 지니고 있는가?"

산지니와 달근이 바삐 대답하였다.

"방금 두 놈이 우리를 따라잡기에 때려눕히고 통부를 빼앗았소."

"한 놈이 달아나 둘 패와 세 패의 복처에 있는 오를 몰아서 쫓아오는 중이오."

그들은 다시 속삭이며 저희끼리 얘기를 나누었다.

"당신들이 광주 검계의 계원이라는 것을 우리가 어찌 알겠는가."

"나는 솔부리의 고달근이란 사람이오. 혹시 이 중에 묘적사에 왔던 이가 없소. 나는 서강의 모신이두 잘 아오."

그러자 뒷전에서 계속 물어보던 자가 앞으로 나섰다.

"서강의 모서방을 잘 안다고?"

"그렇소. 보아하니 댁네들은 검계나 살주계 사람들이 아니우?"

다른 사람이 좋은 안을 내었다.

"들으니 광주 검계에서는 양어깨에 낙인을 찍는다는데 흉터가 있소?"

산지니가 서슴지 않고 웃통을 벗어젖혔고 그들은 암등을 비춰보았다. 산지니의 어깨에 찍혀 있는 동그란 상처를 보자 그들은 반가워하였다.

"하마터면 우리 식구를 죽일 뻔하였군. 우리는 남부 살주계의 계원들이오."

그러자 누군가가 주의를 주어 바라보니 필동 아랫길에 어지러운 목편 소리가 들리고 골목을 비집고 다니는 발등거리의 불빛들이 내려다보였다.

"다시 올라가야겠군."

"언제 저놈들 복처를 급습하여 도륙을 내야겠구나. 그래야 야순돌이가 겁이 나겠지."

"자, 파루 때까지 남별대에 올라가 있을까."

달근과 산지니는 그들의 뒤를 따라서 목멱산으로 올라갔다. 비탈을 한참이나 이리저리 돌아 올라가니 한 폐사(廢祠)가 있었는데 벽도 다 떨어지고 기왓장이 떨어져 천장 틈으로 별이 내다보였다. 그들은 안으로 들어가 암등을 가운데에 두고 둘러앉았다. 목소리로 보아 뒷전에서 지시하던 장정이 틀림없는데 그가 자신을 밝혔다.

"나는 지금 목대감 집의 하인으로 있는 북성(北成)이란 사람이오."

보아하니 나이는 서른 남짓 되어 보이고 새까만 수염이 귀밑에서부터 자라나 온통 얼굴의 반을 가리고 있었다. 깊숙한 눈에 광채가 있고 목소리도 굵직하여 철릭에 상모라도 쓰고 나서면 누구든지 그를 훌륭한 무장으로 볼 듯하였다. 목대감이라면 전 이조참판 목내선을 두고 하는 말이었다. 그러고는 일일이 그들 장정들이 어느 댁의 누구라고 소개가 되는데, 그들 모두가 한양 세도가나 벼슬아치들의 내림 종복들이었다. 그중에는 이미 도망을 쳐서 성 밖에 숨어 사는 자도 있었다.

"우리는 이제부터 목멱산 인근의 동네마다 재산 많고 권세 있는 집안을 들이칠 작정이오. 우리 패의 우두머리는 청파에 있는 중길

(仲吉)이란 사람인데 전에 관노였지요. 때가 오면 도성은 우리 손에 떨어지게 될 게요."

북성이가 말을 꺼냈고, 고달근도 말하였다.

"살주계에서 동막과 서강의 검계와 내통이 있단 말은 들었으나 이렇듯 든든한 줄은 몰랐소이다. 우리 계에서도 구역을 맡아 양반들을 습격하기로 정하였는데, 일전에는 좌포장 이인하의 처가 식구들이 흥인문 밖으로 나서는 것을 유인하여 재물을 탈취하였소. 우선 성안의 내응이 있다면 밤에 군졸들이 무서워서 나다니지 못하도록 할 수 있겠지요."

"목멱산이 비록 작고 낮은 산이지만 골목이 수십 갈래인 여염 동네와 인접하여 있고, 산에는 이렇게 송림이 빽빽하니 우리를 잡기란 쉬운 일이 아닐 것이오. 비록 우리가 남의집살이를 하고 있다 하나 밤만 되면 마음대로 빠져나와 돌아다니다가, 파루 종이 치면 즉시로 행랑에 돌아가 있으면 설마 대가의 하인을 누가 의심하겠소. 서로 손발을 맞추어 성내에서 일어나면 한양은 우리의 손아귀 안에 들어올 것이오."

고달근이 다시 북성이에게 말하였다.

"파루 치는 대로 우리는 숭례문을 나가서 서강 모신이에게로 갈 참인데, 누구 갈 일이 있으면 함께 가십시다."

"걱정 마우. 그렇지 않아도 우리 계원이 연락을 갈 일이 있으니 동행하시지요."

이야기를 나누는 중인데, 남별대 아래서 망을 보던 자가 올라와 말하였다.

"순라들이 산으로 오르고 있네. 발등거리가 여럿인 것을 보니 복처의 오가 두어 패거리는 되는 모양인걸."

그들은 무너진 사당의 빈터로 우르르 몰려나갔다. 고달근이 손가락질하였다.

"저기 불빛이 움직이는군."

"저쪽 왼편에도 움직이는데."

발등거리의 희미한 불빛은 나무 사이로 가려졌다가 나타났다가 하면서 움직여오고 있었다.

"안 되겠군. 자네들이 저놈들을 이끌고 회현방 쪽으로 달아나지. 그 사이에 우리는 자리를 옮길 테니까."

북성이가 자기 계원들 중 두 사람을 지명하였다. 그러나 그들은 조금도 서두르거나 두려워하는 기색이 없었다. 살주계 계원 두 사람이 암등을 받아들고 내려갔다.

"우리는 산을 타고 쌍이문방에까지 갑시다. 오늘 계회는 매우 번거롭게 되었는걸."

고달근이 북성이에게 사과를 하였다.

"우리 때문에 공연한 소란이 벌어져 죄송허우."

"염려 마시오. 아무래도 새달에는 검계와 살주계가 합력하여 한양을 쑥밭으로 만들 작정이니까."

"은신처만 그럴듯하다면 우리도 성내로 들어오겠소."

아래로 내려간 계원들이 외치는 소리가 들렸고 순라들이 그쪽으로 몰리는 듯하더니, 그들은 산을 미처 올라오기도 전에 방향을 바꾸어 송림 사이로 사라졌다. 남은 살주계원들과 달근이, 산지니는 그들이 이끄는 대로 송림을 걸어 쌍이문방으로 내려갔다.

쌍이문방의 은신처는 작은 기와집이었는데 겉으로는 바침술집이었다. 이 집의 주인은 오십여 세쯤 된 여자였는데 예전에 관비였고, 그의 남편은 호조의 관노를 다니다가 상전의 공금횡류에 억울하게 연루되어 비명에 죽었으며, 그뒤로 어린 딸과 함께 바침술집을 하며 살아오고 있었다. 면천한 지는 오래지만 지금도 관노비들과는 낯이 익어 조정이나 관아의 소식은 훤히 알고 있었다. 살주계의 총대인 청파 중길이와는 친모자 사이처럼 지내오는 터였다.

"어머니 계시우?"

북성이가 밖으로 난 들창을 두드리니 아직 잠들지 않았던지 여자의 머리가 내밀어지고 불이 켜지면서 곧 대문이 열렸다. 문을 여는 딸아이의 뒤에서 여주인도 서성대고 있었다. 그들이 모두 들어서자 비좁은 마당이 가득 차는 듯싶었다. 북성이가 머리를 꾸벅하였다.

"오늘 목멱산서 계회가 있었는데, 우연한 일로 순라의 추적이 있어서 이리로 급히 피해오는 길이올시다."

"잘 왔네. 어서들 들어와."

그들은 모두 건넌방으로 안내되었다. 북성이가 고달근과 산지니를 여주인에게 인사시켰다. 여인은 달근이에게는 건성으로 인사를 받고, 산지니에게는 무슨 느낌이 있는지 말을 많이 시켰다.

"젊은이는 한양 사시오?"

"광주 태생입니다."

"지금 몇살인데……"

"예, 갓스물이올시다."

여인이 고개를 끄덕이더니 잠깐 얼굴에 어두운 그늘이 떠올랐다.

"상은 아주 좋은데 미간이 흉하구먼. 조심해야 되겠수. 특히 올해만 잘 넘기면 장수하겠지만."

그런 일을 신통치 않게 여기는 고달근이 벌죽이 웃으면서 농을 던졌다.

"이 사람이 진작에 살변을 냈으니 액땜이 되었겠지요. 어디 나는 부가옹이 되어 말년에 호강이나 하겠는지 보아주슈."

여인은 고달근에게는 역시 반응이 별로 없이 산지니를 보면서 말하였다.

"겨울철에 특별히 조심허우."

하고 나서 한숨을 내쉬고는 일어나며 그제야 고달근을 잠깐 내려다보았다.

"댁네는 식복은 끊이지 않겠구면. 허나 정이 없으면 온 천지가 적막강산이라우."

그것은 고달근으로서도 잘 알아듣지 못할 말이었다. 여자가 국이라도 끓이려는지 부엌에서 달각대는 소리가 들렸다.

"내게는 가을철을 조심하라구 그러더니만 또 허랑한 말씀을 하시는군."

북성이가 웃음을 지으며 말하였다.

"상을 좀 보긴 보는가요?"

달근이가 물으니, 다른 계원이 말하였다.

"그럼요, 일찍이 관청에 나다닐 때 나인 궁귀인들과 더불어 절에 많이 다녔답니다. 신심이 깊어 해마다 백일기도도 드리고 하는데, 어언간에 남의 상을 훤히 알아보게 되었답니다. 요즈음 조정 대신들의 상이 흉하다고 무슨 변고가 있을지 모른다구 그런답니다."

잠시 후에 시원한 우거짓국과 탁주가 들어와서 그들은 돌려 마시고 파루까지 눈을 붙이기로 하였다. 북성이와 산지니, 달근이는 비좁은 방 안이 싫어서 대청에 나란히 누워 있었다.

"살주계 계원들이 댁네들말고 또 많이 있는가요?"

산지니가 물었고, 북성이가 대답하였다.

"원계원은 성내에는 서른 명 남짓밖에 안되지만 우리와 통하는 자들은 남녀를 합하여 백여 명이 넘지요. 더구나 큰일이 벌어지면 지금 아무것도 모르는 한양의 노비들은 모두 우리 편을 들 겝니다."

"어떻게 남의집살이를 하면서 그런 계를 짤 수가 있었나요?"

"비록 하천으로 태어나 대물림으로 가축같이 살아왔으나, 우리들도 사람이오. 사람 사는 세상에 어찌 마음이 없을 수가 있겠으며, 마음이 있는데 어찌 또한 뜻이 없겠소. 우리는 한 해 두 해의 한이 아니라 수대에 걸쳐 양반들께 당한 포한이 맺혀서 서로 팔려가며 헤어져서도 처자식 혈육들께 자기의 설움을 전하곤 해왔지요. 나두 우리 부친이 죽던 일을 생생히 기억하구 있소이다. 내게는 같은 배로 태어난 아우들도 있지만 모두 아비가 누구인지 모르고 또한 철이 들기 전에 헤어져서 어디서 뭘 하며 사는지를 모르오. 나는 다행히 목씨 가문의 씨종이라 어머니와 함께 살 수가 있었지요. 어찌 이런 일이 나 하나뿐이겠소. 나는 다른 세도가의 하인들처럼 주인의 장사일에 나다니기 시작하고 난전을 따라다니며 재산 늘리는 일에 열중하였소. 알다시피 한양 근처의 동막, 삼개, 서강, 그리고 삼전나루, 송파 칠패, 이현 등지의 난전꾼들의 반수가 우리 같은 남의집살이하는 종복들이우. 자연히 눈이 뜨여지게 마련이지요. 살주계가 처음 이루어진 것은 작년 그믐께입니다. 그때에 모신네 주막에서 중길이와 저희들 십여 명이 모여서 고기값이라도 하고 죽으리라 결심하게 된 것입니다. 지금은 검계의 계원들과도 서로 닿아서 보다 큰일을 한판 벌이리라 작정하구 있지요. 저는 잘 모르지만 중길이는 한양에서 울분을 숨기고 사는 선비들과도 안다구 합디다."

산지니는 이제 모든 것이 훤하게 밝아오는 것 같았다. 그는 자기가 어떤 뜻에 닿았는지 전혀 짐작조차 못 하고 있었던 것이다. 그렇다, 짐승처럼 살아오던 노비들이 이러한 마음가짐일 때에야, 산지니와 같은 중인의 의붓자식은 그래도 하천은 아니겠거니 여겨왔던 터인데, 얼마나 어리석은 삶이었던가.

"재물을 털어내는 일이 위주가 되어서는 안 되고, 어떤 놈들을 징벌하는가 하는 게 우선 중요하겠수."

산지니가 말없이 누워 있는 고달근에게 그렇게 말하였으니, 그도 달근의 잘못 생각하는 바를 눈치채게 된 것이었다.

포도 종사관 최형기(崔衡基)는 경기도 파주 사람이었다. 일찍이 아전으로 다니던 그의 아비가 재취한 양가녀에게서 났다. 어릴 적에는 세업인 아전의 아들로서 통인으로 파주 관아를 드나들었던 것이다.

역시 제 아비와 같이 양주 파주의 장사치, 난전꾼들과 어울려 장세 뜯어먹는 방법과 상납하는 일과 상노들과 더불어 이윤 취하는 일을 밝히더니, 어느 때 평안감사가 부임차 서북으로 오르다가 아비에게 죄주는 것을 본 뒤로 시골 아전이 얼마나 하찮은 직임인가를 깨닫게 되었다. 이로부터 그는 늘 말하기를,

"대장부가 태어나서 언제나 당하에 허리를 굽신거리며 사또가 떨어뜨리는 인정 부스러기나 주워먹으며 쥐새끼처럼 살 수 없다. 나는 어영대장이나 훈련대장이 되기 전에는 환고향하지 않으리라."

하면서 파주를 떠나 한양으로 오르게 되었다. 지벌도 문벌도 없는 아전의 집안에 태어나 초시는커녕 무과의 준비조차 되어 있지 않은 그로서는 무인이 된다는 것은 꿈도 꾸지 못할 노릇이었다. 한양으로 올 때 세전의 제위답 몇마지기를 팔아 왔으니, 그런 돈이야 다방골에 비좁은 방 한 칸을 빌려 국밥이나 사먹으며 몇달을 보내면 모두 없어질 정도였다.

최형기는 어쨌든 무인이 되리라 작심한 뒤로 활을 쏘러 다녔는데,

한양 색주가나 저잣거리의 무뢰배들과도 사귀게 되었다. 그는 날마다 전통을 메고 남촌 청룡정이나 새문 밖 모화관 사정(射亭)으로 가서 여러 한량들 틈에 끼여 활이나 쏘고, 남의 점심참에도 끼여들어 허기를 달래곤 하였다. 그렇게 허송하기를 반십 년이나 하며 가끔씩 용전이 궁해지면, 난전꾼이나 무뢰배들에게 찾아가 두 냥 석 냥씩 취하여 쓰더니 이제는 주위의 한량패들도 그가 형편없는 건달이라는 것을 알게 되었다. 모두들 그를 비웃고 상대하지 않으려는 것은 물론이요 나타나면 놀림감을 삼으려 하였다. 최형기가 어느날 젊은 한량들과 더불어 활을 쏘는데 한 사람이 짐짓 수작을 걸었다.

"사형께서는 식성이 그리도 좋으시니 혹 가리는 음식이라도 있소이까."

"허허, 가리는 음식이야 나도 있소. 개장에 흰밥은 절대로 먹지 않소."

이튿날에 한량들은 최형기가 모르게 청룡정 아래 술집에다가 개한 마리를 잡아서 개장을 끓이도록 하였다. 형기는 이미 개장 끓이는 눈치를 알았으나, 일부러 시치미를 떼고 열심히 활을 쏘아보는 척하다가 채 점심때도 못 되어서 전통을 챙기면서 중얼거렸다.

"오늘은 뒷골이 쑤셔서 활이 잘 안 맞는군."

그러고는 슬그머니 빠져나와 술집으로 내려갔다.

"여보 주모, 개장 다 끓었소. 저 위의 사정에서 다 되었나 보고 오랍디다."

"예, 마침 되었습니다."

"그러면 맛을 좀 볼 터이니 이리 가져오시오."

"맛보실 거 없이 아예 점심으로 먼저 드시지요."

개장과 흰밥을 가져오는데 최형기는 숟가락을 들어 맛보는 척하다가 국이 싱거우니 간장을 가져오라, 간장을 친 뒤에는 너무 짜니 국물을 가져오라, 하고선 밥 한 함지와 끓여놓은 국을 다 먹어버렸다.

"한 분이 다 잡수셨으니 다른 분의 점심은 어찌합니까?"

주인이 깜짝 놀라서 발을 구르며 화를 내었다. 최형기는 시치미를 떼고 중얼거렸다.

"먹는 죄는 종지굽으로 하나라는 말이 있지 않우. 한량들이 와서 묻거든 다방골 최서방이 다 먹고 갔다고 허우."

그러고는 슬그머니 사정에서 내려가버렸다. 사정에 있던 젊은 한량들이 점심을 먹으려고 술집에 왔다가 이러한 전말을 듣고 속은 것이 분하여 최형기를 욕하는 것이었다. 최형기가 그렇게 음식이나 밝히는 천하고 미욱한 사람은 아니었으되, 워낙 집도 친척도 한양에는 없어 고기 먹고 술 사 마실 여유가 없던 탓이었다. 무변에게는 기운이 가장 긴요하니 제대로 먹지 않고서는 팔씨름할 힘도 나오지 않을 듯하였다. 최형기의 수련시절이 이렇게도 곤고하였던 것이다. 어느 날은 사정에서 한량이 최형기에게 말하였다.

"시장하실 텐데 활만 쏘지 마시고 점심이라도 드셔야지요."

최형기는 듣던 중 반가운 말이었으나 언제나 점심은 얻어먹거나 아니면 굶는 게 예사스런 일이라서 덤덤하게 대꾸하였다.

"어디 날마다 점심을 먹을 수야 있나, 시장기가 들면 집으로 가야지."

"오늘은 초동 박병사(兵使) 어른의 생신이랍니다. 그분이 북에 병사 다녀왔다고 하여 올해는 생일잔치를 성대하게 차리고 저희들까지 청하여, 저녁때에는 그 댁 작은사랑으로 가려는 참이올시다."

"속이는 게 아니겠지요."

"천만에 말씀이오, 사형께서 가보시면 알 거 아니오."

최형기는 한량들을 따라 박병사의 집으로 가보니 과연 빈객은 가득 찼고 다담상마다 온갖 음식이 그득하였다. 형기는 활과 전통을 마루 끝에 놓고 사랑으로 들어가 주인에게는 인사를 건성으로 하는 척하고는, 마루 끝에 놓인 상 앞으로 달려들어 수저를 들자마자 먹기 시작하였다. 최형기의 먹는 꼴은 연신 두리번거리고 땀을 씻어내며 마치 종아리 맞은 학동이 천자문 외우듯 열중하였다. 그는 제 자리 앞의 상에만 눈길을 주는 것이 아니라, 다른 사람의 상에서도 그럴듯한 음식이 있으면 두말 없이 들어다가 먹는 것이었다. 이윽고 최형기는 네댓의 다담상 위에 놓인 음식을 거의 휩쓸어버리고 말았다. 주인 병사가 대단히 못마땅하여 불쾌한 기색으로 하인을 불렀다.

"안주가 있어야 술을 마시지 않느냐. 이 상은 다 치우고 육회나 하고 육포나 해서 다시 차려 내오너라."

분부를 하니 그대로 간단한 주안상이 나왔다. 최형기는 또다시 그 상 위로 덤벼들어 먹기 시작하였다. 주인 이하 모든 손님들이 넋나간 듯이 그의 꼴을 바라보다가 드디어 병사가 비워진 육회 그릇 하나를 집어들었다.

"아무리 손님이라지만 먹는 것도 염치가 있지 않소."

화를 벌컥 내면서 그가 그릇을 방바닥에다 내팽개치니 손님들이 서로 일어나고 물러나고 하는 바람에 상이 뒤집어지고 말았다. 그러나 최형기는 태연하게 말하였다.

"이 좋은 음식들을 모양으로 내놓은 것이 아니라 손님들께 먹어보라구 내놓은 모양이니, 방바닥이면 또한 어떠우."

그러면서 형기는 방바닥에 즐비하게 흩어진 육회 안주를 집어먹

었다. 모두들 묵묵하게 최형기의 하는 양을 내려다보는데, 방바닥이
말끔해지자 그는 일어섰다.

"소문난 잔치 먹을 게 없다더니 벌써 다 떨어졌군."

뒤에 동접 한량들의 말에 의하면 그때 최형기는 일부러 병판에게
자기 소문이 들어가기를 바라고 기인인 척했다는 얘기도 있었다. 사
실 그의 파격적인 행동거지가 사람들 입에 오르내리지 않을 리 없었
으니, 특히 훈련대장 유혁연 같은 이는 최형기가 무변으로서 호방하
고 솔직한 기개가 있는 사내라고 칭찬하면서, 아무리 염치없는 짓을
했다손 치더라도 음식을 가지고 주인이 좌중에서 손을 면박하는 일
은 야박스럽고 쩨쩨한 짓이라고 평하였다. 최형기가 무변들 사이에
알려지고 그의 사람됨과 딱한 처지가 이야기되더니, 어영대장 김익
훈이 인재도 기를 겸 그 댁의 집사로 데려다놓았다. 최형기는 혼자
서 검술과 궁술을 여러 해 익혀왔는지라 출중한 실력을 갖추고 있음
을 사냥터에서 내보였고, 언제나 김익훈의 측근에서 그를 호위하는
평무사의 일을 맡았다.

병서를 공부하고 천문을 배우더니 그 댁에 기거한 지 일 년여에
무과를 거쳤다. 그러고도 초사(初仕) 한 장을 얻지 못하였으니 허울
좋은 선달로 어영대장 댁에 기식할 뿐이었다. 어느날 김익훈이 입궐
한 뒤에 최형기 혼자서 병서를 읽는데 그의 사위 되는 자가 들어와
자꾸 사정에 놀러 나가자는 것이었다.

"서방님은 공부를 잘하셨으니 놀기도 하시겠지만 저는 무식하여
공부를 더 해야 합니다. 다른 이를 데리고 나가 바람을 쐬시지요."

최형기가 그렇게 점잖게 얘기하니 익훈의 사위는 은근히 기분이
상하여 책을 들어 획 내던지는 것이었다.

"아무리 자네가 무과 급제한 선달이라 하나, 파주 아전의 집안이

라는 걸 잊지 말게."

"좋소, 나는 아전의 아들이니 상놈이오. 그러나 옛글은 양반만 배우고 상놈은 글을 못 배운다고 씌어 있는 것은 못 보았소."

"그래, 그러면 다 그만두고 우리 장기나 한판 두어보세."

비록 무과이기는 하나 그가 선달을 따내었는데, 익훈의 사위는 아직도 문과 생원이 아득하였으므로 능멸하고 싶은 심사로 그리하는 줄을 최형기는 잘 알았다. 최형기는 이런 기분으로 장기를 두고 앉았기가 싫어서 이리저리 마다하다가 주인의 사위가 두자는데 더 피할 수가 없어서 장기판을 내놓았다.

"서방님, 장기는 내기가 아니면 재미없습니다. 우리 사이에 내기도 할 수 없으니 다른 이와 두시면 저는 곁에서 훈수나 하고 구경이나 하지요."

"다른 사람은 싫고, 꼭 자네와 두어야겠는걸."

평소부터 그를 고깝게 여기던 익훈의 사위는 장기판을 끌어당기며 무슨 내기든지 하자는 것이었다. 형기는 장기를 늘어놓았다.

"정 그러시다면 꼭 한 판만 그대로 둡시다."

"자네가 내기 아니면 심심하다니 목 베일 내기라도 하자꾸나."

사위가 몇번 독촉을 하여 형기는 응낙하였다.

"그러면 그 내기를 하십시다. 단판으로 할까요, 세 판 양승으로 할까요."

세 판 양승으로 결정이 되어 단번에 익훈의 사위가 지게 되니 분하여 또 두자고 재촉이었다.

"내가 두 판만 이긴다면 자네의 목을 뎅겅 잘라버릴 것이다."

최형기가 관아 뒤뜰에서 장기판 내려다보며 자란 지가 한두 해가 아니니 수가 달릴 것은 없었다. 최형기가 꾹 참고 말하였다.

"서방님, 두 사람이 한 번씩 이겼으니 그만둡시다."

그러나 익훈의 사위는 더욱 발끈하여 장기판을 밀어냈다.

"안 되네. 내 이번에 자네의 잘난 선달 모가지를 자르고야 말겠어."

최형기는 그가 하도 여러 번 목을 벤다는 말이 마음에 걸리기도 하고, 오냐 네가 나를 상놈 출신이라고 업신여기는구나, 망신을 톡톡히 줘야겠다 하는 결심이 섰다.

"서방님이 만일 진다면 어찌하려고 그러우. 그러면 진 다음에 서방님의 목을 베어도 한하지 마시우."

다시 셋째 판을 두고 나니 그가 졌고, 최형기는 두리번거리다가 김익훈의 남여(籃輿)를 호위할 때 들고 다니던 환도를 집어들어 쇳소리도 날카롭게 쭉 빼어들었다.

"대장부 무허언(無虛言)이니 어서 목을 뱁시다!"

익훈의 사위가 다급하여 살려달라고 빌었으나 이때에는 이미 최형기는 들은 척도 하지 않고 상투를 움켜쥐고 칼을 목에다 대었다.

"원래 목을 베기로 되어 있으나, 내가 이 댁의 식객으로 지내면서 새서방님의 목이야 벨 수 있겠수. 대신에 상투라도 잘라야겠소."

형기는 단칼에 그의 상투를 쌍둥 잘라서 마당에다 내던져버렸다. 아랫것들이며 집안 어른들이 고함을 지르며 내달아오고 익훈의 처와 딸도 산발이 되어버린 사위의 꼴을 보자 분이 머리끝까지 올랐다. 집안 사람들도 그가 위인이 과묵하고 가장이 제법 신임을 하는 듯하여 어쩌지는 못하고 욕설만 하는데, 최형기는 뜰에 내려가 무릎을 꿇고 김익훈이 퇴궐하여 돌아오기만을 기다렸다. 어영대장이 돌아오자 형기가 아뢰었다.

"소인이 새서방님의 상투를 잘라버렸으니 오늘 문하(門下)에서 나가고자 합니다."

김익훈은 눈을 둥그렇게 뜨고 그를 내려다보았다.

"무슨 까닭으로 그 사람의 상투를 잘랐느냐?"

"예…… 공부 중인데 서방님께서 두기 싫다는 장기를 자꾸 두자고 하시더니, 목 베일 내기를 하자고 조르셨습니다. 그래서 두었는데 제게 지셨기로 차마 목은 베지 못하고 상투만 잘랐습니다."

김익훈은 얼굴을 잔뜩 찌푸리고 내려다보다가 침울하게,

"대장부가 내기를 하였으면 목을 자를 것이지 상투만 잘랐단 말인가?"

중얼거리고는 고개를 끄덕였다. 익훈이 물러가 있으라고 하명한 뒤에 곰곰 생각해보니 비록 그 기개를 찬탄해줄지언정 과히 기분 좋은 자는 아니었다. 딸이 어영대장 김익훈에게로 나와 푸념을 하였다.

"아버지, 사위가 욕을 당한 것도 다 모른 척하시고 그놈을 그대로 두십니까? 저는 분하여 아버지 앞에서 자진이라도 해야겠어요."

김익훈도 기분이 상하였지만 어영대장의 체모로는 명분대로 얘기할밖에 없었다.

"네 용렬한 남편을 두둔하지 마라. 과거를 본다는 녀석이 글은 안 읽고 장기나 두며 허튼 놀이를 하려는 게 잘못이요, 또 장기를 두려면 동무끼리 둘 것이지 처가의 식객과 두는 것이 잘못이고, 또 주인의 사위 자세를 하여 목 베일 내기까지 하자는 것이 잘못이다. 남에게 집안 속내를 보여 망신을 샀는데 누굴 야단치란 말이냐."

김익훈의 생각으로는 그가 난세에 났더라면, 제법 반지빠르고 처세가 내밀하여 남에게 눈치채이지 않게 신실한 인상을 주니, 병부사에 오르는 일은 잠깐일 것이라고 여겼다. 그러나 위험한 자가 분명하다. 이런 사람은 주인을 밟고 자기의 목적을 위하여 냉정히 지나가버릴 위인이 아닌가. 참으로 우직하고 담대한 무변이라면 사위의 목을 쳐버렸을 것이요, 보통 사람은 아예 장기를 두지 않으려 뻗대었거나 너그러이 용서하는 시늉을 내었을 것이다. 상투는 바로 어영대장 자기에게 내보이는 이 사내의 배포를 뜻하였다. 그 일로 물리칠 수는 없어서 김익훈은 그를 호위직에서 제외시켰고 사냥에도 동행하지 않았다. 최형기는 그래도 아직 결정은 못 하고 있더니, 어느 날 모처럼 김익훈을 호위하여 벼슬아치들의 잔치에 간 적이 있었다. 그는 건넌방에서 다른 무사들과 앉아 술을 마시고 있었는데, 주인과 손님들이 제각기 떠들었다.

"이 집에 아기가 이름이 났다며."

"어디 청국식 아기 안주를 먹어볼까."

"이왕이면 계집아이가 좋겠군."

최형기가 아직도 먹는 것 밝히는 버릇은 남아가지고 고개를 빼고 높은 주인들의 방을 건너다보았다. 요리가 들어오는데 바라보니 커다란 접시에 녹의홍상을 입은 미희의 인형이 상 가운데 놓여 있었다. 서로 수저가 오가는데 김익훈이 젓가락을 들더니 인형의 눈깔을 쑥 빼어 먹는 것이었다. 최형기는 속으로 생각하기를 아무리 요리로 만든 것일망정 사람으로서 어찌 사람의 형상을 먹는가, 사람의 짓이 아니다, 저들은 무소불위(無所不爲)하는 권세를 스스로 확인하기 위하여 저런 방자한 주안상을 즐기는 것이라, 내가 잡을 연줄을 쥐고 있기에는 튼튼치 못하다, 하고는 고개를 숙이고 아무 말 없이 술을 마셨다.

그리고 며칠 안 가서 그는 김익훈에게 정중히 물러갈 뜻을 밝혔고, 익훈도 그가 어쩐지 불편하던 중이라 무덤덤하게 허락하였다.

때는 이른바 경신 대출척(庚申大黜陟)으로 서인들이 남인을 내몰고 득세충천하던 즈음이어서 김익훈은 날로 그 자리가 군건해지던 때였다. 서인의 거두요 이이(李珥)의 학통을 계승한 기호학파(畿湖學派)의 으뜸이기도 하였던 송시열이 배소에서 풀려나왔고, 김익훈은 송시열의 스승인 김장생(金長生)의 손자요 김집(金集)의 아들이던 것이다. 최형기는 비록 지벌이 없는 무명의 무인이었으나 이것이 출세할 수 있는 기회였는데도 스스로 그의 문하를 떠났다. 나중에 그는 스스로 자신의 처세가 정확하였음을 눈으로 보게 된다.

최형기는 실로 시정과 관아의 뜰에서 자라며 자신을 세워온만큼, 세상살이의 법도를 환히 꿰는 사나이였다. 이것은 나중에 그가 가장 유능한 포도관으로 출신하는 데 큰 보탬이 되기도 하였다. 최형기는 다시 사정을 어슬렁거리며 무료한 나날을 보냈다. 모두들 그를 최선달이라고 불렀으나, 이는 칭찬이기보다는 조롱에 가까웠다. 최형기는 혼자서 삼청동 뒷산에 올라 활을 과녁에 쏘지 않고 들에서 아무데나 쏘아대는 벌터질을 하고 있었다. 한창 열중해서 쏘는데 사계로 마침 꿩 한 마리가 앞으로 질러가는 것을 보고는 당긴 채로 쏘아맞혔다. 꿩은 화살에 꽂힌 채로 어느 대갓집 후원 담장으로 달아났다.

형기는 그까짓 꿩보다도 화살이 아까워서 그 집 앞 대문으로 찾아갔더니 바로 대사간(大司諫) 유상운(柳尙運)의 집이었다. 대감의 집에 발을 들여놓기가 어쩐지 내키지 않았으나, 최형기는 문득 이곳이 자기에게는 대단히 중대한 디딤돌이 될지도 모른다는 생각이 스쳐갔다. 그는 문간으로 들어가 하인에게 말하였다.

"여보시우, 대단히 어려운 청이긴 하나 내가 뒷산에서 벌터질을 하다가 꿩을 쏘았더니, 꿩이 살을 꽂은 채로 이 댁 뒷담으로 넘어왔소. 꿩은 그대가 가지고 화살이나 찾아주오."

하인이 그의 아래위를 훑어보고는 그래도 꿩을 가지라는 말에 비위가 당기어, 무뚝뚝하게 들어가더니 꿩이 없으니 돌아가라는 것이었다. 형기가 하인에게 다시 사정을 해보았으나, 본래 대신집의 아랫것들이란 말씨도 뻣뻣하고 누구든 아래로 보는 투가 있어놔서 대뜸 거친 목소리였다.

"여보슈, 없는 화살을 날더러 만들라지 말구 궁장(弓匠)에게나 가보우. 낮에 난 도깨비로군. 문간에서 쓸데없이 떠들다가 대감마님께서 아시면 큰탈 나우, 어서 가보랄밖에."

형기가 짐작하던 일이라 대감인지 곶감인지 들으라고 일부러 소리를 버럭 질렀다.

"네 이놈, 아무리 대신집 하인이기로 그만한 청도 안 들어주느냐?"

형기가 달려들어 하인의 멱살을 잡아 이끌었다가 대문에 힘껏 밀쳐 버리니, 하인은 뒤로 나자빠져 별로 다치지 않았으면서도 일부러 죽어가는 소리로 엄살 부리는 바람에 온 집안이 떠들썩하였다. 대사간 유상운이 녹사(錄事)를 불러서 알아보라고 일렀다. 녹사가 문간에 나오는 것을 보고 형기는 그만 물러갈까 하다가 이미 내친걸음이라 끝까지 버티어볼 마음이 생겼다. 그는 우뚝 서서 녹사가 사유를 묻기도 전에 당당하게 말하였다.

"댁 하인에게 화살을 찾아달라고 여러 번 간청을 하였으나, 찾아주지 않기에 그만 화를 냈소이다."

녹사가 이 말을 그대로 대감께 전하니 주인 대감은 혀를 찼다.

"내가 예전부터 대갓집 하인배의 뻣뻣한 행티를 가장 미워했더니, 내 집의 하인도 어느결에 그런 지경이 되었고나. 다시 들어가 찾아주도록 하여라."

유대감은 서용(敍用)된 지 얼마 안 되고 또한 남인들에게 받았던 푸대접이 있었는지라, 매사에 신중하고 겸손하였다.

녹사의 지시에 따라 하인은 엄살도 못 하고 할 수 없이 화살을 찾으러 후원으로 들어갔고, 최형기는 문밖에 섰는데 대감이 다시 녹사에게 일렀다.

"아무리 활장난을 하는 사람일망정 손님을 오랫동안 문간에 세워둘 수 없으니 불러들여라."

형기가 녹사를 따라 들어가서 마루에 오르지 않은 채로 허리를 굽혀 예를 올렸다. 원래가 당하의 인사란 하속이나 상인의 것이라 유대감은 몹시 의아하여 물었다.

"탕건을 썼으니 무슨 벼슬이 있나 본데, 어찌 하정배(下庭拜)를 올리는가. 자네는 누구인가?"

최형기는 역시 마루 아래서 대답하였다.

"소인은 출신(出身) 최형기올시다."

"그러면 무과를 하였구먼. 자네 집 세계(世系)는 어떠한가?"

형기는 그 물음에 귓전이 화끈 달아올랐다. 그러나 비루한 안색을 지어서는 안 된다. 오히려 지벌이 낮고 처지가 곤궁함에도 무과에 들었다는 것은 대장부의 떳떳한 긍지라고 생각하였다.

"예, 파주 아전 최모의 자식이올시다."

최형기가 또렷하게 아뢰자, 과연 유대감의 얼굴에 놀라는 기색이 떠올랐다.

"허…… 아전의 자식이라고."

대감은 최형기의 전통과 낡아빠진 옷자락을 내려다보았다.

"그래서 자네가 마루에 오르지 않았구먼. 하지만 벌써 무과에 올랐으니 겸양하지 말고 어서 올라와 앉게."

유대감이 웃음을 띠며 이르니 최형기는 사양하다가 다시 장지 밖으로 올라가 앉았다.

"어디 아는 이도 없을 것이라, 아직 궁무(窮武)로서 고생이 많겠구나. 나도 오늘은 몸이 불편하여 쉬고 있자니 심심한데 나하구 한담이나 하고 가게. 자네는 성내의 사정에 소상할 터이지."

최형기는 더듬거리며 파주서 떠나오던 얘기며, 다방골 기숙시절의 여항 풍류담이며 사정 주변의 얘기, 그리고 박병사 생일잔치에서 창피당하던 일들을 제법 주변 있게 늘어놓았다. 유대감은 시종 그럴 듯한지 장죽을 물고 비스듬히 기대어 고개를 끄덕이기도 하고 웃기도 하였다. 형기는 그러나 익훈의 집안 얘기는 비추지도 않았다. 그동안에 하인은 온 집안을 돌아다니며 꿩을 찾다가 찬광에 틀어박힌 산꿩을 잡아가지고 나와서 사랑 마루에 바쳤다. 형기가 살을 빼어 전통에 넣고 주인 대감께 절을 하였다.

"소인 물러갑니다. 화살은 찾았으니 이 꿩은 대감마님의 한때 찬수(饌需)나 하십시오."

"여보게, 자네가 호의로 주는 꿩을 나 혼자 먹을 수가 있나. 그것으로 안주하여 술이나 한잔 마시면서 얘기나 더 하지."

형기는 못 이기는 체 다시 주인 방으로 들어갔다. 얼마 후에 꿩고기로 만든 안주와 함께 만반진수의 다담상이 들어와 유대감과 최형기는 대작을 하게 되었다. 예전 예규에는 대신이 주는 것은 아무리 싫더라도 사양을 하지 못하는 체통이어서 형기는 주인 대감이 자꾸 권하는 대로 술을 마신 것이 십여 배가 지나고 주인 역시 칠팔 배 정도에 이르렀다. 주인이 별안간 형기에게 물었다.

"자네 이인하를 아는가?"

"무변이라는 놈이 어찌 전 통제사이셨고 포도대장이신 이사또의 함자를 모르겠습니까. 아직 뵈온 적은 없습니다."

유대감은 기분좋게 취하였고 앞에 앉은 젊은이가 제법 말주변도 좋고 또한 충직해 보이는 것이 마음에 들었다.

"지금이 섣달이고 도목(都目)을 꾸며 올리는 중이니 이 기회에 자네 환로에 나가보게나."

최형기는 가슴이 두근거리는 것을 억지로 참고 공손히 대답할 뿐이었다.

"황송한 분부올시다."

"내 지금 이대장에게 편지를 함세."

대감은 즉시 서제소(書題所)에 일러서 단찰(短札)로 써보내라고 이른 뒤에 형기에게 다정히 말하였다.

"오늘 자네를 보니 속히 보내고 싶지 않으이. 다음날이야 자네가 또 올 수 있나. 술 한잔 더 내다가 마시며 답장을 기다리세."

형기는 술 생각보다도 그 일에 마음이 쏠려 답장 오기만을 기다리고 있었다. 유대감은 점점 소탈해져서 아주 친근하게 형기를 대하더니 드디어 답장이 도착하였다. 주객이 상당히 취하였는데 주인은 편지를 보고는 적이 실망한 빛을 띠었다.

"여보게, 자네 관수(官數)가 없네. 병판(兵判)에게 올릴 도목에는 벌써 배정이 다 되었다네. 내년 유월까지 기다릴밖에 없지."

유대감은 스스로 취중임을 그제야 느꼈는지 무색하게 웃었다. 이 말을 듣던 최형기는 벌떡 일어나면서 불쾌하게 내뱉었다.

"소인은 물러갑니다. 그러나 아까 바친 꿩값을 줍쇼."

유대감은 하도 어이가 없어서 그를 물끄러미 바라보다가 체모도 잊고 언성을 버럭 높였다.

"여보게, 자네가 호의로 주어놓고 또다시 값을 내라는가?"

하고는 정말 화가 나서 살림 사는 청지기를 불러 일렀다.

"요새 시장에서 꿩 한 마리에 얼마씩 하는지, 이 사람에게 그대로 주어서 내보내라."

청지기가 돈 서 돈을 가져다 형기를 주며 속히 나가라고 재촉이었다. 그는 돈은 받지도 않고 버티었다.

"장에서 파는 꿩은 죽은 꿩이지만 내 것은 산 꿩이니 석 냥은 내야 되우."

대감의 화는 한층 치솟아 석 냥이고 열 냥이고 달라는 대로 주어서 어서 내쫓으라고 야단이 났다. 최형기는 돈 석 냥을 꽁무니에 차고는 혼잣말로 중얼거리는 것이었다.

"흥, 벼슬은 다 틀렸고, 이것만 가지면 과세는 넉넉히 하겠군."

형기가 나간 뒤에 유대감은 진저리를 내었다.

"어허, 세상에 고이헌 놈 같으니, 그놈이 신수도 그럴듯하고 말씨도 공손하기에 소일을 해서 보냈더니 그런 인사불성의 놈이 있더란 말인고."

내쳐서 이인하에게 아예 벼슬 망(望)에 다시 올리지도 말라고 편지를 하였다. 그날 최형기는 광통교 색주가로 나와 한량패들에게 자기가 환로에 틀림없이 오를 것이라고 흰소리를 치는 것이었다. 며칠 후에 기별을 받았으니 포도청 부장이 된 것이다. 최형기는 즉시 철릭을 빌려입고 삼청동 유대감 댁 허술청으로 가서 대감에게 명자(名刺)를 드리고 기다렸다. 하인들이 보니 며칠 전에 꿩값을 달라고 생떼를 쓰던 미친놈이었다. 통자는커녕 또 무슨 행패가 나올까 두려워 문전에서 방한하는 판인데, 녹사가 나오거늘 형기는 대감께서 만나주지 않으면 문간에서 죽겠노라고 칼을 빼어들었다. 유대감이 이 말을 듣고는 못내 이기지 못하여 불러들여서 못마땅한 얼굴로 내려다보았다.

"꿩값은 다 주었는데 왜 또 왔나."

최형기가 부복하고는 청산유수로 아뢰었다.

"소인이 아무리 변풍상성(變風喪性)을 했다손 대감께 꿩값을 받으오리까. 요전에 대감마님께서 약줏김에 소인을 도목에 올리라고 편지하셨으나, 이대장께서 듣지 않으시니 이번 기회를 놓치면 다시 얻어볼 수도 없고, 대감 나으리도 약주가 깨시면 다시는 소인의 생각을 않으실 것입니다. 그래서 권도(權道)로 대감의 분을 돋우면 화가 나셔서 이대장께 도목에 올리지 말라는 분부를 내리실 것이요, 이대장께서는 대감마님의 분부를 거역하신 데 미타히 여기셔서 일부러 시키지 말라는 편지를 하신 줄로 믿으시고 반드시 올릴 줄로 미리 짐작하고는, 이렇게 대감의 화를 돋우어 포도부장이 되었습니다."
하고는 최형기가 꽁무니에서 돈 석 냥을 내놓으니, 유대감은 한참 노려보다가 크게 웃음을 터뜨리고 말았다.

"숭어가 폭포를 거슬러오른다더니, 자네는 참으로 대장감이로다. 그러나 자네는 출신지벌이 전무한데 다만 시세를 살피는 눈과 임기응변이 능하니 자칫하여 출세가 빠르면 다른 무인들의 시샘에 시달리거나 남의 모함을 받기가 십상일 것이다. 마흔이 넘어 초사를 따내어 어영대장이 되는 이도 있으니, 모든 처세를 신실하게 돋보이지 않도록 하여라."

실로 유대감의 그러한 당부는 최형기의 통인 기질을 경계하여주는 진심의 말이었고, 최형기도 역시 김익훈의 집에 있으면서 자기가 앞으로 어떻게 처신하여 환로를 개척해 나아가야 할지를 잘 알고 있었던 것이다.

포도부장 최형기는 그로부터 포교들을 데리고 한양의 곳곳을 기찰하여 다니며 범죄인 잡기에만 열중하였고, 세간에서 말하는 대갓집에는 절대로 드나들지 않았다. 따라서 그의 실력을 제대로 알고 있는 대관은 드물었고, 오직 이인하만이 그의 기찰하는 비범한 솜씨를 인정하고 있었다. 계해년에 그는 어느 중인의 딸을 아내로 맞았고, 포도 종사관에 올랐다. 그는 아직 자기 나이가 그만한 직함을 가지기에는 너무 이르다고 몇번이나 사양하였다. 최형기는 한양의 도처에 자기의 손발이나 다름없는 정탐꾼들을 거느리고 있었는데, 대개 잃은 물건이나 도망한 노비를 찾는 청탁이 들어오면 닷새도 걸리지 않아서 틀림없이 찾아냈던 것이다.

그가 처음으로 포도 종사관으로 부임했을 적에 그는 부장급들을 모두 개편하였으니, 그의 수하에는 되도록 출신이 비천하고 여염의 소악패들의 생리에 밝은 무뢰배들을 장교로서 들이었다. 이세백의 평무사로 해서에 따라갔다가 구월산 마감동에게 죽은 김식도 역시 최형기의 그러한 수하 노릇을 하였다. 최형기가 장길산에 대한 소문을 들었던 것은 바로 그 무렵이었다. 그는 김식의 죽음을 이세백 수하 장교로부터 은밀히 전해듣고는 저들이 보통의 도적이 아니라는 확신을 갖게 되었다. 그는 저들 도적의 형세가 커지게 되어 조정에 논란이 일어나고 나라 안이 소연해질 것을 은근히 바랐다. 만약 토포군이 일어나게 되면 두 종사관 중에서 자기가 토포사가 될 것이며 토벌이 끝나면 자연스럽게 공훈을 인정받아 탄탄한 무반의 열에 들어갈 것이기 때문이었다.

그러나 그는 최근의 한양의 심상치 않은 소문으로 잠을 설치며 고생하던 중이었다. 최형기는 스스로 다짐하기를 절대로 섣부른 무고나 모역 사건을 다루어 이 백지와 같은 자기의 전력에 무슨 색깔이 생기도록 처신하지는 않으리라는 것이었다.

최형기에게는 그러한 경험이 있었다. 정탐꾼들에게서 발고가 있기를, 모대관의 집에 무사와 한량들이 드나드는 게 역모의 기미가 보인다는 것이었다. 물론 그로서는 먼저 기찰하고 나서 심증이 있으면 의금부에 보고하여야 할 것이었다. 얼마 동안 장교들과 더불어 그들을 기찰하니, 다만 그 댁의 새서방 되는 자가 품행이 좋지 않아 성내의 오입쟁이들과 교제가 난잡하였던 것이다. 그러나 바야흐로 때가 때인만큼 조정에서는 어느 세력에 붙어 있든지 서로 적이 없는 벼슬아치가 드물었다. 모역이라면 어느 한 사람에 그칠 일이 아니요, 세력이 바뀌는 판이라 한두 사람의 추심에 그칠 일이 아니었다. 최형기의 야심이 만일 보다 날렵하고 비정하였다면, 의당 그는 그쪽의 반대파에게로 비밀히 찾아가 의논하였을 터이다. 그러나 그는 스스로를 억제하고 이 거센 파도와 같은 세도정치의 변화무쌍한 물결을 타지 않기로 작심하였다. 그는 기찰한 결과를 대장에게 알리고 금부에는 그러한 기미조차 새어나가지 않도록 하였다. 그러고는 장교 하나를 데리고 그 대관을 직접 찾아갔다. 대관은 그의 방문을 의아하게 여겼으나 최형기는 갑작스레 자기가 방물에 관하여 특이한 관심이라도 있는 듯이, 벼루며 연적에 대한 이야기를 물었다. 벼슬아치는 또한 여염의 돌아가는 시속에 흥미가 끌려서 그런 쪽으로 최형기의 화제를 돌리려고 애썼다. 이윽고 대관이 묻기를,

"자네처럼 충직한 무인이 어째서 병수사 한자리도 못 하고 있는가."

그때 최형기는 표정을 굳히고 자세를 가다듬으며 말을 꺼냈다.

"저를 천거하시렵니까?"

막상 상대방이 정색을 하고 달려드니 대관은 어쩌지는 못하고 그냥 얼버무렸다.

"헌데 자네가 누구 문하이던가?"

"저는 오직 상께서 내려주시는 녹을 먹고 사는 포도관이올시다. 무슨 문하를 따지겠습니까. 공연히 대감과 통자가 잦았다가 대감께서 역모하실 적에 연좌되어 원혼이 될 수야 있겠습니까?"

벼슬아치는 깜짝 놀라서 얼른 주위를 돌아보고는 스스로 물러나 앉았다. 턱수염이 떨리고 벌써 안색은 새파랗게 질려 있었다.

"어허…… 그대가 이 무슨 방자한 말을 하는고."

"무변이 고관대작들과 공연히 오락가락하였다가는 남의 눈총을 받기가 예사인 시절입니다. 또한 조정 대신의 댁에 우락부락한 시정배들이 드나들면 곧 그가 모반할 게라는 뒷공론이 일어납니다." 하고 나서 최형기는 투서에 대한 이야기를 꺼내었다. 대관은 더욱 사색이 되어 이번에는 앞으로 다가앉았다.

"어디서 이런 투서가 들어왔는지는 따지거나 묻지 마십시오. 다만 이 댁의 새서방님께서 호방하셔서 한잡배들과의 교유가 낭자하게 소문이 났으니 경계하도록 하시지요. 한두 목숨이 아니라 이것은 용상에까지도 미칠 수 있는 큰 화가 될지도 모릅니다."

"참으로…… 자네는 명관일세."

그는 진심으로 감사하는 양을 보였고, 이러한 말은 절대 함구하는 한편, 스스로 최형기의 사람됨을 깊이 간직하게 된 것이다.

최형기가 한양 인근에 수상스러운 계가 묶어지고 있음을 들은 것은 난전꾼들 틈에서 흘러나온 소문에 의해서였다.

그러나 그는 계의 규모와 범위가 어느 정도인지는 자세히 몰랐다. 다만 무뢰배들에게서 전처럼 활발한 기찰거리가 새어나오지 않는 것이 심상치 않았다. 그는 아직은 살주계라는 조직이 한양의 노비들 사이에 생겨난 것은 모르고 있었다. 그런데 흥인문 밖에서 이대장의 처가 식구들이 도적들에게서 백주에 습격을 받았고, 노상에서 살인 재물을 탈취하는 일이 여러 길목에서 부쩍 늘어나고 있는 게 평상시 보다는 다른 일이었다. 무엇인가 그들 사이에서 은밀하게 진행되고 있는 듯하였다. 그는 아예 등청하지도 않고 광통교 변의 색주가에서 기찰포교들을 기다리는 중이었다. 어젯밤 두 사내를 쫓아나갔던 포교 둘이 밤샘을 하여 눈이 벌겋게 충혈되어서 들어왔다.

"어찌되었느냐?"

그들은 고개를 숙이고 대답이 없었다.

"무슨 일이 있었느냐?"

최형기는 그들의 태도를 보고 알아차렸다.

"저희들이 중도에서 그만 놓치구 말았습니다."

"그냥 흔적을 잃은 것이 아니라 아예 뒤통수를 얻어맞은 게 아니냐."

젊은 포교가 추궁하는 종사관의 날카로운 시선을 피하지 못하고 시무룩하게 아뢰었다.

"방심을 하였다가 그만 얻어맞았지요. 그렇게 날랜 놈들을 만난 적이 없습니다."

"너희들은 권술이며 오라던지기를 배웠다가 어슬렁거리는 삽살 개나 잡아오려는 모양이로구나. 내가 첫눈에 살피고서 그자들이 보통 장사치가 아님을 알았다."

늙은 포교가 계속하여 말하였다.

"남별대까지 복처의 순라들을 모아 추적하였는데 수상한 자들이 여럿이었습니다. 그 두 놈이 회현방 쪽으로 달아나길래 쫓아갔으나 종적이 간데없었습니다. 새벽까지 목멱산 계곡을 이리저리 다니며 뒤졌지만 아무래도 병력이 모자라서……"

최형기는 소리를 내어 웃었다.

"그래, 본진은 옮겨가고 꼬리만 남았다가 너희를 엉뚱한 곳으로 유인한 게 분명하구나. 시장할 테니 어서 요기나 하고, 눈붙이기 전에 칠패 아이들을 데려오너라. 그리구 너희들은 오늘밤부터 남별대에서 매일 밤 잠복해야 한다. 알겠느냐?"

최형기는 그들에게 아침을 먹인 뒤에 칠패의 정탐꾼들을 부르러 보냈고, 최형기의 소집을 받은 자들 세 명이 득달같이 달려왔다.

"종사나으리, 부르셨습니까?"

"너희들 요즈음 뭘 듣구 다니느냐. 자네는 지난번에도 장물을 강 너머로 넘겼다면서?"

"아니…… 그건 제 물건이 아니올시다. 애오개 딱부리란 놈이 구전을 낸다기에 거간만 섰습지요."

"장물 와주는 어찌된다는지 알겠지."

"나으리…… 뭘 물으시렵니까. 요즘은 도통 성내가 어찌 돌아가는지 우리두 짐작을 못 하겠습니다."

"성내에 낯선 놈들이 들어온 것을 아느냐?"

세 정탐꾼은 서로 눈을 맞추고 나서 한 사내가 말하였다.

"실은 저희두 갈피를 잡을 수가 없습니다. 한양 인근의 토박이 왈짜나 소악패는 대강 아는데 방금 말씀하신 대로 보도 듣도 못하던 놈들의 왕래가 잦아진 것은 사실입니다."

"대개 어느 부근이 그렇다더냐?"

"딱히 어느 쪽이라고 할 수는 없지만, 장물이 부쩍 늘어서 저희가 손을 대보기두 전에 사라집니다."

"마포 동막이나 서강은 어떠한가?"

"그쪽은 저희 구역이 아니라서……"

최형기는 일부러 다른 데를 빙빙 돌다가 물었다.

"성내에 사는 자들이 무리를 이루어 목멱산을 오르내리는데, 너희는 잘 알겠지."

"예…… 저녁때가 되면 성내의 하천배들이 서로 부산하게 마실을 다니구 그럽니다."

최형기는 스스로 가볍게 혀를 찼다.

"그렇군, 그쪽을 생각하지 못하였구나."

그는 등청하자마자 이대장에게 품하고는 다른 종사관 및 부장들과 의논하여 안을 내놓았다. 포도청의 전 장교들은 변복하여 성내의 모든 복처와 연락하면서 초저녁의 기찰을 강화한다는 것이었다. 특히 양반 대가의 행랑을 살펴서 노비들의 움직임을 세밀하게 살피도록 영을 내렸다.

그러나 홍인문 밖이나 숭례문 밖에서는 아직도 지방으로 내려가는 사람들의 재물을 탈취하는 일이 끊이지 않았다.

그로부터 열흘쯤 지나서 이제는 제법 야기(夜氣)가 싸늘한 무렵인데, 쌍이문방의 바침술집에는 사내들이 하나둘씩 모여들고 있었다. 북성이는 심복 두엇과 먼저 와 있었고, 산지니는 홍인문 밖 돌곶이 주막에서 솔부리패들과 더불어 여섯이 와 있었는데 시동이도 함께 왔다. 뒤미쳐 남부 살주계의 계원들의 머릿수가 맞춰지고 있었다. 초동의 수노 노릇 하는 자가 들어오자 바침술집 안은 더이상 들어설 수가 없이 꽉찬 듯하였다. 북성이가 끝으로 들어오는 수노를 보고는 산지니에게 말했다.

"이제 우리 계원은 다 왔소이다."

"인정이 울리면 곧 떠나도록 하지요. 각각 맡은 일은 알고 있겠지요."

산지니가 시동이를 돌아보며 확인하였다.

"복처의 세 패를 처치하기로 하였지."

"세 패가 어디 있는가, 낮에 둘러보셨소?"

북성이가 물으니 시동이 대답하였다.

"청량교 아래편입니다. 그 구역이 생민동 동쪽에서 수구문까지 이른다는 것을 알고 있소이다."

북성이가 고개를 끄덕였다.

"댁네 고서방하고 황서방이 청파 살주계의 중길이와 어울려 벌써 숭례문 안으로 들어섰을 게요. 지금 금동(金洞) 주막에서 기다리고 있겠지요. 그쪽에서는 첫 패를 해치우고 회현방 동구를 지나 타락동으로 들어섰을 게요. 우리는 영희전 서쪽 위 둘 패를 처치하고 남부로 내려가는 네거리에서 지키고 있으면 태평소 소리가 들릴 거요. 그 소리를 군호삼아서 저동(苧洞)으로 내려가면서 이지사의 집을 들이칩니다. 그 다음은 다 아시겠지요."

"살주계는 일단 남별대로 물러가고 우리는 수구문을 빠져나간다는 안(案)입니다."

산지니가 말을 끝내자 북성이는 저희 식구를 돌아보았다.

"집에서 빠져나올 때 아무도 눈치챈 사람은 없겠지?"

살주계 계원들이 서로 둘러보는데 초동에서 온 수노가 더듬거리며 말하였다.

"그런데 좀 께름칙한 일이 있어서…… 저녁때가 되면 꼭 찾아오는 깍정이 한 놈이 있는데, 이 녀석이 밥을 얻어가지고는 꼭 대문 앞에서 먹어치우고 잠을 잔단 말이야. 그런데 아침이 되면 어디로 갔는지 보이지 않고 꼭 땅거미 질 무렵이면 찾아오거든. 내가 오늘 모임을 염두에 두고 내일 나갈 심부름을 아예 해두려고 안국방에 다녀왔는데, 담밑에서 거적을 쓰고 있던 놈이 슬그머니 일어나 따라오는 거야. 처음에는 따라오는 줄 모르고 그냥 잠자리를 다른 데로 옮기는가 보다 하고 무심하게 넘겼더니, 종루까지 나오는 도중의 골목 세 갈래가 끝까지 방향이 같더란 말일세. 그제서야 따라오는 줄 알고, 종루 유기전 앞에서는 행인이 많길래 걸음을 빨리해서 피하는 시늉을 해 보였더니, 이놈이 어느결에 내 등뒤에 와 있지 않겠나."

"자네만이 아니군 그래."

북성이가 말하자 수노는 얘기를 그치고 그를 바라보았다.

"누구 또 그런 일을 당한 사람이 없는가?"

"패랭이 차림의 시골놈이 우리 건넛집에 들었는데, 담배장사라구 합디다. 그놈이 내가 대문을 드나들 적마다 노려보는 눈치가 심상치 않던데."

명례방 사는 상노 총각이 말하였다. 북성이는 미간을 찌푸리며 초동의 수노에게 재촉하였다.

"어서 얘기해보게."

"내 등뒤까지 다가와서 시치미를 떼길래 마침 그 앞이 동이술 파는 곳이라 쭈그리고 앉아 한잔 마셨지. 그러고는 말을 걸었네. 저녁도 주었고 잠자리도 있을 터인데 나를 왜 쫓아다니느냐구 그랬더니, 이 자식이 실실 웃으면서 좋은 데 가시는 줄 다 아는데 그러시냐구 오히려 딱잡아뗀단 말이야. 좋은 데가 어디냐니까…… 동무들끼리 모여서 무슨 잔치를 하시는 게 아니냐구 그러던데."

북성이가 한숨을 길게 내쉬었다.

"바로 코밑에까지 당도하였군. 최종사가 보통 나그네가 아니라던데."

"내 얘기를…… 들어보게. 그래서 심부름을 마치고 돌아오려니 이놈이 온데간데가 없어, 집으로 오는데 수각다리 앞에 이르러 그놈을 또 만났지. 여하튼 나는 모임에 나오기 전에 그놈이 어디 있는가 살피느라구 아예 대문에다 안면을 붙이구 있었어. 거적을 쓰고 꼼짝 않구 누웠더군. 그래 하는 수 없이 뒷담을 넘었네. 오면서도 그놈이 나타날까봐 일부러 동부(東部)까지 나아갔다가 이리로 건너오는 길일세. 내 생각으로는 그놈이 나그네가 틀림없는 듯한데."

"나그네지. 최형기가 우리를 노리기 시작한 게야."

산지니가 끼여들었다.

"최형기라면 나두 언뜻 본 적이 있소. 그놈이 그렇게 께름칙하다면 아예 야반에 들어가 죽여버리면 될 게 아뇨."

"그놈이 이것을 쓰는 솜씨가 상산 사람 같다구 합디다."

북성이가 허리에 차고 있는 창포검의 칼자루를 건드리면서 조자룡까지 들먹이니 시동이가 코웃음을 쳤다.

"집만 알려주오. 우리에게는 화승총이 있으니 제아무리 칼을 제법 휘두른다 하나 날아가는 콩알을 어찌 막을 것이오."

그러는데 인정 치는 소리가 들려왔다. 이제 복처에 순라패가 모이고 인적이 끊기며 성문은 닫히는 것이었다. 산지니가 보퉁이를 끌어당겨 검은 보자기 뭉치를 꺼내서 전원에게 일일이 나누어주었다.

"복처를 들이칠 때 꼭 얼굴을 가리시우. 그리구 사정 보면 안 됩니다."

"아무튼 조심해야지……"

살주계 계원들은 최형기의 얘기가 거기서 그쳤길래 다행이었다. 북성이까지도 불안한 기색을 감출 수가 없었던 것이다. 그들은 바침술집을 나와 동서로 헤어졌다. 솔부리패들 여섯은 청량교의 세 패를 무찌르고 수구문을 장악하기로 되었던 것이다. 그들은 명철방을 돌아 청량교를 향하여 내려갔다. 낮에 두 번이나 왕래하며 익혀두었는지라 여러 골목과 길바닥이 손금과도 같았다. 복처에 모이는 목편 소리가 가까운 곳에서 들려왔고 그들은 모두 준비하였던 검은 보자기로 얼굴을 가렸다. 서슬 푸른 칼이 손마다 쥐어져 있었다.

"자, 꼬리를 흔들어볼까."

산지니가 말하자 시동이가 보퉁이를 짊어졌다. 흰 무명보에 옷가지를 꾸려넣은 것이지만, 제법 큰 짐처럼 보였다. 시동이는 천천히 청량교 쪽으로 나아갔다. 복처에서 움직이는 발등거리의 불빛들이 보였다. 아니나다를까 복처에서 수하하는 소리가 들려왔다.

"누구냐?"

"게 섰거라!"

영락없이 남의 집을 털고 나오는 도적의 시늉으로 시동이는 돌아서더니 나왔던 골목으로 뛰어갔다. 복처의 순라들이 육모방망이를 흔들며 쫓아왔다. 이미 산지니들은 골목 깊숙한 곳의 좌우에 숨어 있었다. 시동이의 뒤를 따라서 골목으로 들어온 순라패들이 바라보니 뛰어가다가 헛디뎌 발목이라도 접질렸는지, 도적은 저쪽에서 죽는 시늉을 하며 주저앉아 있었다. 요놈 이제는 잡았다, 하고는 우르르 몰려들어오는데 좌우에서 기다리던 솔부리 일당이 칼날을 날렸다. 복처의 군사 다섯을 베었으나 그중 하나가 경상이라 신음 중이었다. 산지니가 군사들의 그날 언적(言的)을 알아내기 위하여 살려두었던 것이다. 산지니는 칼을 군사의 가슴에 대고 꾹 누르면서 물었다.

"이놈, 죽이기 전에 오늘밤 군호를 말하여라."

"예, 저…… 전언(前言)은 천둥〔震〕이오."

"후언(後言)은 무엇이냐?"

"땅(坤)입니다."

군호는 병조에 입직한 당상관이 친히 써서 봉함하고 매일 신시(申時)에 낭관이 받아서 각 군영으로 나가는 것이었다. 산지니가 군사의 말이 떨어지자마자 차갑게 내뱉었다.

"군기 누설은 사죄에 처한다는 것이 군문의 율령이다."

그는 칼을 들어 다친 군사의 목숨을 끊고는, 여럿이 달려들어 시체의 머리와 다리를 들어 기중 담장이 기다란 집을 택하여 담 너머로 하나씩 넘겨버렸다. 복처를 휩쓴 산지니 일당은 내쳐서 하도감(下都監) 가는 길 중간에 있는 샛길로 하여 광희문으로 나아갔다. 광희문에는 원래 어영청 수직 구역이라 동소영(東小營)에서 이십 명의 군사가 나와 지켜야 하는데, 잘 시행되지 않아 호군이랍시고 다섯이 문을 지키고 있었다. 민병이 나와서 성벽 아래를 지켜야 하지만 돈을 내거나 신포를 바치고 빠져서 언제나 허술하기 짝이 없었다. 그들은 광희문, 즉 수구문 앞에까지 별일 없이 당도하였다. 이곳은 한적하여 민가의 불빛도 멀리 있었고, 주위가 캄캄한 어둠인데, 바람소리만이 스산하였다. 그들은 문 아래까지 상반신을 숨기고 다가갔다. 이제는 보자기를 벗고 무기를 등뒤에 감춘 다음, 산지니가 헛기침을 하면서 앞으로 나섰다. 성벽에서 창을 메고 지켜 서 있던 파수병이 수하를 보냈다.

"누구냐, 군호!"

"천둥."

"땅."

성문에 있던 자들 중에 호장 되는 자가 나섰다.

"웬일들이오?"

"저희는 남촌서 불려나온 민병이올시다. 적경이 있다고 군문에서 소집한다기에 저희 영소로 찾아오는 중입니다."

남촌 민병의 직이 광희문의 수직이라 그럴 법도 하겠다고 여겼는지 호장이 물었다.

"몇사람이 왔는가?"

"다섯이 왔습니다."

"그러면 어째서 올라오지 않느냐?"

"예, 점호를 받아얍지요."

산지니는 슬그머니 호장에게 다가들어 속삭였다.

"어찌 여기서 찬 이슬 맞구 밤을 새우겠습니까. 저 아래 민가에다 술과 안주를 장만하였으니 거기들 들러 태기라두 하다가 돌아가렵니다. 공연히 역을 지워서 달달 볶는 게지 적경은 무슨 적경입니까. 봉수대의 불도 그대로인데 성문을 어쩌겠습니까."

산지니의 말은 역시 태평성대의 군사들 귀에 도르르 말려들어갈 만큼 달착지근하였다. 호장이 우물쭈물 중얼거렸다.

"남촌 사람들이 물정이 훤하다더니…… 과연 사귈 줄 아는군. 잠깐 다녀올 테니 무슨 일이 있으면 요령을 흔들게."

수직 군사들에게 이르고는 호장은 산지니의 뒤를 따라나섰다. 언덕 아래로 가니 과연 몇사람이 앉고 서고 하여 웅숭그리고 있는 게 보였다. 가까이 다가가자 그의 등뒤에 날카로운 칼끝이 와닿았다.

"소리치거나 달아나면 죽는다. 우리는 민병이 아니여."

산지니의 음산한 목소리에 호장은 발도 제대로 떼지 못하였다.

"천천히 걸어라."

이렇게 하여 우선 호장을 잡아놓고 나머지 호군들을 꾀어낼 생각이었다.

"여기 술이 있으니 한잔씩 하고 올라가라구 외쳐라."

캄캄한 어둠속에 다섯 명의 장정들이 모두 칼을 빼어들었으니 호장은 연신 침을 삼킬 뿐이었다. 산지니가 칼날을 그의 뺨에 갖다대었다.

"벌써 피맛 본 칼이다. 어서 네 동무들을 부르라니까."

"여…… 여보게, 여기 술이 왔는데…… 한잔씩 하구 가지."

말이 끝나기도 전에 솔부리 일당들은 낄낄대고 웃으며 떠들며 하였다. 커, 술이 독하군, 어이 한잔 더 들어, 어쩌고 하는 소리가 들리니 성벽에 섰던 자가 먼저 내려오며 부추겼다.

"젠장 한잔만 얼른 넘기구 돌아오세."

"그러다가 순관(巡官)이 오면 군문에 들어가 곤장 맞을려구."

"아따, 참새 가슴일세. 내려가서 얼핏 한잔 하구 오는데 그동안에 누가 오겠나. 뭐라구 그러면…… 밑에서 이상한 기척이 들려서 살피구 온다면 되지."

"그래, 호장두 내려갔으니 한잔만 걸치자구."

호군 넷이 방심하고 슬슬 내려오는 것을 기다렸다가 솔부리 일당들은 제각기 달려들어 베어버렸다. 그들이 무기와 요령을 지니고 있으니 자칫하여 소란해지면 낭패를 보겠기 때문이었다. 산지니는 의논대로 세 패의 복처를 말끔히 치우고 광희문을 점거하였으니, 이제 저동을 습격하고 나오는 검계와 살주계 일당들의 퇴로는 훤히 뚫린 셈이었다.

산지니는 성벽으로 올라가기 전에 군사들의 검은 더그레와 털벙거지를 모두 벗겨내어 나누어 입었다. 성벽 위에는 월도(月刀) 두 자루가 꽂혀 있고 개문좌부(開門左符)를 받으러 다니는 데 쓰이는 표신이 있을 뿐 열쇠는 없었다. 원래 개문좌부를 받아 대내에 가서 병조에서 내어주는 열쇠를 받아 열도록 되어 있는 것이다. 파루전에 나가야 할 작정이므로 줄을 타고 성을 넘을 것이니 별 문제가 될 것은 없었다.

북성이가 인솔한 살주계 계원들은 쌍이문방에서 묵동과 생민동을 지나 주동 다리를 건넜다. 영희전은 태조의 영정을 모신 곳인데 수직하는 자가 하나 있을 뿐이었고, 더구나 밤에는 텅 빈 사당이나 마찬가지였다. 담장이 주동 어귀에서부터 남부 네거리까지 길게 이어졌다. 그들은 얼굴에 검은 보자기를 둘러쓰고 남산동으로 오르는 패와 필동 다리로 내려가는 패로 갈렸다. 위 둘 패와 아래 둘 패를 한꺼번에 처치하려는 것이었다. 위는 북성이가 이끌고 갔으며 아래는 초동의 수노가 맡기로 되어 있었다.

북성이들이 남산동 초입의 버드나무 아래에 이르렀을 때 이미 순라들은 인정 뒤라 자리를 떠나고 있었다.

"우리가 한발 늦었다."

"까짓 거 딱딱이 소리 나는 곳으로 뒤쫓아갑시다."

북성이도 계원의 말이 그럴듯하여 잠깐 앉아 쉬면서 귀를 기울이는데 영희전 쪽에서 목편 두드리는 소리가 들려왔다.

"가까운 곳이다."

그들은 골목을 따라서 양편에 찰싹 붙다시피 하여 뛰었다. 영희전의 긴 담장을 돌아서자 멀리서 발등거리의 불빛이 흔들거리는 것이 보였다. 그들은 주저할 것 없이 똑바로 달려들었다. 순라는 둘이었다. 그들은 처음에는 앞에서 사람이 뛰어나오자 육모방망이를 쳐들며 소리를 질렀다.

"웬놈들이냐!"

그러다가 그들의 수가 여럿이고, 얼굴을 살피자 복면이었으므로 발등거리를 내던지고 돌아서서 뛰려 하였다. 그러나 이미 멀리 달아

나기에는 때가 늦어 사정없이 덮치는 살주계 계원들의 칼에 물고가
나고 말았다.

"남부 네거리까지 가는 동안에 딱딱이 소리를 쫓아 해치운다."

북성이가 일당들을 이끌고 영희전을 돌아 남부로 가는 동안에 초
동 수노의 일행은 필동 다리에서 복처의 순라들과 부딪쳤다. 거기서
그들은 셋을 베고 나머지는 놓쳐버리고 말았다. 어쨌든 목멱산 아랫
동네의 순라들이 모조리 끔찍한 일을 당했으니 거의 무인지경이 되
어버린 것이다.

"군호를 보내지."

북성이가 지시하자 계원 중의 누군가 허리에 차고 있던 날라리를
들어 한 가락을 불어넘겼다. 그러자 서쪽의 어둠속에서도 날라리 소
리가 경쾌하게 들려왔다.

"자, 이제 저동으로 내려가자."

그들은 저동의 역관, 이지사네 집을 바라고 뛰었다. 그는 연경을
왕래하여 수의역관을 다니면서, 성내에서 역관 변부자를 빼고는 그
의 재산을 따를 사람이 없을 만큼 이름난 부가옹이었다. 살주계원
들이 이지사의 솟을대문 앞에 이르니 벌써 회현방으로부터 달려온
청파 살주계와 고달근, 황회 등이 거느린 솔부리 일당들이 당도하
였다.

"복처에는 지금 쥐새끼 한 마리 얼씬거리지 않소이다."

"우리가 필동 다리에서 순라를 놓쳤으니 지금쯤 포도청이 벌집이
되었을 게요."

"올 테면 오라지. 이만한 수이면 아예 포도청으로 짓쳐들어가 대
장 종사 이하 모든 부장 장교 들을 도륙할 수 있네."

"문을 열어라."

황희가 말을 꺼내자마자 솔부리의 일당 둘이 나서더니 하나가 제 동무에게 어깨를 들이댔다. 그자는 냉큼 뛰어 어깨에 올라섰고, 이어서 담장의 기와에 두 팔을 얹은 다음 사뿐히 뛰어넘어갔다. 문 빗장 열리는 소리가 들리고 대문이 활짝 열려 젖혀지자 그들은 제 집 드나들듯 안으로 몰려들어갔다. 누가 시키지도 않았건만 태평소 불던 자와 두엇이 어울려 집 밖으로 나가 동서의 길을 망보며 지켜섰다. 그들은 집안에 들어서자마자 마당이 찌렁찌렁 울리는 목소리로 외쳤다.

"모두 방 밖으로 나와 마루에 꿇어앉으라. 듣지 않으면 쫓아들어가 일가 몰살을 하리라."

고달근이 가장 먼저 사랑으로 들어가 어린 계집종에게 다리를 주물리고 누웠던 이지사를 끌어내왔다. 집뒤짐이 시작되는데, 주로 이런 일에 경험이 많은 솔부리의 검계 일당들이 하였고 사람들의 수습은 살주계원들이 하였다. 돈과 피륙과 방물 외에는 거들떠보지도 않았으며 재물이 있을 만한 곳은 틀림없이 뒤져냈다. 청파의 중길이는 얼굴에 검은 수건을 두른 채로 그 집의 안팎 노비들을 행랑 툇마루에 일렬로 앉혀놓고 말하였다.

"우리는 양반놈들에게서 평생을 마소같이 부림받던 하천들이다. 이제 세상이 바뀌어 우리가 나라의 주인이 되려는 기운이 무르익어가고 있다. 너희 중에 우리를 따라가 죽을 때 죽더라도 사람답게 살다가 노비의 원한을 갚고 우리들의 천하를 일으켜세우는 데 힘을 합할 자는 나서라. 우리와 함께 가면 누구든지 눌리지 않고 저 살고 싶은 대로 살 수가 있다."

그러나 겁에 질린 노비들은 모두 입을 다물고 마룻바닥을 향하여 고개를 처박고 있을 뿐이었다.

"썩어빠진 것들…… 상전이 먹다 버린 대궁밥이나 처먹으면서, 이리 팔리고 저리 굴러다니며, 툭하면 매맞고 욕먹는 이런 생활을 버리는 것이 그다지도 두렵단 말이냐? 자, 어서 나서라."

마루에 앉았던 자들 중에 셋이 슬그머니 일어나 아래로 내려섰다. 둘은 사내요, 하나는 머리를 올린 계집이었다.

"저희를 데려가주십시오."

사내가 먼저 말하였다. 중길이는 그들에게 뒷전에 서 있으라는 표시로 턱짓만 해 보이고는,

"이 집의 수노 되는 자 나서라."

외치니 우물쭈물하면서 한 중년의 종이 일어섰다.

"너는 이 집에 몇년이나 있었는가?"

그는 한참이나 우물쭈물하더니 간신히 대답하였다.

"예…… 이 댁에서 태어났소이다."

"그러면 너의 어미는 어디 있는가?"

수노가 대답하지 못하자 중길이가 나직이 말하였다.

"내가 대신 말해주마. 네 어미는 일찍이 이 집 주인들이 범하였겠지. 거기서 몇명의 혈육이 생겨났겠지. 너는 씨종으로 그렇게 태어났겠지. 네 어미는 네가 아직 어렸을 적에 안방의 분부에 따라 팔려갔거나, 시골의 전장이 있는 곳으로 쫓겨갔을 터이다."

수노의 일생을 훤히 눈앞에 보듯 얘기하는 중길의 목소리는 차츰 떨렸다. 수노가 어깨를 떨고 있는 것으로 보아 울고 있는 듯하였으나, 이윽고 기어들어가는 목소리로 중얼거렸다.

"때가 너무 늦었소. 저 사람들이나 데리고 가시오."

뒷전에 서 있던 북성이가 역관네 수노에게 말하였다.

"당신의 뜻을 잘 알겠소. 그러나 조금만 기다리시우. 우리가 양반

들을 없애고 다시 태어날 때가 멀지 않았소. 성내가 뒤집어지는 날에 당신들은 모두 주인을 살해하고 밖으로 뛰쳐나오시오. 그게 우리들의 살 길이라는 것을 잊지 마우."

고달근과 황회는 솔부리의 일당들이 모아온 재물을 일일이 점검하고 나서 대강 약탈이 끝난 것을 알았다.

"자, 우물거릴 필요가 없다. 어서 수구문으로 나가세."

살주계 계원들은 따라나서는 세 사람의 노비를 이끌고 대문을 나오는데, 황회가 얼른 그들을 발견하고 중길이에게 물었다.

"저것들은 뭐요?"

"이 집을 떠나고자 하는 하천들이우."

고달근이 수건을 벗고 가쁜 숨을 토해내면서 참견하였다.

"뭐라구…… 누구 마음대루 데리구 가려는 게야."

"이건 우리 살주계에서 알아 하는 일이니 참견 마우. 앞으로도 양반 부호의 집을 습격하면 원하는 노비들은 누구에게나 자유를 줄 참이오."

"허허, 이 사람이 영 돌아가는 형편에 캄캄하구먼. 아무나 데리구 가서 도대체 어디에다 살리려구 이러는 게요. 그러다 추노에나 걸리면 공연히 댁네 계의 밑뿌리가 드러나게 될 것 아니오."

중길이도 검은 수건을 목 아래로 벗어내렸다.

"그런 염려는 마시우. 우리도 중흥동 깊은 골짜기에 은신처를 마련해두었소이다. 돈과 양식도 넉넉하니 이제는 우리 계원들이 하는 수 없이 종살이하는 집으로 돌아가지 않아도 되지요."

황회가 고달근에게 말하였다.

"내 이럴 줄 알구 처분 난처한 방물 등속은 따로 꾸려두었다. 아예 여기서 헤어지기로 하자꾸나."

고달근도 그것이 가장 안전하리라 여겨져서 고개를 끄덕였다.

"여기서 헤어집시다. 우리는 성 밖으로 나가야 할 텐데…… 남별대로 오르시려우?"

"예, 그럴 작정입니다. 나중에 우리 계원을 돌곶이로 보내지요."

솔부리 일당들은 저동에서 살주계 일당과 헤어져 동쪽으로 나아갔다. 광희문에 당도하니 산지니가 문을 점령하여 그들이 오기만을 기다리고 있었다.

"문은 열 수가 없고, 밧줄을 타고 성벽 너머로 내려가면 됩니다."

"수고하였네. 오늘 돌곶이서 푹 쉬고 내일은 하나둘씩 흩어져서 천마산으로 일단 돌아가기루 하지."

그들은 차례로 성문을 타넘었다. 한밤중에 돌곶이에 도착한 솔부리 일당은 밤참을 나누어먹고는 죽은 듯이 잠들었다. 이튿날 일행들이 흩어져서 상고의 차림으로 떠날 때 고달근과 황회는 양주에 들를 일이 있다며 북으로 올랐고, 산지니는 시동이와 더불어 장물의 처분을 위하여 돌곶이에 남았다. 살주계에서는 이번 이지사네 집의 습격으로 하여 모두들 자신이 붙어서 성내의 봉기를 금년 안으로 해치워야 한다는 의논이 일어나고 있었다. 그러나 의외의 일이 벌어지게 되었으니, 그것은 북성이가 가족들 때문에 상전의 집으로 되돌아간 탓이었다.

순라들의 복처가 쑥밭이 되고 저동의 이지사네 집이 칼 들고 복면한 도적들에게 털렸다는 소문이 장안에 파다하게 알려졌다. 포도청뿐만 아니라 조정 대신들간에도 요즈음 난민들의 행동이 심상치 않은 데 대하여 신중한 의논들이 돌았다. 각 군영에서도 한양 성내의 군기가 허술하기 이를 데 없음을 알고 스스로 단속하기 시작하였다.

별순라패들도 육모방망이나 딱딱이 대신에 창과 칼을 지니도록 하였고, 성문에는 수직 군사의 수를 늘리고 민병의 지원을 받도록 하였다. 위에서는 포청의 부장과 장교들에게 엄한 명을 내리고 난민들의 수괴를 어서 잡아들이라는 닦달이 심해졌다.

종사관 최형기는 복처가 도륙이 나버린 이튿날부터 아예 포청에는 나가지도 않고 부장들과 함께 변복을 하고서 성내를 돌아다녔다. 그는 헝클어진 머리에 때묻은 저고리 바람으로 시전의 가게 앞에 쭈그리고 앉아 곰방대나 부시 쌈지 등속을 벌여놓고 행상 시늉을 하고 있었다. 어떤 상한이 다가오더니 곰방대를 고르는 척하면서 나직하게 속삭였다.

"노비가 가출하여 여태 돌아오지 않는다고 알려온 댁이 몇집 있었습니다. 하온데 초동 교리 댁의 수노라는 자도 그날 밤에 인정을 치기 전에 집을 나갔었지요."

최형기는 얼굴을 찌푸렸다. 교리 댁을 지키던 포교가 깍정이 행색으로 며칠 동안 고생을 하였으나 막상 일이 나던 날 밤에는 행적을 놓치고 말았던 것이다.

"그놈이 돌아왔단 말인가?"

"아닙니다. 알아보니 그자가 장사를 나다닌 지 두 해나 된답니다."

한양 세가에서는 장토에서 올라오는 물건이나 곡물들을 필수품과 교역시키기 위하여 노비들을 저자로 내보냈고, 어떤 집에서는 아예 노비들을 시켜서 큰 밑천을 대어 장사를 벌이기도 하였다. 종루 시전에서도 그들이 난전꾼들에 섞여 있어, 폐해가 막심하다고 말들이 많았다. 큰 밑천과 세도가 있고, 부리는 사람이 많으니 누구보다도 난전에 유리하였던 까닭이다.

"난전을 나다니는 노비들이 제법 돈푼을 만지고 삼패 외입에도 능하다는 걸 아시지요?"

최형기는 고개를 끄덕였다.

"어디서 연줄을 캐낸 모양이구나."

"네, 바로 그렇습니다. 그놈이 홍제원에서 삼패 은근짜를 빼내어 청파에다 살림을 내었답니다. 방금 그 집을 알아내고 아이들을 먼저 보냈습니다."

최형기는 벌여놓았던 행상 봇짐을 주섬주섬 꾸렸다. 부장이 그 짐을 받아서 짊어졌다. 그들이 시전을 벗어나자 곳곳에 흩어져 있던 포교들이 각양각색으로 모여들었다. 각정이 차림도 있었고 도포에 갓 쓴 선비 차림, 마부나 곁꾼 차림도 있었다. 최형기가 그들을 인솔한 다른 부장에게 지시하였다.

"여기서 대를 나누어 집을 떠난 노비들의 뒷조사를 하도록 하고, 나머지는 계속 남아서 장물이 풀려나오는 것을 감시하라. 그리고 너희들은 우리를 따라오너라."

최형기가 마부 차림과 곁꾼 차림의 포교를 집어냈다. 그들은 부장의 뒤를 따라서 숭례문으로 나아갔다. 청파 삼거리에서 만리창 쪽으로 가는데 역시 시절이 그러하여 한산하였지만, 난전의 흔적이 역력하여 해물이나 과일 등속이 거래되고 초라한 가게들이 장을 벌여두고 있었다. 최형기 일행은 청파 난장을 벗어나서 초가집이 다닥다닥 붙은 당마을로 들어섰다. 토담이 이리저리 구부러져 있는데 어디선가 두 사내가 나타나 그들에게로 다가갔다.

"아직도 오지 않았습니다."

부장이 그들에게 물었다.

"집에는 누가 있던가?"

"계집과 갓난아이만 있는 듯합니다."

부장이 최형기를 바라보았다. 최형기는 그들 중에 가장 나이가 어리고 인상이 유순하게 생긴 마부 차림의 포졸에게 말하였다.

"네가 나서서 안으로 들어가 계집이 외치지 못하도록 해라. 남의 눈이 있으니까 재빨리 해야 한다."

"그냥 두고 지키다가 놈이 오면 덮치는 게 어떨까요?"

부장이 말하였으나 최형기는 생각이 달랐다.

"놈은 당분간은 나타나지 않을 게다. 한시바삐 저들의 계가 어찌 얽어져 있는지 캐내어야 한다. 계집에게서 무슨 말이 나오든간에 알고 있는 사실은 한 방울이라두 놓치지 않고 짜내야지."

젊은 포졸이 골목으로 들어가 삽짝을 흔들며 외쳤다.

"주인장 계시우."

안에서 누구냐고 되묻는 소리가 들리고,

"어서 문 좀 엽시다. 전할 말이 있어 왔는데……"

하는 소리가 들리더니 잠시 후에 삽짝이 빠끔히 열리면서 포졸이 고개를 내밀고 손짓하였다. 최형기는 골목의 좌우를 살피고 나서 빠른 걸음으로 토담 안에 들어섰다.

"어찌했느냐?"

문 옆에 입술이 터진 젊은 아낙이 반듯이 넘어져 있었다. 포졸이 부장에게 대답하였다.

"들어서자마자 한주먹 앵겼지요. 좀 있으면 툭툭 털구 일어날 겝니다."

최형기는 마루로 올라가 두 칸의 방을 차례로 살펴보았다. 안방에 아이가 잠들어 있었고 윗목에는 고리짝과 농이 놓여 있었다. 건넌방은 썰렁하게 비었는데 천장에 약재 봉지가 너덧 개 매달려 있었다.

최형기는 부장에게 일렀다.

"계집이 바른 말을 할 듯하면 이리로 데려오너라."

"여기서 말을 시킬까요?"

최형기는 대답 않고 찌푸린 눈을 들어 부장을 바라보았다. 굽든지 찌든지 알아서 하라는 눈짓이었다.

"소란스럽지 않게……"

부장이 멋쩍게 웃음을 지었다. 최형기는 미닫이를 닫고 앉아 눈을 지그시 감았다. 조금 있더니 여자의 흐느낌 비슷한 소리가 들리고 마루에서 여럿의 발걸음 소리가 들리더니, 이윽고 아기가 자지러지게 울었다. 수군거리는 소리가 들리다가 부장이 미닫이를 열었다.

"종사, 계집이 입을 열었습니다."

최형기는 눈을 뜨고 부장을 날카롭게 올려다보았다.

"이리로 데려오라."

미닫이가 열린 채로 여자가 끌려들어오는데, 두 포졸이 여자의 팔을 잡았고 여자는 머리가 산발이며 코피가 터져서 저고리 앞섶이 붉게 젖어 있었다.

"종사관 어른이시다. 바른대로 아뢰어라."

여자를 꿇리고 목덜미를 눌러놓으면서 포졸이 말하였다. 여자는 소리 죽여 흐느끼느라고 채 말을 꺼내지 못하고 있었다. 최형기는 나직하게 물었다.

"교리 댁 천예와는 언제부터 살게 되었느냐?"

여자가 미처 대답하지 못하자 부장이 주먹을 쳐들었고, 최형기가 손을 쳐들어 내버려두라는 시늉을 하였다. 최형기는 나직하지만 단호한 어조로 말하였다.

"자칫하다가는 너도 동범으로 되어 살아남지 못할 것이다. 그러나 바른대로만 얘기하면 오히려 후한 상을 내릴 것이니 주저 말고 직고하여라. 그자가 어디서 무엇을 하고 다니는지, 동류들은 누구누구인지, 어디에 자주 나다니는지, 네가 같이 살면서 듣거나 본 대로 말해보아라."

부장이 다그쳤다.

"누가 자주 찾아다닌다구 했지?"

"주…… 중길이란 사람이오."

최형기가 눈을 똑바로 뜨고 부장에게 말없이 묻는 시늉이었다.

"청파에 산다니 곧 찾아낼 수 있습니다. 전에 관노로 박혔다가 속량되었답니다."

"난전으로 나가서 찾아두어라."

최형기가 이르자 먼저 와서 기다리던 포교와 포졸이 지체없이 뛰어 나갔다.

"그래, 그가 와서 무슨 말을 하더냐?"

"자세히 듣지는 못했사오나…… 양반의 욕은 많이 하였습니다."

"또다른 자가 온 적은 없었느냐?"

부장이 다시 끼여들었다.

"참판 댁 수노와 친하답니다."

"참판…… 어느 대감 댁인지 아느냐?"

최형기는 자기도 모르게 여자의 머리 쪽으로 상반신을 굽히면서 물었다.

"모르옵니다. 그저…… 잠깐 들른 일이 있는데, 애 아비가 지나는 말로 저이는 참판 댁의 수노로 있다고만 그랬지요."

"한 달에 몇번이나 오는가?"

"작년에는 사흘이 멀다 하고 자주 왔으나 금년 들어서는 어쩐지 뜨음하여 한 달이면 고작 한두 번이었습니다."

"그래, 근래에는 언제 왔었느냐?"

"열흘 전에 왔다가 하루 자고 갔습니다."

"무슨 말이 없던가?"

"곧 우리를 시골로 데려간다고만 하였지요."

"양식이나 돈을 주더냐?"

"양식은 꼬박꼬박 보내옵니다."

최형기는 한숨을 쉬고 나서 일어섰다. 그제야 여인이 피투성이의 입언저리를 소매로 씻으면서 고개를 들었다.

"나으리…… 우리 주인이 무슨 죄를 지었습니까?"

최형기는 여자를 물끄러미 내려다보다가 부장에게 일렀다.

"부장은 아이 하나를 데리고 이 집에서 며칠 지내야겠다. 놈이 언제 찾아올지두 모르니까 잘 감시하도록 하여라."

"이년은 어찌할까요?"

최형기는 여자에게서 눈길을 거두었다.

"그자를 잡을 때까지는 함께 있어야 하지 않나. 밥을 집에서 날라다 먹으려는가. 자, 너는 남아 있거라."

최형기가 젊은 포졸을 지적하였고 곁꾼 차림의 포졸이 따라나섰다. 최형기는 당마을을 나서자마자 포졸에게 지시하였다.

"너는 이 길로 포청으로 가서 부장에게 말하여 참판 댁 수노 중에 어떤 자가 그날 밤에 출타하였는지, 그리고 어떤 자가 지금 집을 비우고 있는지 알아가지고 우리집으로 오너라."

최형기는 달려가는 포졸을 바라보면서 이만하면 적당들은 이미 손안에 들어온 것이나 한가지라고 생각하였다. 그는 사흘 안에 장계를 올릴 수가 있을 것 같았다.

청파역(靑坡驛) 앞은 주막과 가게가 모여 있는 곳인데 동작나루와 노량나루, 마포의 동막과 용산 삼개와 잇달아서, 난전 치는 사내들의 출입이 빈번하였다. 역의 주막거리에서 최형기는 포졸들을 한참이나 기다렸다. 중길의 집을 찾아나섰던 두 명의 포졸 가운데 하나가 저자를 따라 내려왔다. 최형기가 길 가운데로 나가 그를 맞았다.

"어찌되었느냐?"

"중길이란 자는 집이 따로 없답니다. 보통 저자 난전꾼들이 모이는 화초방에서 자거나 주막 봉놋방에서 지낸답니다."

"절친한 자도 없더냐?"

"숭례문 밖 죽물전에 물건을 대는 자로, 집이 여기서 활 두어 바탕 거리에 있답니다. 요새 물건이 없어 집에서 장죽을 만들며 소일한답니다."

최형기는 땅바닥에 시선을 주고 잠깐 동안 생각에 잠기고 나서,

"그 녀석을 건드릴 필요는 없겠다. 공연히 소문만 낭자해지면 덫이나 함정은 아무 쓸모가 없게 될 테니까. 너희는 우포청의 아이들과 협력하여 저자의 화초방과 봉놋방 그리고 죽물 장사치네 집을 물샐틈없이 감시하여라. 언제든지 한번은 나타나게 되겠지."

자세히 일러준 뒤에 저자를 떠났다. 최형기의 집은 시전이 즐비한 종루의 배오개 부근에 있었다. 좌포청이 종묘 옆의 정선방(貞善坊)에 있었으므로 등청하기도 가까운 거리였고, 배오개가 또한 성내에서는 시정배들이 가장 많이 모이는 곳이라 포도관이 살기에 적합한 곳이기도 하였다. 그의 집은 안방과 건넌방과 사랑방의 격식을 갖춘 조그마한 기와집이었다. 부근에는 장사치나 중인들의 어슷비슷한 집들이 많았다. 포도 종사관이 그리 대단한 직업은 아닐지라도 어쨌든 초라한 집이었다. 동향의 집 앞으로 누렁다리 상류에서

흘러내리는 개천이 내다보였다. 그는 집에 돌아오자마자 머리를 감고 옷을 갈아입었다. 광에는 그가 암행 기찰을 할 때마다 갈아입는 각종 신분의 의관들이 걸려 있었다. 하녀와 그의 아내는 최형기가 저자에서 미복(微服) 기찰하며 뒹굴어다니다가 돌아오면 언제나 코를 싸쥐고 피하였다. 발냄새와 땀내가 며칠 동안 진동하기 때문이었다. 최형기는 늦은 점심을 들었고 그의 아내가 밥상머리에 앉아서 말을 걸었다.

"또 나가셔야 하나요?"

"나가봐야지."

"이번에는 고생이 심하시겠지요."

최형기는 냉수에 만 밥을 건지다 말고 아내를 물끄러미 바라보았다. 그의 아내는 남편의 안색으로 그가 포청으로 나갈 것인지 시정으로 나갈 것인지를 분간할 줄 알았다. 아내가 이어서 중얼거렸다.

"사람이 많이 죽었다면서요?"

"어디서 들었소?"

아내는 진저리를 치며 말하였다.

"저애가 빨래를 나갔었는데 소문이 파다하더래요. 남부의 다섯 순라패들이 모두 결딴이 났다면서요. 그리구 역관 다니던 부가옹네 집이 화적을 만났다던데……"

최형기는 혹시나 하는 생각이 들어서 짐짓 물어보았다.

"누구 짓이라구 그래?"

"글쎄요…… 뭐라더라, 강화 쪽에서 왜구가 숨어들었을 게라구 하는 말두 있구…… 그거야 어디 황당한 말이라 믿을 수 있나요. 헌데 뭐라더라, 무슨 계(契)가 있는데, 그놈들이 작당하여 일을 저질렀답니다."

최형기는 문득 수저를 놓았다.

"그런 얘기는…… 어디서 누가 하던가?"

최형기가 아예 수저를 놓고 긴장한 빛을 띠자 오히려 그의 아내가
놀란 모양이었다.

"왜 그러셔요. 저애가 빨래터에서 들었다는데……"

형기는 마루로 나가 하녀를 불렀다. 하녀도 겁을 집어먹고 있었다.

"네가 들은 대로 다시 한번 말해보아라."

"예…… 저 살주계라나 하는 당이 있는데, 그자들이 남부에서 큰
일을 저질렀다구 하였어요."

누렁다리 밑의 빨래터라면 동부의 여러 집에서 나온 계집종들이
모여드는 곳이었다. 하천들의 기미가 심상치 않다는 것은 지난 여름
부터 눈치를 채고 있던 최형기였다. 무슨 작당이 있을 듯이 여겨졌
는데 살주계(殺主契)라면, 문자 그대로 주인을 죽이는 모임이 아닌가.
이런 소문이 벌써 하천들 사이에 파다하여 계집종들끼리 주고받을
정도였다니, 포도 종사관인 최형기는 실상 구름을 잡고 다닌 것이나
마찬가지였다. 탈취당한 이지사네 집의 노비들을 심문하였을 적에
어찌된 일인지, 그들은 한결같이 촌에서 올라온 화적당으로 여겨진
다거나, 없어진 노비들에 대해서는 짐을 짊어지워 강제로 잡아갔다
고만 얘기하여 종내 미심쩍었다. 최형기가 받은 느낌은 그들이 무엇
인가 알고 있는 것을 숨기는 듯했다는 것이다.

"그렇군……"

최형기는 비로소 납득할 수가 있었다. 바로 살주계였다니. 그렇다
면 보통의 명화적에 관한 것이 아니라, 바로 역모에 해당하는 것이
었다. 예전 임진년에도 노비들은 무리를 지어 궁궐과 장예원과 형조
를 불태우고, 미처 피난하지 못한 양반 사족들을 해코지하였던 것이

다. 하녀는 건성으로 지껄일 뿐 그 말의 뜻이 무엇인지 모르는 게 분명하였다. 아마도 알고 있었다면 감히 입 밖에 내지 못하겠기 때문이다. 더욱 근거가 확실하였다. 누군가 계에 들어간 하천의 하나가 자랑삼아 발설하여 계집종들 사이에 퍼져나갔을 것이다.

오후 늦게 청파에서 헤어졌던 포졸이 다른 부장과 함께 최형기를 찾아왔다.

"청파에는 좌우포청의 기찰포교들이 깔려 있고, 당마을에는 아예 수직을 세워두었다는 것을 이(李)대장께서도 알고 계십니다. 참판 댁 말씀인데……"

"그래 알아보았느냐?"

"육조의 어느 참판 댁인지 알 수가 있겠습니까만…… 다행하게도 그날 밤에 전 참판 댁을 감시하던 포졸이 새벽녘에 그 집 수노가 돌아왔음을 알아냈습니다."

"전 참판이라니……"

"전부터 수상한 말이 들리기에 기찰하고 있었습니다. 지금은 지중추부사로 있는……"

최형기는 그제야 알아들었다.

"음, 목내선 대감 말이로군."

목대감은 남인(南人) 계열이었으므로 경신년 대출척 때 파직당하여 실직 없이 중추부사로 지내고 있었다. 더구나 재작년 임술년의 고변(告變)으로 남인의 잔존 세력이 뿌리뽑혀 그 파동이 올해 들어서야 겨우 가라앉았던 것이다. 아무리 그렇다 하나, 그는 당상관을 지내던 이였고 또 언제 재차 조정에 불려나갈지 알 수 없는 노릇이었다. 확실한 증거가 있다손 치더라도 수노를 함부로 다룰 수가 없을 터인데, 하물며 그날 밤에 우연히 집을 비웠다고 해서 무턱대고 잡아올 수도 없었다. 또한 그 댁의 수노가 막무가내로 버틴다면 오히려 최형기 쪽이 파직이라도 감수해야 될 판이었다.

"수노가 지금 집에 있다던가?"

"예, 며칠 전에 나가 있다가 이틀 만에 다시 돌아왔답니다."

최형기는 목내선의 집으로 찾아갈 작정을 하였다. 계의 내막이 패흉스럽고 보니 주인 되는 목대감에게도 깊이 상관이 있는 일이고, 수노를 잠깐 데려다가 이미 잡혀 있는 혈당과 대질을 시켜보겠다면 무슨 반응이 나타날 것이었다. 더구나 그는 지금 낙백의 시절이고, 고변 이후의 흉흉한 분위기가 아직 남았는데, 포도청을 가벼이 대하지는 못할 듯하였다.

"너희들은 나를 따라오너라."

"어디 가십니까?"

부장이 물었고 최형기가 말하였다.

"목대감 댁 하인을 잡으러 간다."

"저희들은 변복 차림이고…… 아무래두 시기가 이르지 않습니까?"

"아니다. 배꼽에 노송 자랄 때까지 기다리겠느냐. 첫 입에 들어올려야지, 두 입질 세 입질 기다리다가는 미끼만 떼인다. 대감과는 나두 안면이 있다."

이미 몰락해버렸지만 전 어영대장 김익훈의 문하에 최형기가 있었고, 남인의 목대감과는 서로 대척관계에 있어서 주인의 정적을 소상히 알고 있던 터였다. 형기가 익훈을 떠난 것은 실로 선견지명이 있었던 것이다. 남인을 때려잡는 고변을 일으켰다가 그 일로 파직이 되었으니 김익훈은 정적들에게서 끝내 사람의 대접을 받지 못할 것이었다. 최형기는 또 언제 뒤집어져서 남인들이 조정에 나서게 될지 모르는 일이었으므로 자기 같은 무장은 불편부당하는 처신이 유리할 것임을 진작부터 깨닫고 있었다.

"요즈음 목대감 댁이 어디인가?"

"낙선방(樂善坊) 쪽입니다."

"별순라패들이 당한 구역이로군."

"따지고 보니 그렇군요."

그들은 배오개(梨峴)에서 종루를 가로질러 곧장 개천을 건너 낙선방으로 올라갔다. 부근에는 박팽년의 집터와 이안눌의 집과 박승종의 집이 있는데, 목내선은 비파정(琵琶亭) 아래 십 부(十負)의 대지에 삼십여 칸짜리 집에서 살고 있었다. 청계천으로 흘러내려가는 두 갈래의 개천이 마주 보이는 가운데 소나무가 울창한 곳이었다. 최형기는 솟을대문 앞에서 외쳤다.

"이리 오너라."

어려 보이는 사동이 마침 문을 열었다.

"너희 대감마님 계시느냐?"

"어디서 오신 뉘시옵니까?"

사동은 갓에 도포 차림인 최형기를 살피고 그의 등뒤에 서 있는 자들을 재빨리 훑어보았다.

"포도청 종사관으로 있는 최형기란 사람이라구 여쭈어라."

사동은 그들을 허술청으로 안내하였다. 청지기가 붓과 간지를 내주며 말하였다.

"명자(名刺)를 드릴 터이니 여기 적어주십시오."

최형기가 두말 없이 적는데 뒷전에 앉았던 장교가 혼잣말로 중얼거렸다.

"직임도 없는데 재상집처럼 까다롭구먼."

청지기가 못 들은 체하고 있으나 안색에 불쾌한 기색이 보이므로 최형기는 오히려 장교를 꾸짖었다.

"이 댁 어른께서 일찍이 좌이(佐貳)의 수관(首官)을 지내셨는데, 어찌 들고 나는 인사를 소홀히 하겠느냐."

청지기가 내준 명자를 사동이 받아가지고 들어갔다가 나와서 전하였다.

"사랑으로 드시랍니다."

최형기는 중문을 지나 사랑채로 들어갔고, 안에는 다른 방문객들이 있는지 웃음소리가 들려왔다. 사동이 방문을 열어주었고 웃음소리들은 뚝 그쳤다. 목내선은 들고 있던 옥잔을 소반 위에 내려놓았다.

"들어오게."

최형기는 정중하게 절을 올렸다.

"기간 평안하셨습니까?"

목내선은 떨떠름한 표정으로 대번에 물어왔다.

"그래 포청의 종사가 무슨 일로 내 집에 왔는가?"

최형기는 방 안의 사람들 모두가 자기를 불쾌한 시선으로 바라보고 있음을 알았다. 그중의 하나가 말하였다.

"자네는 김익훈의 문하에 있던 자가 아닌가?"

최형기는 눈길도 주지 않고 목내선에게 말하였다.

"영감께서 아시듯 저는 조정의 형편에는 어두울 뿐만 아니라, 낮고 천한 일개 무장으로서 여러가지 구설은 알고자 하지도 않습니다. 다만 영감 신변에 위급한 일이 생겼기로 의논드릴까 하여 감히 찾아뵙는 것입니다."

"위급한 일이라니……"

"주위를 물리쳐주십시오."

목내선이 방문객들에게 눈짓하였다. 그들은 아무 말 못 하고 자리를 떴다. 방 안에는 이제 목내선과 최형기 두 사람뿐이었다. 최형기가 서두를 떼었다.

"요즈음 한양의 치안이 혼란하다는 소문을 들으셨는지요."

"나는 거의 출타하지 않고 지내니 무슨 소문을 듣겠는가마는, 며칠 전에 역관 다니던 이모라는 사람의 집이 화적을 만난 것은 들었지."

"그뿐 아니라 숭례문 밖에서는 백주에 적당들이 날뛰고 있어 저희 좌대장의 처가에서도 화적에게 변을 당하였습니다. 그리고 저동 이지사 댁이 탈취당할 적에 순라패의 복처 다섯 곳이 쑥밭이 되었습니다."

목내선은 혀를 차며 얼굴을 돌렸다.

"상의 총애를 받는 정승 판서들은 다 무엇 하는 이들인가. 국가의 녹을 받아 그러한 난민마저 진정시키지 못하고 심지어는 도성 안에서 살변이 일어나도록 문란하다니, 모두 파직하고 극변에 원찬(遠竄)될 죄이니라."

최형기는 목내선의 치우친 불만이 계속되려는 것을 가로막았다.

"사태가 급박합니다. 한양의 천예들이 작당을 하구 있습니다."

"지난번에 청국의 형세를 물어온 왜국의 국서 때문에 인심이 소연하다는데, 조정 벼슬아치들은 그것을 수습할 일은 도모하지 않고 오히려 가족들을 시골로 피난시키고 있으니 더욱 한심스런 노릇이지. 주상의 총명을 가리우고 백성을 편하게 다스리지 못하며 그 위에 하늘의 진노를 사서 흉년까지 당하였으니 천추에 씻지 못할 불충이다."

목내선은 스스로 흥분하여 노기를 띠었다가 최형기의 귀띔이 그제야 생각났는지 자제하면서 물었다.

"헌데, 그런 일들이 초야에 있는 나와 무슨 상관이 있단 말인가?"

"아뢰옵기가 송구스러우나…… 워낙 긴급한 일이라서, 한양의 천예들이 살주계라는 당을 모았는데, 이 댁에 그 혈당의 하나가 있는 것 같습니다."

"뭐라구, 살주계라? 그게 틀림없는 사실인가?"

"이 댁의 수노 되는 자가 그들과 자주 왕래하였사온데, 대질을 시킬까 하옵니다."

"그러니까…… 계에 들었는지는 확실히 모르지만, 잡힌 적당과 잘 안다는 말이렷다?"

목내선이 침착하게 되물었고, 최형기도 조심스러이 말하였다.

"모교리 댁의 수노가 청파 당촌에서 바깥살림을 하는데 계원이 틀림없습니다. 거기서 이 댁의 수노가 자주 왕래하였음이 밝혀졌지요. 계에 들었는지는 모릅니다만…… 모여서 양반의 욕을 했다는 것은 분명합니다."

목내선은 별로 시답잖다는 눈치였다. 그는 팔짱을 끼고 묵묵히 생각에 잠겨 있더니 최형기를 노려보았다.

"그래, 대질을 시켜서 어쩌겠다는 것인가?"

최형기는 오히려 얼떨떨하여 목내선을 바라보았다.

"무슨 말씀이온지……"

"내가 비록 칩거하고 있다고는 하나, 감히 내 손으로 기른 아이를 데려다가 함부로 국문하겠다는 건가?"

"대감, 이런 일은 체모와는 아무 상관이 없는 일입니다. 국본이 흔들리는 일인데 어찌 사사로운 감정일 수가 있겠습니까?"

목내선은 차츰 언성을 높였다.

"혐의가 분명하여 적당인 것이 밝혀지면 이것은 주상께 불충이 되거니와 내 스스로가 실덕한 자가 되고 말 것이네. 집안의 천예 하나 제대로 다스리지 못하였으니 어찌 세상의 조롱이 없겠는가. 또한 혐의 없음이 밝혀진다 할지라도, 세간에서는 내가 행신(幸臣)이 못 되어 포청의 침학을 면치 못한다고 구설이 따를 게야."

"참으로 황공합니다. 하오나 노비가 그 주를 역하고 아들이 아비를 역하며 신하가 임금에 역하는 것은 천벌이 따르는 중죄이옵니다. 소문에 듣자하니 살주계의 계원들 대부분이 대솔하인(帶率下人)들로서 난전에 나가다니던 자들이랍니다. 대가의 수노들은 궁궐의 사정에 밝고 저자의 무뢰지배들과 가까운데, 혹시 저들이 모역하여 도성 내에서 난을 일으키면 실로 양호유환(養虎遺患)이 될 것입니다."

목내선은 빈 잔을 들더니 최형기에게 내밀었다.

"한잔 들게나."

"소인이 어찌 감히……"

최형기가 잔을 잡으려 하지 않았으나 목내선은 침통하게 그를 들여다보며 들고 있는 술잔을 내려놓지 않았고, 형기는 할 수 없이 잔을 건네받았다. 목내선은 떨리는 손으로 술을 치다가 넘쳐서 형기의 손등을 적시었다.

"내가 자네의 관무에 충직함을 의심하는 바는 아닐세. 허나 그놈은 우리집의 내림 씨종이야. 집안의 개가 사람을 물어도 남의 손에 박살되느니 스스로 처치해야 덜 불쾌한 법이야. 강상죄(綱常罪)에서 나아가 반역죄에 이르는 일을 어찌 내 집 울타리 밖으로 내보낼 수가 있겠는가."

최형기는 잔을 그대로 내려놓았다.

"다만 입을 열게 하여 한시바삐 혈당들을 잡아내려는 것입니다."

"계원이 분명한가?"

"아직은 모릅니다. 내왕이 잦았다고 하니 관계가 없달 수야 있겠습니까?"

"노비들이라고 인정을 가진 사람인데 바깥에 동무가 없겠는가."

"전부터 대솔하인의 기미가 수상하여 기찰해오더니 저동에서 변이 나던 날에 이 댁의 수노가 집을 비웠다가 새벽녘에 돌아온 사실이 있다니까요. 대감, 저희 고충도 굽어살피시오."

최형기의 간곡한 말이 끝나자마자 목내선은 나직하게 웃기 시작하였다. 형기는 차츰 더 난처해졌다.

"이 사람아, 그날 일이라면 내가 자세히 기억하구 있네. 동막에서 전갈이 오기를, 우리 향리의 장토에서 산물을 가지고 마름이 올라왔다기에 내가 그 녀석을 보냈네. 그깟 일로 흉모에 동참하였다고 의심을 하다니…… 좌우간 이렇게 은밀히 의논해주어 고마우이."

최형기는 답답하였으나 감히 그게 참말이냐고 다짐을 받을 수는 없었다. 아까 청파에서는 사흘 안으로 끝내버릴 일 같더니만, 막상 부딪쳐보니 살주계의 내막을 캔다는 것이 천도(天桃)를 따내는 일만큼이나 어렵게 느껴졌다. 형기는 홧김에 술잔을 들어 털어넣고 일어섰다.

"이 일이 의금부로 넘어가기 전에 포청에서 결안(結案)이 되기를 바랍니다만, 수노를 만나지 않고 그냥 돌아가겠습니다."

문을 열고 나가려는 그의 등뒤에서 목내선이 나직이 말하였다.

"여보게, 종사……"

최형기가 돌아서니 목내선이 한숨을 길게 내쉬었다.

"내일 오전에 다시 와주겠나?"

"오전에요?"

"내가 세사에는 소졸(疏拙)하여 자네와 의논할 일이 많네."

최형기는 눈치가 빠른 사람이었다. 그는 문가에서 다시 읍하며 정중하게 말하였다.

"어느 분부시라고 거역하겠습니까?"

"그래, 올 때 후탁(後坼) 구군복을 입고 포교 두엇을 데리구 오게."

최형기는 목내선이 마루에까지 나오자 가장 황송한 듯이 허리를 굽히고 뒷걸음쳤다. 목내선이 댓돌 아래 섰던 사동에게 말하였다.

"대문까지 모셔드리구 오너라."

최형기는 자기가 다른 하인들과 접촉하거나 행랑을 기웃거리지 못하게 하려는 것임을 너무나 잘 알고 있었다. 대문간의 허술청에서 기다리던 부하들이 그가 맨손으로 나오는 것을 보자, 놓친 줄 알고서 소매를 걷으며 뛰어나왔다.

"놈이 달아났습니까?"

최형기는 쓴웃음을 지었다.

"샌전(死人廛)에 가서 지방이나 얻어와야겠다. 우리가 염이나 하게 될 모양이다."

목내선은 의외의 내방객이 물러가자 스스로의 흥분을 달래기 위하여 방 안을 우왕좌왕하였다. 이 무슨 불길한 조짐인가. 염통 밑에 쉬가 스는 줄도 모르고 있었던 것이다. 목내선은 사동의 신 끄는 소리를 듣고는 먼저 미닫이를 열었다.

"차가에게 일러라. 북성이를 장광에다 가두고 추국할 준비를 갖추어놓도록 하여라."

목내선은 다시 보료에 기대앉았다. 북성이는 어릴 적부터 그의 둘째아들과 더불어 자라난 종이었고, 입이 무겁고 하는 일에 빈틈이 없어서 벌써 집 밖으로 나돌게 한 지가 이십 년 가까이 되어오는 터였다. 목내선이 아무리 되짚어 생각하여도 그를 학대하거나 미워한 적이 없었다. 그의 할아비는 목내선이 어려서 절에 들어가 공부할 때 따라왔었고, 그가 두 달이나 앓아 다 죽게 되었을 때에는 시구문 밖에 내다버리자는 것을 목내선이 끝내 말려서 평화스럽게 운명하도록 했던 것이다. 노복은 숨결이 끊기기 전에 마당에서 목내선의 아들과 뛰어노는 북성이의 웃음소리를 듣더니 눈물을 주르르 흘리던 것이었다.

북성의 아비는 목내선이 조정에 나아가 발신하던 무렵에 죽었고, 그의 어미는 아직도 행랑채에서 살고 있었다. 일찍 장가를 들이려 하였건만 웬일인지 북성이는 끝내 마다하고 바깥일에만 열중하여 마흔 가까운 나이가 되도록 헛상투만 틀고 있는 총각이었다. 목내선은 끓어오르는 분노를 억제하는 동안에 주전자에 남은 술을 모조리 비워버렸다. 밖에서 기침소리가 들리더니 청지기를 보는 차서방이 아뢰었다.

"대감마님, 분부대로 시행하였습니다."

목내선은 아무 말 없이 밖으로 나섰다. 청지기는 겁에 질려서 감히 그를 바라보지도 못하였다.

"안채에서나 아녀자들은 사랑채에 얼씬도 못 하도록 하여라."

청지기가 광문을 열었고, 목내선은 안으로 들어갔다. 어둠침침한 가운데 너덧 명의 하인이 작대기를 들고 섰으며, 북성이는 땅바닥에 꿇어앉아 있었다.

"광문을 닫아라."

하인들도 모두 주눅이 들었고, 무슨 속인지 알아채지 못하였다. 추국을 벌이는데 사랑 마당에서가 아니라 훤한 대낮에 어두운 광에서 하려는 것부터가 어딘가 음산하게 여겨졌던 것이다. 목내선은 북성이는 거들떠보지도 않고 먼저 천장의 대들보부터 살폈다.

"이놈을 여기다 매달아라."

그때 북성이가 머리를 들었다.

"대감마님, 무슨 일로 이러하십니까?"

북성이의 깊숙한 눈은 타는 듯이 빛나고 있었고, 당장이라도 좌우를 뿌리치고 일어날 듯한 기색이었다. 목내선은 함정에 빠진 범 구경이라도 하는 듯이 뒤로 한걸음 물러나며 하인들을 꾸짖었다.

"어서 시행치 못하면 너희들 모두 살아남지 못할 줄 알아라."

북성이가 무릎을 펴려는데 누군가가 작대기로 내리쳤고 그것이 시작이 되어 매가 어지러이 떨어졌다. 북성이의 머리가 터지고 등짝에 매 튀는 소리가 요란하였다. 북성이의 두 손이 묶이고 다시 밧줄에 연결되어, 줄을 대들보 위로 넘기니 위로 대롱거리며 달려올라갔다. 그의 발이 허공에 떴다. 목내선은 청지기가 가져온 호상(胡床)에 걸터앉았다.

"네 이놈! 이실직고한다면 목숨은 살려주려니와, 속이려 하였다간 네 식솔들까지 모두 죽음을 면치 못하리라. 지난 그믐에 어딜 갔다가 새벽에 들어왔느냐?"

북성이는 두 손목이 허공으로 쳐들린 채로 아직도 이글이글 타는 듯한 눈으로 목내선을 내려다보았다. 흐트러진 머리와 길고 검은 수염이 얼굴을 거의 가려 눈과 억센 콧날만이 있는 것 같았다.

"대답하지 못할까?"

목내선이 손가락질하자, 하인들은 다시 어지러이 난타하였다. 북성이가 눈을 감더니 중얼거렸다.

"소인이 밖에 나다닌 지가 하루이틀입니까. 시정아치들이 투전을 논다 하여 개평 뜯기나 하려고 나갔었습니다."

"허어, 저놈이 그래도 속이는구나. 네가 모교리네 천예와 더불어 저동의 화적질에 가담한 것을 모르는 줄 아느냐. 벌써 그자가 잡혀서 모두 불었다."

"소인은 모르는 일입니다."

목내선은 청지기를 가까이 오게 하여 귀에다 뭔가 속삭였고, 그가 바삐 광 밖으로 나갔다. 목내선의 뺨에는 땀이 흐르고 있었다.

"네가 나를 죽이기 전에 네 할애비를 먼저 생각했어야 할 것이다. 내 일찍이 네게 혈육같이 대하였건만, 이놈 살주계란 다 무엇이냐? 바른대로 대지 못할까. 포청에서 너희를 모두 탐문하여 이리로 너를 잡으러 왔었다. 네가 입을 열지 않는다면 혀를 뽑아놓고 말겠다."

목내선은 두리번거리더니,

"인두 어디 있느냐, 어서 가져와."

하면서 발을 동동 굴렀다. 그의 흰 수염은 턱끝에서 부들부들 떨리고 있었다.

"대감마님, 고정하십시오. 저희들이 하겠습니다."

하인 하나가 뛰어나가자, 엇갈려서 청지기가 보퉁이를 가지고 돌아왔다.

"행랑채 벽장 속에서 이런 것들이 나왔습니다."

목내선은 보퉁이를 풀었다. 창포검과 끝이 둥글게 닳아빠진 종이쪽지와 태평소(太平簫)였다. 목내선은 가장 먼저 종잇조각을 펼쳐들었다. 언문으로 살주계 약조문이라 되어 있는데, 검붉은색으로 퇴색한 것이 피를 내어서 쓴 모양이었다. 목내선은 그것을 펼쳐들고 차마 다 읽지 못하고 떨기만 하였다.

"그래, 양반을 모두 살육하고 재물을 빼앗으면 세상이 바뀔 줄 아느냐?"

내뱉고는 창포검을 뽑았다. 그는 칼을 치켜들어 북성이를 베려다가 다시 칼집에 천천히 집어넣었다.

"너를 단칼에 죽이지는 않으리라. 포청에 넘기느니 차라리 내 손에 죽는 것이 나을 게다."

하인이 인두를 꽂은 화로를 받들고 들어왔다. 오동 화로 안에는 벌건 숯불이 가득 들어 있었고 인두 세 대가 꽂혀 있었다. 목내선은 다시 호상에 가서 걸터앉으며 물었다.

"지난 그믐에 어디에 갔었느냐?"

하인 중의 하나가 인두를 뽑아들며 북성이게로 다가섰다.

"네가 수노로서 대감마님의 은총을 받은 위에 피와 살을 주신 부모와 같을진대, 이런 천인공노할 배은이 어디 있느냐? 너 같은 놈 때문에 우리들까지 부끄러워서 도성에 나다니지 못하게 하려느냐."

하인이 인두를 쳐들자, 북성이가 고개를 돌리더니 굵직한 음성으로 중얼거렸다.

"가엾은 놈…… 오늘은 나를 잡지만, 다음번엔 너희를 도살할 거다."

목내선이 일어나 다른 인두를 뽑아서 북성이의 배에다 지그시 눌렀다. 북성이는 꿈틀거리면서 신음을 스스로 억제하였다. 하인들은 아무리 지엄한 주인의 명령이라고는 하지만, 어제까지도 북성이와 동료지간이었던지라, 그와 눈을 마주치기도 괴로운 노릇이었다. 그들은 아직은 주인을 죽이고 세상을 바꾼다는 일이 하늘을 거역할 만큼 끔찍하고 엄청난 짓으로 생각될지언정, 무엇을 의미하는지를 알지 못하였다. 그러나 북성이가 무력하게 두 손이 묶이어 대들보에 매달려 있어도, 어디인가 자기네와는 달리 두렵고 당당해 보였던 것이다. 목내선은 북성이의 몸 이곳 저곳을 인두로 지져대고서 쇠가 검게 변하자 땅에 내던졌다. 그는 땀을 계속 흘리고 있었다. 노구이 긴 하여도 제법 강단이 있는 몸인데 역시 노인네 근력이란 믿을 수가 없어서, 잠시 후에 스스로 기진맥진하여 호상에 털썩 주저앉았다. 북성이는 입술을 깨물고 비명이 나오려는 것을 참았으나, 눈은 벌써 총기를 잃었고 이리저리 몸을 꿈틀거리느라고 두 손목은 밧줄에 쓸려서 피가 맺혀 있었다. 목내선은 흐릿해진 북성이의 눈을 바라보며 달래듯이 물었다.

"내가 너희 세 모자를 은의(恩義)로 대하였거늘 흉당에 들어간 것은 무엇 때문이냐?"

북성이가 지치고 피곤한 목소리로 천천히 말하였다.

"예부터 우리들 노비란…… 당신네 양반들에게는 개 돼지나 우마(牛馬)와 다를 바 없지 않소. 상전 편에서는 은의라 하나 우리 쪽에서는 다만 한때의 속임수에 지나지 않는 것이니, 진정한 은의라면 왜 진작에 면천시켜주지 않았습니까. 허리가 부러지도록 평생을 댁네를 위해 일하다가 몸져누운 할아버지를 시구문 밖에 내다버리라고 했던 것도 당신들이지요. 대감께서 장례를 치르도록 하였다지만, 집 안의 강아지에게 한 줄기 인정을 쓰는 것과 무엇이 다르오. 댁네는 우리 누이를 삼남 향족에게 팔아버렸지요. 왜 그랬나요. 그때에 내가 어렸으나 누이와 어미가 붙들고 울어서 다 듣고 알았소. 이 집 큰 서방님짜리가 음행하여 말썽이 생겼기 때문이지요. 그때에 누이가 아이를 가져서 값이 후하였다고 댁네들이 지껄이는 소리도 들었소. 나와 내 아우가 자라나며 겪은 온갖 매와 고달픔은 다 잊었으나, 어미가 겪은 수모는 말로 꺼낼 수가 없소. 댁네 양반들은 모두들 음예(淫穢)로 날을 보내며, 부인들은 갖은 포학으로 앙갚음을 하였으니,

내가 어찌 한두 번 댁네를 죽이고자 작심하였겠소. 어미가 손가락을 작두에 잘리고 골방에 돌아와 울 적에, 나는 눈물 한 방울 흘리지 않고 어둠속에다 대고 맹세하였지요. 언젠가는 댁네 양반들을 이 세상에서 하나도 남김없이 쓸어버리겠다고……"

목내선은 북성이의 얘기를 묵묵히 듣고 있었다. 그렇다고 그가 무슨 감정의 변화를 일으킨 것은 아니었다. 그의 배신에 대한 분풀이는 일단 끝이 났기 때문이다. 목내선은 싸늘하게 식어 있는 것처럼 보였다. 아까까지는 목내선 개인이었으나 이제 그는 이 나라에서 가장 혜택을 받은 신하이며 대대손손 물려서 빼앗기지 않아야 할 양반이었고, 그와 같은 이들을 대신하여 여기 앉아 있는 것이다. 도대체 이따위 한 줌도 안되는 천예의 무리들이 몇백 년을 유지하여온 국본을 어찌 흔들 수가 있으랴마는, 저들은 분명히 가장 질이 나쁘고 위험한 적이었다. 몇몇 노비가 저희 주인을 실지로 죽여버리는 일보다도 살주계라는 이름이 더욱 위험하였다. 보에 뚫린 구멍이고, 축담에 갈라진 틈이며, 마을에 생겨난 역질과도 같았다. 이 못된 계의 소문이 바람을 타고 팔도 사방으로 번져나가면 역난이나 왜침보다도 더욱 무서운 재앙이 될 것이다. 수백 년이나 묵혀온 싸움인 까닭이었다. 이 반항적인 천예 북성이는 목대감의 재산의 일부분이 아니라, 천지간에 귀(貴)와 천(賤)의 엄청난 분수를 혼란시키려는 재앙 덩어리인 셈이었다.

"이 약조문은 누구와 함께 썼느냐?"

북성이도 목내선의 변한 태도를 잘 알고 있었다. 북성이는 상처투성이의 얼굴을 찡그리고 피식, 웃음을 머금었다. 사람으로 바로 선다는 것은 얼마나 끔찍한 희생을 요구하는 일인가. 이제야 그는 그의 상전과 대등해진 것이다. 주인은 기르는 개가 돌연 이빨을 드러내고 짖어대면 그때에는 의외의 분노로 마구 두들겨대지만, 다음부터는 지나친 주인 행세를 곧 포기하고 개의 개다움을 일종의 두려움과 함께 인정하는 법이다. 하물며 같은 사람에 있어서랴. 북성이가 사람은 누구나 같다는 것을 알고 계원이 된 이상, 죽어가는 자리에서 다시 옛날의 천예로 돌아갈 리가 없었다. 목내선이 스스로 자기네 양반들의 세상을 지키려는 것과 마찬가지로 북성이도 그의 동료들을 지켜야만 했다.

"어서 죽이시오. 이 댁의 영화도 얼마 남지 않았소."

목내선은 혀를 찼다. 그는 호상에서 일어나더니 담담하게 말했다.

"네놈이 입을 열기 전에는 이 집 대문 밖으로 못 나간다."

그는 하인들 중의 하나를 지목하였다.

"오늘부터 네가 수노를 해야겠다. 이놈이 포청에 끌려가 국문 끝에 사실이 밝혀져서는 안 되느니라. 내 집 것이니 내가 밝혀내어 알려주어야겠다. 지금부터 너는 이놈의 목숨이 붙어 있을 때까지 캐내어라. 동당이 누구누구인지, 어디서 자주 모이는지, 그리고 우두머리가 누구인지 샅샅이 알아내어야 한다. 자백을 시작하면 내게 알려라."

갑자기 수노를 지명받은 하인이 겁을 먹은 얼굴로 물었다.

"대감마님…… 물고를 내란 분부시옵니까?"

"자백하기 전에는 절대로 죽이지 마라. 저놈은 내가 처치할 테니."

목내선은 광을 나와 어두워가는 하늘을 올려다보았다. 웬일인지 가슴이 답답하고 온몸에 피로가 몰려왔다. 그는 북성이의 빛을 내는 눈초리와 어처구니없게 당당한 기세를 더이상 감당하기가 어려웠다. 대체 무엇이 저런 소 같던 씨종을 미치게 만들었을까.

광에서는 이따금 신음소리에 섞여 비명이 높아지고는 하였다. 계집종들은 아예 사랑채 근처에는 얼씬도 않았고, 아녀자들도 가장의 하는 일이라 쉬쉬하면서 모른 척하고 있었다. 행랑채의 북성의 어미는 어둠속에서 소리를 죽여 울음을 삼키고 있었다. 밖에서 역시 흐느끼는 소리가 들리며 툇마루에 걸터앉는 듯하였다.

"이리 들어오너라."

북성의 어미가 가까스로 말하니, 마루에 앉은 채로 아우는 중얼거렸다.

"언니는 거의 반죽음이 되었수."

"환도가 나왔으니 살려두겠느냐. 이제는 죽은 몸이다."

"모두들 인심이 매정하우. 어제까지두 다정하던 사람들이 야차나 된 듯이 악형을 주고 있어요."

북성의 어미는 두 눈을 씻고 흐트러진 머리를 다듬었다.

"얘, 좀 들어오라니까. 에미가 네게 긴히 할 얘기가 있다."

북성의 아우는 소매로 얼굴을 가리고 쏟아지듯이 방으로 들어와 어미의 무릎에 엎어졌다.

"오냐…… 오냐."

어미가 아우의 등을 토닥이면서 흐드득 하고 숨을 삼켰다. 아우의 울음이 차츰 커지니까 어미는 그의 팔을 잡아흔들었다.

"지금이 어느 때라구 소리를 내려느냐. 에미는 살아오면서 이 방에서 입술을 악물고 참은 적이 한두 번이 아니었다."

"어머니, 언니가 죽으면 우리두 이 집에서 나가요."

어미가 그의 머리를 감싸안으면서 쓸쓸히 물었다.

"속량시켜준다던?"

"달아나지요."

"네가 그렇게 해라. 달아나서 너희 언니 동무들께 알려주어라. 끝까지 입을 다물고 죽었다고……"

"어머니, 지금 나가겠수."

"너는 네 언니가 어디로 나다니는지 잘 아느냐?"

"예, 압니다. 쌍이문방의 바침술집에 잘 간다구 합디다."

북성의 아우가 일어나려는 것을 그 어미가 잡아 앉혔다.

"오늘은 안 된다. 너희 언니는 기왕에 죽을 몸이야. 내일 시신이 나온 뒤에 빠져나가거라. 내가 짐을 다 챙겨놓겠다. 그런데…… 너 내가 시키는 일을 할 수 있겠지."

어미는 작은아들의 두 손목을 꼭 움켜쥐었다.

"저것을 그냥 두면 밤새도록 갖은 악형을 당할 게다. 사랑채의 담이 아무리 높고 광문이 철옹성같이 단단하여도 저것의 단련받는 소리가 너무도 똑똑히 들리는구나. 가슴에다 대못을 쾅쾅 박는 듯하여 나는 아무래두 이 밤을 넘기지 못하겠어. 너희 형이 죽고 네가 달아나면 내가 더이상 목씨 가문에 살아남아 무얼 하겠니. 네 언니의 모진 명줄을 끊어줄 수 있겠느냐?"

"언니의 명을 끊다니요?"

"이것아, 전옥서에서도 속참행하(速斬行下)가 있고 포청에서는 물고행하(物故行下)가 있는데 이왕에 가는 몸이 고생 끝에 죽어 무얼 하느냐. 우리가 자랄 적에는 요새보다두 노비를 장살(杖殺)하는 상전이 많았다. 멍석말이를 해서 때려죽이라면 상전이 모르게 머리를 때려서 혼절한 가운데 인사불성으로 빨리 죽도록 하였다."

"내가 광에 들어가면 저놈들이 그냥 놔둘까요."

어미는 고개를 내저었다.

"네가 우리 같은 것들의 속을 몰라서 하는 소리다. 남에게 매인 몸이니 시키는 대로 할 뿐이지 저 사람들두 어서 네 언니가 죽기를 바란단다. 다 팔자가 다르려니 하는 게야. 마음을 수천 번 고쳐먹으며 팔자려니 하는 게다.”

“알겠수.”

“머리를 힘껏 때려주어라.”

북성의 아우가 벌떡 일어났고 그의 어미는 등을 밀어주면서 방바닥에 머리를 박고 오열을 스스로 틀어막았다. 북성의 아우는 한참이나 행랑채 앞을 서성거리다가 마음을 진정시키고는 사랑채 쪽으로 향하였다. 중문은 닫혀 있었으나 빗장은 걸리지 않았고 소리 없이 열렸다. 사랑채 마당 앞에는 아무도 얼씬거리지 않았다. 그는 광문 앞에 가서 문틈으로 안을 들여다보았다. 북성이는 걸레 조각처럼 매달려 있었으며, 하인들은 웃통을 벗거나 바짓가랑이를 걷어올리고 주위에 흩어져 쉬고 있었다. 북성이의 갈가리 찢어진 옷자락이 젖은 것으로 보아 물을 뒤집어쓰고 아직 정신이 돌아오지 않은 듯하였다. 북성의 아우는 광문을 밀었다. 틈이 조금 더 벌어지다가 멈추었다.

“누구야……”

안에서 당황하여 일어서더니 빗장이 벗겨지고 문이 열렸다. 그들은 안으로 한걸음 내딛는 북성의 아우를 보자 멈칫하였다. 그는 어느결에 제 언니의 발치로 가까이 다가섰고, 수노가 된 자는 뒤늦게 소스라친 모양이었다.

“여기가 어디라구 함부로 들어오는 게야.”

하면서 그의 뒷덜미를 잡아당겼지만, 다른 자들은 모두들 고개를 돌리고 딴청을 하였다.

“이거 놔요. 죽기 전에 얼굴이나 봐두려구 하는 게요.”

하면서 그는 수노의 손을 뿌리쳤다. 북성의 아우는 머뭇거리지 않고 땅바닥에서 굵직한 몽둥이를 집어들었다. 그러고는 좌우에서 말릴 틈도 주지 않고 위로 치켜들고 북성이에게로 달려들었다.

"언니…… 잘 가우."

버럭 소리를 지르는데, 북성이가 게게 풀린 눈을 열어 제 아우를 내려다보고는 희미하게 웃음을 머금었다. 그의 아우는 북성이의 시선과 부딪치자 주춤하였다.

"아니, 이 자식이 뭘 하는 게야……"

하면서 뒤에 섰던 수노가 달려들자, 아우는 치켜든 몽둥이를 휘둘렀다. 퍽 하는 소리가 들리면서 몽둥이가 북성이의 광대뼈에 부딪쳤고 매달린 몸이 허공에서 거칠게 흔들렸다. 아우는 다시 한번 몽둥이를 휘둘렀는데 이번에는 뒤통수에 가서 들어맞았다. 북성이의 몸이 축 늘어져 있었다. 하인들은 제각기 멍청한 얼굴로 흔들거리고 있는 북성이의 몸을 올려다보았다. 북성의 아우가 땅바닥에 몽둥이를 맥없이 떨구었다. 북성이는 피범벅이 되어버린 얼굴을 가슴팍 위에 처박고 두 발은 빨래처럼 늘어진 채 흔들거렸다.

"언니……"

그의 아우가 부르짖으며 북성의 시신에 달려들어 허리를 감싸안았다. 수노가 외쳤다.

"뭣들 하는 게야. 어서 뜯어말리잖구."

소스라친 하인들이 북성이의 몸을 껴안고 있는 아우를 뒤로 끌어내었다.

"허허, 이거 큰탈이로군. 대감마님께서 자백할 때까지 죽이지 말라구 분부하셨는데."

그들은 북성의 몸을 대들보에서 끌어내렸다. 하인 하나가 코밑에 손가락을 대보고 손목을 잡아 맥을 짚더니 고개를 흔들었다.

"이를 어찌한단 말인가……"

수노가 험상궂은 얼굴로 북성의 아우를 흘겨보았다.

"아무리 대죄를 지었다지만, 한솥에 밥을 먹구 친동기간이나 다름없이 살아온 사람들이 이럴 수가 있소. 우리 언니야 기왕에 죽는 사람인데, 악형을 더욱 주어서 무슨 속시원할 일이 있겠수. 자, 이젠 그 더러운 손으로 나를 죽이시우."

북성의 아우가 눈물이 가득한 얼굴을 내저으며 부르짖으니, 수노 된 자가 귀쌈을 올려붙였다.

"이 자식아, 너희 형제 때문에 우리가 이 곤욕을 치르는데, 누군 이런 짓이 좋아서 하는 줄 아니. 안 되겠다, 대감마님께 가서 아뢸 터이니 사지 결박하여 대죄시켜라."

수노가 얼굴이 시퍼레져서 광을 나가려 하자, 하인 하나가 그의 어깨를 잡았다.

"여보게, 이런 악형을 배길 사람이 어디 있겠나. 기왕 죽은 사람이야 제 죄값을 하구 가는 거지만 시방 대감마님께서 노여움이 극에 달하였는데 가서 사실대로 아뢰었다간 또 생사람 하나 골루 가네."

다른 하인들도 거들어 말하였다.

"그래…… 우리야 분부대로 매우 치고 단근질도 하였으나 어느결에 물고를 내고 말았다면 꾸중이나 하시구 말 걸세."

"정말 사람으로는 못 할 짓이로군. 기왕지사 이 아이가 제 형의 목숨을 끊어주었으니 우리두 홀가분하지 않은가."

수노가 한참이나 망설이더니 북성의 아우에게 말하였다.

"우리가 알아서 할 터이니 다시는 이 근처에 얼씬거릴 생각 마라."

"우리 언니는 아무도 원망하지 않을 거요."

북성의 아우는 광에서 밀려나오기 전에 제 형의 마지막 모습을 몇 번이나 돌아보았다. 그가 행랑채로 돌아가니 어미는 아직도 불을 켜지 않은 어둠속에 엎드려 있었다. 그는 방문을 열고 속삭였다.

"어머니, 나 달아나우. 인정(人定) 전에 쌍이문방까지 가야 해요."

어미의 손이 문틈으로 뻗어와 그의 팔을 움켜쥐었다.

"그래…… 네 언니는 잘 보내주었니?"

"어머니 원하신 대로 내가 목숨을 끊어드렸지요."

"대번에 말이냐?"

"혼절하면서 대번에 명이 끊겼을 거예요. 내일 날이 밝으면 오히려 기찰이 심해져서 언니 동무들은 모두 잡히구 말 거예요. 나 시방 빠져 나갈라우."

어미의 손이 스르르 풀어졌다.

"가거라…… 어서."

그는 문고리를 잡고 툇마루 앞을 떠나지 못하였다. 그가 떠나고 나면 어미의 평생 소망은 이제 티끌처럼 사라져버리는 셈이었다. 언젠가 속량하는 때가 오면 북성이는 장가들고 세 모자가 함께 강원도 깊은 골로 들어가 숯도 굽고 약초도 캐며 화전갈이에 사냥도 해서, 세상의 어느 누구 간섭도 받지 않고 살겠다던 옛말 같은 소망이었다. 그러나 그들은 스스로 간신히 버티고 일어섰을 뿐, 끝내 벗어나지 못하였다.

"어머니, 함께 갑시다."

대답 대신에 문이 당겨졌고, 안에서 문고리를 걸어잠그는 듯하였다. 사랑채 쪽이 웅성거렸고, 그는 재빨리 후원 쪽으로 피하였다.

목내선은 북성이가 국문 도중에 죽었다는 것을 알고는 수노와 하인들을 호되게 나무랐다. 그러나 그는 내심으로 포도청에 산 채로 내어줄 수는 없다고 작정하고 있었던 것이다. 북성이가 포도청의 국문을 받았을지라도 입을 다물고 죽었을 위인인 바에야 자기 집안에서 죽어 나가는 것이 마땅하였다. 목내선은 지필묵을 들어 하늘을 거역하고 주인을 죽이려던 노비임을 밝히는 방문을 썼다. 시체를 마당으로 끌어내니 참혹한 꼴이라 목내선도 얼결에 고개를 돌렸다.

"지나는 행인들에게 본을 보여야겠다. 이 방문을 몸에 붙여두고 길가 버드나무에 매달아놓아라. 포청에서 수습하여 갈 게다."

목내선은 시체가 들려나가는 것을 묵묵히 바라보았다. 그는 아무리 생각해보아도 북성이의 행동이 이해가 가질 않았다. 당상관 댁의 대솔하인이라면 성내의 그 누구도 능멸할 자가 없을 테고, 의식도 요족하며 경우에 따라서는 외거할 수도 있었을 것이다. 그의 가슴에 맺혔던 포한이 그토록 야무지고 깊었던 것일까. 목내선은 그 밤을 꼬박 뜬눈으로 새워야 하였다.

하인들은 하인들대로 바깥 한길가에 매달려 바람에 흔들거리고 있을 북성이의 시신이 떠올라서 이리저리 뒤척였다. 사람의 씨가 따로 있지 않은 바에야 팔자소관이 사나워 남의 종살이를 할망정 주인에게 항거하려는 것이 어째서 하늘을 거역하는 일이 되는지 모를 일이었다. 하인들은 서로 말도 걸지 않았고, 제각기 등을 돌리고 벽을 향하여 누워 있었다. 바람에 불리는 스산한 나뭇잎 소리로 잠들지 못한 하인들은 새벽녘까지 서럽고 고통스럽던 지난 여러 해를 생각하였다. 목내선의 집은 바람 속에 매달린 북성이의 주검보다 더욱 을씨년스러웠다.

북성의 아우가 쌍이문방의 바침술집에 당도한 것은 이경(二更)이 가까워서였다. 그는 주위를 살피고는 조심스럽게 대문을 두드렸다.

"누구셔요, 술 안 팔아요."

대문 안에서 계집아이의 목소리가 들리고 밖으로 난 들창문이 쓱 열리면서 주인 여자의 머리가 내밀어졌다.

"누굴 찾으슈?"

"저…… 북성이란 사람의 아웁니다."

"아니……"

여자가 급히 창문을 닫았고 대문간으로 나오는 소리가 들렸다. 여자는 아직 대문을 열지 않은 채로 문틈으로 속삭였다.

"무슨 일이오?"

"우리 언니가 오늘 살주계 계원임이 밝혀져 주인에게 죽었습니다. 포청에서도 언니 동무들을 모두 알고 있다고 하니 어서 피하게 하시우."

대문은 여전히 열리지 않았다.

"알았소."

"헌데, 나는 지금 이 소식을 전하려고 집을 빠져나왔으니 다시 돌아가면 추달을 받을 게요. 오늘만 묵어가도록 해주십시오. 나두 계원이 되려구 합니다."

망설이던 여인이 비로소 결심이 된 듯 문을 열었다. 북성의 아우가 들어서자마자 여인은 문을 닫고 문틈으로 바깥을 살피는 것이었다.

"저것 봐요. 포교가 틀림없어."

북성의 아우도 문틈으로 내다보니 과연 골목 어귀에 맨상투에 두건을 쓴 사내 하나가 서성대고 있었다.

"댁네를 따라온 게야. 여하튼 들어가서 의논을 해봅시다."

주모는 깔아두었던 이불을 밀치고 북성의 아우를 앉혔다. 그는 북성이의 최후에 대하여 빼놓지 않고 말하였고, 주모와 딸은 연신 옷

고름으로 눈가를 씻었다.

"종사관이라면 느이 오래비가 얘기하던 최뭐라나 하는 놈일 거야. 기찰이 매섭다고 하지 않든."

"북성이 아저씨가 그리되었다면 중길이 오빠에게두 이 일을 알려야 할 텐데요."

"글쎄나 말이다. 파루를 치자마자 집에서 나가야 헌다. 중흥동에 가면 만나게 되겠지."

"짐을 꾸릴까요?"

"그래라, 밥도 좀 짓고……"

하면서 주모는 다시 들창문의 창호를 뚫고 내다보았다.

"아직도 저기 서 있어요. 이 집은 이젠 버려야지. 젊은이두 우릴 따라서 중흥동으로 가십시다."

"거기 숨을 만한 데가 있나요?"

"가보면 다 알게 돼요. 북성이 동무들이 여럿 있지. 그런데 혹시…… 포교들이 벌써 청파에 있는 이들을 다 알아버린 게 아닐까?"

주모는 아무래도 마음이 놓이지 않는 모양이었다. 중길이는 그의 친자식이나 다름없었다. 살주계의 총대 청파 중길이가 잡히면 한양 성내의 모든 계원은 살아남지 못할 것이었다. 그들은 지난번 큰일을 해치우고 일단 중흥동 은신처로 몰려갔지만, 중길이는 아무것도 모른 채 서강 식구들과 거래하는 청파 난전으로 돌아갔을지도 몰랐다.

"안 되겠어. 댁은 새벽에 목멱산을 넘어서 서강으로 나가요. 서강에 가서 모신이네 주막을 찾아가지구 모두 얘기해줘요. 중길이 만나거든 청파에 가지 말라구."

포교의 눈에 띄었으니 쌍이문방 바침술집은 이제는 빈집이 될 판이었다.

9

강변에는 안개가 자욱하여 해가 솟은 지 오래였건만, 새벽처럼 느껴졌다. 서강은 흉년을 타서 그런지 예년의 가을보다는 한산하여 배도 몇척 떠 있지 않았고 문을 닫아버린 객줏집이 많았다. 모신이네 주막도 아예 술 팔기를 폐해버리고 쌀을 가지고 찾아오는 화주들을 숙박시킬 뿐이었다. 모신이는 검계에서 털어낸 재물들을 한양에서 먹이지 않고 삼남으로 오르내리는 주상들에게 내주었으므로, 창고에는 피륙과 곡물이 그득하였다. 흉년에 재물 마련하는 방법은 곡물과 피륙으로 헐값이 되어버린 옥토를 사들였다가, 나중에 풍년이 들적에 비싸게 되팔거나 직접 영농하여 늘리는 것이 있었다. 모신이는 겉으로만 초라한 주막 주인이되 속으로는 삼남에서 북관에까지 가장 수완 있고 신용 있는 장물아치로 알려져 있었던 것이다.

"그러니까 미곡으로 내달란 말이지?"

모신이는 살주계에서 털어낸 재물들의 셈을 끝내고 돈꿰미를 내놓았으나 중길이도 난장에서 잔뼈가 굵은 사람이라 돈을 받으려 하지 않았다. 중길이는 빙글빙글 웃고 있었다.

"이거 왜 이러슈. 돈이 천 꿰미면 뭘 하우, 곡식을 구경하기가 힘든데…… 우리 식구가 모두 몇인지나 알우?"

"알겠네, 헌데 어디까지 실어다 달라는 게야?"

"압구정을 돌아 중량포까지만 실어다 주면 되우. 운임으로 한 섬 떼어줄 테니까. 평년이라면 그런 운임이 어디 있수."

모신이는 하는 수 없다는 듯이 껄껄 웃고 말았다.

"그래, 내일 새벽에 중량포루 모두 나와서 기다리게. 대낮에 실어냈다가 사람들 눈에 띄었다간 자네들이나 내나 기찰에 걸려 포청으루 떨어지는 게여."

중길이는 모신이가 떼어주는 반쪽짜리 송증을 받아넣고 일어섰다.

"이젠 명년에 햇곡 나올 때까지 그렁저렁 살게 되었군."

"그게 무슨 말이야. 두 손 털구 다시는 일 안 할 셈인가?"

중길이는 나직하게 말하였다.

"포청에서 기찰이 날카로워 요즈음 발 디딜 데가 없수. 삼춘네서도 당분간 조심을 해야 될 거요."

"우리야 뭐 이런 짓이 하루이틀인가. 내가 먹여살린 장교들만 해두 이만큼이여."

모신이가 열 손가락을 좍 펴 보였다. 중길이가 창천내를 따라 올라가니 모신이 물었다.

"우리 배가 동작나루까지 올라가는데, 광나루까지 태워달라지 그러나."

"오늘은 나온 김에 청파에 들러봐야지."

중길이가 사라진 뒤에 한 식경이나 지났을까 해서 북성의 아우가 헐레벌떡 당도하였다. 모신이는 그자가 두리번거리며 저잣거리에 이르러 모서방네 주막을 찾는 꼴을 보았으므로, 자기는 술청 안쪽에 등을 돌리고 앉아 있었고, 곁꾼을 내보내어 말대꾸를 하도록 시켰다. 북성의 아우는 간밤의 고뇌와 두려움으로 눈이 충혈되었고, 어둠속에서 목멱산을 넘느라고 옷이 온통 흙투성이였다.

"여기가 모서방네 주막입니까?"

"헌데, 왜 그러슈?"

북성의 아우는 얼른 술청 안으로 들어서더니 바깥을 내다보았다.

곁꾼도 함께 한산한 저잣길을 살펴보며 다그쳤다.

"무슨 일인지 어서 말허우."

"모서방이 지금 계신가요?"

곁꾼은 뒤를 슬쩍 돌아보고 나서 다시 물었다.

"지금 안 계신데…… 무슨 전할 말이라두 있으시우?"

북성의 아우는 술청 안을 두리번거렸다.

"위급한 일이 생겨서…… 중길이란 이가 여기 왔다는데요."

모른 척하고 등을 돌리고 앉았던 모신이가 그제야 일어났다.

"당신은 누구슈?"

"목대감 댁 북성이가 바루 제 언니입니다."

모신이는 눈짓을 하며 안으로 들어갔고 곁꾼이 북성의 아우 등을 밀었다.

"따라가보시오."

그는 모신이의 뒤를 따라 안마당을 지나 뒷방으로 들어갔다. 북성의 아우가 방바닥에 손을 짚으며 인사를 차리려 하니 모신이가 제지하였다.

"아니, 갓 쓰고 똥 눌 적도 있는데 지금 그런 인사가 다 무에야. 내가 모서방이란 사람일세."

"제 언니가 상전의 형을 받아 돌아가셨습니다. 계에 대하여는 아무 말두 하지 않았으나……"

울먹이며 더듬는 그의 말을 모신이 막았다.

"그보다…… 중길이를 찾는 이유가 뭔가?"

"종사관이라는 놈이 살주계의 내막을 대강 알아낸 듯하답니다. 우리 언니가 횡액을 당하신 게 바로 그놈 때문이지요."

"최형기가……"

모신이는 눈을 크게 뜨고 스스로 탄식하였다.

"그자의 기찰이라면 틀림없지. 이거 좀 급하게 되었구면."

모신이는 북성의 아우에게 말하였다.

"보아하니 추노가 있을 법한데, 오늘밤에 배를 타도록 하게. 나는 좀 나갔다 올 테니까."

모신이는 서두르고 있었다. 안방에 들어가 머리에는 패랭이 쓰고 저고리 위에 창옷 걸치고 술청으로 내달았다. 그는 곁꾼에게 지시하였다.

"아랫집에 내려가서 아이들 두엇 급히 올라오라구 하여라."

잠시 후에 우락부락한 사내들 셋이 뛰어왔다. 복색은 긴 저고리나 배자를 걸치고 말뚝벙거지 두건 패랭이 등속으로 각양각색이었다. 모신이가 변을 써서 말하였다.

"한발 더 놓게 생겼다. 청파에 솔개가 떴는데 병아리를 감추러 간다."

"모셨습니까, 흘렀습니까?"

"아직은 모른다. 우리가 쫓아가서 흘리게 해야지."

"짐을 지구 갈까요?"

모신이가 궁리하다가,

"장물 나르듯 해야겠다. 젓독을 내어오너라."

말하니, 패랭이 쓴 자가 달려가 대독을 얹어 단단히 붙들어맨 지게를 짊어지고 왔다. 독 뚜껑을 열어보니 새우젓이 그득하였다. 모신이는 두건과 벙거지에게 일렀다.

"너희는 앞질러 청파저자로 달려가 중길이를 찾아내어 딱부리네 창고에다 은신시켜두어라."

두 사내가 잽싼 걸음으로 창천내를 따라 오른 뒤에 모신이는 지게 젊어진 자와 천천히 걸었다.

"중길이가 잡히면 물건은 어찌하시려우?"

"계에서 독촉이 오기 전에는 보내지 말아야지. 물건보다는 그 자식이 입을 벌려 우리에게서 냄새가 풍기게 될까 걱정이다."

중길이는 청파역을 지나, 죽물을 다루는 공장이질을 하여 먹고 사는 예전 관노시절의 동무네 집을 찾아가고 있었다. 중길은 그를 친형과 같이 여기며 자주 왕래하였는데, 그는 진작부터 외거하여 자식을 여섯이나 두고 있었다. 그의 집은 배다리 건너서 개천가에 있었다. 중길은 청파에 볼일이 있을 때면 언제나 그 집에 들러 점심도 먹고 가고 물건을 맡겨두기도 했던 것이다. 그는 계원은 아니었으되, 중길이가 살주계의 좌장이라는 것은 처음부터 알고 있었고, 성내에서 털었던 재물을 이틀 동안이나 숨겨두었던 것도 바로 그 집이었다. 그들은 거기서 서강으로 장물을 운반했던 것이다. 중길이는 배다리를 건너는데 청파역 삼거리의 행인들 틈에 기찰포교가 서서 노리고 있는 줄을 알지 못하였다. 또한 공장이의 집 부근에도 포교와 포졸들이 잠복하고 있었다. 중길이는 저자에서 산 호박엿을 들고 공장이네 집의 대나무로 엮은 문을 밀며 마당으로 들어섰다.

"성님 기시우?"

따로 지은 헛간에서 칼질을 하고 있던 공장이가 고개를 내밀었다.

"며칠 걸릴 줄 알았더니 벌써 오네."

"별일 없지요?"

공장이는 아예 대나무와 도련칼을 내려놓고 거친 손을 비비면서 마당으로 나왔다. 반기는 아이들에게 중길이는 호박엿을 건네었고 그의 아내도 요기를 어찌했느냐고 물었다. 중길이는 웃으며 대꾸하였다.

"서강에서 늦아침을 먹었습니다. 요즈음은 굴뚝에 연기 내기도 죄스러운 시절이라 세 끼 다 찾아먹기가 너무 뻔뻔해서요."

"하긴 풀떼죽도 과분하지. 동막에두 쌀이 귀해졌다면 알아볼 조가 아니냐. 그런데…… 너 화초방에 들러 오니?"

"아뇨, 서강서 곧장 이리루 오는 길이우."

공장이는 안색이 변하였다.

"그럼 모르고 있구나. 어제 사람이 찾아왔었는데, 저자에 포졸인 듯한 장정들이 깔려 있고 화초방에 수상한 자가 찾아와 너에 관하여 꼬치꼬치 캐묻고 갔다는구나."

"혐의진 꼬리두 달지 않았는데, 제깐 것들이 소경 만지기로 한번 더듬어보려는 게지요. 염려 놓으시우."

이러한 수작이 한가하게 오고갈 때, 곁에서 엿을 빨던 아이 하나가 제 아비에게 일렀다.

"아부지, 저 사람이 슬그머니 남의 집에 들어오네."

중길이가 아차 싶어서 뒤를 돌아보니 기골이 제법 단단해 뵈는 사내가 마당 가운데로 들어와 있었다. 중길이는 마루에서 슬그머니 일어났고, 공장이가 대신 나섰다.

"여보, 댁은 누군데 남의 집엘 함부로 들어오는 게여?"

사내가 허리춤을 더듬더니 뭔가 한 뭉치 꺼내는데 얼핏 보아 붉은색이었다. 중길이는 슬슬 옆으로 비켜섰고, 사내가 한 손을 치켜들며 주홍빛 오라를 획 던졌다. 중길이는 기다리고 몸을 사렸던 차라, 상반신을 뒤로 젖히면서 두 손을 내저어 올가미를 걷어내어 움켜쥐었다. 그러고는 사정없이 앞으로 당기니 사내는 앞으로 고꾸라질 듯하다가 줄을 놓아버렸다.

"우뚝 솟았다!"

그의 외마디 소리에 밖에서 서성이던 사내 둘이서 달려들어오는데 중길이는 서슴없이 그들에게로 마주 뛰어들었다.

"붙잡아라!"

포교가 외쳤으나 달아날 줄 알았던 상대가 오히려 앞으로 내달아오니 두 포졸은 얼결에 주춤하였고, 중길이는 그의 가슴과 배를 거세게 밀치고 삽짝문을 빠져나가 배다리 쪽으로 뛰었다. 뒤따라서 포교와 포졸들은,

"저놈 잡아라……"

고함을 지르며 뒤쫓았지만 잡히면 죽는 판이라 온 힘을 다하여 뛰는 중길을 쫓을 수가 없었다. 배다리 건너에서 공장이 집만 노리고 있던 포교가 대번에 알아채고 다리를 향하여 마주 달려왔고, 중길이는 서슴지 않고 다리 아래로 뛰어내렸다. 미끄러운 돌을 디뎌 옆으로 넘어지니 온통 물보라가 일어나고 중길이는 온몸이 젖은 채로 자갈밭까지 뛰어 건넜다. 포교가 다리에서 나와 다시 개천가로 뛰어내려오는데 중길이가 자갈을 한 줌 집어서 사정 보지 않고 그를 향하여 팔매질하였다. 포교는 감히 선불리 따를 생각을 못 하고 머뭇거리는 사이에 중길이 다시 젖 빨던 기운까지 내어 청파저자의 뒷길로 뛰어들었다.

그의 심장은 터질 듯한데 이리저리 담장과 싸리울을 돌고 또 돌았다. 어느 모퉁이에서 마주 뛰어오는 사내와 마주치자 중길이는 이젠 기운도 없고 돌아설 수도 없어서 그만 잡히는구나 생각하고는 스스로 무릎을 접으며 주저앉았다.

"이 사람, 정신 차려! 우리가 한발 늦었길래 잡히는 줄 알았네."

다가온 자를 똑바로 보니 바로 서강 모신이네 곁꾼이었다. 말뚝벙거지가 중길이의 겨드랑이에 팔을 끼고 일으켰다.

"딱부리네 창고루 뛰어."

포교들은 골목들을 이리저리 뛰어다니고 있었다. 워낙에 샛길이 많고 집들이 다닥다닥 붙어 있어서 서너 명으로는 뒤져내기가 용이한 일이 아니었다. 중길이는 곁꾼이 이끄는 대로 바로 저자로 나가는 길이 훤히 내다보이는 널찍한 초가집 안마당으로 들어섰다. 집 뒤꼍에 흙벽에 초가를 올리고 육중한 나무문을 달아놓은 창고가 보였다. 중길이는 이젠 더이상 걸을 수도 없이 지쳐서 입에는 단내가 풀풀 나고 눈에는 노란 안개가 끼어 있는 듯하였다. 모신이가 기다리고 있다가 중길이를 같이 부축하여 창고 속으로 데리고 들어가더니 잠시 후에 중길이만 남겨두고 나왔다. 이어서 벙거지와 함께 질러왔던 두건 쓴 사내가 들어왔다. 그도 헐떡거리고 있었다.

"무사히 흘렀지요?"

"그래, 밖은 어떠냐?"

"말씀 맙쇼. 박혀 있던 나그네들이 쏟아져나오는데 해동에 깍정이 속곳에서 서캐 몰려나오듯 합디다. 글쎄 한 손하구두 엄지 검지 보탰지요."

"일곱 놈이 이 청파 바닥을 어찌 다 막는단 말이냐."

"나는 골목으루 덩달아 뛰었지요. 포졸들이 혀를 빼물고 나를 쫓아 오다가 내가 슬슬 걸어가니까 무조건 달려와 뒷덜미를 잡아채데요. 내가 죽는다구 엄살을 떨었더니 왜 죄두 없이 뛰느냐구 그래요. 여보 죄가 없긴 당신네가 뭔지 알 게 뭐요. 나는 저자의 왈짜패가 싸움판을 벌였는 줄 알구 무턱대구 멀리 피하려는 참이라구 그랬지요."

모신은 곁꾼의 말을 그럴듯이 들어주며 껄껄 웃는다.

"자, 우리는 나그네들이 보리방구로 모조리 새어버릴 쯤까지 가보잡기나 할까?"

그는 느긋하게 방에 들어서며 집주인 딱부리를 찾았다.

딱부리는 잠시 골목 쪽의 동정을 살피고 들어와서 푸념하였다.

"시방 집집마다 뒤지고 호통을 지르며 북새통이 되었는데, 우리 집에 숨긴 게 들통이 나면 일가 구몰이오."

그러나 모신이는 곁꾼들과 가보잡기를 하느라고 패에서 눈을 돌리지 않고 대꾸하였다.

"저 녀석이 말하면, 내가 계의 장물을 맡은 것이 밝혀지고 자네두 우리와 한통속이라는 게 다 드러나는 거야. 잠자코 시키는 대루 하게. 포교들이 찾아오면 노름방을 내준 것만 죄로 알고 싹싹 빌란 말이야."

딱부리는 아무 말 없이 밖으로 나갔다. 포교들은 아직 옆집을 뒤지는 참인데 다른 포교 하나가 문 앞을 막아서며 지키는 것이었다. 딱부리가 떨리는 가슴을 진정하고 모르는 체 물었다.

"여보슈, 댁이 누구길래 남의 집 문간을 막아서는 게야. 보아허니 멀쩡하여 동냥 다닐 사람두 아닐 듯한데."

포교는 눈을 부라리더니 허리춤에서 두어 치 되어 보이는 나뭇조각을 쓱 내보였다가 얼른 집어넣었다. 딱부리가 모른 척하고는,

"이 사람이 비켜나라니까 공연히 배꼽을 까구 우물쭈물이야."

라고 까스르는데 실상 그게 통부(通符)임을 누구보다 잘 알면서도 나중에 정신을 다른 데 쏠리게 하느라고 너스레를 떠는 셈이었다. 포교가 하 기가 막힌지 너털대며 웃었다.

"헛허…… 삽사리가 궐문에다 오줌 싸는 격이로군. 이 자식아, 이게 바로 저승사자의 표신이다. 포청에 끌어다가 네 코앞에다 대줄테니, 나중에 공부하는 셈치고 실컷 보아라."

딱부리는 무뚜름하여 서 있고 옆집에서 몰려나온 상한 복색의 사내들이 우르르 달려들어왔다.

"아니…… 왜 이러십니까?"

수염이 그럴듯하고 키가 장대 같은 포교가 먼저 와서 지켜섰던 포교를 돌아보고 나서 점잖게 말하였다.

"청파에 중죄인이 났다. 이 근방에 숨은 것을 잡아내려는 참이니 주인은 놀라지 말라."

"아주 벽창호라고. 통부를 내보여도 무슨 물건인지 모르는데."

"우리는 기찰 중이라 변복하였다. 잠시 집안을 살필 것이니 안내하라."

딱부리는 키 큰 포교의 옷자락을 잡고 늘어졌다.

"아이고, 제발 저희 집은 안 됩니다. 한 번만 살펴보아주십시오."

포교들의 눈이 번득였다. 일시에 좍 흩어져서 집뒤짐을 시작하는데, 갑자기 노름방의 문이 열리며 사내들 두엇이 버선발로 튀어나와 마당 가운데로 이리저리 흩어졌다.

"한 놈도 놓치지 말라."

포교와 포졸들은 달려가서 그들의 뒷덜미도 잡아채고 허리도 껴안았으며 딴죽도 걸었다. 어떤 성급한 포졸은 허리에서 육모방망이를 꺼내어 잡힌 사내의 등판을 함부로 두드리니, 그는 죽는다는 엄살을 떨었다. 방 안을 기웃이 들여다본 포졸이 외쳤다.

"화초방입니다. 판돈이 쌓였는뎁쇼."

포교가 마당에 꿇린 자들에게 물었다.

"여기서 뭘 하는 게냐?"

방에서 끌려나온 모신이와 딱부리가 목청을 모아 빌었다.

"그저 한 번만 굽어살피시오. 심심파적으로 푼돈 추렴을 하는 중입니다."

"모두 저희 집에 묵는 물주들이니 어찌 말리겠습니까?"

신경을 잔뜩 곤두세웠다가 별것 아닌 투전꾼들이라 모두들 맥이 빠지는 모양이었다. 포교가 꾸짖었다.

"이놈들, 지금 온 나라가 흉황으로 술과 가무를 금하고 온 백성이 근신 중인데, 백주에 일없이 노름이나 벌이다니 모조리 태형감이다."

포졸들은 방과 창고며 뒷간을 대강 둘러보고 돌아와 아뢰었다.

"저놈들 외에는 아녀자뿐입니다."

"매점해둔 곡물은 없던가?"

"보리 몇섬이 있을 뿐입니다."

포교가 보아하니 흉년에 경기가 없어도 밥술이나 먹는 듯하였다. 모신이가 포교에게 굽신거리며 다가들어 속삭였다.

"어쩌다 예전 손버릇을 잊지 못하여 저지른 장난이니, 판돈 가져가시고 태형만은……"

포교는 못 들은 체하고는 동료 포교에게 말하였다.

"여기서 우물대는 사이에 달아날지두 모르니 자네는 먼저 아이들 데리구 나가서 집뒤짐을 계속하게. 나는 이놈들을 단단히 혼내고 갈 테니까."

동료 포교가 초록은 동색이라 금방 알아채고 포졸들을 휘동하여 나가면서 손발을 맞추었다.

"그놈들 포청에 끌어다 한밥을 두어 달 먹이고 손모가지를 뎅겅 잘라야 되겠는걸."

키 큰 포교 혼자 남으니, 딱부리가 그러모아온 판돈을 방석째로 내밀었다.

"제발 덕분에⋯⋯"

"이놈들, 이것은 어디까지나 물증이니 꿰미에 꿰어라."

곁꾼들이 주섬주섬 그러모아 노끈에 꿰어 내밀었고, 포교는 그것을 들어 눈짐작으로 얼마나 되는가를 살피고 창옷 안쪽에 묶어넣었다.

"오늘은 바빠서 그냥 가지만 다음에 찾아와 모두 잡아갈 터이다."

"어이구, 여부가 있겠습니까?"

모두들 두 손을 들어 오뉴월 쉬파리 발장난하듯 싹싹 빌었다. 포교가 휭허케 나가버리자 모신이는 웃는 낯을 싹 없애고 분주해졌다.

"이젠 되었다. 범도 버린 고기는 다시 안 먹는 법이다. 자, 가자."

모두들 흩어져 그럴듯한 짐이며 부담을 메고 지고 나서는데, 젓을 담은 대독을 얹은 지게도 짊어지고 나왔다. 대독에 새우젓 담은 자배기를 끼워놓은 것이니, 겉으로 보기에는 새우젓이 가득 들었으나 속은 텅 빈 것이다. 그 속에 중길이가 쭈그리고 앉았으니, 설마 새우젓에 인젓이 담겼는 줄은 아무도 모를 것이다. 모신과 그의 곁꾼들은 몇발짝씩 떨어져서 앞서거니 뒤서거니 골목 밖으로 나섰다.

마침 저자의 임집은 모두 뒤지고 가게마다 눈에 불을 켜고 살피던 포교들과 마주쳤다. 대독을 걸머진 자는 일부러 큰 소리로 외치며 가는데,

"자아, 추젓이오. 싱싱한 백하젓 사려!"

꼭 이렇게 하니, 넘겨다보아야 독 머리로 넘칠 듯 가득 찬 게 허옇고 굵은 백하젓이 분명하였다. 포교는 공연히 그들에게 눈을 부라리고, 모신이는 연신 웃는 낯으로 굽신거렸다.

"오전 내내 허탕을 쳤으니 이젠 슬슬 먹구살아얍지요."

아무도 그들을 다시 보자는 자가 없었다. 그들은 이런 모양으로

청파역을 빠져나와 만리창을 지났다. 모신이가 독 옆으로 붙어서서 걸으며 주의를 주었다.

"서강에 이를 때까지 꼼짝 말게."

창천내가 보이자 모신은 빙긋 웃었다. 온갖 장물을 다 빼돌린 그의 솜씨였으니, 사람 하나 홀려내오는 것은 문제가 없었던 것이다.

남부 살주계의 북성이는 죽었고, 살주계의 우두머리 격이었던 중길이는 가까스로 포교의 코앞에서 빠져나왔으나 북성이와 동무였던 교리네 수노 되는 억기라는 자는 아무것도 모르고 있었다.

그는 남별대 패거리와 남아 있었는데, 바침술집 주모가 그에게도 연락을 하였어야 하지만 북성의 아우는 포교의 기찰을 피하여 서강으로만 가는 것에 급급하여 미처 전하지 못하였다.

억기는 오랜만에 양식을 구해가지고 당마을로 돌아오고 있었다. 억기는 초동서 남의집살이로 잔뼈가 굵었는데, 늦게 들인 정에 푹 빠져 있었다. 아무리 삼패 출신의 계집이었으나, 그를 하늘 같은 가장으로 알았고 더욱이 이제 백일이 갓넘은 아들까지 두었으니 열흘만 못 보아도 안달이었던 것이다.

당마을 살림집에는 이미 며칠 전부터 최형기의 함정이 입을 벌리고 기다리고 있다는 것을 알지 못하였다. 당마을 동구로 들어가는데 어떤 사내가 길갓집 툇마루에 앉아 장기를 두다가 벌떡 일어나는 꼴을 억기는 눈여겨보지 않았다. 그는 무심코 그 앞을 지나쳤고 장기 두던 사내는 바쁜 걸음으로 그를 지나쳐서 동네로 들어갔다. 그는 억기를 따돌리고 먼저 집안으로 뛰어들어가 기다리기에 지쳐 있던 동료들에게 알렸다.

"집주인이 옵니다."

마루와 방에 질펀히 엎드리고 드러눕고 했던 포교와 포졸 두 사람이 화들짝 놀라며 일어나 각자 맡은 자리로 되돌아갔다. 알려준 포졸은 다시 급히 나와서 그 집의 윗집 모퉁이에 숨었다. 억기는 들어서며 외쳤다.

"여보게, 내 왔네!"

그러나 집안이 괴괴하였다. 그는 마루 위로 오르면서 무심코 중얼거렸다.

"어디 마실 갔나?"

하는데 어쩐지 온몸이 썰렁하였다.

억기는 그제야 비로소 마루에 찍힌 신발 자국을 발견하였다. 아뿔싸 누가 왔구나, 억기는 저도 모르게 문을 향하여 돌아섰고 마당 가운데 두 사내가 막아서는 것을 보았다. 포교가 건넌방 문을 열고 나섰다.

"기다린 지 오래다. 너희 계원은 모두 잡혔으니 순순히 포박을 받아라."

억기는 순간적으로 울타리의 허술한 곳을 살폈다. 발끝은 달싹대고 있었다.

"달아나도 소용없다. 네 계집과 새끼가 대신 고초를 당할 것이다."

억기는 그 말을 듣자 다리에서 모든 힘이 빠져나갔다. 그는 양식 자루를 떨어뜨리고 마루 아래로 천천히 주저앉았다. 포교의 제재를 벗어난 억기의 처가 뒤늦게 악다구니를 썼다. 억기는 처의 부르짖음을 들으며 눈시울이 뜨거워졌다. 그의 팔에 포승이 지워졌고 느닷없는 고함소리에 갓난애가 시끄럽게 울어대기 시작하였다. 억기는 스스로 알았다. 그는 이미 끝난 것이다. 교리 댁의 수노인 그로서는 살주계라는 것이 어떤 의미를 가지고 있는지 너무도 잘 알았다. 기왕에 죽는 몸이다 생각하며 그는 고개를 떨구었다.

"우리가 묻는 말에 순순히 대답하면 죄를 묻지 않을뿐더러 공을 참작하여 상도 내릴 것이다."

포교가 마루에 앉아 그의 뒤통수에 대고 은근히 말하였다. 억기는 아기의 울음소리가 마치 제 심장을 마구 후벼파는 것처럼 느껴졌다.

"너희 일당들이 있는 곳을 대면 모든 죄를 용서받게 될 것이다."

억기는 포교의 말을 귓전으로 흘리며 묵묵히 꿇어앉아 있었다. 포교가 눈짓을 보내자 포졸들은 마루 위로 성큼성큼 올라가 여자와 갓난애를 각각 끌고 안고 하여 나왔다. 아기는 더욱 불에 덴 듯 울었고 여자는 눈물로 범벅이 된 얼굴을 쳐들고 외쳤다.

"여보, 기왕에 잡혔으니 당신 혼자 억울하게 죽어봤자 무슨 소용이 있나요."

"시끄럽다, 어서 가자."

포졸이 여자의 등을 밀었다. 억기는 무엇보다도 아기의 울음소리를 참을 수가 없었다.

"애새끼를 에미한테 돌려주오."

저도 모르는 사이에 버럭 소리를 질렀고, 포교는 손을 들어 포졸들을 잠깐 세워둔 다음에 억기에게 조용히 말하였다.

"처자식 생각을 해서라도 어서 말해보라. 너희들 몇명이 작당을 한다구 세상이 일시에 뒤바뀔 것 같더냐?"

억기는 고개를 떨군 채 머리를 거칠게 흔들고는 긴 숨을 토해냈다.

"저것들에게 손을 대지 마우. 내가 다 얘기하리다."

"좋다, 포청에 가서 딴 수작 하지 말고 어서 직고하여라."

"오늘밤 이경에 남별대에서 모임이 있소이다."

포교는 일어났다.

"포청에 가서 종사께 그대로 아뢰어라. 오늘 네 동당이 잡혀들어오면 너는 곧 풀려나갈 것이다."

억기는 일단 후회와 부끄러움으로 울음을 터뜨렸으나 이미 때는 늦었다. 먼저 배신하기 전에는 뜻을 같이했던 동료들과 별 차이가 없지만, 한번 등을 돌려버리고 나면 스스로 동료들에게서 필사적으로 멀어지려고 하는 게 사람의 마음인지라, 오히려 전혀 상관없던 자들보다도 더욱 동료를 해치고자 하는 뜻이 강하게 마련이었다. 억기는 그 처자식의 안전을 확인하고 나자 순순히 끌려나가면서 포교에게 말하였다.

"청파 난전에 가면 중길이라는 자가 있는데, 그가 우리 계의 우두머리요."

포교는 만족한 듯이 억기의 등을 두드리며 말하였다.

"알구 있다. 네가 우리를 도와주기만 한다면 대장께서도 네게 상급뿐만 아니라 원하는 직임까지 내리실 것이다."

그들은 억기를 데리고 좌포청으로 돌아갔다. 최형기는 벌써 중길이를 놓친 일을 알고 있었고, 아침에 목내선의 집을 방문하였다가 이미 북성이가 국문 중에 타살되었음을 확인하였다. 그들은 북성이의 참혹한 시신만을 수습하여 왔던 것이다. 그렇다고 당상관이었던 목내선에게 사노 때려죽인 책임을 물을 수는 없는 노릇이었다. 최형기는 어제 빈손으로 목대감의 집을 나서면서, 미리 그렇게 될 것을 알고 있었다. 최형기는 오후에 중길이까지 놓쳤다는 보고를 듣고는 완전히 낙망하여 안절부절못하던 중이었다. 억기가 함정에 제대로 걸려들자 최형기는 그가 중병을 앓던 집에 들어온 명약만큼이나 고맙고 반가웠다. 그들은 부장이며 포교들이 둘러보는 가운데 억기를 심문하여 살주계의 내막을 자세히 알게 되었다.

"결박을 풀어주고 술과 고기로 잘 대접하라. 저녁에는 시정에 나가 있는 아이들을 모두 모아 남별대 부근에 잠복하여 진을 친다."

최형기는 오랜만에 환도를 찾아내어 도포자락 안에 찼다. 최형기는 부장 두 사람과 함께 활을 메고 목멱산을 먼저 올랐다. 그들은 저물 때까지 청룡정에 가서 한량들 틈에 끼여 있을 작정이었다. 청룡정에서 남별대까지는 골짜기 하나 사이였으니, 산등성이를 타고 넘으면 곧 남별대의 뒤로 돌아 들어갈 수 있었다. 포교가 넷이고 포졸은 이십여 명이 풀려나오게 되어 있었다. 포교 한 사람에 포졸 넷을 한 오(伍)로 하여, 그들은 제각기 흩어져서 어떤 오는 부상 차림으로 지게에 물건을 짊어지고 생민동과 묵동을 오르내렸다. 또다른 오는 초군 차림으로 남별대 좌측의 다른 골짜기에 올라 들어박혔다. 그리고 우측에는 산길 초입에 외딴 초가 한 채가 있었는데, 집주인에게 사정을 이르고 곧 상갓집인 듯 꾸며두었다. 바깥에다 누가 보기에도 알기 쉽도록 마늘등을 달아두고, 포교와 포졸들은 안에서 법석대며 술을 마셨다. 남별대를 가운데 두고 사방의 퇴로를 끊어두었으니, 지네 잡는 항아리와도 같았다. 이제부터 살주계의 모임에 참가하려는 자들이 남별대에 모여들기만 하면 뚜껑을 슬쩍 막아 들어올릴 판이었다. 해가 저물기 전에 먼저 정탐하는 자가 나타나 남별대의 주위를 이리저리 살펴두게 마련이었다. 그는 남별대로 올라가 사방을 둘러보았으나 사정에는 언제나처럼 한량 몇명이 활을 쏘고 있었으며, 산에서는 초군들의 타령소리가 들려왔다. 초상집은 아직 그의 눈에 들어오지 않았는데, 상가란 언제 어느 곳에나 흔히 있었던 때문이다.

초경(初更) 무렵이 되어, 남부 살주계원으로 상전의 집에서 가족과 함께 살고 있는 자들이 하나둘씩 산을 오르기 시작하였다. 그들은 바침술집의 주모에게서 아무런 경도 전해듣지 못하였고 전혀 마음을 놓고 있었다. 먼저 와 있던 계원이 인기척을 듣고 앞소리를 보냈다.

"장끼……"

"까투리…… 거 누군가?"

"응, 날세."

명례방에서 상노질하는 총각이 가장 먼저 올라왔고, 남별대에 먼저 올라와 동정을 살피던 자는 난동(蘭洞)에 사는 중년의 비부였다.

"아직 아무도 안 왔수?"

"북두칠성을 보니 아직 시간이 이르군. 슬슬 모여들겠지."

"올라오다 보니까 웬 초상이 났습디다. 시끌벅적하던데."

"응, 나두 봤네."

"하여튼 조심해야겠습디다. 지난번 일로 포교들의 기찰이 매서워졌다던데. 장안의 인심이 뒤숭숭하거든요."

"자네 오늘 환도 가지구 나왔지?"

"그럼요, 오늘은 회현방의 부잣집을 들이친다구 약속했잖어요."

이윽고 몇사람이 대 아래로 희끗희끗 나타났다. 그들은 다시 군호의 앞뒤를 맞추어보고 나서, 늘 모이던 폐사(廢祠)로 올라갔다. 누군가 가져온 암등에 불을 켰다. 이윽고 이경이 되었는지 종루에서 인정 치는 소리가 들려왔다. 서른세 번의 느린 종소리가 거의 끝날 즈음에 앞뒤로 여럿이 한꺼번에 몰려왔다. 그런데 그들의 앞에서 수노 노릇 하는 자 하나가 헐레벌떡 뛰어올라왔다.

"억기 어디 있나, 억기 안 왔어?"

"아직 안 왔는데, 곧 오겠지. 자넨 왜 그렇게 헐떡거려? 오늘 하루 참지 못하구 마누라 달래다가 늦은 모양이군."

그는 기가 막힌지 좌중을 향하여 손가락질을 하였다.

"이 사람들아, 농담할 때가 아니야. 북성이가 죽었어."

"북성이가 죽다니, 그럴 리가 있나."

비부쟁이가 되뇌었다.

"분명하네. 그의 시체가 상전의 집 앞에 있는 버드나무에 매달려 있는 걸 본 사람이 여럿이야."

나중에 헐레벌떡 올라와 아무 얘기가 없던 관노도 먼저 올라와서 얘기하던 자에 맞장구치면서 말하였다.

"나두 들었지. 나는 그게 바루 북성이인 줄은 몰랐어. 어느 모진 상전이 사노를 때려죽여 나무에 매달았다는 소문이 파다하던데."

북성이 다음에는 비부 다니는 자와 초동 수노 억기가 남부 살주계를 끌고 가는 부행수 격이라 모두들 걱정스런 얼굴로 비부의 말을 기다렸다.

"이걸 어쨌으면 좋겠나. 목대감 집으로 누군가를 보내어 알아보도록 하는 것이 어떠한가?"

비부는 고개를 흔들었다.

"아니야, 그렇게 한가한 때가 아닐세. 그자가 당상관이나 지냈는데, 남의 이목도 있지, 아무리 천한 몸이라고 함부로 죽여서 길가에 내보일 수는 없는 게야. 북성이가 죽은 것은…… 계 때문일 걸세."

"중길이는 원래 청파에 나가 있지만, 억기가 모임을 알고도 오지 않는 것이 이상하군."

다른 종들이 제각기 의견을 말하였다.

"오늘 거사는 뒤로 미루기로 해야겠네. 아무래도 낌새가 심상찮아."

"모두 흩어지세. 꾸물거리다가 먼저 순라꾼들에게 발견되면 이번에는 우리가 당하는 게야."

비부가 다시 말하였다.

"만약 중길이와 억기가 포청에 잡혀서 오지 못하는 것이라면, 우리 모임도 이미 알려졌거나 신원도 밝혀졌겠지."

"그들이 혀를 깨물고 죽을지언정 그럴 리가 있겠나. 시간을 끌고 있을지두 모르지."

"집에는 다 갔군. 차라리 여기서 하룻밤을 새우고 은신처라는 곳으로 찾아가지."

비부가 말하였다.

"은신처는 우리 좌장인 중길이밖에 모르네. 지난번에 아예 따라나서는 걸 공연히 식구들 때문에 꾸물거렸어."

"오늘 누구 쌍이문밖 바침술집에 들러본 사람 없나?"

아무도 대답이 없었다. 분위기가 갑자기 무거워졌고, 성급한 자는 벌써 자리를 뜨려고 사당 밖으로 나서고 있었다. 비부가 명례방 상노의 손목을 쥐며 속삭였다.

"너는 우리가 여기서 나간 뒤에 사당의 마루 밑에 있거라. 중흥동에 먼저 간 계원들이 있을 것이다. 어서 은신처를 옮기라고 전하여라."

비부는 스스로 먼저 폐사를 나서면서 말하였다.

"다음 보름날까지 서로 근신하고 있게. 내가 무슨 소문이 있으면 연락하러 사람을 보낼 테니까."

그들은 모두들 남별대를 내려서고 있었다. 그러나 그들의 등뒤에서 낙엽 밟는 듯한 부석거리는 소리가 들려오더니, 나무 사이로 희끗희끗한 사람의 자취가 보였다.

"거 누구요?"

앞선 자가 물으니 의외로 군호의 앞소리를 보내오는 것이었다.

"장끼."

"까투리…… 우리 계원이로군. 억기인가, 중길이 아니야?"

그쪽으로 다가서던 자는 나직한 쳇소리를 들었다. 그쪽에서 먼저 칼을 뽑았던 것이다. 그들은 주춤거리며 뒤로 물러났다. 계원들도 대부분이 거사 준비로 창포검을 지니고 있었으므로 누군가 먼저 칼을 뽑자 일제히 칼을 뽑아들었다. 숲속에서 나온 자들은 모두 세 사람이었는데, 갓을 벗어 등뒤로 늘어뜨렸고 도포자락을 묶었거나 소매를 걷어올리고 있었다.

"너희들은 누구냐?"

비부쟁이가 칼을 그들에게 겨누며 물었으나 그들은 대답 대신에 남별대의 가운데로 천천히 걸어나왔다. 천예들은 둥글게 벌려서면서 그들을 둘러쌌다.

"세 놈뿐이다. 단칼에 베어버리자."

"죽기 전에 뭣 하는 놈들인가 알아보자."

중구난방으로 떠들어대는데,

"너희 상전의 부탁을 받고 천벌을 내리러 온 사람들이다."

한량 차림의 사내들 가운데 하나가 침착하게 대구하였다. 계원들은 모두 그들을 대수롭지 않게 여기고 있었다. 제깟 것들이 아무리 환도 빼어들고 설쳐보았자 십여 명이나 되는 많은 숫자를 어찌 당해낼 것이며, 모임이 있을 적마다 중길이와 더불어 틈틈이 익혀온 계원들의 솜씨는 훈련원 군사 못지않았던 것이다. 그러나 비부살이하는 계원의 생각은 달랐다. 저들이 자신이 없는 바에야 태연하게 무리들 틈으로 걸어나올 리가 없었고, 그들에게 싸움을 걸어오는 자라면 인정이 친 뒤이므로 예사 무뢰한들이 아닐 것이었다. 그들은 포교가 틀림없었고, 이미 부근에 물 샐 틈 없는 포진이 쳐져 있을 성싶었다.

"쳐라!"

"베어라!"

제각기 외치며 계원 서넛이 칼을 휘두르며 들어가자, 둘러섰던 자들이 일시에 덤벼들었다.

최형기는 당대에 그의 칼솜씨를 당할 자가 없다는 무장이었다. 일찍이 해서에 나갔던 검객 김식도 그로부터 조련을 받지 않았던가. 최형기는 그에게로 달려드는 자의 칼을 받지도 않고 슬쩍 비켜나면서 가볍게 내리그었다. 칼날을 어깻죽지에 받은 자가 외마디 비명을 내지르며 달려들던 자세로 최형기의 뒷전에 꼬라박혔다. 최형기는 상체를 굽히고 몇걸음 걸어나가면서 좌우로 들어오는 자들의 상체나 하체를 베었다. 칼날 부딪는 소리 한번 없이 세 사람이 치명상을 입고 쓰러졌다.

"최형기다, 달아나라!"

비부가 먼저 소리를 질렀다. 그들 따위는 상대가 되지 않는 칼솜씨였다. 아직도 나머지 두 사람은 칼을 늘어뜨린 채 치켜들지도 않았던 것이다. 비부는 문득 그 사내가 종사관 최형기라는 느낌이 들었다. 그가 소리를 지르자마자 부장포교 두 사람이 좌우에서 달려들었고, 등을 돌리고 뛰어나가려는 그의 측면을 칼날 둘이 동시에 베었다. 그는 허공을 그러쥐며 넘어졌다. 살주계원들은 어둠속으로 흩어져 뛰었고, 그들은 더이상 추적하지 않았다. 부장 하나가 남별대 끝의 벼랑으로 뛰어나가 아래를 향하여 외쳤다.

"참새, 몰아라."

가장 먼저 우측 초상집에서 등불이 비춰지며 쇠도리깨며 환도를 든 기찰군이 쏟아져 가로막았고, 이어서 좌측에서 골짜기 입구를 차단했다. 그리고 생민동 어귀에서는 개천을 따라 일단의 포졸들이 뛰어올라오고 있었다. 그들은 서로 표가 나도록 검은 두건을 머리에 동이고 있었다. 계원들은 갈팡질팡하였다. 제자리에 주저앉는 자도 있었고 다시 남별대로 뛰어올라오는 자들도 있었다.

최형기는 부장들을 데리고 남별대에서 천천히 내려왔다. 계원 두 사람은 그들과 마주치자 아예 미리부터 칼을 내버리고 그 자리에 주저앉았다. 부장이 그들에게 칼을 겨누며 말하였다.

"앞서서 걸어라."

사방에서 와자거리는 고함소리나 가끔씩 칼날이 부딪는 쇳소리가 들리더니 어느덧 잠잠해진 것을 보니 결판이 나버린 모양이었다. 초가 앞으로 모두 모아놓고 땅바닥에 꿇어앉힌 다음 결박을 하는데, 가볍게 다쳤거나 성한 자가 모두 일곱이었다.

"이 밖에 달아난 놈은 없는가?"

"부상당한 놈들까지 모두 끌어올까요?"

"죽은 것들도 수습하여 포청으로 끌고 돌아간다."

최형기는 그들이 지니고 있던 창포검을 모두 수습하도록 하였다. 부장포교가 말하였다.

"종사, 이만하면 뒤숭숭하던 살주계 건은 마무리지은 셈입니다."

"아니…… 이제부터가 시작일세. 저것들의 입에서 어떤 말이 쏟아져나올지 모르지만, 도성 밖에는 이보다 더욱 큰 작당이 있을 게야."

최형기는 갓을 고쳐쓰고 흐트러졌던 옷매무새를 고쳤다.

"대장께 들러 아뢰고 내 곧 포청으로 나갈 터이니 국문 준비를 갖추어두게."

"오늘밤 국문을 하신다구요?"

"한시가 급하네. 우리가 저들의 잔당들보다 한발 앞서가야지."

이미 삼경이 지나서 성내에는 개 짖는 소리와 순라꾼들의 딱딱이 두드리는 소리가 간혹 들릴 뿐이었다. 남부 살주계의 성원 가운데 절반 이상이 결판이 났고, 동부와 중부에 몇명의 계원이 있었으나 그들은 일찍이 도성을 떠났으므로, 실상 성내에는 줄이 닿을 만한 계원들이 남아 있지 않은 셈이었다.

최형기가 거느린 포교 포졸들이 남별대 부근에서 모두 떠나버리자, 바람소리와 달빛만이 부옇게 남아 있었다.

남별대의 폐사 마루 밑에는 용케 잡히지 않은 계원 하나가 숨어 있었다. 그는 비부의 말에 따라 뒤로 처졌던 명례방의 상노 총각이었다. 낯선 사내들이 칼을 뽑아들고 숲에서 나오자마자 그는 뒤돌아 사랑으로 가서 널판자를 들어내고 어둠속에 가만히 엎드려 있었던 것이다. 잠시 어지러운 칼싸움 소리 뒤에 그들이 모두 잡혀버린 것을 알고 그는 더욱 깊숙이 숨어서 기다리고 있었다. 포졸들이 모두 비탈 아래로 몰려내려간 뒤에 그는 마루 위로 고개를 내밀고 살피면서 그들이 완전히 멀어져갈 때까지 기다렸다. 이윽고 일렁이는 발등거리 불빛들과 함께 그들이 생민동 쪽으로 사라지자, 총각은 사당 마루 밑에서 기어나왔다. 그는 비부의 말을 잘 기억하고 있었다. 중흥동에 가서 은신처를 옮기라고 전해야 하는 것이었다. 그는 한동안 갈 바를 모르고 폐사에 우두커니 앉아 있었다.

이대로 명례방 상전의 집으로 돌아가 아무 일 없었던 듯이 상노질이나 하다 보면 나이가 들고 눈치빠르고 부지런하게 상전을 섬기는 중에 난전에 장사라도 내보낼지 알 수 없었다. 그러면 그가 부러워하는 대갓집의 대솔하인이 되어 외거하면서 장가도 들게 될 것이었다. 총각은 슬며시 일어났다. 천예는 내 대에서 끝나야 한다. 차라리 죽을지언정 더럽게 살아남아 자기와 같은 종놈의 팔자를 자식에게 물려주는 짓은 않으리라 결심했던 것이다.

삼각산은 온통 울긋불긋한 단풍이 들어 햇빛을 받은 곳은 그 빛이 더욱 붉고, 그늘이 진 곳은 쇠녹이 물든 듯하였다. 언덕 위에서 바라보노라면 숲 위로 스쳐지나가는 바람이 마치 물결처럼 파문을 그으며 밀려가고 또 밀려갔다. 중흥골이란 산의 서남쪽 중흥사가 있는데서부터 석성(石城)으로 하여 산영루(山映樓)까지를 포함시키는 골짜기와 숲을 이르는 것이다. 성 가운데 큰 바위봉우리를 모두들 노적봉이라고 일컫는데 석문과 석비가 있으며 백제 성터의 흔적이 남아 있었다. 도성 사람들은 아래편 골짜기와 중흥사까지의 숲과 계곡을 놀이터 삼아서 답청이나 시회를 하러 모이곤 하였다. 그러나 위로 오를수록 숲이 깊고 바위가 험준하여 감히 오르는 이가 드물었다. 그 골짜기 위편에 제법 큰 암반이 있었는데 아래를 파고 넓은 방을 들이고 주위에는 작은 움집 여러 채를 지었으니, 여기가 곧 중길이 일당이 마련한 은신처였다. 도성이나 한양 부근의 대가에서 달아난 사노비들이나 죄를 짓고 달아난 관노비들이 이곳에 대를 이루어 모여 있었다. 그들은 검계와 연을 맺어 각 지방으로 흩어져가거나 원하는 자는 남아서 살주계의 일을 도왔다. 중길이는 어젯밤 늦게 중량포로 하여 돌곶이에 들러 검계의 석산진, 고달근, 황회와 더불어 만나 저간의 형편을 의논하였다. 그들의 의견으로는 뚜렷한 형적이 없는 한 감히 군병을 일으켜 삼각산을 수색하지는 못할 거라는 얘기였다. 서강의 모신이가 바꾸어주는 곡식을 중량포에서 받아 삼각산까지 운반하기는 어려웠으므로, 돌곶이 검계의 주막에다 보관하고 수시로 사람이 오르내리기로 하였던 것이다. 고달근과 석산진은 중길을 따라서 산에 올랐고, 중홍골의 아늑한 은신처를 보고는 더욱 염려할 바가 없다고 살주계 사람들을 안심시켰다. 아침을 짓는 연기가 안개와 어우러져 골짜기 안에 자욱한데, 어디 흉년이 있으랴, 맑은 물과 싱싱한 나무들과 이슬 맞은 들꽃이 별유천지인 듯싶었다.

"도성이 코앞인데 이렇듯 으슥한 데가 있는 줄은 몰랐는걸."

고달근이 말하자 숲 건너 아득히 한양 성내를 바라보던 석산진이 끄덕였다.

"우리 솔부리보다 자리두 좋구 더욱 포실합니다."

아래에서 소세를 하고 올라오는 중길이에게 고달근이 물었다.

"저쪽에 가물가물 보이는 것은 무슨 산이오?"

"예, 고양으로 통하는 오형제 봉우리입죠."

"그러면 여기서 죽 이어진 저쪽 끝은 양주 쪽인가?"

"그렇습니다. 양주의 도봉입니다. 산의 능선을 타고 나아가면 두어 식경에 닿지요."

고달근이 그 연봉을 한참이나 바라보았다.

"저런 퇴로가 있는 한 관군 수백이 쳐들어와두 걱정할 것이 없소. 다만 미리 방비하여두는 것이 좋겠소. 저쪽 도봉에다 새 은신처를 마련해두시오. 뒤가 든든해야 나아가기가 겁이 나지 않는 법이오."

중길이는 곁에 와서 털썩 앉으면서 손가락질을 하였다.

"잘 보셨소이다. 저기 도봉의 이빨처럼 곤두선 봉우리를 넘어가면 평평한 분지가 나오는데 거기에 이미 자리를 잡아두었지요."

"무엇보다도 큰일은 북성이가 잡혀죽은 것이지요. 비록 끝까지 입을 다물고 죽었다지만, 남부 살주계는 그 행수를 잃었으니 당분간은 몹시 흔들리게 될 것입니다."

중길이가 걱정스럽게 말하였고, 고달근은 이렇게 안심을 시켰다.

"걱정 마오. 우리 검계가 있으니 동아리가 흩어지게 되면 각자 검계로 들어오면 될 게 아닌가."

밑에서 아침을 먹으라는 전갈이 와서 그들은 함께 동굴로 내려갔다. 그들은 아침을 마치고 움 앞에 모여앉아 계원들과 한양 물정에 관한 얘기를 나누는 중인데, 남부 살주계가 박살이 나버렸다는 소식과 함께 계원인 명례방의 상노 총각이 거의 사색이 되어 당도한 것이다.

"아니, 남부 계원들이 모두 잡혔다니 그게 무슨 소린가?"

중길이는 지금이라도 당장 한양으로 달려갈 듯이 일어나서 죄 없는 총각의 멱살을 움켜쥐었다.

"모임이 알려질 리가 있나?"

"잠깐 고정하시우. 우리두 몰랐습니다. 최형기가 미리 포진을 하고 기다리고 있었지요."

"북성이가 죽었다면 억기가 있었을 터인데 그는 뭘 하구 있었던 게야?"

총각은 그제야 생각이 났다는 듯 고개를 갸우뚱하였다.

"글쎄요…… 지금 생각하니 억기 아저씨는 안 오셨습니다."

중길이는 서성거리기 시작하였다.

"그렇다면 억기가 붙잡힌 게 틀림없다. 북성이가 죽었다는 얘기를 못 들었나?"

"몇몇은 알구 왔습니다만, 대부분이 그저 막연한 소문만 듣구 있었지요."

중길이는 미리 와 있던 바침술집의 주모를 불러오도록 하였다. 그 여자는 산의 식구들과 함께 설거지를 하고 있다가 달려왔다.

"어머니, 북성의 아우가 와서 저의 형이 목내선에게 죽었다구 했지요?"

"그래…… 무슨 일이야?"

"남부 계원들이 모두 잡혔습니다. 왜 계원들에게 모이지 말라구 알려주지 않았소?"

"나는 그저 자네한테 어서 알릴 마음만 앞서서……"

중길이는 주모를 붙잡고 뭐라고 더이상 질책할 수가 없었다. 사실 중길은 주모가 전해준 덕으로 청파에서 포교들의 함정에 빠질 위기를 모면했던 것이다. 계원 중의 누구인가가 총각에게 물었다.

"억기가 그날 초동에서 나갔다던가?"

"잘 모르겠습니다."

중길은 알았다는 듯이 주먹을 그러쥐고 손바닥을 쳤다.

"그 자식 또 당마을에 나갔구나. 내가 기찰 대상이었다면 억기라고 모면할 수 없었을 테니까. 틀림없이 붙들렸어. 남부계의 모임을 아는 자는 그놈뿐이다."

고달근이 언제나 그렇듯이 침착하게 껄껄 웃어젖혔다.

"보슈, 어떤 사람은 잡혀서 입을 다물고 죽고, 어떤 사람은 잡힌 뒤에 입을 연 덕택으로 살아남는 게여."

중길은 미간을 찌푸리고 달근을 노려보았다.

"이녁은 우리 계원이 잡힌 게 뭐가 그리두 좋소?"

아무리 천지개벽을 바라고 모인 작당이라고는 하여도 버젓이 장사치 행세를 하는 고달근으로서는 중길이의 서슴없는 말투에 배알이 꼴렸다.

"이봐, 이미 깨어진 함지박을 어찌하겠단 말인가. 내가 곁에서 들자하니 놈이 입을 열어 다른 사람들이 잡힌 모양인데, 이제 와서 그 자를 죽이려는가, 아니면 포청을 들이치고 계원들을 살려내려나. 모르긴 해도 만약에 내가 최형기쯤의 종사관이라면, 잡힌 놈들을 두들겨서 알아내구 말 게야."

"뭘 알아내오?"

중길이 되묻는 말에 고달근은 약을 올리듯 웃었다.

"바로 여기."

고달근이 손가락으로 제 앉은 자리를 찍었다. 좌중의 계원들은 제각기 술렁거렸다. 산지니가 걱정을 덜어주려는 듯이 덧붙였다.

"꼭 그렇지는 않겠지요. 북성이처럼 알리지 않고 곤욕을 치를지두 모릅니다."

그 말에 고달근이 성을 발끈 냈다.

"어리석은 소리. 사람 사는 세상에 그런 미더운 의기는 한정이 있는 게야. 일단 잡힌 놈들은 포청의 포교들과 한통속이 되어버렸다구 여겨야 해. 제아무리 심기가 굳은 놈이라도 제 고기는 못 속여."

하면서 달근은 팔꿈치로 산지니의 옆구리를 질렀다. 산지니가 저도 모르게 어이쿠 하면서 움츠리자 달근은 히쭉 웃었다.

"거 봐, 아프잖어. 누구나 맞으면 아픈 게야. 매가 뛰는 장사라두……"

중길은 아직도 서성대고 있었다. 그는 계원들을 몇명 골라내어 저희끼리 수군수군 의논하고 돌아왔다.

"우리는 중흥동에서 떠나지 않겠수. 그 대신에 양주 쪽에다 골짜기를 봐두렵니다. 오형제봉에 맞춤한 데가 있답니다. 그리고 우리 계원 열 사람이 죽기를 각오하고 한양에 들어갈 작정이우. 살려내지는 못한다 하더라도 그냥 찍소리 없이 숨어 있지는 않을 테요."

산지니는 고달근의 의견도 물어보지 않고 말하였다.

"우리 솔부리 검계에서도 당신네들을 돕겠소. 어떤 일을 할 거요?"

중길이는 다부지게 보이는 입을 꾹 다물었다. 그의 곁에서 다른 계원이 말하였다.

"먼저 북성이의 원수를 갚고, 억기를 해치워야죠. 그리고 계원들을 구해보렵니다."

중길은 계원 두 사람을 북쪽으로 나아가게 하였으니, 능선을 타고 도봉과 오형제봉 어름에 있는 새 은신처를 알아보게 하기 위함이었다. 그러고는 중흥골 계곡 입구에 망지기를 내보냈다. 언제 포교들이 들이닥칠지 모르기 때문이었다. 그날 저녁에 고달근과 산지니는 돌곶이 주막으로 돌아갔는데, 억기가 배신하여 동료들이 잡힌 지 꼭 이틀 만인 다음날 아침에 포교들은 중흥동을 더듬고 올라왔다. 그들은 최형기가 직접 나서서 인솔하고 있었는데, 화승총을 가진 포도군사가 열 명이나 되었고, 나머지는 모두 흑색 더그레나 털벙거지에 장창을 들고 있었다. 최형기는 구군복에 환도만을 차고 있었다. 벌써 그들이 삼각산 서남쪽의 여러 마을을 지나는 사이에 삼각산에 화적 났다는 얘기가 파다하게 나돌았다. 그러나 중길이네 살주계에서도 포도군이 중흥동으로 몰려온다는 것을 미리 알고 있었다. 중길은 아녀자들을 미리 북쪽 도봉으로 나가는 등성이로 내보내고, 산영루와 중흥사 사이의 짙은 송림에 계원들을 매복시켰다. 그러고는 은둔처를 버리고 석성으로 올라가 드넓은 비탈과 골짜기를 한눈에 바라보며 진을 쳤다. 석성 주위에는 골짜기를 향하여 받쳐놓은 바윗돌 수십여 개가 늘어섰다. 포도군이 산영루로 하여 중흥사로 오르는 송림에 들어섰음을 알리는 날라리 소리가 길게 골짜기에 울려퍼졌다.

최형기도 군사들 틈에서 태평소의 간드러진 소리를 들었다. 그러나 적도들은 어디에 숨었는지 사방에 보이는 것은 소나무와 상수리나무, 단풍나무뿐이고 골짜기에는 낙엽이 발목이 묻히도록 두껍게 깔려 있을 뿐이었다. 앞에는 장창을 든 군사들이 나아갔고 뒤에 화승총을 멘 열 명의 군사들이 따랐으며, 부장과 최형기 등의 장교들은 맨 뒤에 환도를 차고 따라갔다. 앞장선 길라잡이는 진관사에서 부역으로 끌려나온 거사였다. 그는 삼각산 인근의 마을이나 골짜기에 대해서 손금 들여다보듯 안다는 자였다. 거의 숲 가운데 들어섰을까 싶었는데, 다시 기다란 날라리의 가락이 울려퍼졌다.

최형기는 부장을 돌아보았다.

"이번엔 좀 가깝군."

"저기…… 보입니까?"

부장이 손가락질하는 곳을 바라보니 골짜기 오른쪽 아득히 높은 바위 위에서 어떤 사내가 위쪽을 향하여 흰 무명포를 흔들어대고 있었다.

"쏘아서 떨어뜨릴 수가 있습니다."

부장이 제의하였으나 최형기가 막았다.

"모른 체하고 내버려두지."

갑자기 매캐한 냄새와 열기가 끼쳐오는가 하는데, 푸른 연기가 일어나기 시작하였다. 최형기가 전후좌우를 둘러보니 앞에서 불붙은 짚더미가 살아 있는 맹수처럼 굴러내려왔고, 뒤에서는 마른 낙엽과 풀숲 위에 누가 질렀는지 사람의 키만이나 한 불길이 치솟는 중이었다. 불이 붙어도 동작만 빠르면 별로 사람이 상할 듯싶지 않았으나, 무엇보다도 매캐한 연기로 앞이 보이지 않고 숨이 막혀서 싸우기가 곤란한 점이 걱정이었다. 최형기는 환도를 뽑아들었다.

"자, 위로 뛰어올라라. 창을 가진 살수는 앞장을 서고, 포수들은 양쪽 언덕으로 올라 적장을 쏘아 맞혀라."

그들은 연기를 뚫고 골짜기 위로 뛰어가는데, 가뜩이나 오랫동안 말라 있던 풀과 낙엽이 일시에 번진 불에 맹렬한 기세로 타오르니 우선 공격은커녕 제 몸 하나 지키기에 급급한 형편이었다. 그들이 불속을 빠져나오자 거기서부터는 나무와 낙엽을 모두 긁어내고 길게 수렁을 파놓았으므로 불길은 그쳐 있었으나, 장창을 든 군사들은 비틀거리며 뛰어나와 수렁에 걸려 넘어졌다. 바로 눈앞의 고갯마루에서는 활을 가진 자가 대여섯이 서 있다가는 틈을 주지 않고 편전(片箭)을 어지러이 쏘아대는데, 거리가 불과 삼십여 보 안팎이요 피할 사이도 없고 눈뜰 사이도 없이, 코를 싸쥐거나 눈을 씻으며 연기를 빠져나와 허방에 걸려 자빠진 자들이니 상투도 꿰이고 궁둥이에도 꽂히며 비명을 질렀다. 위에서는 뻔히 바라보며 손을 재게 놀려 쏘아 맞히는데, 아이들이 투호(投壺)놀이 때에 살을 항아리에 던져넣듯이 재미삼아 싸우는 양이었다. 예봉이 꺾인 것이다. 이미 혼란해진 대오를 정비하는 것은 앞으로 밀어붙이거나 잠깐 뒤로 물러나는 수밖에 없었으나, 그때 최형기는 칼을 빼어들고 뛰쳐올라갔다. 위에서 편전을 쏘아대던 자들은 마음이 먼저 급하여 서투르게 살을 메기고 시위를 당기고 하는데, 최형기는 고함을 내지르며 칼을 휘두르고 달려갔다. 두어 개의 화살이 날아왔으나 하나는 엉뚱한 데로 흘러지나가고 다른 하나는 휘두르는 칼날에 맞아 비껴버렸다. 살을 더 메기려다가 둘은 자리를 떠나 달아나기 시작하고 나머지 한 명이 담대하게 최형기를 노리면서 시위를 당겼다. 뒤에서는 불속을 벗어난 장교들이 최형기의 뒤를 쫓아서 언덕으로 뛰어오르고 있었다. 최형기는 앞에서 활시위 퉁겨지는 소리가 들리자마자 허리를 휘청 숙이면서 뛰어드는데 화살이 전립을 꿰고 멈추었다. 이미 댓 발짝 앞이었다. 활 쏘던 자가 황급히 돌아서서 위를 바라고 뛰는 순간, 뒤미쳐 달려오던 포졸 하나가 장창을 지남침으로 치켜들더니 곧장 던져버렸다. 장창은 계원의 등줄기에 정통으로 꽂혔고, 그는 멈칫하였다가 앞으로 넘어졌다. 깊숙이 꽂힌 창대가 수직으로 곤두서서 부르르 떨리고 있었다. 최형기가 먼저 언덕에 올라 쓰러진 자의 등에서 장창을 뽑았다. 그는 발로 시체를 뒤적여보았다. 이어서 장교들과 창 가진 살수들이며 포수들이 올라왔다.

"길라잡이는 어디 갔느냐?"

"저 밑에 있습니다. 살을 맞았지요."

최형기는 다시 부장에게 말하였다.

"얕볼 놈들이 아니다. 지세를 타고 용병하는 것을 보니, 제법 조련이 된 놈들이로다."

"이대루 밀구 올라가지요."

부장은 전립을 벗어버리고 안면에 줄줄 흘러내리는 땀과 그을음을 소매로 닦아내고 있었다. 최형기가 언덕 아래를 돌아보며 눈짐작을 해보았다.

"다친 아이들이 몇이나 되는가?"

부장도 아래를 내려다보았다. 대여섯이 쭈그리고 앉았거나 서 있었다.

"어찌되었느냐?"

부장이 물으니, 아래에서 포졸 하나가 대답하였다.

"예, 그저 팔이나 궁둥이나 허벅지에 살을 두어 대씩 맞았습니다만, 눈에 맞은 사람과 명치에 맞은 사람은 혼절해 있습니다."

최형기가 물었다.

"길라잡이는 어떠한가?"

"저는 걸을 수 있습니다."

길라잡이로 나섰던 거사가 스스로 대답하며 올라왔다. 살펴보니 그자는 왼쪽 팔뚝에 꽂힌 편전을 그대로 달고 있었다. 최형기가 살피고 나서 말하였다.

"유엽전이 아니어서 다행이다. 어서 뽑아주도록 하여라."

어리둥절해하는 사내의 양옆에 포졸 두 사람이 달려들더니 그를 꼼짝 못 하도록 껴안았고, 포교가 단검을 뽑아서 거꾸로 쥐고 그의 팔뚝을 잡았다.

"촉을 뽑으려면 살을 헤쳐야지."

다른 포졸은 무명 수건을 내어 사내의 입끝에다 물려주었다. 사내가 두 눈을 부릅떴고 드디어 수건을 뱉어내면서 마음껏 소리를 지른 뒤에 편전이 뽑혀나왔다. 길라잡이는 긴 숨을 토해냈다.

"길이 외줄기뿐이냐, 아니면 저 뒤로 돌아갈 수가 있겠느냐?"

틈을 주지 않고 최형기가 물으니, 사내는 아직도 헐떡거리면서 왼쪽의 가파른 산등성이를 손가락질하였다.

"저쪽으로 나아가면 석성의 왼편으로 닿게 되어 있습니다."

최형기는 산등성이를 따라서 시선을 죽 돌려보았다. 산줄기는 위로 뻗어나가 골짜기를 막고는 우뚝 솟은 노적봉의 아래턱으로 모이고 있었다.

"부장은 포수들을 데리고 저 등성이를 타고 적굴의 머리 위에까지 나아가라. 나머지는 나를 따라서 이대로 밀고 올라간다."

최형기가 부장에게 일렀다. 그들은 골짜기를 가로질러 가파른 바위를 타고 벼랑으로 오르기 시작하였다. 최형기는 척후를 앞세워 보내고 한 사람에 열 걸음씩 떨어져서 오르도록 하였다. 골짜기의 간격이 차츰 좁아지면서 길도 가파르고 험해졌다. 오른쪽으로는 중흥사로 오르는 샛길이 트여 있었는데, 그대로 오르니 시야가 툭 터지면서 마른 풀이 자란 넓은 비탈이 나왔다. 왼쪽 우묵한 곳에 울창한 숲 사이로 움집의 초가지붕들이 보였다.

"저깁니다."

길라잡이 사내가 손가락질을 하였다. 최형기가 영을 내리기도 전에 포졸들은 좌우로 흩어지더니 창을 겨누고 몸을 낮추어 뛰었다. 뒤따라 뛰려던 최형기는 그때 문득 다른 생각이 들어 정면 노적봉쪽을 올려다보았다. 석성이 둘러 있었고, 석문이 빠끔하게 입을 벌리고 있었다. 최형기는 첫눈에 진법을 아는 자 같으면 그 안에 방어진을 치리라고 느꼈던 것이다. 그렇다면 이곳은 보나마나 비어 있는 껍데기일 것이었다. 그러나 최형기는 모른 척하고 적당의 은신처를 향하여 뛰었다. 먼저 각 움집과 석굴 안을 뒤지고 나온 포졸과 장교가 고하였다.

"아무것두 없습니다."

"이런 옷가지 몇벌뿐입니다."

하면서 그들은 아낙네의 치마와 헝겊 보퉁이를 내던졌다. 최형기는 소굴 뒤로 치솟아올라간 벼랑을 올려다보았다. 벌써 당도한 부장이 아래를 향하여 손을 흔들고 있었다. 최형기는 오른쪽의 노적봉 쪽을 가리켜 보이며 몇번 찌르는 시늉을 하였다.

"놈들은 성터에 숨어 있는 것이 분명하다. 대를 나눈다. 좌대는 석성의 측면으로 돌고 우대는 곧장 올라가되 간격을 띄워서 오른다. 위에 포수가 있으니 저항이 그리 심하지는 않을 것이다."

최형기는 우대를 이끌고 비탈진 풀밭으로 나아갔고, 좌대는 석굴의 암반을 넘어 왼편으로 바짝 나아갔다. 아니나다를까, 그들이 드넓은 풀밭 가운데로 나아가자 태평소 소리가 길게 한 번 들렸다. 그러고는 위에서 지축을 흔들면서 큰 바윗돌이 굴러내려오기 시작하였다. 돌아서서 뛰려는 포졸들에게 최형기가 외쳤다.

"돌아서면 죽는다. 앞을 보고 피하여라."

산등성이 위에서 부장이 성안을 들여다보며 화승총을 쏘게 하였는지, 콩 볶듯 한 방포소리가 들려왔다. 바위는 쿵쾅거리며 사정없이 굴러내렸고 최형기도 등줄기에 식은땀이 돋을 정도였다. 그는 방금 제 몸집의 두어 배는 되어 보이는 바위를 피하느라고 오른편으로 납죽 엎드렸던 것이다. 멀리 숲의 나무에 가서 부딪는 소리와 골짜기로 계속 굴러내려가는 소리가 요란하였다. 왼쪽으로 석성의 바로 밑까지 당도한 좌대가 와 하는 함성을 내지르며 뛰고 있는 게 보이자 최형기도 벌떡 일어나서 석문을 향하여 뛰었다. 그들은 물꼬를 빠져나가는 거센 물길처럼 석문 안으로 밀고 들어갔다. 멀리 툭 트인 분지를 달리는 적당들의 모습이 보였다. 계속해서 화승총 놓는 폭음이 온 산을 울렸다.

중길은 산성을 빠져나가려면 노적봉을 지나 암벽의 동쪽으로 내려가지 않으면 퇴로가 없다는 것을 잘 알았다. 골짜기를 타고 내려오다가 다시 북으로 나가는 산등성이를 따라가면 우이암이 나오는데 거기서부터는 산줄기가 도봉에까지 연이어 있는 것이다. 관군들이 석성 안으로 밀고 들어오자 그들은 예정했던 대로 노적봉을 바라보고 뛰었다. 벼랑 위에서 탄환이 비 오듯 떨어져 내려왔다. 석성의 동문을 향하여 뛰는데 일행 가운데 몇명의 계원이 총알을 맞고 쓰러졌다. 중길은 계원 가운데 하나라도 산 채로 잡혔다가는 다시 두번째 은신처까지 알려지리라 생각하고 있었다.

"들쳐업고 뛰게."

중길은 스스로 계원 하나를 부축하여 겨드랑이에 끼면서 동료들에게 말하였다.

"아, 나는 틀렸어요."

명례방 총각이 붉게 물든 앞가슴을 누르면서 뒤로 반듯이 누워버렸다. 중길은 먼저 부축했던 자를 다른 계원에게 넘겨주고 나서, 총각을 끌어올렸으나 그는 전신에 맥이 없이 흐늘흐늘하였다. 뒤에서 함성을 지르며 달려오는 관군들이 너무도 똑똑히 보였다.

"자네, 포청으로 잡혀가면 알지?"

중길의 말에 총각은 숨을 거칠게 내뿜으면서 중얼거렸다.

"억기 같은 꼴이 되기는 싫어요. 차라리…… 찔러주시우."

중길은 서슴지 않고 창포검을 뽑았다. 그는 다시 한번 관군들을 바라보고 나서 총각의 눈을 바라보며 칼을 쳐들었다.

"잘 가거라, 후생에는 부디 노비로 태어나지 마라!"

그는 칼을 총각의 왼쪽 가슴에 깊숙이 꽂아넣었다가 뽑아내고 다시 턱밑을 찔렀다. 두 번째 찌를 때에는 칼끝에 아무런 미동조차 느껴지지 않았다.

중길은 돌아서서 뛰는데 뜨거운 눈물이 뺨을 적셨다. 저들이 죽은 자의 시신을 어찌할 것인가. 아마도 그 아이는 약올리듯 무방비한 자신의 몸을 땅바닥에 내던지고 적에게 이렇게 알릴 것이다.

그래, 나는 더러운 세상으로부터 훨훨 자유롭게 놓여났다.

중길은 뒤를 돌아보지 않았다. 탄환이 그의 석 자 남짓한 몸 뒤로 어지럽게 날아 지나는 소리가 날카로웠다. 노적봉을 돌아서 성문으로 빠져나오니 곧 눈앞에 깊은 숲이었다. 이제 위기는 벗어난 것이다.

"여기 매복하였다가 관군을 몰살시키자."

계원들이 분이 나서 그렇게 주장하였으나 먼저 보낸 식솔들이 걱정이었다. 아마 이것이 마지막 싸움이었다면 그가 누구보다도 관군을 맞았을 터이다. 그러나 살주계는 결정적인 때를 위하여 살아남을 필요가 있었던 것이다.

"우리가 숲속으로 숨어버리면 관군은 더이상 쫓지 않을 걸세. 어서 우이암으로 내려가세."

그들은 길을 피하여 골짜기를 가로질러 험하고 가파른 산비탈을 타고 내려갔다.

삼각산의 북쪽을 타고 미끄러져 내려가니 곧 우이암의 부드러운 능선이 나타났다. 그들은 거기서 한숨을 돌리고 도봉을 향하여 걸었다. 중간에서 먼저 와서 기다리던 아녀자들과 만나니 중흥동 싸움은 이렇게 반나절 사이에 끝나버렸던 것이다.

10

중흥동 싸움이 있은 지 달포나 지나서였다. 민심은 찬바람이 불수록 더욱 흉흉해졌고, 경강의 거래도 이제는 거의 끊겨서 성내에서도 굶주리는 집들이 많아지게 되었다. 아직 아사자나 동사자는 나오지 않았으나, 나라에서는 각 활인서에다 기민 구제를 지시하고 있는 형편이었다. 중량포에서 청량고개를 넘어 돌곶이를 건너면 바로 고암 오거리가 나오게 되는데, 이는 양주 포천로와 흥인문으로 들어가는 한양 직로가 만나는 곳이었다. 부근에 동적전(東籍田)과 선농단(先農檀)이 있으니 임금이 친히 밭을 갈아 여섯 가지 곡물을 천신하는 곳이다. 즉 땀 흘리고 수고하는 백성들의 삶을 나라님이 몸소 겪어 알게 한다는 곳인데, 바로 앞이 제기(祭基)고개요, 그 아래로는 왕십리의 드넓은 벌판이었다. 역시 고암 오거리가 동북방이나 동남방으로 나가는 행객의 집결지가 되어 이른바 돌곶이 주막거리는 숭례문 밖의 청파나 석우처럼 저자가 제법 번성한 곳이었다. 예전에 임금이 박은(朴블)의 청렴을 귀히 여겨 하사하였다는 북바위밭이 지금도 남아 있었다.

주막거리는 돌곶이내와 고암 오거리 사이에 줄지어 있는데, 철은 이미 늦가을이요 경기가 없어서 가끔 지나는 원행객이 잠깐 서서 막걸리 잔이나 비우고 떠나는 정도였다. 주막거리만 벗어나면 답십리와 왕십리의 벌판에서 몰아쳐오는 바람이 먼지를 뽀얗게 일으키는 쓸쓸한 곳이었다. 주막거리 뒤에는 드넓은 채소밭이 끝 간 데 없이 펼쳐져 있었다. 그마저 추수가 끝나서 벌건 흙이 드러났고 군데군데 거름 구덩이만 패어 있을 뿐이었다. 마방이 딸린 큰 주막이 있었는데, 난데 없는 객줏집이었다. 주로 동북방에서 내려오는 건어물을 취급하고 있었다. 또한 경강에서 압구정을 돌아 살곶이를 지나서 중량교에 닿는 운반선에서 부려진 물건들이 동북방의 물건과 교환되는 곳이기도 하였다. 따라서 그 집 주인은 최덕구(崔德九)라는 양주의 난전 왈짜 출신인데, 서강의 모신이나 고달근네 솔부리 일당들과도 친숙하게 지내고 있었다. 비록 검계에 들지는 아니하였으나 그들과 한통속이 되지 않고는 인근에서 밥을 먹을 수 없다는 것을 알고 있었다. 최덕구는 중길과 달근의 청에 의하여 서강에서 중량포로 실어 온 곡물을 밤마다 마필로 실어다가 창고에 은닉하여주었다. 중길은 그것을 다시 양주로를 거쳐서 도봉 서북편의 은신처에 운반하였던 것이다. 고달근과 황회는 오랜만에 솔부리로 돌아갔고 돌곶이 주막에는 산지니와 시동이가 솔부리 졸개 세 사람과 함께 남아 있었다.

고달근은 그들이 남아 작은 벌이라도 하기를 지시했던 것이다. 마침 중량포에서 간밤에 곡물을 실어나르고 중길이네 살주계 일당들도 덕구네 주막에 묵고 있었다. 산지니와 시동이 그리고 솔부리 졸개들은 뒤꼍에 으슥한 물주의 방을 차지하고 앉아서 돌려태기를 하는 참이었다. 예순 장을 한 목으로 하여 하나에서 열까지의 수를 매긴 것을 각각 여섯 장으로 구성하는데 예순 장을 다 쓰기도 하지만, 돌려태기나 가보잡기는 마흔 장을 쓰는 것이다. 그들은 고작 술 받기 내기나 하는 것이었다.

"자, 빨리 쳐야 투전이지. 공부하여 과시에 나가려는가."

"이런 젠장맞을…… 한 장이 안 맞는데 그래."

이렇게 시시껄절하니 시간을 패는데, 문이 벌컥 열리며 중길이의 꺼칠하고 마른 얼굴이 나타났다.

"벌써 손돌바람인가. 등짝이 시린걸. 바람 닫아, 문 들어와."

시동이도 곁말을 써가며 중길이를 반겼다. 그러나 중길이는 그들의 한가로운 모습에 불쾌한 듯하였다.

"배에 발기름이 끼었군."

시동이가 그제야 패에서 눈을 떼며 중길을 돌아다보았다.

"어서 들어오든지 말든지, 문을 닫으라니까. 비싼 광나루 장작 때구 덥힌 구들이어."

중길이는 입맛을 다시며 들어와서 윗목에 앉았다. 산지니가 눈치를 채고 먼저 패를 버리면서 물었다.

"한양 소식은 어떠우?"

중길이는 안색이 흐려지며 천장을 올려다보았다.

"둘이 국문 중에 죽었고, 나머지는 새달에 처형이 되는 모양이우."

산지니는 아무 말이 없고, 시동이가 지패를 때리면서 중얼거렸다.

"언제 그 최가란 놈의 뒤통수에 바람구멍을 내줘야지."

"언제 말이오?"

중길이 놓치지 않고 말꼬리를 붙잡았고, 시동이는 잠깐 머뭇거렸다.

"글쎄…… 집만 안다면야 기다렸다가 한방 먹일 수가 있지."

"집은 알구 있지. 배오개 부근이오."

시동이가 뒤늦게 패를 놓았고 판은 흐지부지되어버렸다.

"가만있자, 배오개라면 더욱 좋은 데가 아닌가. 저자의 한가운데로군."

"이 댁 주인장네와 거래가 있는 어물전이 많지요."

시동이는 자신 있게 말하였다.

"심심한 판에 그 자식이나 급살을 놓아야겠군."

그러나 중길이는 그를 믿지 않는 태도였다.

"최형기는 그렇게 단숨에 죽일 상대가 아니우. 계획도 세워야 할 것이고 순서가 있어야 될 거요."

"그놈이 칼이나 좀 휘둘렀지, 날아가는 콩알을 젓가락으로 집을 건가 손가락으로 퉁겨낼 텐가. 내게 맡기시우."

산지니가 중길에게 물었다.

"어찌 짐은 다 부려놓았소?"

"어젯밤에야 끝냈지요. 모두들 떨어져서 곤히 자구 있소."

"산으루 올라갈라우?"

중길이는 방바닥을 내려다보았다.

"우리만 편안히 양식 짊어지구 앉아서 겨울을 날 수는 없소이다. 한양으로 들어가서 무슨 짓이든 벌여봐야죠."

산지니와 시동이도 묵묵히 대답이 없는데 중길이가 재촉하였다.

"일전에 여럿이 있을 적에 약조를 했었지요? 검계에서도 우리 일을 도와주겠다구 했는데……"

산지니가 시동이에게 말을 건넸다.

"자네가 최형기를 맡을 텐가?"

"살주계에서 준비만 해준다면야 어려울 것이 없지."

시동이는 황회와 더불어 검계에서는 누구보다도 화승총에 자신이 있었다. 그는 언제나 삿자리에다 반들반들하게 닦은 총포를 감추고 다녔다.

"그런데 문제는…… 방포를 하고 나면 뜰 데가 없어 걱정이지. 산이라면 몰라두."

중길이가 말하였다.

"단방에 맞히기만 한다면 별로 걱정할 게 없소. 동부 살주계의 태반이 성내에 남아 있으니까 모두 손발이 되어줄 거요. 최형기는 언제나 야간 기찰까지 끝내고 삼경이 되어서야 돌아옵니다. 지금 한양은 민심이 들떠서 밤만 되면 모두 대문을 굳게 잠그고 출입을 삼가는 형편이우. 포도청의 기찰을 잔뜩 혼란시키고 최형기를 곤경에 빠뜨릴 묘안들이 있습니다. 우리 계에서 며칠 동안에 도성을 들끓게 해놓을 수가 있소."

산지니가 물었다.

"그 묘책이란 어떤 거요?"

"차차 알게 될 겁니다. 그리고 또 한 사람 해치울 자가 있지요. 억기라구 우리 계원이었고 북성이와 함께 남부 살주계에 있었지요."

"우리두 들어서 알구 있소. 혈당을 배신하구 남부 살주계의 모임을 팔아먹었다는 놈 아니오."

"그렇소. 그자가 청파 당마을서 삼패의 계집과 외거하는데, 소문을 들으니 요즈음에 포청에서 상금까지 받고 나와 거기 박혀 있다는 게요. 내가 가서 그자의 목을 베어 우리 계원들의 원한을 갚아주고 싶지만, 우리는 모두 얼굴을 알아서 어찌 손쓸 방도가 없습니다."

"참, 팔자 험하군."

산지니가 픽 웃으며 말하였다.

"한 번도 상면하지 않았던 자를 죽여야 할 테니까."

"그놈두 지금 무척 괴로울 겁니다. 차라리 장하에 죽는 게 낫지요. 시일을 끌다 보면 그자는 아마 처자식을 데리구 한양을 떠나 산간에 숨어 살게 될지두 모르지요."

"내버려두면 안 되우. 북성이의 시신이 상전의 손으로 나무에 매달렸듯이, 우리두 억기놈의 시신을 양반들에게 보여주어야 하우."

산지니는 제 가슴을 가볍게 두드렸다.

"내게 맡기시우."

중길이는 아까보다 훨씬 얼굴이 밝아지고 있었다. 원래 피를 흘린 자가 일에 열을 내게 마련이고, 고통을 많이 당한 편일수록 긴장을 늦추지 않는 법이다. 달근이나 시동이나 재물 터는 길에 재미가 붙었달 뿐, 그렇게 살과 피가 떨리고 뛰는 명분은 없었으나 노비인 중길이는 그의 전신이 양반에 대하여 열화와 같이 타는 불더미가 되어 있었다. 그는 중흥골의 석성 안에서 제 손으로 베어 목숨을 끊어주던 어린 총각의 젖은 눈을 잊지 않고 있었으며, 북성의 죽음은 뼛속까지 사무쳐 있었다. 그는 살아생전에 도성의 두꺼운 담장 안에서 짓눌린 한숨을 쉬고 있는 수많은 노비들이 노적을 불지르고 춤을 추면서 달려나올 그날을 못 보게 될지도 몰랐다. 그러나 살주계는 마른 짚더미에 불을 댕길 관솔의 작은 가지가 될 것이었다.

"가장 먼저 억기를 죽여야 합니다. 그 다음에 우리가 한양의 민심을 소란하게 하지요. 최형기는 그쯤에 가서 해치우는 게 좋을 듯하우. 도대체 검계에서는 언제 한양을 뒤집을 작정이오."

"우리가 그런 큰일을 어찌 알겠소. 아직 때가 익지 않았다고만 합디다."

산지니는 풀어놓았던 행전을 치고 토시를 끼었다.

"행수가 같이 갈 거요?"

중길에게 물으니 그는 손수건에 싼 단도를 내주었다.

"집을 자세히 가르쳐드리지요. 그자에게는 기찰포교인 듯이 행세하시우. 틈을 보아서 찌르고, 여편네를 꼼짝 못 하도록 하든지 처치하든지 하고 나서 서강 모신이네로 가십시오. 우리는 거기 가 있을 작정입니다."

"말이 나온 김에 일어서지. 중화는 청파역에서 해야겠군."

시동이가 따라나서며 산지니를 불러세웠다.

"헌데 달근이 성님이 뭐라구 하지 않을까?"

"우리가 이지사네 집을 들이칠 적에 그런 수고를 끼쳤고, 또한 이번에 저 사람들이 액을 당한 게 우리 일 때문인데 사람이 의리상 어찌 모른 척하겠는가."

"허긴 그렇지. 잘 다녀오게. 나는 탄환이나 잘 재어두었다가 그 종사관 녀석의 해골이나 뚫어줄 테니까."

"모레쯤 중량포로 하여 돌아오지."

산지니가 마당으로 나가니 중길은 계원에게 봇짐을 하나 가져오도록 하였다. 만져보니 북어인 듯싶은데 포교들의 눈을 속이자는 모양이었다.

"칼은 행전 안에 숨기시우. 요사이 문마다 포교들이 나와서 지킨다는데, 혹시 몸뒤짐을 당할지두 모르지요."

산지니는 행전을 풀고 바짓가랑이에다 단도를 넣고 친친 동여매었다. 머리 위에는 패랭이 쓰고 긴 저고리 걸치고 봇짐을 짊어지고 나서니 그럴듯한 보부상 차림이었다.

제기고개를 얼른 넘고 안암천을 훌쩍 건너 동묘를 지나니 바로 눈앞에 홍인문이었다. 문 앞에 당도하니 길이 막혀서 사람들이 하얗게 늘어섰고, 산지니는 그들 사이를 뚫고 앞으로 나가보았다. 역시 중길이의 말대로 포교 두 사람이 나와서 포졸들과 함께 행객의 짐과 몸을 뒤지고 있었다.

"원 예미랄 거, 맨날 잡지도 못하고 맨 꽁무니만 당하면서 약한 백성들만 볶아대는구나."

"누가 아니래. 나는 시방 백여 리를 돌구 겨우 좁쌀 두어 말 구하여 돌아오는데, 아이들이 죽 먹은 지가 근 열흘째나 되었네."

"미친놈들…… 이렇게 못살게 구는데 배는 고프지, 나두 눈이 뒤집히면 대관의 집 뛰어넘어 들어가 쌀섬을 지구 나오겠네."

모두들 열 지어 서서 이러쿵저러쿵 불평들이 대단하였다. 산지니도 옆에 섰다가 차례가 되어 앞으로 나아가니 우선 보퉁이를 끌러놓으란다. 곁눈질로 바라보니 상인들이 인정으로 두고 간 곡물이며 어물이며 시시한 물건들이 제법 더미를 이루고 한쪽에 쌓였다. 기찰한 답시고 핍박하여 스스로 내놓고 가도록 만든 것이었다. 산지니도 눈치가 멀건 송파의 왈짜 출신이라 보퉁이를 풀면서 손을 넣어 북어열 마리 꿴 노끈을 들어 슬그머니 무더기 위에다 떨구었다. 그러고는 앞에 서 있는 포교에게 은근히 말하였다.

"추운 날씨에 고생이올시다. 어한술 한잔 드실 적에 안주나 하시우. 이건 특상의 원산 말뚝입지요."

"허, 이 사람 재간꾼이로군."

껄껄대면서 포교는 몸뒤짐은 않고 보퉁이를 들어 내밀었다.

"장사치는 일각이 만 전이라, 어서 가서 장 보게나."

산지니는 이렇게 어물쩍하니 흥인문을 지났다. 저러니 아무리 적
경이 급박하여도 남한산성만 한 코를 벌린 그물처럼 걸려들 고기가
없는 기찰이었다. 산지니는 예정했던 대로 중화참의 시장기가 날 때
쯤 하여 숭례문을 나섰고, 배다리를 건너 청파역에 당도하였다. 그
는 보행 객주에 들러 북어 몇마리 내주고 조밥을 짓게 하여 점심을
먹었다. 그러고는 행전에 동였던 비수를 품속에 넣었다. 칼날이 가
슴에 닿자, 이제까지 희미했던 살의가 돌연 차갑게 곤두서는 느낌이
었다. 산지니는 이 길로 당마을을 찾아가 결행할 것인지, 아니면 밤
이 되기를 기다려야 할지를 생각해보았다. 밤에 가는 것이 남의 눈
에 띌 염려도 없고 달아나기도 수월하겠지만, 문이 닫힌 도성 안에
서 우물쭈물할 수는 없는 노릇이었다. 그를 해치우자마자 도성을 빠
져나갈 일이 가장 중요할 것 같았다. 적경이 나고 보면 성내에 포졸
들과 순라들이 하얗게 깔릴 것이다. 지금 찾아가서 재빨리 해치우
고 서강의 모신이네로 달려갈 결정을 내리고는, 산지니는 마음을 진
정시키느라고 남은 북어를 다 내주고 화주 한 병을 구해다 마셨다.
역시 술이 들어가니까 뛰던 가슴이 착 가라앉았다. 산지니는 품속
에 지닌 단도를 다시 한번 매만져보고 나서 주막을 나섰다. 멀리 당
마을의 동구가 보였고, 그는 과연 낮도 모르고 원한도 없는 상대를
죽일 수가 있을지 스스로를 돌아보았다. 그의 어디를 찌를까. 가슴
을 깊숙이 찔러야 할 것이다. 만약 그가 사죄의 눈물을 흘리며 살려
달라고 애원한다면 쉽게 칼을 꽂을 수가 있을까. 또한 그의 식구들
은 어찌해야 할 것인가. 억기만을 처치하고 식구들을 놓아둔 채로
달아났다가는 자신의 용모파기(容貌疤記)가 포도청에 의해서 돌려지

게 될 것이었다. 그들까지 죽여야만 후환을 근절시킬 수가 있을 것이다. 가슴에 묵지근하게 눌러오는 단도의 무게를 실감하면서 산지니는 당마을로 들어섰다. 그는 살주계에서 알려준 대로 대추나무가 섰는 골목으로 들어서서 헤어려나갔다. 네 번째 집의 삽짝문이 보였다. 산지니는 긴 숨을 내뿜고 침을 삼키고는 잠깐 멈추어서서 억기네 집의 울타리를 노려보았다. 산지니는 삽짝 안으로 들어섰다. 마당에서 절구질을 하던 아낙이 지난번에 혼찌검이 났던 적이 있는지라 겁먹은 표정으로 물었다.

"에구머니, 그렇게 아무 기척두 없이 남의 집엘 들어오면 어찌해요?"

산지니는 웃는 얼굴을 지으며 정중하게 말하였다.

"실례가 많네. 나는 좌포청의 나그네인데 주인 좀 만나러 왔네. 억기 있는가?"

안방의 미닫이가 천천히 열리고 억기의 초췌한 얼굴이 내밀어졌다. 억기는 산지니에게 누구시더라, 하는 낯을 보이면서 찬찬히 살펴보았다. 산지니는 서슴지 않고 신을 벗고 마루로 올라서면서 말하였다.

"최종사께서 좀 다녀오라는 분부가 계셔서 찾아왔네. 긴히 할 얘기가 있어서……"

억기는 말없이 아랫목의 한편을 비워주고 물러나 앉았다. 산지니는 억기의 풀려진 눈동자와 꺼칠한 안색에서 요즈음의 자책하고 괴로워하는 모습을 읽을 수가 있었다.

"중길이란 자를 잘 아는가?"

산지니가 물었으나, 억기는 얼빠진 모습으로 미닫이의 격자창살을 물끄러미 바라볼 뿐 대답이 없었다. 산지니의 눈꼬리가 팽팽하게 당겨지고 있었다. 그는 마당 쪽에다 신경을 곤두세우고 무릎을 당기며 억기에게로 다가앉았다.

"어디 몸이 불편한 모양이군?"

산지니는 연신 바깥에 주의를 하면서 품속에 손을 넣어 칼자루를 움켜쥐었다. 그때 억기가 고개를 돌려 산지니를 물끄러미 바라보더니 맥없이 고개를 끄덕였다.

"이제 생각이 났소. 나는 댁을 잘 압니다. 남별대에서도 만났고, 쌍이문방 바침술집에서두 뵈었습니다."

산지니는 흠칫하면서 놀랐다. 그는 억기의 눈 속을 노려보면서 공격하려는 짐승이 으르렁거리듯 나직하게 중얼거렸다.

"내가 왜 찾아왔는지두 잘 알겠군."

억기의 눈 속에 물기가 괴고 있었다. 산지니는 먹이가 손안에 들어온 것을 확인하고는 슬그머니 품속에서 손을 뺐다.

"중길이의 말을 전하러 왔소. 남별대에서 계원들이 모두 잡혔고, 중흥골도 토포를 받았소. 북성이는 입을 다문 채 장하에 죽어 나무에 매달렸소. 한 목숨으루 갚아질까?"

억기는 탈진한 사람처럼 표정 없는 얼굴 위로 눈물을 흘렸다.

"알구…… 있습니다. 그러잖아두 중길이를 만나러 찾아나설 생각이었습니다."

"중길이가 있는 데를 알구 있소?"

"서강으로 가서 물어볼 참이었죠."

산지니는 흠칫 놀랐다.

"서강의 누구 말이오?"

억기는 다시 얘기하지 않았다. 그는 턱밑에 번진 물기를 손등으로 훔쳤다.

"서강에 가면 연줄이 닿을 줄로 알고 있었습니다."

"이젠 늦었소. 아무도 당신을 용서하지 않아."

산지니는 한 손으로 억기의 멱살을 잡아끌면서 단도를 뽑았다. 억기가 그의 손목을 마주 잡으면서 말하였다.

"잠깐만…… 제발 저것들은 그냥 내버려두십시오. 저는 죽어두 여한이 없지마는 저것들은 아무 죄두 없습니다."

산지니는 억기의 손목을 뿌리치고는 단도를 그의 머리 위로 치켜 들었다. 억기의 질린 눈이 산지니를 빤히 올려다보고 있었으며, 산지니의 손은 저도 모르게 부들부들 떨리고 있었다. 죽여야 한다. 수많은 노비들의 원한의 삶을 뭉쳐서 이 비겁한 자를 처단해야만 한다. 그러나 산지니는 억기를 차마 찌를 수가 없었다. 산지니는 얼굴을 거칠게 흔들면서 칼을 방바닥에다 꽂아버렸다. 억기는 칼이 거두어진 것을 보자 제정신이 들었는지 뒤로 물러나 앉았다.

"모두 지나간 일이 아닙니까? 이제 한양을 떠나 아무도 모르는 고장에 가서 숨어 살렵니다. 포청에서두 더이상 제게 물어볼 말이 없을 겁니다."

억기가 첫눈에 산지니를 대했을 적에는 양심의 가책에 값할 양으로 목숨을 포기했고 따라서 의연하고 담담했건만, 이제 삶의 빛이 한 오라기 새어드는가 싶자, 거기에 옹졸하고 치사하게 매달리는 태도가 되었다. 억기는 눈을 빛내면서 벽장을 열고 다급하게 부담롱을 꺼내었다.

"이…… 이게 제가 포청에서 받은 재물이올시다. 이것을 계원들에게 내놓겠습니다."

차라리 억기가 끝내 목을 떨구고 죽음을 기꺼이 맞는 태를 보였더라면, 산지니는 결코 무방비한 그를 찌르지 못하였을 것이다. 부담롱의 뚜껑이 열리자, 그 안에서 비단과 돈꿰미가 내보여졌고, 그것이 산지니의 수그러졌던 살기를 돋우었다. 산지니는 방바닥에 꽂힌 단도를 집자마자 그대로 억기의 가슴을 깊숙이 찔렀다. 억기는 짤막한 소리를 내지르고 잠깐 동안 눈을 부릅뜬 채 앉았더니 뒤로 넘어졌다. 산지니도 스스로의 동작에 놀라서 벌떡 일어섰다. 콸콸 솟아나온 선혈이 부담롱 위로 번져 비단을 적셨다. 뒤에서 미닫이가 열리면서 아낙네가 부르짖었다. 산지니는 아낙네를 떼밀고 신발을 대충 꿰면서 밖으로 달아났다. 산지니는 억기의 처를 죽일 사이도 없이 골목을 뛰쳐나왔다. 그는 얼마쯤 뛰다가 다시 되돌아가서 억기네 식구를 처치할까 생각하였다. 그러나 때가 이미 늦어버린 것이다. 산지니는 만리재를 넘고 창천내를 따라서 서강으로 나아갔다. 모신이네 주막에는 중길이와 살주계 계원들 몇이 먼저 당도하여 기다리고 있었다. 산지니는 얼굴이 창백했고, 그들을 만나서도 침울하게 말을 않고 있었다.

"억기는 어찌되었소?"

"처치했소."

산지니의 말에 중길은 손목을 덥석 잡았다.

"잘되었습니다. 뭐라구 그러던가요, 아무 말 없던가요?"

산지니는 고개를 저었다. 중길이 다시 물었다.

"그 식구들은?"

"그냥 내버려두었소."

중길이는 팔짱을 끼고 어두운 낯으로 생각에 잠겼다.

"허, 일이 복잡하게 되겠군. 최형기가 가만있지 않을 텐데……"

중길은 산지니의 마음을 꿰뚫어보았다. 그에게는 억기를 향한 뚜렷한 증오가 없었을 것이다. 그리고 산지니는 천예로서 상전의 부림을 받아본 적도 없었다. 중길이 말하였다.

"억기는 나와 형제간이나 다름없던 사람이우. 누구보다두 내가 잘 알지요. 너무 깊게 생각 마우. 오늘 돌곶이로 나가시렵니까?"

"이 집 성님께 물어봐서 배가 있으면 나갈 참이오."

"가시거든 시동이에게 사람을 보내겠다구 전해주시우. 우리는 어두워지기 전에 성내로 들어갈 생각이우. 오늘부터 민심을 일으킬 방문을 곳곳에 붙일 거요. 그리고 틈이 보이면 포청을 들이쳐서 계원들을 살려내든지."

중길이는 다시는 산지니에게 말을 걸지 않았다. 그리고 저희끼리 방 붙일 일을 논의하였다.

"먼저 사람 눈에 가장 많이 띌 곳에 붙여야 하네. 사람의 출입이 번잡한 흥인문과 숭례문의 성벽이나 바깥 문에 붙이든지, 근처의 가가 담벼락에 붙이면 될 게야."

다른 계원이 덧붙였다.

"원한이 깊은 벼슬아치들의 집 담벽에도 붙여야지. 목내선의 집은 언제 들이칠 작정인가?"

"최형기는 특히 목내선의 집 주위를 엄중히 기찰하고 있을 게야. 그의 혈육붙이로서 그럴듯한 집을 알아내어 보복을 해야지."

중길이가 어디서 준비해왔는지 여러 장의 방문을 꺼냈다.

"먼저 방을 붙이는 일보다두, 잡히지 않는 일이 더욱 중요하네. 짐승이 사냥을 나가더라도 제 구멍을 먼저 파두는 것처럼 말일세. 자기 안전을 돌아보지 않고는 아무도 싸움을 해나갈 수 없지. 절대로 잡힐 짓은 하지 말아야 하네. 그리고 방을 붙일 장소를 고를 때에도 세 가지로 나누어 생각할 필요가 있네. 첫째는 많은 사람이 볼 수 있는 효과적인 장소인데 위험이 큰 경우, 둘째는 위험도 있고 효과도 반반인 경우, 그리고 셋째로 많은 사람이 볼 가망은 적으나 위험이 없는 경우로 나눌 수가 있겠지. 언제든지 세 번째 장소가 가장 맞춤한 곳일세. 그러한 장소를 보아두고 제각기 두 번 이상씩 주위를 살펴 퇴로와 은신처를 익히려면 미리 연습을 해야 될 것이네. 그냥 무턱대고 아무런 준비 없이는 절대로 방 붙일 생각을 말게. 방을 붙이거나 담장 안으로 던져넣은 뒤에는 되도록 빨리 위험지역을 벗어나야 하네. 그러나 의젓하고 태연하게 서두르지 말고, 사람들 틈에 섞이는 게 좋겠지. 우리 일은 민심을 불러일으키는 일이기도 하지만, 적을 괴롭히고 혼란시켜서 빈틈을 얻어내는 도전이기도 한 게야. 오늘은 성내로 들어가서 임시로 서로 연락할 수 있는 곳을 먼저 정해두고, 내일은 우리가 방을 붙일 장소를 한번 둘러봐야겠지. 위험한 일을 하려면 먼저 계원들을 신뢰해야 될 게야. 적이 우리를 다 알고 있는 듯이 그러지만, 대개는 아무것도 모르거나 아주 작은 단서를 붙잡고 씨름 중이거나 하는 것에 지나지 않아. 우리는 저들을 훤히 볼 수가 있지만 저들은 우리를 모른단 말이거든. 언제나 사람들 틈에 있을 것, 호젓한 곳은 우리를 튀어나오게 한단 말이야. 절대로 계원 혼자 밖으로 튀어나와서는 안 되네. 우리가 앞으로 열흘 동안 뛰는 사이에 절대로 염두에 두어야 할 것은 같은 장소를 피해야 될 것과, 다른 노비 동료들을 만나지 말 것과, 연고 있는 집에 불쑥 나타나서는 안 될 게야. 각자에게 있을 곳을 지정하여줄 테고 내가 돌아다니며 연결을 할 테니까, 일이 없을 적에는 절대루 나돌아댕겨선 안 되네. 이런 일을 하는 동안에 가장 위험한 것은 같은 일을 하는 동료와 서로 만나는 일이니까. 우리는 이제부터 서로를 적과 같이 위험스런 상대로 여겨야만 하네."

중길이는 살주계의 행수답게 조목조목을 들어 차분하게 설명하였다. 그는 방문을 한 장씩 계원들에게 나누어주고는 일어섰다.

"돌곶이 주막과 여기 모서방네 주막은 이를테면 최후의 굴혈인 셈이지. 위험해지면 오히려 이곳으로 돌아오는 일은 피해야 하네. 누군가 잡히더라도 우연히 중길이를 만나 이런 일을 하게 되었다고 말하고, 먼저 저쪽에서 알고 있는 청파의 난전을 대란 말이야. 문어 발처럼 하나씩 떨어져나가두 몸통은 남을 테니까. 자아, 나가세. 한양의 천예들은 지금도 우리의 결행을 날마다 기다리구 있네."

그들은 모신에게 부탁하여 각종의 봇짐과 부담을 준비해두었는데, 모두들 행상으로 차릴 셈이었다. 중길은 그들에게 종루의 시전 객주, 서문 밖의 봉놋방, 이문 근처의 주막 등등으로 임시 연락 거처를 지정하여주었다. 중길은 남부에 있는 믿을 만한 내수사 노비의 집을 거처로 정하기로 하였다. 그들은 모신이네 주막에서 두셋씩 나누어 일정한 간격을 두고 출발하였다. 중길이는 일행 가운데 가장 끝으로 나오며 산지니에게 당부하였다.

"너무 심려 마우. 저들이 일 년에 장하에 때려죽인 천예가 수십 명이고, 혈육의 정을 끊고 여러 곳으로 팔려나가는 노비는 또한 수백이며, 겁간당한 여종은 이루 헤아릴 수도 없소. 양반에 억눌린 이들이 다만 천예들뿐이겠소. 당신들 같은 상한들도 갖은 수모를 겪지 않았소이까. 억기는 빚을 갚은 게요."

"잘 알구 있소."

"이제부터 정말 할 일이 많아질 겁니다. 최형기가 죽고 나면 검계와 살주계가 힘을 합치고 저자의 왈짜들도 끌어모아 큰일을 도모하여봅시다."

중길은 모신이네 주막을 나섰다. 해가 강 너머로 뉘엿뉘엿 저물어 가고 있었다. 한양의 들판 위로는 저녁 짓는 연기가 자욱하고 새떼가 천천히 날아가고 있었다. 중길이 보기에는 저 궁궐의 영화도 한 움큼의 먼지에 지나지 않는 듯하였다.

중길은 계원 한 사람을 데리고 숭례문을 지났다. 숭례문에서 동부(東部)의 연화방(蓮花坊)까지 가려면, 회현방에서 흘러내려오는 개천을 따라서 광통교에서 합치는 청계천을 가로질러, 종루로 들어서서 이교(二橋)를 건너면 바로 직통의 행보가 되는 셈이었다. 그렇지만 광통교와 종루는 기찰포교의 복처나 다름없는 곳이었다. 연화방에서 좌포청까지가 지척이었는데도 동부 살주계 계원으로 내수사 노비의 집을 택한 것은, 바로 등잔 밑이 어둡다는 이치를 따른 것이었다. 내수사라면 궁의 살림을 맡은 곳이니, 거기 나가는 노비의 집을 아무리 천예라 하여도 함부로 넘보지 못할 것이기 때문이다. 중길이는 일부러 가까운 길을 버리고 문안에 들어서자마자 회현방에서 남소문동(南小門洞)으로 내려가는 목멱산 아랫녘 길로 접어들었다. 거기서 청계천을 건너면 동학동(東學洞)이요, 성북동의 매봉에서 흘러내려오는 개천을 건너자마자 연화방이 나왔다. 연화방에는 문묘(文廟)와 태묘(太廟)가 있고 과동(果洞)과 어의동(於義洞)이 있으며 호동(壺洞) 연동(蓮洞)이 있으니, 그중에서 호동은 누렁다리를 사이에 두고 밀집한 중인들과 상사람들의 집이 몰려 있는 곳이었다. 최형기네 집 또한 누렁다리 개천 건너 배오개 부근이었던 것이다. 호동에는 옹기전이 많이 있었는데, 중길이가 찾아가는 집의 주인도 내수사의 오래된 옹장(甕匠)으로 외거하는 사람이었다. 깨어진 옹기 파편과 흙을 버무려 쌓은 널찍한 담 안에 초가삼간과 옹기 굽는 가마가 있었고, 지붕만 이은 기다란 광에서는 흙으로 빚어놓은 옹기가 마르고 있었다. 중길과 계원이 들어서니 초로의 집주인은 그의 떠꺼머리 아들과 점토를 고르는 참이었다. 가마 앞에는 생솔가지 타는 매운 연기로 눈물이 나올 지경이었다.

"어서 오게. 자네가 올 줄 알구 저녁을 미루구 있었어."

검정 묻은 손을 저으며 주인은 그들을 건넌방으로 안내하였다. 그의 아들도 중길에게 싱긋 웃어 아는 체를 하였다. 중길은 아주머니에게 보퉁이에 넣어온 서강의 유명한 간 절인 비웃을 내밀어주었다.

"여기서 며칠 지내두 괜찮을까요?"

중길이 집주인에게 물으니 그는 목소리를 낮추어 말하였다.

"염려 말게. 우리집엔 가끔씩 궁의 수레나 드나들지 들여다보는 놈이 하나두 없다네. 그리구 마음이 안 놓이면 저 뒤에 못 쓰는 가마가 있는데, 거적을 깔아두었으니 지낼 만할 게야. 여차하면 거기 숨어 있게나. 밖으로 볼 때는 시늉만 해놓으면 설마 그 안에 사람이 숨은 줄은 꿈에도 생각 못 할 테니까."

중길이는 성내의 곳곳에 방을 붙일 일과 북성이의 죽음에 대한 보복을 할 일을 말하였다. 옹장이는 불안한 기색도 없이 아무쪼록 오랫동안 자기 집을 이용하여달라고 다짐까지 받는 것이었다. 중길은 한양의 살벌한 분위기에도 이렇게 살주계를 위하여 위험을 무릅쓰겠다는 노비가 아직도 끊이지 않는 것이 눈물겨웠다.

"북성이가 맞아죽어 나무에 매달린 일은 나두 자세히 들었네. 언제나 저놈들을 잡아 대궐문 앞에 달아맬지, 그것만이 내 소망일세."

옹장이는 글을 아는지라, 언문으로 씌어진 방문을 하나씩 읽어보면서 눈을 빛냈다. 중길이는 그로부터 호동에서 은신하여 장안을 시끄럽게 할 모양이었다.

도성이 다섯 구역으로 나뉘었으니 중부, 동부, 서부, 남부, 북부가 그것이다. 중부는 건천과 청계천이 합치는 영풍교(永豐橋)에서 태묘와 창덕궁을 잇는 직로가 동부와의 경계이며 대광통교(大廣通橋)에서 안국방과 가회방을 이어서 북부와 경계가 된다. 동부는 배오개〔梨峴〕에서 누렁다리〔黃橋〕와 문묘를 잇고 흥인문 안과 타락산(駝駱山) 아랫녘과 혜화문 안이 그 구역이다. 남부는 명례방 태평방으로부터 청계천을 경계로 하여 목멱산 아랫녘과 광희문(光熙門)에서 오간수문까지이다. 서부는 숭례문 안의 서쪽 남별영과 미동(美洞) 소광통교(小廣通橋)에 닿고 서린방에서 경덕궁(慶德宮)을 돌아 돈의문에 닿으며 돈의문에서 소의문(昭義門)과 숭례문 서쪽에까지 이르는 구역이 된다. 끝으로 북부는 삼청동에서 진장방(鎭長坊)과 수동(壽洞)으로 하여 운종가(雲從街)를 경계로 돌아, 경덕궁 북편과 사직단에서 필운대(弼雲臺) 인왕산 기슭, 그리고 창의문(彰義門)을 지나서 백악산(白嶽山)에 이르는 지역이다.

흩어진 살주계 계원들은 동부의 연화방 옹장이 집에 중길이가 숨어 있었고, 서부는 이문(里門) 안에 숨은 패가 많았으며, 북부는 소의문 밖 차동(車洞)에 숨은 패거리가 많았고, 남부와 중부는 중길이가 데리고 온 계원이 중부를, 이문 안에 숨은 패 중의 하나가 남부를 맡기로 하였다. 그러니 숨은 거처는 모두 셋이었다. 그들은 따로이 고정적으로 연락받을 장소를 정하였으니 서린 전옥서 건너편의 혜정교 앞에 벌어진 저자였다. 그 저자에는 연화방 옹장이네 아들이 이른바 혜정교 잡전(惠政橋雜廛)의 혼잡 가운데 옹기와 뚝배기 등속을 늘어놓고 지켜 있었다. 중길은 저녁녘에 파장이 다가올 무렵 그곳에 들러보았다. 그는 좌판 앞에 주저앉아 항아리 밑을 들여다보기도 하고, 이것저것 두드리며 고르는 시늉도 하면서 옹장이 아들과 얘기를 나누었다.

"손님들이 다녀갔나?"

"예, 오정때쯤에 수렛골 손님과 이문 손님이 다녀갔습니다."

"장소를 보아두었다던가?"

"장소도 보아두고 퇴로도 정하였답니다. 이맘때에 와서 전갈을 받아가기로 하였습니다."

"내일 파루가 되자마자 시행한다고 전하게."

"알겠습니다. 파루를 치자마자 일제히 말씀입죠."

중길은 슬그머니 일어났다. 그는 혜정교에서 한 구역 내려가 북으로 광화문까지 이어 있는 육조 앞길로 올라갔다. 안국방에서 내려온 길과 삼청동서 뻗은 세 갈래 골목과 사직단으로 나가는 길이 복잡하게 얽힌 쑥다리 앞에 와서 중길은 맞춤한 장소를 골라냈다. 벼슬아치들은 물론이요 한양의 일반 상놈들의 내왕이 잦은 곳이었고, 관청에서는 떨어지고 저자에는 가까워 유리한 곳이었다. 중길은 퇴로를 살피려고 쑥다리에서 안국방으로 빠져나가다 철물교(鐵物橋)로 하여 좌포청이 있는 정선방(貞善坊) 파자교(把子橋)를 피하느라고 청계천 쪽으로 올라가 이교를 건너 연화방 호동에 이르는 길을 골라잡았다. 계속하여 관청 부근과 대로를 피한 셈이었다. 중길이 저녁밥을 먹고 나니 혜정교 잡전에서 옹기짐을 지고 돌아온 총각은 계원들이 연락을 받고 돌아갔음을 알렸다.

오경(五更) 삼점(三點)이 되었는지 인정(人定)을 치는 서른세 번의 종소리가 종루 쪽에서 들려왔다. 중길은 얕은 잠이 들었다가 퍼뜩 눈을 떴다. 그는 곁에 누워 있는 계원을 흔들어 깨웠다.

"어서 일어나게. 파루가 되었어."

계원은 꿈지럭거리며 일어나 앉더니 등잔을 밝히려는지 쌈지를 찾는 모양이었다.

"우리는 곧 나갈 텐데 불을 켜서 뭘 하려나?"

"어…… 그렇지."

중길은 패랭이를 머리에 얹고 봇짐을 찾아들었다.

"자네가 맡은 장소가 어딘가?"

"중부 철물교 앞일세."

"잡곡전(雜穀廛) 앞이니 혹시 장사치의 눈에 띨지두 모르네. 자신이 없으면 아예 하질 말든지."

"글쎄 맞춤한 곳을 보아두었다니까."

두 사람은 함께 호동에서 이교 쪽으로 나왔다.

"그럼 나는 종루 앞 네거리에서 안국방으로 오를 테니 철물교까지 동행하세."

중길은 퇴로를 잡기를 철물교를 돌아나오는 것이 가깝다고 여겼으나, 동료가 고른 지점과 겹치므로 그곳을 피하기로 하였다. 청계천을 따라가다가 수표교를 지나고, 광통교에 이르러 계원은 종루의 철물교 쪽으로 올라갔다.

"사람이 없으면 틈을 놓치지 말구 걸어버리게. 방문을 걸고는 이대로 왔던 길로 빠져나가게."

"알았어, 자네 몸조심이나 해여."

중길은 종루 앞을 가로질러 안국방을 돌아서 쑥다리 앞에까지 왔다. 순행(巡行)도 그치고 삼거리에는 아무것도 보이지 않았다. 그러나 날만 밝으면 관리들의 행차가 빈번히 드나드는 곳이기도 하였다. 박명 가운데 다리의 돌난간이 보였다. 다리 난간에 방을 걸면 여러 방향에서 똑바로 보일 듯하였다. 중길이는 봇짐 속에서 접혀진 방문을 꺼내었다. 그러고는 재빨리 폈다. 종이의 사방귀를 뚫어 각각 작은 목편을 달아놓았는데 아무 데나 걸치고 늘어뜨리기에 적당하였다. 중길은 그것을 돌난간에다 걸었다. 새벽바람에 팔락이는 방문을 남겨두고 중길은 걸음을 빨리하여 안국방으로 빠졌다. 하늘이 부옇게 밝아오고 있었다. 그는 청계천으로 하여 이교를 건너 연화방 호동으로 오르기 전에 어의동의 골목으로 들어섰다. 그는 기다란 반화방 담장에다 방문을 걸고는 뛰어서 골목을 나와 침착하게 호동 쪽으로 올라갔다. 옹장이 집에 이르니 집주인은 벌써 일어나 가마에 불을 넣고 있었으며 그 아들은 나무를 알맞게 자르는 중이었다.

"오늘이던가?"

옹장이가 묻자 중길은 고개를 끄덕였다. 총각이 말하였다.

"다음번에는 나두 붙여주시우."

"아직 안 왔습디까?"

중길은 불안한 마음으로 마루에 앉아서 계원을 기다렸다. 중길보다 가까운 장소였고, 중길이 두 곳이나 거쳤는데도 그가 늦는 것이 심상치가 않았다. 지금 이 시각 한양의 곳곳에는 방이 걸려 있을 것이었다. 최형기의 눈이 뒤집히겠지. 벼슬아치들은 불안하여 포청을 달달 볶을 것이다. 성내로 들어와 일을 해치운 자들은 성문이 번화해질 때까지 새벽부터 붐비는 물다리 좌반전(佐飯廛) 근처에서 아침을 먹을 것이었다. 어디서부터 뛰어왔는지 중길의 동료는 땀을 흘리고 헐떡거리며 마당 안에 들어섰다. 중길은 마루에서 벌떡 일어났다.

"무슨 일인가. 발각되었나?"

"아니야……"

그는 우선 부엌으로 뛰어들어가 바가지에 물을 가득 떠서 허겁지겁 마시는 것이었다.

"방문을 걸었나?"

계원은 한숨 돌리려는지 땅바닥에 질펀히 주저앉았다.

"걸긴 걸었는데 봐둔 곳에는 못 했네. 새로 장소를 고르느라구 한

참이나 싸돌아다녔지."

"차라리 그만두지 그랬어. 절대루 잡혀서는 안 된단 말이야."

"잡곡전 앞으루 가서 내가 봐둔 담장에다 걸어보려구 하는데 웬 년이 꼭두새벽부터 나와서 키질이란 말이야. 그래서 두 번이나 오르 내렸네. 날은 훤해오지 안 되겠데. 하는 수 없이 교동 쪽으로 올라갔 다가 맞춤한 소나무가 서 있길래 가지에다 걸쳐두고 뛰었지."

"따르는 놈이 없던가?"

"길이 텅 비었더라니까……"

중길은 이제 한양 오부(五部)에 기찰이 좍 깔릴 것이라고 생각하였 다. 천예들은 기뻐서 은밀히 수군거릴 것이고 상한들은 포청을 우습 게 볼 것이며 양반들은 성내의 치안이 완전히 허물어졌다고 두려워 할 것이었다. 그들은 앞으로 사흘 동안 은신처에서 꼼짝 않기로 하 였다. 옹장이 아들은 또 혜정교에 나가 좌판을 벌일 모양인데, 수렛 골과 이문에서 살주계원들이 찾아와 전갈을 하도록 되어 있었고 중 길은 그들에게도 사흘 동안 꼼짝하지 말라는 전언을 보내었다.

과연 한양은 벌집을 쑤셔놓은 것 같았다. 방문을 읽은 자는 누구 나 주위 사람들에게 쑥덕거렸다. 말이 옮겨지는 과정에서 방문의 내 용은 점점 거창하게 불어났다.

"조정을 뒤집으려는 군사가 벌써 변복하고 양민들 틈에 끼어서 도성 안으로 들어왔다는군."

"그 수가 삼천이라는데, 둔갑술에 용하다지."

"지난번엔 대갓집이 털리더니 이번엔 어느 벼슬아치가 죽으려 나?"

좌우 포청에는 위에서 내려온 질책과 압력으로 부장들이 포교와 포졸들을 핍박하여 분위기가 살벌하였다. 최형기가 등청하였을 때,

대장 이인하는 격노하여 간밤에 분직(分直)하였던 부장들에게 태형을 가하고 있었다. 최형기와 다른 두 종사관이 대장 앞에 나서자 그는 손에 들고 있던 방문을 마루 아래로 내던졌다.

"큰 소리로 읽어보게."

서로 주뼛거리자 이인하가 의자에서 벌떡 일어나며 등채로 마루를 내리쳤다.

"도대체 종사는 무얼 하라는 직임인가. 성내의 곳곳에 이런 방문이 걸려서 오고 가는 행인과 조정 대신들이 모두 수군거리는 것도 모르고 있었다니, 포청은 이제 무장공자(無腸公子)가 되었다. 최종사, 그 방문을 좌우가 모두 들도록 크게 읽으라."

최형기는 벌써 그 글을 눈으로 읽어서 차마 소리를 낼 수가 없으나, 거역하지 못하였다.

"너희 양반들이 몇몇 계원들을 포득하였다 하나, 우리를 모두 죽이지 못하면 종말에는 너희들의 배에다 칼을 꽂고 말 것이다. 성내의 천예와 억눌린 백성은 모두가 한편이니 서슴지 말고 일어나 상사람의 나라를 세우리라."

이인하는 등채로 종사관들을 똑바로 가리키며 외쳤다.

"이 길로 성내에 나가 살주계라는 적당에 든 혐의가 있는 자는 모조리 잡아내라. 닷새의 말미를 준다. 그때까지 방문을 돌린 자들을 잡아내지 못하면 모두 군율로 다스릴 것이다. 사대부의 집도 개의치 말고 수색하라. 자주통부(紫朱通符)가 선전청(宣傳廳)에서 내려왔으니, 주상께서도 알고 계시는 일이다."

종사관들은 대장이 내려주는 자주통부 한 묶음을 받아들고 나와 부장과 포교들에게 단단히 이른 다음 나누어주었다. 자주통부란 나라에 급변이 일어났을 때 선전청에서 임금께 아뢰고 양반과 벼슬아치를 수사 구금할 권한을 허락받는 것이니, 그만큼 적환이 위급함을 의미하는 표신이었다. 최형기는 간밤에 분직 교대하였던 포교들로부터 자세한 보고를 들었다. 방문은 한양 오부에 빠짐없이 내걸려 있었으니, 먼저 동부는 어의방 골목의 담장에 걸렸고, 서부는 황화방 한길가에 걸렸으며, 남부는 수직 군사들을 조롱하듯 숭례문에 붙여져 있었으며, 북부는 광화문의 코밑인 쑥다리 돌난간에 걸렸는데, 무엇보다도 어처구니가 없는 것은 좌포청 대문에서 훤히 보이는 맞은편 교동의 소나무 가지에 걸려 있었던 것이다.

최형기는 그것이 중흥골에서 패퇴한 살주계원들이 다시 성내로 잠입하였다고는 여겨지지 않았다. 방문의 내용은 각기 달랐으나, 언문 글씨를 보건대 같은 자가 쓴 게 분명하였다. 이처럼 한양의 곳곳을 가려서 방문을 퍼뜨린 것으로 보아 저들은 한양서 오래 살아 지리를 익힌 자들이 틀림없었다. 최형기는 포교들에게 말하였다.

"적당은 성내의 백성들 틈에 깊숙이 잠입하여 있다. 섣불리 나섰다가는 백성들에게서 원성이 나오기가 쉽고, 그냥 내버려두면 폭민이 나오게 될지도 모른다. 이들은 틀림없이 며칠 전에 청파의 억기를 죽인 자와 연관이 있을 것이다. 각 군문에 용모파기를 돌려서 그 자를 잡아내도록 하라. 또한 방문이 나온 곳에서 수상한 자를 목도한 사람이 없는지 알아보아라. 저자의 주막에 사람들이 모이지 못하도록 포졸을 배치하여두어라. 모여서 쑥덕거릴수록 유언이 나돌고, 유언이 낭자하면 포적에 막대한 지장이 올 것이다."

포청은 그렇게 북새통이 되었으나, 소문은 성내에서 성 밖으로 그리고 지방으로 퍼져갔다. 중길은 호동 옹장이 집에 틀어박혀 꼼짝도 하지 않았고 다른 계원들도 은신처에서 나오지 않았다. 성문과 거리의 검색은 점차 강화되었다. 종사관들은 부장을 거느리고 사대부의 집들을 호마다 방문하여 비복들을 심문하였으나 별 소득이 없었다.

중길은 싸움의 방법을 알고 있었다. 지키는 열 놈이 노리는 한 놈을 당하지 못한다는 속언은 바로 이에 들어맞는 말이었다. 기찰이 강화되면 될수록 더욱 빈틈을 노리기가 쉬운 법이다. 중길은 이번에는 백주에 거사하기로 하였다. 그것도 성내의 저자가 한창 붐빌 무렵인 중화참을 노리자는 것이었다. 아무래도 방문을 노상에다 내걸기는 어려웠다. 상한이 많이 모이는 주막이나 저자의 가가에 양반 살육이라든가 재물 약탈이라든가 진인 도래, 역성 환국 등의 짤막한 글을 쓴 격문을 돌리기로 하였다. 옹장이네 아들은 혜정교에 나가 앉아 계원들에게 다시 연락하였고, 격문은 그들이 짐짓 사가지고 가는 항아리나 옹기 속에 들어 있었다.

방문이 내걸린 사흘 뒤에 중길은 계원과 함께 행상 차림으로 호동 옹장이네 집을 나섰다. 그들이 노리는 곳은 어디든 번잡한 저자였으니, 한 계원 앞에 십여 장의 격문을 나누어가지고 있었다. 성안에만 돌릴 것이 아니라, 이른바 후시(後市)라고 하는 한양성 외곽의 저자에도 돌리기로 하였다.

종루 운종가와 배오개와 칠패(七牌) 소의문 밖 등지가 모두 번화한 장터였다. 시전은 혜정교로부터 창덕궁 입구에까지 이르는데, 국역을 지고 있는 각전의 일꾼들이 모여 있는 유분각전(有分各廛)이 있었다. 선전(縇廛)이 있으니 전의감 동구의 동서쪽 종루로 북쪽에 있었다.

모두 마흔둘의 가가에서 겨울비단(緞) 여름비단(綃) 견(絹)을 팔았다. 선전은 곧 입전이라고도 불렀다. 종루 서쪽으로 면주전(綿紬廛)이 있었고 이문 동서쪽에 내어물전(內魚物廛) 소의문 밖에 외어물전이 있었다. 지전(紙廛) 포전(布廛) 저포전(苧布廛) 등등이 모두 육의전(六矣

廛)이었다. 육주비전(六注比廛)은 국역을 지는데, 나라로부터 영업을 허가받은 전이었다. 이 육의전 물목 외에는 대개 난전을 막지 못하였던 것이다.

삼승포와 양털, 모자를 파는 청포전(靑布廛)이 종루 동쪽에 있었고, 연초전(煙草廛)의 도가가 하량교(河良橋) 남쪽에 있었으며, 말총 가죽 초 실 책 휴지 같은 잡물을 파는 상전(床廛)이 있는데 상자리전이라고도 하며 모두 열세 군데에 있었다. 병문 동남쪽에 생선전이 있고, 미전(米廛)은 모두 다섯 곳이 있는데 상전이 의금부 서쪽이요, 하전이 배오개에 있고 문밖 미전은 소의문 밖에 있는데 모두 국역을 지지만, 서강 미전과 마포 미전은 일종의 난전이었다. 잡곡전은 철물교의 서쪽 가와 남쪽에 있고 유기전(鍮器廛)은 내어물전의 서쪽 행랑에 자리 잡았다. 은면전(銀綿廛), 의전(衣廛), 면자전(綿子廛) 등이 전의 감 광통교 쪽에 있었다. 신전은 여러 곳에 있으나 종루에서만 유정혜(油釘鞋)를 팔았다. 화피전(樺皮廛)은 물감과 외국 과실을 파는 곳이고, 인석전(茵席廛)은 용수석이나 책상 걸상을 파는 곳이며, 진사전(眞絲廛)은 당사실 갓끈띠 매듭 따위를 팔며, 청밀전(淸蜜廛)에서는 꿀을, 경염전(京鹽廛)에서는 서해의 소금을, 체계전은 머리타래를, 장목전(長木廛)에서는 재목을 팔았다.

철물전(鐵物廛) 연죽전(煙竹廛) 신탄전(薪炭廛) 등이 있고, 쇠전 말전이 있으며, 세물전(貰物廛)에서는 혼례 상례에 쓰는 기구들을 세내어 주었다. 잡철전 백당전 좌반전 닭전 계란전 복마제구전(卜馬諸具廛) 세기전(貰器廛) 등이 있으며, 요리 숙수를 세내어주는 숙수도가(熟手都家)까지 있었다. 이렇듯 한양 성내 전체가 번화하고 커다란 저자라 하여도 과언이 아니었다.

중길이는 배오개와 혜정교 쪽을 각기 맡아서 계원과 더불어 배오개의 혼잡 속을 뚫고 들어갔다. 계원이 앞서서 길 왼쪽으로 올라갔고 중길은 오른편으로 천천히 걸어올라가면서 저자 안에 기찰포교가 없는가를 살폈다. 중길은 높직한 갓에 깨끗한 도포 입고 손에 부채 들고 소매 속에 격문을 넣고 있었다. 저자의 중심부에 들어가서 중길과 계원이 마주쳤다.

"어떻던가?"

"저어기 도자전(刀子廛) 앞쪽에 기찰포교 두 사람이 있네."

"음, 저기 있군. 자네가 먼저 시작하게."

중길은 그대로 저자 안으로 들어갔고, 계원은 두리번거리다가 종자전(鍾子廛) 앞으로 가더니, 불문곡직하고 자빠졌다. 각종 채소와 화초의 씨앗이며 상자와 그릇이 엎어지고 뒤섞여 땅바닥에 흩어졌다.

"아니…… 거 눈구녕은 가죽이 모자라서 뚫어놓았나?"

계원은 종자전 주인의 부아를 돋우려는지 오히려 무릎을 비비며 투덜거렸다.

"한뼘두 못 되는 길바닥에다 이따위 것들을 늘어놓았으니, 이건 뭐 날아다니라는 게야."

하면서 엎어진 씨앗 상자를 발길로 내질러버렸다. 주인은 하, 어처구니가 없는지 입을 벌리고 그에게 삿대질을 하였다.

"저놈이 저저…… 똥 뀐 놈이 성낸다구, 남의 비싼 씨앗을 다 버려놓고 오히려 눈알딱지를 부라리는 게 아닌가."

하더니 길바닥으로 주르르 달려나와 두 손으로 계원의 멱살을 움켜쥐었고, 계원도 지지 않고 주인의 옷깃을 잡아 비틀면서 딱딱거렸다.

"이놈아, 조선 팔도의 길을 네가 다 샀단 말이냐? 오냐, 시정배들이 무리를 지어 양민을 업수이 본다더니 너 같은 놈은 혼찌검이 나야 되겠다."

이렇게 저잣바닥이 와자지껄 소란해지자 기찰포교들은 도자전에서 종자전 쪽으로 내려왔고 모든 사람들의 시선은 그곳에 매달려 있었다. 삽시에 사람들이 하얗게 몰려들었다. 중길은 저자의 위로 오르면서 소매 속에서 격문을 꺼내어 길에다 한 장씩 떨구었다. 그는 누렁다리 못 미쳐 까지 올라갔다가 옆길로 새어서 파자교 쪽으로 돌아서 종루로 나왔다. 파자교 앞에는 전 같았으면 들병장수들이 멍석 깔아놓고 줄지어 앉아 있었을 테지만, 때가 흉황이라 밀전병을 파는 아낙들이 자리를 메우고 있었다. 중길은 슬그머니 그들 틈에 끼여 앉았다. 번철에 부쳐진 노릿노릿한 밀전병이 광주리 속으로 쉴새없이 던져지는 중이었다. 중길은 밀전병을 사먹으면서 동료를 기다렸다. 이윽고 파자교 쪽으로 와서 두리번거리는 계원이 보였다. 중길은 그의 뒤로 따라붙은 자가 없는가 살피고 나서 손짓하였다. 가까이 다가온 계원을 보니 입술이 터졌고 피가 맺혀 있었다. 그는 한숨을 내쉬며 주저앉았다.

"내 드러워서 정말⋯⋯"

"포교들은 말이 없던가?"

"아, 그 자식이 북로 장사라두 다녔는지 박치기를 해오는데 피할 틈이 있어야지. 눈앞에 불이 번쩍하데. 어이쿠, 나 죽는다구 엄살을 피우면서 주저앉았지. 포교들이 나서지는 않고 뒷전에서 구경하다가 내가 툭툭 털고 일어나니까 그냥 가버리더군."

중길과 계원은 소리를 내어 웃었다.

"그 주인 녀석 내가 굽신거리며 사과하구 뛰니까, 쫓아올 생각두 않구 뭐라구 떠들면서 젠척하더구만. 꼴같지 않아서⋯⋯ 이런 일만 아니라면 그저 땅바닥에 메다꽂져서 모가지를 부러뜨릴 텐데."

"아무튼 고생했네. 여기서 어물거릴 때가 아니야. 격문으로 한양이 또 한번 술렁거리기 전에 혜정교를 해치워야지."

계원은 터진 입술에서 배어나오는 피를 소매로 찍어누르면서 푸념하였다.

"이번에는 자네가 재간을 부려주어야겠어."

"허허, 염려 말구 자네 맡은 일이나 잘해내게."

중길은 어깨를 잡아일으켰다. 그들은 철물교를 지나 종루 운종가를 가로질러 혜정교로 나아갔다. 혜정교 잡전 옆에는 삼청동서 흘러내리는 맑은 개울물이 흐르고 있으며, 백운동 쪽에서 흘러내린 물과 모교에서 만나 광통교 아래로 흘러내려가게 되어 있었다. 혜정교 아래에는 빨래를 하는 아낙들이 군데군데 앉아 있었다. 그들은 미리 약조한 것이 있는지라 잡전으로 들어서자마자 서로 모르는 척하며 갈라졌다. 중길은 개천이 내려다보이는 축대 가녘으로 올라갔고, 계원은 세물전 쪽으로 슬슬 다가갔다. 행인은 많은 편이었으나 거래가 거의 없는지 상인들은 가게를 비우고 있거나 모여서 잡담하는 축이 많았다. 중길은 동료가 저자 안쪽으로 깊숙이 들어간 것을 확인하고 나서 갑자기 비틀걸음으로 걷다가 고래 고함을 지르고 소리도 읊조렸다.

"어허야, 붉은 나무 가을 하늘에 머리를 돌리고 성채의 옛터는 웅장하구나. 제호 새는 술을 권하며 재깔재깔, 한번 들어 웃음이 나도다."

지나는 행인들이 걸음을 멈추고 서서 돌아보며 한마디씩 하였다.

"지랄 육갑하구 있네. 지금 때가 어느 시절인데 백주에 저 야단이람."

"언놈은 배곯아 죽고, 어떤 놈은 터져 죽는다더니 저놈은 한술 더 떠서 썩은 물까지 들이켰고나."

중길은 비틀거리며 걷다가 아무나 앞에 부딪치면 밀쳐내고 뿌리치고는 하였다. 영문도 모르고 다가서다가 부딪혔던 사내는 그가 갓쓰고 도포 입은 꼴에 주정꾼인 줄을 알고는 화가 치밀었던지,

"야 이놈아, 남은 시방 잡곡이라도 몇되 꾸어다가 푸성귀죽이라두 끓여서 병든 처자를 먹여살리려는데, 네 따위가 양반이면 얼마나 양반이냐."

"이노옴…… 상놈이 감히 어디다 욕지거리냐."

중길이가 떠들자마자 사방에서 시정배들이 우르르 몰려들더니 더이상 말을 시키지 않고, 그의 팔다리를 잡아 쳐들었다가 축대 아래 개천으로 던져버렸다.

"시원한 물에 목욕하고 정신이나 차려라."

"술 먹은 놈은 개인데, 반상이 따로 있나."

"그놈 때문에 삼청동 물 버렸다."

중길이는 네 활개를 쳐들고 개천물에 텀버덩 빠져버렸고 물보라와 웃음이 천변에 드높이 솟았다. 중길이는 일부러 물속에 곤두박질쳤다가 일어나 앉아 물장구를 치며 소리를 읊어대니, 장사꾼들과 행인들이 천변에 늘어서서 구경하며 배를 잡고 웃었다. 계원은 세물전에서부터 내려오면서 가슴속에 넣어두었던 격문을 한 장씩 꺼내어 가가의 좌판 위에다 떨구었다. 중길은 물에서 일어나 휘청거리며 혜정교 아래로 하여 모교 쪽으로 가다가 얕은 축대 쪽에서 기어올랐다. 그러고는 물에 흠뻑 젖은 옷을 대강 쥐어짜고는 서린방 쪽으로 바삐 걸음을 옮겼다. 때가 마침 중화참인지라 저자에는 행인들이 많아서 그 틈에 섞여서 걷기가 수월하였다. 중길은 먼저 보아두었던 대로 청계천으로 하여 이교를 가로질렀다. 계원은 가가의 좌판마다 격문을 떨구고 돌아서는데 그때 막 가게로 돌아오던 장사치가 그의

수상한 거동을 보았다.

"여보슈, 뭘 하는 게요?"

"아니, 뭘 살까 하구……"

그러나 주인은 계원이 떨어뜨린 종이를 집어들고 있었다. 계원은 한 손으로 주인의 목을 치켜올리면서 격문을 다른 손으로 빼앗아 쥐고는 뛰었다. 주인은 영문을 모르게 봉변을 당하고는 무엇인가 도적이라도 맞은 줄 알았던지 소리를 질러댔다.

"저놈 잡아라……"

계원은 혜정교 앞으로 나오자 그만 당황하여 방향을 돈의문 쪽으로 돌렸으니 호동과는 반대의 방향이었다. 뒤늦게 다른 가가의 좌판에서도 격문이 발견되었고 저자에 있던 기찰포교와 포졸은 혜정교로 뛰어나왔다. 그들은 좌우를 둘러보고 나서 포교가 말하였다.

"너는 종루로 올라가보아라. 나는 흥화문 쪽으로 내려갈 테니."

그들은 양쪽으로 갈라져서 뛰었다. 계원은 흥화문이 곧장 바라보이는 경덕궁 앞에 이르자 잘못 뛰어왔음을 깨달았다. 이제부터는 인적이 드문 곳이고 경덕궁의 기다란 돌담과 상방원(上枋園)의 담이 마주 서 있는 비좁은 골목이 돈의문까지 계속되고 있었다. 포교는 얼마 안 가서 앞서 뛰고 있는 계원을 발견하고는 소리를 질렀다.

"저놈, 살주계놈 잡아라."

흥화문 앞에서 수직하던 군사들이 내다보니 앞에서는 웬놈이 죽어라고 뛰어오고 있으며, 뒤에서 또 한놈이 소리를 지르며 오는데 살주계라는 것이었다. 그들도 요즘 도성 군사들이 살주계인가 뭔가 하는 놈들 때문에 적경으로 달달 볶이고 있는 것을 너무나 잘 알고 있었다.

"뭐야, 살주계라고 하는 것 같은데."

"살주계라면 잡고 봐야지."

문 양쪽에 창을 들고 서 있던 군사 두 사람이 마주 뛰어나왔다. 계원은 이제 꼼짝없이 잡히게 되었으나 무악재로 넘어가는 골목으로 휘었다. 곧이어서 광통방으로 나가는 길이 왼쪽에, 오른쪽에는 황화방 나가는 길이 보였으며 곧장 올라가면 소정동(小貞洞)이었다. 계원은 광통방으로 나가는 길을 택하였다. 군사들은 홍화문을 멀리 떠나지 못하고 서버렸으나 포교는 아직도 소리를 지르며 달려오는 중이었다. 계원은 연신 뒤를 돌아다보며 뛰었다. 이제는 사람이 많은 곳에 섞인다 할지라도 포교의 고함소리를 듣고 그를 내버려두지는 않을 것이었다. 그는 행인들에게 곧 잡히게 될 것이다. 계원은 죽을 힘을 다하여 뛰었다. 잡히면 그가 죽는 일은 고사하고 한양 성내에서 활동 중인 모든 계원이 드러나게 될 것이었다. 그는 끝까지 해보다 안 되면 자진할 길을 찾아야 했다. 자진은 길에서는 할 수 없는 노릇이었다. 그는 얼핏 모교 삼거리 모퉁이에 섰는 초가 몇채를 보고는 길가에 면해 있는 집으로 뛰어들어갔다. 문 앞에 서 있던 사내가,

"어, 어, 이게 누구야?"

하면서 따라 들어왔고, 계원은 부엌으로 뛰어들었다. 봉당에서 쓰레질을 하던 여자가 남편과 더불어 부엌을 들여다보는데 포교가 뛰어들었다.

"적이 어디로 갔느냐. 나는 포교다."

계원은 시렁 위에서 식칼을 집어들고 돌아섰다. 집주인과 아낙이 그의 부릅뜬 험한 표정에 겁을 집어먹고 뒤로 멀찍이 물러났고, 포교의 동작이 조심스러워지며 부엌 앞에 멈칫 섰다.

"그래봐야 소용없다. 조금 있으면 인근에 깔린 포졸들이 떼지어 몰려온다. 순순히 포승을 받아라."

계원은 식칼을 겨누고 부엌 안에 도사리고 서 있었다. 포교는 몇 번 더 달래다가 안 되겠던지 허리춤에서 쇠도리깨를 뽑았다.

"하는 수 없군. 각오하라. 골통을 깨어버릴 테다."

포교가 좌우로 휘둘러 보이는데 쇠막대기 끝에 달린 철편이 뱅뱅 맴을 돌았다. 계원은 식칼을 들고 부들부들 떨다가 재빠르게 스스로의 목을 찔렀다. 그는 손쓸 사이도 없이 멀거니 눈을 뜬 채로 부엌 바닥에 나뒹굴었고, 포교는 뛰어들어 흐려져가는 계원의 눈빛을 보고는,

"지독한 놈!"

혀를 찰 뿐이었다.

11

한양 인근의 백성들 사이에는 양반의 세상이 끝났다는 소문이 낭자하여, 천예나 상사람들은 서로 모이기만 하면 새로 오는 세상에 대한 이야기로 날 새는 줄을 몰랐다. 양반들은 이러한 분위기 때문에 상것들을 단속하느라고 여러 곳에서 불온한 말을 지껄이는 자들을 잡아다가 태형을 가하고는 하였다.

숙수(熟手) 개천(開川)이란 자가 있었다. 그는 혜정교 남쪽의 숙수 도가에 나가 상례나 혼례가 있는 대가에서 청이 오면 응하여 품을 팔아 살아갔다. 그는 세상의 별의별 희귀한 요리를 만들 수 있는 재주 있는 감상(監床)칼자였기도 하지만 생김새가 준수하여 복색만이 긴 저고리 바람인 천예의 꼴이었지 옥골선풍이라 할 정도로 미장부였다. 그래서 요리인으로 불려갈 적마다 부잣집의 하님들이나 사환

비들이 그에게 홀딱 반하여 방물을 빼어준다, 음식을 싸준다 법석이었다. 개천은 기질이 활달하여 자기가 숙수라는 천업으로 살아간다는 것을 그리 개의치 않았다. 개천은 타령도 잘 부르고 목소리가 맑고 부드러워 그가 얘기할 적에는 계집종들이 모두 한숨을 내쉴 정도였다. 개천은 그렇다고 자기의 용모로 계집을 꾀어 음란한 짓을 벌이거나 바람을 피울 위인은 못 되었고, 오히려 순박하여 혼자 속을 썩이거나 하였다. 개천에게는 한 쓰라린 정담이 있었으니, 그 일 때문에 다른 계집은 거들떠보지도 않았다. 그는 중인의 외동딸을 은근히 사모했던 것이다. 그러나 그녀는 기품과 학문이 뛰어난 재녀였고, 개천을 가엾게는 여길지언정 사랑의 상대라고는 꿈에도 여기질 않았다. 개천의 상사는 매우 깊어서 그는 요리를 하다가 문득 생각에 잠겨 음식을 태우기도 하고 그릇을 엎기도 하였다. 하지만 여자에게는 이미 정인이 있었다. 상대는 양반 유생인 심서방이라는 자였다. 그들이 맺어지게 된 연분의 내력은 이러하였다.

심생(沈生)은 약관(弱冠)의 용모가 매우 준수하고 풍정이 넘치는 청년이었다. 어느날 그가 운종가에서 임금의 거둥을 구경하고 돌아오던 길에 어떤 건장한 계집종이 자줏빛 명주 보자기로 한 여자를 덮어 씌워 업고 가는 것을 보았다. 그 뒤를 한 계집애가 붉은 비단신을 들고 따라가고 있었다. 심생은 겉으로 그 몸뚱이를 겨냥하여보고 어린애가 아닌 줄 짐작한 것이다. 그는 바짝 따라붙었다. 그 뒤를 밟다가 더러 소매로 스치고 지나가보기도 하면서 계속 눈을 보자기에서 떼놓지 않았다. 소광통교에 이르렀을 때 갑자기 돌개바람이 앞에서 일어나 자주 보자기가 반쯤 걷히었다. 보니 과연 한 처녀라, 봉숭아빛 뺨에 버들잎 눈썹, 초록 저고리에 다홍 치마, 연지와 분으로 가장 곱게 화장을 하였다. 얼핏 보아서도 절대가인임을 알 수 있었다. 처녀 역시 보자기 안에서 어렴풋이 장부가 쪽빛 옷에 초립을 쓰고 왼편이나 오른편에 붙어서 따라오는 것을 보았던 것이다. 마침 추파(秋波)를 들어 보자기 사이로 주시하는 참이었다. 보자기가 걷히는 순간에 버들 눈, 별 눈동자의 네 눈이 서로 부딪쳤다. 놀랍고 또 부끄러웠다. 처녀는 보자기를 걷잡아 다시 덮어쓰고 가버렸다. 심생은 어찌 이를 놓칠 것인가. 바로 뒤쫓아서 소공주동(小公主洞) 홍살문 안에 당도하자 처녀는 한 중문 안으로 들어가버리는 것이었다. 그는 멍하니 무언가 잃어버린 것처럼 한참을 방황하였다. 그러다가 어떤 이웃 할멈을 붙들고 자세히 물었다. 호조(戶曹)에 계사(計士)로 있다가 퇴한 집이고, 다만 십육칠 세의 딸 하나를 두었는데 아직 혼사를 정하지 못했다는 것이다. 그 딸이 거처하는 곳을 물었더니 할멈은 손으로 가리키며 말하였다.

"이 조그만 네거리를 돌아서면 회칠한 담장이 나오고, 담장 안의 한 글방에 바로 그 처자가 거처하고 있지요."

그는 이 말을 듣고 도저히 잊을 수가 없어 저녁에 집안 식구에게 거짓말을 꾸며대었다.

"동접 아무가 저와 밤을 같이 지내자고 하는군요. 오늘 저녁에 가볼까 합니다."

그는 행인이 끊어지기를 기다려 그 집 담을 넘어들어갔다. 그때 초승달이 으스름한데 창밖으로 꽃나무가 썩 아담하게 가꾸어졌고, 등불이 창호지에 비치어 아주 환하였다. 심생은 처마밑 바깥 벽에 기대앉아서 숨을 죽이고 기다렸다. 이 방 안에 두 몸종과 함께 그 처녀가 있었다. 처녀는 나지막한 소리로 얘기책을 읽는데 꾀꼬리 울음처럼 낭랑한 목청이었다.

삼경쯤에 몸종은 벌써 깊이 잠들었고, 처녀는 그제야 등불을 끄고 잠자리에 들었다. 그러나 오래도록 잠을 이루지 못하고 뒤척뒤척 뭔가 생각이 많은 듯하였다. 심생은 잠이 올 리가 없거니와 또한 바스락 소리도 내지 못하였다. 그대로 새벽 파루가 울릴 때까지 있다가 도로 담을 넘어 나왔다.

그뒤로는 이것이 일과가 되었다. 저물어서 갔다가 새벽이면 돌아오는 것이었다. 이렇게 스무 날 동안 계속하였으나 그래도 그는 게을리하지 않았다. 처녀가 초저녁에는 얘기책을 읽기도 하고 바느질도 하다가 밤중에 이르러 불이 꺼지는데, 이내 잠이 들기도 하고 더러 번민으로 잠을 못 이루기도 하는 것이었다. 대엿새가 지나자 문득 몸이 편치 못하다, 하고는 겨우 초경(初更)부터 베개에 엎드려 자주 손으로 벽을 두드리며 긴 한숨 짧은 탄식을 내쉬어 숨결이 창밖에까지 들리었다. 하루 저녁, 하루 저녁이 갈수록 더해만 갔다.

스무 날째 되는 밤이었다. 처녀가 갑자기 마루로부터 내려와 바깥 벽을 돌아 심생이 앉아 있는 처소에 당도하였다. 심생은 깜깜한 어둠속에서 불끈 일어서 처녀를 붙잡았다. 처녀는 조금도 놀라는 기색이 없이 낮은 소리로 속삭였다.

"도련님은 소광통교변에서 만난 분이 아니세요. 저는 이미 스무 날 전부터 도련님이 다니시는 줄 알았답니다. 저를 붙들지 마셔요. 한번 소리를 내면 다시는 여기서 못 나갑니다. 절 놓아주시면 제가 뒷문을 열고 방으로 드시게 할게요. 얼른 놓으셔요."

심생은 곧이듣고 물러서서 기다렸다. 처녀는 홱 돌아서 들어가버렸다. 방에 들어가서는 몸종을 부르더니,

"너 엄마한테 가서 큰 주걱자물쇠를 주시라고 하여 갖고 오너라. 밤이 캄캄해서 사람이 겁이 나는구나."

하여서, 계집애가 윗방 마루로 건너가서 금방 자물쇠를 들고 왔다.

처녀는 열어주기로 약속한 뒷문에다 아귀진 쇠꼬챙이를 분명히 꽂고 다시 손으로 자물쇠를 채웠다. 일부러 쇠를 채우는 소리를 찰카닥 내었다. 그리고 곧 등불을 끄고 고요히 잠이 깊이 든 듯하였으나 실은 잠을 이루지 못하였다. 심생은 속임을 당하여 분통이 터졌으나, 그나마 만나본 것만도 다행이다 싶어졌다. 그는 여전히 쇠를 채운 방문 밖에서 밤을 새우고 새벽에 돌아가는 것이었다.

그는 다음날에 또 가고, 그 다음날에도 갔다. 방에 쇠가 채워져 있어도 조금도 해이해짐이 없이, 비가 오면 유삼(油衫)을 둘러쓰고 가서 옷이 젖어도 관계하지 않았다. 이렇게 다시 열흘이 지났다. 밤중에 온 집안이 모두 쿨쿨 잠들었고, 처녀 역시 등불을 끄고 한참이나 있다가 문득 발딱 일어나서 계집애를 불러 얼른 등에 불을 붙이라고 재촉하였다.

"얘, 너희들 오늘밤엔 윗방으로 가서 자라."

두 몸종이 방문을 나가자, 처녀는 벽에 걸린 첫대를 가지고 자물쇠를 따고 뒷문을 활짝 열었다.

"도련님, 들어오세요."

심생은 얼떨떨하여 자기도 모르게 몸이 벌써 방에 들어와 있었다.

"도련님, 잠깐 앉아 계세요."

처녀는 다시 그 문에 쇠를 채우고는 윗방으로 가서 자기 부모를 모시고 나왔다. 그 부모는 두 사람을 보자 어리둥절하였다. 처녀가 말을 꺼냈다.

"놀라지 마시고 제 말을 들어보세요. 제 나이 열일곱으로 발걸음이 일찍이 문밖을 나가지 못하옵다가 월전에 우연히 임금님의 거둥을 구경하고 돌아오던 길에 소광통교에서 덮어쓴 보자기가 바람에 날려 걷히었습니다. 마침 그때 한 초립 도령과 얼굴이 마주쳤어요.

그날 밤부터 도련님이 안 오시는 날이 없이 이 방문 밑에 숨어 기다린 지 이제 이미 한 달이 지났답니다. 비가 와도 오시고 추워도 오시고 문에 쇠를 채워 거절하여도 역시 오셨어요. 저는 곰곰 생각해보았습니다. 만일 소문이 밖으로 퍼져서 동네 사람들이 알게 되면 밤에 들어왔다가는 새벽이면 나가는데 자기 홀로 창문 밖에 서 있는 줄을 누가 믿겠습니까. 사실과 다르게 누명을 뒤집어쓰지요. 제가 필야 개에게 물린 꿩이 되는 셈이에요. 그리고 저분은 양반댁 도령으로 지금 바야흐로 청춘이라, 혈기가 아직 정치 못하여 다만 나비와 벌처럼 꽃을 탐낼 줄만 알고 바람과 이슬에 맞음을 돌보지 않으니 며칠 못 가서 병이 나지 않겠습니까. 병들면 필야 일어나지 못하리니, 그렇게 되면 제가 죽이지 않았어도 제가 죽인 셈입니다. 비록 남이 모르더라도 반드시 음보(陰報)가 있게 됩니다. 또 제 몸은 한낱 중인 집 딸에 불과합니다. 제가 무슨 절세의 경성지색(傾城之色)으로 꽃이 부끄러워할 만한 용모를 지닌 것도 아닌데, 도련님께서 솔개를 보고 매로 여기시어 제게 지성을 바치되 이토록 부지런히 하옵십니다. 제가 만일 도련님을 따르지 않으면 하늘이 반드시 싫어하시어 제게 복을 주시지 않을 거예요. 제 마음을 정하였습니다. 부모님께서는 근심하지 마옵소서. 아, 저는 부모님께서 연로하시고 동기간이 없으니 시집가서 데릴사위를 맞아 살아 계실 때에 봉양을 다하다가, 돌아가신 뒤에 제사를 모시면 제 소망에 족하다고 생각하였습니다. 이제 일이 뜻밖에 이렇게 되었으니, 이 역시 하늘의 지시입니다."

처녀의 부모는 더욱 어안이 벙벙하였으나 달리 할 말이 없었고, 심생 더욱 아무 말도 못 하였다. 같이 동침을 하게 되었으니 애타게 사모하던 끝에 그 기쁨이야 오죽하였으랴. 그날 밤 방에 들어간 이후로 저물게 나갔다가 새벽에 돌아오지 않는 날이 없었다. 처녀의 집은 본래 부유하였다. 그로부터 심생을 위하여 산뜻한 의복을 정성껏 마련해주었으나, 그가 집에서 이상하게 여길까 보아서 감히 입지 못하였다. 그러나 심생은 아무리 조심을 하여도 집에서는 그가 바깥에서 자고 오래 돌아오지 않는데 의심하지 않을 수 없었다. 그리하여 절에 가서 글을 읽으라는 엄한 명령이 내렸다. 심생은 마음에 몹시 불만이었으나, 집의 압력을 받고 또 친구들에게 이끌리어 책을 싸들고 북한산성(北漢山城)으로 올라갔다. 선방(禪房)에 머문 지 근 한 달 가까이 되어서였다. 심생에게 처녀의 언문편지를 전해주는 사람이 있었다. 편지를 펴보니 유서로 영영 이별하는 내용이었다. 처녀는 그맘때 이미 죽은 것이었고, 그 편지는 이러하였다.

　봄 추위가 아직도 쌀쌀하온데 절간의 글공부에 옥체 평안하시옵니까. 항상 사모하옵는 바 어느날이라 잊으리까. 소녀는 도련님께옵서 떠나신 이후로 우연히 병을 얻어 점점 골수에 사무쳐 백약이 무효하온지라 이제 필경 죽음밖에 없는 줄 알았사옵니다. 소녀처럼 박명한 몸이 살아본들 무엇 하오리까마는, 우선 세 가지 큰 한(恨)을 가슴에 안고 있으니 죽음에 당해서도 눈을 감지 못하옵니다. 소녀 본래 무남독녀로 부모님의 사랑하옵심을 받자와 장차 부모님께서는 적당한 사위를 구하여 만년의 의지를 삼고 후일의 계책을 마련코자 하였더니, 호사다마라 뜻밖의 악연에 얽히었군요. 지체 낮은 덩굴풀이 외람되게 높은 소나무에 붙었으나 주진지계(朱陳之計)가 이제 단망(斷望)이옵니다. 이는 소녀가 아무 낙이 없이 시름하다가 마침내 병으로 죽음에 이른 까닭이옵고, 이제 늙으신 부모님은 원원이 의지할 곳이 없게 되었사오니, 이것이 첫째 한이옵니다. 여자가 출가하면 비록 종년이라도 문에 기대어 손님을 맞는 기생의 몸이 아닌 다음에야 남편이 있고 또 시부모가 있겠지요. 세상에 시부모 모르는 며느리가 있사오리까. 소녀 같은 몸은 남의 속임을 받아 몇달이 지나도록 일찍이 도련님 댁의 늙은 여자 하인 하나도 보지 못하였사오니, 살아서 부정한 자취를 남겼고, 죽어서 돌아갈 곳 없는 귀신이 될 것이라 이것이 둘째 한이옵니다. 부인이 남편을 섬기매 음식을 장만하여 공궤하고 의복을 지어서 입으시도록 하는 일보다 더 큰 일이 있을까요. 도련님과 상봉한 이후 세월이 오래지 않음도 아니요, 지어드린 의복이 적다고 할 수도 없는데, 한 번도 도련님에게 한 사발 밥도 집에서 자시게 못 하였고, 한 벌 옷도 입혀드리지 못하였으며, 도련님을 모시기를 다만 침석에서뿐이었습니다. 이것이 셋째 한이옵니다. 그리고 상봉하온 지 얼마 아니되어 문득 길이 이별하옵고 병으로 누워 죽음이 다가왔으나 대면하와 영결을 못 하옵니다. 이러한 여자의 슬픔을 어찌 족히 군자에게 말씀드리오리까. 생각이 여기에 이르러 창자가 이미 끊어지고 뼈가 녹으려 하옵니다. 비록 연약한 풀이 바람에 쓰러지고 시든 꽃잎이 진흙이 된다 하온들 끝없는 이 원한은 어느날이나 다하리요. 오호라, 창 사이의 밀회는 이제 그만입니다. 바라옵건대 도련님은 소녀를 염두에 두시지 마옵시고 더욱 글공부에 힘쓰시어 일찍이 청운(靑雲)의 뜻을 이루옵소서. 옥체를 내내 보중하옵기 천만 비옵니다.

심생은 이 편지를 받고 자기도 모르게 울음과 눈물을 쏟았으나, 이제 비록 슬프게 후회의 울음을 울지라도 무엇 하겠는가. 그뒤에 심생은 붓을 던지고 글공부를 폐하였다.

개천이 그 처녀를 알게 된 것은 심생이 북한산성에 올랐을 적의 일이었다. 개천이 숙수도가에서 손님을 기다리는데, 여인 두 사람이

세기(貰器)와 숙수를 빌리러 왔다. 하나는 주인마님인 듯하였고, 다른 하나는 살림을 맡아보는 하님인 것 같았다. 도가의 주인이 불러서 나가니 이미 기명을 빌려서 꾸려놓았고, 이제 그것을 지고 갈 숙수와 일꾼 두엇을 기다리고 있었다.

"회갑연이라네, 다녀오게."

주인이 말하였고, 장옷을 쓴 노마님이 물었다.

"이틀 품이면 되겠는가?"

"예, 하지만 야반에 해야 되는 일이라서 첫날은 두 배를 주셔야 합니다."

"밤에 일을 하는가?"

"낮에들 잡수시려면 저는 밤에 장만을 해놔야지요."

개천은 그들을 따라 잡일꾼 둘을 데리고 소공주동으로 갔다. 홍살문을 지나 한곳에 이르니 번듯한 기와집이 서 있는데, 이런 일로 한양 대가의 곳곳을 다녀본 개천은 첫눈에 이 집이 중인의 집임을 대뜸 알아차렸고, 그런 중에는 꽤 부요한 재산가임을 알 수 있었다.

양반의 집은 규모와 기품으로 알 수가 있는 것이요, 이 집은 비록 규모는 작으나마 안채 사랑채 별채의 격식을 갖추었고, 집이 대가보다 작기는 하였으나 치장에 공을 들인 것으로 부잣집임을 알았던 것이다. 안벽은 영롱장으로 장식하고 화초담을 꾸며놓았다. 종은 모두 넷이었으니 마당쇠 하나와 하님 하나 그리고 계집종이 둘이었다.

그들은 마당에서 떡을 치고, 개천은 부엌에 들어가 계집종과 하님의 조력을 받아 요리를 만들기 시작하였다. 그러나 회갑 전날치고는 집안이 어쩐지 괴괴하고 쓸쓸한 듯하여 개천은 일을 하면서도 별로 즐거운 빛이 없는 식구들이 이상하였다. 얼핏 보니 의원이 다녀가는데 노마님과 주인장이 함께 별채로부터 나와서 문간에까지 배웅을 나가는 것이었다.

"이 댁에 누가 아픈가?"

개천이 무심코 물었으나 계집종들은 새침해져서 서로 눈짓만을 교환할 뿐 대꾸가 없었다.

"두 분은 멀쩡하시고, 분명히 초상이 아니라 회갑연이라고 했으니, 이 댁 서방님이 아프신가?"

대답을 기다린 것도 아니요 도마를 두드리면서 개천이 혼잣말로 중얼거리자 곁에서 채소를 다듬던 계집종이 말하였다.

"무남독녀인데 서방님이 어딨담."

개천은 잠시 칼질을 멈추었다.

"허허, 그러면 이 댁의 아씨께서 편찮으시단 얘기로군."

"쓸데없는 참견 말고 어서 산적 양념이나 해주시게."

하님이 계집종들에게 눈을 흘기고 나서 개천을 나무랐다. 개천은 건성으로 예예, 하고는 중얼거렸다.

"꽃다운 이팔청춘에 무슨 액이 끼었을꼬. 이런 댁의 무남독녀라면 한다하는 총각들이 저마다 나설 터인데……"

"흥, 상사병이 들었는데 뭐."

아니꼽다는 듯이 계집종이 말을 받았다. 개천은 도마질을 그치고 멍하니 계집종들을 둘러보았다. 계집종이나 개천이나 그러한 얘기라면 모두 먹던 밥숟갈도 내던지고 일어설 나이인지라, 더욱 흥미가 솟구쳤던 것이다. 마침 하님이 찬광으로 나가고 그들 셋만 남게 되자 개천은 다그쳐 물었다.

"이 댁 아씨가 상사병이라면, 혹시 소문 없이 무당을 불러다 굿을 하려는 건 아닌가?"

"굿을 벌였다간 우리 아씨는 신병이 더욱 깊어지고 소문이 낭자하여 질려서 죽고 말 거예요. 아씨가 부모님의 회갑연을 보는 게 원이라 하여 이 법석이래요."

개천은 일손을 놓고 아예 부엌 문턱에 퍼질러앉았다.

"도대체 상대가 어떤 사람이오?"

"글공부하는 양반댁 초립동이지요."

"임금님 거둥을 구경한다고 괜히 광통교변으로 나갔지. 요즈음 양반가의 도령들이란 그저 돈 있는 중인댁이라면 얕잡고 우선 한번 건드려보기가 일쑤지 뭐."

개천은 은근히 분이 나서 미간을 찌푸리고 말하였다.

"시방 성내에는 그런 한량들이 좍 깔려 있는데 이것들이 저희 집안의 지체만을 믿고 방자하기가 이를 데 없다네. 그저 내가 이런 몸이 아니라면……"

계집종들이 음성 맞춰 깔깔대며 웃었다.

"그렇지만 않다면 이미 깨어진 그릇이라도 상관없단 말이우?"

개천의 얼굴이 시뻘겋게 달아올랐다. 그는 쑥스러움을 감추려고 다시 거세게 칼질을 하였다. 감상칼자가 종년들도 우습게 아는 천직이라 애초에 계집이나 하는 요리로 업을 삼아서, 천예들 사이에서도 사내 대접을 받지 못하였다.

"하여튼 숙수로는 인물이 아깝수."

"사내로 님을 삼는다는데 우리는 어쩔려고 그러우?"

개천은 종년들의 놀림을 받으며 그저 못 들은 척 도마질에 열중할 뿐이었다. 세간의 패설로는 계집 없는 홀아비를 놀릴 적에 닭의 서방이라고 하였으니, 얘기인즉 하도 계집에 주려서 급하면 닭에다 그 짓을 한다는 것이었다. 설마 닭에다 그럴 수 있으랴 싶지만, 반문하기를 계란을 낳지 않느냐는 얘기였다. 개천이 계집종들의 까스름을 받는 게 하루이틀이 아니고 어떤 때에는 양반의 아낙이 차마 하소는 못 하고 짓궂게 나올 적이 있었다. 개천은 그런 일들에 비추어 양반댁 여자들을 더러운 것들이라 여기고 있었다. 그날 밤이 되어 개천의 일손이 쉬게 되자 대충 부엌에서 선 채로 요기를 하고는 중문간에 나가 앉아 스스로 노래를 흥얼거리고 있었다.

"다정한 하루 해도 덧없이 넘어간다. 도화낙일 적막한데 두견 소리 뿐이로다. 돌아가는 님의 방에 다시 한번 들어갈까. 날아가는 원앙새야, 너와 나와 동행하자. 노류장화 꺾어지면 뉘를 잡고 희롱할꼬. 느실느실 곱게 핀 꽃 가는 날도 섧게 지네. 북편에 마천령은 머다하고 쉬었더니 모춘삼월 저문 날에 무정한 정뿐이로다. 바람 불고 눈 뿌릴 때 빗이 없어 더욱 섧다. 보경을 열고 보니 부용안색 초췌하다. 비빔밥 즐긴 성정 밤에 둘이 먹고지고. 사시광경 다 지내고 서산낙일 단장시라. 소연장 추빈 방 안에 수원수구 내 팔자야. 스스로 먹은 마음 삼순을 잊을쏘냐. 아름답고 고운 태도 어느덧에 늙는구나. 오동추야 성근 뒤에 우는 눈물 끝이 없다. 은휘 못 할 깊은 수심 아미에 걸려 있네."

이때 별채의 문이 슬그머니 열리더니 낭랑한 목소리가 들려왔다.

"거기서 청승을 떠는 것이 누구냐?"

개천은 얼결에 일어나서 우선 꾸뻑, 인사부터 하고 보았다. 내외를 하려는지 저쪽에서는 문 뒤로 곧 숨는 것이었다. 개천은 서슴지 않고 문 앞으로 달려가 들여다보았다. 흰옷에 머리를 길게 땋아늘이고 눈에 총기가 있어 보이는 처자가 오히려 놀랐는지 입을 가리고 서 있었다.

"이 몸은 주인어른의 회갑연 준비로 불려온 감상칼자 임아무라는 사람이오."

처녀는 그제야 안심이 되었는지 스스로 문고리를 잡아당겨 문단속을 하는 양을 보이며 말하였다.

"내가 잠을 이룰 수가 없으니 노래는 그만두게."

그러나 개천은 망설이지 않았다.

"아가씨의 깊은 근심을 위로하고자 노래를 불렀습니다."

닫힌 문 뒤에서 처녀는 잠깐 서 있는 듯하더니,

"기러기가 울어도 서리 맞은 낙화를 또한 어찌하는가. 그대는 잔치 음식이나 잘 만들고 돌아가게."

말하고는 신 끄는 소리와 함께 별당으로 드는 것 같았다. 개천은 밤늦게까지 중문간과 별채의 담 사이를 오락가락하였다. 개천은 가슴이 터질 듯하였고, 온밤 내 별당에서 풍겨오는 짙은 꽃냄새로 일손이 잡히지 않았다. 개천은 회갑연이 조촐하게 벌어졌을 때에도 처녀의 모습을 다시는 볼 수 없었다. 그는 처녀를 위하여 정성을 기울여서 강정과 향설고(香雪膏)를 만들었다. 강정을 만들기는 찹쌀을 물에 담가 하룻밤 재워 세말(細末)하여 그릇에 담고 좋은 불에 쪽박을 넣어 끓여서, 쌀가루를 먼저 조금만 부어서 술로 저은 뒤에 엿초를 세 사발만 되어서 붓는다. 손으로 저어 드리워보아 되거든 끓는 물을 더 부어 반죽하여 손에 높이 들어 떨어지지 않을 만큼 반죽한다. 증편틀 세 틀에 보자기를 빨아 깔고 세 켜에 나누어 큰 시루 속에 세 층으로 안쳐놓고 방석 덮고 그 위에 장독소래 덮는다. 불을 싸게 때다가 또 틀을 두세 번 바꾸되 물이 줄거든 시루 구멍으로 막대를 넣어 저어보아서, 물이 줄었거든 물을 시루 구멍으로 솥 속에 채워서 붓고 꽤 찐 후에 뜸들여 떼어내어 함지에 붓는다. 식기 전에 풀젓개로 힘들여 속히 저어서 꽈리처럼 부풀어올라 물이 잡히게 되도록 저은 뒤에 떡판에 가루를 펴고 들어부어 넓게 퍼가지고 칼로 베어 분가루를 뿌린다. 홍두깨로 도독하게 밀어 음식 덮는 유지(油紙) 위에 벌려놓아 김이 나가거든 장(長)은 닷 푼, 광(廣)은 한 푼 되게 썰어 분가루는 얼멍이에 치고 시루 찐 방에 겹치지 않게 벌려 깔고 굽은 것은 바로잡고 다 마르거든 그릇에 담는다. 기름을 끓여서 그릇에 담아두고 퉁노구를 기울게 걸어 몸 잠길 만큼 기름을 붓고, 강정을 한움큼씩만 넣고 검불을 미지근하게 때며 자로 속속히 저어 일 때가 되거든 불을 세게 바꾸어 급히 젓는다. 다 일 만하면 불을 그치고 작은 바구니에 자주 퍼담아 기름을 죄 빼어 그릇에 담아 쓴다. 흰 엿을 양푼에 물기 조금하여 저어 녹여서 강정을 자배기에 담고 엿을 고루 발라 여러 빛깔의 겉껍데기를 입힌다. 참깨를 물에 한나절만 담가 비벼보아서 허물을 벗거든 소쿠리에 건져 절구에 붓고 실한 깨를 체에 담아 하룻밤 재워 솥에 한 사발씩 붓고, 불을 미지근히 때며 빛 흰 솔로 속속히 저어서 다 튀기고 누르기 전에 퍼내어 까불어서 쓴다. 청태 신감초 계핏가루 잣가루 송홧가루 검은참깨 등을 묻히고 홍색은 찰벼 튀긴 것을 빻아 지초기름에 섞어 쓰는 것이다. 향설고는 시고 단단한 배를 껍질을 벗겨서 꿀물을 타고 퉁노구에 붓고 배에 호초를 많이 박아 생강을 얇게 저며 넣는다. 숯불에 서서히 조려 빛이 붉고 꿀이 속속들이 들어 씨가 무르거든 내놓되, 배가 시어야 빛이 붉으니 신맛이 적으면 오미잣국을 조금 친다. 마른 정과에 곁들여 쓰려면 국을 졸여서 단단하도록 하고 수정과에 쓰려면 덜 조려 국을 넉넉히 하여 계핏가루를 약간 타고 실백을 뿌리는 것이다. 개천은 강정을 나무그릇에 담고, 향설고는 화채그릇에 담아서 받쳐 들고 주위를 살폈다. 계집종들은 안채와 사랑채로 나가 손님 접대에 바빴고 하님도 부엌을 떠난 지 오래였다. 개천은 중문간을 얼른 지나 별채로 갔다. 대문을 밀어보니 슬그머니 열리는 것이었다. 개천은 별채의 마루로 다가가서 얕게 기침을 해보았다.

"게 누구냐?"

개천은 우물쭈물 말하였다.

"아씨, 이거나 좀 잡숴보십시오."

미닫이가 빠끔히 열리면서 처녀가 핼쑥한 얼굴을 내밀었다. 처녀의 퀭한 두 눈과 창백한 뺨을 대하자 개천의 가슴은 일시에 무너져 내리는 듯이 썰렁했다.

"자네는?"

처녀는 문을 조금 더 열어젖히면서 개천을 내려다보았다.

"어제의 그 사람인가……"

개천은 팔모반을 툇마루에다 내려놓았다.

"드시고 기운을 차리셔야죠."

아가씨는 희미한 미소를 입가에 잠깐 떠올렸다.

"두고 가게."

개천은 그래도 멈칫거렸다.

"좋은 인연이 아니라면 작파하셔야 됩니다."

처녀는 아무 말도 없었고 개천은 돌아나오려고 몸을 돌렸다. 등뒤에서 처녀의 목소리가 들렸다.

"자네…… 이름이 무엇인가?"

개천은 울렁거리는 가슴을 진정하려고 두어 번 침을 삼키고 나서 대답하였다.

"예, 열릴 개(開)자, 내 천(川)자입니다."

"잠깐 기다리게."

처녀는 개천을 불러세운 뒤에 방 안으로 사라졌다가 나와서 무엇인가를 내밀어주었다.

"오늘 일이 다 끝났겠지? 이건 나를 위해서 과자를 만들어온 감사로 주는 것일세."

개천은 공손히 두 손으로 받았다. 밖으로 나와 살펴보니 자줏빛 귀주머니였는데, 안에는 두어 돈이 되는 은가락지가 들어 있었다. 저자에 가지고 나가면 한잔 푸짐하게 사먹을 수 있을 것이었다. 그러나 개천은 그것으로 무엇을 사겠다는 생각은 차마 할 수가 없었다. 개천은 귀주머니를 허리에 찼다.

그날 저녁 회갑잔치가 파하여 그는 계사의 집에서 품삯을 받아가지고 나왔다. 혜정교 도가로 돌아온 뒤에 개천은 잠을 이루지 못하였다.

벽을 향해 돌아누워 눈을 감으면 처녀의 해사한 얼굴과 젖은 눈이 또렷하게 떠오르는 것이었다. 그러나 처녀는 이미 누구인가에게 사로잡혀 있는 게 아닌가. 그는 어떤 사내일까. 그러나 개천은 자기의 이런 소중한 감정만큼 깨끗하고 진실한 마음은 그 누구도 품지 못했으리라고 자부할 수 있었다. 이튿날도 그 이튿날도 개천은 잠을 이루지 못하였다. 그는 도가의 어두컴컴한 뒷방에 틀어박혀 공연히 귀주머니만 만지작거렸다.

"아, 이놈아, 벌써 몇번이나 얘기를 했느냐. 초동 최병사 댁에 생신잔치가 있어서 숙수가 셋이나 필요하다는데, 너는 인제 일을 하지 않을 참이냐?"

도가의 주인이 와서 호통을 내질렀지만, 개천은 슬그머니 돌아누울 뿐이었다.

"허허, 이 자식이 아주 송도 말년의 불가살(不可殺)이로구나. 이놈 밥값을 안하려거든 아예 솥을 떼어야겠다."

"걱정 마슈, 오늘로 그만둘 테요."

그러나 개천이만 한 솜씨의 감상칼자도 구하기가 힘든지라 주인은 쭈그려앉으면서 하소하였다.

"누가 널 보구 그만두랬냐. 허구헌 날 그놈의 주머니만 싸쥐구 누웠으니, 무슨 도깨비가 씌어두 단단히 씌었구나. 어디 보자, 그 주머니에 도대체 뭐가 들었나."

주인이 틈을 노리다가 슬쩍 귀주머니를 채어갔고, 개천은 그것을 다시 빼앗으려고 두 손을 휘저으며 안달을 하였다.

"그것 이리 못 내놔요. 어서 달란 말예요."

주인은 저자 쪽으로 나가면서 주머니를 열어보았고, 그 안에서 은가락지를 발견하고는 대뜸 코웃음을 날리는 것이었다.

"그러면 그렇지, 불두덩이 근질거리는 새봄도 아니고, 대가리에 쇠똥두 진작에 떨어진 놈이 춘정이 다 무에야. 저 자식이 입에 낟알 들어갈 걱정은 않구, 어디서 또 종년들 장난질에 아랫배의 근기가 헐었고나. 내 어쩐지 네놈이 푸줏간에 들어온 소처럼 비실거린다 했더니……"

"그거 못 내놔요, 이걸 그냥……"

개천은 더이상 참지 못하고 귀주머니를 머리 위로 쳐들고 우물거리는 주인에게로 달려들어 멱살을 움켜쥐었다.

"어, 이놈이 어른을 다루려 하네."

"에라잇…… 차."

개천은 주인을 장바닥에 메다꽂았다. 어이쿠, 소리를 내지르며 자빠진 주인은 안면을 땅 위에 갈아 코가 터져서 주홍빛이 완연하다. 개천은 귀주머니를 빼앗아들고 다른 주인께 뭇매를 맞기 전에 달아났다. 혜정교서 달아나 갈 데가 있겠느냐, 칠패로 배오개로 어슬렁거리며 돌아다니는 중에 피곤하고 허기가 져서 견딜 수가 없었다.

그는 명절 때마다 불려가던 역관네 집에 찾아가서 잘 통하는 하님에게 저녁을 얻어먹고는 다시 성내로 나왔다. 광통교변이나 종루에 나가면 어디든 색주가나 기생 청루에서 그의 솜씨를 반겨주겠건만, 그는 오직 계사 댁의 아씨를 만나고 싶은 마음뿐이었다. 이경이 되어 행인의 통행이 뜨막해지자 그는 소공주동으로 향하였다.

개천은 계사 댁의 반화방 담장을 따라서 이리저리 배회하다가 드디어 뛰어넘을 결심을 하였다. 낮에 주인과 다투는 일이 없었다면 엄두도 못 낼 짓이었으나, 이미 그를 패대기치고 일자리까지 떨구고 나왔은즉 이제는 갈 데로 가볼 작정이었다. 까짓, 포도청에 잡혀가 곤장이나 맞게 될 테지. 아무튼 다시 한번 처자의 얼굴을 보고 싶었던 것이다. 개천은 사방을 둘러보고 나서 주위에 사람이 없는 것을 확인하고는 훌쩍 뛰어 담장에 간신히 두 손을 걸었다. 완력으로 상반신을 이끌어 담 위에 걸치고 나서 가까스로 두 다리를 담 위에 얹었다. 그가 뛰어내린 곳은 사랑채의 뒷담께였다. 그는 한참이나 정원에서 숨을 죽이고 동정을 살피다가 별채 쪽으로 옮겨갔다. 별채 마루에는 등불이 내걸려 있었고, 미닫이에 두 여자의 그림자가 비치고 있었다. 개천은 차마 부르지는 못하고 별당 앞을 서성였다. 만산낙엽은 쓸쓸한 바람을 따라 이리저리 흩어지고 공산명월은 적막한데, 서릿바람에 놀란 새는 공중에 높이 떠서 구슬피 울며 긴 소리로 날아가는 것이었다. 별당에서 수를 들고 앉았던 처녀는 문득 먼 하늘로 날아가는 새울음을 듣고 퇴창문을 열어 남쪽 하늘을 바라보았다. 창호에 어리던 달빛이 썰렁한 바람과 더불어 방 안으로 몰려들어 처녀의 창백한 얼굴을 더욱 하얗게 비추었다.

"문 닫은 창 앞의 달이라더니, 나는 가위 열어놓은 문으로 들어온 달을 창가에서 바라보는구나."

그때 개천은 정원석 사이에 몸을 숨기고 있다가 달빛에 희게 드러난 처녀의 모습을 훔쳐보느라고 상반신을 엉거주춤 들었다. 마당을 내다보던 몸종이 제 상전을 일깨웠다.

"아씨, 저어기 누가 숨었어요."

"가만 있거라……"

처녀는 침착하게 몸종에게 이른 뒤에 신을 끌며 마당으로 내려섰다. 개천은 송구하고 부끄러워서 더욱 상반신을 정원석 뒤에다 잔뜩 구부렸다.

"서방님, 언제 오셨어요. 오셨으면 그전처럼 제 방으로 들어오실 일이지 대장부가 이게 무슨 짓이어요. 산성 선방에서는 언제 내려오셨나요. 지난번에 우리 마당쇠를 시켜서 밑반찬을 지어 보냈는데 받으셨습니까?"

개천은 더욱 고개를 쳐들 수가 없었다. 그리고 그의 마음은 안타까움과 시샘으로 찢어지듯 아팠다. 처녀는 드디어 그의 뒤로 다가들어 손을 가만히 개천의 등뒤에다 얹었다.

"저는 서방님을 원망하지 않습니다. 반상의 구별이 엄하여 세상에서 우리 연분을 바로 보지 않겠지요. 그러나 양반이나 중인이나 상사의 정에 다름이 있겠어요. 부모님께서 저를 마다하시고 출입을 엄금해도 저는 상관없습니다. 서방님, 야기가 싸늘하니 어서 안으로 드시지요. 글공부에 얼마나 피로하셨어요."

처녀가 개천의 등을 살그머니 두드리는데 손의 따스한 온기가 전해져서 개천은 저절로 눈물이 나왔다. 처녀가 언뜻 다르다고 느꼈던 것은 그 다음에 개천이 얼굴을 들어서가 아니라, 원래가 정인끼리는 서로의 살에 대해서 정말 살로만 아는 느낌이 있는 터이라, 처녀는 두어발짝 물러나며 놀라서 부르짖었다.

"누…… 누구셔요?"

개천은 얼굴을 쳐들고 천천히 일어나 꾸뻑 절을 하였다. 처녀가 두려운 중에도 상대의 얼굴을 천천히 살펴보니 낯익은 숙수의 얼굴인데 두 뺨에 물기가 줄줄이 흘러내리고 있었다.

"아……"

처녀는 두 어깨를 늘어뜨리며 고개를 살래살래 내저었다.

"우리집에서 자네를 부른 일이 없을 텐데……"

개천은 그냥 말뚝처럼 우뚝 서서 처녀를 멍하니 바라볼 뿐이었다. 여전히 두 눈에서는 눈물이 흘러내렸다.

"나중에 내가 죽거든…… 초상 치를 음식이나 장만하러 오게."

처녀는 방으로 들어가더니 미닫이를 소리가 나도록 닫아붙였다. 눈치를 챈 몸종이 큰 소리로 사람을 부르겠다고 나섰으나 처녀는 그를 붙잡아 말리는 듯하였다. 개천은 아무 말도 못 하고 처녀의 방 앞에 넋을 잃고 서 있었다. 처녀는 다시 미닫이를 열었다.

"개천이, 아직두 게 있느냐?"

이름을 기억하고 있던 처녀가 그를 부르자, 개천은 방문 앞으로 다가섰다. 처녀는 고개를 끄덕였다.

"참, 딱한 일일세. 월하노인(月下老人)의 적승(赤繩)은 이리도 엉뚱하게 얼크러지는가. 참으로 남녀의 상사는 기묘하기도 하지. 나는 이미 몸과 마음을 드린 서방님이 계시네. 우리가 신분이 서로 다르듯이 자네와 나두 다르네. 설혹 내가 주인이 따로 없다 하더라도 자네와는 안 되는 일이지."

개천은 고개를 숙인 채로 말하였다.

"다 알구 있습니다. 그까짓 양반댁 도령에게 상심하지 마시고 어서 병이나 회복하십시오."

"그래 고맙네. 내 걱정은 말구 어서 가보라니까. 밤이슬에 오래 쏘이면 정기가 센 나이에 매우 안 좋다네."

개천은 툇마루를 짚고 애걸하듯이 말하였다.

"그저 여기서 하룻밤이라두 새우게 하여주십시오."

하고 나서 개천은 덧붙였다.

"저는 도가에서 쫓겨났습니다."

"갈 데가 없는가?"

"예……"

곁에서 계집종이 볼멘소리로,

"공연히 투정부리지 말구 가봐요. 정말 사람들을 부를까 부다."

하는 것을 처녀가 또 말리고는 이번에는 옥지환 한 쌍을 뽑아 내주었다.

"옜네, 이걸 갖다주면 어느 객주에서나 적당한 값을 줄 게야."

"아, 아닙니다. 그런 게 아닙니다. 저는 다만 아씨하구…… 어디 먼 데로 가서 모시구 살구 싶습니다."

처녀가 어이가 없는지 기가 막히는지 허공을 바라보며 힘없이 웃음을 터뜨렸다.

"나두 그랬으면 얼마나 좋겠나만…… 이담에 죽으면 자네두 제발 양반으루 환생하게나."

마지막 말은 아예 흐려져서 울음이 섞여 있었다. 미닫이가 닫히고 툇마루에는 옥지환이 남아 달빛에 푸른빛이 반사되고 있었다. 개천은 옥지환을 손안에 넣고 만지작거리다가 다시 슬그머니 내려놓고는 별당을 떠났다. 그것이 개천이 본 처녀의 마지막 모습이었다. 처녀는 이튿날 피맺힌 사연을 적은 편지를 심생에게 전하고는 삼경이 가까워서 답답하다고 문을 열어달라더니 달빛을 보다가 툇마루에 쓰러졌다. 비상을 먹었는지 입가로 피가 흘러나와 있었다.

처녀를 묻고 오던 날 개천은 대취하였다. 그는 임시로 의탁하고 있던 청루의 골방에 틀어박혀 죽은 듯이 사나흘을 잤다. 그는 이미 예전의 개천이 아니었던 것이다. 그는 전보다 더욱 말수가 적어졌고 갓이나 도포짜리에게는 고분고분하지 않았다. 개천은 심생이란 자를 찾아내어 그의 비루한 양심을 꾸짖고 처녀의 한을 풀어줄 셈이었다. 그는 계사 댁의 마당쇠에게 술을 흠뻑 사주고 심생이 있다는 북한산의 암자를 알아냈다. 개천은 그를 죽여버리리라 작정하고는 갈비를 다룰 적에 쓰는 날카롭고 긴 고기칼을 유지에 싸들었다. 그가 일부러 오후 늦게 출발하여 산에 올랐을 적에는 벌써 땅거미가 지고 있었다. 암자의 창호에는 가물대는 잔등의 불빛이 흔들거리고 있었다. 개천은 법당의 바로 옆에 달린 방에서 낭랑하게 글 읽는 심생의 소리와 그림자를 보았다. 그는 문밖에서 가볍게 헛기침을 하였다. 글 읽던 소리가 멈추었다.

"밖에 누가 왔소?"

개천은 허리를 꼿꼿이 펴고 물었다.

"여기 심도령이 있소?"

문이 밖으로 열렸다. 그는 어둠속에 백두의 상한이 서 있는 것을 보자 의아한 모양이었다.

"대체 누군가?"

개천은 산을 오르며 몇번이나 다짐했던 터라 침을 꿀떡 삼키고는 신을 신은 채로 덥석 방으로 들어섰다. 그리고는 뒤로 문고리를 당겼다. 등잔불이 펄렁이는 바람에 두 사람의 그림자도 떨리는 듯하였다. 심생이 놀라서 무릎걸음으로 뒤로 물러나려는데 개천은 유지에 쌌던 고기칼을 빼어 겨누었다. 피를 먹던 쇠붙이라 환도보다 더욱 살기가 뻗쳤다.

"소리치면 죽는다. 묻는 대루 대답이나 하여라. 네가 심가냐?"

"그런데……"

개천의 칼 쥔 손은 부들부들 떨리고 있었다.

"계사 댁의 무남독녀 아가씨를 잘 알겠지?"

심생은 차츰 두려움이 진정되는지 미간을 찌푸리며 노기를 보였다.

"내가 알든 모르든 네깐 놈과 무슨 상관이 있느냐. 어서 그 칼 치우지 못할까?"

개천은 심생의 면전에서 칼을 치켜들었다.

"이놈…… 양반이라구 함부로 지껄이지 마라. 나는 그 아가씨가 피맺힌 원한을 품은 채 땅속에 묻히는 걸 보구 온 사람이다."

심생은 앞으로 다가앉았다.

"아니…… 그렇다면 죽었단 말인가?"

"뻔뻔한 놈 같으니, 양반의 씨알이 따로 있다더냐. 아니, 따로 있다면 너처럼 애비를 양반으로 태어난 놈들의 인면수심한 종자가 따로 있겠구나. 나는 스스로 슬픔과 의분을 참지 못하여 아가씨의 한을 풀어드리고자 찾아왔다. 네 목을 베어서 아씨의 산소에 갖다 바쳐야겠다."

심생은 멍청히 천장을 올려다보더니 돌연 상 위에 펼쳐놓았던 책을 미친 듯이 찢을 뿐만 아니라 그것을 방의 사방으로 던져버렸다.

그러고는 흐트러진 책상 위에 엎드러지더니 나직하게 흐느꼈다. 그의 어깨는 격하게 떨리고 있었다. 개천은 그를 찌를 것도 잊고서 어느덧 자신에게도 슬픔이 몰려와서 선 채로 소매로 얼굴을 가리고 울었다. 살의는 어느결에 울음으로 변하였고 그 슬픔은 같은 것이었다.

"이까짓 게 다 무어란 말인가. 성인은 사람을 위하여 모든 경서를 지었거늘, 항차 이것이 무엇을 위한 공부란 말이냐. 나는 싫다, 나는 싫어."

심생은 이어 목을 놓아 통곡하였다. 개천은 온몸에서 기운이 다 빠져나가는 것 같았다. 양반 도령의 심사를 헤아릴 수가 있었던 것이다. 아, 몹쓸 세상이로다. 하늘은 길고 땅은 오래라도 다할 때가 있겠지만(天長地有時盡) 마음에 품은 한은 끊일 날이 없겠고나(此恨綿綿無絶期). 심생은 개천이 염두에도 없는 모양이었다.

"과거를 하여 장원급제를 한들, 이 무참한 몸으로 어찌 남을 다스리고 가르치는 자리에 들 수가 있으랴. 공부란 몸을 닦고 사물을 주재(主宰)하기 위함인즉, 양반이라 하여 꽃다운 나이의 소녀를 원한에 죽게 하였으니, 나는 이미 그르친 사람이로구나."

개천은 스스로 그 방을 물러나왔다. 그는 고기칼을 계곡 아래로 멀리 던져버렸던 것이다. 자기의 아둔한 상사가 끼여들 틈이 없었던 것이다.

반상을 구별하여 사람끼리의 정마저 끊는 자들이 과연 누구겠는가. 개천은 그것이 틀림없는 양반 사대부들의 짓이라고 여겼다. 저희들만 대대손손이 귀하게 살아보려고 구별을 만들고는, 아랫것들에게 감히 처다보지도 못하도록 억누르는 것이 아닌가. 개천은 더이상 도성에서 신수 편한 자들의 입맛이나 돋우며 살아가기는 싫었다.

그는 당장 청루에 돌아가 봇짐을 챙겼던 것이다.

교하(交河)의 숯포에서 주막을 열고 있는 숙수 출신의 주인이 있어 개천은 그와 함께 흰 물결을 날리며(揚波飛白) 술과 밥을 팔아 돈을 모을 작정이었다.

숯포는 파주 문산포와 더불어 임진 강화 예성 수로가 얽힌 곳이요, 송도로 들어가는 직로의 나루터였다. 따라서 장사치와 행객의 출입이 끊이지 않았고, 말짐과 뱃짐이 서로 엇갈리고 모이는 곳이었다. 숯포에는 주로 송상과 경강(京江)의 장사치들이 들끓었으며, 주막뿐만 아니라 물품의 위탁도 하는 객주가 번성하였다. 개천은 숯포에서 먼저 자리 잡은 숙수에게 얹혀서 돈을 모은 다음에 작은 삼간초가라도 짓고 자신의 주막을 열 작정이었다. 주기는 지붕 위에 높다랗게 걸려 있고, 말을 매는 장목이 울타리 밖에 길게 서 있었다. 개천은 짧은 배자를 걸치고 행상의 짐바리 수십여 필을 줄줄이 몰고 들어와서 짐을 풀고 말을 매어 꼴을 먹였다. 그러고는 이내 부엌에 들어가 붕어찜을 장만한다, 숭어를 회친다, 장어를 굽는다, 정신없이 이 그릇 저 솥으로 오르락내리락하였다.

요리가 다 되면 개천은 주인과 더불어 상을 이리저리 나르고, 강변에 나가 손님을 끌어오는 것이었다. 저녁에는 빈방이든 손님이 들어찬 봉놋방이든 가리지 않고 모로 쓰러져 잠들었다. 명색이 성님 아우로 지내던 사이라 주인은 그에게 용임을 후히 쳐주었고 개천은 백 냥을 바라고 열심히 일하였다. 하루는 일을 끝내고 설거지도 끝나 여러 방마다 곤하게 코 고는 소리가 드높은데, 주인이 개천을 불렀다.

"여보게, 자네 시방 기왓골에 이틀만 다녀와야겠네."

"내일은 경강 배 들어오는 날이라 눈코 뜰 새가 없을 텐데 거긴 왜 가우?"

주인이 술청에 섰던 떠꺼머리를 힐끗 보고 나서 말하였다.

"기왓골 전선달이 첫째딸을 여읜다고 급히 숙수 한 사람 보내달라네. 우리집두 급하기야 하지만, 전선달은 이 골서 보통 분이 아니

시네. 기왓골 일대의 너른 전장이며 또한 배두 한두 척인가. 아무튼 그분 말은 아무두 거역하지 못하네. 이렇게 품삯도 미리 보내셨고 일부러 우리집을 지적하셨으니 갔다와."

개천은 주인이 그렇게 말하였으나, 심드렁하니 받았다.

"성님두, 내가 그런 일은 이젠 하기 싫어하는 줄을 잘 알지요. 오죽하면 한양서 이리루 왔을까."

"허, 그 사람 참 철없이 구네. 이봐, 자네더러 상전으루 평생 섬기라던가. 가서 음식이나 수걱수걱 만들구 맛있게 배부르게 먹어치우는 사람들께 좋은 일 삼아 하구 오란 게여."

"알겠수."

개천은 떠꺼머리를 따라나섰다. 아마 그 댁의 마당쇠인 모양인데, 처음에 개천이 꽁무니를 빼던 것이 도무지 이상스런 모양이었다.

"누가 양반댁에서 혼구녕을 냅디까, 아니면 품을 잘라먹습디까?"

"애애, 넌 참견 마라. 내가 한양서 대갓집에 일 다니노라고 신물이 난 사람이다. 더구나 혼사는 딱 질색이여."

"이 댁은 겉으로 양반이지만, 알속은 그저 장사하여 밥술이나 먹는 집이우. 노대감네 마름인걸 뭐."

"그러면 그 전장이 모두 남의 땅이여?"

"일테면 예전에 그리하였다는 말이우. 지금은 땅 차지를 많이 하였지요. 나두 한양서 왔수. 십년 전에 그 댁이 번창하여 가산을 늘릴 제 팔려왔수."

개천은 저도 모르게 혀를 찼다.

"제깟 것들이 양반이라고……"

"어…… 그런 소리 함부루 하지 마슈. 우리 선달님이 범절은 얼마나 찾으시는데, 공연히 귀에 들어갔다가는 장하에 죽습니다."

"그러니 짜투리 양반이 더욱 극성이란 소리로군."

기왓골 전선달네로 따라가보니 과연 오십여 칸의 기와집이 번듯한데, 동구 앞에는 미리 소문을 듣고 몰려온 거사패 광대들이 노숙을 하고 있었고, 집안에는 원근 사방의 일가 친척붙이들이 다 모여든 모양이었다. 개천은 주인마님께 현신하고 나서 정해준 부엌으로 들어가 일을 시작하였다. 삼경이 지나도록 주인들을 따라온 마부와 하인들이 행랑채에서 투전을 하며 밤을 새웠다. 개천은 그쪽으로 떡이며 묵이며를 내다주었고, 새벽녘에는 잠깐 눈을 붙이려고 행랑으로 내려갔다.

"우리게서는 어찌나 신랑 달아먹기가 자심한지 아예 우리 동네 행길로는 혼행이 얼씬을 못 한다네."

"어이구, 댕기풀이 적에 동무들이 골려먹는단 법은 있어두, 생면부지의 동네 사람들이 지나가는 혼행을 덮친다는 얘기는 또 첨 들었군."

하인 구종배들은 마침 혼사가 난 집에 왔는지라, 신랑 다루는 얘기로 떠들썩하고 있었다.

"특히 글방 도령들의 장난이 심하지. 누가 당해볼 사람이 있나. 우선 좌장이랍시고 나이 먹은 도령이 원님처럼 상좌에 앉는다네. 그러면 다른 이들은 모두 신랑을 말에서 끌어내려 꿇어앉히고는 국문을 하는 게야. 사령에 집장사령에다 급창이며 아전들이 늘어선 게 꼭 동헌 마당 꼴이야. 모양을 내어라, 하면 예이 하고 달려들어 신랑의 발목에다 무명끈을 묶어서 덩치 큰 사람이 어깨에다 턱 둘러멘단 말씀이지. 집장사령을 맡은 이가 대문 빗장을 빼어다가 쳐들고 하명만 기다리지. 그러고는 첫날밤에 어찌 행사하였는가를 묻는단 말이야. 자, 그러니 신부의 가마는 저만치서 기다리지, 해는 차츰 기울지,

발바닥엔 불이 나지, 저고리 옷고름을 어찌하였느냐, 치마끈은 어떻게 풀었느냐, 시시콜콜히 물어보거든. 그래 차마 대답 못 할 대목에 가서는 누구나 말이 막히는 법이거든. 신랑의 위인이 제법 호탕하고 왈짜기가 있으면 얘기는 술술 풀리지만, 생겨먹기가 가뭄 끝에 오이꼭지마냥 씁쓸하고 쪼물짝한 사람은 종내 더듬기만 하거든. 처라, 할 적마다 발바닥에 빗장 매가 떨어지는 게야."

"그게 다 남의 동네 색시 훔쳐가는 죄가 아닌가베."

누군가 사동인 듯한 어린 하인이 참견하였다.

"우리두 낼 신랑이 오면 달아먹을까?"

그러자 좌중 사람들이 모두 박장대소를 하였다.

"이 자식아, 공연히 궁둥이 살점이나 떼일려구 그래. 이런 얘기야 밥 먹고 똥깨나 뀌는 집안의 도령들 얘기지, 너 같은 놈이 누굴 다룬다니?"

윗목에서 팔베개를 하고 있던 개천은 평소의 감정대로 불쑥 중얼거렸다.

"염병할, 똥깨나 뀌는 놈들의 씨가 따루 있다던가……"

그 말에 어찌나 한기(寒氣)가 흐르던지 모두들 무뚜름하니 말을 끊고 있었다. 그들은 차례로 뒷전을 돌아다보고 그들 둘레에 끼이지 않은 자를 불쾌히 여겼다. 그들의 얘기는 다시 계속되었는데 이번에는 색시에 관한 얘기였다.

"헌데 색시가 절색이라며?"

"다시 이를 말인가. 이 댁 안마님 봤지? 그 어머니에 그 딸이라고."

"살갗이 검던데……"

"이봐, 아니 할 말로 쇠빛 살을 가진 여자는 득남에 무병장수에 감칠맛이 기가 막히다는 게여."

"감칠맛이라니."

"엇, 저 자식은 귓구멍이 벽창호군. 타관서 경치구 코 싸쥐구 돌아갈라구 그래? 감칠맛이라면 알아들어야지."

"게구녕인지 도끼 자죽인지두 모르구 오형제만 믿구 사는 애가 무얼 알겠나? 오늘 자네 후장이라두 빌려주어."

음담이 슬슬 무르익는 양이었다.

"망할 녀석, 감칠맛이란 새큰새큰하다가 시원하다가 자지러지다가 삭신에 힘 빠질 제 감질감질 올라오는 맛이여."

"거 무슨 소린지 원……"

"꼭 말로 듣기는, 막걸리 먹구 한밤에 일어나 마루 끝에서 오줌 내깔기는 양 같군."

"에이, 그만둬라. 신부가 금년 몇이여?"

"열여덟이라지, 아마."

"열여덟이면 무쇠가 녹지. 헌데 신랑은 열넷이라데."

"오뉴월 풋고추에 가을 피조개로군."

개천은 차츰 분수를 모르고 좌충우돌하는 그들의 음담이 어쩐지 통쾌하였다. 이튿날 신랑이 온다 하여 일가네 하인배들은 모두 흑철릭을 입고 등롱을 건성 들고 마중을 나갔다. 신랑이 들어오는데 아직 코흘리개요, 제깐에는 관례를 하였다고 땋았던 머리를 틀어올리고 그 위에 망건을 죄었다. 망건 자국이 시퍼런데 신랑은 피로와 두려움으로 더욱 볼 꼴이 못 되었다. 여기저기서 신랑이 못생겼다고 흉이 나돌았다. 신랑은 사모관대 차려입고 초례청으로 들어섰다. 신부는 녹의홍상에다 큰머리 틀어얹고 연지 곤지를 찍고 얼굴에다 분을 하얗게 발랐다. 신랑과 신부가 마주 서니 대독과 방구리를 세워놓은 듯하여 구경꾼들 틈에서 킥킥거리는 소리가 들렸다. 전선달은 어디서 이런 고얀 웃음이 나오는가 눈을 크게 뜨고 둘레둘레 살피는 것이었다. 개천은 하객들의 점심상과 술상을 보느라고 고개를 돌릴 틈이 없었다. 어디에나 대가의 초상 혼례에는 깍정이와 왈짜들이 기웃거리게 마련이라, 잡인을 쫓힌다고 송도로 가던 왈짜들 두엇이 하천들 틈에 끼어서 술에 밥에 떡에 포식하였다. 그들은 노잣돈이나 언어가겠다는 생각인지 해가 저물어도 잔칫집에 눌러배겼다. 밤이 되자 운우행각을 엿본다고 아낙네들은 창호 뚫기에 정신들이 없었다. 그러나 양가의 하인들과 어거지로 식객이 된 낯선 사람들은 행랑에 그들먹하니 들어앉아 장기를 둔다, 투전을 뗀다, 술을 먹는다, 하며 눈붙일 줄을 몰랐다. 연신 밤참 국수와 제육과 전붙이들이 들어오고 술은 아예 동이 안에 쪽박을 띄워서 방 한가운데 놓았다.

개천이 일의 마무리를 하고 뒷일은 계집종들께 맡기고 행랑에 내려오니, 하천들은 아래윗목에 골을 치고 들어앉아서 떠들썩하였다. 방 안에는 제각기 내어 피우는 곰방대의 연기로 때아닌 안개가 자욱하였다. 바야흐로 어떤 사내의 입담이 무르익어 사람들은 그의 주위에서 고개를 빼고 침을 삼키면서 듣고 있었다. 개천은 슬그머니 뒷자리에 가서 벽에 기대어 앉았다. 그는 송도로 간다는 왈짜들 중의 하나인데 행색은 보부상 차림이었으나, 뼈대가 억세고 팔뚝이 참나무 몽치만이나 한 것이 기운도 제법 쓸 것 같았다. 이미 사십줄도 막바지인지 구레나룻에 서리가 하얗게 깔렸다. 굵은 주름살에도 불구하고 어글어글한 눈매와 텁텁한 목소리로 별로이 노티가 나지는 않았다. 그는 놋재떨이에 곰방대를 탕탕 떨더니 가래를 크윽, 하였다가 두리번거려보고는 다시 꿀꺽 삼켰다.

"따님이 사주만 받아놓고서 얼굴도 못 본 신랑이 죽었다고 수절을 시키려니 대감의 마음인들 오죽하겠는가."

"그렇지, 쯔쯔."

이야기에는 맞장구가 있어야 신이 나는 것이라 색시 댁의 수노인 듯한 자가 추임새 식으로 곁다리를 놓았다.

"하루는 대감이 안으로 들어오다가, 아랫방에서 따님이 곱게 몸단장을 하고 얼굴을 거울에 물끄러미 비춰보다가는 거울을 홱 내던지고 하는 꼴을 보았단 말이지."

"청상의 설움이로군."

"대감이 그 꼴을 보고 어쩌나 측은한지 그냥 나올밖에."

"상것이라면 까짓 업어 내올 텐데……"

곁다리 추임새가 길어졌는지, 제각기 눈을 부라리며 사방에서 핀잔이었다.

"이 자식아, 얘기에 쐐기 치지 말어."

그러나 얘기꾼은 허허 웃으면서 잠시 가라앉기를 기다렸다.

"이걸 바로 망문파(望門破) 당문파(當門破)나 마찬가지로 망문과(望門寡)라고 하는 게지."

"제길 또 새네. 곁가지 치지 마우."

누군가 성미 급한 자가 코똥을 뀌며 내지르니, 이번에는 좌중이 모두 동감인지 잠잠하였다.

"세상 제도가 그러하니 어쩔 도리가 있나. 그렇기로니 아침 저녁으로 따님을 대할 적마다 부모 동기간에 못 할 짓이거든. 하루는 주인 대감이 답청(踏靑)을 가시겠다고 나섰네. 씨종으로 내려오던 건장한 하인을 불러서 찬합에 노구 짊어지우고 말 견마 잡혀 나섰지. 정작 답청놀이판에 와보니 대감과 하인 외에는 아무두 없더라네. 그도 그럴 것이 애당초 아무도 청하지 않았거든."

"에키…… 무슨 꿍꿍이가 있었군."

"찬합을 끌러놓고 노구에 술을 데워 하인이 부어 올리는 대로 한 잔을 받아 잡숫더니, 이 무슨 파격인가. 뜻밖에 하인의 손목을 잡으며 잔을 돌리는 게야."

"저런…… 수양아들을 삼으려나."

"또 방정 떨구 있네. 가만 좀 있어."

"하인이 황송하여 어쩔 줄 몰라하니까 기어코 고개도 돌리지 말고 단숨에 쭈욱 하라는 엄명이거든. 노인네 장난이겠거니 여기면서 하인이 마시고 나니까 대감이 술병을 들고 부으려 하더라네. 사양하려니까 거푸 붓는단 말이지. 언뜻 보니 대감마님 글썽하던 두 눈에서 눈물이 쭈르르 흘러내려."

"옳지, 당신 피가 섞였던 게로군."

그 맞장구가 하인들의 숨은 감정을 건드렸다.

"애비 모르는 새끼가 여기 또 있네."

"니 에미한테 쫓아가 물어봐라."

그러나 얘기꾼은 기다리지 않고 그들의 설왕설래를 잘랐다.

"그날 말과 하인은 돌아오지 않았네. 놀이터의 북새통에 훔쳐 타고 달아나버렸다는 게야. 며칠 뒤 별당의 과부 딸 방에서두 곡성이 터져 나왔지. 신세를 한탄하여 자진했다는 게야. 참혹한 꼴을 남에게 보이지 않는다며 수세는 남의 손 빌리지 않고 부모님만이 거두었지. 그리고 이튿날 저녁때 쓸쓸한 상여가 집을 나섰네그려."

"도대체 어떻게 돌아가는 속인가?"

얘기의 뜻을 미처 알아듣지 못한 자가 투덜거렸고, 알아들은 자는 고개를 끄덕이거나 허허 하면서 탄식을 하였다.

"속현을 시켜서 내보낸 거 아냐. 열렸다 하면 숭례문이지, 그것두 모르나."

"대감도 어느덧 칠십 고래희에 아들도 장성하여 벼슬 살고, 그중의 하나는 함경도 암행어사를 다녀와 주상께 복명하였다네. 여러 날만에 초췌한 얼굴로 돌아온 아들은 온 가족의 환영을 받았는데, 밤도 이슥하여 사랑에서는 난데없이 부자간에 호젓하게 술상을 마주하여 앉았지. 아버지는 연신 고개를 끄덕이며 흡족한 얼굴이더란 말이야. 어사또가 대감께 하는 말이 또한 괴이하거든. 철령을 넘어서니 한양이 천리지간인데, 안변지경의 깨끗한 시냇가 한적한 마을에 당도했다는 게야. 동네 아이들이 뒤섞여 놀고 있는데, 어디서 많이 본 듯하거든. 꼭 제 집의 막내둥이와 같더란 말일세."

"핏줄이 끌었군."

알아챈 자가 앞질렀다.

"아이를 앞세우고 들어가니 죽은 누이가 거기 살더란 말이야."

"참 묘하군."

"나두 그런 복이나 굴러들었으면."

"우리 주인댁 여자들은 모두 박색이여."

제가끔 끼여드니 얘기는 자연히 파흥이 되었고 어느 하인인가 제 동무에게 오금을 박았다.

"이 녀석, 언감생심 어떤 몸이라구 그따위 소리를 하니?"

"어랍쇼, 너 같으면 마다겠니?"

뒷전에 소리 없이 처박혀 있던 개천이 불쑥 끼여들었다.

"양반의 음문이 쇠도 녹일 만하고 감칠맛이 있다는데, 나두 좀 해봤으면 좋겠네."

아무리 격의 없는 자리라 하나, 그것은 불쑥 내밀어진 욕이나 마찬가지 소리였다. 어제는 비록 이야기의 자연스런 흐름 중에 그런 말이 나왔다고 하나 이제 골자를 빼내어 개천이 씨부렁대니 특히 색시 댁인 전선달네 하인들은 불끈하였다.

"여보, 댁이 누군데 입이 쩨졌다구 함부로 혀를 굴려?"

"안 그랬나? 어제 분명히 들었는데."

"아니 저 자식이…… 저놈 감상칼자 아녀?"

"왜 아니래. 깐에는 제 따위가 양인이라네."

숙수는 신량역천(身良役賤)이었다. 양인이란 말이 더욱 그들을 자극하였는지도 몰랐다. 개천은 더욱 깐죽였다.

"천예 노릇이나 평생 해 처먹어라. 세상이 바뀌면 양반은 상놈이 되고 우리는 양반이 될 판인데, 그러면 나는 이 댁 아씨나 들쳐업구 버젓하게 한양서 살련다."

"어어…… 저놈 보게."

"요즈음 한양 소문두 모르나. 살주계다 검계다, 요란 법석이여."

개천은 제 분수에 넘치는 얘기까지 내뱉고 말았다. 실로 그로서는 모가지가 네댓 개나 있어야 내뱉을 유언이었다. 개천이 스스로도 한양 저자에서 떠도는 말을 그리 깊게 귀담아두진 않았건만 촌것들 앞에서 제법 담대한 소리를 한다는 것이 지나치게 되어버렸던 것이다. 왈짜들이 그를 놓칠 리가 없었다. 대저 잘나갈 때를 지나 춥고 배고 픈 왈짜란 관의 끄나풀 노릇이나 양반의 사랑에서 아양으로 식객 노릇 하여 말년을 보내게 마련이었다. 전선달네서 노자나 나오기를 바라던 그들로서는 좋은 낚싯감이었다. 늙은 왈짜가 손아래 동행에게 눈짓하였다.

"코풀어버릴까."

손아래 왈짜가 속삭이더니 벌떡 일어나 개천의 상투끄덩이를 잡아 우선 기를 죽이느라고 무릎으로 면상을 질렀다.

"끼놈, 하늘을 거역하는 무리가 있다더니 네가 바로 그 혈당이로구나!"

개천이 입과 코가 터져 참혹한 꼴이 되었는데, 왈짜는 그를 밖으로 끌어내며 말하였다. 수노는 어리둥절한 채로 따라나섰다.

"자네 분명히 들었겠지? 이놈이 양반의 부녀자를 입에 담을 수 없는 말로 능멸했고 또한 적당과 한패거리라는 얘기를 말일세."

"똑똑히 들었소."

"어 그놈, 패악한 놈이로군."

양가의 하인들이 제각기 떠들었다. 그들은 나중에 저희 주인들께 벌받을 일만 두려워서 모두 개천에게 몰아 씌우려는 것이었다. 개천은 어찌해야 될지 몰랐고, 한편으론 증오심과 오기가 들끓어올랐다.

"예이, 이 개만도 못한 놈들아. 뭐가 무섭냐, 무어가 무서워? 양반의 밑구녕에선 옥이 쏟아진다더냐, 사향이 달렸다더냐?"

"어이구 이놈, 말 잘한다."

"못 할 게 어디 있냐. 세상만 바뀌면 양반의 집 년들은 저잣바닥에서 줄줄이 겁간을 당해 싸다."

다시 왈짜가 주먹으로 개천의 입을 질렀다. 수노는 급히 사랑에 달려가서 소란에 깨어 일어난 선달에게 대강 아뢰고는, 개천에게 떠들지 못하도록 재갈을 물려 광 속에 처박아두었다. 그들 대부분은 날만 새면 모두 떠날 사람들이었다.

신행이 떠나고 나서 전선달은 상놈을 치죄하노라고 사랑채 마당 앞에다 형구를 갖추도록 하였다. 신부의 후행으로는 작은아버지인 선달의 아우가 따라갔고, 전선달은 이러한 특별한 날에 불미스런 소문이 밖으로 번져나갈 것이 가장 걱정이었던 것이다. 선달은 아침에 송도 왈짜와 수노를 사랑으로 올라오게 하여 개천의 패설에 대하여 대략 캐보았다.

"입에 담을 수 없는 소리라니…… 그게 대체 무슨 말이었느냐?"

수노는 머뭇거렸다.

"차마…… 양반을 욕하는 음담이라서……"

"허허, 옮겨보라는데두……"

송도 왈짜 중의 젊은 축이 말을 꺼내었다.

"그자가 말하기를 세상이 뒤집어지면 양반이 상놈이 되고, 상놈이 양반이 될 터인데 그리되면 양반 부녀자를 상놈이 차지하게 된다구 그랬습죠. 양반의 음문은 쇠도 녹일 만하고 감칠맛이 있어 좋다더라고 하였습니다."

선달은 눈을 부릅뜨고 장죽을 입에서 빼내고는 허공에다 연신 찔러댔다.

"저, 저런 고이헌 놈을……"

송도 왈짜 중의 나이 먹은 자가 심각하게 눈살을 찌푸리고 말하였다.

"그런 입방아쯤이야 선다님께서 치죄하시면 끝날 일이겠으나, 더욱 중대한 일이 있습니다. 자칫하였다간 누가 선다님께 미칠지도 모르는 일이올습니다."

선달은 자기에게까지 누가 미친다는 소리에 더욱 휘둥그레졌다.

"관재(官災)는 피하셔야지요."

"아니…… 관재라니?"

늙은 왈짜가 고개를 끄덕이며 선달을 똑바로 들여다보았다.

"여기서는 어디 한양 성내의 소문을 들을 수가 있나요? 도성은 시방 적경으로 갯것전에 쉬파리 끓듯 하구 있습니다. 좌우 포청의 포졸과 기찰포교들이 저자 골목마다 하얗게 깔려나와 있습죠. 의금부에서도 그쪽으로 넘기라구 독촉한답니다."

"역모란 말인가?"

선달은 아예 장죽을 놓아버리고 말았다.

"이를테면 역률에 버금가는 난리입니다. 도성에는 천예들과 정체 모를 상한들이 모여서 계를 만들어 작당하였다는데, 양반을 살육하고 부잣집을 턴다는 것이 계의 약조랍니다."

"그래, 한양서 그런 일이 있다는 것과, 누가 내게까지 미친다는 것은 무슨 관계로 그러한가?"

늙은 왈짜가 수노와 제 동료를 돌아보고 나서 말하였다.

"그 계를 항간에서는 살주계, 검계라구 얘기합니다. 지난번에 홍인문 밖에서 양반의 재물이 여러차례 털렸는데 그게 검계의 짓이었고, 성내에서 지사의 댁을 약탈한 것은 살주계의 짓이랍니다. 지금 여기서 잡힌 자가 스스로 말하기를 자기가 한양서 온 검계의 일당이라는 것입니다."

"검계……"

"그렇습니다. 만약에 이 자를 어물어물 내놓고 나서 다른 데서 잡히거나 못된 짓을 저지른다면 관가에서는 선다님께 그 책임을 추궁할지도 모르고, 더구나 뒤에서 사주하는 자들을 찾노라고 포도청에서 기찰이 시퍼렇게 날이 서 있는데, 따끔히 하시고 자백을 받아 관가로 넘겨야 뒤탈이 없겠지요."

예로부터 관가에 발고하기를 좋아하는 자들은 대저 이익을 탐하거나 소심해서인즉, 선달은 마음 깊이 이 자들에게 고마워할 수밖에 없었다. 개천을 국문하려고 형장을 갖추는데, 선달 집 사랑 마당에 공석을 깔고, 물푸레나무를 맷감으로 갖다놓았다. 마루 위에는 전선달이 앉았고 송도 왈짜들은 댓돌 아래 나란히 섰으며 하인들이 제각기 작대기를 들고 늘어섰고, 동네 사람들이 마당 안에 하얗게 들어서 있었다. 선달은 치죄하는 순서를 어디서부터 시작할지를 몰라 묶인 채 끌려들어오는 개천을 보자 덮어놓고 호통을 쳤다.

"저놈을 엎어라."

하인들이 우르르 달려들어 개천을 공석 위에다 쓰러뜨리고 어깨를 작대기로 눌렀다. 개천은 분노로 하여 눈알이 붉게 충혈되었고 재갈을 물렸던 양 볼따구니는 끈 자국으로 부어올라 있었다. 개천은 작대기에 눌린 채로 상반신을 일으키려고 목을 쳐들었다. 그러니 이마에는 주름이 잡히고 치뜬 눈에는 흰창이 드러나 험한 몰골이 되었다.

"저…… 저놈이, 노려보면 어찌할 테냐?"

전선달이 장죽으로 개천의 면상을 가리키는데, 개천은 악다구니를 썼다.

"일을 시켰으면 그만이지 무슨 죄가 있다구 사람을 가두고 벌주고 한단 말이우. 댁네가 양반이면 얼마나 양반이길래 이러시우?"

"아니, 어서 매우 치지 않구 무슨 구경을 하구 섰느냐?"

왈짜가 참견을 하자 하인들은 서로 질세라 물푸레나무 작대기를 바람이 일도록 휘둘러쳤다. 개천이 자지러지는 소리를 지르면서 사이사이로 행역질을 멈추지 않았다.

"느이 세도가 얼마나 가나 두구 보자. 아이구, 생사람 잡는구나."

개천이 소리를 지르다가 매를 이기지 못하여 쳐들던 고개를 떨구고 코를 공석에 처박고는 울음을 섞어 하소하였다.

"애고, 살려주오."

왈짜가 댓돌 아래서 전선달에게 말하였다.

"몸소 추달하실 것 없습니다. 제게 맡기십시오."

선달은 혀를 차면서 옆으로 돌아앉았고 왈짜가 개천의 머리 위로 걸어가 작대기로 그의 얼굴을 쳐들며 물었다.

"네 이놈, 어느 안전이라 바로 대지 않느냐. 네가 차마 입에 담지 못할 패악한 소리로 양반을 능멸하지 않았느냐?"

개천은 울면서 말하였다.

"느이들이 그랬길래 나두 얘기해본 거여."

"허, 이놈이 아직두…… 다시 한번 말해보아라. 양반의 음문은 쇠도 녹이고 감칠맛이 나는데 세상이 바뀌면 네가 양반이 된다지 않았느냐. 이 댁 아씨두 네 차지라구 얘기하였지, 모두 들었느냐?"

왈짜가 하인들에게 물으니 제각기 들었다는 둥, 분명하다는 둥 대답이 나왔고 개천은 발명도 못 하고 입을 다물었다.

"그것만으로도 너는 대매에 맞아죽어도 싸다."

구경꾼들도 모두들 개천이 감상칼자로서 분에 넘치는 입방아를 찧었음을 확인할 수 있었고, 주둥아리를 가벼이 놀려서 죽게 되었으니 자신이 자초한 것이라 동정할 필요도 없다고 여기는 듯하였다. 왈짜는 다시 멀찍이 걸어나가며 말하였다.

"그뿐 아니다. 너는 검계의 혈당이라고 스스로 말하지 않았느냐."

개천은 기진한 중에도 그 말에는 귀가 번쩍하였다.

"아, 아니우. 한양에 그런 소문이 있다구 그랬수."

왈짜는 다시 하인들을 돌아보았다. 수노가 나서더니 그를 거들었다.

"이 자식아, 네가 세상이 바뀐다는 말을 하구 나서 검계와 살주계의 얘기를 하지 않았느냐. 모두 들었다."

"우리네가 검계니 살주계니 알 게 무어야. 네놈이 지껄여대었으니 알았지."

"양반댁 부인들은 저잣바닥에서 줄줄이 겁간을 당해야 한다구 그러지 않았느냐."

하인들이 여기저기서 떠들어대는데 전선달은 더이상 듣고 싶도 않은 모양이었다.

"치워라. 대매에 때려죽인 뒤에 거적에 말아 갖다버려야겠지만, 적당이라니 관가에서 찾을 것이다. 죽지 않을 정도로 때린 뒤에 관가에 기별하여라."

매가 어지러이 떨어져내렸다. 개천은 혼절하여버렸고 옷은 찢어지고 살이 터져 끔찍한 꼴이었다. 관가에서 장교가 나와 선달네서 적은 소장을 접수하고 개천을 지게에 짊어지워 데려갔다. 송도 왈짜들은 선달네서 후한 노자를 받아 떠났고, 선달은 잔치를 치른 뒤에 이러한 욕스런 일이 벌어져 잡아내어 치죄하였기 망정이지 불미한 소문이 번졌으면 딸의 전정을 그르칠 뻔하였다고 가슴을 내리쓸었다.

개천은 꼼짝없이 검계의 혈당이 되어버렸고 교하에서 며칠간 조사를 받았다. 개천은 아무 말도 하지 않았다. 다만 양반에 대한 욕설은 더욱 그치지 않았다. 원근 사방에서 소문을 들은 생원 진사 선달짜리들이 연명으로 진정하여 그를 당장에 처단하라고 떠들썩하였다. 주막 주인도 불려갔으나 개천의 무고한 죄를 벗겨주기는커녕 오히려 제 발뺌만 하느라고 그가 한양에서 수상한 무뢰배들과 몰려다녔다는 둥, 교하에 와서도 주막에 수상쩍은 사내들이 드나들었다는 둥 오히려 그를 검계의 계원으로 몰아넣는 증언만 하였을 뿐이다. 개천이 자신도 처음에는 험구만 하였지 진정 적당은 아니라고 울며 떠들기도 하였으나 이제는 스스로 검계나 살주계에 진작 입당하지 못하였던 것이 한스러웠다. 기왕에 이렇게 죽을 바에야 실지로 양반을 살육하고 재물을 터는 일을 저지르고 싶었던 것이다. 개천은 뒤늦게나마 자기가 검계의 당당한 일원으로서 죽어가기를 바랐다. 그가 기왓골에서 느닷없이 적당으로 만들어져 체포된 지 닷새나 되어 해가 저물었을 무렵인데 옥사정이 소리를 지르며 달려들어왔다. 개천은 짚더미 속에 온몸을 묻고 웅크려서 잠들기를 기다리던 참이었다.

"이 자인가?"

하는 낮은 소리가 들렸고,

"예, 검계의 일당입니다."

대답하는 것은 옥사정이 아니라 목소리로 보아 그를 취조하였던 형방이었다. 옥사정은 개천에게 어서 일어나 앉으라고 소리를 지르더니 자물통을 따고 들어왔다. 그러고는 개천의 등덜미를 잡아 칸살 앞으로 끌어냈다. 칸살 밖에는 그들이 들고 온 등불빛으로 얼굴은 보이지 않고 옷자락만 보일 뿐이었다.

"저고리를 벗기고 등을 보이도록 해라."

낮은 목소리가 말하였고, 옥리는 우악스럽게 개천의 저고리를 젖히고 그들에게로 등을 돌려 세웠다. 형방이 물었다.

"압송하시렵니까?"

낮은 목소리가 대답하였다.

"최종사께서 친히 보실 걸세. 내일 새벽에 가자(架子)를 준비하게."

12

호동의 옹장이 집에 시동이가 당도한 것은 중길이와 짝이 되었던 계원이 모교(毛橋) 삼거리 민가에서 자진한 지 사흘이 지나서였다. 물론 그의 시신은 포청에서 끌고 갔지만 소문은 장안에 파다하게 퍼져 있었다. 중길은 일부러 검계의 소문까지 퍼뜨렸으니, 검계에는 무과를 하려는 한량들이나 양반 선비들까지 가담한 것으로 알려졌다. 포청에서는 이들의 일당을 캐내기 위하여 전력을 다하였다. 이미 잡혀 있는 살주계 계원들의 입에서도 검계에 대한 내막이 어렴풋이 풀려져나왔으나, 그들의 은신처가 어디인지 알아내지는 못하였다. 중길은 목내선이나 고관 벼슬아치들에 대한 보복을 준비하는 한편으로 최형기를 처치할 작정을 하였다. 산지니는 돌곶이 최덕구네 주막에 남아 있었고, 시동이만 중길의 부름을 받아서 호동으로 왔던 것이다. 그는 화승총을 삿자리에다 감춰가지고 왔는데, 골방에 앉아서 총신에 기름을 칠하여 번들거리도록 닦고는 하였다.

중길과 시동이는 행상의 차림으로 배오개에 나가 누렁다리 못 미쳐서 있는 최형기의 집을 여러 번 살펴보았다. 시동이는 눈짐작으로 대문 앞에 사람이 서 있다고 여기고는 총을 놓기에 가장 적합한 장소를 골랐다. 첫째는 빗맞았을 경우에 곧바로 숨거나 뛰어 달아나기 적합해야 할 것이고, 둘째는 가까워야 할 것이며, 셋째는 이쪽에서는 훤히 내다보이지만 저편에서는 좀체로 눈에 띄지 않는 곳이라야 할 것이었다. 최형기의 집은 누렁다리와 배오개의 중간에 있는 샛골목으로 들어가서 개천가의 두 번째 집이었다. 그의 집 앞으로는 다시 비좁은 골목이 배오개 쪽으로 뻗어나가 있었다. 배오개 쪽에는 밤늦게까지 행인의 왕래가 잦아서 숨기에 곤란하고 누렁다리 쪽에서는 그의 대문이 보이질 않았다. 그러므로 개천 건너편에서 배오개로 뚫린 골목을 향하여 내다보면 최형기네 집 대문간이 측면으로 보이는 것이었다. 마침 개천가에는 느티나무들이 줄지어 서 있어서 나무 뒤에 숨어 있기도 적당하였다. 그러나 거기서는 포청에서 돌아오는 최형기가 누렁다리 쪽의 골목으로 들어서는 모양이 내다보이질 않았다. 만약에 꺾인 골목 모퉁이에서 누군가가 저쪽을 내다보고 있다가 신호하여주지 않는다면, 포수는 줄곧 총포를 겨누고 엎드려 있거나 아니면 그가 대문간에 서 있다가 들어가버리는 짧은 순간에 총을 꺼내고, 겨누고, 쏘고 해야 될 것이었다. 장소는 가장 적합하였으나 사람은 둘이 있어야 하였다.

"최형기는 내 얼굴을 알지두 모르오. 그런 위험천만한 짓은 못 하겠는걸."

중길은 시동이가 고른 개천 건너 느티나무 아래에서 최형기네 대문 앞 골목을 내다보면서 중얼거렸다. 시동이는 쭈그리고 앉아서 턱짓으로 말하였다.

"이만큼 좋은 자리가 없수. 저쪽 누렁다리 편에서 쏘려면 최가의 등을 노리게 되겠지만 그는 움직이고 있고, 나는 은신할 데가 종묘의 담밖엔 없단 말이야. 또한 동쪽에서라면 개천 건너가 되겠지만 바로 골목으로 들어오는 최형기의 정면이요, 그의 눈치가 보통이 아니라는 건 나보다두 잘 알 텐데. 배오개 쪽에서는 행인이 많아서 총을 꺼내들지도 못할 게요. 여기라면 숨어서 쏘기도 좋고, 거리도 가장 가깝고 뛰면 웅장이네 집이 바로 지척이란 말이야."

화승총에는 누구보다도 자신이 있다는 시동이의 말이고 보니, 중길은 반대할 수가 없었다.

까짓 것, 비수를 품고 있다가 골목 안에 들어서는 최형기를 느닷없이 찌를 수도 있었다. 그러나 최형기는 포청에서뿐만 아니라 훈련원에서까지 그를 따를 자가 없는 출중한 무예를 지니고 있었다. 서투르게 대들었다가는 오히려 이쪽이 당하기가 십상이었던 것이다. 역시 중길은 빠지는 게 나을 것 같았다. 시동이는 옹장이네 아들을 데리고 나가 최형기가 포청에서 돌아오는 길을 보여주었다. 정선방 좌포청으로부터 태묘의 앞길을 가로질러 배오개 사거리를 지나 누렁다리 못 미쳐 동쪽으로 곧게 뚫린 골목으로 들어섰다가 다시 샛골목으로 꺾어져 대문 앞에 서게 되는 것이었다. 시동이와 총각은 누렁다리에 걸터앉아 배오개로 나가는 길을 바라보며 얘기를 하였다.

"얘, 그러니까 저기 골목 어귀에 올 때까지는 살피지 않아두 된다. 다만, 저 골목에 들어서자마자 네가 그 집 앞의 모퉁이에 섰다가 개천 건너로 신호를 보내면 된다."

"신호를 보내구 나서 나는 어찌하우?"

"최형기에 앞질러 뛰면 눈치를 챌 것이요, 그대로 꺾인 골목으로 뛰면 내가 최형기를 겨누는 데 방해가 될 게다. 그러니 천천히 최가를 향하여 걸어가거라. 그와 엇갈려서 걸어간 뒤에 골목을 나설 때쯤이면 총소리가 들리겠지."

"총소리가 들리구 나서 배오개로 뛰어가도 늦진 않겠구면."

"물론이지, 총 놓구 달아나는 사람두 있을라구."

시동이는 총각의 어깨를 잡아일으켰다.

"자아, 이젠 골목에서 집까지 몇걸음이나 되나 헤어보자."

그들은 누렁다리에서 배오개로 내려오다가 골목 어귀로 들어섰다. 양편에 중인 동네의 작은 기와집들이 늘어서 있었다. 시동이는 매 걸음마다 수를 헤아려보면서 네 갈래 골목까지 나아갔다. 왼편으로는 개천 건너 느티나무들이 보였고 오른편으로는 꺾인 모퉁이에 최형기네 집 대문이 보였다.

"몇이냐?"

"일흔넷이우."

"나는 일흔여섯이다."

그들은 거기서 우물쭈물하지 않고 누렁다리로 다시 나아갔다.

"내가 나무 밑에 가서 각(刻)을 헤아릴 터이니, 너는 집 앞에서 골목 어귀까지 나아갔다가 다시 돌아와보아라."

시동이는 이르고 나서 최형기네 집 대문이 측면으로 내다보이는 나무 밑에 가서 기다렸다. 이윽고 맞은편에 총각의 모습이 보였다. 그는 시동이 쪽을 힐끗 돌아보고 나서 꺾인 골목으로 사라졌다. 시동이는 한 걸음 한 걸음씩 머릿속으로 그려보며 수를 헤아려나갔다.

"일흔넷, 일흔다섯, 하나아, 두울……"

총각이 되돌아서는 데서부터 숫자를 다시 헤아리는 것이다. 일흔셋 만에 총각이 나타났다.

그들은 그날 다섯 차례나 일각씩 헤아리면서 오후를 보냈다. 그러고는 저녁녘에 최형기가 돌아오는 것을 기다려보았다. 역시 땅거미 질 무렵에 최형기는 나타났다. 문 열어라, 하는 그의 목소리가 개천 건너에서도 똑똑히 들렸다. 최형기는 문을 향하여 방심한 채로 서 있었다. 시동이는 개천의 이쪽편에서 그의 몸을 탐욕스럽게 바라보며 수를 헤아려보았다. 날씨가 제법 쌀쌀했으므로 마누라가 따뜻한 방에서 나와 마당을 지나 대문을 열기까지는 스물세 각이나 지나야 했다.

중길과 시동이와 옹장이 아들은 저녁마다 개천가에 나가서 최형기네 집을 망보았다. 그가 몇점쯤에 돌아오는지, 다시 나가지는 않는지, 동행은 없는지, 주로 규칙적인 일들만 살폈다. 살핀 결과, 그는 유시(酉時)께 돌아왔다가, 전립과 철릭을 벗고 갓과 도포로 갈아입은 뒤에 초경(初更)쯤에 다시 나가는 것이었다. 그러고는 새벽까지 들어오지 않는 날도 있었고, 삼경이 다 되어서 포졸과 함께 돌아오기도 하였다. 여하튼 퇴청하고는 곧장 집으로 돌아오는 것이었다. 그를 노린 지 닷새 만에 시동이와 총각은 누렁다리로 나갔다. 시동이는 느티나무 아래 붙어 앉았고 총각이 골목 모퉁이에서 서성거렸다.

연신 골목 어귀를 살피던 총각이 코를 헹하니 풀고는 배오개 쪽으로 내려갔다. 이번에는 연습이라 될 수 있는 대로 최형기와 마주쳐서는 안 되었으므로 총각을 그대로 골목으로 곧장 내려가게 한 것이었다. 시동이는 저쪽 골목으로 들어서서 걸어오고 있을 최형기를 그리면서 수를 헤아려나갔다. 그의 걸음걸이는 시동이나 총각보다도 훨씬 빠르고 성큼성큼 하여서 예순다섯 만에 모퉁이에 나타났다. 그러고는 스물 남짓에 대문이 열리고 최형기가 사라졌다. 시동이는 이제 자신이 있었다.

첫방에 치명상을 입히려면 아무래도 귀 옆을 쏘아 맞혀야 할 것이다. 전립 위는 실수하기가 쉽고 목 아래로는 부상이나 시키기 십상이었다. 느티나무 근처쯤에서 내다보면 어슴푸레한 저문 빛 가운데 그의 귓바퀴가 손톱만이나 해 보였다. 그러나 시동이는 나는 새를 여러번 떨구었으니, 그렇게 한참이나 움직이지 않고 섰는 목표를 맞히기는 너무도 쉬운 일이었다. 매처럼 날래고 잽싼 명포도관 최형기는 이제 끝장이었다.

시동이는 결행하려는 날 오전부터 탄을 재고 장약을 넣고 다섯 각쯤의 화승을 달아두었다. 시동이는 마루에 앉아서 중길이와 총각을 번갈아가며 마당을 돌게 하였다. 자, 골목을 들어섰다. 총각이 코를 풀어 땅에다 흩뿌리는 동작을 하고 나서 비켜선다. 중길이는 시동이의 주문대로 성큼성큼 팔을 크게 내휘두르며 걷는다. 시동이는 손가락으로 총신을 톡톡 두드리며 걸음을 헤아린다. 그가 대문 앞에 섰다.

"그마안……"

중길이가 멈추어 서고, 시동이는 꺼내들었던 부시를 화승에 대고 친다. 화승이 타들어가고,

"꽝!"

하면서 시동이가 입으로 총 놓는 소리를 내면, 중길은 멋쩍게 쓴웃음을 지으며 돌아보는 것이었다.

"죽어도 열 번은 죽었겠네."

중길이가 시동이의 성화에 몇번이나 최형기의 시늉을 내면서 투덜거렸다. 시동이는 이제 앞뒤를 빈틈없이 짜맞추었다. 그는 화승에 부시 치는 것만을 다시 몇번이나 연습해보았다.

오후가 되어 시동이는 호동에서 막바로 개천가의 느티나무가 열을 지어 서 있는 곳으로 나갔고 옹장이 아들은 배오개로 하여 최형기네 집 근처 골목 모퉁이로 찾아갔다. 주위가 어둑어둑해졌다. 시동이는 자리에 싼 화승총을 곁에 놓고 맨상투 바람에 나무 밑에 기대고 앉았다. 개천 건너편으로 총각이 서성대고 있는 것이 보였다.

이윽고 옹장이 아들이 코를 풀어 땅에다 뿌리는 시늉을 하더니 골목을 꺾어져 사라져버렸다. 얼마나 기다려왔던 순간인가. 시동이는 자리에서 화승총을 뽑아내어 어깨에 받쳐 겨누었다. 그는 차가운 총신에 뺨을 붙이고 골목을 곧장 노려보며 수를 헤아려나갔다. 한 손은 총열을 받치고 한 손으로는 부시를 꺼내들고 있었다. 그의 자태가 나타나는 즉시로 두 손을 그러모아 부시를 칠 태세였다. 시동은 왼쪽 어깨를 느티나무 밑동에다 잔뜩 기대고 오른쪽 무릎을 세워 그

위에다 총 겨눈 팔꿈치를 괴고 있었다. 예순다섯, 예순일곱, 구군복을 입은 키 큰 최형기의 모습이 골목을 돌아나왔다.

그는 언제나처럼 대문 문고리를 가볍게 두드리며 문 열어라, 하는 것이었다. 시동이는 호흡을 끊고 부시를 화승 옆에 대고 힘껏 쳤다. 시척, 하더니 단방에 화승에 불이 댕겨졌다. 그는 부시를 나누어 쥔 채로 총을 얼굴에 바짝 끌어올리고 총열을 최형기의 뺨 언저리에다 똑바로 겨누었다. 화승이 타들어가는 냄새가 났다. 시동이가 속으로 넷까지 헤아렸을 때, 주위의 공기를 찢으면서 총성이 울려퍼졌다. 총열 끝에서 최형기가 넘어지는 게 내다보였다.

"해치웠다⋯⋯"

시동이는 총을 자리에다 둘둘 말아 들고는 호동을 향하여 뛰어내려갔다. 등뒤에서 싸늘한 바람이 불어 느티나무 잎새가 어지럽게 흩날려 내려왔다.

그는 어둠속을 내달려 장경교에서 내려오는 길을 돌아 옹장이네 집으로 뛰어들었다. 들어서자마자 긴장이 풀린 시동이는 마루 끝에 털썩 주저앉았다. 초조하게 기다리던 중길이와 주인은 그에게로 달려들었다. 시동이는 헐떡이면서 내뱉었다.

"처치했네."

"정통으로 맞혔소?"

"여기를 단방에⋯⋯"

시동이가 관자놀이를 검지손가락으로 찔러 보이고 웃었다.

"잘했소."

"어, 시원하다."

중길이와 주인은 제각기 시동이의 팔과 어깨를 잡고 흔들며 기뻐하였다. 삽짝이 열리며 총각도 뛰어들어왔다.

"나는 방포소리만 들었는데…… 어찌되었나요?"

"골루 갔다."

시동이는 껄껄 웃고 있었다. 옹장이가 삽짝 밖을 살피더니 그들의 등을 밀면서 말하였다.

"본 사람은 아무도 없겠지?"

"한참 저녁 먹을 참이고, 이렇게 썰렁한데요 뭐."

"인제 좌포청두 끝났구먼."

그들은 연신 웃어대면서 방으로 들어갔다. 중길이가 말하였다.

"목내선이두 우리 밥이나 한가질세."

그러나 최형기는 흑철릭 앞자락에 묻은 흙을 털면서 일어났다. 대문간에는 그의 아내와 계집종이 뛰어나와 오들오들 떨고 있었다.

"정말 괜찮으셔요?"

"음…… 먼저 들어가 있게."

최형기는 전립을 벗어서 살폈다. 뒷전의 차양에 손가락이 드나들 정도의 구멍이 뚫려 있었다.

"저 땀 좀 봐……"

계집종이 겁에 질린 목소리로 중얼거렸다. 최형기는 그제야 써늘한 이마를 소매로 닦아냈다. 그는 어렴풋이 부시를 치는 듯한 소리를 들었다. 혹시 화승이 아닐까 하면서 고개를 돌리는 순간에 총소리를 들었고 그는 옆으로 납죽 엎드렸던 것이다. 최형기는 상대편이 몇인지 알 수 없었으므로 쓰러진 채 잠시 기다렸다. 그리고 어느 방향이었는가를 가늠해보았던 것이다.

"자, 이걸 받아."

최형기는 아내에게 전립을 내주었다.

"에구, 끔찍해. 어서 들어오시래두요."

"괜찮소. 멀리 달아났을 게야."

최형기는 땅에 엎드린 채로 방포한 자리가 바로 위편에 마주 뚫린 골목 밖의 개천 건너편임을 짐작하였다. 그가 무관이 아니었다면 느닷없는 부시 치는 소리에 신경을 곤두세웠을 리도 없었고 죽은 척하며 자빠질 생각도 못 하였을 것이다. 그는 바람결에 나뭇잎 밟는 발걸음 소리를 들었다. 한 놈이구나. 그때 대문이 열리고 아내의 높은 비명이 들렸다.

"잠깐 돌아보고 들어가겠소."

최형기는 질려 있는 아내에게 말하고는 골목을 곧장 올라갔다. 누렁다리 아래로 흘러내린 개천이 골목을 가로막고 있었다. 그는 거기서 과동 쪽의 숲이며 태묘의 기다란 담과 건너편의 숲을 둘러보았다. 자기가 쓰러졌던 지점과 맞추어 정면을 바라보니 둥치가 제법 큰 느티나무가 서 있었다.

"저곳이군⋯⋯"

최형기는 느티나무를 눈여겨보고 나서 침착하게 누렁다리 쪽으로 돌아서 개천을 건넜다. 느티나무 밑에 이르니 둑이 제법 높직하고 아래쪽에 길이 보였다. 최형기는 나무 밑동 근처를 두 손으로 더듬으며 돌아나갔다. 드디어 그는 부시의 쇠 파편 한쪽을 찾아냈던 것이다. 그는 쇠를 만지작거리며 나무 아래 서서 건너편을 내다보았다. 어둠속으로 훤히 뚫린 골목이 띠처럼 내려다보이는 것이었다. 최형기는 스스로를 적당이라 여기고서 골목을 노려보았다. 여기서는 대문이 정면으로 보이지는 않고 다만 네 갈래 길의 남북편만이 세로로 보일 뿐이었다. 그는 큰길에서 꺾어서 들어오는 동서편의 가로로 뚫린 골목을 떠올렸다. 그렇다⋯⋯ 한 놈이 더 있었다. 그가 저쪽 길로 막 들어섰을 제 웬 사람이 코를 풀어 뿌리면서 바삐 다가왔다. 최형기는 그 소리가 불쾌했기 때문에 똑똑히 기억할 수 있었다. 보통 키에 떠꺼머리에다 등이 구부정하게 앞으로 굽은 놈이었다. 그놈은 빠른 걸음으로 최형기의 옆을 지나면서 힐끗 고개를 돌려 바라본 듯하였다. 최형기의 경계심은 바로 그때에 돋우어졌는지도 모른다. 뭔가 낌새가 심상치 않다고 여긴 듯하였다. 저놈이 무슨 켕기는 구석이 있지, 하면서 최형기는 지나쳤던 것 같았다. 바로 이 자리에서 최형기가 저쪽 골목에 들어선다는 신호를 받고 겨누고 기다리던 것이 틀림없었다. 호조의 담을 뚫고 포도청 문고리를 빼는 데에서 한 걸음 나아가, 포도관인 자기를 쏘려고 노린다니, 이것은 보통의 적당들이 아니었다. 살주계말고 어떤 놈들이랴. 최형기는 다시 누렁다리를 향하여 천천히 걸었다. 아니, 이것은 그들 패거리와는 좀 다르다. 최형기는 중흥동 골짜기를 들이칠 제 살주계 놈들이 검과 편전으로 대항하던 일이 생각났다. 그리고 남별대에서 잡힌 자들의 말에 의하면 무기란 창포검이 고작이었던 것이다. 이대장의 처가 식구들이 백주에 흥인문 밖에서 결딴이 났었다. 그들이 증언하기를 도적들의 행동이 일사불란하였고 날래고 잔인하기가 꼭 호병(胡兵) 같다고 하지 않았던가. 살주계의 계원들이란 소문만 높았지, 잡고 보면 보통의 대갓집 노비들에 불과하였다.

"검계로군!"

최형기는 문득 걸음을 멈추면서 스스로 소리내어 중얼거렸다. 살주계의 위에는 검계라는 더 강고한 작당이 있으리라 믿고 있는 최형기였다. 최형기가 집으로 돌아오니 아내는 아직도 두려운지 방문을 꼭꼭 닫고 바깥으로 난 들창을 연신 올려다보았다.

"도무지 무서워서 살 수가 있어야죠. 어디 진장으로나 가시든지 고을살이를 하시든지…… 이젠 제발 포청은 그만두셔요. 포한을 지닌 사람들이 많으니 당신을 해코지하려구 그러잖아요."

"어서 옷이나 내주게."

"또 나가시게요."

"음, 며칠 동안 못 들어올 거요."

"아이 참, 저녁두 안 드시구요."

최형기는 더이상 대꾸를 않으려 하였고 아내도 말리지 못하고 의관을 내주었다. 그는 철릭을 벗고 평복으로 갈아입었다.

"그렇게 훌쩍 나가셔서 안 들어오시면 저희는 무서워서 어떡해요."

"무섭기는…… 정 그러면 포졸 한 사람 보낼 테니 문간방에 재우게. 그리구 당신이 잘해낼까 모르겠는데……"

최형기는 아내를 물끄러미 바라보았다.

"잘해내다뇨?"

"얘 착실아, 너두 이리 좀 들어오너라."

최형기가 하녀까지 불러앉혀두고 차근차근 일렀다.

"지금부터 내가 하는 말을 잘 듣고 시행하도록 하오. 오늘 내가 총포에 맞아 중상을 입은 것으루 할 테니까, 의원을 청해오고 동네에는 목숨이 살아나두 온전한 사람 구실은 못 하게 되었다며 소문을 내란 말이오."

"아니, 아픈 사람이 아예 없는데 의원을 청해와요?"

"의원에게는 포청의 지시라고 은밀히 알려준 다음에 주위에 그렇게 퍼지도록 얘기하라구. 그리고 너는 내일 오전에 배오개에 나가 강원도 산삼을 급히 구해야 한다구 풍기고 다녀라. 매가는 누렁다리 사는 최종사 댁이라구 하면서, 목숨이나 살리련다구 그래라."

아내는 점점 영문을 알 수 없는 모양이었다.

"이렇게 무사하신 것만두 다행인데 그게 무슨 방정맞은 소리래요. 온전한 사람 구실두 못 하다니요……"

"허, 이 사람…… 포도관의 아내는 이런 일두 능숙하게 해내야 되는 게요. 적당을 잡으려고 이러는 게니까, 식구들도 도와야지."

"그러니까 계책이란 말씀인가요?"

"내가 슬그머니 빠져나갈 테니 곡성을 내란 말이오. 너는 의원을 모셔오고."

최형기는 황급히 나가려다가 대문간에서 돌아섰다.

"너 보통 키에다 어깨가 구부정한 총각을 집 앞에서 본 적이 있었느냐?"

따라나온 하녀에게 최형기가 물었다. 하녀는 기억을 되살려보려는 듯 눈이 가물가물해지면서 고개를 갸웃거렸다.

"구부정한 총각이라구요…… 예, 쇤네가 봤습니다. 어제 배오개에 나갔다가 오는데 집 찾는 이처럼 골목에서 기웃기웃하데요. 가만, 아무 생각 없이 봤는데, 빨래를 걷으러 나갔다 오다가 오늘두 저쪽 골목에서 봤던 것 같애요."

최형기는 고개를 끄덕였다.

"다시 만나면 알아보겠느냐?"

최형기는 자신의 기억보다는 떠꺼머리와 같은 또래의 여자인 하녀의 기억이 더욱 정확하고 깊을 것이라고 여겼다. 하녀는 자신 있게 대답하였다.

"예, 금방 알 거예요. 눈이 작고 코가 뭉툭하더구먼요."

최형기는 퇴청하기 직전에 교하에서 압송되어온 숙수를 잠깐 심문하였고, 어디엔가 쓸모가 있으리라고 생각했던 것이다. 교하현감이 검계의 일당을 잡았다고 장계를 올렸을 때, 최형기는 그 내용을 대충 읽고 나서 이는 볼기나 몇대 맞을 정도의 가벼운 죄인임을 한 눈에 알아볼 수 있었다. 그자가 진정 검계의 혈당이라면 그렇게도 경솔하게 여러 사람 앞에서 발설을 하지는 않으리라는 것이 최형기의 생각이었다. 잔칫집에 불려간 숙수로서 양반 규수의 혼인하는 모양을 보고 음담을 지껄였다는 것은 있을 수 있는 일이었다. 더구나 대소가의 아랫것들이 모이는 행랑에서라면 능히 그럴 법하였다. 최형기는 상사람들의 성정과 시속을 잘 알고 있었던 것이다. 요즈음 어느 상놈이 마음으로부터 우러나오는 충심으로써 양반을 대하겠는가. 그러나 일단 검계의 혈당이라고 지목된 이상 포청으로 압송해 오지 않을 수 없었다. 그는 남별대에서 잡은 살주계의 계원들로부터 검계의 혈당들은 등뒤에 불로 지진 흉터가 있다는 말을 들었던 것이다.

압송을 나갔던 부장이 돌아와 놈은 가짜라고 말하였고, 최형기도 건성 심문을 하면서 검계와는 아무 관련이 없음을 알았다. 그런데 문제는 그자 스스로가 검계의 계원이라고 주장하는 데 있었다. 양반을 모두 죽이고 세상을 바꾼다며 흰소리를 치는 것이었다. 처형당할 것을 알려주니까 어서 목을 베라고 오히려 열이 나서 대드는 꼴을 보니 뭔가 단단히 씐 게 있을 듯하였다. 최형기는 포청으로 나가지 않고 포교들이 저녁나절에 들렀다 가는 광통교 부근의 색주가로 나갔다. 그는 거기서 기찰포교를 만나 이대장에게 자신이 피습당하였음을 알리도록 하고 당분간 포청에는 나가지 않을 것을 보고하도록 하였다. 그리고 다른 포교를 혜정교 숙수도가에 보내어 그전에 개천을 고용하였다는 주인을 만나 개천에 대하여 알아보도록 지시하였다. 최형기는 일단 마음먹은 계획이 이루어지기 전에는 저자로 나다니지 않을 작정이었다. 색주가의 뒷방에 기둥서방이나 된 것처럼 들

앉아 며칠을 보내기로 하였던 것이다. 주모가 저녁 밥상을 들여다 주며 농을 쳤다.

"아예 여기 들어오신 김에 우리 소정이 머리나 얹어주고 가시우."

"아이구, 무르팍에 꽃이 필라. 연전에 자네 머리를 얹어주었는데, 공연히 생심을 내었다간 나를 그냥 놓아둘까."

"명년부터는 술도 못 팔게 한다는데 우리가 모두 장사를 폐하면 또 어디루 처가를 옮기시려우?"

"설마 내년에는 풍년이 들겠지. 주모, 내가 와 있단 말은 손님들께 아예 입 밖에두 내지 말게."

"그러믄요, 나으리가 와 계시다구 소문이 나면 어느 한량들이 술 먹으러 오겠습니까."

최형기는 기방에 앉아 밥을 먹기가 쑥스러웠으나, 지금 같은 심정으로는 청계천 밑의 깍정이 삼촌이 된다 하여도 마다 않을 형편이었다. 포교가 돌아와 숙수도가에서 알아온 개천의 행적을 아뢰었다.

"그러면 그렇지, 그자에게 사연이 있었구먼."

"도가에 있을 무렵에 아주 인사불성이었답니다. 처녀는 자진해버렸구요."

최형기는 빙긋이 웃으며 말하였다.

"자네 잠자리 꼼자리 노래 아는가?"

"아이들이 암놈으로 숫놈 꾀어서 잡을 때 휘휘 돌리며 부르는 노래 아닙니까?"

최형기는 이제 눈을 부라리고 바삐 뛰어다닐 필요도 없다고 생각하였다.

첫눈이 내리고 있었다. 동적전과 왕십리의 벌판을 하얗게 메우며 싸락눈이 흩날리고 있었다. 산지니는 솔부리 졸개들과 더불어 돌곶이 주막에 남아 있었는데, 시동이가 성내에서 돌아오면 함께 솔부리로 나갈 셈이었다. 고달근과 황회는 지난 가을에 재물털이를 하고 나서는 가끔 양주에나 다녀올 뿐이고, 솔부리에 박혀서 나오질 않았다.

"놀기 좋아 넉동치기라더니 어느새 해가 다 갔네……"

마루에서 담배를 먹던 주막 주인 덕구가 제법 시름 섞어 한마디 하였다. 그는 건너편 봉놋방 쪽으로 고개를 돌리더니 소리를 질렀다.

"이 사람들아, 낮잠만 자지 말구 나와 눈 구경 해여."

슬그머니 방문이 바깥으로 밀려나오고 눈 주위가 부석부석한 산지니가 고개를 내밀었다. 그는 멀뚱하니 덕구 쪽을 건너다보다가 천천히 하늘로 머리를 쳐들었다.

"아직 해장술이 덜 깼군."

덕구가 혀를 끌끌 차면서 말하였다. 그가 아무리 솔부리 사람들의 덕을 본다고는 하여도, 노상 주막에 붙어 있는 것들이 그들이요, 요즈음에는 살주게 종놈들까지 쑥덕쑥덕하며 드나들어서 도무지 불안하기가 염초에 올라앉아 부시 치기였다. 산지니는 불그레한 눈으로 하늘을 멍하니 올려다보고 있었다.

"젊은이들이 좀 나댕기구 운신을 해야지 노상 쓴물이나 들이켜구 지패나 들여다보구 앉았으니……"

그러나 산지니는 엉거주춤 일어나 뒷간엘 다녀오는 것이었다. 그는 마당 가운데 서서 멀리 들판 위로 끝없이 날아 내리는 눈발을 바라보았다.

"벌써 겨울이네."

산지니가 중얼거렸다. 주인이 널름 맞장구를 쳤다.

"왜 아냐, 이놈의 장사 때려치우구 나두 솔부리에 들어갈까."

산지니는 부엌에 들어가 냉수를 벌컥벌컥 들이켜고는 덕구 옆에 와서 걸터앉았다.

"오늘이 며칠인가······"

"스무이틀 아냐?"

산지니는 손으로 뭔가 꼽아보는 모양이었다.

"그렇군."

이제 며칠 지나면 곧 사촌매부의 제삿날이었다. 산지니는 그가 어떤 사내인지도 몰랐고 오히려 가장 미워했던 사람 중의 하나였다. 그러나 누님 석씨가 걱정스러웠다. 신통하게도 그는 누님에 대하여 전혀 생각을 않고 있었다. 관가에서 자기 때문에 얼마나 수모를 받았는지, 양식은 떨어지지 않았는지, 한가네서는 괴롭히지 않는지, 그런 걱정들은 처음에 강을 건너고 솔부리에 들어가고 하던 무렵에나 들끓던 생각이었다. 한양으로 나온 뒤에 너무도 숨막히게 쫓아다닐 일이 많아져서 까맣게 잊고 있던 산지니였다. 이번 제사에 누님은 아이들을 세워두고 쓸쓸한 방 안에서 얼마나 서럽게 우실까. 산지니는 바로 지척에 배가 있고, 그 배만 타면 송파에 당도할 것을 알았다. 밤에 가자. 밤에 찾아가면 설마 누가 나를 알아보랴. 산지니는 저도 모르는 사이에 눈시울이 뜨거워지며 물기가 그렁그렁해졌다.

"왜 그러나, 이 사람아."

덕구가 산지니의 변해가는 표정을 보고 의아하여 물었고, 산지니는 선하품을 해 보이며 얼버무렸다.

"아직 술이 덜 깼나. 아유, 졸려."

"졸리면 잠 깨게 장작이라도 패어봐."

주인이 이죽이자 산지니는 그 말을 듣고는 소매를 걷으며 나섰다.

"정말 그래야겠구먼."

산지니는 도끼를 들고 나뭇단이 쌓인 곳으로 갔다. 그는 통나무를 보기 좋게 쪼개어내면서 시름을 털어버리려는 듯이 보였다. 눈은 저녁때까지 계속 내려왔다. 마당에 쌓인 눈이 발목을 덮을 정도가 되었다. 산지니는 이 길로 나서서 광주로 내려가볼 참이었다. 어두워질 무렵에 들렀다가 내일 새벽이나 모레 밤쯤에 빠져나오면 아무도 그를 발견할 자가 없을 것이었다.

산지니는 저녁을 먹고 나서 솔부리 졸개들 중에 연배가 높은 자에게 일렀다.

"내가 잠깐 다녀올 데가 있으니 시동이가 돌아오면 기다리라고 하게나."

"어딜 가시게?"

"응, 갑갑해서 서강에 다녀올까 하고……"

"그럼, 급한 일이 생기면 모서방네 주막으로 사람을 보내지."

산지니는 살변을 일으키고 도망 나온 광주 송파에 가겠다는 말은 차마 꺼내지 못하였다. 그러나 모신이네 주막 얘기가 나오자 잠깐 다른 말을 해줄까 생각하던 산지니는 고작해야 하루나 이틀 차이가 될 터이라 군이 밝혀두지 않더라도 별 문제가 없겠거니 싶었던 것이다.

"내일 이맘때 돌아올 테니 염려 말게."

산지니는 주막 주인 최가를 불렀다.

"내가 맡겨둔 포목 잡았다 치고 삼십 냥만 돌리슈."

주막 주인이 돈이 있겠는지 모르겠다며 들어갔다 나오더니, 이십 냥을 긁어모아가지고 나왔다.

"요새는 돈 보기는 쉬워도 곡물 보기가 어렵지. 왜 그래, 여기선

투전하기가 마땅치 않으니 경강으로 나가겠다는 거여?"

산지니는 쓰다 달다 말이 없이 돈을 괴나리봇짐에 챙겨넣었다. 그는 돌곶이를 나서서 중랑포로 내려갔다. 거기서 뚝섬까지 나가 경강에서 오는 배를 얻어 탈 생각이었다. 온 들판이 새하얀 은세계라 날이 저물어도 한참이나 주위가 훤하니 밝아 있었다. 길이 엇갈리느라고 시동이는 거의 성문이 닫힐 무렵에야 흥인문을 나서서 돌곶이에 당도하였다. 그는 이 길로 패거리들과 함께 솔부리로 들어갈 작정이었다. 봇짐과 삿자리를 둘러메고 털배자에 개잘량까지 덮어쓴 시동이가 주막에 당도하니 산지니는 이미 나가버린 뒤였다.

"산지니 어딜 갔나?"

"모서방네 주막에 댕겨온다고 횡하니 나가데."

시동이는 개잘량을 벗어 어깨에 내린 눈을 털었다.

"그 사람 참, 진득허니 기다리지 않고 서강에는 왜 갔어. 우린 날이 밝자마자 솔부리로 돌아가야 할 텐데. 당분간 한양 근처에서 얼씬거릴 필요가 없단 말일세."

솔부리의 일당이 물었다.

"왜 무슨 일이 있었나?"

"몰라서 묻나. 내가 최형기를 쐈지."

"그래, 그 자식이 밥숟갈을 놓았나?"

시동이는 고개를 끄덕였다.

"설맞아서 죽지는 않았지만 이제는 제깐 놈도 죽은 거나 마찬가지여. 요행히 목숨을 살려도 병신이 된다데."

솔부리 일당들은 모두 기뻐하였다.

"에구, 잘코사니야. 재작년 그끄께 박힌 티눈이 싹 빠진 기분이군."

시동이는 산지니 생각은 금방 잊어버리고, 최형기를 쏘던 이야기에만 열을 올렸다.

산지니는 송파로 들어갔다가는 얼굴을 알아볼 자들이 많았으므로 삼전나루에서 내렸다. 그는 저고리에 두툼한 개가죽 배자 입고 그 위에 긴 저고리를 걸쳤으며, 등에는 괴나리봇짐이요 발에다 행전에 감발 치고서 머리에는 상주라도 된 듯이 방갓을 깊숙이 눌러썼다. 산지니의 봇짐 속에는 엿이며 백미 건어물 등속이 들어 있었다. 비록 석씨네가 항산이 있어서 밥을 굶지는 않는다 치더라도, 한양 성내에서도 일반 백성들은 제 끼니를 찾아먹기가 쉽지 않은 시절이라 죽으로 연명하는지도 모를 일이었다. 산지니는 숯내를 따라서 널다리를 향하여 걸었다. 멀리 낙생역말의 불빛이 보이자 산지니의 가슴은 절로 두근거리기 시작하였다.

이 저녁에 누님은 무얼 하고 계실까. 굶어 보채는 아이들을 토닥거리며 혼자 어둠속에서 눈물을 짓고 계시는 건 아닌가. 겨울 땔나무는 장만을 해두었는지. 이 산지니가 있었으면 한 닷새 부근 청량산이나 백운산에 올라 산더미 같은 솔가지를 쌓아놓았으련만. 그 연약한 몸과 고운 손으로 가랑잎이나 제대로 긁어다 두었는지. 산지니는 매섭게 몰아치는 바람을 방갓으로 가리고 눈길을 걸었다. 그는 이참에 누님의 마음만 움직일 수 있다면 아이들과 누님을 아예 솔부리로 이사시키고 싶었다. 역말을 지나 숯내의 가녘에 자리 잡은 널다리로 들어서니 석씨네 집의 기와 얹은 토담이 나타났다. 산지니는 잠깐 멈추었다가 집으로 다가갔다.

문을 밀어보니 굳게 잠겨 있었다. 전 같으면 송파로 나갔던 산지니가 밤늦게 돌아올 것을 요량하여 삽짝을 열어두련만, 이제는 아녀자뿐인 집안이라 날만 저물면 문단속을 할 것이었다. 문단속이라야 싸리를 엮은 것에 지나지 않으니, 누구든 들어갈 염만 있으면 쉽게 부수어버릴 수도 있었다. 산지니는 싸리를 비집고 안으로 손을 넣어 문에 가로지른 작대기를 뽑아냈다. 바람이 거세게 불더니 저항 없는 싸리문을 홱 잡아젖혀서는 토담에다 소리나게 밀어붙였다. 산지니는 마당 안으로 들어가기 전에 문을 다잡아 다시 작대기를 질러두었다. 캄캄한 방 안에서는 아무 기척이 없었고 산지니는 우선 기침을 해보았다. 그래도 아무 대꾸가 없었다. 산지니는 나직하게 불러보았다.

"누님…… 산지니 왔습니다."

그러자 뒤켠에서 희끗한 사람의 모습이 나타나더니 한 손에 쥐고 있던 괭이를 내던지며 석씨가 달려들었다.

"아니, 이, 이게 누구냐."

산지니는 방갓을 벗었고 석씨는 그의 두 손을 잡았다가 얼굴을 더듬었다가 하면서 어쩔 줄을 몰라하였다. 석씨는 보쌈을 당했던 일이 있는지라 인기척이 들리자 뒷문을 열고 나가 대비하고 있는 모양이었다.

"어서 들어가자, 춥지?"

산지니는 석씨의 뒤를 따르며 두서없이 이것저것 물었다.

"나무는 해두었어요?"

"그럼, 내가 뭐 나무두 못 할 줄 알았니."

"양식은요?"

"남들 하는 대루 죽을 쑤어서 그렁저렁 먹는단다."

그들은 방으로 들어갔다. 석씨가 부엌에서 관솔가지를 붙여다가 등잔받침에 끼워두자 방 안이 밝아졌다. 아이들이 따뜻한 아랫목에서 나란히 잠들어 있었다. 산지니는 손으로 조카들의 뺨을 차례로 쓰다듬어보았다.

"모레가 매부 제삿날이지요."

"그렇구나. 네 걱정이나 하지 않구…… 그동안 어디 가서 뭘 하구 있었니?"

산지니는 불빛에 드러난 누님의 얼굴이 초췌하고 검게 그을었음을 보고는 마음이 아팠다.

"저야 사내자식이 나돌아다니면서 이것저것 주워먹고 살았으니 별 걱정이 있었겠어요? 헌데 누님, 여기서 혼자 고생하시지 말구 저 있는 데루 가십시다. 제가 돌봐드려야 누님두 고생을 덜 하시지요."

"우리가 무슨 고생이냐. 땅 있고 내 집 있으니 우리 걱정은 마라. 그보다는 네 있는 데를 가르쳐주면 우리가 틈나는 대로 가서 만나보면 좋겠다. 네가 광주로 오는 건 별루 좋지 않아."

석씨는 근심 깃들인 표정으로 말하였다.

"그놈들이 괴롭히거나 핍박하지는 않습디까?"

산지니가 금방이라도 무슨 말을 들으면 달려갈 듯이 험악한 얼굴로 물으니, 석씨는 배시시 웃었다.

"네가 시킨 대로 형방에게 원서도 부탁하여 오히려 한가네서는 이 고장서 창피만 톡톡히 샀지. 그 무렵에는 기찰포교가 낙생역말에서 노상 붙어 살았단다. 한번은 판관네 큰서방짜리가 우락부락한 놈들을 데리구 찾아와서 겁을 주면서 네가 도망갔을 만한 데를 대라고 볶아치더구나."

"내 이놈을 그냥……"

"그렇다구 내가 순순히 당하고만 있겠니? 소리를 질러서 온 동네 사람들을 모여들게 했지. 여러 동네에서두 우리 일을 알고는 모두 한 판관네를 욕하던 때라, 네 동무들이며 촌로들이 나서서 팔을 부르걷고 대들었지. 그 사람들 모두 혼쭐이 빠져서 달아났다."

"원립이란 놈은 어떻게 합디까?"

"응, 그 사람두 네가 달아난 뒤에 저희 내자하구 왔더구나. 하도 주리고 배가 고파서 쌀 두 섬에 눈이 뒤집혔노라고 그러더구나."

산지니는 의외에도 누님이 동네에서 훌륭한 평판을 받아 아무런 침탈도 당하지 않은 것만 다행스레 여겼다.

"참, 내 정신 좀 보아. 너 저녁 먹었니."

"예, 돌곶이에서 먹었어요."

"돌곶이라니…… 저어기 한양 흥인문 밖이 아니냐?"

산지니는 얼른 말을 돌렸다.

"아직은 제가 마음대로 널다리에두 찾아오지 못하고 그러지만, 이제 마음 놓고 모여 살 날이 올 겁니다."

"글쎄 그랬으면 오죽이나 좋겠니. 네가 어서 자리 잡구 사는 날이 왔으면 내야 더 바랄 게 있겠니."

"누님, 이사를 하십시다. 아무래두 여기 이렇게 사시게 할 수는 없어요."

"내가 따라나서봤자 네게는 짐만 될 터인데……"

산지니는 고개를 흔들었다.

"아니에요. 저는 누님 때문에 살 수 있는 겁니다. 아이들두 잘 키워서 제 손으루 벌어먹구 살게 해야지요. 누님, 저는 지금 세상을 바꾸겠다는 당에 들어가 있습니다."

석씨는 그 말을 전혀 이해하지 못하였다.

"세상을 바꾸다니…… 그게 무슨 대감을 믿는 교냐?"

"상놈들은 태어날 때부터 상놈의 씨가 따루 있습니까? 양반의 세상이 끝장이 나야지요."

"그러면 임금은……"

"임금두 바뀌야지요."

석씨는 숨을 크게 들이마셨다.

"그러면…… 그게 바루 역적질이 아니냐?"

"모두 다 입국할 적에는 역적이었답니다. 승자 즉 충신이요 패자 즉 역적이란 말두 있대요. 저는 무식하여 잘 모르지만 때가 무르익었답니다. 양반들의 세상이 곧 끝장이 난답니다."

석씨는 아직도 산지니가 지껄이는 소리들을 모두 이해할 수는 없었다. 다만 그가 엄청난 생각에 물들었다는 것만을 느끼고 어떻게 해서든지 그러한 큰 죄는 더이상 저지르지 않도록 타이르고 싶었다.

"애애, 그게 무슨 소리냐. 비록 네가 팔자 기박한 나 때문에 살변을 저지르고 숨어 산다고는 하지만, 우리 집안은 원래가 유학도 계시던 어엿한 양반의 집안이야. 향곡에 유락하여 상민으로 살아가고 있지만, 나는 저것들을 잘 길러서 과장에 내보내는 것이 원이란다. 너두 한 번 실수로 세상을 등졌다고는 하지만 아직은 아무도 너를 욕하는 사람이 없단다. 모두들 한판관네를 손가락질하더라. 산진아, 네가 작은아버지의 서자라 할지라도 너는 우리 석씨 문중의 사람이다. 우리 집안에서 그 끔찍한 역적이 나와서야 되겠니. 너 바른대루 말해다오. 어디 가서 어떤 사람들하구 어울려다녔어?"

산지니가 그전 같았으면 고개를 숙이고 누님 석씨의 말에 한마디도 거역함이 없이 수걱수걱 듣고 사죄하고 하였을 것이다. 그러나 이제는 산지니도 예전의 그가 아니었다. 산지니는 눈을 똑바로 뜨고 누님의 말이 끝나기를 기다렸다.

"누님, 저는 물론 누님이나 제 아버지, 큰아버지 같은 분들과는 처지가 다릅니다. 그래서 원한도 더욱 깊지요. 누님이 한가네에 끌려가서 받은 굴욕이나 제가 사람을 죽이게 된 것이 모두 어느 한 사람의 잘못이 아니지요. 세상이 잘못되어서 그렇습니다. 우리가 조정에 칼을 들이대는 것은 저들이 보기에 죄가 될 뿐이지, 우리 처지에서는 전혀 죄도 아무것도 아닙니다. 오히려 눌려서 금수처럼 살아가는 많은 상것 천 것들의 마음은 우리 편입니다. 호사를 누리는 양반들만이 우리의 역모를 하늘을 거역하는 죄로 여기겠지요. 조정 권신들에 붙어 재물을 모은 자들은 대개 우리들 사이에서 훔치고 빼앗은 자들이니, 우리가 저들을 징치하고 잃은 것을 찾을 따름입니다. 누님, 안락한 동네를 떠나서 세상을 다른 눈으로 내다보면 한 가지가 백 가지로 그릇되었음을 잘 알게 됩니다. 우리가 양반의 세상을 뒤엎고 재물을 탈취하려는 것은 우리 몇몇이 영화롭게 잘살자고 그러는 게 아니라, 사람답지 못한 인생을 살면서도 어찌 살 바를 모르고 벌레처럼 짓밟혀 사는 다른 사람들께 바로 사는 길을 알려주기 위해서입니다. 고난을 몸소 겪는 자만이 바로 사는 길을 알 수가 있지요. 이제 저는 한판관 따위나 쳐죽이고 형틀 아래 허무하게 죽지는 않을 거예요. 이런 세상을 만든 자들과 싸우렵니다. 제가 싸우다 죽으면 다른 이들은 제 죽음에서 사람답게 사는 법을 배우게 되겠지요."

산지니는 저도 모르게 눈시울이 화끈해졌다. 임금을 치는 일에 대한 정당함을 일반 백성들 사이에서 어떻게 얻어내야만 하는가. 또한 어째서 부자와 권세가는 가장 첫 번째 적이어야 하는가를 산지니는 무슨 말로 표현해야 될지 몰랐다.

"요즘 항간에는 갖가지 소문이 나돌고 있지요. 우리 대덕님께서 말씀하시기를 곧 미륵의 세상이 온답니다. 그분은 말세에 오신다는데 지금이 바로 그때랍니다. 말세가 오면 상하의 분별은 없어지고 변은 잇달아 일어나고, 마침내 임금은 어리석고 나라가 위태로워 대대로 국록을 먹던 신하들은 죽음을 못 면하게 된다지요. 우리는 무진을 바라고 때가 무르익기를 기다리고 있습니다. 말세의 지향은 이미 시작되었어요. 앞으로 아홉 해 동안이나 흉년이 계속될 것입니다. 사 년간의 역병으로 인명의 반은 죽고 사대부들은 사치와 호화로운 살림으로 망할 것이며, 벼슬아치들은 이익과 권세를 탐하다가 서로 싸우는 중에 망한다고 합니다. 혹 그렇게 되지 않는다고 하더라도 지금도 별로 나을 게 없는 세상이지요."

산지니의 말에 얼마간 마음이 움직인 듯 석씨는 두려운 얼굴로 나직하게 말했다.

"세상이 바뀌어 공연히 죄 없는 이들이 갇히고 죽는 일보다는 차츰 나아져야지. 우리네야 뭘 알겠냐. 죽으라면 죽고 살려주면 살고 그런 거지. 그보다는 이담에 우리 자식들이나 잘 가르쳐서 과거에 나가도록 하고 또 그 가운데 어진 이들이 많이 나와 순리껏 나라를 바꾸어나가도록 해야지. 지금 세상이 혼란한 것은 간신들과 탐관오리들 때문이다. 주상께서야 뭘 아시겠느냐. 너도 그렇게 나대지 말고 네 신변을 생각해라. 제발이다."

"아닙니다, 누님. 미륵이 꼭 오십니다. 늦게 오시든 아니면 아예 오시지 않든 간에 우리가 미륵의 세상을 기필코 이루어내고야 말 것입니다."

그렇다. 대저 아조에서 제도를 바꾸려던 이들이 모두들 임금을 죽이고, 밑에서부터 위에 이르기까지 일시에 혁파할 생각을 먹지 못하고, 어떻게 조정에 기어들어가 콩이야 팥이야 따져서 천천히 고쳐나간다는 생각을 하거나 고작해야 저희 벼슬아치들끼리 치고받아 환국하는 데 그쳤으니, 일반 백성들에게야 두루 미칠 수가 없었고 아무 상관도 없는 일이 되고 말았으렷다. 역모가 혁파에까지 이르지 못한 바가 대개 그 같은 이유에서였다.

어찌 싸움이 입으로나 글로써만 이루어질 것이겠는가마는, 죽이고 무찌르고 넘어뜨리는 일을 차마 생각지도 못하니 어찌 이겨낼 수가 있으랴. 높은 태산을 오르려는 자가 늘 가던 길, 누구나 걷는 대로를 택하여 오르려다가는 미리 방비하고 막아선 편에게 언제나 밀리게 마련이다. 밀릴 줄 뻔히 알면서도 그 길로만 모두들 떼지어 오르려는 것은 아예 태산의 정상에 오르지 않겠다는 뜻이로다.

다른 길, 아무도 뜻하지 아니한 새롭고 험한 길을 만들어 바위를 타넘고 미끄러지는 위험을 무릅써서 올라야 할 것이다. 어느 쪽 길을 택하는 것이 옳았던지는 태산의 꼭대기에 이르러서야 비로소 알 수 있는 일이다. 길을 새롭게 뚫는 자만이 올라갈 의사를 지닌 자이고 당도하게 될 것이다.

산지니는 부족하나마 미륵의 도당에 들어 정원태에게서 들었던 말을 그대로 누님에게 전했다. 석씨는 그것을 충분히 이해하지는 못했으나 세상이 못쓰게 돼버렸다는 것은 삶으로써 실감하고 있었다. 석씨는 산지니가 전에 송파나 삼전나루에 나가 놀 때처럼 짓궂고 철부지 같은 장난기가 싹 가시고, 이제는 사내다운 결의로 뭉쳐진 손위의 어른과도 같게 여겨지는 것이다.

중길은 살주계의 계원들을 모아 목내선의 집을 급습할 계획을 세우고 있었다. 처음에는 그의 친척붙이 가운데 목대감이 가장 아프게 여길 대상을 고르려다가, 직접 목내선을 들이치기로 하였던 것이다. 최형기가 총에 맞아 인사불성이 되었다는 소문이 배오개나 혜정교 또는 사대문 밖의 저자 난전에 파다하게 나돌고 있었다. 모든 왈짜와 무뢰배들은 한결같이 통쾌하게 여기고 있었으니, 그동안 저들은 최형기의 빈틈없는 기찰에 몰려 옴치고 뛸 수도 없었던 탓이다. 중길은 이제부터 과감하게 활동하여 좌포청을 들이치고 남부 살주계의 계원들까지도 구해내야 한다고 생각 중이었다. 최형기가 없어진 저자는 이제 살주계와 검계의 손바닥 안에 들어온 것이나 마찬가지였다. 호동 옹장이네 집에는 중길이를 비롯한 계원들이 모두 모여 있었다. 그들은 낙선방의 목대감 집을 며칠 동안 살피던 끝에 대략 급습할 순서를 정해둔 터였다. 중길이 말하였다.

"성내에 그럴듯한 분위기를 준비하는 것이 우리 계가 할 일이네. 검계에서두 성내가 만만하게 돌아가면 칼을 뽑고 달려올 게야. 양주 검계에서는 우리가 거사할 날만 기다리구 있어. 먼저 우리가 미처 정리하지 못했던 일부터 해나가야지. 억기와 최형기를 검계에서 처치하여주었는데 우리가 이대로 꿈쩍 않고 넘어갈 수는 없게 되었네. 목내선을 없애버리고 포청을 덮쳐야 제대루 정리가 될 게야. 바로 저들의 코앞에서 백주에 벌어지면 한양두 끝장일세."

"목내선이가 출타하는 것을 노리는 게 어떨까?"

"지켜본 바로는 목대감이 교자를 타고 나갈 땐 호종하는 무사가 둘이나 따르데. 잘 나타나지 않지만, 종자 하나만 데리고 나설 적도 있더군."

"저의 집 사랑채에서 목을 베어야지. 그래야 도성 안의 벼슬아치들이 모두 두려워할 걸세."

이와 같이 의논이 오락가락하는 참인데, 옹장이네 아들이 입김을 허옇게 뿜어내며 헐레벌떡 뛰어들었다.

"크, 큰일 났수."

마루에 둘러앉았던 계원들이 놀라서 모두 고개를 돌려 바라보았다. 중길은 벌써 창포검의 칼자루를 쥐고 물었다.

"포교라도 온단 말이냐?"

"지금 저 밖에…… 배오개에 사람들이 구름같이 모였수."

중길은 침착하게 되물었다.

"천천히 말해보아. 뭐가 큰일이란 말이냐?"

총각은 숨을 돌리느라고 몇번이나 침을 삼키고 나서 말하였다.

"검계의 혈당이 잡혔답니다. 포청 군사들이 죄인을 결박하고 칼을 씌워서 저자마다 조리를 돌린답니다. 그자를 알거나 그자의 동당을 아는 자는 발고하면 은자를 내린답니다."

중길은 벌떡 일어났다.

"그게 누구냐. 잡힌 사람 얼굴을 살펴봤니?"

"멀리서만 봤으니 누군지 알 수가 있어야지요. 머리는 산발이고 얼굴은 흙빛입니다."

좌중의 계원이 중얼거렸다.

"혹시 돌곶이가 들통난 게 아닐까?"

"그렇다면……"

"시동이나 산지니나 솔부리 사람들이겠군."

중길은 먼저 내려서서 신발을 꿰며 말하였다.

"우리가 다녀올 동안 기다리고들 있게."

"그까짓 포도 군사들이 있으면 몇명이나 있을 텐가. 우리가 한꺼번에 몰려가서 해치우고 빼내어와야지."

다른 계원들도 중길을 따라나서며 말하였으나 중길은 그들을 제지하였다.

"기왕에 조리를 돌리는 짓이니 오늘 하루종일 여러 장터를 돌아다닐 게야. 우리가 가보고 허실을 알아내어 성문 밖의 장터로 나가면 따라가 습격하여도 늦지 않네."

모두들 그럴듯이 여겼는지 다시 주저앉았고 중길이와 총각은 밖으로 뛰어나왔다. 그들은 호동에서 막바로 누렁다리를 건너 태묘의 담과 나란히 뚫린 길로 뛰어내려갔다. 길 저편에 배오개의 장터가 보였고 사람들이 하얗게 둘러선 것이 내다보였다. 중길과 총각이 가까이 가보니 과연 한 사내가 머리는 산발을 하고 두 손은 오라로 결박당했으며 목에는 나무칼을 썼는데 턱을 판자에 딱 붙이고 쭈그려 앉아 있었다. 그 양옆에는 환도 찬 장교와 포졸이 지켜섰고 둘러싼 사람들 앞으로는 장창을 든 군사 다섯이 버티고 막아서 있었다. 중길은 살피고 나서 빙긋 웃었다. 이쯤이면 해볼 만하다고 생각되었던 것이다.

"누가 이 자의 동류를 아는 사람이 없는가? 누구든지 살피고 나서 발고하면 상금을 받을 것이다."

장교는 이따금씩 군중을 향하여 외치고 있었다. 여럿이 빙 둘러선 사람들의 울을 떠나 가운데로 나아가 죄인의 앞에 쭈그리고 앉아서 이리저리 뜯어보고는 혀를 차거나 침을 뱉거나 고개를 흔들며 되돌아오는 것이었다. 중길은 옹장이네 아들을 팔꿈으로 툭 건드렸고 총각이 중길을 바라보았다. 중길은 가서 살피라는 뜻으로 턱짓으로 죄수를 가리켰다. 총각이 고개를 끄덕이고는 때마침 앞으로 몰려나가는 사람들의 뒷전에 따라붙었다. 나무칼 때문에 죄수는 고개를 쳐들 수가 없었는데, 더구나 주저앉았으니 이쪽편에서는 그의 산발한 머리털만 보일 뿐이었다. 중길은 그가 혹시 시동이나 산지니는 아닌가 하여 조마조마한 마음으로 바라보고 있었다.

군중들 틈에 최형기가 끼여 있었다. 최형기는 누가 그를 알아볼까 하여 토끼털 남바위를 깊숙이 눌러쓰고 등에는 맞춤한 봇짐을 메고 두 손을 엇갈려 소매에 넣었는데 한 손에는 매듭지은 오라를 움켜쥐고 있었다. 그의 곁에는 하녀 착실이가 눈을 똑바로 뜨고 이리저리 살피는 중이었다. 군중들 속에는 제각기 쇠도리깨며 육모방망이를 옷 속에 감춘 부장과 포교들이 최형기의 영이 떨어지기를 기다리며 사람들을 하나씩 지켜보고 있었다.

최형기가 눈을 번쩍였다. 그는 지금 사람들의 열에서 떠나 가운데로 나오고 있는 너덧 사람 중에 맨 뒤에 서 있는 총각을 놓치지 않았던 것이다. 어깨가 구부정하고 코가 뭉툭한 떠꺼머리, 착실이가 손가락질을 하며 더듬었다.

"저, 저, 저기 그 총각이……"

착실이의 동작은 중길이게도 똑바로 내다보였고, 중길은 꿈결처럼 퍼뜩 최형기의 날카로운 눈을 보았다. 중길은 저 자신의 위험을 느낄 겨를도 없이 소리를 질렀다.

"달아나라!"

중길이 소리를 지르며 사람들의 울타리를 떠난 것과, 옹장이네 아들이 얼결에 중길이 서 있던 자리를 향하여 돌아서서 몇걸음 떼어놓은 것은 거의 같은 순간이었다. 최형기는 앞으로 날렵하게 뛰어나가면서 총각의 머리를 향하여 오라를 던졌다.

총각의 목에 오랏줄이 걸리자, 최형기는 슬쩍 잡아챘다. 앞으로 뛰어나가려는 총각을 뒤로 당기니 매듭이 죄어지며 그는 뒤로 나가떨어져 혼절하였다. 놀란 군중들은 사방으로 뿔뿔이 흩어졌고 숨어서 지켜보던 기찰포교들은 중길이를 찾아서 여러 갈래의 골목으로 뛰쳐나갔다. 최형기는 하늘을 향하여 반듯이 누워 있는 총각의 위에 서서 그를 내려다보고 있었다. 최형기의 손짓에 따라서 착실이가 다가왔다.

"틀림없지?"

형기의 물음에 착실이는 침을 꿀꺽 삼키면서 고개를 세게 끄덕였다. 부장이 물었다.

"찾던 자가 이놈입니까?"

"음, 걸려들 줄 알았지."

최형기는 정신이 돌아와 벌떡 일어나려는 총각의 가슴을 발로 지그시 누르면서 말하였다.

"어서 끌구 가세."

"어, 이거…… 왜 이러슈."

버티는 총각에게 최형기가 부드럽게 일렀다.

"오늘은 또 어느 집을 찾을 테냐. 그 녀석 코를 썩 잘 풀게 생겨먹었구먼."

"공연히 생사람 잡지 마슈."

포졸들이 총각의 팔을 뒤로 돌리고 결박을 지었다. 최형기는 칼을 쓰고 쭈그리고 앉은 개천에게 말하였다.

"고생하였다. 오늘 고생이 많을 줄 알았더니 쉽게 끝났구나."

개천은 영문을 모른 채 붉게 충혈된 눈으로 최형기를 쏘아볼 뿐이었다.

"아직도 검계의 혈당으로 죽기를 원하구 있느냐?"

개천은 고개를 푹 숙였다.

"못난 놈…… 다방골 수십 처에 깔린 게 계집이니라. 공연히 헛된 상사로 몸 버리지 말구 근실하게 살아야지. 너는 포청에 들어가는 즉시로 방송이다. 알겠느냐?"

개천은 고개를 숙이고 말이 없었다. 그들은 배오개에서 중부의 정선방으로 올라갔다. 포청에 들어서니 이인하가 미리 알고 반색을 하는 것이었다.

"최종사, 수고하였네. 이제 성내에서 적당의 뿌리를 뽑게 되었네."

"어서 저 자를 국문해야겠습니다. 한시바삐 그들 혈당의 은신처를 알아내야지요. 그리고 숙수 개천이란 자는 방송해주어도 괜찮을 듯합니다."

이인하는 안색이 흐려졌다.

"양반을 능멸하고 검계의 혈당이라고 자처한 놈을 어찌 방송하겠는가?"

최형기는 개천에 관하여 조사한 바를 대충 아뢰었다.

"딴은 듣고 보니 가엾기도 하지만, 교하 파주지간의 진사 생원 되는 이들이 양반을 욕하였다고 처단하기를 바라는 소장을 수십 통이나 내었으니 섣불리 내놓을 수는 없네."

최형기는 빙긋이 웃고 나서 이대장에게 속삭였다.

"우리 좌포청이 죄 없는 자를 죽여서 인명을 가벼이 한다는 공론이 돌아서는 안 되겠지요. 그러나 양반들은 또한 그자가 죽어 없어지기를 바라구 있습니다. 문제는 우리가 소문을 잘 조정해야지요. 태형을 가한 뒤에 포청에서는 일단 내보냅니다. 그러구 나서 사람을 뒤따르게 하여 없애버리지요. 우리는 이미 방송하였으나, 양반들이 징치한 것으로 되지요. 방송하여 상민들의 원망을 없이하고 또한 그가 죽으니 양반들은 당연하다 여길 것입니다. 자연히 양반을 능멸하는 자들에 대한 경계도 되겠지요. 여하튼 우리는 개천을 유용하게 썼습니다."

"양쪽의 인심을 다 거두게 되겠군."

이인하는 그제야 깨닫고 껄껄 웃었다.

"우물쭈물할 틈이 없다. 국청이고 형틀이고 다 치워라. 빨리 입을 열게만 하여라."

포청 뒷마당에다 옹장이네 아들을 꿇어앉혀두고 최형기가 포졸들에게 명하였다. 그들은 죄수를 다루는 일로 반평생 밥을 먹어온 자들이라 총각의 무릎과 발목을 단단히 묶었다. 그러고는 정강이뼈 사이에다 기다란 작대기를 비집어넣었다. 총각은 벌써 소리를 지르기 시작하였다. 최형기는 그의 얼굴을 똑바로 들여다보면서 물었다.

"네 집이 어디냐?"

"모, 모르오. 어째서 아무 죄두 없는 사람을 잡아다가 이러시우."

최형기가 등채를 탁 때렸다. 때리자마자 포졸 둘이서 다리 사이에 질러넣은 작대기를 좌우로 마구 비틀었다. 주뢰틀기라는 형이니 심해지면 정강이뼈가 부러지거나 살이 묻어나오기도 하는 악형인데 압슬에 다음가는 고문이었다. 최형기는 먼 하늘을 내다보는 듯하고 있다가 다시 등채를 올렸다. 포졸들도 작대기질을 멈추었다.

"지난번에 나를 총포로 쏘았을 때, 내 집 대문 앞에서 너희 짝패에게 군호를 보낸 것은 바로 너다. 내가 배오개서 골목으로 들어서자마자 네놈이 짝패에게 내가 나타났음을 알리고 곁으로 지나쳐가지 않았느냐. 다 알고 있으니 바른대로 대면 형도 받지 않을 것이요, 네 동당을 발고하여 잡으면 무죄 방송해주겠다."

최형기는 나직하게 중얼중얼 말하고 나서 눈을 곤추세우고 날카롭게 꾸짖듯이 물었다.

"그들이 지금 어디에 있느냐?"

총각은 심히 동요되고 있었다. 그는 곁에서 작대기를 짚고 있던 포졸들을 돌아보고 다시 최형기를 바라보았다. 그는 땀으로 얼굴과 가슴이 온통 젖어 있었다.

"허허, 진정 죽기를 바라느냐."

최형기는 혀를 차더니 슬그머니 등채를 올리는데, 총각이 소리를 질렀다.

"아, 아뢰겠소."

최형기가 포졸들의 다음 동작을 한 손을 쳐들어 제지시켰다.

"내 모두 다 아뢰겠으니, 제발 저희 부모님께는 죄를 묻지 마시우."

"포청은 죄 있는 자를 다스리는 곳이니 너희 부모들이야 무슨 상관이 있겠느냐. 어서 말해보아라. 적당이 잡혀야만 네 목숨도 살고 부모님도 사는 게야. 네가 얘기를 안 한다 치더라도, 우리는 오늘 해 지기 전에 네가 어디서 뭘 하구 사는 놈인지 금방 알아낼 수가 있다."

역시 최형기의 말은 총각의 이지러지는 신념을 일시에 무너뜨리고 말았다. 그가 살주계의 일에 가담하였던 것은 젊은 신명에 지나지 않았던 것이다.

"저희 집은 연화방 호동에 있습니다. 아비가 내수사에 역을 지구 있는데, 옹기를 구워 살구 있지요."

총각의 말이 계속되는 중에 기다리던 포교들이 잽싸게 사라졌다. 최형기는 꼼짝 않고 승창에 걸터앉아 있었다.

"살주계의 계원들이 애비가 내수사의 관노라 하여 친절히 대하고 살림도 도와주었습니다."

"지난번에 성내에다 방을 붙인 것이며, 나를 쏠 때에도 너희 집에 적당들이 숨어 있었겠지. 누구누구가 있었느냐?"

"예, 살주계의 계주 청파 중길이란 이와 검계의 시동이란 사람과 다른 계원들이 드나들었습니다."

먼저 총각에게 소리쳐 위험을 알리고 나서 중길은 배오개에서 종루의 넓은 길로 뛰었다. 뒤에서는 행인들의 사이를 헤치고 사방을 살피며 뛰어나오는 기찰포교들이 보였다. 중길은 오히려 뛰는 것이 저들의 눈에 잘 띄려니 싶어져서 사람들 사이에 섞이자마자 빠른 걸음으로 바꾸었다. 그 옆으로 기찰포교인 듯한 자가 바삐 지나쳐갔다가 다시 돌아서서 행인들을 샅샅이 살피며 다가왔다. 중길은 일부러 어느 행상 앞에서 걸음을 멈추고 물건을 고르는 체하였으며 기찰포교는 역시 사방을 살피더니 길을 건너갔다. 위기를 모면한 중길은 종루 이교를 건너 연화방의 호동으로 올라갔다. 그가 창백한 얼굴로 옹장이네 집에 혼자 들어서니 계원들이 마당으로 우르르 몰려내려왔다. 중길이는 맥이 탁 풀린 어조로 중얼거렸다.

"그애가 잡혔네. 최형기가 쳐둔 그물이었어."

"최형기가 병신이 되었다더니?"

"밉다고 차니까 떡시루에 엎어졌지. 놈은 여우일세. 자, 모두 나서. 곧 이리로 닥칠 게야."

살주계원들은 몹시 당황하고 있었다. 그들은 무기와 보따리를 챙기느라고 마루와 건넌방을 오르내렸다. 옹장이가 눈치를 채고 가마를 떠나 중길에게로 걸어왔다.

"우리 아이가 어찌되었나?"

중길은 외면을 하고서 대답하였다.

"최가놈이 그애 얼굴을 보아두고 일부러 검계의 일당을 잡았다고 조리를 돌린 모양이오."

"잡혔나?"

중길은 고개를 숙였다. 뒷전에서 계원들이 떠드는 소리가 들렸다.

"어디로 갈 텐가? 흥인문을 지나 돌곶이로 나갈 건가, 아니면 숭례문으로 나갈 건가?"

중길은 대답을 않고 옹장이에게 말하였다.

"성님도 어서 피하시우."

늙은 관노는 눈에 물기가 그렁그렁해져서 마루에 털썩 주저앉았다.

"자식놈은 죽으라고 놓아두고 우리 늙은 것들만 달아나 목숨을 부지해서 뭘 하겠는가. 어서들 가게."

그때 중길의 뒷전에 섰던 계원 하나가 슬그머니 창포검을 뽑았다.

"피하지 않으려거든…… 죽기는 매일반이오."

중길이 그를 가로막았다.

"위협에 못 이겨 집을 내주었다고 발명하시우. 그리구…… 돌곶이가 검계의 집합소라구 대주시우. 포교들이 달려갈 때쯤이면 그쪽에도 기별이 갈 테니까……"

옹장이의 마른 나뭇등걸 같은 거친 뺨 위로 눈물이 흘러내리고 있었다.

"어서 가시게. 한시라도 빨리 이 못된 세상을 뒤집어엎고 우리 같은 종들을 풀어내주게."

중길이 옹장이의 손을 잡으니 그는 중길의 손을 움켜쥐며 부르르 떨었고 두 사람은 터져나오려는 오열을 참지 못하였다. 뒷전에서 지켜보다 못내 안달이 난 계원이 중길의 옷자락을 잡아끌어 떼어놓았다.

"가세. 다 잡히겠네."

중길은 그 집을 나서자마자 동작이 기민해졌다.

"자네들은 이 길로 장경교를 지나 순화방으로 하여 혜화문을 나가 북한산으로 오르게. 나는 홍인문으로 나가서 돌곶이에다 피신하라고 알려주고 곧장 북한산으로 오를 테니까. 도봉과 양주지간에 틀어박혀 다음날을 기다려야겠네."

중길은 계원들이 장경교를 향하여 달려가는 것을 한참이나 살펴보고 나서 개천 옆길을 따라 초교(初橋)를 건넜다. 다리에서 흥인문 쪽을 내다보니 행인들은 평상시대로 무리를 지어 들고 나며 수직 군사들도 그들을 검색하거나 열을 지어 세워두지도 않았다. 아직 성의 각 문마다 적경이 떨어지지 않은 듯하였다. 중길은 때마침 성문을 향하는 일단의 보상들 틈에 끼여 흥인문을 나섰다. 거기서 고암 오거리까지 그는 무슨 정신으로 뛰었는지도 몰랐고, 왕십리와 동적전 들판의 싸늘한 바람이 휘몰아쳤는데도 봇짐을 멘 등덜미가 땀으로 흠뻑 젖었다. 덕구네 주막에 당도하니 집안이 괴괴하여 중길은 부쩍 의심이 들었다.

"주인 계시오?"

방문이 열리며 부석부석한 최덕구의 얼굴이 나타났다. 아마도 낮잠을 자던 참인 듯하였다.

"새벽길에 수캐마냥 왜 헐떡이구 다녀. 꼬락서니가 그게 뭔가?"

덕구에게는 중길의 비뚤어진 패랭이와 반쯤 벌어진 저고리, 땀으로 젖은 얼굴이 볼꼴사나웠다. 중길은 농으로 툭탁거릴 계제가 아니었다. 그는 봉노 방문을 획 열어보며 말하였다.

"솔부리 식구들…… 어디 갔소?"

"다들 올라갔지. 왜 그래, 뭐 좋은 벌이라두 생겼나?"

중길은 그제야 한숨을 돌리며 마당을 휘이 둘러보았다.

"안에 식구들 모두 있겠지. 어서 나설 채비를 하슈."

중길이의 서두르는 양을 보고 그제야 덕구는 뭔가 심상치 않은 일이 일어났음을 눈치챘다. 그는 곰방대를 떨고 일어났다.

"무슨…… 일인가?"

"최형기가 이리로 오구 있소. 이 집이 발고되었지. 검계의 집합처로 알려졌단 말이우."

덕구는 안색이 싹 바뀌며 욕설부터 나왔다.

"이런 염병 앓다 배창자가 꿰어질 자식들 같으니라고…… 기껏 오갈 데 없는 무리를 거두어주었더니 돌아서서 댓진을 먹이는구나. 허, 이거 작두 위에서 춤추게 생겼군."

중길은 혹시나 그가 박쥐 구실을 할까 걱정이 되어 궁지로 사정없이 몰아세웠다.

"이미 주인장의 이름이 나왔을 게요. 검계의 장물 와주라고 발고가 되었을 게요. 어서 식구들 데리구 솔부리로 떠나시우."

덕구는 몽치로 뒤통수를 얻어맞은 듯이 멍하니 섰다가 다시 뭐라고 욕설을 중얼거리며 안채로 들어가 부산을 떨었다. 중길은 다시 안에다 대고 고함을 질렀다.

"흥인문에서 포도 군사들이 모이는 것을 보구 달려왔으니 곧 들이닥칠 거요. 나는 먼저 갑니다."

"어이, 이 사람…… 하여튼 솔부리에서 만나세."

중길은 돌곶이를 떠났다. 이제부터 다시 시작해야 된다는 것을 생각하니, 그는 가슴이 답답하여 견딜 수가 없었다. 고암 오거리서 북으로 오르면서 중길은 이제 살주계가 끝이 났다는 것을 느꼈다. 그는 양주 일원에 번져나가고 있는 미륵교에 관한 소문을 검계 식구들로부터 듣고 있었다. 중길은 언젠가는 한양으로 다시 돌아와야겠지만, 지금처럼 막연히 벼슬아치 몇이나 혼을 내고 수십여 명이 희생을 당하는 것은 피하고 싶었다.

살주계의 계원들이 빠져나가고 한 식경쯤이 지나 기찰포교와 포졸들이 옹장이네 집으로 들이닥쳤다. 옹장이는 여전히 가마 앞에 앉아 있었고 그의 아내는 방을 떠나 남편 곁에 쭈그려앉아 있었다. 포졸들이 집뒤짐을 시작하였고, 포교가 옹장이에게 물었다.

"적당들이 어디로 달아났느냐?"

"숭례문으로 하여 남으로 내려간다 하였소."

옹장이는 그들이 틀림없이 북의 혜화문이나 동의 흥인문으로 빠져나갔을 줄을 짐작하고 시각을 벌어주려는 생각이었다.

"이 집이 한양 살주계 놈들의 은신처였음이 사실이냐?"

"예, 그러하옵니다."

기찰포교가 포졸들에게 명하였다.

"묶어라."

포졸들이 달려들어 두 부부를 뒷결박 짓는데 옹장이가 애원하였다.

"이 사람은 아무것도 모릅니다. 소인이 끌어들였지요. 식구들은 모두 우리 독을 내다 파는 행상으로 알구 있습니다."

그러나 기찰포교는 상을 찡그리고 당장이라도 발을 들어 차려는 기세로 욕설부터 터져나왔다.

"청(請)에 매 하나 더 때린다고, 주둥이 닫고 모가지 기장이나 맞춰 두어라. 그동안 네놈들 때문에 포청의 모든 포교가 단 솥에 들어간 콩의 신세였다. 여기서 모여앉아 노상 쑥덕였으니 오래 앉은 새가 살 맞은 게여."

그들은 옹장이네 부부를 좌포청으로 끌고 갔고, 이미 주뢰를 틀어 참혹한 꼴이 되어 있는 아들 곁에다 꿇어앉혔다. 최형기가 눈으로 기찰포교에게 물었다. 포교가 아뢰었다.

"벌써 사방으로 달아나버렸습니다. 숭례문 쪽으로 나갔다 하여 아이들을 보내기는 했습니다만……"

최형기는 가장 시급한 것이 그들이 모여들 수 있는 다른 장소를 알아내는 일이었고, 나아가 적당의 범위가 얼마쯤 되는지도 알아내야 하였다. 어미는 아들의 지쳐 늘어진 꼴을 보자 소리를 내어 울기 시작하였다.

"이년, 어느 안전이라고 방정맞은 울음소리냐?"

곁에 섰던 포졸이 매를 들어 늙은 아낙의 등덜미를 호되게 내리쳤다.

"애고머니……"

"아, 그대로 두어라."

최형기가 짐짓 말리더니 매우 부드러운 목소리로 옹장이에게 물었다.

"그래 자네두 계에 들었단 말이지?"

그의 말투가 엄한 해라가 아니고 하게를 쓰니, 옹장이는 어리둥절하였다.

"아니옵니다. 계의 행수 되는 중길이란 아이가 소인하구는 어릴 적부터 잘 알지요. 지난번에 남별대의 일이 있고 나서 소인의 집으로 찾아와 돈과 양식을 내면서 방을 빌리자 하였습니다."

"그들이 살주계라는 적당임을 알구 있었는가?"

옹장이는 말을 못 하였고, 최형기가 계속하였다.

"야간에 당을 모으고 인명을 살육하거나 백주에 저자에서 물화를 약탈한 자들은 명화율(明火律)로써 모두 참형에 처한다. 그러나 포도논상(捕盜論賞)에 있어서 적당 가운데 만약 자기와 상대자를 발고하여 자수를 하고 법에 굴복하는 자는 면죄하고 은 오십 냥을 급(給)하게 되어 있다. 일곱 구(口)나 여덟 구가 되면 면죄한 위에 가자(加資)하며 은 백십 냥을 급한다. 신중히 생각하여 처신하게나."

"중길이가 이미 꾀어서 집을 빌려주었다가, 나중에는 당에 들었으니 잡히면 같이 죽을 뿐이라고 위협하였습니다. 점점 끌려들어가다가 저것이 영문도 모르고 나으리를 쏘는 짓에 동반되었지요. 저야이제 다 살았고 천한 몸이니 무엇을 바랄 게 있으오리까마는, 제 자식놈은 철없는 것이니 굽어살피십시오. 저희 집에는 주로 살주계의 계원들만 모여들었고 나으리를 쏘았던 것은 검계의 혈당인 시동이라는 자입니다."

최형기는 답답하다는 듯이 혀를 차면서 날카롭게 재촉하였다.

"그자가 지금 어디에 있는가?"

"돌곶이에 있는 덕구네 주막이 바로 검계의 집합처입니다."

최형기는 눈을 번쩍 떴다.

"돌곶이라면 고암 오거리의 주막거리 말인가?"

"소인은 한 번도 가본 적이 없으나 저희끼리 하는 얘기를 여러 번 들었습니다."

주위에 둘러서 있던 포교들이 나서는데 최형기가 불러세웠다.

"서둘 것 없다."

하고 나서 최형기가 물었다.

"살주계의 적당이 중흥골을 떠난 뒤 어느 곳에 은신처를 마련하였는지 말해보게."

물론 옹장이는 도봉의 깊은 골짜기 어디쯤이라는 짐작은 하고 있었다. 그러나 그는 또한 관노로서 자기와 같은 신세로 관가와 상전으로부터 짐승처럼 학대를 받으며 살아오던 수많은 노비들이 처참하게 몰살당할 말은 입끝에 올릴 수가 없었다. 어차피 죽는단들 천예의 목숨은 매한가지였다. 그러나 떠꺼머리 젊은 자식놈의 꼬락서니는 늙은 관노의 심장을 발기발기 찢는 듯하였다.

"그것은…… 들은 바 없소이다."

"그러한가?"

최형기가 좌우에 눈짓하였다. 포졸들은 서슴지 않고 총각의 다리 사이에 넣은 작대기를 비틀었다. 기다란 비명이 터지고 관노의 아낙이 외쳤다.

"여보, 어서 아뢰시우."

옹장이는 눈을 부릅뜨고 금방 대들어 아내를 쳐죽일 듯이 바라보았다.

"모면할 길이 없네. 저것을 면천시켜주지 못하였으니 차라리 죽는 게 나아."

늙은 관노는 엇비슷이 허공에 대고 아들과 아내 두 사람이 함께 들으라는 투로 담담하게 중얼거렸다.

"아버지…… 내 잘못이우."

기진맥진한 총각이 게게 풀린 눈길로 아비를 돌아보았고, 옹장이가 중얼거렸다.

"오냐, 잘하였다. 너 혼자 악형을 당하느니 차라리 이렇게 함께 죽자꾸나."

최형기는 세 가족을 무표정하게 내려다보았다. 그는 승창에서 일어섰다.

"적당과 동률로 다루어라."

최형기가 마당을 나오니 부장이 따라나왔다.

"국문은 그만둘까요?"

"누가 그만두라 했어."

최형기는 노기를 띠었다.

"세간에는 어디든 인정이 있고 혈육지간의 애정이 있게 마련이다. 하지만 이것은 국본을 지키는 큰 형옥이다. 우리가 국록을 먹는 것은 여러 문물제도를 반석과 같이 탄탄하게 하라는 소임이 있는 까닭이다. 하물며 주인과 상전을 죽이겠다는 적당을 잡으려는데 한갓 아녀자 같은 온정을 보이겠는가. 잡아먹지 않으면 잡혀 먹힌다. 포청이 있고 우리가 있는 이유가 바로 그것이다. 국문을 그치지 말고 저들의 약점은 혈육지정에 있은즉 그 어미를 다루어 아비와 아들이 입을 열게 하라."

최형기는 포교들을 모아 일렀다.

"필경 서로간에 약조가 있었을 게다. 살주계의 은신처에 관하여는 굳게 입을 다물고 겨우 돌곶이의 주막을 불어버린 이유는 거기가 이미 비었기 때문일 것이다. 안전한 곳은 내주고 긴요한 곳은 감추자는 속셈이다. 우리가 여태 포적을 만족스럽게 못 한 것이 바로 그 때문이다. 언제든지 우리는 한발씩 늦었다. 이제부터 한양 성내는 우포청에서 맡고, 우리는 성 밖의 경조(京兆) 인근을 샅샅이 기찰한다. 지금쯤 돌곶이 주막은 틀림없이 비어 있을 것이다. 그러나 우리가 얼씬거리지 않는다면 누군가가 동정을 살피러 나타난다. 우리는 기다릴 뿐이다. 바로 검계의 혈당을 비로소 잡게 될 게다. 모두 변복하여 오늘부터 돌곶이로 나가서 그물을 친다. 그리고 나머지는 경강 일대의 난전에 나가 혹시 장물 와주와 연줄이 닿는가를 캐내어라. 부장은 은을 내어 적합한 물화로 거래를 하여도 좋다. 이제부터가 시작이다."

포교들은 긴장하여 최형기의 지시를 듣고 있었다.

"청파 난전은 마포 동막과 서강에 닿습니다. 제가 그쪽으로 나가렵니다."

부장이 말하였다. 최형기는 몸소 기민한 포교들을 뽑아내어 흥인문으로 향하였다. 그들은 준비한 서산나귀에다 담뱃짐을 싣고 모두들 패랭이와 지팡이로 보부상 차림새를 꾸몄다.

돌곶이의 주막거리에 당도하니 해가 짧아져서 사방이 어둑어둑하였고 뒤편 채소밭은 잔설이 덮여 희끗희끗하였다. 강바람이 너른 들판 위로 몰아쳐왔다. 그들은 덕구네 주막 바로 옆집에 찾아들어갔다.

"어이 추워, 여기는 꼭 청국이나 한가지로 휑하구먼. 주인장 뜨끈한 방 하나 얻읍세다."

"예예, 아래윗목이 없이 절절 끓습니다. 헌데 다 늦게 성내서 나오십니다."

"계산에 차질이 나서 티격태격했지. 밥 좀 주고, 술 있수?"

주인은 그들의 아래위를 재빨리 훑어내렸다.

"아따, 찔러박지 않을 테니 한잔 먹게 해주오."

"좀 비쌉니다."

"뭐요, 화주요?"

주인은 콧김을 힝하니 날렸다.

"쳇, 요즈음은 삼정승 육판서 댁에서도 화주가 말랐다는데 탁주도 과합지요."

"젠장, 새벽 호랑이가 중을 가리나. 막걸리두 못 마셔본 지가 달포가 넘은 모양인걸."

포교들은 너스레를 떨었고, 최형기는 슬그머니 주인에게 물었다.

"헌데 저 집은 지난번에 보니까 아주 방두 많고 마방까지 딸렸던데, 오늘은 어째 불도 안 켜구 캄캄한걸?"

주인도 걱정스럽게 중얼거렸다.

"글쎄올습니다, 참 이상두 하지요. 중화참에 나가보니 집이 휑뎅그레 비었어요. 빚지고 야반도주를 한 것두 아니구 여기서는 모두들 쉬쉬합지요. 무슨 구린 속내가 있기는 있는 모양인데."

"여느 때에는 손님이 많습니까?"

"아, 그럼요. 돌곶이서 가장 짭짤한 재미를 본 게 덕구입죠. 물주가 노상 붙어서 퍼먹구 살았는데요."

곁의 포교도 거들었다.

"우리네야 양주길을 거쳐 내려가는데, 대개 어디서들 옵니까?"

"글쎄요, 중량포에서 오는 이들이 많은 것 같습디다."

최형기는 저도 모르게 고개를 끄덕였다.

매부의 제사를 지내느라고 이틀 동안이나 널다리에 머물렀던 산지니는 새벽녘에 석씨의 집을 나섰다. 마음 같아서는 한 달포 지내면서 겨울 땔감도 장만해드리고 동네 사람들과 마실이라도 다니며 탁배기잔이나 들었으면 좋겠건만, 살인한 죄인인지라 남의 눈에 뜨일까봐 가장 걱정이었다. 산지니 본인보다도 석씨가 더욱 단속이 심하여 낮에는 아예 마당에도 나서지 못하게 하였다. 산지니가 늦은 제사 음식이라고 국에 밥에 양껏 먹고서 새벽이 되도록 누님과 마주앉아 얘기를 나누다가 잠들지 않은 김에 출발한다고 나서니 그의 누이도 숯내를 따라 삼전나루로 향한 길로 배웅을 나왔다.

"누님, 이번 겨울이나 나고 봄에는 꼭 와서 모셔가렵니다. 그러니 적당한 임자가 나서면 농지두 팔아버리세요. 저두 돈을 모으지요. 그래서 장사를 하십시다."

그러나 석씨는 아직도 농사를 지어 근실하게 사는 일 외에는 모든 것이 믿기질 않는 모양이었다.

"아니야, 땅은 가장 믿을 만한 근본이란다. 여하튼 어디루 이사 가서 살더라두 토지를 장만하여 농사지을 생각을 해야지."

"제가 강원도 쪽에 후미진 고을을 찾아보겠습니다. 그리구 누님, 형님에게는 전혀 찾아가지 않으셔요?"

종가라고 할 수 있는 산지니의 서사촌형님 댁을 이르는 것이니 석 씨에게는 오라비가 되고, 친정아버지가 돌아가셨으니 친정의 어른이 되는 셈이었다.

"왜 부모님 제사 때에는 가구 그랬었다. 그렇지만 가장을 잃었으니 과부라는 것은 친정에도 죄인이란다. 남편이 안 계시니 자연히 찾아갈 면목이 없구나. 시집이야 그분이 워낙 자수성가하신 분이라…… 아무튼지 네가 어서 자리를 잡구 살게 되면 나는 아무 데구 좋다. 물 있구 산 있는 데라면 어디 가선들 못 살겠니. 제발 이상한 짓은 저지르지 말구 분에 넘치는 생각두 먹지 마라."

산지니는 대꾸가 없었다. 그러다가 낙생역말을 훨씬 지나서 산성으로 갈리는 네거리에 이르자 그는 누님의 등을 밀었다.

"어서 들어가세요. 애들 자다 깨면 놀라겠어요."

석씨는 벌써 울먹울먹하였다. 그렇지 않아도 자기 때문에 고향에서 쫓겨나 험한 곳으로 돌아다니며 숨어 다니는데다가, 이해하지도 못할 무서운 말을 하는 꼴을 보니 불안해서 견딜 수가 없었다.

"그래, 몸조심해라. 나는 네가 늘 건강하게 살아 있으려니 믿구 사는 게 한 가지 보람이란다. 제발이다. 나를 생각해서라두 몸조심해라."

석씨는 산지니가 집을 떠난 뒤에 고적한 집을 지키며, 얼마나 그를 친동기간이나 남편보다 더욱 살갑게 생각하였는지 몰랐다. 어쩌면 제 속으로 낳은 자식만큼이었다고나 할지.

"누님, 몸 성히 계십시오. 봄에 꼭 다시 올게요."

산지니는 침울하게 말하며 허리를 꾸뻑해 보이고는 바삐 걸어갔다. 산지니는 숯내를 건너가며 연신 돌아보았고, 아직도 길가에 섰는 석씨에게 어서 들어가라는 시늉으로 손을 흩뿌려 보였다. 석씨는 연방 고개를 끄덕이면서도 못내 돌아서지 못하였다. 산지니는 어머니와 작별하는 느낌이었다.

그는 돌곶이로 향하고 있었던 것이다. 산지니는 삼전나루로 갔다가 누군가의 눈에 발견되기 맞춤한 시각이라 배를 타지 못하였다.

나루터에는 제법 사람들이 모여들어 배를 기다리고 있었다. 그는 멀찍이 서서 살피다가 학나루로 내려갔고 거기서도 배를 타지 못하여 봉은사 쪽으로 강변의 모랫벌을 따라 걸어올라갔다. 마침 주낙배가 얹어걸려 그는 살곶이벌로 하여 답심리(踏深里) 쪽으로 올랐다. 날씨는 꾸물꾸물하고 잔뜩 흐려 있었으나 바람은 별로 없었다. 산지니는 돌곶이 덕구네 주막에 가면 고달근이 와 있을지도 모른다고 생각하였다.

최형기를 해치운 시동이도 돌아와 있을 테니 곧 지난번처럼 성내의 부잣집이나 벼슬아치의 집을 습격하게 될 것이었다. 아니, 이번에는 포청을 직접 들이칠지도 몰랐다. 그러고 나서 경조 주변의 검계 일당들이 모두 성내로 들어가 범궐하여 수직 군사들을 처치하고, 물밀듯이 대궐 속의 곳곳으로 짓쳐들어갈 것이다. 용상에는 계원들의 발자국이 찍힐 것이며 내전은 피로 물들 것이었다.

산지니는 고암 오거리를 지나 돌곶이의 주막거리로 들어섰다. 여전히 행객의 내왕이 끊겨서 길은 한적하고 쓸쓸하였다. 산지니는 덕구네 주막으로 들어서면서 큰 소리로 불렀다.

"내 왔네. 모두 잘들 있었나?"

그러나 닫힌 방문마다 인기척이 없고 집안은 괴괴하였다. 산지니는 이상한 생각이 들어서 언제나 덕구가 들어앉아 내다보던 문간방의 방문을 잡아당겨보았다. 그러나 방 안에는 흐트러진 옷가지가 널려 있을 뿐 아무도 보이지 않았다. 그리고 보니까 방 안에는 냉기가 싸늘하였다. 산지니는 그제야 뒤통수에 인기척을 느끼고는 힐끗 돌아보았다. 눈빛이 날카로운 사내 하나가 마당 가운데 뒷짐을 지고서 있었다. 산지니는 가슴이 철렁 내려앉는 느낌이었다. 얼른 처마 밑에서 비켜서면서 좌우를 돌아보았다. 삽짝 앞에 다른 사내가 나타났고 뒤곁에서도 둘이 나타나 오른편을 막아섰다.

"덕구를 찾소?"

마당에 버티고 섰던 자가 조용히 물었다. 산지니는 손을 품안에 넣어 비수의 자루를 움켜쥐었다.

"댁은 누구슈?"

산지니가 옆으로 몇걸음 옮기며 묻자, 그 사내도 같은 방향으로 걸음을 떼어 산지니의 앞을 가로막으면서 뒷짐을 지고 있던 손을 슬그머니 앞으로 가져왔다. 사내는 쇠도리깨를 감추어들고 있었던 것이다.

"검계의 계원들을 만날려구 그러우?"

사내는 쇠도리깨를 손바닥에 천천히 때려 꺾쇠가 찰칵거리는 소리를 규칙적으로 나게 하면서 빙글빙글 웃었다. 산지니는 이들이 포교들임을 한눈에 알아보았다. 산지니는 품안에서 비수를 뽑아들었다. 그러나 마당의 사방을 막아선 네 사내를 벨 자신은 없었다. 삽짝 앞에 섰던 자가 조용히 말하였다.

"네가 검계의 혈당임을 잘 알고 있다. 이 집에 있던 너희 일당들은 모두 잡혀서 순순히 자복하였다. 칼을 버리고 오라를 받아라."

산지니는 바로 뒤에 마루를 지나 뒤곁으로 나가는 쪽문이 있음을 알고 있었다. 그리로 뛰쳐나가 뒷담을 넘어 청량사(淸涼寺) 쪽의 숲에까지 달아나, 숨어서 밤이 되기를 기다리면 빠져나갈 수 있을지도 몰랐다. 산지니는 바로 앞에 선 사내를 노리고 있었다. 그는 산지니가 마루로 돌아서자마자 단숨에 쫓아들어와 그의 뒤통수나 등짝을 도리깨로 내리칠 것이기 때문이었다.

"나는 계원이 아니우. 덕구한테 받을 돈이 있어서 들른 게요. 댁네가 계원들인 모양인데 포청에 가서 찌를 테요."

산지니는 짐짓 그들의 주의를 혼란시키느라고 엉뚱한 말을 던져보았다. 앞에 섰던 사내가 자기 동료들을 돌아다보았다.

"뭐 하는 거냐. 놈은 틀림없는 혈당이다."

삽짝에 섰던 자가 말하니 그는 쇠도리깨를 쳐들며 다가섰다. 산지니는 슬그머니 손을 내리고 칼을 발치에다 떨구었다.

"좋소, 묶으시우."

"암, 그래야지. 공연히 해골 깨지면 곤장 맞을 틈두 없는 게여."

포교가 방심을 하고 쇠도리깨를 내린 채 산지니의 두어 걸음 앞으로 나섰고 산지니는 잽싸게 그를 잡아 한 손으로 목을 껴안고 조이면서 잡아끌었다. 이런 따위 놀음이야 송파나루 주막에서 산지니가 타관 왈짜들을 다루던 익숙한 솜씨였다. 포교는 순식간에 당하는 노릇이라 짚단 넘어가듯 맥없이 자빠졌고 산지니는 무릎을 굽혀 비수를 집어들어 포교의 목에다 슬쩍 눌러주었다.

"버둥거리면 구멍난다."

포교가 쇠도리깨도 놓치고 스스로 사지를 늘어뜨리는데 산지니는 그를 질질 끌고 마루로 올라섰다.

"저놈…… 저, 저런……"

마당에 둘러섰던 세 사내들이 주춤대며 마루로 다가서려는데 산지니가 이를 악물고 내뱉었다.

"꿈쩍 마라. 거기서 한 발이라도 떼었다가는 이 녀석 모가지를 도려서 던져줄 테니까."

산지니는 마루에 올라서자마자 잡고 있던 포교의 관자놀이께를 칼자루로 힘껏 찔러주고는 뒷발로 쪽문을 박차고 뛰어나갔다. 뒤꼍을 단숨에 뛰어 담에 두 손을 걸고 하나 둘 셋, 동작에 넘어서 밭으로 떨어졌다. 산지니는 비틀거리며 일어나 곧장 뛰려고 밭고랑으로 들어서는데 집 앞을 돌아나온 포교들이 좌우로 나타났다. 산지니는 몇걸음 뛰다가 헉, 하면서 멈추었다. 저쪽 밭고랑 앞에 남바위를 쓴 사내 하나가 팔짱을 지르고 비스듬히 서서 기다리고 있었던 것이다. 그는 아예 덕구네 마당에 나타나지도 않고 눈 덮인 밭고랑에 가서 우두커니 기다리고 선 모양이었다. 산지니는 그자가 맨손인 것을 알아채고는 그대로 찌르고 뛰어나갈 작정을 하였다.

"비켜라아……"

산지니가 칼을 휘두르며 뛰어가자 그는 옆으로 훌쩍 뛰면서 비켜났다. 산지니가 그를 지나쳤다 여기면서 내쳐서 몇발짝 뛰어나가는데, 무언가 그의 몸 위로 날아왔고 어깨에 스치면서 허리께를 조이고는 힘껏 당겨졌다. 산지니는 몸의 중심을 잃고 헛발을 내디디며 밭고랑에 보기 좋게 나가떨어졌다. 오랏줄의 매듭이 날아와 그의 두 팔과 상체를 단단히 조이고 있었다. 그는 버둥거리면서 그의 발치에 까지 다가선 키 큰 사내를 올려다보았다.

"네가 나를 쏘았느냐?"

산지니는 그 남바위 쓴 사내가 최형기라는 것을 알아차렸다. 시동이는 실패하였구나. 그렇다면 식구들은 모두 어떻게 된 걸까. 포교들이 제각기 도리깨며 환도며 육모방망이 등속을 휘두르며 달려왔고, 최형기는 땅에 떨어진 산지니의 비수를 주워 포교들에게 내주면서 중얼거렸다.

"조련은 밥 삭히느라고 받았더냐. 오소리에 긁힌 개 꼬락서니로다."

포교들은 대꾸를 못 하고 묶인 채 일어나 앉은 산지니를 잡아먹을 듯이 노려보았다.

"머리는 성한가?"

앞장서서 산지니를 잡으려다 오히려 혼이 났던 포교에게 최형기가 물으니 그는 혹이 불거져나온 머리에 손을 올리며 상을 찌그렸다.

"몸집은 대추알만 한 것이 꼭 서리 맞은 독사요."

뒷전에서 주춤거리던 포교가 제 동무를 역성들어 한마디 하였다. 최형기는 몸소 산지니의 팔을 뒤로 꺾어쥐고는 저고리를 당겼다. 산지니는 그가 하는 대로 몸을 맡기며 눈을 감았다. 최형기는 세간에 전하는 말을 확인하려는 것이었다. 과연 그자의 어깨에 반질반질하고 동그란 화상이 보였다. 남별대에서 잡은 살주계 일당들의 입에서 검계의 계원들은 어깨에 동그란 낙인을 찍는다는 사실이 밝혀진 바였다.

"음…… 틀림없군."

최형기는 뒤로 물러섰다.

"어서 끌고 돌아가자."

산지니는 포교들이 잡아끄는 대로 순순히 일어나 걸었다. 그는 뒤로 멀어져가는 중량포 쪽의 들판을 돌아다보았다. 송파와 삼전나루로 나가는 배가 닿는 곳이었던 까닭이다. 산지니는 흥인문이 보이기 시작하자 스스로를 하나씩 따져보며 궁리를 하였다. 계원의 낙인도 알려졌고 이제 이리저리 국문이 시작되면 광주 동촌 한판관의 죽음도 밝혀질 테고 변심했던 억기의 죽음도 드러나게 될 것이다. 그것만 가지고도 산지니는 목이 두어 개 있어야 할 것 같았다.

눈치를 보아하니 최종사란 자는 아직 주막 주인 덕구를 잡지 못한 것이 분명하였다. 주막에서 그물을 치고 검계의 혈당들을 잡으려면 덕구가 곁에 붙어서 일일이 얼굴을 보아 확인해야 할 것이다. 그런데 종사가 직접 낙인을 살피지 않았던가. 덕구가 피하였다면 솔부리 식구들은 먼저 떠났거나 덕구와 함께 피하였을 듯싶었다. 또한 시동이도 전혀 잡히지 않았으며 얼굴도 알려지지 않은 것이 분명하였다.

종사관은 산지니에게 네가 나를 쏘았느냐고 첫마디에 물은 터였다. 산지니는 기왕에 살변을 일으킨 도망꾼으로서 목숨을 부지하여 왔던 셈이다. 입을 다물고 혼자 죽기로 결심하게 되었다. 그들 중에 아무도 잡히지 않았다면 산지니 자신의 고기는 매우 처참할 것이다. 그에게서 모두 짜내어 나머지를 잡으려 할 것이 분명하였다. 어떻게든 빨리 죽는 길을 택하여야 욕되지 않게 자신을 간수하는 길이 아닌가. 최형기는 포청에 들어가자마자 오랜만에 구군복으로 갈아입었다. 그러고는 추국청을 벌이는데 함부로 매를 치거나 형틀을 준비하지 않도록 지시하였다. 그는 오히려 산지니에게 따뜻한 저녁을 먹이도록 하였다. 의아해하는 부장들에게 최형기는 말하였다.

"돌부리를 차게 되면 발만 아플 뿐이지. 호미로 살살 파서 들어내야 한다네."

겨울바람이 매섭게 불어대고 있었다. 좌포청의 옥은 포청 뒤뜰 안에 있었는데 일단 결안이 난 죄수들은 서린방 전옥서로 옮겨가고, 조사받을 일이 남은 자들만 남아 있었다. 숙수 개천은 바람이 들이치지 않는 구석자리에 잔뜩 몸을 웅크리고서 처박혀 있었다. 옆칸에는 남별대에서 잡혔던 살주계의 계원들이 있어서 그가 검계의 혈당으로 오인되어 들어왔다는 것을 모두 알고 있었다. 개천은 그들과 이웃하여 지나는 사이에 자기 행동이 얼마나 어리석었던가를 뉘우치고 깨달은 바가 많았다. 살아서 나가게 된다면 그는 어떻게 하든지 검계와 연이 닿을 수 있는 사람을 찾아갈 결심이었다. 저녁참이 지나고 죄인의 가족들이나 장사꾼들이 모두 후문으로 쫓겨나간 뒤에 등불이 개천이 갇혀 있는 옥 앞으로 다가왔다.

"감상칼자 개천이 어디 있느냐?"

포졸이 등불을 쳐들고 물었다. 개천은 짚더미 아래에서 부스스 일어났다.

"예, 저올시다."

포졸은 자물통을 요란하게 따고 칸살문을 열어주었다.

"나오너라, 방송이다."

"예에?"

"허, 그 망할 자식…… 어서 나오지 못하구 뭘 꾸물거려. 날씨두 추운데……"

개천은 옥에서 엉거주춤 나섰다. 갑자기 찬바람이 몰아치는 뜨락으로 나오자 그는 어깨를 웅숭그리고 두 손을 소매 속에 파묻었다.

"앞서 걸어라. 너는 신수가 좋은 놈이다. 비록 양반을 욕보이기는 하였으나 개과천선하여 충심으로 윗사람을 받들고 나라의 은혜를 뼛속 깊이 간직하여 양민으로 살아가라는 위의 분부시다. 알아듣겠느냐?"

개천은 포청의 후문에 당도하여 귓전으로 포졸의 얘기를 흘리면서 서 있었다. 포졸이 쪽문을 열어주며 바깥을 손짓해 보였다.

"어디로든 가거라."

개천이 나오자 문은 슬그머니 닫혔다. 이제는 정말 아무 데로나 갈 수 있게 된 것이다. 그는 파자교(把子橋) 쪽으로 걸어내려가며 궁리하였다. 어디로 찾아간단 말인가. 혜정교의 숙수도가라면 가장 만만하기는 하였으나, 그 주인 녀석을 생각하니 쫓아가 죽일지언정 하룻밤 유숙을 청할 마음이 없었다. 또한 교하 숯내의 주막에도 다시 찾아가기는 그른 일이었다. 그렇다면 갈 곳은 돈의문 밖 홍제원뿐이었다. 홍제원에는 색주가가 모여 있었는데 개천은 주모 몇사람과 잘 아는 사이였다. 거기 가서 어디 부잣집 행랑살이로 들어갈 때까지만이라도 잔시중을 들며 밥을 얻어먹을 작정이었다. 길가에는 행인들이 별로 없었다. 바람이 나뭇가지를 뒤흔들어대는 소리가 괴이한 밤귀신의 울음과도 같았다. 그는 종루를 따라서 곧장 서쪽을 바라보고 걸었다.

개천이 전혀 주의를 하지 않았지마는 그가 파자교를 돌아나올 때부터 누군가가 뒤를 따르고 있었다. 중치막에 갓 쓰고 건장한 사내였다. 그는 부장의 지시를 받고 나온 포교였다. 그는 되도록 많은 사람이 보는 앞에서 개천을 죽이고 돌아오라는 명을 받고 있었다. 개천이 어디인가 들어가 유숙하게 될 것이니 쫓아들어가서 물고를 내버리라는 것이었다. 물론 무엇 때문에 개천이 죽지 않으면 안 되는가를 여러 사람 앞에서 광설하여야 한다는 것이었다. 그는 중치막 안의 허리춤에 단검을 지르고 있었다. 개천은 경희궁 담을 돌아 돈의문으로 나아갔다. 새삼스럽게 지난 가을의 소공주동 생각이 났다. 자줏빛 귀주머니에 들어 있던 한쌍의 은가락지, 그리고 별당의 달빛, 이다음에 죽거든 양반으로 환생하라던 처자의 슬프고 다정한 목소리, 그런 모든 일들이 겨울바람과 함께 사라진 것이다. 되돌아보면 자신의 벌레만도 못한 육신과 목숨은 참으로 모질기도 하였다.

이렇게 죽지도 않고 살아서 갖은 괄시와 오욕을 당하며 몸을 누일 지붕 밑과 입으로 넣을 밥을 찾아서 비틀거리며 걷고 있는 게 아닌가. 개천은 자기가 불쌍해서 코허리가 매캐하더니 눈물이 주르르 흘러내렸다.

모화관이며 기둥 둘짜리 영은문도 지나서 홍제원에 당도하였는데, 색주가도 시절을 못 만나 썰렁하였다. 집집마다 등불빛도 보였고 용수를 씌운 장목도 서 있건만 희게 분 바른 삼패들은 보이지 않았다. 간혹 몇몇이 내다보기는 하였으나 행인들이 없어서 그런지 잡가도 새어나오지 않았고 불러대는 농지거리도 들리지 않았다. 즐비하던 떡집들도 장사를 폐하였고 그 대신에 죽을 팔고 있었다. 개천은 한참이나 이 집인가 저 집인가 하여 헤매고 다니다가 우물과 나무를 확인하고는 대문을 두드렸다. 들창문이 밖으로 열리면서 작부가 내다보더니 꼴같지 않은 모양이었다.

"누굴 찾아요?"

"이 집 주모를 찾소."

여자는 어디로 보나 비렁뱅이가 분명한 개천이 주모를 찾는데 어이가 없는지 코똥을 뀌었다.

"흥, 술장사를 거두었더니 이제는 깍정이가 촌수 재러 오나베."

"여기가 우리 아주머니 댁이우. 개천이가 왔다구 전해주오."

안에서 들었는지 다른 중년의 여자가 고개를 내밀었다.

"아니…… 네가 누구냐?"

"내요, 개천이우."

"어서 들어오너라. 이게 얼마 만이야."

주모가 사라지더니 문간으로 뛰어나왔다. 개천은 한숨을 내리쉬었다.

"아니, 교하에 나가 돈 번다더니 이게 무슨 꼴이냐."

"그렇게 되었수."

안으로 들어가니 건넌방에는 한 패거리가 들었는지 두런두런 얘기 나누는 소리가 들렸다. 주모는 개천을 문간방으로 데리고 들어갔다.

"장사는 그만두었나요?"

"에구, 말두 마라. 때가 이러니 무슨 손님이 있겠냐. 술도 진작 말랐지. 나라에서 가무를 금하구 있지 않니. 하는 수 없이 이 봉노를 트고 보행으로 한양 드나드는 이들이나 재우는데 곡식도 받고 무명도 받아 밥을 해주고 얻어먹고 산단다."

개천은 오랜만에 따뜻한 구들목에 궁둥이를 붙이니 그것만이라도 우선 원이 없는 듯싶었다.

"나 여기 좀 있게 해주오."

"교하서 무슨 일이 있었니. 이 옷 꼴이며 머리 꼴은 그게 뭐냐?"

"말두 마우. 내가 정선방 포청서 나오는 길이오."

주모는 눈꼬리가 위로 올라갔다.

"무슨 죄가 있다구 포청엘 갔었어."

"얘기하자면 길지요."

개천은 교하서 선달 댁 혼인잔치에 숙수로 불려갔던 일로부터 시작하여 행랑에서 천것들끼리 나누던 농담이며를 자세히 얘기하였다. 얘기하는 중에 밖에 또 손님이 왔는지 길게 이리 오너라, 하며 찾는 소리가 들렸다.

"그러게 너는 고지식한 것이 탈이다. 생기기는 호남자로 영리하게 생겼으면서 세상사에 그렇게도 철이 없는 사람은 너밖에 없구나. 입 조심을 해야지. 배알대로 뇌까리다가는 큰코를 다치게 마련인 게야."

하면서 주모는 일어섰다.

"가만…… 손님이 드는 모양인데 내가 잠깐 나가봐야지. 너 밥 안 먹었지? 곧 상 들여보낼 테니 염려 마라."

"아주머니, 고맙수. 난 이 꼴이라 혹시 문전에서 쫓겨날 줄 알았지요."

개천이 눈시울이 알알하여 중얼거리니 주모는 혀를 찼다.

"이것아, 고생할 적 옹솥은 버리는 게 아니란다. 하물며 네가 아잇 적부터 나하구 객줏집살이를 하였는데, 내가 금수가 아닌 바에야 그럴 리가 있겠니."

주모는 잔뜩 움츠러든 개천의 등을 토닥여주고는 밖으로 나갔다.

"주무십니까?"

"아니…… 요기나 하구 가지."

"성문이 진작에 닫혔을 겝니다."

"무명 끄틀을 내줄 테니 밥이나 먹게 해주게."

길손과 주모가 말을 나누는 소리가 들리더니 그가 바로 옆방에 드는 모양이었다. 개천은 몸이 무겁고 사지가 쑤셔서 견딜 수가 없었다. 뜨거운 방에 등을 대고 지지며 끙끙 앓았다.

"어서 밥 먹어라."

주모가 옆방에 개다리소반을 들여놓고 나서 개천의 방에도 상을 들이밀었다.

"내 더운 물 들여줄 테니 그 터진 상처에 찜질을 해야겠다."

개천은 그저 고맙기만 하여 대답도 못 하고 상을 끌어당겼다. 뜨거운 국밥인데 비록 조가 많기는 하여도 구수한 된장에 그득히 말아놓은 것이, 옥에서 포졸들이 먹던 한밥을 조금씩 얻어먹고 연명했던 참이라, 바로 신선이 되어버린 느낌이었다. 그는 허겁지겁 국밥을 퍼먹고 있었다. 그때 장지문이 스르르 열렸는데도 개천은 고개를 들지 않았다. 찬바람 때문에 그는 숟가락질을 멈추고 올려다보았고, 낯선 사내가 그를 무심하게 내려다보고 있었다.

"누구슈?"

개천은 어쩐지 그자의 시선에서 심상치 않은 것을 느끼고는 뒤로 물러났다. 그러나 사내는 개천이 더욱 뒤로 물러앉는 것을 내버려두지 않고 한 발을 툇마루 위에 덥석 딛고는 개천의 멱살을 잡아끌었다.

"이놈, 누가 너를 방송했더냐?"

개천은 사정없이 당기는 사내의 힘에 못 이겨 툇마루 아래로 내동댕이쳐졌다.

"댁이 누구요. 뭣 땜에 이러는 게요. 나는 포청에서 허락받고 풀려나온 사람이우."

개천이 부르짖었고, 건넌방의 손님들은 방문을 열고 모두들 내다보았으며, 주모와 여자들은 차마 가까이는 다가오지 못하고 부엌에서 개천을 돕는 말만 던질 뿐이었다.

"포청에서 형을 다 받구 나온 사람을 왜 못살게 하나요."

사내가 한손으로 개천의 멱살을 잡고는 다른 손으로 허리춤에 찬 단검을 뽑아들었다.

"나는 모르겠으니 양반 나으리들께 물어봐라. 아무리 포청에서 풀려나왔다 하나, 성내의 양반들은 이런 놈이 살아 댕기는 꼴을 못 보시겠단다."

사내는 그대로 개천의 가슴팍을 찌르고는, 비명을 지른 주모를 밀치고 유유히 대문을 나섰다. 개천은 그 자리에서 절명하였고, 방 안에는 그가 퍼먹던 국밥이 아직도 따끈하였다.

13

석씨가 아이들만 남겨놓고 나무를 하려고 집을 나서는 참인데 냇가 옆길을 따라서 갓 쓴 사람과 털벙거지에 철릭을 입은 장교가 마주 오고 있는 것을 보았다. 석씨는 불길한 예감에 가슴이 내려앉는 것 같았다. 갓 쓴 사람은 틀림없이 석씨가 원정을 내러 찾아갔던 고을 형방이었다.

"게 멈추시오."

석씨가 모른 척하며 지게를 추스르고 돌아서는 참에 형방이 소리를 질렀다. 석씨는 저들이 산지니가 집에 왔었다는 소리를 들었거나 누군가가 나루터에서 산지니를 보고 귀띔해주었을 게라고 생각하였다. 석씨가 기다리니 먼저 다가온 장교가 물었다.

"이 여인이오?"

"집에 산지니가 왔었나……"

형방은 장교를 힐끗 돌아보더니 석씨에게 묻고 나서 뚫어질 듯이 석씨의 표정을 살폈다.

"잠깐 안으로 들어가세."

형방이 먼저 삽짝 안으로 들어가며 석씨에게 손짓했다. 석씨는 굳은 얼굴로 대꾸를 않고 뒤를 따랐다. 장교가 먼저 들어가더니 안방의 다락이며 장롱들을 뒤지기 시작하였다.

"도대체 뭣 땜에들 이러십니까?"

"어서 대답하오. 석산진이 이 집에 왔던 사실이 있느냐구?"

석씨는 잠깐 생각하고 나서 대꾸하였다.

"글쎄요…… 누가 그러던가요?"

형방은 답답했는지 스스로 가슴을 두드리며 고개를 내저었다.

"허허, 시방 어떻게 돌아가는지도 모르면서, 이렇게 콱 막혔을 수가 있나. 석산진은 잡혔어."

석씨는 다시 한번 가슴이 내려앉았다.

"지금 포청에 잡혀 있단 말일세. 그것두 지난번 한판관의 죽음 때문만이 아니라, 역률죄를 범한 흉당에 들었단 말여. 공모자로 장하에 죽기 싫거든 사실을 낱낱이 말하오."

장교가 눈을 부라리며 방에서 나왔다.

"언제 왔었어?"

"한 사날 전에요. 그애가 흉당에 들었을 리가 없습니다. 산지니는 저 때문에 죄인이 된 거예요. 형방나으리두 말씀하셨지요. 한판관 댁에서 아무 소장도 올리지 않는다면, 세월이 지난 다음에 살변이 일어나게 된 자초지종을 밝히고 원정하면 고작해야 유배 천리형이라구요. 산지니는 그런 아이가 아닙니다."

"나라에서는 그 흉당을 역적으로 알고 있는데 당에 들어간 형적이 역력하다네. 지금 관가에 한양서 온 부장포교가 기다리고 있으니, 가서 순순히 자복을 해야 되네. 내가 석씨에게는 인정을 어쩔 수가 없어서 미리 알려주는 걸세. 산지니는 흥인문 밖에서 양반의 행차를 약탈한 것도 밝혀졌고, 자기네 당을 발고하고 자수한 동료를 죽이기까지 했다는군. 그러니 석씨까지 해를 입지 말고 누가 드나들었는지 어디로 간다구 하였는지 들은 대로 말해야 되네."

"그렇게 하지요."

석씨가 일어나니 아이들이 눈치는 있어서 징징거리며 울기 시작하였다. 석씨는 일부러 작은아이를 들쳐업고 큰아이의 손목을 잡았다. 장교는 아이를 떼어내려는 시늉을 하며 물었다.

"묶을까요?"

"내버려두게. 아무리 적당의 아녀자라도 동모한 형적이 없으면 죄인이 아니니까."

형방과 장교는 두 아이를 거두어 가는 석씨의 뒤를 따랐다. 석씨는 절대로 눈물을 보이지 않겠다고 작심하였다. 석씨가 객사에 끌려가니 목사는 나오지 않았고 한양서 내려온 부장이 도사와 더불어 기다리고 있었다. 부장이 심문을 하는데 곁에서 형방과 서리가 거들었다. 석씨는 아이들을 옆에 앉히고 단정하게 무릎을 세워 앉았다. 공모한 흔적이 없으니 부녀자를 함부로 칠 수 없었으며, 또한 석씨는 광주 인근에서 여러 촌로들의 동정을 받아온 처지였다. 그래서 관가의 동헌에 들지 않고 객사로 나와 심문을 하는 것이었다. 급창이며 사령들도 없이 석씨만 마당에 덩그러니 앉혀두고 심문이 시작되었다.

"적당 석산지니를 아는가?"

"그애는 소인네의 서사촌동생입니다만, 적당은 아니올시다."

형방이 곁에서 말하였다.

"묻는 대로만 대답하게."

"석모가 어찌하여 살변을 일으키게 되었는가?"

석씨는 겁을 먹지 않고 당당하게 머리를 쳐들고 말하였다.

"그것은 이 고장 백성들이면 누구나가 다 알고 있는 일입니다. 판관 한이서가 이 몸이 과부임을 기화로 하여 겁간하려다가 산지니에게 죽었습니다. 때마침 위기에서 건져졌으나, 이 고을에서의 자세하는 신분을 믿고 양가녀를 강제로 겁간하려던 천인공노할 죄는 묻지 않고, 오히려 가엾은 우리 동생만을 살변의 죄인으로 잡으려는 것은 너무나 불공평합니다."

"아…… 그만. 그가 집을 떠나 어디로 갔는지 알고 있는가?"

"관가에서 그애를 잡아 죄주려 하니 달아난 것은 당연하려니와, 어디로 갔는지 누가 알겠습니까. 갖은 고생을 다하며 밥이나 얻어먹었겠지요."

"이 고장에서 누구누구와 자별한 사이인가, 집에 드나들던 자들이 누구인지 말하여라."

"산지니는 예전에는 태어난 곳이 저자의 술청이라 노상 저자것들과 어울려다니며 싸움을 하였는데, 이는 그애가 일찍 부모를 잃고 고아와 다름없이 자란 탓입니다. 이 몸에게로 와서부터는 착실하게 양민이 되어 땅을 파먹고 살았으므로, 소악패들과도 잘 섞이지 않았습니다."

형방이 부장에게 뭐라고 귀띔을 해주었는지 그가 고개를 끄떡이고 나서 포교를 불러 무엇인가 지시하였다. 포교는 나갔다. 석씨는 그들이 산지니의 동무들을 잡으러 나가는 줄을 알아차렸다.

"집에 왔다는데?"

석씨는 더 버티지 못할 줄로 알고 사실대로 말하였다.

"망부의 제사를 잊지 않았는지, 때가 흉황이라 제물 약간을 구해 가지고 왔었습니다."

"그래, 그것이 언제쯤인가?"

"나흘 전이올시다."

"어디서 온다구 하던가?"

"한양서 온다 하였는데 이틀 밤을 묵고 떠났습니다."

부장은 상을 찌그리고 우선 석씨에게 오금을 박았다.

"속이면 엄벌을 면치 못할 것이다. 살주계나 검계에 대하여 들은 말이 있으렷다."

"전혀 없습니다."

부장이 마루를 소리나게 손바닥으로 내리쳤다.

"어느 앞이라고 그런 거짓말을 하느냐. 포청에서 석모가 모든 사실을 털어놓았다. 성내의 노비와 왈짜들이 작당하여 양반을 죽이고 재물을 탈취한다는 말을 하지 않았느냐?"

그러나 석씨는 겁을 먹기는커녕 자기도 얼굴에 노기를 띠고 대들기 시작했다.

"부녀자를 위협하시렵니까? 산지니가 도망하게 된 것은 대체 누구 때문입니까. 어째서 동죄로서 양반은 잡으려 하지 못하였습니까? 그 애가 밥이라도 얻어먹으려고 한양의 소악패들에 신세를 지었다면 그것이 어째서 죄가 됩니까. 공연히 죄도 아닌 죄를 씌우려 마십시오."

부장은 머리를 흔들었다.

"세상 물정을 하나도 모르는 것이 오히려 악다구니를 쓰는구나. 네 동생은 등뒤에 혈당으로 들어갈 때 찍은 낙인까지 있다. 자칫하면 너도 적당과 같이 죽게 되는 게야."

"차라리 죽여주오. 그애와 함께 참형을 받겠습니다."

"허어······"

그들은 석씨의 대찬 기세를 보고 혀를 내둘렀다. 아이들은 석씨의 어조가 높아지자 겁을 먹었는지 큰 소리로 울어대기 시작하였다. 부장이 귀찮아졌는지 손을 내저었다.

"돌려보내시오."

"집으로 돌아가게."

형방이 말하였다. 석씨는 인사도 없이 아이들을 데리고 나왔다. 객사 마당을 나오는데 다래목에 상번수로 있는 깍정이들이 포교에게 끌려오는 참이었다. 형방이 귀띔한 것은 산지니가 다래목 깍정이 꼭지인 까마귀와 동무라는 사실이었다. 까마귀는 진작에 강을 건넜고, 움에는 그의 상번수들만 몇사람 남아 있었던 것이다.

　석씨는 집에 돌아가자 대번에 봇짐을 꾸리기 시작하였다. 값이 나갈 만한 무명이나 곡식을 내어 따로따로 쌌다. 석씨는 한양으로 들어갈 작정이었다. 누구인가 산지니의 옥바라지를 해야 되겠기 때문이었다. 아이들은 그동안 친정에 맡겨두기로 하였고, 석씨는 산지니를 무슨 수를 써서라도 살려볼 작정이었다. 큰아이가 눈치를 채고 어미에게 물었다.

　"엄마, 우리 어디 가?"

　"응, 외가에 간다."

　"거기 가면 산지니 삼춘도 있나?"

　"외숙부가 계시지. 산지니 삼춘 얘기는 절대로 꺼내면 안 된다."

　"엄마, 삼춘은 어디루 갔어?"

　"엄마가 너희들 외가에 데려다주고 삼춘하구 함께 올 테니까 숙부 말씀 잘 듣고 동생두 잘 보살펴야 한다."

　그러고는 석씨는 마을 어른을 찾아가 부탁을 해두었다.

　"제가 산지니 일로 한양을를 다녀오렵니다. 만약 제가 돌아오지 않으면 외가에서 사람이 올 것이니 전장을 처분하도록 도와주십시오."

　"암, 여부가 있소. 그러나 나라에 죄를 짓고 죽는 사람이야 어쩔 수가 있나. 부디 잘 다녀와야지, 그런 말일랑 하지 마오."

　"그러면 아저씨만 믿구 가겠습니다."

석씨는 산지니를 구명하기 전에는 다시 널다리로 돌아오지 않을 작정이었던 것이다. 그것은 석씨가 산지니를 혈육이라기보다는 남편을 잃은 뒤에 집안의 기둥 노릇을 하였던 가장으로서 믿어온 까닭이었다. 석씨는 한 아이는 업고 또 하나 손목을 잡아끌고 동네 총각에게 짐을 지워서 널다리를 떠났다. 돌아보니 자기가 시집오던 날이 생각나서 석씨는 소리 없이 울었다. 개천 건너로 누더기를 걸친 어린 산지니가 연신 소매로 얼굴을 씻으며 쫓아오는 것이 보이는 듯하였다.

다래목의 깍정이패 꼭지인 까마귀가 부랴부랴 강을 건넜던 것은 계원의 연락을 받고 나서였다. 산지니가 돌곶이에서 잡혔으니, 분명히 그와 가깝던 까마귀에게 포교들이 몰려오리라는 것이었다. 까마귀는 강을 건너 묘적산 계곡의 삼십리 길을 들어갔다. 노적사의 송림에 이르니 복만이가 계원들 칠팔 명을 데리고 움을 헐어내고 구덩이를 메우는 중이었다.

"복만이 성님, 이게 웬 소란이우?"

복만이는 흙을 메운 움터를 발로 밟아 다지고 있었다.

"못 들었나?"

"산지니가 잡혔다면서요?"

"음, 좌포청 최형기의 그물에 걸려들었네. 그래서 대덕(大德)님께서 모두들 천마산으로 이사를 가자 하여 새벽에 떠나구 우리는 뒷마무리를 하는 걸세."

까마귀도 복만이와 함께 땅을 다지면서 말하였다.

"산지니는 함부로 입을 놀릴 자식이 아닙니다. 모질고 독하기가 차돌멩이 같습죠."

"누구든지 겪어보지 않으면 믿을 수 없는 게야. 우리 식구가 하나라두 여기서 잡혀보게. 그야말루 검계는 결딴이 나버릴걸."

"산지니가 잡힌 것을 어떻게 알았수?"

"돌곶이의 최가가 솔부리로 기어들어왔지. 최가는 맨손에 식구들만 거느리고 똥 누다 주저앉은 꼴이 되어 도망쳐왔어. 그래서 내가 대덕님께 살주계 한다는 천예들과는 상종하면 안 된다구 말씀드렸는데…… 달근이나 황가놈이나 내 말이라면 코똥이나 팡팡 뀌다니까."

"살주계가 어찌되었는데요?"

"검계하구 어울려 양반댁 재물을 턴 데까지는 괜찮았는데, 그 자식들이 제 동무들 잡힌 분풀이로 성내에 방문을 돌리고 최형기를 총포로 쐈다데. 그야말로 자는 범 수염을 뽑은 격이지."

"그래 이제는 어찌할 거요?"

복만이는 불만이 가득 쌓였던 모양이다.

"어찌하긴 뭘 어찌하나, 솔부리에 틀어박혀 기찰이 잠잠해질 때까지 겨울잠이나 자야지."

"산지니는 버려두구요?"

"그놈은 이제 도마에 올랐는데, 옥황상제라도 별수가 없지."

"다른 데에는 알렸나요?"

"몰라…… 대덕께서 알아 하실 테지."

그들은 움을 대강 메우고 나서 벌겋게 드러난 흙 위에 마른 떼장을 떠다가 그럴듯이 덮어두었다. 사람이 살았던 흔적을 없이하려는 것이었다. 그리고 정원태가 기거하던 석굴 앞에는 바윗돌을 층층이 쌓아올린 다음에 다시 잔솔나무들을 파다가 옮겨 심었다. 오후까지 일을 하고 둘러보니 골짜기에는 숲과 세찬 겨울바람만이 남았다.

그들은 묘적산에 올라 산등성이를 타고 천마산으로 향하였다. 천마산 북편 골짜기의 솔부리에 닿은 것은 이미 노루꼬리만 한 겨울해가 저문 지도 한참이나 지나서였다. 솔부리에는 정원태의 미륵교를 믿는 신도들도 여럿이었고, 주변에 나가 있던 솔부리의 일당들이 모두 모여들어 있었으며, 서강의 모신이까지 올라와 있었다. 고달근과 황회가 쓰는 집의 큰방에는 정원태를 중심으로 하여 광주 검계의 모든 사람들이 둘러앉아 있었다. 그들은 의견이 제각기 달라서 아까부터 같은 얘기를 가지고 맴돌이만 하는 참이었다.

"노적사는 깨끗하게 없어졌소이다."

"수고하였네."

복만이와 정원태가 주고받았고 까마귀도 일일이 좌중에 인사를 하고 나서 끼여앉았다.

"우리 계원을 건드리면 어찌되는가를 보여주기 위해서도 가만있을 수가 없소이다."

시동이가 말하였다. 고달근은 의견을 내지 않고 사람들의 오가는 말을 듣기만 하였고, 황회는 성내로 들어가 소란을 피워야 한다고 주장하였다. 정원태가 말하였다.

"아직은 양주나 고양 쪽에 논의도 하지 않았고 저들이 산지니를 어찌할 것인지도 모르지 않나. 우리는 큰일을 위해서 명년까지 힘을 아껴두어야 하오. 저들이 세게 나오면 우리는 들어와 숨고, 방심했을 적에는 뒤통수를 치는 게요."

모신이가 처음으로 입을 열었다.

"듣자하니 말이 끝나질 않고 자꾸만 제자리서 맴을 도는데…… 내 생각에는 산지니는 죽을 듯허우. 우리가 아무리 칼을 들고 일어선다 하나 지금 조정을 뒤엎을 힘은 없소이다. 산지니는 분명히 죽을 테지요. 그런데 문제는 산지니가 저 혼자서 죽느냐, 혼자 편안히 죽도록 내버려두겠느냐 하는 점이우. 아마 포청에서는 산지니의 연줄을 캐내려고 갖은 수를 다 쓸 게요. 우리가 힘과 꾀로 그들에게 직접 손을 대지는 못하겠으나 몇가지 방법은 있지요. 그것은 좌포장 이인하에게 우포장 신여철로 하여금 압력을 넣도록 하는 겝니다. 신여철이 유리한 입장에 놓이도록 해주는 것이지요. 이인하가 검계의 형옥을 물고 늘어져야 처세에 손해일 뿐이라고 깨닫도록 해주는 게요. 그뿐 아니라 조정의 권신들 몇이 검계의 형옥 때문에 불안하다든가 귀찮은 일이 생긴다면 틀림없이 이인하로 하여금 손을 떼게 하겠지요."

"그렇다면 산지니가 여전히 죽기는 매일반이 아닌가?"

"죽기는 죽되 속참(速斬)되겠지요."

"그가 속참되는 것이 무슨 득이 되오."

모신이는 좌중을 천천히 둘러보았다.

"우리 계의 안전에 득이 되오."

모신이의 말에 정원태도 끄덕였다.

"좋은 안이오. 그런데 우포장이나 권신들의 마음이 우리 뜻대로 움직여질까?"

모신이 웃으면서 말하였다.

"사람은 누구나 마찬가지요. 힘쓰는 놈은 미련하기 쉽고 꾀 많은 놈은 오만하기가 쉬우며 독한 놈은 탐욕스럽기가 쉬운 법이우. 그것은 저잣바닥이나 양반의 사랑이거나 매한가지요. 재물이든 모략이든 협박이든 사람에 따라 잘 쓰면 되겠지. 내 생각으로는 신여철을 겨누는 게 맞춤할 듯허우. 신여철과 이인하는 같은 무장으로서 세를 다투고 있소이다. 신여철로 하여금 이인하를 곤경에 빠지도록 하면 어떨까?"

정원태가 시동이를 돌아보았다.

"최형기는 총포로도 죽이지 못하였다면서?"

시동이가 고개를 숙이며 겸연쩍어하는 것이었다.

"그리되었습니다. 나는 꼭 죽은 줄로만 알았지요."

달근이가 끼여들었다.

"최형기가 포청에서 쫓겨나도록 하면 좋겠군. 신여철에게 그런 일을 시키면 되겠지."

모신이가 다시 말하였다.

"돈과 칼이 다 필요한 게여. 염려 마시우. 산지니는 열흘 안에 입을 굳게 닫고 죽을 테니까."

조정은 남인과 북인으로 나뉘어 다투더니 경신 대출척 이후 서인이 집권하여 우암(尤菴)이 돌아온 지 닷새쯤 지나서 고변(告變)이 시작되었다.

이른바 세상에서 말하는 임술 삼고변(壬戌三告變)의 옥(獄)이라는 것이다. 신유년(辛酉年)에 남인의 대가 열세 집이 지목된 익명의 변서가 시권을 가장하여 올려졌으니 그때부터 정탐이 시작되었다. 본래 서인으로서 무(武)를 배워 벼슬을 얻었던 김환(金煥)이라는 자가 있었으니 병조판서 김석주가 환에게 이르기를, 나라에 큰 변이 있으니 네가 잘 정탐하여 고하라 하였으나, 환이 그럴 수 없다고 사양하였는데, 김석주는 위협하면서 만일 명령에 따르지 않으면 베어죽이리라 하였다.

김환이 명령대로 하겠지만 정탐할 길이 없으니 어찌할까를 물었고, 김석주가 꾀를 내었다. 즉 지금 허새, 허영의 집이 용산에 있으니 네가 전염병이나 집안의 우환으로 떠나는 피접을 빙자하고 그 이웃에 머물면서 교제를 하되 매우 익숙한 뒤에 같이 장기를 두다가, 승패가 결정될 무렵에 네가 남의 나라를 빼앗는 것도 마땅히 이러하리라고 말하면 그의 기색을 살필 수 있을 것이니, 만약에 그가 이상한 기색이 없거든 밤에 동침하면서 비밀히 역모를 같이 하자고 의논해 보면 그의 진의를 알 수 있으리라는 것이었다.

김환은 물었다. 그가 반역하려는 뜻이 없고 도리어 나에게 반역한다고 하면 어찌하리까. 김석주가 모두가 내 손에 달렸으니 걱정하지 말라고 답하면서 교제할 은전을 내주었다. 김환은 그 말대로 하였고, 새와 영이 과연 곧 응하므로 석주에게 보고하였다. 김석주가 또한 유명견(柳命堅)을 정탐하였으나, 김환이 명견과는 친할 수가 없어서 다만 명견의 척당 되는 전익대와 친분을 맺고 그를 시켜 명견의 동정을 살펴보아도 미처 자세히 알지 못하던 무렵에, 석주가 부득이한 일로 청국에 나가게 되어 김환의 일을 어영대장 김익훈에게 맡기고 떠났다.

김익훈이 명견의 소식을 알아오도록 재촉하므로 김환이 전익대에게 가만히 물었다. 전익대가 말하기를, 수상한 일로서는 갑옷과 활을 만드는 듯한 기미가 있으나 실상 확실한 정보는 없다는 것이었다. 김익훈 또한 이덕주를 정탐하게 하였더니, 미처 정탐하기 전에 무리가 생겨서 김환이 거짓 정탐하는 체하고는 실상 자신이 반역을 도모한다는 말이 안팎으로 떠들썩하였다.

김익훈이 곧 김환을 불러 그 말을 전하고 급히 고변하게 되니, 김환이 크게 두려워하여 곧 장교들을 청하여 말하였다. 전익대를 잡아서 같이 고변해야겠다는 것이었다. 김환이 어둠을 타고 익대의 집에 가서 장교들로 하여금 익대를 잡게 하여 제 집에 데리고 와서 내실에 감금하여놓고 위협하였다. 너와 내가 같이 고변하여야 큰 화를 면할 수 있다. 그러나 익대는, 유명견이 일찍이 반역을 꾀한 일이 없거늘 내가 어찌 무고할 수 있겠느냐면서 굳게 거절하였다.

김환이 김익훈에게 말하기를 내가 들어가서 고변하고 국청을 설치한 뒤에 익대를 불러서 그 일을 물어볼 터이니 익대를 가두어놓고 기다려주십시오, 하였다. 김익훈은 전익대를 가두었고 김환은 곧 고변하였던 것이다. 허새, 허영은 이미 자복하였고 환은 훈신이 되어 뜰에 올라앉았다. 그러나 김환은 익대가 만약에 질정 없는 말을 한다면 자기 일에 방해될까 두려워하여 끌어대지 못하였다.

김익훈은 기다리다가 끝내 소식이 없었으므로 매우 민망하고 난처하여 스스로 국청에 나가서 그 내용을 고하였다. 그러나 위관(委官) 김수항이 말하기를, 국청 일은 임금의 전교나 죄인의 고백하는 일이 아니면 감히 거론할 수 없다는 것이었다. 익훈이 더욱 민망하여 어쩔 줄을 모르다가 때마침 김석주가 외국에서 돌아와 같은 위관이 되어 익훈에게 일러주었다. "아방(兒房)에서 밀계하면 주상께서 국청으로 지시가 내릴 것이니 그때에는 조처할 수가 있을 것이오." 익훈이 답하였다. "나는 글을 못하는데, 어찌 아뢰는 말을 쓰겠습니까?" 김석주가 편지 피봉을 가지고 대략 기초를 잡아주며 아뢰게 하였더니, 곧 국청에 명령이 내렸다. 곧 익대를 잡아 물으니, 익대가 김환이 이미 훈신된 것을 보고 생각하기를, 자기도 만약 고변한다면 역시 저와 같이 되리라 하고는 이내 유명견이 역모하였다고 고하였다. 변서의 내용은 대강 이러하였다.

허새 등이 화약 화전(火箭) 흰옷 등을 준비하여 역모했소. 이에 허새가 김환의 집에 던진 글 두 장, 역적의 이름이 쓰인 종이 및 물건 조비(措備)의 문서, 문답설화(問答說話) 기찰일기(譏察日記) 등의 증거물을 올리는 것이오. 허새는 여러차례에 걸쳐 이회를 만나자고 하더니, 나라를 원망하는 말을 많이 하였소. 그리고 조정에서는 장차 노계신을 꾀어 상변하게 하고 남인을 다 죽여 없앨 것이다, 앉아서 때를 기다리느니 차라리 일어나서 그들을 치는 게 나을 것이다, 장사 삼백을 모아 삼공육경 및 비국당상의 여러 대신들을 다 죽이면 나라는 저절로 흩어질 것이라는 둥 말하였소. 화약 대여섯 되를 구하여 내외의 여러 창고에 불을 지른 뒤에 장사들을 보내어 모두 쳐죽이는 한편, 각처에 귀양가 있는 사람들을 모아 의병을 일으키게 하면 일은 쉽다고도 하였소이다. 또 한수만에게는 주상이 무도하여 조정이 어지럽다, 인현을 택하여 왕으로 세우면 나라가 태평해질 뿐만 아니라 우리의 공 또한 클 것이라는 것이었소. 이에 한수만 이회가 일을 같이할 사람들이 누구냐 물으니, 허새는 회맹도목(會盟都目) 석 장을 자기 손으로 써주었는데 그 도목에 씌어 있는 자는 민암(閔黯) 권대운(權大運) 오시복(吳始復) 김환 오정위(吳挺緯) 이덕주(李德周) 이우정(李宇鼎) 정창도(丁昌燾) 권대재(權大載) 유하익(劉夏益) 이관징(李觀徵) 이운징(李雲徵) 윤천뢰(尹天賚) 황징(黃徵) 노정(盧錠) 등 십육 명이었습니다.

변서에는 격문과 문답설화도 첨부되어 있었으며, 허새가 이회와 함께 김환의 집에 가서 흉모를 논의했다는 내용도 요약되어 있었다. 복평군(福平君)을 추대하고 대왕대비가 수렴청정하게 하며, 궁중에 들어간 장사 삼백 명은 흰옷에 흰 두건을 두르고 곳곳에 섰다가 만일 흰옷을 입지 않은 자가 나타나면 다 죽이게 한다는 것이었다.

국청이 벌어졌는데 허새와 이덕주 등의 관련자들을 잡아들여 문초하게 하였다. 이때 문초받게 된 허새는 좀처럼 혐의를 시인하지 않더니 심한 고문에 못 이겨 겨우 자백하기 시작하였으나, 이덕주 허영에게 복평군 추대의 의사를 말하였으나 그 외의 진전은 없었고 더구나 민암 오정위 유하익 윤천뢰 등과 통모한 일은 전혀 없다고 답변하였던 것이다. 이에 허새 허영 이덕주 삼인이 잇달아 사흘 동안에 대여섯 차례의 형신을 당하고 나서 사형당하였다.

뒤이어 임술년 시월 말에 무과를 하였던 출신(出身) 김중하(金重夏)가 올린 고변서가 있었으니, 삼고변의 둘쨋번 것이었다.

금년 여름에 심삼원(沈三元)이 말하기를 "천재지변이 매우 심하니 어찌 한심하지 않으랴. 허적이 박빈을 죽이지 않았다가 도리어 박빈의 손에 죽었으니, 다른 날에 또 허적의 자손에 죽을는지 어찌 알겠느냐. 박빈 남두북이 지금 부귀를 누리지만, 얻은 재물이 어느 때 본 주인에게 돌아갈는지 어찌 알겠는가" 하고 또 말하기를, "이숙이 일찍이 폐고(廢錮)되었다가 이제 이조(吏曹)의 주인이 되었으니, 그대가 만약에 지금 폐기된 사람을 사귀면 반드시 다른 날에 출세하는 길이 되리라" 하기에 신이 "어떤 사람이냐"고 물으니 삼원이 말하기를, 바로 민암이 그 사람이라고 하였습니다. 다시 민암을 찾아보았는데 그가 반갑게 좌우를 물리치고 말하기를, "지금 천시(天時) 인사(人事)는 지혜 있는 사람이 아니라도 알 수 있는 것이니, 그대와 나라도 알 수 있는 것이다. 그대와 내가 이미 마음을 허락한 친구인데 어찌 서로 마음속을 숨기겠는가. 우리나라 운수가 이미 삼백 년을 지났으니, 지금은 남아의 출세할 때이다. 내가 권환(權瑍) 낙서령(洛西令) 윤유중(尹唯中)과 더불어 죽고 살기를 같이하는 계를 결성하였는데 그 계의 이름은 부운계(浮雲契)이다. 여기에 그대가 참여하지 않을 수 없다. 마땅히 청밀(淸密)을 제거하여야 큰일을 이룩하리라. 의풍(宜豊) 남두북, 청성(淸城) 김석주, 밀림(密林) 박빈 등을 제거하지 않으면 반드시 우리 일을 정찰하여 그르칠 염려가 있다"고 하였습니다.

그리하여 탁남의 한 사람으로 대사헌을 지내다가 경신 대출척 때

파직되었던 민암은 곧 역모의 혐의로 잡혀들어와 문초를 당하게 되었다. 그러나 나흘 뒤에는 다시 어영대장 김익훈이 정원(政院)에 와서 밀고하여 고변의 마지막인 전 경주부윤(府尹) 유명견의 옥사를 일으켰다. 김익훈은 경신 출척 때에 남인을 제거한 공으로 광남군(光南君)이라는 훈작을 받은 터였다. 그는 대신들의 휴게실인 이방에서 밀갑(密匣)으로 아뢰었다.

고변한 김환이 변서를 올리기 전에 신에게 와보고서 허새가 역모를 꾸민 정상을 말하면서, 훈국초관(訓局哨官) 전익대 유명견 등이 서로 왕래하는 의심스러운 상황도 말하고, 또 낙서령 수윤(秀胤)이 나라를 원망하는 망측한 말을 한 것을 이야기하였는데, 유명견의 일이 더욱 의심스러우므로 신이 익대를 불러다가 어영청에 구치시켰는데 옥을 다스린 지 이미 닷새가 지나도록 아직 익대를 심문하는 일이 없으니, 이는 반드시 김환의 생각에 비록 의심스러운 단서는 있지만, 역모와는 다르므로 고변할 때에 감히 진달하지 못한 것입니다. 그러나 국옥(鞠獄)이 바야흐로 벌어져서 단서가 판명되지 않은 오늘에 이미 의심스러운 형적이 있다면 덮어두고 발표 않을 수가 없는 것이니, 김환과 익대를 함께 심문하여 사실을 명백히 캐내어 처치하옵소서.

이는 실로 경신 출척 때 몰락한 남인 및 남인 계열의 군관 역사 등이 간혹 임금과 집권당의 서인들을 비난한 일 때문에 죽음이나 가혹한 고문을 당하게 된 억울한 사건이었다. 그러므로 다음달인 십일월에 가서는 고변의 옥에 관련된 자들에 조치가 내려지게 되었다. 허새의 옥에 관련된 군관 역사 십여 명은 귀양을 갔으며 그들을 무고하였던 김중하 전익대도 귀양 가게 되었다. 본래 김석주는 정세의 부침에 간사한 이라, 서인에서 남인으로 바뀌었다가 다시 서인으로 변하여 경신년의 대출척에서도 이조판서를 놓치지 않고 우의정에 올라 호위대장을 겸하였던 것이다. 그는 배신자로서 전에 자신의 동료들이었던 남인의 잔존세력이 남아 있으니 언제 정국이 바뀔지를 몰라 못내 불안하였다.

그래서 어영대장 김익훈과 더불어 남인의 뿌리를 뽑고자 김환과 김중하, 전익대를 부려서 남인을 함정으로 몰아넣었던 것이다.

이러한 사실은 당시 조정에서는 물론이요 저자 백성들 사이에서도 널리 알려져 있었다. 중론이 죽은 자들의 억울함을 은근히 비치면서 내외에 퍼져나갔다.

무릇 고변은 역모한 사람만을 고할 것이지, 조정에 대하여 원망하고 비방하여 난언(亂言)한 자를 모두 급변이라 하여 나라에 고변한다면 앞으로 온 나라 사람이 모두 두려워서 발을 바로 하고 서지 못할 것이니 이것이 어찌 옛 성왕(聖王)이 비방하고 요언하는 자를 죄주지 않던 도리라 하겠습니까. 그런데 그것을 가지고 중하의 고한 것이 전혀 사실이 아닌 바가 없다고 하여 중하의 무고죄를 용서하려고 하니 신은 진실로 그 뜻을 아지 못하겠나이다. 이 옥사의 단서가 이러하므로 인심이 불평하여 거리에서 몰래 뒷공론이 그치지 않습니다. 근래 대각(臺閣)의 말이 너무 함부로 나와서 실로 과격하고 지나쳐 정당함을 잃은 것이 있는데도 조정의 의논이 이 정당하지 못함을 죄로 삼아 배척하지 않는 것은 이 옥사가 실로 인심을 진정시킬 수 있는 때문입니다. 특히 법관에게 명령하여 다시 처리하여 그 실정을 캐내어 곧고 굽은 것을 분명히 해서, 죽은 자를 신설(伸雪)하여주고 산 자를 너그럽게 용서한다면 이것이 진실로 오늘날의 재앙을 없애고 화기(和氣)를 가져오게 하는 한 가지 일이 되겠습니다.

이와 같은 차자(箚子)가 나오게까지 시국의 변화는 진전되었고 김석주, 김익훈 일파는 차츰 몰리는 형국이 되었다. 집권세력인 서인 가운데에서도 노장 측은 우암을 선두로 하여 저들을 두둔하였으며, 조지겸 유득일 한태동 등의 소장들은 무고자들을 엄벌할 것을 상소하였다. 김익훈의 그릇된 세도와 탐욕을 고발한 글들이 뒤를 이었다.

당초에 김익훈이 밀계(密啓)한 것이 해괴한 일입니다. 전익대 등이 죄를 범한 것을 익훈이 듣고 알았다면 신하 된 자로서 어찌 한 시각이라도 그대로 둘 수가 있겠습니까. 그런데도 사사로 구류시켜 여러 날 두었다가 끝에 가서 대신 고변하였으니, 그 심사와 태도를 헤아릴 수 없습니다. 여러 사람을 국문하여도 마침내 단서를 찾을 수 없었으니 내장이 스스로 내다보이고 수족이 모두 드러난 것과 같아서, 본 사헌부에서 익훈을 삭출(削黜)하자는 의논은 결코 없는 사실을 덮어씌우려는 근거 없는 말이 아닙니다. 간특하다는 말도 신이 홀로이 하는 말이 아닙니다. 김익훈의 평생의 모든 행적이 사람들의 이목에 퍼져 있으니, 그중 가장 심하고 더욱 드러난 것을 말하면, 익훈이 문벌을 빙자하고 건달로 출세하여, 착한 행위는 한 가지도 기록할 것이 없고, 악한 것은 갖추지 않음이 없어, 역적 집 재산에 침을 흘리고 그 부녀를 데리고 살았습니다. 손으로는 문사의 초고를 옮겨다가 그 집에 감추고, 정승의 타는 말에 몸소 가철(加鐵)하기를 청하였으니, 천고에 아첨하는 자로서 일찍이 이런 일이 없었으며, 백성들에게 감하여준 납세를 사사로이 받아서 제 집에 실어들인 일은 한 세상을 탐종(貪縱)한 무리들도 감히 못 하던 일이며, 또한 여러 간음한 짓과 비루한 태도에 대하여는 사람들이 모두 귀를 더럽히지 않으려 합니다. 그중에 더욱 통분한 일은 갑인년 이후 간흉 남인들이 정권을 잡았으므로 당시의 선비들이 사방으로 쫓겨나가서 비록 미관말직이라도 집권자에게 붙어서 벼슬하려고 하지 않았는데, 김익훈은 유현(儒賢)의 손자로서 문벌 좋은 집에 태어나 그 조상을 더럽히고 욕되게 함을 부끄럽게 생각지 않고 적(賊) 허적에게 붙어서 노예보다도 더 아첨하고 골육보다도 더 정이 두터워 반연으로 결탁하고 장수에 뽑혀 올랐다가, 기회를 엿보아 태도를 변하여 허적과 갈라져서 훈적(勳籍)에 추록되어 외람히 공호를 차지하였습니다. 설사 익훈이 일분의 공이 있다 하더라도 또한 팽총(彭寵)의 자밀(子密)이 훈신의 반열에 두어서 그 녹을 떼지 않게 하면 족하거늘, 대장의 직책이 이 얼마나 중요한 자리인데 되지도 못한 간비한 사람을 이 자리에 올려 일국의 장수로 삼아서 삼군(三軍)의 군사를 지휘하게 하십니까.

좌의정 민정중도 이때에는 김수항과 의견을 달리하였고 소장 측에 동조하는 사람들이 많아졌던 것이다. 계해 정월에 좌의정의 차자에 따라서 임금도 싸고돌던 김익훈을 파직시켰으며, 김중하 전익대 김환 등 무고 죄인들을 처단하라 이르게 되었다. 김익훈은 우암 송시열의 스승 김장생의 손자였으므로, 송시열은 친형제나 다름없는 그를 구해주려고 임금께 그 관계를 아뢰었다.

송시열과 영의정 김수항, 좌의정 민정중, 지부사 이상진 등의 노장들은 그들을 더이상 벌하지 말자고 주장하였으나 판의금 여정제, 지의금 박신규, 동의금 김우석, 정재희, 대사간 이수언, 집의 한태동, 수찬 오도일 등의 소장들은 무고의 사실이 적실하므로 그들을 엄벌할 것을 주장하며 맞섰다. 이른바 백성들까지도 알게 된 노론과 소론의 분열의 시말이었다.

갑자년이 되어서도 계속 양론은 끊이지 않았다. 구월에 김석주가 죽자 익훈은 점차 더욱 몰리게 된 형편이었다. 이인하는 좌윤에서 좌포도대장으로 옮겨앉았고, 소론 측에 가담하여 있었다. 훈련대장 신여철은 우포도대장으로 옮아갔는데, 그는 또한 김석주나 김익훈의 신임을 받지 못하였으니 그가 남인 계통에 혈연이 있다 함이었다. 신여철은 자못 심중이 불안한 가운데 있었던 것이다. 노론이니 소론이니 하는 것도 실은 집권세력인 서인 내부의 쟁론이었고, 남인은 이제 완전히 거세되어 몰락하는 판국이었다. 비록 무고가 밝혀지고 김익훈이 파직되었다고는 하나, 아직도 그들의 뒤에는 송시열을 비롯하여 김수항 민정중 등이 있었다. 우포도대장 신여철은 좌포도대장 이인하처럼 선뜻 소론에 들 수도 없었고, 김익훈을 두둔하는 노론을 등에 짊어질 수도 없었다. 따라서 신여철은 이인하보다는 무장으로서의 기반이 약한 형편에 놓여 있었다. 송시열이 여름에 태조의 존호를 추상하는 일로 소론 측과 옥신각신하다가 고향에 내려간 뒤에 구월에는 김석주가 죽었으니, 신여철은 눈치 볼 것 없이 익훈을 탄핵하는 쪽에 들지 않으면 안 되었다.

이러한 조정의 돌아가는 형편은 워낙에 네 해를 끌어왔던 사건인데다, 무고에 걸리고 다친 한량 무인들이나 하급 장교들이 많아서 자연히 저자에 퍼지게 되었던 것이다. 모신이는 서강의 토박이 왈짜인지라 강상 무뢰배의 우두머리 중 하나로서 그러한 소문을 놓칠 리가 없었다. 신여철이 검계나 살주계의 흉변에 대하여도 기찰을 그리 심하게 하지 않고 오히려 너그럽다는 평판이 나돈 것은 그의 이러한 정세 관망의 자세에서 비롯된 것일 터이었다. 모신이는 좌포청 대장 이인하의 밑에 있는 종사관 최형기가 일찍이 광남(光南) 김익훈이 어영대장으로 기세를 떨치던 수년 전에 그의 문하에 있었음을 알아냈다. 뿐만 아니라 그가 광남의 문하를 떠난 것은 경신 대출척으로 김익훈이 훈신이 되어 권세가 날로 욱일승천하던 때였으니 실로 알지 못할 일이었다. 그것이 최형기가 앞을 내다본 처세였기는 하지만,

모신으로서는 김익훈의 수하 무사로 최형기가 그 집의 식객이었다는 사실이 중요하였다. 이제 익훈을 두둔하던 쪽이 이지러지고 있는데 최형기는 그를 죄주자는 쪽에 가담한 이인하를 상장(上將)으로 보좌하고 있는 것이 아닌가. 최형기가 익훈의 심복이었다는 여론을 암암리에 퍼뜨려놓으면 이인하는 난처하게 되고, 신여철에게 이러한 분위기만 만들어주어도 그는 자신의 기반을 위하여 적절하게 이인하를 몰게 될지도 몰랐다.

기왕에 세상에 알려진 검계와 사로잡힌 산지니를 어떻게 꾸미느냐가 문제였다. 검계는 경신 대출척 이후 근래에 고변으로 완전 몰락한 남인 측과 깊은 관계가 있다거나, 나아가 김익훈을 죽이자는 소론편에 닿아 있다는 소문을 낭자하게 뿌려놓으면 산지니를 속참할 수밖에 없을 것이었다. 산지니는 죽고, 동시에 최형기는 이인하로부터 혹시 익훈의 밀명을 받고 있는 것이 아닌가 하는 의심을 받아 포청을 물러나게 될지도 몰랐다. 여하튼 한번 꾸며볼 만한 장난이었다.

모신이 천마산 솔부리에서 회합에 참석하고 돌아온 그날부터 산지니와 최형기의 일에 대하여 책임을 지고 슬슬 움직이기 시작하였던 것이다. 모신은 밤새껏 머리를 짜내느라고 홀로 촛불을 밝혀두고 앉아서 새웠다. 보료에 기대어 잠깐 잠들었다가 깨어나니 이미 벌건 대낮이었다. 그는 밖으로 나와 강변의 주막으로 내려갔다. 안채에서 할 일 없는 졸개들이 떠들썩한데 그는 차인으로 늘 나다니던 심복 하나를 불렀다.

"너 태복이 잘 알지?"

"화초방에 놀러 나오는 해끔하게 생긴 자식 말이우?"

"그래, 홍천수 동무 되는 자로 훈련원 다니던 녀석 말이다. 그자가 지금도 신대장 댁에서 장사 나오냐?"

"예, 요즈음은 아예 서강에 나와서 잠은 화초방서 자구 밥은 쩨보네서 대어먹는 모양입니다."

"요즈음 무슨 경기가 있나……"

"어이구, 그렇지 않은 모양입니다. 명색이 포도대장 댁인데 각종 봉물이 심심치 않게 올라오지요."

모신이 말하였다.

"가서 태복이 찾아가지구 내게 데려오너라. 긴히 의논할 말이 있다구 하여라."

모신이는 차인을 보내고 나서 텅 빈 술청에 앉아 기다렸다. 그는 졸개를 시켜 귀한 화주를 떠내오게 하였고, 안에는 조촐한 술상까지 보아두게 지시하였다.

"모서방이 왜 날 찾나."

너스레를 떨면서 신여철의 문하 사람이 모신이네 술청 안을 기웃거렸다.

"어이구, 얼마 만인가. 그래 서강서는 아예 손털구 일어선 줄 알았더니."

모신이 술상 앞을 지키고 앉았다가 벌떡 일어나 달려오면서 호들갑을 떨었다.

"손을 터는 게 다 뭐야. 이제부터 바빠지는 참인데. 인제 곧 섣달이고 세밑이 아닌가. 아무리 시절 타령이지만, 그래도 대장의 댁인데 신년 봉물이 끊길 리가 있겠는가."

"아무렴, 그렇겠지. 좌우간 반가우이."

두 사내는 술상을 마주하여 앉았다. 난데없는 술병과 잔을 내려다보고 손이 말하였다.

"허어, 삼남에는 절량헌 지가 오래라던데 과연 경강은 다르군. 이 게 무슨 술인가?"

모신이 껄껄 웃으면서 잔에다 술을 쳤다.

"술인지 맹물인지 마셔봐야 알 게 아닌가."

"커어, 화주로군. 목젖이 팔팔 뛰는데. 역시 서강의 모서방네 술독 이 마르면 팔도에 술 기근이라더니 아직 술 흉년은 멀었군."

손님은 연거푸 두 잔을 들고 나서야 안주에 저를 대었다. 모신이 는 일부러 말을 꺼내지 않고 빙글거리며 그를 바라보기만 하였다. 상대편도 훈련원 무사에서 강변 무뢰배로 한강물 거슬러 떠먹고 자 라난 사람이라, 쩍 하면 입맛이어서 모신의 심상치 않은 기색을 속 으로 짚어보느라고 말이 없었다.

"요즈음은 장사를 폐하였나?"

그가 건성으로 묻자 모신이는 엉뚱하게 비집고 들어갔다.

"주인께서는 요즈음 심기가 어떠신가?"

"자네가 우리 대장님 심기를 알아 뭐 하려나."

모신이는 나직하게 말하였다.

"자네두 대강 알 것이니 내가 두말 않겠네마는…… 우리네야 나 그네 눈치 보구 밥 먹는 사람 아닌가."

나그네란 포청 포교들을 이르는 것이었다.

"요새 나그네 하나 때문에 장사 해먹기두 몹시 귀찮아."

그가 눈을 슬며시 치뜨며 모신이를 올려다보았다.

"밑 구린 짓을 하니까 귀찮지."

"허, 이 사람…… 자네두 알다시피 우리야 술밥 팔아먹구 사는 형 편 아닌가. 가끔 투식한 미곡을 사기두 하지만 경강 장사치 쳐놓고 화수나 투식 한번 안 해본 놈들이 어디 있어?"

모신이는 장물에 대한 눈치는 전혀 보이지 않았다. 그러나 그런 말은 꺼내지 않아도 서로간에 뒷공론이 오가고 있으니 명절 때마다 적절한 상납이 있은 까닭이었다.

"언제는 우리하구 의논한 적이 있었던가?"

그러나 모신이는 그를 무시하고 계속 말하였다.

"장사꾼이야 바람 부는 대로 따라서 날리는 나뭇잎이나 매한가지여. 바람이 바뀌면 다른 쪽으로 날려야 별수가 있겠나."

그제야 상대가 대강의 눈치를 챈 모양이었다.

"주인을 정하겠다 그 얘긴가?"

모신이 고개를 끄덕였다.

"여태껏은 갯가 뱃놈 복장으루 밸이 뻣뻣하게 버텼지만, 차츰 경기가 떨어지니 주인을 잡아야겠단 말일세."

"잘 생각하였네. 감사 덕분에 비장나리 호사라고 멜 바가 있어야 짐을 지지 않나. 우리 안전께 등을 대면 자네 배도 자연히 부를 걸세."

손님이 자못 거만을 떨며 모신이께 타이르듯 말하였다. 모신이는 예기 이놈아 내가 검계의 방물 와주다, 하면서 상대의 볼때기라도 지르고 싶었으나 얼굴에는 아첨하는 웃음을 떠올리고 말하였다.

"그러니 자네에게 이렇게 부탁을 하려는 걸세. 대장께서 우리를 보아주신다면 내가 서강은 물론 마포 동막이나 용산 삼개까지의 모든 경강 장사치들을 묶어서 대장께 봉물을 드리고 기찰에도 도와드릴 생각이야."

"살다 보니 모서방도 철들 날이 다 있군 그래. 천수라는 놈도 우리 안전의 신세를 많이 입었던 놈인데 그만 화수 폭동으로 잦아들지 않았던가."

모신이는 잔을 내었고 손님이 그의 잔에 술을 쳤다. 모신이는 술을 천천히 한 모금씩 먹으며 중얼거렸다.

"헌데 내 마음은 그렇네만은 한 가지 켕기는 구석이 있지. 우리가 자네 안전께 줄을 대면 바로 우리를 망치려고 덤빌 사람이 있단 말일세."

"아니…… 신대장의 수하 사람들을 훼방 놓을 간 큰 놈들이 어느 놈들이야?"

모신이는 미간을 찌푸리고 한숨을 길게 내쉬었다.

"자네 따위는 말도 못 붙이네."

"여기 이 태복이나 서강의 모서방을 감히 능멸할 녀석이 어디 있어."

모신이는 그의 얼굴을 찬찬히 들여다보았다.

"최형기를 아는가?"

"좌포청 종사관 말인가?"

모신이는 고개를 끄덕였다.

"그자는 보통 사람이 아닐세. 소문에는 아전의 자식이라고 하더군. 그는 처세가 매끄러워서 지금대로 간다면 틀림없이 대장을 바라보게 될 게야. 최형기가 장안 저자의 장사치들을 모두 한 손에 쥐고 있다는 것쯤은 자네도 알겠지. 더구나 그와 좌포도대장 이인하는 요즘 살주계라나 하는 천예들의 적당을 검거하여 병조와 형조의 신임이 두터워지고 있네. 자네 안전께서는 그저 대장의 자리만 지키고 있달 뿐 무슨 공이 있는가. 더구나 이인하는 소론에 강력한 줄을 대고 있단 말이야. 그러니…… 이치가 그렇지 않은가. 우리가 마음으로는 신대장을 주인으로 모시고 싶지만, 섣불리 손을 내밀었다가는 이대장이나 최종사에게 미움받기 십상이란 말이야."

손님이 입맛을 다시며 돌아앉았다.

"최형기 그 망할 자식을 내 참……"

"이봐 태복이, 용검도 써야 칼이야. 좌우간 앞으로 나서야지. 뒷전에서 체면치레만 하다가는 한양 바닥이 좌포청 바닥이 되고 말 거야."

"그거야 세상이 다 아네."

모신이는 잠깐 사이를 두었다.

"자네 최가가 누구 사람인 줄 알고 있나?"

"그야…… 이인하의 오른팔이 아닌가?"

"허허, 역시 그럴 줄 알았네. 그가 누구 때문에 출신으로 나왔는지 모르는군. 그는 바로 광남군 김익훈의 평무사였어."

"진작에 물러나오지 않았던가?"

모신이는 답답하다는 듯이 술잔으로 상 모서리를 두드렸다.

"아하, 자네 서강 바닥 물을 헛들이켰군. 그가 나왔든지 끊었든지 간에 익훈의 신임을 받던 식솔이었다는 점이 중요한 게야."

"알았네, 그러니 자네가 원하는 건 도대체 뭐야?"

신대장 댁의 차인 태복이는 다그쳐 물었다.

"최형기를 쫓아내고 신대장께서 인심을 얻으시는 게야."

모신의 말에 차인은 피잉 하면서 말을 뱉었다.

"글쎄 그걸 누가 모르나. 우리네 따위가 어찌 신대장께 국사를 이러쿵저러쿵 따질 수가 있느냔 말일세."

모신은 빙긋이 웃었다.

"촉중명장(蜀中名將)이 따로 있다던가. 여럿이 꾸미면 관왕이 되는 게야."

그는 상 밑에 두었던 궤를 슬쩍 밀어내고 뚜껑을 열었다. 속에는 반 팔 길이의 단검 한 쌍이 들어 있었다.

"왜도(倭刀)일세. 동래에서 들어온 물건이지."

모신이가 자랑스럽게 말하며 그중 하나를 차인에게 던져주었다. 칼집은 향옥과 가죽으로 만들어졌고 칼자루는 은으로 용의 몸통과 머리를 아로새겼다. 태복이 칼을 빼어 날을 바라보니 그 새파란 서슬이 서릿발처럼 차갑고 모신이가 터럭을 빼어 불어주자 슬그머니 잘라져버리는 것이었다.

"보통 명품이 아닐세. 이것은 자웅이 되는 쌍검인즉, 나누어 선사를 하는 게야."

"자웅을 나누다니…… 아예 우리 어른께 갖다드려야지."

모신은 껄껄 웃는다.

"그까짓 아이들 장난감 가지구 뭘 그러나. 경강 장사치들의 봉물이 있는데, 하나는 자네가 주워가고, 또 하나는 최형기네 집에 보내줄 작정일세."

차인이 눈을 빛냈다.

"자네는 저자에서 습득하였다고 대장께 전하란 말이야. 내가 이 서찰을 읽어주지."

모신은 궤 속에서 편지를 꺼내어 읽었다.

"기간 별고 없는가. 임술 이래로 내외가 시끄럽고 더욱 계해 갑자에 이르러는 조정의 논의가 분분하여 대감을 무함하는 간흉들의 해괴한 요언이 난만한데, 근자에 이르러 한태동 오도일 등의 경망한 소론 무리들을 믿고 성내 저자의 천예 상한들마저 계를 지어 날뛴다 하니 실로 나라의 장래가 근심이 되는 바일세. 대감께서도 늘 자네의 안부를 묻고 전정을 염려하시더니, 어영대장의 직임을 간흉들 때문에 물러나오시고는 언제든 때가 오면 대장 재목은 최형기가 되어야 한다고 한탄하신다네. 이번의 도성 내 작은 소요에 접하고 조정과 백성들의 안정을 근심하사 특별히 아끼던 보검을 보내드리니 자네가 대감 문하이었음을 잊지 말게."

눈이 휘둥그레져 있던 태복은 그 편지를 빼앗아 들여다보니 일필휘지 진서로 갈겼는데 끝에는 김만채(金萬埰)의 이름과 인이 찍혀 있었다. 김만채는 즉 쟁론의 불씨인 전 어영대장 김익훈의 아들인 것이다.

"이…… 이게 정말인가?"

모신은 그 편지를 빼앗아 조심스럽게 접어넣으며 중얼거렸다.

"이 편지 하나 써 받노라고 과장(科場)에 나가 거벽(巨擘) 노릇 하는 글씨장이를 사흘 동안이나 찾아헤맸다네. 모두 서른 냥이 들었지."

모신은 똑같은 함을 준비해두었는데 그중에 편지를 넣은 쪽을 태복에게 내밀었던 것이다.

"자, 이걸 자네 주인어른께 갖다바치면 되는 거야."

모신은 신여철의 차인으로 저자에 나와 있는 태복에게 일을 맡기면서 따로이 대국 비단 몇필을 인정으로 내놓았다. 태복이가 복잡한 내막은 살피지 않고, 오직 그의 댁으로 주인을 삼는다는 말에 최형기를 물을 먹여 더이상 간섭을 못 하게 하려는 것쯤인 줄로 알았다. 아무튼 그도 저자에 나와 이(利)를 도모하는 권세가의 수많은 사노나 차인들처럼 최형기가 한양 인근의 저자에 정탐 기찰꾼을 하얗게 풀어두고, 일일이 참견하는 데엔 매우 고깝게 생각하고 있는 터였다. 더구나 그가 겨우 아전의 자식이란 소문은 못내 잊을 수가 없었던 것이다.

신대장 댁 차인 태복은 그 길로 삼남서 올라온 봉물 두어 짐을 나귀에 실어보내고 오랫만에 대장을 뵈러 남문 밖 잿배로 올라갔다.

이미 신여철은 퇴청하여 집에 와 있었고 두엇의 방문객과 한담 중이었다. 태복이는 퇴창 밖에 읍하여 현신을 아뢰었다.

"아니…… 너 오랜만이로구나. 좀 들어오너라."

신여철은 그의 목소리를 듣자 퇴창문을 활짝 열어젖히며 반가워하였다.

"그래, 서강에서 지나기는 어떠하냐?"

"사또 덕분에 늘 편히 지냅니다."

"오늘도 말짐이 두 바리나 왔더구나."

"예, 전라도와 통제영에서 왔습니다."

"음, 시절이 이러한데 검박하게 하지 않구…… 자네들두 알아두게. 우리 차인루 있는 임서방일세."

신여철은 두 무변에게 태복이를 눈짓하여 보였다. 태복이는 정중히 고개를 숙였고 선전관이란 자와 선달짜리는 머리를 끄덕였다.

"사또, 실은 긴히 드릴 말씀이……"

별반 볼일 없이 무턱대고 끼여 있을 자리도 아닌데, 더욱이 그냥 일어설 수도 없어 태복은 우물쭈물 떠보았다. 신여철은 그를 흘깃 바라보았다.

"알겠다. 이따 다시 부를 테니 나가 있거라."

"아니, 뭐 그러실 거 없습니다. 저희가 일어서지요."

무변들은 눈치를 채고 스스로들 일어났다.

"그러니까 제 말씀은 이인하만이 대장이 아니란 걸 영감께서 알려 주셔야 됩네다."

"내 자네들 심정을 자세히 살펴 알았네."

아마도 그들 무인들은 이인하에 대한 무슨 불평을 털어놓고 있는 모양이었다. 신여철은 별로 좋은 기색이 아니었다. 손님들이 돌아간 뒤에 신여철은 피로한 듯이 안석에 길게 기대어 앉았다.

"그래 무슨 일이냐?"

"소인이 어제 동문 밖으로 일을 보러 나갔다가 이런 물건을 주웠습니다."

하면서 태복은 품안에 지녔던 좁다란 종이함을 꺼내었다. 신여철은 무심하게 집어다가 열어보더니 과연 감탄하며 단검을 이리저리 살펴보았다. 그러고는 뒤늦게 말하였다.

"길에서 주운 물건이라면 임자를 찾아주어야지."

태복이 조심스럽게 덧붙였다.

"그럴까 하였으나 물건의 사연을 알아두는 것도 또한 기찰이라……"

신여철이 짙은 눈썹을 크게 움직였다. 그는 벌써 편지를 집어들고 있었다. 포도 종사관 최형기의 이름을 읽고 있었던 것이다. 신여철은 부리나케 알맹이를 꺼내들고 읽어가는데 차츰 눈빛이 달라지고 있었다.

"동문 밖이라면 광남의 집이 영미동(永美洞)일 텐데."

신여철은 편지에서 잠깐 눈을 떼고 중얼거렸다.

"바로 그렇습니다. 소인이 눈치로 알고 직접 사또께 알려드려야겠다고 생각했습지요."

신여철은 편지를 책상 위에 쾅, 하며 내리눌렀다.

"이런 천하에 간사한 것들. 제 아비가 일찍이 죄 없는 자들을 무고하여 어육을 만들어놓고는 이제 도적들의 무리까지 쟁론에 끼여들도록 하려는구나. 더구나 최형기는 일개 종사관으로 앉아 제 상관을 속이고 이런 물건을 받는다니…… 여지껏 김익훈과 깊은 내왕이 있었으면서 겉으로는 처세를 위하여 절연한 듯이 행세하였구나. 이것들이 이런 연고로 난민들을 요란하게 잡아들이고 그 난리였군."

"소인은 이만 물러가겠습니다."

태복이 좌불안석이다가 이마를 조아리고 나오려니 신여철이 제지하였다.

"가만있거라. 살펴보니 이 물건은 자웅이 있을 것이다."

"예, 시정 장사치들이 얼핏 단검을 보고는 동래 물건이라 하옵디다. 왜의 방물이온데 짝이 있다 합니다."

신여철은 다시 단검을 살펴보았다.

"하나는 빠뜨리고 하나는 최형기에게 갔을 터이다."

태복이 거들었다.

"아마도 심부름하는 아랫것이 위로부터 꾸중을 들을까 하여 하나만을 전하고 모른 체하구 있겠지요."

"물러가 있거라. 수고하였다."

신여철은 혼자 앉아서 단검을 빼어 촛불빛에 날을 세워보기도 하고 다시 편지를 읽어보기도 하면서 여러가지 생각을 하였다. 이인하를 난처하게 할 물증이 생긴 것이다. 그러나 익훈의 세력이 조정에 노론으로 남아 있는 한 이런 따위의 하급 무장에게 보낸 선사품을 들어서 공개하여 이러쿵저러쿵할 수는 없는 노릇이었다. 그는 이 사실을 우선 병판에게 은밀히 얘기하고 나서 이인하에게 충언하는 듯이 찔러줄 생각이었다. 아마도 소론에 가담한 이인하는 부하의 배신에 대하여 펄펄 뛸 것이었다. 그는 의관 정제하고 하인을 불러 사방등을 켜고 앞서도록 하였다. 신여철은 내디딘 김에 아예 병판 댁을 다녀오려는 생각이었다.

태복에게 일러 보내고 나서 모신은 다른 함에다 나머지 단검을 넣고 아무런 명함도 넣지 않고는 제 집 차인에게 내주며 말하였다.

"너 배오개 좀 다녀오너라. 거기 가서 누렁다리 못 미쳐서 최종사댁이 어디인가 물어라."

차인은 소스라치게 놀랐다.

"아니 왜 이러우. 누굴 날고기인 줄 아슈, 범의 아가리에 집어넣으려구 하게."

"허 그 자식, 내 손가락을 거기다 넣으면 나는 안 아프고 시원하겠냐. 아직 그자가 퇴청하지도 않았을 테고 너는 선사품만 전하면 되는 게야. 이걸 문간에 들이밀고 배오개 장사치 모대인이 마음으로 감사하여 드린다구 주접을 떨면 아무 일도 없다."

"알겠수. 또 무슨 여우잡이 꾸미시는구려."

차인이 달려나갔다. 모신은 상대편이 모르는 수로 장기말을 살짝 놓고 나서 마음을 졸이고 있는 장기꾼과도 같았다. 그리고 내일은 산지니가 형조의 서린방 전옥서에 넘어가기 전에 말 몇가지를 배워주러 포청으로 나갈 작정이었다.

이튿날 황혼녘에 퇴청 시각이 다 되어서 모신이는 반합을 챙겨 차인에게 짊어지우고 성내로 들어갔다. 정선방 좌포청으로 가는 것이니 산지니를 만나기 위해서였다.

철물교에서 파자교, 배오개까지 장사꾼과 가가들이 즐비한데, 특히 파자교에서 좌포청으로 오르는 길가에는 좌고행상들이 많았다. 시절을 타느라고 술이 없을 뿐이요, 떡전과 여러가지 허드레 음식을 파는 이들이 많았다.

하루에 두 번씩 개청 전과 퇴청 뒤를 가려서 포청 옥에 갇힌 자들의 가족들이 드나들며 옥바라지를 하는데, 인근의 주막에 묵으면서 밥붙이기를 하는 이들도 있었고, 아예 장사꾼으로 나선 사람들도 있었다.

남쪽에 정문이 있으니 삼문이 엄정하였으며, 장창을 비껴든 포졸 두 사람이 나란히 서 있었고 동북에 측문이 있는데 거기가 옥으로 통하는 곳이었다.

밥때가 시작이 되자 비좁은 골목에 그 식구를 면회하려는 사람들이 제각기 밥그릇이며 쟁반을 받쳐들고 모여들었고, 옥졸이 지켜서서 출입하는 자들의 음식을 살피고 몸을 수색한 다음에 안으로 들여보냈다. 안으로 들어가게 되면 다른 옥졸이 죄인명부와 대조하여 목패(木牌)를 내주게 되어 있었다. 그 목패를 받아가지고 다시 옥 마당으로 들어가는 샛문 앞에서 차례를 기다리는 것이었다.

그러한 치옥의 절차를 다 알고 있는 모신은 섣불리 석산진과 수작을 나누지 않고 틈을 엿볼 작정이었다. 그와 차인이 줄 앞으로 나갔는데 옥졸이 섰다가 모신을 지적하여 물었다.

"당신은 어찌 맨손으로 들어가려오. 음식 가진 이 한 사람밖에는 들어갈 수 없소."

모신이는 기다렸다는 듯이 허리춤에서 돈을 꺼내어 슬그머니 옥졸의 손에 쥐여주며 말하였다.

"꿈자리가 어수선하여 얼굴이라도 보려는 거요."

옥졸은 모르는 척 받아넣고는 다른 사람들에게 외치는 것이었다.

이럭저럭 안의 샛문 앞에 이르니 죄인 명부를 가진 옥졸이 일일이 죄인의 이름을 대게 하고는 점고를 하고 목패를 내주는 것이었다. 모신이는 의생이 저승문 지나듯이 또한 돈을 준비하여 옥졸에게 쥐여주며 우물쭈물하였다.

"내가 그 아이의 이름을 잊었는데……"

옥졸은 일변 돈을 챙겨넣으면서 기가 막힌지 턱짓을 하였다.

"허허, 이런 세상에 면회하려는 자의 이름도 모르다니 말이 되오."

"내가 고향을 떠날 때 누구의 부탁을 받았기에 인정상 지나칠 수가 없어 한번 들여다보고 가려는 게요."

"자, 찾아보슈."

"가만있자, 이앤가…… 저앤가."

모신이는 옥졸이 내민 명부를 이리저리 젖히려고 하는데, 뒤에는 사람이 밀렸다. 옥졸이 이미 돈을 받았는지라 그냥 목패를 내주며 말하였다.

"들어가서 직접 찾아보구려."

"어이구, 고맙소."

이렇게 하여 안으로 들어서니 길게 감옥의 칸살이 마당 앞으로 연이어 있는데, 칸마다 무장한 옥졸이 한 사람씩 지켜서서 죄인과 가족들을 감시하고 있었다. 가족들은 제각기 칸살 앞으로 다가서서 이름을 부르며 밥을 안으로 들이미는 것이었다. 모신은 뒷전에 그릇을 기다리는 가족들 틈에 끼어 쭈그리고 앉아 있었고, 차인이 칸살 앞으로 기웃거리며 산지니를 찾아다녔다. 두어 칸을 돌아다니더니 차인이 뒤를 돌아보았고, 모신이는 바삐 칸살 앞으로 다가섰다.

칸살 앞에는 죄수 넷이 나란히 붙어앉았고 모두들 밥을 떠넣느라고 정신이 없었다. 아낙네 두 사람과 처녀와 사내가 제각기 뭐라고 연신 얘기를 붙이는 중이었다.

"어디 있나?"

모신이 재빨리 죄수들을 훑었으나 한결같이 산발에 홑저고리 차림인지라 분간을 못 하여 물으니 차인이 말하였다.

"저두 모르겠수. 저쪽에서 물으니 석산진이 이 칸에 있답니다."

모신이 꾸부정하고서 옥졸들이 듣지 못하도록 나직하게 물었다.

"산지니 여기 있나?"

"누구슈?"

가운데에서 한 죄수가 대꾸하였고 그 앞에 앉았던 아낙네도 함께 돌아다보았다.

"날세, 서강 모서방일세."

모신이가 그 앞으로 다가들어 손을 내밀자 산지니는 덥석 잡아쥐며 부르짖었다.

"어이구, 성님이 웬일이우. 달근이 성님두 함께 왔는가요?"

"아니, 나 혼자 왔네. 자네를 구명해볼까 하여 밖에서는 안달이 났다네."

앞에서 옥바라지를 하던 아낙네는 일찍이 아이들을 친정에 맡겨두고 널다리를 떠나온 석씨였다. 석씨는 낯선 중치막 차림의 갓 쓴 사내가 동생을 구명한다는 말을 하니 귀가 번쩍 뜨이는 것 같았다.

"아니…… 그게 정말입니까. 어찌 구명할 방도가 있는가요?"

"우리 누님입니다."

모신이는 고개를 끄덕였다.

"장소가 이러하여 예가 아니올시다. 마침 자씨를 만나뵈었으니, 내가 긴 말은 않고 나중에 자세히 알려드리지요."

하고 나서 모신이 산지니에게 가장 긴요한 점부터 물었다.

"언제 결안이 되며 어느날 형조로 넘어가는지 알구 있나?"

"새달에 넘어가게 됩니다."

"음, 며칠 안 남았군."

모신의 어투가 꼭 풀려날 날이 며칠 안 남았다는 뜻으로 새겨졌는지 산지니는 그의 손을 꼭 움켜쥐었다.

"나가서 어서 큰일을 해야지요."

그러나 모신이는 일어나면서 그 잡힌 손을 슬쩍 빼내며 중얼거렸다.

"죽을 때 죽더라도 의기를 잃어서는 안 되네. 내가 나중에 자씨께 이를 터이니 곰곰 생각하여보고 꼭 시행하도록 하게나."

"염려 마우. 나는 입을 바위처럼 다물고 한마디두 내뱉지 않았수."

모신이는 일어나 칸살 앞을 떠나면서 그렇게 속삭이는 산지니의 말이 비수처럼 가슴을 후비는 듯하였다. 그렇지만 의논대로 산지니는 검계의 안전을 위하여 속참되어야 하였다. 또한 그의 죽음과 더불어 최형기를 몰아낼 수 있다면 종내에는 그가 이기는 길이 될 것이었다. 모신이 일어서서 감옥 마당을 나오니 잠시 후에 석씨가 쫓아나왔다. 그들은 포청의 옆문을 돌아서 파자교 쪽으로 내려왔다.

"이렇게 일부러 제 동생을 찾아주셔서 정말 고맙습니다. 구명할 방도가 있으시다면 가르쳐주셔요. 무슨 일이든지 하겠어요."

석씨는 모신에게 애원하였다.

"어디다 사처를 정하셨나요?"

모신이 물으니 석씨가 앞장을 섰다.

"바로 요 앞이어요. 방을 한 칸 얻어 들었지요."

석씨가 밥을 붙이는 집은 떡전이었다. 뚱뚱한 과수댁이 혼자서 중노미 노릇까지 해가며 손님을 맞고 있었다. 대문 옆 안반에 떡시루가 놓였고 국이 큰 쇠솥에서 걸죽하니 끓고 있었다. 석씨가 빈그릇을 개숫물 항아리 옆에다 내놓으니 주인 과수댁이 와서 들여다보며 말을 보태었다.

"에구, 오늘은 어쩐 일로 밥을 남겼구려."

"예, 손님들이 별찬을 해오셔서……"

모신이와 차인은 먼저 방에 들어가 앉았고 모신이 청하여 인절미를 내오게 하였다. 계피를 섞은 팥고물에 콩고물에 버무린 큼직한 인절미 몇개와 국과 침채 보시기가 올라왔다. 그들이 먹고 있는데 석씨가 윗목에 와서 쭈그리고 앉았다. 모신이가 황급히 몸을 도사리더니 앉은 채로 넙죽 절을 하였고 석씨도 마주 인사를 나누었다.

"저는 경강서 장사하는 모서방이란 사람이올시다. 송파 장거리서 산지니를 사귀게 되어 아우처럼 여기고 있습니다."

"이렇게 죽을 죄로 포청에 떨어진 아이를 찾아주셔서 정말 고맙습니다. 제게는 산지니가 유일한 혈육이지요. 그애가 필시 나쁜 사람들의 꾀임에 빠져 흉악한 계에 들었는지는 몰라도 이것이 고향 널다리서 저 때문에 일어난 일입지요. 검계의 혈당이란 죄만 벗는다면 어찌 구명이 될 길도 있을 것 같아요."

모신이는 고개를 끄덕였다.

"제가 알기로는 검계는 흉당이 아니올시다. 나라를 망치는 간흉들을 제거하고자 몰려난 대감들이 아랫것들을 묶어주었지요. 그분들께 구명을 호소하면 이제 와서 모른 척하지는 않을 것입니다. 형조로 넘어가기 전에 목내선 박신규 대감과 병판 남구만, 공판 정윤, 예판 남용익 등의 이름을 대라 하십시오. 저들이 계를 옹호하던 이들이니 필시 모른 척하지는 않을 것이외다. 시방 저자에는 모두 소문이 돌아서 살주계란 남인 댁의 천예들이 몰락한 저희 상전들 원수를 갚으려 모인 계이며, 검계는 소론과 깊은 관련이 있어 광남군 김익훈을 잡아죽이려 하여 두 계의 이루려는 바가 같아서 상호 교류한다 합디다."

"아니, 그렇다면 우리 산지니만 억울하게 잡혀죽는 게 아닙니까. 양반들이 서로 물고 뜯는데 왜 우리 같은 약한 백성들이 치여죽을

까닭이 있겠어요."

모신이는 시치미를 떼고 꾸며댔다.

"물론이지요. 내일 아침에 옥에 가시거든 내가 그러더라면서, 자신의 목숨을 구하기 위해서는 양반들의 이름을 대라 하십시오."

모신이는 석씨가 완전히 그들의 이름을 외울 때까지 여러 번 반복해서 가르쳐주었다.

"저는 높은 양반나으리 댁을 찾아가서 산지니의 구명을 하소하겠어요. 어느 댁이 합당하겠습니까?"

석씨의 물음에 모신이는 한동안 망설이며 대답을 못 하였다. 그는 속으로 이리저리 따져본 뒤에 말하였다.

"한성판윤 박신규 댁이나 우포도대장 신여철 댁에 가서 하소해보십시오. 그러나 산지니가 결안이 되어 형조로 넘어간 뒤에 하셔야지 그전에 도모하셨다간 일을 그르치기가 쉽습니다."

"잘 알겠어요. 이렇게 여러가지로 도와주시니 산지니가 구명만 된다면 머리로 신이라도 삼겠습니다."

모신이는 일어서기 전에 옥바라지하는 데 보태어 쓰라며 서른 냥을 내놓고는 떡집을 나왔다.

최형기는 등청하였을 때 구군복의 겨드랑이에 호사스런 은장식의 단검을 차고 있었다. 포청에 들어가니 만나는 부장들마다 물건을 알아보고 한마디씩 인사를 건네는 것이었다.

"그게 왜도가 아닙니까?"

"배오개 장사치가 보내준 모양인데 아주 명품일세."

최형기는 칼을 뽑아서 예리한 칼날을 보여주며 자랑하기까지 하였다. 그는 무장인지라 역시 칼이나 활의 명품에는 어린아이처럼 반길 수밖에 없었다.

"이런 물건은 필시 자웅이 있을 터인데요."

어느 부장이 아는 체를 하였고, 최형기도 수긍은 하였다.

"글쎄 내게는 한 자루만 보내왔네."

그가 집에 돌아갔을 때 아내가 자줏빛 종이함을 내주며 배오개에서 장사한다는 이가 보냈다는 것이었다. 대개 시정배들이 종사관이나 부장포교들의 집으로 소소한 선사품들을 보내는 일이 다반사인데, 아무 명자도 없이 들이밀었다가 나중에 직접 현신하여 청탁거리를 꺼내게 마련이었다. 최형기는 그저 그러한 물건이려니만 믿었다. 청탁이야 대부분 시정의 걸걸한 쟁송이나 금령을 어기고 장형을 치르게 된 일 따위였으므로 가벼이 처리할 수가 있었던 것이다. 매품파는 자를 사게 한다든지 속전을 내게 한다든지 좌우간 별로이 골치를 썩일 일이 없었으므로 최형기는 가벼운 마음으로 선사품을 대하였다. 그리고 물건을 보고 나서는 아무 의심도 없이 차고 나올 생각을 하였다. 어쨌든지 최형기가 은장식의 호사스런 왜단검을 차고 있는 것을 포청의 누구나가 보아 알고 있었던 것이다. 대장 이인하도 조례시에 그것을 보고는 일부러 환담을 나누는 자리에서 빼어 살피기까지 하였다. 그리고 이틀이나 되었을까. 좌포장 이인하가 퇴청하여 저녁상을 막 물린 참인데 하인이 들어와 병판 댁에서 좀 들어오시라는 전갈이 왔다는 것이었다. 이인하는 대번 긴장하였다. 늘상 있는 국사라면 낮에 관청을 통하여 내왕이 있겠거늘 병판이 일부러 은밀하게 사람을 보내어 집으로 오라는 것은 예사 일이 아니었기 때문이다. 이인하는 도포에 갓을 쓰고 등불 들린 아이를 앞세워 남구만의 집으로 갔다. 이인하와 남구만은 일찍이 무고자들을 죄주자는 주장에서부터 근래의 태조 존호 추상의 쟁론에 이르기까지 의견을 같이하였던 소론의 한 파였다. 따라서 그들 사이에 처세에 관한 한

이견이 있을 수가 없었다. 이인하가 사랑으로 들어가니 병조판서 남구만은 안색이 침통하였다.

"이대장, 이런 물건을 보신 적이 있소?"

남구만이 자줏빛 종이함을 내주었고, 이인하는 뚜껑을 열어 단검을 꺼내었다. 그는 짚이는 데가 있어 단검을 자세히 살피지도 않고 내려 놓으며 반문하였다.

"무슨 사연이라두 있는 물건입니까?"

"처음 보는 거요?"

이인하는 망설였다.

"글쎄요…… 꼭 이와 같은 것인지는 몰라도 본 듯합니다."

남구만은 침착하게 말하였다.

"경신년의 출척 이후로 훈척들의 기세가 끝간 데를 모르더니, 이제 김익훈의 잔여세력을 조심해야 합니다. 청성(淸城)도 없고 광남이 권좌에서 물러났다고는 하나 우암이 두호하고 있소이다. 이런 때일수록 정사에 맑고 바른 법도를 잃어서는 안 되지요."

이인하는 차츰 당황하였다.

"제 수하에 있는 종사관 최모가 이러한 단검을 차고 있는 것을 본 듯하온데 무슨 까닭이라도 있는 물건인지요?"

남구만은 고개를 끄덕이더니 문갑에서 편지를 꺼내어 내밀었다. 읽어나가는 중에 이인하의 안색은 변하였고 수염이 떨리고 있었다.

"아니, 이런 쥐새끼 같은 것들…… 이놈들이 무고로 여러 사람의 피를 보이더니 이제는 난민들의 일까지 우리에게 덮어씌우려 하다니!"

남구만이 말하였다.

"이런 일로 조정에 거론하여 갑론을박할 수는 없고, 일단 최모를 형조로 잡아들여 은밀히 심문한 뒤에 파직시켜야 할 겁니다. 잡초는 싹부터 뽑아내야 후환이 없지요."

"이게 사실일까요?"

냉정을 회복하였는지 이인하는 다시 차분하게 편지를 펴들어 되씹었다.

"신대장네 차인이라는 자가 동문 밖에서 우연히 습득하였답니다. 신대장도 들르라고 사람을 보냈으니 곧 당도하겠지요. 사실이든 사실이 아니든 이 편지가 사단이 되어서는 낭패입니다. 난민들의 일로 조정에 구설이 오르내려서는 안 됩니다."

남구만의 그러한 의견에는 이인하도 동감이었다. 더구나 자신의 부하가 아닌가. 최형기가 익훈의 문하에 있었다는 것은 세상이 다 아는 일이었다. 사실이 아니라 할지라도 구설의 발단은 충분히 되고도 남음이 있는 때였다.

"최모는 영민한 자입니다. 그자가 김익훈과 어떠한 관련이 있는지는 아직 모르지만, 섣불리 하는 것보다 제가 은밀히 캐고 나서 사직을 권유하도록 하지요. 저희 포청 내에서 처리되었으면 합니다."

"지금 난민들의 옥송은 어찌되었소?"

"잡힌 자들은 죄질이 드러나 거의 결안이 되었습니다만, 잔당들이 많을 것이라 국문을 늦추고 있습니다."

남구만은 침통하게 말하였다.

"기왕에 이런 일이 있고 보니 매우 복잡하게 되겠소이다. 이대장이 친히 국문을 마쳐서 속참하는 게 좋겠소."

"내일 형조로 넘기겠습니다."

그들이 얘기하는 중에 신여철이 들어왔고, 신여철과 이인하는 서로 이번 일에 대하여 신중히 처신하기로 의견을 모았던 것이다.

"저는 처음부터 난민들의 옥송을 불안하게 생각하고 있었소이다. 만약에 이것이 조정에까지 번져 권세다툼이나 쟁론의 거리가 된다면 공연히 죽을 쑤어 개를 주는 결과가 되고 말겠지요. 옥송은 이것으로 속히 결안이 되어야 할 겝니다. 때가 좋지를 않소이다."

"신대장에게 이 물건이 들어온 것이 천만다행이오. 이번 일은 우리끼리만 아는 것으로 합시다."

병판 댁을 물러나오며 이인하는 한숨을 돌렸다. 일이 이쯤 되면 종사관 하나 면직시키는 일로써는 새삼 다행스러웠다. 필시 노론이나 김익훈 주변의 장난일지도 모르는 일이었다. 그러나 애초에 사단의 근거가 될 만한 것부터 송두리째 제거해버린다면 달리 손을 쓰지도 못할 것이었다. 도대체 종사관 따위의 일로 전정을 그르칠 수는 없는 노릇이 아닌가.

이인하는 다음날 등청하자마자 최형기를 불러들였다. 최형기는 여전히 단검을 구군복 위에 차고 있었고, 이인하는 짐짓 불쾌하고 냉정한 표정으로 최형기를 노려보았다.

"솔개는 매 편이라더니 자네가 그럴 수 있는가?"

이인하는 미간을 잔뜩 찌푸리고 최형기를 노려보았다. 최형기는 영문을 몰라서 그저 머리만 조아릴 뿐이었다.

"소장이 우졸하야 무슨 잘못이 있는지 알지 못합니다."

"자네 요즈음도 영미동에 드나든다면서?"

최형기는 이인하의 입에서 영미동이 떨어지자마자 불현듯 김익훈이 머릿속에 떠올랐다. 그렇지 않아도 그는 김익훈의 권세가 날로 충천할 무렵에 주위의 무변들에게 자기가 어째서 그 문하를 떠나는가를 명백히 알리고 발을 끊었던 터이다. 그의 안하무인의 처세가 위태로워 보였고 벼슬아치들의 미움을 받고 있었음을 눈치챘던 것이다. 이제 새삼스럽게 그가 김익훈의 문하 식객이었다는 사실이 사람들의 입에 오르내리게 되었다면 너무도 억울한 노릇이었다.

"소장은 경신년 이래로 광남군 댁에 발길을 돌린 적이 없습니다. 제가 그 댁 사위를 혼내주고 총애를 잃어 스스로 물러나오게 된 경위를 대장께서도 잘 아시잖습니까?"

이인하는 최형기의 허리에 달린 단검을 움켜쥐어 뜯어냈다.

"이건 어디서 났는가. 공연히 소문에 오르내려가지고 어찌 한미한 처지의 관리가 스스로 몸을 일으키겠는가."

최형기는 실로 등에 식은땀이 흐를 정도로 당황하고 있었다.

"저두 잘 모릅니다. 제가 누렁다리에 살고 있는데 배오개의 장사치들이 가끔 소소한 물건을 보내오기도 합니다. 이 단검도 그런 장사치 중의 누구인가가 보내어 아무 생각 없이 받아두고 있을 뿐입니다."

최형기는 원망의 눈을 들어 이인하를 올려다보며 말하였다.

"무슨 연고로 이러시는지 말씀하여주옵소서. 느닷없이 광남군과 저의 일은 왜 말씀하시며, 또한 단검의 출처를 물으시는 것은 무엇 때문입니까."

이인하는 처음보다 훨씬 누그러진 태도로 변하였다.

"요즈음 소문이 나돌기를 익훈이 환국을 꾀하여 젊은 무변들과 선비들을 수하로 끌어들이고 있다는데, 그 칼은 익훈의 아들 김만채가 보낸 것이 분명하네. 자네가 알고 받았거나 모르고 받았거나 남의 구설에 오르내리는 것은 모면하기가 어렵게 되었어."

"저는 전혀 모르는 일이옵니다. 이것은 누군가의 모함이 틀림없습니다."

이인하는 못마땅한 얼굴로 돌아앉았다가 훨씬 부드럽게 말을 꺼내었다.

"병판께서도 알고 계시네. 자네와 익훈에 관한 소문으로 내가 얼마나 난처한 입장이 되었는가를 자네도 미루어 짐작할 수 있으리라 믿네."

"전혀 이것은 모함이올시다."

"가만…… 모함이든 아니든…… 일이 이쯤 되고 보면 자네와 내가 함께 포청을 지키고 눌러 있을 수는 없는 일이야. 나는 병판께 물러날 뜻을 벌써 아뢰었네."

최형기는 스스로 고개를 내젓고 나서 결연히 말하였다.

"그러실 필요 없습니다. 제가 사직을 하지요. 그렇지만 이런 소문의 진원은 제가 끝내 캐내구 말겠습니다."

"시방 때가 매우 좋지 않네. 자네가 근신하여 잠시 물러가 있겠다면 나중에 병판께서도 통제영이나 훈련원 쪽으로 도목에 올리시겠다더군. 난민의 건을 결안이나 해놓고 잠시 동안 물러가 쉬도록 하게나."

"난민의 건을 아직 결안할 수가 없습니다. 그 잔당이 성내에 무수히 있다는 것이 밝혀졌고, 국본을 흔드는 중대한 일이거늘 어찌 소홀하게 다루어 그르치겠습니까."

이인하는 눈을 부릅떴다.

"나는 그래두 자네의 총명과 충직함을 믿고 있었더니 어찌 그리도 답답한 소리만 하는가. 지금 정국이 임술 고변 이래로 평지풍파가 일어나 많은 사람들이 어육이 되고, 관리로서 높은 자리에 있는 사람들이 모두 바늘로 된 침석에서 뜬눈으로 새우는 판이 아닌가. 난민들의 작당을 저희들께 유리하게 이용하려고 눈에 불을 켜고 노리는 자들이 있는데, 그 일을 들쑤셔서 다시 풍파를 일으킨다면 조정은 쑥밭이 되고 마는 게야. 요즘 같은 세월에는 만사 평안한 것이 상책일세. 무장으로서 잘못 정국의 소용돌이에 휩쓸렸다가는 몸을 망치고 목숨을 잃어두 싼 게야."

최형기는 정국이라는 소리에 기가 꺾이고 말았다. 실로 그것은 아무도 가늠할 수 없었고, 더구나 조정 궁궐의 일은 그와 같은 한미한 무변에게는 너무도 까마득하고 종잡을 수 없는 곳의 일이었기 때문이다.

"잘 알겠습니다. 소장이 어리석어서 어찌해야 좋을지를 모르겠습니다. 상장께서 이르시는 대로 거행하겠습니다. 내일 당장 결안하여 형조로 넘긴 다음에 저도 물러가 쉬겠습니다."

최형기는 이제는 완전히 고분고분해졌다. 이인하는 그가 자기 처신을 내놓고 맡기려는 기색을 보자 마음이 놓였다.

"잘 생각하였네. 병판께서도 한시름 놓으실 걸세. 이런 일로 자네가 쟁론의 주역으로 사람들의 입에 오르내렸다가는 구만리 같은 자네의 환도 전정은 어찌할 것인가. 병판께서 잘 알아 처리하실 것이니, 김익훈이 무고의 죄를 받고 완전히 물러나갈 때까지 지방에 내려가 있도록 하는 것두 현명한 처세가 될 걸세."

"명심하겠습니다."

최형기가 머리를 조아리고 동헌에서 나오려는데 이대장은 다시 그를 불렀다.

"이걸 잊었군. 가져가게."

이인하는 단검을 내밀어주었다. 최형기는 묵묵히 되돌려받았다. 이인하가 다짐을 하였다.

"이 일은…… 자네와 나밖에는 모르는 일일세."

"알겠습니다."

최형기는 참담한 마음으로 물러나올 수밖에 없었다. 이튿날 그는 살주계 계원들과 검계의 혈당으로 판명된 산지니들을 차례로 심문하였는데 여태껏 묻고 기록하였던 사실을 재확인하는 데 지나지 않았다. 산지니의 차례가 되어 그가 옥에서 끌려나와 마당에 꿇어앉았는데 어쩐지 산지니의 태도가 전과 달랐다. 전에는 묻는 말에 대답도 않고 딴전을 피우거나 빈정대는 투였는데 훨씬 겸손하고 얌전해진 듯하였다. 그뿐 아니라 새로운 사실을 말하고자 한다며 포도대장의 임석을 청하는 것이었다.

"말해보라. 아무래도 대장께서는 알게 되실 일이라, 말하는 대로 기록할 것이니 염려하지 말라."

하였으나 죄인은 끝내 대장의 임석을 요구하며 중대한 사실을 밝히겠다는 것이었다. 결안이나 대강 해놓고 물러가려는 최형기로서는 초조하지 않을 수 없었다. 안으로 전갈이 가고 이인하가 친히 나와서 마루 위의 승창에 걸터앉았다.

"그래, 네가 말하고 싶다는 게 무엇이냐? 만약에 잔당을 새로 이끌어내는 일이라면 죽음은 면하게 될 것이다."

이인하가 곁에 서 있는 최형기를 슬그머니 돌아다보며 말하였다. 그때 산지니의 마음속에는 일진광풍이 일어나는 것만 같았다. 누님 석씨를 통하여 그가 전갈을 받았을 때 스스로 깨달은 바가 많았다. 모신이 위험을 무릅쓰고 감옥에까지 찾아왔던 것은 자기를 구명하기 위한 것이 아닌 듯하였다. 연루된 벼슬아치들의 성명을 듣고서 산지니는 그의 동무들이 자신의 죽음을 하루라도 바삐 원하고 있다는 것을 알았다. 자신이 벼슬아치의 이름을 대면 별 고통 없이 속참되리라는 것은 분명하였다. 모신이 하는 노릇이라면 서강의 토박이 장물아치로서 관가나 조정에서 흘러나온 모든 소문을 들어 모아놓을 수가 있었다. 그가 시키는 대로 한다면 계는 안전해질 것이었다.

그러나 누님 석씨의 애절한 모습은 차마 대할 도리가 없었다. 석씨는 그대로만 바로 대면 곧 풀려나가게 되리라고 믿고는 옷도 새로 짓고 몸이 쇠약해져 걸음도 걸을 수 없겠다며 세마도 한 필 내어두런다는 것이었다. 그렇다. 만약에 광주 검계의 소굴인 천마산 솔부리나 또는 양주 파주지간의 혈당들에 대하여 입을 열면 목숨 하나 살아나는 것은 문제가 아닐 테고, 오히려 상을 받은 뒤에 고작 유배 몇천 리나 받게 될 것이었다. 한껏 원찬 삼수갑산으로 떨어지고 보면 호초 이불에 해송자죽을 마시고 백두산 사슴포와 압록강 한천 어회로 입맛을 돋우며 지낼 것이다. 그러다가 왕세자 탄신이나 나라의 경사가 생겨서 팔도 사도(四都)에 대사령이 내리면 금계방환(金鷄放還)이겠지. 누님과 조카들을 데리고 상급으로 집안을 일으켜 한 말 뿌려 석 섬 나는 기름진 옥토를 장만할 것이다.

아, 산다는 것은 얼마나 즐겁고 좋은 일인가.

"별로 할 말이 없으면 결안을 하겠다."

"저 잠깐! 제가 모두 이르겠습니다."

산지니는 침을 꿀꺽 삼켰다. 그의 눈앞에서 석씨와 조카들의 모습이 사라져갔다.

산지니는 그가 돌곶이 주막에서 잡힐 적에 굳게 결심했던 바를 새로이 떠올렸다. 고기값이란, 자신을 버려 그의 뜻이 닿아 있는 혈당들이 보존된다면 실로 허무한 죽음이 되지는 않을 것이다.

어째서 그는 처음에 결심했던 생각을 흩트리게 되었는지 돌이켜보았다. 그것은 석씨가 나타나 새로운 삶에 대한 욕망을 일깨워주었기 때문이다. 산지니는 자신의 손에 죽은 살주계의 배신자 억기를 생각하였다. 얼마나 목숨이 더러운 것이라고 느껴졌던가.

"우리 계는 경신년 이후의 훈척들이 정사를 그르쳐서 조정이 어지러워지자 대감들께서 아랫것들을 묶어주어 생겨난 혈당들입니다."

곁에 앉아 기록하고 있던 서리가 눈을 휘둥그레 뜨면서 이인하를 올려다보았다.

"네 말이 얼마나 중대한가를 아느냐? 만약에 그것이 거짓이라면 너는 사차에 달려 찢긴다."

이인하도 긴장하여 추상같이 엄포를 놓았으나, 산지니는 태연자약 거칠 것이 없었다.

"본시 살주계는 경신에 남인들이 몰려나 죽을 적에 그쪽의 댁에서 밥을 먹던 천예들이 억울한 상전의 원수를 갚고자 모인 것입니다. 또한 검계는 임술 고변 때에 억울하게 잡혀죽거나 귀양 간 성내무사들과 한량들이 김익훈을 잡아죽이고 그들 일파를 몰아내려고 작당한 무리들이올시다. 그래서 살주계나 검계는 모두 노론의 당과 고변에 가담했던 자들을 죽이려 합니다."

곁에 있던 최형기가 눈을 가늘게 뜨고 날카롭게 산지니를 내려다보며 쑤시고 들어왔다.

"네 따위들은 시정에서 한갓 골패나 주무르고 탁배기나 마시던 부류들이다. 너 같은 상것들이 경신 출척은 다 무엇이며 또한 임술 고변이 무슨 상관이냐. 누구의 사주를 받아 이런 말이 나오게 되었는지 입을 열게 하리라. 여봐라, 화로와 인두를 대령하라."

그러나 산지니는 껄껄 웃었다.

"나는 기왕에 죽은 몸이오. 내가 조정의 큰 의혹을 담은 채로 죽어버렸다면 목이 제자리에 붙어 있겠소이까. 어서 나를 의금부로 넘기시우. 어디 양반 벼슬아치와 상것은 역적의 형이 다른가 한번 겪어

봅시다."

"저, 저런……"

이인하가 당황하는 모습을 보며 산지니는 다시 껄껄 웃었다. 이인하가 무슨 생각을 하였는지 최형기를 돌아보고 말하였다.

"저것의 말이 심히 해괴하고 무엄하다. 국가의 기밀을 함부로 누설하여서는 안 되니 내가 친국할 것이다. 종사관 이하 모두 나가 있도록 하여라. 그리고 부장은 국문의 진행을 위하여 한 사람만 남아 있거라."

최형기와 삼엄하게 마당에 벌려 서 있던 포교 포졸들이 모두 중문 밖으로 몰려나갔고, 이인하 포도대장과 기록하는 서리와 부장포교 한 사람만이 남아 있었다. 이인하는 그의 짐작대로 이들이 누구인가 권력가의 은밀한 손가락에 의하여 움직여지고 있는 듯한 느낌을 받았다. 어느 쪽일까. 만약에 자기네를 끌어들인다면 이것은 분명히 훈척 일파나 노론의 함정일지도 몰랐다.

"이제 좌우를 물리쳤고, 악형도 받지 않을 것이다. 내게 모든 것을 말하면 너는 사형을 모면할 뿐 아니라, 경우에 따라서는 우리를 위하여 일해줄 수도 있느니라."

산지니는 머리를 조아렸다.

"이제 나으리와 소인만이 있는데 더 무엇을 주저하리까. 저는 나으리를 위하여 목숨을 던져버릴 결심이 되어 있는 몸입니다."

이인하는 초조하여 기록하고 있는 서리를 흘끗 돌아보았다.

"어서 말해보라."

"아까 아뢴 바와 같이 본시 살주계와 연줄을 맺고 있는 사람은 중추부 목내선 대감과 판윤 박신규 대감 등입니다. 그리고 저희 검계와 닿아 있는 분은 병조판서 남구만 대감, 공조판서 정윤 대감, 예조

판서 남용익 대감 등입니다. 이런 일은 한양서 제법 조정 소식에 밝다 하는 자들은 모두 수군거리고 있습니다."

"이놈, 누가 그따위 거짓말을 지어내라고 시키더냐?"

"저두 모릅니다. 다만 계에 들어갈 때 어느 혈당이 귀띔해주어 알고 있을 뿐입니다. 직접 그분들께 여쭈어보시지요."

이인하는 어찌해야 될지 난감하였다. 산지니의 입에서 나온 사람들은 모두 이인하와 동류로서 정견을 같이하고 훈척과 노론을 배척하는 열에 서 있는 사람들이었다. 이러한 사실이 명백히 드러나게 된다면 그 무서운 불기가 자기의 코앞에까지 닥칠 것이다. 함께 있던 부장포교가 뭐라고 이인하에게 속삭였고 이인하가 고개를 끄덕였다.

"네 이놈, 목내선 대감이 살주계와 닿아 있다면서 어찌하여 그 어른이 친히 가노(家奴)를 적당이라 하여 잡아죽였겠느냐?"

산지니는 막힘이 없었다.

"예, 그것은 이러하옵니다. 본시 상전 나으리들께서는 못된 양반만을 골라내어 하늘을 대신하여 벌주자 하였으나, 천예들인지라 군율이 서지 않아 지사 이모의 집을 습격하여 재물을 탈취하였기 때문에, 상전들이 위험을 느끼고 미리 방비한 것입니다. 아시는 대로 목내선 대감은 가노를 포도청에 넘기지 않고 친히 목매달아 가로에 전시하여 엄벌하였음을 성내에 알렸습니다."

그도 그럴듯한 말이라 이인하는 차츰 난처해졌다. 만약 이 자가 의금부에서 국문을 받게 되어 이런 소리들이 나간다면, 그들 동당의 벼슬아치들은 모두 엄중한 문초를 피할 길이 없게 될 것이었다. 실로 등에서 식은땀이 흐를 판이었다.

"그러면 너희 검계에서는 흥인문 밖에서 시골로 내려가는 양반들의 이삿짐을 털고 인명을 상해하였는데 그런 짓도 병판이나 공판, 예판 대감들이 시켰단 말이냐?"

"예, 죽을 죄를 지었소이다. 일단 고변한 무리들과 노론 훈척들을 대상으로 삼았으나, 그들에게는 적기를 놓쳤고 거사할 대금은 마련하지 못하여 그저 손에 닿는 대로 탈취한 것이 나으리에게까지 누를 끼쳤습니다."

이인하는 발을 굴렀다.

"발칙한 놈…… 이놈, 내가 모르는 계의 작당이 있을 수 있겠으며, 이치로 말하자면 너희들이 내게는 해를 끼치지 못하게 되겠거늘 내 처가에까지 손을 댄 것으로 보아 너희가 아무 관계 없는 화적당에 지나지 않는다는 것이 적실하다. 누가 이렇게 진술하라고 사주하였는지 뒤를 대지 못할까."

산지니는 빙긋 웃었다.

"좋습니다. 저희는 대감과 나으리를 위해 말없이 죽겠습니다. 그러나 의금부로 넘어가게 되면 저는 결코 혼자 개죽음당하지 않게 되겠지요."

이인하는 승창에 깊숙이 눌러앉으며 신음을 발하였다. 앞뒤 이치로 보아 꾸며대는 형국이 분명하건만, 놈들의 계획은 물귀신처럼 끌고 들어가려는 의도이니 어찌할 방도가 서질 않았다. 또는 자신이 아직 모르는 부분이 있어 그들 대관들 가운데 실제로 연루된 이가 있다면 그들의 환로는 이미 막혀버릴 뿐만 아니라 환국의 소용돌이가 몰아쳐서 어떤 피비린내 나는 화가 닥칠지 알 수 없었다. 결안을 하여 될 수 있는 한 빨리 처형하는 방법밖엔 없을 것이었다. 이인하는 말하였다.

"알겠다. 이것은 무장인 내가 알아 처리할 일도 아니고 일단 결안이 되어 형조에서 재차 국문이 있을 것이다. 그런데 전에 어디서 김만채의 이름을 들은 적이 없는가?"

"예, 만수라고 송파 장거리서 열립군 하는 자가 있는데 혹시 그 가형(家兄)이나 되는 자입니까?"

이인하가 단검과 최형기의 일에 생각이 미치어 물었으나, 오히려 산지니는 전혀 모르는 일이라 마치 곁말을 써서 조롱하는 것과도 같았다. 이인하는 민망하여 화도 내지 못하고 승창에서 일어났다.

"결안을 하여 독칸에 따로이 가두었다가 명일 조례 전에 즉시 형조로 압송하라. 부장이 직접 숙직하면서 포교들로 하여금 차례로 번을 들게 하고 일체 잡인과의 훤화(喧譁)를 엄금시켜라. 당직하는 자들을 포함하여 그 누구도 이 자와 함부로 수작하면 태형 백 도로 처치할 것이다. 어서 끌어내라."

이인하의 지시에 의해 포교들이 산지니를 끌고 나갔다. 이인하는 잠시 침통하게 앉아서 생각에 잠기더니 임석하였던 부장에게 말하였다.

"저 자의 말은 대단한 국가의 기밀이라 아무도 누설해서는 안 된다. 절대로 머릿속에 새겨두지 말아라."

부장포교가 머리를 조아렸다.

"명심하겠습니다. 그런데 종사께서 어찌되었느냐고 물을 것인즉, 소관이 어떻게 대답할 말이 없나이다."

"최형기는 포청을 떠난다. 기왕에 떠나는 이가 이런 난민들의 일은 알아 무엇 하겠느냐. 입을 다물고 발설하지 말라는 것은 내 지시이기도 하려니와 병판 대감의 엄중한 분부이시다."

"알아 모시겠습니다."

그리고 이인하는 기록하던 서리에게 말하였다.

"어디 죄안을 받아쓴 것이라면 내가 자세히 살펴보고 없앨 곳은 없애고 첨가할 곳은 다시 고쳐쓰도록 할 것이다. 내가 들어가 일러줄 터이니 너는 시행하되 입을 철벽같이 해야 하느니라."

서리도 머리를 조아렸다.

"어느 분부시라고 유념치 않으오리까."

이리하여 석산진은 항쇄 족쇄 차고서 목에는 큰칼을 쓰고 독칸에 갇혔다.

저녁때가 되어 석씨가 밥을 지어 옥 마당으로 들어갔으나 칸살마다 그의 반기던 얼굴은 보이질 않았다. 한참이나 기다란 옥을 기웃거리며 오르내리던 석씨가 옥리를 서는 포졸에게 물었다.

"우리 동생 석산진이가 어디 있는지 좀 가르쳐주오."

"글쎄 그런 자가 있었던가."

옥리가 사정에게로 가서 뭐라고 묻더니 하는 말이,

"댁네 동생은 오늘 결안이 나서 독거 수용이 되었다오. 내일부터는 여기 오지 말고 서린방 형조의 전옥서로 찾아가시우."

석씨에게는 그를 형조로 넘긴다는 말이 어찌나 반가운지 그 자리에 주저앉아 훌쩍이며 울었다.

형조로 넘겨진 것은 이제 산지니가 처형되는 길밖에 남지 않았다는 것을 알 리가 없는 석씨로서는, 다만 며칠 전에 찾아왔던 경강 장사치가 귀띔하여준 대로 일의 앞뒤가 척척 맞아 돌아간다고만 여겼던 것이다. 석씨는 서린방 형조의 전옥서로 찾아가 잡다한 죄수들의 가족들 틈에 끼여 산지니를 면회코자 하였으나 독거 죄인은 위에서 지시가 있을 때까지 아무도 만날 수 없다 하여 음식만을 안으로 들여가게 하였을 뿐이다.

석씨는 이제부터 산지니의 구명을 하소하러 나설 차례라고 믿고

서 이른 아침부터 머리도 감고 새 무명 치마저고리를 꺼내어 입었다. 그러고는 온종일을 마음을 가라앉히지 못하고 서성대다가 관리들이 퇴청하였을 즈음을 어림잡아 석씨는 떡점을 나섰다. 그녀의 품속에는 며칠 전부터 이러한 일을 가늠하여 돈 주고 훈장질하는 선비에게서 받아놓은 원서(願書)가 두 통이나 있었다. 석씨는 광주 동촌에서 자신이 당하였던 억울한 봉변에 대하여 간단히 썼고 뒤이어 산지니가 한양으로 도망쳐서 검계라는 당에 들었다는데, 사실은 이들이 나라를 망치려는 간흉들을 제거한다며 조정 대신들이 묶어놓은 무리들이며, 실지로 병판 공판 예판 대감들이 지시를 내리셨으니, 높고 지엄하신 분들이야 나라를 걱정하고 바로잡으려면 궂은 일이나 험한 일이나 심지어는 대의명분으로 목숨을 버리는 것도 당연한 노릇이겠으나, 천한 백성인 석산진은 그런 분들의 명을 받았을 뿐이니 사죄까지 받을 수는 없으니, 엎드려 비옵건대 잘 굽어살피시고 사실을 알아내어 목숨만은 살려줍시사, 하는 내용의 원서였다. 석씨는 수소문하여두었던 한성판윤 박신규의 집으로 찾아갔다. 판윤의 집이라 여러 층의 내방객들이 허술청에서 기다리는 참이었다. 석씨는 솟을대문 앞에서 서성대다가 슬그머니 대문간에 있는 허술청으로 들어가려는데, 청지기가 이상스런 행색의 부녀자를 보고는 제지하였다.

"여기가 어딘 줄 알구 함부로 들어오려는 게요?"

"원정할 일이 있어 꼭 나으리를 뵈어야 합니다."

석씨는 전혀 주눅 들지 않고서 고개를 쳐들고 말하였고 허술청에서 기다리던 사내들이 모두 눈길을 석씨에게로 모으고 있었다.

"그런 일은 직접 관청으로 가셔야지 이리로 오면 어찌시려오?"

"아낙의 몸으로 관청 출입을 할 수도 없고, 사람이 죽고 사는 일이라 염체 불고하고 찾아왔습니다."

청지기는 딱딱한 어조로 잘라서 말하였다.

"안 되오, 돌아가시우. 지금 이녁이나 만나구 계실 틈이 없으시다
구. 자, 다음 분은 저동 김참봉이십니다."

지명받은 이가 청지기의 뒤를 따라 안으로 들어가는데 석씨도 아
무 말 없이 뒤를 따랐다. 허술청에서 명자를 받던 사동이 어라, 저댁
이 미쳤군, 어쩌고 하면서 쫓아나와 석씨의 소매를 붙잡은 것이 잘
못이었다. 석씨는 널다리서도 대가 차기로 알려진 과수댁이라 잘되
었다 싶었는지 소매를 뿌리치면서 다짜고짜로 사동의 귀쌈을 보기
좋게 올려붙였다.

"이놈, 남녀가 유별한데 아무리 판윤 댁의 상것이라고 함부로 부
녀자의 손목을 잡느냐. 너희 상전 나으리께서는 손님들께 그리하라
고 가르치더냐?"

석씨의 앙칼진 목소리가 중문 밖에서 낭랑하게 울리는 참이었다.

"허어, 아주 미쳤구면."

청지기가 돌아보며 혀를 차더니 하인들을 부르는 것이었다. 곧 건
장한 하인들이 뛰어나왔고 청지기가 석씨를 가리키며 떠들었다.

"저 미친년을 밖으로 끌어내라."

하인 셋이 우르르 달려들어 석씨의 몸을 함부로 잡았다.

"네 이놈들, 어디다 손을 대느냐, 놓지 못할까. 판윤 댁에서 가엾
은 백성을 이처럼 다루어도 좋단 말이냐."

석씨는 허공중에 대롱대롱 들려 나가면서 악다구니를 썼다.

"이년아, 이렇게 들어다 던지는 것두 다행으로 알아라. 여기가 어
딘 줄 알구 들어와서 행역질이야. 허옇게 볼기를 까구 엎드려 곤장
을 맞구 싶으냐."

사동 녀석이 석씨의 뒷전에 대고 실컷 떠들었다. 석씨는 대문 밖에 던져졌고 문은 굳게 잠겨버렸다. 그녀는 계속하여 문을 두드리며 악을 썼다. 판윤이 이러한 소란을 모를 리 없어서 청지기에게 물었고 청지기가 들었던 대로 아뢰었다.

"원정할 일이 있어 찾아왔다지만, 여기가 관사가 아니오라 나중에 그리로 찾아가라 하였습니다."

박신규는 신중한 사람이었다. 그는 가볍게 혀를 찼다.

"아무리 그렇지만 내가 백성을 다스리는 벼슬아치로서 저들의 원망을 들어서야 되겠느냐. 어서 들어오게 해라."

"대감마님, 이런 일이 전례가 되면 갖가지 잡색 상것들이 이러저러한 일을 하소한답시고 행패를 놓을 것입니다."

"그때는 또한 따로이 대처하기로 하고 어서 데리구 오너라."

판윤 박신규는 궁금하기도 하였고, 젊은 소복의 아낙네라기에 호기심도 일어났던 것이다. 청지기는 쓸개라도 삼킨 듯한 얼굴이 되어 다시 중문 밖으로 나와 아직도 떨고 있는 석씨를 위하여 대문을 열어 주었다. 석씨의 얼굴은 새파랗게 질려 있었고 거의 까무러칠 것만 같았다.

"대감마님께서 보자 하시니 나를 따라오시오."

청지기가 그러고는 돌아서 안으로 들어갔고, 석씨는 허술청의 사동을 향하여 눈을 흘기고는 뒤를 따랐다. 박신규는 미닫이를 조금 열고 밖을 내다보다가 석씨가 마루 아래에 이르자 슬그머니 돌아앉으며 물었다.

"원정할 일이 무언가."

"예, 제 동생 석산진이 억울한 죄명을 둘러쓰고 곧 죽게 되어 나으리께 구명을 하소하러 찾아왔습니다. 원서를 받아주옵소서."

"이리 들이도록 하여라."

청지기가 석씨에게서 원서를 받아 안으로 올렸고, 안에서는 한참이나 아무런 말이 없었다. 석씨가 참지 못하고 말하였다.

"검계라면 나으리께서도 잘 아시겠지요. 나라의 큰일을 맡아하시는 나으리들은 빼놓고 어찌 약하고 무식한 것만 죽어야 합니까."

그러나 안에서는 아무런 반응이 없더니, 판윤의 목소리가 들렸다.

"내가 잘 알아서 선처해줄 터이니 너무 염려 말라구 일러라."

석씨는 몇번이나 절을 하고서 물러나왔다. 그러나 석씨가 박신규의 얼굴을 보았다면 그렇게 기뻐하지는 않았을 것이다. 박신규는 얼굴이 창백해졌고, 노기와 불안을 스스로 억누르느라고 입을 꾹 다물었고, 원서를 쥔 손이 부들부들 떨리고 있었다. 박신규는 영리하고 잽싼 하인을 불러 석씨가 어디 사는지 누구와 접촉하는지 쫓아가 알아보고 오라고 시켰다. 석씨는 따르는 자가 있는 줄도 모르고 이번에는 작정했던 대로 우포도대장 신여철의 집으로 가서 또다시 소란을 피웠고 거기에도 원서 한 통을 올렸던 것이다. 그러고는 잰배에서 파자교 떡전거리까지 시름에 겨워 걸었다. 판윤 댁 하인은 끝까지 쫓아가 그 여자가 어느 떡집 안으로 들어가는 것을 살피고 나서 돌아와 박신규에게 아뢰었다. 그때에는 판윤도 마음이 진정되어 스스로 여러가지 궁리를 하던 중이었다. 그는 서찰을 써서 자기 파당의 사람들에게 이 소식을 알리도록 하였고 각 판서 대감들은 신여철과 이인하에게서 대략의 이야기를 듣고 나서, 하루라도 빨리 결안이 되어 이러한 불미한 사건이 번져가지 않게 되기를 원하였다. 결안이라고 해야 살주계의 혈당들 여덟 사람과 산지니를 곧 처형한다는 것이고, 그중에서도 산지니의 입을 막는 것은 가장 시급한 일이었다.

이튿날부터 석씨는 서린방 전옥서 앞으로 찾아가 산지니를 만나게 해달라고 떼를 썼으며, 이어서 형조의 관문 앞에 서서 형판을 만나게 해달라며 목을 놓아 울부짖었다. 형조의 서리들도 모두 석씨를 알게 되어 욕설을 퍼붓는 자들도 있었고, 동정의 말을 해주는 이도 있었다. 그들 중에 고향이 송파라는 이가 석씨를 알아보고 원정할 제사를 써주겠다고 나섰다. 안의 내용을 들어보더니 그도 또한 안색이 달라지는 것이었다. 석씨는 물 가운데서 지푸라기라도 잡고 싶은 심정이라 그 서리에게 매달리며 애원하였다.

"제 동생은 저 때문에 저러한 곤경에 빠졌습니다. 그에게는 혈육이라곤 저뿐입니다. 하늘 아래 불쌍한 우리 둘이서 서루 믿구 의지하여 살아왔지요. 힘없는 두 목숨이 이렇게 빕니다."

그러나 서리는 난처한 듯이 앉았더니 주막 안에 누가 있는가를 살피고 나서 나직하게 속삭이는 것이었다.

"아까 하신 말씀을 절대로 다시 입 밖에 내어서는 안 됩니다."

"왜 안 되나요, 그럼 이 억울한 노릇을 어찌 가만히 앉아 당하겠어요?"

"그렇게 발설하시면 사실이든 아니든, 아주머니는 목숨이 위태롭습니다. 아무튼 내가 알기로는…… 명일 오전에 종루 저자로 나가시면 동생을 만나게 될 거요."

서리가 머뭇거리면서 일어났고, 석씨가 쫓아가며 물었다.

"그애가 방송이 된다던가요?"

"글쎄요…… 아직 잘 모르지만 그리로 지날 것이니 상면이나 하시지요."

석씨는 귀가 번쩍 뜨이는 듯하였다. 그 길로 떡점에 돌아가 갈아입힐 새옷 한 벌을 장만하였다. 밤늦게까지 옷을 마른다, 바느질을 한다, 수선을 피우다가 새벽녘에 누웠는데 전전반측 잠이 들 리가 없었다. 아침부터 떡점 아낙네가 시루에 떡을 찌는데 석씨는 붙어앉아 일을 거들었다.

"아주머니, 어디서 술 한 병만 구할 수 없을까요?"

"웬일이슈, 과수댁 동생이 방송되어 나오는 모양인가?"

석씨는 어젯밤에 곰곰이 생각하였던 것을 이제는 스스로 완전히 믿고 있었다. 죄인이 종루거리를 끌려 지나간다면 아마도 분명히 홍인문을 나설 것이고 방향은 북관이 될 것이었다.

"아니오, 내일 북관으로 귀양을 간답니다."

"에구, 사람이 살기만 하면 되었지. 잘되었구려."

떡점 아낙네도 좋아라고 반겼다.

"탁배기야 숨겨두고 파는 집이 있지만, 그걸루야 먼 길 가는 이들 목이나 적시겠수? 아마 따라가는 이들도 달래야 할 것이니, 내가 화주 두어 병 구해주리다. 그리구 나두 인절미를 낼 테여."

석씨는 오랜만에 활짝 웃는 얼굴이 되었다.

"저두 근교까지만 따라나갔다가, 이제는 널다리로 돌아가렵니다."

"참 잘되었네, 그렇게 애를 쓰더니……"

떡점의 아낙네가 화주를 사보겠다고 집을 비웠는데 웬 건장한 사내 둘이 울타리 안으로 쑥 들어서는 것이었다. 석씨가 대신 장사를 한답시고 치맛자락에 손을 씻으며 나섰다.

"어서 앉으시지요. 무슨 떡을 드릴까요?"

사내들은 석씨의 아래위를 훑어보더니 저희끼리 눈을 맞추었다. 그중 하나가 부드럽게 입을 떼었다.

"이 집에 죄인 석모를 뒷바라지하는 아낙이 있다던데?"

석씨는 어쩐지 가슴이 철렁 내려앉았다. 낌새로 보아 그들의 눈매가 곱지 않은 것이 포교가 분명하였다.

"제가 긴데 무슨 일인가요?"

"우리하구 잠깐 동행하여야 되겠소."

석씨는 아무 연고도 모르면서 우선 버티고 말았다.

"저는 오늘 따로이 일이 있어서 못 가겠군요. 동생이 죄를 지었다고 저까지 옥에 가두려는 건 아닐 테지요?"

먼저 말없이 툇마루에 걸터앉았던 자가 거칠게 말하였다.

"그자는 명화율(明火律)에 피촉된 자야. 처자가 있다면 노비로 박혀야 될 게야. 이녁이 아무리 출가녀라 하지만 죄인과 함께 살았으니 동모자나 한가지 아닌가. 어느 앞이라구 뻗대나 뻗대기를……"

석씨는 포교에게 냉정하게 말하는데,

"명화율이든 역률이든 간에 나는 그의 아내가 아니라 서사촌누나예요. 아무리 국법이 무섭다지만 다 정해진 바가 있겠지요. 산지니는 총각이랍니다."

이러고는 다른 포교에게 공손히 대꾸하였다.

"오늘 제 동생이 북관으로 귀양을 간다기에 거리에 나가 상면이라두 하려구 그럽니다."

"귀양…… 누가 그럽디까?"

"형조의 서리 다니는 분이 가르쳐주었어요."

포교는 잠깐 석씨의 얼굴을 빤히 들여다보더니, 이윽고 안색을 고치며 나직하게 웃었다.

"그것 참 잘되었소. 우리가 그 사람 부탁을 받구 이렇게 나온 거요. 석모가 자씨께 전해달라며 흥인문 밖에서 우리와 함께 기다리라구 그럽디다. 몇년이 될지 모르니 누님 얼굴이나 뵈면 원이 없겠다구 하여 이렇게 찾아온 겁니다."

석씨는 벌써 눈물이 글썽해져서 돌아서서 옷고름으로 눈을 씻었다. 이제 산지니는 먼 길을 떠날 것이다. 메마른 바람과 눈보라가 몰아치는 북관으로 가는 길에는 얼음에 뒤덮인 고원이 하늘을 막아서 있고, 기러기는 하늘을 가르며 날아갈 것이었다. 석씨는 눈 속에 엎드린 병든 사람을 떠올리고는 스스로 소스라쳤다.

"솜옷을 장만할 걸 그랬지요?"

석씨는 떡과 옷을 보통이에 꾸리다가 포교들을 돌아보며 말하였고, 성질이 느긋한 포교가 일러주었다.

"문밖에 나가서 솜배자를 사 입히면 될 것이니 염려 마시우."

아낙네가 화주를 구하여 돌아왔다. 석씨는 가졌던 돈에서 얼마를 내어 내밀었으나 떡점 아낙네는 술값만을 제하고는 다시 억지로 내주는 것이었다.

"나두 혼자 사는 년이 이녁의 사정을 왜 모르겠수. 이 떡은 내가 거기 동생에게 주는 것이니 갖다 먹이구려."

석씨는 눈물 반 웃음 반이었다.

"두 분께서 제 동생을 북관까지 잡아가시나요?"

포교는 머뭇거리며 석씨의 말에 응답하였다.

"그, 그렇지요. 기순 지경까지만 가고 해서감영에서 나옵니다."

석씨는 포교들과 함께 홍인문 밖으로 나갔다. 그들은 경주인들의 재가가 모인 곳에서 그중 문이 잘 내다보이는 집에 들어가 앉아서 기다렸다. 포교들은 집주인과 농을 하기도 하고 담배도 태우며 꽤나 지루한 모양이었다.

종루 운종가(雲從街)의 네거리는 마침 중화참이었다. 성내에서도 가장 번화한 장시인데도 네거리 근방의 가가는 모두들 철시를 하였고, 사람들이 길 가운데를 중심으로 빙 둘러서 있었다. 그러나 서린방 쪽에서 나오는 대광통교 방향으로 사람들이 길을 훤히 터놓고 있었다. 포청에서 나온 포졸들이 오전에 주위가 번잡하지 않도록 길의 통행을 막았고, 네거리 가운데에다 곤장을 때릴 때 사람을 결박하는 형틀을 몇대 갖다놓자 모두들 참형이 집행되리라는 것을 알고 수군거리기 시작하였다. 포졸들을 거느린 포교가 오더니 군중들을 향하여 둥그렇게 포졸들을 풀어놓았다. 포졸들은 장창을 굳게 짚고 군중을 향하여 돌아서 있었다.

"온다 와, 저기 봐라."

군중들이 제각기 손짓을 하는데 소가 끄는 함거(檻車)가 서린방에서 나오는지 광통교 앞에 뽀얀 먼지가 일고 있었다. 이윽고 가까이 다가오자 함거에는 굵다란 통나무로 칸살이 세워져 있었고 안에는 죄수 세 사람이 뒷결박되어서 앉아 있었다. 그들은 번뜩이는 눈초리로 칸살 밖의 구경꾼들을 이리저리 훑어보았다. 아마도 그들 중에 보고 싶은 사람의 얼굴이나 동료들이 섞여 있지나 않을까 하여 그러는 모양이었다.

"저게 적당들인가?"

"한주먹이면 코피 쏟고 뻗겠는데 무슨 도적이 저러한가."

제각기 떠들었고 아이들은 제 세상을 만난 듯이 함거의 주위로 몰려들어 원 안에 들어가기 직전까지 따라갔다. 아이들은 박자를 맞춰가면서 참형수들을 놀려대는 것이었다.

"모가지 없는 잡놈이 목발 없는 지게에, 길로 길로 가다가 엽전 한 푼 주었네, 놓고 보니 공짜요 들고 보니 공짜요, 올려다보니 북망산 내려다보니 청계천, 염라 태수 만나서 엽전 한 푼 바치고 수수 개떡을 샀더니 입이 있어야 먹지요."

그러나 어른들은 잠자코 있었는데, 저자 네거리에서 죽은 귀신은 어느 곳에도 머물지를 못한다지만, 그들의 눈초리가 제법 썰렁하기 때문이었다. 함거는 종각 앞에 세워졌고 감참관과 망나니 일행이 올 때까지 포졸들이 둘러서서 지키고 있었다. 나무 의자를 갖다놓은 것을 보니 포청과 형조에서 곧 감참관이 나올 모양이었다. 형조에서 나온 망나니가 당도하였는데, 머리는 산발이었고 옷자락은 잔뜩 풀어 헤쳐졌으며 술을 먹었는지 낯이 불콰해 보였다. 감참관으로는 좌포청과 우포청의 종사관이 각각 한 명씩 나왔으며, 형조에서도 별제(別提)가 한 사람 나왔다. 감참관의 직급이 그리 높지 않은 깐에는 포교와 포졸들이 거의 형장을 에워싸다시피 한 것이 좀 별스러웠다.

"사모관대가 뵈지 않는 것이 의금부 죄인들은 아닌 듯한데 파수 경계가 삼엄하구먼."

"글쎄, 고작해야 명화적이나 살변을 일으킨 죄인들 아닌가?"

시정배인 듯 패랭이에 개가죽 배자 걸친 사내가 돌아보며 아는 체를 하였다.

"이 사람들 또 벌 타령으루 왱왱하는구나. 건너다봐야 의주서 넘어오는 부담짝이란 말이지. 속도 모르고 떠들지들 마소. 저놈들이 양반을 쳐죽이자는 살주계하구 검계 패거리들이 아닌가. 이 속에서 구경하다가 어느 놈이 덤벼들어 채갈지 모른다 그 말일세."

"에구, 그 무슨 탈 날 소리여."

누군가가 다시 눈을 흘기며 참견을 하였다.

"오죽했으면 양반을 죽이자구 했겠누."

"하긴 그럴 게야."

이러는데 갑자기 사람들이 와 하면서 뒤로 물러났고 웃음소리와 욕지거리가 터져나왔다. 망나니가 입에다 물을 잔뜩 물고 돌다가 칼날을 쳐들고는 사람들에게 흩뿌렸던 것이다.

"저 희광이들이 오늘은 피맛을 잔뜩 보겠군."

"그러니 이 시절에 독주를 다 퍼먹였겠지."

망나니 두 사람은 자루에 박은 작두를 머리 위로 쳐들고 형장을 빙빙 돌다가는 제 목 위에 얹었던 칼을 휘두르며 구경꾼들을 몰아내기도 하였다. 구경꾼들은 이리저리 몰려 밟히고 쓰러지면서도 낄낄 웃었다. 망나니는 공연히 히죽거리며 겅정거리기도 하고 형장 위를 이리저리 돌아다녔다.

"저게 일테면 마당쎗이로군."

산지니는 먼저 실려온 살주계원들과 칸살을 붙잡고 마당 가운데서 여러가지 광경들을 멍하니 내다보았다. 아까 대광통교를 건너 종루로 나올 때 처음에 밀리던 인파 속에서, 산지니는 소복 차림의 여인을 찾느라고 혼자서 칸살 사이로 이리저리 고개를 돌리고는 하였다. 그러나 유두분면(油頭粉面)한 광통교변의 색주가 창기들뿐인지 색색가지 장옷자락만 나부낄 뿐이었다. 삶도 잘 모르거든 하물며 죽는 것이야 어찌 알겠느냐.

산지니 생전에 놀기 좋아하고 싸움질 잘하는 송파 왈짜이더니, 드디어는 백성들의 세상을 세우겠다고 나서서 그 혈당을 위하여 죽으매, 이것이 초라하고 작을지언정 어찌 이루지 못할 까닭이 있겠느냐. 저 마당에 잠시 세월 지나가면 아이들의 노랫소리마저 텅 비어 있으리라.

옛글에 나오기를, 날 때에도 분명히 생을 따라온 것이 아니고(生時的不隨生), 죽을 때도 당당하게 사를 따라가지 않네(死去堂堂不隨死), 나고 죽고 가고 옴에 관계없이(生死去來無干涉) 정체는 의젓이 눈앞에 있네(正體堂堂在目前)라고 하였거늘, 열심으로 삶을 가졌던 자에게는 언제나 거울 앞에서처럼 낯익은 손님 같은 죽음이 의젓하게 눈앞에 있는 것이다. 산지니는 문득 어떤 생각이 지나쳐서 그에 어울리지도 않게 아이처럼 빙긋 웃었다. 그것은 이런 저자 한가운데서, 아이들의 조롱 가운데 저희를 내리누르는 관헌들 앞에서, 영문도 모르고 공구경에만 정신이 팔린 무수한 백성들의 놀란 눈알딱지 앞에 잘려나갈 그의 몸과 몸뚱이는 바로 미륵의 것이라는 소박한 깨달음이었다. 미륵은 언젠가 오시는 게 아니라 우리의 넋 가운데 시시때때로 찾아들어 이렇게 잠깐 당신을 현신시키고는 넘어진 내 고깃덩이를 넘어 다른 넋으로 찾아가신다. 미륵은 내게 왔다. 미륵은 언제나 이 자리에 있다. 그의 등판이 어째서 둥근 불덩이로 지져졌는가를 산지니는 겨우 알아차렸던 것이다. 미륵이 두꺼운 살을 뚫고 전신으로 퍼져가는 아픔이었다.

"누님을 속인 것은 잘못이었다."

산지니는 얼결에 혼잣말로 중얼거렸다.

"아하, 만약 그이가 돌아가시면 그이는 구천 하늘에 떠돌아다닐 것이다."

별제가 문서를 확인하고 나서 포교에게 일렀다.

"죄인 석산진부터 끌어내라."

산지니는 포교가 따준 문을 밀고 천천히 함거에서 내려왔다. 그가 감참관 앞에 끌려갈 때 망나니 둘이서 번갈아 엇갈리며 그의 목덜미에다 차디찬 칼날을 슬쩍 스치고는 하였다. 웬만한 죄인 같았으면 그런 때에 그 자리에 앉아 방분이나 방뇨를 해버리고는 기가 죽어 두 다리로 다시 일어서지 못할 터이나, 산지니는 마치 장난굿판에 들어온 박수처럼 제 마당인 양하였다.

"호적지가 어디인가?"

"광주목 탄천현 널다리올시다."

"직업은?"

산지니는 픽 웃고 나서 대답하였다.

"예전엔 장터 왈짜, 그 다음엔 농사꾼, 그리고 지금은 양반 잡아먹는 검계의 혈당이우."

종사관이 끼여들었다.

"묻는 말만 대답하라."

"진정 검계의 적당인가?"

"그렇소."

"석산진, 갑진(甲辰)생인가?"

"그렇소, 내가 석산진이오."

별제와 종사관들이 함께 문서를 보고 나서 형조의 인을 확인한 다음, 서로 고개를 끄덕였다. 좌포청의 종사관이 포교에게 말하였다.

"시행하라."

포교가 서릿발 같은 환도를 빼어들고 뒤로 몇걸음 물러나니 희광이 망나니들이 먹이를 본 야수처럼 그에게 달려들었다. 희광이가 일부러 이빨을 드러내고 웃어대니 산지니는 그가 듣는 둥 마는 둥 관계없이 말을 걸었다.

"공연히 웃음치지 마라. 밥덩이 찬 술이 그리 배가 부르더냐. 내 목을 단칼에 치지 않으면 전옥서 회자수칸으로 오늘밤 당장 찾아가리라."

과연 놀랐는지 망나니는 잠깐 무뚜름해졌다가 재빨리 감참관 쪽을 바라보더니 소매에 꽂고 있던 화살 두 대를 꺼내어 산지니의 귀를 꿰려고 달려들었다.

회술레를 돌리려는 것이니 참형수의 귀를 꿰어 구경꾼들에게 돌려 보이면서 행하를 받아내려는 것이었다. 산지니는 그에게 손을 벌리고 다가온 망나니의 눈을 빤히 들여다보았다.

"누구 오늘 이 회자수들께 진주(鎭酒)를 내어 위로할 사람이 없소?"

산지니가 또라지게 외치며 둘러보니 구경꾼들은 조용하였고 희광이는 화살을 떨구고 서 있었다. 그때 구경꾼들 틈에서 누구인가 엽전 작은 꿰미를 마당 가운데로 던져 찰그랑 하는 소리가 들렸다.

"저승 갈 노자를 보태어주었으니 내생에서 갚으리다."

"어서 시행 않고 뭣들 하느냐?"

감참관이 외쳤다. 산지니는 망나니를 돌아보며 웃었다.

"당신은 여러 번 죽는 사람이우."

망나니가 그의 등을 밀기도 전에 산지니는 형틀로 걸어갔다. 가다가 그는 문득 구경꾼들 틈에서 낯선 중이 염불을 올리는 것을 보았다. 그는 보통 중처럼 염주를 헤아리거나 목어를 때리며 고개는 숙이고 눈은 감고 중얼거리는 게 아니라, 방갓을 약간 쳐들어 노리는 듯이 강렬한 눈빛을 쏘아보내고 있었다.

저때에 미륵이 제자를 위하여 설법하시되(爾時彌勒爲諸弟子說話) 너희들 비구는 떳떳함이 없는 생각과 즐거움에는 고가 없는 생각과 (汝等比丘 當思惟無常之想樂有苦想) 나를 헤아림에 나라고 할 것이 없는 생각과(計我無我想) 실로 있는 것이 공한 생각과(實有空想) 색깔이 변하는 생각과(色變之想) 퍼렇게 멍이 든 생각과(青瘀之想) 배가 부른 생각과(膖脹之想) 먹는 것이 소화되지 않는 생각과(食不消想) 고름과 피가 흐르는 생각과(膿血想) 모든 세간이 가히 즐겁지 아니한 생각을 깊이 생각하라(一切世間 不可樂想). 입과 뜻으로 악한 것을 행하지 말고(口意不行惡) 몸으로 또한 잘못을 저지르지 말며(身亦無所犯) 마땅히 이 세 가지의 행실을 버리고 속히 생사관을 벗어날지라(當除此三行 速

脱生死關).

　미륵경을 외우는지 스님은 중얼거리면서 산지니의 뒤통수를 바라보았다. 산지니가 뒷몸이 결박된 채로 형틀에 묶이니 이어서 망나니가 손을 내밀었고 누구인가 묘상전의 장사치인 듯 목침을 내주었다. 이것은 전례였다. 망나니는 산지니의 늘어진 목 밑에 목침을 괴었다. 다른 때 같았으면 두 희광이들의 칼부림하는 장난이 볼만한 구경거리일 텐데 어찌되었는지 망나니들은 신명이 살지 않는 모양이었다. 한 망나니가 산지니의 뒷전에 섰더니 작두를 높이 치켜들었다. 그때에 종루의 저잣바닥이 쩡쩡 울리도록 산지니의 고함소리가 들렸다.

　"누니임!"

　곁의 망나니가 재빨리 칼을 쳐들었다가 일격에 내리쳤다. 산지니의 머리는 마치 무 꽁댕이처럼 땅바닥에 굴러떨어졌고 아직은 죽지 않은 팔다리의 근육들이 덜덜 떨리다가 멎었다. 피가 목에서 울컥이며 솟아나왔고 차부들이 와서 그것들을 수습하여 거적에다 둘둘 말아서 새끼로 묶어 뒤로 내갔다.

　"여환스님, 가십시다."

　"그래…… 나는 기도를 마치고 갈 터이니 자네 먼저 서강으로 나가게나."

　팔 없는 전생이가 근처에 끼여 서 있던 중년 곰보 사내의 등을 두드렸다.

　"가자니까요."

　"허……"

　고달근은 얼이 빠진 듯하였다. 그는 떨리는 음성으로 마당을 손가락질하며 중얼거렸다.

"정말…… 산지니가 죽었네그려."

오후 늦도록까지 흥인문 쪽에서 귀양 가는 귀인의 압송 행렬 비슷한 모양도 비치지 아니하여 석씨는 차츰 의심이 들기 시작하였다. 석씨가 문으로 가보려고 가가를 나서려니 포교들은 서로 눈짓을 하고 뒤따라나왔다.

"어디 가시우?"

"아무래도 이상해요. 이렇게 늦게까지 성문을 나오지 않는 걸 보니 무슨 일이 생긴 게 아닌가요?"

포교들은 눙치며 말하였다.

"형조에서 결안이 되고 나면 귀양갈 각색 죄인들을 모두 모아서 함께 데리고 나올 것이라 늦는 게요."

다른 포교도 석씨를 달래었다.

"오히려 잘되었소. 늦어지면 근교에서 묵어가게 될 터이니 우리가 잘 말하여 함께 지내도록 주선해드리리다."

포교들의 그러한 말에 석씨는 다시 반가운 마음과 오히려 더욱 늦어져서 황혼녘에나 풀려나왔으면 싶었다. 석씨는 경주인네 가가에 앉아서도 몇번이나 손수 지어온 옷을 펼쳐 다시 살펴보기도 하고 떡 보자기도 풀었다가 매었다가 하면서 연신 흥인문을 내다보았다. 근교 사람들이 문안에서 볼일을 마치고 나오기 시작하였는지 문이 제법 번잡해졌고 석씨는 몇번이나 밖으로 나갔다가 되돌아오고는 하였다. 그럴 즈음에 포교들이 슬슬 신발을 신는다 의관을 바로한다 하더니 가가 밖으로 나설 기색이었다.

"못 나올 모양인데 우리가 쫓아가서 이 집으로 빼내왔다가, 내일 날이 밝자마자 다른 압송수들과 합할 것이라 좀 다녀와야겠소."

석씨는 한시바삐 동생을 만나보고픈 마음에 자기도 보퉁이를 집어들며 일어섰으나 다른 포교가 덧붙였다.

"어허, 왜 이렇게 안달이우. 여러 사람의 눈이 있는데 어딜 함부로 나서려는 게요. 여기 기다리고 있으면 우리가 데려다줄 텐데, 저녁에 먹을 술상이나 조촐하게 마련하시우."

석씨는 기쁜 얼굴이 되어 고개를 끄덕였다.

"그러지요. 화주가 두 병이나 있고 닭도 잡아놓겠어요. 제 동생만 데려다주시면 머리를 끊어 팔아서라도 인정전을 쓰겠습니다."

"어디 가지 말고 꼭 여기에서 기다려야 합니다."

포교들이 그렇게 당부하고 나가버리자 석씨는 주인에게 암탉 두 마리를 구해달라고 돈을 내었다. 문안에서 나온 사람들이 지나가다 가가에 들렀는데 그들은 상담을 몇마디 하고 도성 안 저자의 물가 형편에 대하여 서로 주고받더니 드디어 오늘 보았던 구경거리에 대하여 얘기하기 시작하였다.

"원, 세상에…… 내가 얘긴 들었어도 종루에서 사람의 목을 치는 것은 오늘 처음 보았네."

"나도 어릴 적에 두어 번 보고 이번에 이렇게 떼죽음이 나는 일은 처음 보았구만."

"처음 한두 명의 목이 달아날 땐 구역질이 나더니 한참 보노라니 그게 뭐 소나 돼지 잡는 거나 다를 바 없더구만."

"적당치고는 그래도 대단들 하데. 몇몇은 아주 눈도 꿈쩍 않고 참형을 받더구만."

그들은 무심하게 지껄이고 있었으나 석씨는 갑자기 머릿속이 텅 비면서 눈앞에 허연 것이 내리깔리는 듯하였다.

석씨는 비로소 깨달았다. 산지니는 석씨가 이곳에 발이 묶여 있는 동안에 이미 목이 잘려나갔던 것이 아닌가.

"어떤 사람들이 죽었나요?"

석씨가 모여앉아 떠드는 사람들 가운데로 얼굴을 내밀며 말하였는데, 안색은 하얗게 질려 있었고 입술이 파들파들 떨리고 있었다. 장꾼들도 석씨의 얼굴을 보고는 주춤하여 저희끼리 둘러보며 말대답을 못 하였다. 석씨는 마치 실성한 듯이 보였다.

"그…… 그 사람들 중에 광주 널다리 사는 석산진이가 없던가요?"

대꾸를 망설이던 그들 중에 하나가 무뚝뚝하게 내뱉었다.

"차례로 셋씩 실어내다가 무려 아홉이나 참하였으니, 우리네야 누가 누군지 알 게 무어요?"

"헌데 아주머니는 뭣 땜에 그러우? 검계라나 살주계라나 하는 적당들이라는데, 그런 흉측한 놈들과 무슨 상관이라두 있소?"

젊은 장꾼이 이어서 말하자, 석씨는 정신없이 보퉁이를 끼고 뛰쳐나왔다. 흥인문을 헐레벌떡 들어서려니 몰아나오던 행상이며 장꾼들이 미친 여자인 줄 알고서 쑥덕거리며 뒤돌아보았다. 석씨는 무슨 정신에 종루 운종가에까지 당도하였는지 몰랐다. 석씨는 네거리 가운데로 뛰쳐나가 어디에 동생의 살점이라도 떨어져 있지 않나 두리번거렸다. 이미 길 위에 핏자국들에는 재가 덮이고 다시 그 위에다 고운 황토흙을 뿌려놓았던 것이다.

사람들은 아무 일도 없었다는 듯이 무심하게 길을 오가고 있었다. 석씨는 황토흙에 손가락을 넣고 이리저리 매만지며 허물어지듯이 주저앉으며 처음에는 웃음소리 같은 맥없는 울음을 터뜨렸다. 그러고는 울음이 일단 터져나오자 통곡이 되면서 석씨는 땅을 힘없이 두드리기 시작하였다. 가가의 상인들이 하나둘씩 고개를 내밀었고 행인들도 걸음을 멈추었다. 그들은 서로 머리를 모으고 수군거렸다. 상인들은 맨 처음에 목이 잘렸던 당차던 참형수를 너무나 또렷하게 기억하고 있었다. 그들은 여러차례 저자 네거리에서 참형당한 죄수들을 보아왔지만, 산지니와 같은 태연하고 당당한 참형수를 보지 못했던 것이다. 더구나 그가 죽기 직전에 돌연 누님 하면서 외치던 목소리가 아직도 귀에 울리는 듯하였다. 그들은 앞뒤의 정황을 맞추어 이 여인이 바로 그 참형수의 누님일 것이라고 쉽게 알아챌 수가 있었다.

"여기서 울어봐야 뭘 하오. 연고가 없는 시신은 시구문 밖에 내다버리면 암장이 되고, 연고가 있을 때는 형조 앞에 두어 찾아가도록 하니 그리로 가보시우."

인정이 있는 장사치가 일러주었으나, 석씨는 움직일 줄을 몰랐다. 석씨는 이제 드넓은 하늘 아래 아무 데도 그 마음을 붙일 데가 없던 것이다. 어린 두 자식과 갈아먹을 땅뙈기가 있건마는, 석씨는 한꺼번에 그녀가 가졌던 모든 것을 잃어버린 듯하였다. 석씨는 하소하며 돌아다니는 중에 산지니가 꼭 살아나오게 될 줄로 믿었고, 아무러면 터무니없는 사람을 죽이랴 싶었으나, 이제는 그저 힘없고 어리석은 백성으로 꼼짝없이 속아넘어가, 자기네가 하잘데없는 버러지처럼 짓밟혔다고 여기게 되었던 것이다.

석씨는 다 저물어서 형장에서 일어섰다. 그러고는 광통교를 건너서 형조로 가보았다. 삼문은 굳게 닫혀 있었고, 시신 따위는 보이지도 않았다. 석씨가 처참한 얼굴로 문지기에게 물어보니, 명화율에 걸린 참형수들이라 함부로 시신을 내주지 않는다는 것이었다. 석씨는 어두워질 때까지 삼문 앞에 망연히 서 있었다.

스산한 찬바람이 삼문 밖 뜨락에 일진을 날리는데 벌써 주위는 어둑어둑하였다. 석씨는 광통교 쪽으로 어정어정 걷기 시작하였다.

집집마다 희미한 불빛이 새어나왔으며 행인의 내왕도 차츰 끊겨

갔다. 먼 데서 인정 치는 소리가 들릴 때까지 석씨는 종루거리를 따라서 올라갔다.

석씨는 광주로 돌아갈 생각은커녕 가슴에 엉킨 원한과 슬픔으로 운종가 주변을 벗어나지 못하였다. 네거리는 텅 비어 있었다. 저자에 널렸던 허섭스레기들이며 지푸라기들이 바람에 불려서 마치 몸을 방금 떠나온 넋처럼 주르르 밀려갔다가는 파르르 몰려오곤 하였다. 석씨는 반달이 걸린 높다란 은행나무의 앙상한 가지를 올려다보고 있었다. 반달은 구름을 헤치고 가다가는 다시 멈추었고 빛을 잃은 별들도 가지에 열린 열매처럼 간간이 반짝이다가 사라졌다가는 다시 나타났다.

인연이 흐쳤거든 생각지나 말으소서. 기별을 못 듣거든 그립지나 말려무나. 한 달 서른 날 다 보내고 열두 달 지난 후에 옥창에 앵도는 몇번이나 피어진고. 겨울밤 여름해에 빈 방에 혼자 앉아 엄혹삼경야에 자취 눈물 뿌릴 적과, 반야 오동 위 굵은 빗발 흩어질 제 이리 혜고 저리 헤니, 아마도 모진 목숨 못 죽어 한이로다. 도리어 펼쳐 헤니 이리하여 어이하리. 청등을 모두 켜고 녹기름 내어놓고 백련화 한 곡조를 근심조차 섞어 타니 부용화 적막한데 섬섬옥수 맺힌 한이 옛소리 있다마는 누구 귀에 들릴쏘냐. 내 팔자 이러하니 원망하기 허사로다. 죽은 듯 잠을 들어 꿈에나 보려 하니 광풍에 지는 잎과 월하에 우는 짐승 무슨 일로 나를 미워 이내 간장 다 끊는다. 우리 님 계신 데는 무슨 약수 가렸관대 가면 올 줄 모르는고. 석양이 비낀 후에 죽림 깊은 골에 새소리 더욱 섧다. 나군을 비어잡고 인간 세상 헤어보니, 나 같은 이 또 있는가 홍인박명 하릴없다.

원부사(怨婦詞)의 애끓는 가락이 석씨의 귀에 쟁쟁한데 석씨는 천천히 일어섰다. 그리고 치마끈을 풀어서 매듭을 짓고는 맞춤한 나무 아래로 가서 키에 만만한 나뭇가지를 겨냥하여보았다. 석씨는 그 녀머로 끈을 넘겨서는 당겨 쥐었다. 석씨의 행동은 침착하고 골똘한 듯이 보였다. 그녀는 끈을 몇번이나 당겨서 좀체로 풀어지지 않을 것을 확인하고 나서야 매듭 속으로 머리를 넣었다. 간신히 발돋움하여 버티고 설 만한 높이였다. 돌아선 석씨의 눈앞에 달빛에 드러난 형장의 컴컴한 공간이 내다보였다. 석씨는 오랍동생 산지니의 마지막 고함소리가 아쟁의 가장 낮은 음조의 여운처럼 전해오는 듯하였다. 석씨는 마지막까지 산지니의 죽음의 의미를 이해하지 못하였던가. 석씨의 눈앞에는 육조의 기다란 담과 저 멀리 궁궐의 대문이 떠올랐고 그것들이 불길과 연기에 싸여서 일시에 무너져내리고 있는 광경을 보았다. 높다란 성채와 제비 같은 추녀와 전각과 주문의 눈부신 단청은 맹렬하게 타오르는 불꽃에 일그러지는 중이었다.

산진아, 저 모양이 보이느냐. 저 멸망해가는 도성 궁궐의 장엄한 낙조가 보이느냐.

석씨는 올가미를 쥐고 있던 손을 놓으며 아래로 온몸을 늘어뜨렸다. 그녀의 몸이 늘어지면서 발끝은 비스듬히 땅을 밀치고 몇번 버르적거리다가 차츰 움직임이 미약해지며 동작이 멈추었다.

찬바람이 아직도 저자의 허섭스레기들을 이리저리로 몰아대고 있었다.

| 제2장 |

구월산
九月山

1

　갑자(甲子)에 시작된 흉황은 이듬해인 을축년에도 계속되어 한양에 난민이 나타난 지 몇달이 안 되어 황해도에는 염병과 소의 전염병이 창궐하였는데, 그중에서도 문화와 안악 등지가 가장 심하였다. 황해도 관찰사 이세백(李世白)은 해서의 참상을 계언(啓言)하여 수안, 곡산, 서흥 등지의 읍이 거리가 멀어 전세의 운반에 비용이 많이 들어서 백성들의 불만을 가라앉힐 수가 없으니 면포로써 대봉(代捧)해주지 않으면 더이상 다스리기도 힘들다고 아뢰었다. 삼월에는 황해도 관찰사로 윤반(尹攀)이 나아갔으나, 이미 거칠어져 난민으로 변해가는 백성들을 다잡지 못하였다. 이세백이 재임할 적부터 구월산 일대에서 일어난 명화적이 활빈당을 자처하며 해서의 전역은 물론이요 도계를 넘어서 서북이나 관동지방에서 심지어는 송도 부근에서

까지 발호하여 왔는데, 수괴는커녕 그 졸당도 얻지 못하였다. 때가 흉년에 역병까지 나돌아, 다른 수많은 난민들이 저들 명화적의 행동을 본떠서 스스로 활빈 무리임을 자처하였으므로 실로 종잡을 수가 없었던 것이다. 그러므로 해주감영은 물론이고 산간벽지의 작은 읍에 이르면 관가는 마치 성난 폭도들에 둘러싸인 작은 섬과도 같았다. 병인년에 이르러는 흉황과 전염병의 악순환으로 참상은 고질화되어 나라에서는 장기 대책으로 송엽을 먹는 방법과 식량이 될 수 있는 풀뿌리를 가려내는 것을 지방 관리들을 시켜 광유(廣諭)토록 하였다. 그해 여름에 난데없는 눈이 내렸고 제비까지 얼어죽었으며 해일이 크게 일어났으니, 이 모든 괴변은 주상(主上)이 장씨 성을 가진 궁녀를 가까이하여 실덕하였던 탓이라고 조정의 의견이 일어나 정국은 혼란하여지고 있었다. 여름에서부터 군도(群盜)가 횡행하여 포교와 군사들은 각처에서 살해당하였다. 일반 백성들은 두어 자루의 곡식이나 한 필의 무명 때문에 서로 죽이고 죽고 하였으나, 전장을 드넓게 차지한 토반이나 향족들은 창고에 그들먹하게 곡식을 쟁여놓고 예년과 다름없이 호화롭게 지내었다. 그들은 스스로 재물과 목숨을 지키기 위하여 무사와 역사들을 집안에 식객으로 거느리고, 좀도둑이라도 인근에서 잡히면 명화율로 다스린다 하여, 백성들이 보는 앞에서 참혹하게 처단하였다.

예성강은 마식령산맥의 언진산 계곡을 근원으로 하여 오백여 리나 흘러 해서와 경기를 가르고 있었다. 군이 일곱이나 걸쳐 있고 들판은 광활하였다. 금천읍은 오조천(吾助川)의 북쪽이며 돼지여울(猪灘)의 남쪽인 광복산(廣福山) 아랫녘에 있었다. 말여울 하류에 조읍포(助邑浦)가 있었으니 읍에서는 이십여 리 떨어졌고 해서에서 가장 큰 포창(浦倉)이 있었다. 동남방으로는 송도에 통하고 남쪽은 배천

〔白川〕, 서쪽은 해주에 통하며 서북쪽으로 재령 방면에 닿았으니 실로 그물의 코와도 같은 곳이라 수륙의 교통이 서로 마주 닿았다. 이 조읍포창은 강음현을 비롯하여 황주 서흥 평산 곡산 수안 안악 재령 신계 우봉 토산 등지의 열두 군현의 조세 양곡이 모두 수납되었다가, 수운판관(水運判官)의 지휘에 의하여 예성강 수로를 통하여 교동 강화 수로를 돌아 경강(京江)으로 들어가게 되어 있었다. 아무리 흉황이 극심하다 하지만 나라 살림이 전폐될 수는 없는 일이라 선선한 바람이 불면서 조읍포는 차차 활기를 띠어가기 시작하였다. 각처에서 온 아전들과 세곡선들이 포구의 넓게 패어진 선창에 줄지어 늘어섰고, 주막에서는 밥 짓는 연기와 장정들의 떠들썩한 소리가 한데 어우러져 이곳만은 마치 태평성대를 만난 잔치를 벌이고 있는 듯이 보였다. 그러나 실상은 포창에서 천신산이나 구봉산 같은 나직한 고개를 하나 넘어가도 굶주린 유랑민들의 무리가 산야에서 먹을 것을 찾아 떠돌고 있었다.

포창의 서남쪽은 넓은 예성강이라 그곳만을 빼고는 곳곳에 나졸들이 지켜서서 걸식하는 유민들을 돌아가도록 하였다. 조읍포의 언덕에서 동북편으로는 예전의 읍치였던 강음(江陰) 즉 금교역(金郊驛) 말이 있었다. 포창에서 역말까지가 오 리도 못 되어서 역마와 행인의 왕래가 빤히 내다보일 정도였다. 금교역말은 해서의 가장 번화한 역참(驛站)이었다. 찰방이 있는데 그는 평산에 머무르고 있었다. 금교역은 서신과 봉물을 전달하고 역마를 세내어주는 등으로 역졸들이 눈코 뜰 새 없이 바쁜 곳이었다.

가위 북으로 오르는 관문이라 하여도 지나치지 않을 것이었다. 이러한 역참과 해서의 세곡을 관장하는 거대한 포창인 조읍포가 있으니, 물화는 풍부하고 장사치들도 각처에서 오고 갔으며, 따라서 금교역에서 홍의역에 이르는 삼십여리지간에는 산이 높고 골이 깊어서 도적이 둔취(屯聚)하여 백주에도 사람을 죽이고 물건을 약탈하였다. 정덕(正德) 경오(庚午)에 군영을 설치하여 상인과 세곡을 보호하여 지키게 되었으나 난이 두 차례나 휩쓸고부터는 군영의 관리도 흐지부지해져버려 다만 옛말처럼 전해올 뿐이었다. 포창에만 평산과 금천에서 군관이 나와 지키고 있는 실정이었다. 때가 극심한 흉황이라 칼이나 몽둥이를 가진 난민들이 저마다 산곡에 지켜서서 남의 물건을 빼앗는 형편이었고 장사치들은 그들대로 칼이나 화승총을 가진 무사 포수들을 세마를 내듯이 고용하여 역에서 역으로 또는 저자에서 대처로 호송하도록 하였다.

때마침 밀물때라 강물이 불었고 넓고 흰 기운이 포창에 가득한데 자욱한 연기와 안개가 아침 강변에 흰 베처럼 드리워져 있었다. 고성산(古城山) 봉수가 똑바로 내다보이는 포창의 나루터에는 갑자기 시끌벅적한 소란이 일어났다. 가장 먼저 군관들과 군졸들이 뛰어갔고 아이들도 떼를 지어 몰려갔으며 먼 길을 가는 숙박객들은 무슨 일인가 하여 주막의 울타리 밖으로 고개를 내밀고 있었다. 소나 말까지도 실어나르는 큼직한 거룻배가 천천히 강변에 대어지는 중이었다. 천신산 아랫녘의 문수골 사는 유사과(柳司果)라면 금천서는 알려진 부가옹으로 찰방이나 판관 따위는 모두 수령보다도 그의 명을 받들 정도의 세력가였다. 유씨가는 예전에 천신산의 문수암을 중건하여 부처님의 공덕으로 가세가 불어났다는 소문이 전해내려왔다. 유씨 댁에서는 조읍포창에서 가장 큰 여각을 경영하였고, 신천 재령 등지에 흩어진 전장이 있었고, 세곡선도 수십 척이나 가지고 있었다. 실로 유씨가의 번성은 조읍포창의 세곡에 의한 것이었다. 세곡의 운반과 또한 경강과의 미곡 교역으로 큰 이익을 얻었으며, 세곡

운임의 막대한 수입은 오랫동안 유씨가에 독점되어왔다.

얼마 전부터 금교역과 흥의역 사이의 광복산 골짜기에는 유민들이 스며들어 길목을 지키며 행인의 물건을 약탈하여 큰 골칫거리였다. 유사과 댁에서는 송도로 보내는 봉물을 탈취당한 일이 있어 달포 전부터 준비를 해오더니, 드디어 광복산의 병풍 같은 산줄기들을 뒤져서 화적들을 잡아낸 모양이었다. 배에서 내린 장정들은 제각기 환도며 장창이며 활과 화승총의 각색 병장기로 무장하고 있었는데 대략 스무 명이 넘어 보였다. 유사과의 큰아들과 포창에 나와 있는 행수가 고용된 장정들을 지휘하고 있었다. 그들 사이에서 결박된 화적들이 차례로 끌려내려왔는데, 모두 여섯 사람이었고 그중에 하나는 여자요 또 하나는 십사오 세의 아이였다. 그들은 모두 누더기 차림에 맨발이었는데, 청년과 중년 사내는 부상을 당하여 허벅지와 팔에 피가 배어나왔으며, 노인은 머리를 얻어맞았는지 찢은 옷으로 이마를 동였는데 몹시 쇠약하여 보였다. 그리고 성한 사람은 나이가 한 오십이나 되었을까 초로의 사나이로 아무렇게나 틀어올린 상투머리가 희끗희끗하였고, 눈빛은 성난 짐승의 눈처럼 이글거렸다. 누가 보더라도 이들이 한 가족임을 알아볼 수 있었다. 모여든 구경꾼들은 설마 저런 것들이 광복산 골짜기의 화적당이랴 싶은 의아스런 생각이 들 정도였다.

"어서 걸어라."

장정들은 갯가에서 포창거리 쪽으로 그들을 내몰았다. 장정들은 가끔씩 창끝이나 환도로 그들 초라한 도적들의 등을 밀거나 발길로 걷어찼다. 포창 군관과 군졸들은 포창거리의 초입에서 그들의 행렬과 마주쳤다. 군관은 유사과네 큰아들과 행수에게 치사를 드렸다.

"얼마나 고생이 많으셨소이까. 이제 적당이 모조리 잡혔으니 백성들도 안심을 하겠지요."

유사과네 큰아들은 명색이 사과의 아들이라지만, 머리에 두건을 질끈 두르고 배자 걸치고 토시와 행전을 치고 있었으며 허리에는 단검, 어깨에는 화승총을 메고 있었다. 행수는 역시 같은 차림에 장창을 짚고 있었으니, 호환이라도 일어나 범사냥을 나가는 듯한 법석이었다.

"그대가 해야 할 일을 우리가 하는 걸세. 아무튼 우리가 이것들을 잡아왔으니 창고에 가두어두었다가 사또께 아뢰고 나서 처참 효시하도록 하지."

포창 군관은 제깐에 멋쩍기도 하고 화가 나기도 하였다.

"이놈들, 예가 어떤 고을이라고 함부로 작당하여 강도질이냐." 하면서 주먹을 쥐어 앞에 선 노인의 뺨을 치니, 어이없게도 그는 땅바닥에 나뒹구는데 코피가 터져 있었다. 아낙네가 묶인 채로 노인의 몸 위에 엎드러지며 외쳤다.

"아버님……"

초로의 사내가 두 팔이 묶인 채로 군관을 들이받을 듯이 달려들었고 군졸 두 사람이 좌우에서 그를 붙잡았다. 사내는 고함을 지르며 몸부림을 치는 것이었다.

"이놈들아, 먹을 것이 없어 화적질은 나허구 내 아들이 하였다. 아녀자와 노인네가 무슨 죄가 있단 말이냐?"

사람들은 서로 눈짓을 하면서 고개를 끄덕였다. 보아하니 장정들이 광복산을 이곳 저곳 쏘다니다가 정작 잡아야 할 녹림당은 놓쳐버리고 산야에 움막을 파고 살면서 좀도둑질이나 하던 유민 일가를 취조하여 끌고 온 모양이었다. 달아나던 사내들은 그들 가족이 잡히자 순순히 포박당한 것이 틀림없었다.

"포창으로 끌고 가라."

군관은 씨근대며 군졸들에게 명하였다. 유사과네 장정들은 포창거리에서 자기네 여각으로 몰려들어갔고, 군졸들은 포창을 향하여 도적들을 끌고 올라갔다. 노인은 더이상 걸음을 옮길 수가 없어 군졸 둘이서 양쪽 겨드랑이를 끼어 올리고 있었다. 아이들이 끝까지 따라갔을 뿐이요, 어른들은 대부분 포창거리에서 멈추었고 밖을 내다보던 주막과 객줏집의 손님들도 안으로 들어가버렸다.

"저 사람들이 분명히 도적질을 했다던가?"

객줏집 마루에 앉았던 사람이 물었고, 밖에 나갔다가 들어온 하인 차림의 사내는 혀를 찼다.

"웬걸요, 저런 노인네와 아이허구 아주머니가 무슨 힘이 있어 남의 물건을 빼앗겠수. 아마 세 부자간이 살 길을 찾노라고 가끔 흥의 역지간에 나타난 장꾼들의 양식자루라도 빼앗아먹었던가 봅니다."

하인 차림은 얼굴이 해사하고 영리해 보였고, 선비 차림은 수염이 검고 안색이 청수한 중년이었다. 그들은 객줏집의 방 둘에 널찍한 마루가 딸린 별채를 빌렸는데 그 선비와 하인 외에도 건넌방에는 사내들이 더 있었다. 그들은 건넌방에서 겸상을 받아 아침을 먹는 중이었다. 하나는 얼굴이 메기탕으로 세수하였는지 반들거리는 흑빛이요, 다른 하나는 나이가 듬직하나 눈매며 두툼한 입술이며가 성깔깨나 있어 보이는 사내였다.

"뭐래, 어디 것들이래?"

나이 든 사내가 문밖으로 고개를 내밀며 말하였고, 하인 차림은 마루로 올라앉았다.

"보나마나 유민들인갑디다."

"아니, 거 잡아온 패거리들 말이야."

"구경꾼들에게 물으니, 유사과네라면 모두 안다는데."

낯바닥 검은 사내가 수저를 놓으면서 되씹었다.

"유사과라구?"

하면서 그는 선비 차림에게 물었다.

"성님, 우리가 대용이 성님께 들었던 그자가 아닙니까?"

선비는 고개를 끄덕였다.

"몇명쯤 되던가?"

"한 스물 남짓 되는데, 오죽했으면 저런 사람들을 녹림당이라고 잡아왔겠수."

"그럴 테지."

"아니야, 병장기는 제법 굉장하던걸. 환도에 장창에 활과 총포까지 지녔더군."

선비가 말하자 밥 먹던 두 사내들도 고개를 끄덕였다. 선비란 바로 김기였으며 하인은 오공랑 강말득이었고 얼굴 검은 사내는 마감동, 나이 든 사내란 변가였다. 초여름부터 대동강 어귀의 가도(假島)에서 구월산으로 여러 번 사람을 보내왔던 것이다. 조읍포창에 관하여 정탐을 해두었으니, 수로 쪽은 우대용의 식구들이 담당하고 평산 배천 등지의 내륙 쪽으로는 구월산이나 자비령 식구들이 같이 맡아 도모한다면 일이 수월하겠다는 것이었다. 구월산에서도 그 일을 크게 보아 자비령에 사람을 보냈고, 마감동이 변가와 더불어 신천을 거쳐 평산에 당도하고, 김기가 강말득을 데리고 떠나와 서흥을 거쳐 평산에 당도하였던 것이다. 우대용이네서는 아직 사람이 오지 않았으니 아마도 예성강으로 해서 당도할 모양이었다. 그들은 거사를 하기 전에 미리 인근의 지형과 병력의 많고 적음이라든가 그 허실을 살피기 위하여 왔던 것이다.

"아마 다른 고을에서 그러듯이 저 일가족을 저자에서 효시할 모양인데, 그냥 내버려두려우?"

말득이가 마감동에게 물었다.

"그러니 우리가 다른 일로 왔거늘 어찌 위험을 무릅쓰고 섣불리 달려들 수가 있겠는가. 아마 내일쯤엔 목이 잘려 장대 위에 걸릴 터인데."

말득이는 손바닥에다 침을 뱉어 비비는 시늉을 하며 중얼거렸다.

"내게 허락만 해준다면 성님들이 없어두 나 혼자 할 수 있수. 자고를 날려서 몇놈 쓰러뜨리고 산골짜기까지 데려다주면 아무 데로든 무사히 달아날 게요."

김기는 담배를 피우며 아무 말이 없었다.

"어쩌시려우. 제게 맡기지 않으시려우?"

말득이는 감동이와 김기의 눈치를 살피며 다그쳐 물었다.

"우리가 일없이 그냥 지나는 길이라면 모를까, 여기서 한 댓새 묵게 될 것이고 또한 도모할 일이 있잖으냐. 그때까지 별일이 없으면 다행이구......"

감동이는 다시 적당하게 얼버무렸고 말득이는 혀를 찼다.

"떡 삶은 물에 속곳 데치기 아니우. 우리가 도모할 일은 벌써 시작한 거나 매한가지요."

김기가 담뱃대를 놋재떨이에 두들겨 떨었다. 그는 식구들을 둘러보며 빙그레 웃고 있었다.

"하긴 강서방 말이 맞아. 우리는 오는 날부터 시작하고 있는 게야. 방금 좋은 생각이 났네. 가도에서 우두령이 오기 전에 미리 준빌 해둘까?"

김기는 아우들을 방 안에 모이도록 하였다.

"자네 혼자서 포창을 뒤집어놓을 자신이 있는가?"

김기의 물음에 말득이는 자고 표창 꾸러미를 쳐들어 보였다.

"판수가 산대 잡듯이 눈감고도 훤합니다. 포창의 골목이며 산으로 오르는 길은 모두 보아두었지요. 지키는 놈들이 있으면 몇이나 되겠습니까?"

"그러면 오늘밤에 저 사람들을 빼내도록 하지. 자네는 당분간 조읍 포창 주변을 시끄럽게 해주어야겠어."

김기는 말득이를 바라보며 말하였다.

"낮에는 여기서 내 하인 행세를 하고 밤에는 슬슬 놀러 나가서 말썽을 부리라는 말일세."

"그런 놀음이라면 염려 마우. 내 별호가 오공랑이우."

마감동이 껄껄 웃었다.

"지네가 밤에 나오니 그럴듯허군. 얘가 연전에 길산이 성님을 골탕 먹인 적이 있지요. 그 선일이 안댁하고 둘이서 말입니다."

"끝춘이의 별호가 서녀였던가?"

"말씀 그대로 생쥐였지요."

김기가 다시 어조를 고쳤다.

"그러나 절대로 사람을 죽이지는 말고 하루에 한 사람쯤만 병신을 만들어놓아. 포창 군졸이나 유사과네 불한당들을 골라서…… 양민들은 절대로 건드려선 안 되네."

"안심합쇼. 제가 이래봬도 자비령서 가장 인정 많은 사람이우."

김기가 마감동과 변가에게 일렀다.

"자네들은 아침도 먹고 하였으니 금교역으로 가게."

"예? 갑자기 금교역엔 뭣 하러 갑니까?"

"가서 도적이 들이칠 것이니 방비하도록 일러두란 말이야."

감동은 김기의 말에 어이가 없어졌다.

"아니…… 조읍포창은 각처의 녹림당이 넘보는 곳이라 경계가 심한 곳인데 우리가 부러 적경을 고하여 일을 그르칠 이유가 뭐요?"

김기는 수염을 내리쓸었다.

"도적만 방비하면 되지 않나? 경계가 심하니 적경을 고하여 더욱 굳게 해두어야지. 자네들은 한양서 올라온 포교들이 아니던가."

마감동과 변가는 서로 마주 보았고, 감동이가 말득이를 손가락질하였다.

"이를테면 오늘밤에 저애가 소동을 부린 뒤에 우리가 금교역말에서부터 들이닥치잔 말씀이구려."

김기는 고개를 끄덕이며 덧붙였다.

"이번 일은 도적의 역을 하는 패와 토포하는 역을 하는 패로 나누어 맡아야겠네. 양식은 쥐가 훔친다네. 그래서 쥐를 잡으려고 고양이를 기르지. 고양이는 언제나 쥐가 오지 않나 망을 보고, 제놈이 으스대고 있는 한은 한 마리의 쥐새끼도 나타나지 못한다고 믿고 있지. 헌데 쥐 대신 고양이가 나온단 말이거든."

변가는 어리둥절한 모양이었다. 그는 차마 김기에게는 묻지 못하고 마감동의 눈치를 살폈다.

"난데없는 고양이 재담은 또 뭐요?"

마감동은 웃으며 대꾸하였다.

"정작 재물을 터는 쪽은 그것을 지켜야 할 포도 군사들 쪽이란 말이여."

"허, 세상에 그런 일이 있을라구."

"변두령이 포교라는데두?"

변가는 그제야 알아들었는지 배를 잡고 웃어대기 시작하였다.

"자네들은 일이 벌어질 때까지 포창과 유사과 댁을 왕래하며 실정을 자세히 알아두게. 말득이가 아니었더면 이런 생각은 그저 놓칠 뻔하였는걸. 그리구 자네들은 동네를 집뒤짐할 때 나를 만나면 신승지 댁 샌님이라구 안 체를 하란 말일세."

"신승지라뇨?"

"음, 일전에 문화에서 관보를 얻어 읽고 몇사람 외워두었다네. 신엽(申燁)이라구 사간에서 집의로 그리고 승지로 오른 이가 있더구먼. 그리구 자네들이 나를 유사과에게 소개해주게나."

"대용이 성님이 오시면 어쩌시렵니까?"

김기가 빙글거리며 말하였다.

"우두령은 늦은 죄로 도적의 역을 해내어야겠지. 구월산과 자비령의 식구들께는 강서방에게 전갈하여 털벙거지에 더그레를 준비하라구 이를 참이네."

마감동과 변가는 벌써 봇짐을 꾸려 등에 걸머지고 금교역말로 나갈 준비를 하였다.

"가만있게. 내가 우두령의 용모파기를 적은 문건을 써줄 테니까."

말득이가 먹을 갈았고 김기는 붓을 들어 대강 생각나는 대로의 우대용의 인상이며 체격을 적어나갔고, 전국에 수배된 흉적이라 썼다. 곁에서 지켜보던 감동이가 어이가 없는지 따라 읽으면서 변가에게 설명하여주었다.

"대용이 성님이 이걸 알면 성님의 수염을 뽑으려 덤빌 거유."

"그 못생긴 사람을 이렇듯 훤칠한 대장부로 적어두었으니, 이다음에 자손들 제사 지낼 때 쓰라구 잘 간직하도록 일러주게나."

김기는 용모파기서를 접어서 마감동에게 내주었다.

"언제쯤 들어오리까?"

"글쎄…… 내일은 너무 빠르고, 모레쯤이 어떨지?"

"천상 역말에서 말똥 냄새나 실컷 맡게 생겼는걸. 아예 평산이 어떨까요."

"평산은 안 되어. 장두령이 그곳을 지나올 테니까."

"그럼 길산이 성님이 포도군의 토포사가 되나요?"

김기는 기왕에 내친 김이라 다른 백지에다 뭐라고 써갈겨나갔다. 글을 쓰면서 김기가 손짓을 하였다.

"국록을 먹는 자들이 왜 이리 꾸물거리는가. 어서들 가게나. 장두령을 토포사로 만들 수야 없지. 재간으로는 최흥복이를 따를 사람이 있겠는가."

"우리는 그저 성님만 믿구 가겠습니다."

변가와 마감동이 바삐 나가고 나자, 김기는 말득이에게 말하였다.

"여기 어디 정자에나 나가서 바람이라두 쐬어야겠다. 필통과 필랑을 급(笈)에 꾸리고 찬합을 챙겨 나서자꾸나."

포창의 언덕바지 전망이 좋은 자리에 벽파정(碧波亭)이 있었는데 금교역 객사의 누각과 더불어 예성강과 주변의 산야를 바라보기에는 근처에서 달리 비할 곳이 없었다. 산줄기들이 사방으로 구불거리며 달리고, 먼 산은 가느다란 띠처럼 허공중에 떠 있는데 들판과 언덕이 오르내린 모양은 살아 있는 짐승들과도 같았다. 갠 날은 가슴까지 툭 트이는 듯 시원하였고, 비가 오면 온통 들판이 부옇게 되어 안개가 산등성이에 걸렸다가 강물 위로 끌려내려가는 모양 또한 정취가 있었다. 아침놀과 저녁 황혼이며 들판 마을들의 밥 짓는 연기가 자못 볼만하였다. 맑은 바람이 늘 난간에 가득하여 원로의 더위와 먼지를 씻을 만하였고 밝은 달이 정자 위로 떠오르면 구부러진 강물에는 은조각들이 부서졌다.

말득이는 문방구와 찬합을 등에 걸머지고 있었으며, 김기는 어제 조읍포에 들어오던 행색대로 나귀에 비스듬히 걸터앉아 있었다. 마주 오던 농군들이 김기의 차림새로 양반임을 알고서 스스로 길에서 비켜나는 것이었다. 말득이는 이러한 꼴들이 보기 싫어서 김기와의 동행을 꺼려하였으나, 실정을 살피고 일의 계획을 세우는 데는 김선비만 한 이가 산채에 없었던 것이다. 오공랑이라는 별호대로 지네의 독침 대신에 자고 표창 쓰는 재간과, 발이 여럿 달린 듯 걸음 걷는 재간은 말득이를 따를 자가 없었다. 그러니 정탐꾼으로서는 그들만 한 짝이 없었고 남들에게도 쉽사리 주인과 하인으로 보여서 더욱 수월한 노릇이었다. 그들이 포창의 늘어선 창고 앞을 지날 적에 돌아보니, 군중들이 모여 있고 그 가운데에는 아침에 잡혀온 가족이 꿇어앉아 있었으며 포창 군관과 유사과 댁의 사람들 몇이 앞에 나와 앉아 심문을 하는 모양이었다.

"어찌되려는지 구경 좀 하구 가요."

말득이가 고삐를 잡고 소곤거리자 김기는 말하였다.

"어느 양반이 저런 따위 행사에 관심을 보이더냐. 우리는 지금 정자로 올라야지. 가서 시도 짓고 풍광도 즐기며 놀자꾸나."

구경꾼들이나 군졸들도 나귀에 올라 지나가는 선비의 행차를 힐끔거리며 돌아보았다.

"하긴 나중에 주막거리에 나가면 소상히 알아볼 수가 있수."

말득이는 그들 초라한 도적 일가가 못내 마음에 걸리는지 혀를 찼다. 김기는 숨을 크게 들이마시고 나서 일부러 딴청을 하였다.

"바람이 아주 상쾌하고나. 벌써 물비린내가 코 안에 가득한걸."

그들이 정자에 다가가니 주변은 청소가 깨끗이 되어 있었고 마루도 드문드문 새로 깔아둔 것이 누군가 임자라도 있는 것 같았다. 김기는 백지를 펼쳐 서진으로 단단히 눌러두고 잠시 난간에 기대어 포창의 주변을 둘러보았다.

"자아, 시흥에는 취흥이 짝이니라. 우선 술 한잔 먹어볼까."

찬합을 열고 건어포와 말린 홍합을 내었으며, 허리춤에 달아온 호리병의 마개를 열어 화주를 몇모금 들이켰다.

"커어, 혀끝이 짜르르하는구나."

김기가 슬슬 기분을 돋우는 양을 보고 말득이는 먹을 갈면서 볼멘소리로 중얼거렸다.

"정말 시를 지을 거유? 내 아무리 대솔하인 행각이라 하나, 성님께서 먹물 튀기며 거드름 빼는 장난을 하면 더 못 참겠수."

김기는 난간에 걸터앉아서 경치를 바라보다가 대꾸하였다.

"이 녀석아, 시방 주종이 엄연히 다른데 웬 잔말이 많으냐. 시도 지어보고 먹물도 마셔봐야 나라를 다스리는 귀한 어른들의 은혜도 아느니라. 혹시 알겠느냐…… 내가 벼슬이라두 하게 된다면 네게 비장직이라두 내릴지."

말득이는 어처구니가 없어 입을 벌리고 김기를 올려다보다가 심술이 나서 먹을 집어던졌다.

"완전히 실성하셨구먼. 길산이 성님께서 들었으면 당장에 목을 베자구 달려들었을 거유."

김기는 껄껄 웃을 뿐이었다. 그는 우선 운을 붙여서 오언절구를 입속으로 중얼거려 본 뒤에 붓을 들어 일필휘지로 휘둘러 썼다.

"거 무슨 미꾸리가 팔팔 뛰구 지나간 듯하우."

말득이가 비양거리며 호리병을 집으려 하니 김기가 슬쩍 채가는 것이었다.

"이 녀석, 어느 하인놈이 주인의 술을 마시더냐."

김기가 술병을 들고 다시 난간에 가서 걸터앉으니 말득이는 약이 올라 시문을 척척 접으며 투덜거렸다.

"언놈은 뭐 재간이 없어서 글 못 배운 줄 아슈. 다 세상 잘못 만난 탓이지. 이러니 글 모르는 놈들 서러워 어찌 사나?"

"그거 그냥 펼쳐두어라. 누가 와서 보면 읽게……"

김기가 정색으로 말하였으나 말득이는 아직도 그가 자기를 골리는 줄로만 여겼다.

"보긴 제미럴, 나 외에 어느 시러베아들놈이 본단 말유."

"그냥 놔두어."

김기가 말투를 바꾸어 얘기하니 말득이도 영문을 모르는 채 서진으로 잘 눌러두었다. 김기는 난간의 좌우를 서성이며 사방을 모두 살피고 나서, 이번에는 다른 종이에 그림을 그리기 시작하였다. 산과 강이나 마을이 제 모양대로 그려지는 것이 아니라, 이를테면 약도를 그리고 있었다.

"그게 뭐유. 가만있자…… 이게 아마 포창인가?"

김기는 다시 확인하려고 난간에까지 나갔다가 돌아가 계속하여 그리곤 하였다.

"네가 이 부근서 살았다구 했것다."

"그럼요, 구봉산 너머 온정 오거리가 우리 남매 밥 벌어먹던 길목이었수."

"그럼 바로 저 금교역말 뒤에가 무슨 산이냐?"

"저건 천신산이우. 그 옆에 산줄기가 닿은 봉우리는 취적산이구."

"저 개천은 뭐냐?"

"저건 쌍봉내요."

"아니, 저쪽 왼쪽 말이여. 천신산 뒤루 빠졌구먼."

말득이는 김기의 손끝을 따라서 내다보았다.

"아, 그게 아마 사매내일 거요."

"사매내라…… 깊은가?"

"밀물때면 배가 드나들지요."

김기는 만족하였는지 몇번이나 되뇌어보고 나서 적어넣었다. 그는 백지 위에 점과 선으로 집과 길을 표시하고 있었다. 그때 정자 아래에서 누군가 고함을 질렀다.

"아니, 이거 누가 함부로 정자에 오른 게야. 기껏 청소하였더니 나귀는 똥을 싸고…… 거 누구슈. 허락두 없이 남의 정자엔 뭣 하러 올라와."

김기는 짐짓 모른 척하며 이제까지 그리고 있었던 약도를 척척 접어서 소매 속에 넣고는 먼저 지어두었던 시문을 펼쳐두고 들여다보았다. 말득이가 난간 너머로 슬쩍 내다보니 화가 치민 정자지기가 그에게 삿대질을 하며 쫓아올라왔다.

"여보, 여기 정자의 임자가 누구라구 감히 허락두 없이 올라가는 게야?"

말득이도 욕지거리로 대꾸할까 하다가 김기의 눈치가 어쩔지 몰라서 굽신하여 보였다.

"경치가 하두 좋아서 잠깐 바람을 쐬는 중이우. 우리 나귀가 오물을 내었다면 내 돌아가는 길에 깨끗이 치워드리리다."

정자지기가 눈을 부라리며 정자로 오르다가 김기를 발견하고는 제법 기를 내어 핀잔하였다.

"보아허니 양반이신 모양인데, 우리 상전들께서두 양반이시우. 요 아래 제 집이 있는 걸 보셨을 텐데 미리 말씀이라두 하구 오르시는 것이 순서가 아니겠습니까?"

김기는 시문을 되읽어 살피는 척하다가 그를 힐끗 보고는 말하였다.

"여보게, 이 연적에다 물이나 좀 채워오게."

역시 정자지기도 오랫동안 남의 아랫것 노릇이나 해온지라 말득이 쪽을 힐끗 쳐다보고는,

"물 떠오라구 그러시잖나?"

하였고, 말득이는 일부러 못 들은 척 계단을 내려가버렸다.

"이 정자가 누구의 것인가?"

김기가 조용하게 물으니 그가 자랑조로 늘어놓았다.

"금천서 유사과 댁이라면 모르는 이가 없고, 한양 궁가와 경강에서도 다 알구 있수. 조읍포창의 여각과 세곡선두 모두 우리 주인댁 것이우."

"그래 자네 주인도 사과나 된다는 양반이 풍류를 모르실 리가 없지. 내가 마침 조읍포에 그럴듯한 정자가 있다는 말을 듣고 시흥이 나서 올라왔네. 나는 한양서 내려와 잠시 머무는 사람일세."

김기는 여러 말 않고서 다시 연적을 내주었다.

"물이나 떠다 주게나."

정자지기는 아뭇소리 못 하고 내려가더니 연적에 물을 채워가지고 돌아왔다. 말득이가 계단 아래 있으려니 그자가 다가와 낮은 소리로 물었다.

"저분이 어떤 분이신가?"

말득이는 코웃음을 날리고 나서 대꾸하였다.

"단지에 좁쌀 두 홉 모아두면 정승을 이 사람아 부른다더니…… 기껏 시골 장사치로 사과네 선달입네 사고 팔아 눈에 보이는 게 없구면. 저이가 벼슬길에는 안 나가셨지만 신승지 댁의 아우 되시고

명년에는 어디 수령으로 나가시게 되어 있다네. 하긴 촌개가 준총을 보고 짖으니 옆구리나 챌밖에 별일이 있겠는가마는."

말득이의 얘기에 정자지기는 에구, 잘못 걸렸구나 싶어진 모양이었다. 곧 동작이 정중하여지고 김기에게 연적을 바치는데 마루에 무릎을 꿇고 엎드려 올렸다. 김기는 다시 그럴듯하게 시문을 적어두고 살피는데, 아예 정자지기 따위는 안중에도 없는 듯하였다.

"저희 상전의 분부가 지엄하여 근처에 잡인을 금하라 하였기로, 소인이 조금 시끄럽게 하였습니다."

그가 조심스럽게 말하였으나 김기는 여전히 시문을 들여다보며 중얼거렸다.

"괜찮네, 괜찮어."

김기는 붓을 놓고 호리병을 기울여 한잔 마시고는 안주를 집었다.

"자네 상전이 누구라구?"

"예, 문수골 사시는 유사과 어른이십니다."

"어느 해에 사과를 하셨는고?"

"한 오 년 전에 흉년이 들었을 제 권분(勸分)하시어 나라에서 내리게 된 것이지요."

김기는 멋쩍게 얘기하는 정자지기의 말에 조롱하는 빛도 없이 고개를 끄덕였다.

"음, 그러한가. 우리 가문에서 이장을 하려는데 내가 명당을 보러 다니는 길일세. 일간 자네 주인댁에도 한번 들러볼 것이니, 나중에 내가 정자를 빌려쓴 일을 치사드리도록 하지."

"원 별말씀을 다 하십니다. 그만한 지체에 계시면 저희 상전으로서두 송구스럽지요. 아마 제가 아뢰면 대번에 집으루 모셔들이라구 하실 겝니다."

"유씨 댁이 소문처럼 대단한 부자인가?"

그에 이르러는 정자지기도 신이 나서 지껄이기 시작하였다.

"아이고, 대단한 정도가 아닙지요. 사실 여기 조읍포창은 그 댁 것이나 다름이 없습니다."

말득이가 곁에 있다가 코똥을 뀌었다.

"흥, 제 것이든 뉘 것이든 창고에 쌓인 것이 비록 태산이라 하나 곡식이거늘 몇푼어치가 되겠어."

그는 말득이와 싸울 듯이 언성을 높였다.

"함부로 말하면 다야? 저 문수골 대저택에 가보아. 정승 집도 그만이나 할까. 바다로 당화가 속속 들어오는데 청국 비단이 수천 필이지, 녹용에 인삼에 별의별 희귀한 약재가 가득하고, 그뿐이야, 은자가 항아리마다 가득 찬 골방두 있지. 또한 그 댁에서 지어놓고 대대로 관리하는 문수암에 올라보아. 거긴 중은 한 사람두 없구 장정 서넛이 지키구 그 댁 큰마나님이 종년들 두엇 데리구 올라가 계시는데, 참 늙마에 상팔자지. 거기 금불상을 셋이나 모셔두었단 말이거든. 나두 지난번에 백일재 올릴 제 중을 안내하노라구 가봤는데 정말 금이데. 종년들이 어찌나 매일 열성으로 문질렀던지 눈이 부셔서 바로 못 볼 듯하더군."

역시 정자지기의 말은 한마디도 놓칠 것이 없었다. 김기가 은근히 물었다.

"사사로이 병(兵)을 기르면 우환이 될 터인데, 어찌하여 그 댁에서는 장정들을 거느리고 있다던가?"

"그야 감영에서두 모두 알고 있고 허락이 내린 일입지요. 조읍포가 이렇게 번창한데 금교역에 역졸들 몇명과 수운판관이 군졸 두 오를 거느리고 있을 뿐이라 명화적이 나타나면 재물을 지키기가 어렵기 때문입니다. 실상 무예를 아는 이는 그 댁 도련님 세 분과 서북 사람 두엇, 관동 포수 셋뿐이고 나머지는 모두 예성강 선단의 사공들이며 민병을 지고 있는 작인들입니다."

"음, 그렇다면 보통때는 장정들이 병장기 들고 모이지 않겠구먼."

"그러믄요, 병자년 난리 때에두 저희 댁에서는 의병을 모으다가 시기를 놓쳤지요."

김기와 강말득은 서로 의미 있는 눈짓을 교환하였다.

"자아, 우리는 내려가서 점심이나 먹어야지. 잘 놀았네."

정자지기가 따라나서며 주뼛주뼛 말을 꺼내었다.

"정자에 들러 가시는 명사 어르신들의 글을 받아놓으라는 분부가 있어서……"

김기는 시문을 선선히 내주었고, 정자지기는 몇번이나 꾸벅이며 인사를 드리더니 무슨 생각이 들었는지 바삐 쫓아내려와 다시 물었다.

"나으리, 어느 곳에 사처를 정하셨는지요?"

"저어기…… 포구 초입에 느티나무 있는 곳…… 별채가 따로 있더구먼."

말득이 손짓으로 가리켜 보이자 정자지기가 알아차린 듯 말하였다.

"어어, 딱부리네 집이로군."

언덕을 거의 내려와 말득이가 고삐를 잡은 채로 걸음을 멈추는 바람에 나귀가 갑자기 고개를 쳐들며 갈짓자로 발짓을 하였다. 김기는 몸을 뒤로 잔뜩 버티고 균형을 잡았다.

"낙마할 뻔했네. 이거 마부가 시원찮아 볼기라두 맞아야겠는걸."

말득이는 연신 싱글벙글하고 있었다.

"성님, 들으셨수? 금부처가 셋이랍디다, 셋이오."

"그것보다두 수일 내로 기름진 저녁을 먹는 날이 오겠는걸."

김기가 엉뚱한 말을 하였다.

"뭐요, 주막에서 닭이라두 잡으시려구요?"

"글쎄, 갈비나 너비아니를 뜯겠는걸. 게다가 인삼주나 계당주를 마시겠고."

"포수야 밤에는 장님이니 상대할 것이 없고, 무예를 아는 자는 듣기로는 모두 다섯이우. 나머지는 잡동사니들이라 입바람 한번 불면 개미처럼 흩어지겠네요."

그들은 포청 앞을 지나왔는데 모였던 사람들은 모두 가버렸는지 창고 앞 빈터는 한적하였다. 어느 창고 앞에 더그레에 털벙거지 쓴 군졸 둘이 장창을 짚고 서 있는 것이 보였다.

"저 안에 갇혔구먼."

김기가 그쪽을 돌아보고 말하자, 말득이는 땅바닥에다 침을 퉤 뱉었다.

"자고를 쓸 것까지두 없겠수. 그저 두 팔로 그러잡아 되우 박치기를 시키면 사흘 밤낮으루 염라국 문고리 만지고 돌아올 게요."

"가서 낮잠이나 자두어라."

"혼자 마셨으니, 이번엔 나두 혼자 마실 테유."

김기는 껄껄 웃었다.

"사람이 그래서 쓰느냐. 원래 봉놋방의 술이란 낯선 사람들끼리도 같은 술잔에 입 대는 재미로 마시는 게야."

"거 뭐 시흥이네 취흥입네 하는 양반의 주법과 봉노에서 탁배기 잔을 드는 상놈의 주법이 다르우?"

"암, 다르지."

그들은 주막으로 돌아왔다. 주인이 반겨 맞으면서 나귀를 끌어다 두고 돌아왔다. 김기는 짐짓 건넌방을 넘겨다보면서 물었다.

"저쪽이 비었군. 모두 갔나?"

"아니, 모르시는 분들인가요?"

김기는 마루에 오르며 말하였다.

"얘가 어쩌니저쩌니 하데마는 아이들이야 길에 나서면 모두가 동무지."

"허허, 그렇겠습죠. 아침에 황황히 떠났습니다."

"그 사람들 저희끼리 얘기가 누굴 잡으러 온 모양이데."

"그럼 그이들이 포교입니까?"

"좌우간 잘 갔어. 어찌나 코를 고는지 시끄러워 잠을 잘 수가 있어야지."

주인이 상을 올릴 때 말득이가 따로 돈을 주어 은근히 청하여 탁주도 올라왔다.

"오늘은 일찍 잘 테니까 다른 손님 받지 말게. 내가 방값은 후히 줄 터이니."

김기는 넌지시 말해두었다. 말득이는 저녁 먹을 때가 다 되도록 낮술에 취하여 늘어지게 자고 일어났다. 이윽고 밤이 깊었는지 주막 주인네도 불을 껐고, 멀리서 짖어대던 개 소리도 그쳐갔다. 먼 산 숲 속에서 고즈넉하게 울어대는 부엉이 소리만이 들려왔다. 김기가 자리에 누우며 말하였다.

"나는 그만 자야겠다. 어서 나가서 한 바퀴 돌고 들어오지."

"아마 새벽녘이나 되어야 일이 끝날 듯허우."

"날 새기 전에 들어와야 한다."

"내일은 포창이 발칵 뒤집히겠군."

말득이는 자고를 허리에 두르고 미투리를 죄어 신고 주막을 나섰다. 마침 하늘에는 구름이 잔뜩 끼어서 코앞도 안 보일 듯이 캄캄하였다. 사방에서 풀벌레 우는 소리가 들려오고 있었다. 주막거리에서 큰길을 따라 곧장 올라가다가 오른편으로 돌면 창고들이 줄지어 늘어선 포창이었다. 군관이나 수운판관이 있는 곳은 절수처(折收處)라고 하여 초가에 토벽인 창고와는 달리 돌담을 두른 와가였다. 말득이는 낮에 보아둔 대로 군졸 둘이 지키던 창고 쪽으로 다가갔다. 절수처의 바로 곁에 있는 창고를 돌아서 맞은편 창고의 벽에 찰싹 붙은 말득이는 벽의 끝까지 살금살금 나아갔다.

바로 그 길은 그들이 벽파정에서 내려오던 길이었다. 앞에 널찍한 빈터가 보였고, 군졸들이 장창을 짚고 서 있던 창고가 내다보였다. 창고의 문 앞에는 아무도 보이지 않았다. 말득이는 자세히 살펴보았다. 창고의 오른편 끝에 한 사람은 장창을 벽에 세워두고 앉은 채로 졸고 있었으며 다른 하나는 아예 땅바닥에 길게 누워 잠들어 있었다. 말득이는 맞은편으로 달려가 창고의 벽에 기대어 섰다가 벽을 따라서 문까지 다가갔다. 역시 맹꽁이자물쇠가 채워져 있었다. 말득이는 예전에 하던 솜씨대로 쇠끄를 꺼내어 열쇠구멍에 넣고 이리저리 비틀었다. 이윽고 찰칵, 하는 투명한 쇳소리가 들리더니 쉽게 열렸다. 말득이는 자물쇠를 따내어 땅에다 살그머니 내려놓고 문고리를 벗긴 다음에 문을 당겼다. 그러나 슬쩍 당겼을 뿐인데도 돌쩌귀가 거칠었던지 요란한 마찰음이 나면서 뒷전에서 거친 목소리가 들렸다.

"누…… 누구냐?"

말득이는 멈칫하였다. 벽에 기댔던 자가 벌떡 일어나 장창을 잡는 순간이었다. 누워 있던 자도 얼결에 일어나고 있었다. 소리만 지르면 만사가 끝나는 판이었다. 말득이는 얼른 허리춤을 더듬었다. 우선 죽이기는 싫었으므로 대나무 자고를 뽑았다. 군졸이 장창을 곧추 겨누는 찰나에 말득이가 팔을 휘둘러 곧게 뿌리치듯 하였다. 희붐한 저고리 동정의 반뼘쯤 높은 곳이 눈짐작이었으므로, 군졸은 바로 목에 자고가 박혔을 것이다. 그가 창을 내던지고 목을 움키면서 넘어졌고, 다른 자가 소리를 버럭 내지르며 창을 찔러들어왔다.

"네 이놈, 꿈쩍 마라."

말득이는 미처 겨냥할 틈도 없이 자고를 날렸다. 배에 가서 침이 박혔는지 주춤하면서도 그대로 쫓아들어오는 것을 비켜나면서 창자루를 잡아 더욱 앞으로 당겨주니 군졸이 제풀에 앞으로 넘어졌다. 말득이는 사정없이 달려들어가 한 발로 그의 목덜미를 밟고 창대로 뒤통수를 내리쳤다.

"사, 사람 죽는다."

다급해진 말득이는 외마디 비명을 지르는 군졸을 연거푸 내리쳤다. 그가 늘어져버렸으나 이제부터는 급한 판국이었다. 말득이는 창고 안으로 뛰어들어갔다. 곡식섬과 겨가 수북이 쌓여서 어둠 가운데 무엇이 있는지 보이지를 않았다.

"어디요, 어디 있소?"

말득이가 다급하게 불러보니, 왼쪽 구석에서 누군가 대답하였다.

"여깁니다. 대체 누구시우?"

말득이는 어둠속으로 더듬거리며 다가갔다. 상대편이 나직한 소리로 말하였다.

"뒷결박이우."

말득이는 연신 꽁무니가 근지러워서 얼른 쇠 자고를 뽑아 그쪽 사내의 뒤로 결박 지은 밧줄을 잘라내기 시작하였다. 자고의 날이 뽀족하기는 하여도 날카롭지는 못하여 한참이나 비벼대어서야 끊어졌다. 사내는 스스로 발목의 끈을 풀었다. 말득이는 자고를 그의 손에 쥐여주며 속삭였다.

"어서 식구들부터 풀어주시우. 아마 놈들이 깨어났을 게요."

말득이가 창고 밖으로 나와보니 아직은 잠잠하였다. 그는 절수처쪽으로 달려가보았다. 역시 방 안에 불이 켜져 있었다. 말득이는 쌈지를 꺼내어 불을 일으켜서 섬을 뜯어서 불을 살렸다. 불이 활활 일어나자 그대로 창고의 지붕 위로 던졌다. 작은 불이 점점 번지더니 벌겋게 타오르기 시작하였다. 대번에 매캐한 연기가 가득 찼다. 말득이는 다시 그들이 있는 창고 쪽으로 뛰어갔다. 그들은 모두 나와 있었다. 아들이 노인을 업고 있었으며, 아낙네는 소년이 부축하고 있었다.

"자, 날 따라 뛰시우."

"어디루 가려우?"

사내는 말득이가 길안내를 서는 것이 마음 놓이지 않았는지 미처 따라올 염을 않고서 물었다.

"내 고향이 천신산 너머요. 어서 따라오우."

그제야 사내가 식구들을 데리고 뒤를 따랐다. 몰려나온 군중들은 우선 창고에 번진 불을 보자 거의가 물을 푸고 나르느라고 정신이 없었고, 군관은 두엇을 데리고 도둑이 갇혔던 창고로 달려왔다.

"저기…… 저기."

끝에 있던 군졸이 손가락질을 하여 바라보니 일렁거리는 불빛 가운데 뛰어가고 있는 흰옷자락들이 보이는 것이었다.

"잡아라, 그 혈당들 짓이다."

그러고 나서 군관은 법석대는 군졸들에게로 달려갔다.

"도적들이 달아난다. 너희들은 남고, 나머지는 나를 따르라."

이렇게 되어 군졸 다섯이 환도와 창을 번뜩이며 말득이 일행의 뒤를 쫓아올라갔다. 말득이는 낮에 지났던 길이라 익숙하게 바위와 나무를 돌아서 올라가건만 아무래도 노인을 업은 젊은이와 아낙네가 자꾸만 뒤처졌다.

"어서, 벽파정만 넘어서면 산이오."

그러나 노인을 업었던 젊은이가 돌부리에라도 걸렸는지 넘어지더니 하소하는 것이었다.

"아버님만 모시구 가요. 이러다간 어제처럼 온 식구가 다시 잡히구 맙니다."

말득이는 하는 수 없이 되돌아 내려왔다.

"일으켜서 모셔가시우. 뒤는 내가 잠깐 감당할 테니까."

사내가 노인을 일으켰으나, 노인은 손을 내저었다.

"아니다, 내가 살면 얼마나 살겠느냐. 어서 너희들이나 피하여라."

말득이는 그들에게 관심을 돌릴 틈이 없었다. 비탈 아래를 바라다보니 군졸 둘이서 헐떡거리며 쫓아올라오는 중이었다. 열 걸음이나 될까 말까 한데, 말득이는 길 가운데로 나아가 양손에 자고를 뽑아들었다.

"쫓아오면 죽는다. 어서 내려가거라."

우선 앞장선 자를 향하여 자고를 날리니 군졸 하나가 어이쿠 하며 주저앉았고 뒤에 섰던 놈은 영문을 몰라서 올려다보고 뒤돌아보고 하는 것이었다. 저 뒤쪽에는 일렁이는 횃불이 보였고, 웅성대는 사람 소리가 들려왔다.

"뭘 꾸물대느냐, 어서 내려가지 못할까……"

말득이가 다시 자고를 던졌다. 식, 하는 바람소리와 더불어 다른 하나도 아랫도리를 감쌌다.

"이번에는 대갈통에다 박아주랴?"

하면서 말득이가 헛손질을 해 보이자, 두 군졸은 뭐라고 알아들을 수 없는 소리를 내지르더니 절뚝이면서 아래로 구르듯이 달려내려 갔다. 말득이가 뒤돌아보니 그들은 이미 정자에 당도하였는지 캄캄한 가운데 아무도 보이지 않았다. 군졸들이 뒤쫓아오던 자기네 동료들을 만났는지 뭐라고 시끄럽게 주고받는 소리가 들렸다. 말득이는 다시 벽파정을 향하여 뛰어올라갔다. 식구들은 정자 마당에 쭈그리고 앉아 숨을 돌리고 있었다.

"자, 바로 저 숲속에 숨어들면 이 밤중에 누가 찾겠소마는, 우선 뒤가 급하니 아예 이리로 올라오지 못하도록 혼찌검을 내줍시다."

"우리두 돌팔매라면 제법 날립니다."

"옳지, 온 가족이 어지러이 팔매를 날리시오. 다만 내가 뛰어올라 올 제 손을 맞추어 일제히 던지시우."

말득이가 몇걸음 내려가 널따란 바위로 올라보니 횃불을 앞세운 포창 군졸들이 한데 몰려서 오르는 중이었다. 말득이가 고함을 내질렀다.

"끼놈들, 모두 죽고 싶으냐. 우리 혈당들이 새카맣게 엎드려서 너희를 기다린 지 오래다."

"저놈부터 잡아라."

군관이 소리를 지르자마자, 말득이가 횃불 가진 놈을 향하여 자고 표창을 날렸고 이번에는 스스로 불까지 밝혀주었던 셈이라 정통으로 눈을 얻어맞고 나뒹굴었다.

"다음번은 누구냐?"

횃불은 땅에 떨어졌고 군졸들은 제각기 머리를 두 팔로 감싸고 엎드렸다.

"한 발짝이라도 떼었다간 순서대로 박아주마."

소리를 지르고는 말득이가 다시 뛰어오르니 식구들은 기다렸다는 듯이 할아버지를 제외하고는 소년과 아낙네까지도 함께 그러모은 돌을 집어서 아래로 일제히 날렸다. 주먹만 한 돌멩이가 투덕이며 떨어지는 소리가 들렸고 그들은 계속하여 돌무더기가 바닥이 날 때까지 집어던졌다. 엎드려 있던 군졸들은 어둠속에서 어지러이 날아오는 돌을 피하기도 하고 등판이나 머리에 얻어맞기도 하다가 쫓긴 개미새끼 흩어지듯 우하니 몰려내려갔다. 정말 온 산에 적당이 가득한 듯하여 군졸들은 감히 오를 생각이 달아나버렸고 군관 혼자서 환도를 빼어들고 이리 뛰고 저리 뛰며 호통을 질렀다.

"이제는 되었소. 어서 숲속으로 뜁시다."

말득이는 다시 그들을 이끌고 별빛조차 보이지 않는 숲속으로 들어갔다. 그들은 인제야 한숨을 돌리게 된 것이었다. 숲으로 들어가니 길이 어딘가 분간할 수가 없었다. 말득이는 어쨌든 고개를 넘어야겠으므로 산 위를 향하여 오르기를 재촉하였다.

"뒤따라오지 않을지라도 날이 밝기 전에 산을 넘어서 금천지계를 벗어나가야 허우."

그러나 사내는 헐떡이며 말하였다.

"아버님 때문에 도저히 빨리 뛸 수가 없소이다. 잠깐 숨을 돌렸으면 하오."

그들은 다시 어두운 숲속에 주저앉았다. 말득이가 동정을 살피느라고 맞춤한 나무에 올라가보니 정자 주변에 횃불이 일렁거리는 것이 보였다. 그쪽에서도 감히 산속으로 들어올 생각은 없는 모양이었다. 말득이는 안심을 하고 나무 위에서 내려왔다.

"대체 누구십니까. 어째서 이 위험을 무릅쓰고 저희를 구해내셨습니까?"

사내가 말하였고, 그의 큰아들도 물었다.

"고향이 천신산 너머라면 평산 분이십니까?"

말득이는 그들에게 되물었다.

"금천이 원래 고향이우?"

"아닙니다. 저희는 배천 살다가 흉년으로 소출이 전혀 없어 걸식을 하면서 송도에까지 들어갔다가, 광복산 기슭으로 흘러들게 되었지요. 송도 대흥산 골짜기와 금천 광복산 골짜기에는 유민들이 많이 모여 있습니다. 이제 한 해가 다 되어가니 서로 아는 이도 많이 생기고 마음 맞는 축도 생기게 되어 자연히 삼삼오오 작당이 되었지요. 저희들도 연안서 온 유민 몇가구와 작당이 되어 광복산 일곱 골 중에 한 군데를 정하였지요. 그러고는 홍의역 어름에 나아가 목을 잡고 장사꾼들을 몇번 털었습니다. 아시겠지만, 조읍포창의 금교역과 송도로 나가는 해서의 관문인 홍의역 사이에는 장사치들의 내왕이 빈번하고 물건도 아주 비싸고 귀한 것들이올시다. 우리네야 워낙 무예도 모르고 병장기도 없어서 세 가구에서 나온 장정 여덟이서 떼만 믿고 몽둥이나 작대기로 위협하여 곡식이나 해물 등속을 털어먹고 살았지요. 마침 다른 패거리들이 유사과네 행상단을 건드린 일이 있어 토포군이 모집되었습니다. 막상 명화적 행세를 하던 자들은 대흥산 청석골 깊숙이 숨어버리고 저희들 유민들만 남았다가 토포를 받게 된 것이지요. 저희 식구들은 변변히 싸워보지도 못하고 사로잡히게 된 것입니다."

말득이가 고개를 끄덕였다.

"그러면…… 이 부근에 흩어져 있는 유민들이 대략 몇이나 되우?"

"글쎄요, 산야에 널린 것이 땅도 없고 집도 없는 유민들이라 하나, 저희가 알고 있는 수만 하여도 오백 수는 넘겠지요."

"해서에 활빈당이 일어났다는 소문을 들은 적이 없수?"

말득이가 물으니 가족 중의 큰아들이 대답하였다.

"들어도 수십 번을 들었습니다. 재령 서흥 등지에서 부호의 광을 열어 기민들에게 나누어주었다는 소문이 파다합니다."

"우리 광복산 골짜기에도 그때에 직접 활빈당의 행적을 보고 쌀을 나누어 받았다는 식구들이 있습니다."

말득이는 차츰 가슴이 울렁거리는 것이었다.

"그래, 그 활빈당들을 뭐라구 합디까. 명화적이라구 그러지는 않습디까?"

"어이구 원…… 명화적이라니요. 의적이라 하여도 우리는 성을 낼 거요."

"그 사람들이 어디 있다는 소문은 못 들었소?"

말득이는 자꾸만 얘기를 시키고 싶었다.

"예, 해서 어디 큰 산골짜기에 수천 군사가 있다고도 하지만, 직접 본 사람들 말로는 아무 데나 불쑥 나타나는데 모두 천하장사랍디다. 가난한 백성들에게는 손 하나 대지 않을뿐더러 오히려 도와준다구 허지요. 가만있자, 구월산에 있는 장길산이란 두령이라구 합디다."

사내의 두 아들이 번갈아 말하였다.

"그래요, 장길산 두령이라구 했지요."

"감영에서 그이를 죽이려고 검객이 송화 무더리까지 올라갔다가 단칼에 목이 달아났다구 합디다."

말득이가 들어보니 마감동과 이세백의 무사 김식이 무더리 다리 아래서 싸웠던 소문까지 널리 퍼져 있었다. 말득이는 자랑스럽게 말하였다.

"나는 그 장두령의 수하에 있는 사람이오."

사내가 말득이의 소매를 부여잡았다.

"그러면 그렇겠지. 범상한 분이 아니라구 생각은 했었소이다. 우리 식구들두 그 휘하로 들어가기를 원합니다."

"저희들두 남 못지않게 사내 구실을 할 수가 있습니다."

말득이는 사내의 어깨를 가볍게 두드려주며 일어섰다.

"자아, 일어섭시다. 당신은 어서 식구들을 데리고 산을 넘어 평산 지계로 넘어가야 하오."

"아니오, 우리를 장두령께 데려다주시오."

"정 그러시다면 사흘 안으루 구봉산 굼벙이터에 동무들을 모아놓을 수가 있겠수?"

"저희가 이틀만 뛰어다니면 이 일대의 동무들 백여 명은 삽시에 모여들 것이오."

말득이는 김기의 의견을 물을 것도 없이 포창은 당연히 그들의 것이라고 생각하여두었다.

"일단 장정이 모아지면 기중 행색이 끼끗한 자를 포창의 주막거리에 있는 딱부리네 집으로 보내주시우."

"시키시는 대로 틀림없이 해놓겠습니다. 두령께서도 이미 포구에 들어와 계시겠지요?"

말득이는 빙긋이 웃었다.

"장두령은 마음만 먹으면 한양에도 들어가시우."

그들은 일어나서 천천히 산으로 올랐다. 말득이는 산 너머 캄캄한 어둠속을 가리켰다.

"저 아래가 평산이오. 무음내를 건너면 이맘때쯤이면 쥐새끼 한 마리 없을 거요."

"이 은혜는 이번 일을 도와드려 꼭 갚겠습니다. 모레나 글피에 우리 동무를 딱부리 주막으로 보내지요."

"어서 가보시오."

아낙네와 노인과 소년이 차례로 말득이에게 인사를 올렸고, 그들은 곧 산 아래 어둠속으로 사라졌다. 말득이는 자기도 산을 넘어 사매내 쪽으로 내려갔다. 멀리 유사과가 사는 문수골의 집들에서 반짝이는 불빛 몇점이 보였다. 차츰 날이 밝으려는지 동쪽 하늘이 부옇게 퇴색하고 있었다. 말득이는 재빨리 사매내를 따라서 자갈밭이 이어진 강변에까지 나갔다가 천신산의 언덕을 돌아서 조읍포로 구부러져 들어갔다. 포창 안은 연기 냄새와 곡식이 타는 구수한 냄새가 가득하였다. 말득이는 큰길을 피하여 이리저리 돌아서 딱부리네 주막에 이르렀다.

김기의 방에는 불이 켜져 있었고, 발걸음 소리가 들리자 문이 살그머니 열리며 김기가 고개를 내밀었다.

"음, 별일 없었느냐?"

김기가 나직한 소리로 물으니 말득이는 흙투성이가 되어버린 버선발과 바짓가랑이를 쳐들어 보였다.

"뭐 어디 가서 월장의 연분이라두 맺구 오는 줄 아시우. 하마터면 성님두 못 보구 산속에서 죽을 뻔하였는데……"

"쉬이……"

김기가 말득이의 손을 잡아 안으로 끌어들이며 주의를 주었다.

"건넌방에 손님이 들었다. 지금 곤하게 잠들었는데 깨울 수가 있겠느냐."

"예? 손님을 들이지 말라구 그렇게 주인에게 일렀는데요?"

"내가 들이라구 했어. 바로 우두령 식구들이 밤에 도착하였다."

"대용이 성님이 오셨어요?"

"내가 일러서 다른 주막엘 찾아갔다. 저 방엔 홍서방하구 석서방이 잔다."

말득이도 곁에 따라서 누우며 말하였다.

"날이 밝으면 포창이 발칵 뒤집힐 게요. 창고에는 불을 지르고 수직 군사들은 자고에 맞아 여러 명이 상하였거든요."

"잘하였다."

"그리구 유민 일가의 말을 들어보니 이 일대에만도 오백여 명이 산 골골마다 스며들어 산답니다. 포창을 그 사람들에게 내맡기리라 생각하고 한 백여 명쯤 모으라구 일러두었습니다."

"믿을 수 있을까?"

"믿구 말구가 없지요. 그 사람들이야 꼼짝없이 호적두 없는 타관에서 굶어죽게 되었는데 활빈당이 났다니 무엇이 두렵겠습니까?"

"활빈당 얘기까지 하였구나!"

"뭐 다 알구 있습디다. 해서에 소문이 요란한 모양입디다."

김기는 걱정이 되는지 한숨을 내쉬었다.

"이번 일이 성사되고 나면 필시 관에서는 모든 힘을 동원하여 우리를 잡으러 나설 게다."

2

날이 밝자 읍에서는 수리가 나왔고, 유사과네 장정들도 모여들었으며, 포창 부근은 구경꾼들로 인산인해를 이루었다. 수운판관과 유사과의 맏아들이 나서서 천신산으로 올라갈 토포군의 대오를 짜고 있었다.

"틀림없이 광복산에서 온 명화적들의 패거리입니다."

"대담하게 포구 안에까지 들어와 방화하고 인명을 살상하였으니, 전군의 병력을 일으켜서라도 잡아야만 하오."

"우리 군에서만 할 것이 아니라, 개성부에 알려서 대흥산 청석골부터 쓸어내려야 합니다."

그들의 의견이 분분한 가운데 금교에서 역졸과 함께 두 사내가 나타났다. 역졸이 판관에게 다가가 뭐라고 알렸고 장교와 판관이 그들을 바라보았다. 얼굴이 미꾸리 빛깔로 시커먼 자가 나서며 군례를 올렸다.

"한양의 우포청 부장 마포교올습니다. 그리고 이 사람은……"

늙수그레한 키 크고 떡벌어진 사내도 군례를 드렸다.

"변포교요."

마포교가 소매 속에서 종이 한 장을 꺼내어 수운판관에게 내밀었고 변포교는 장교를 돌아보며 물었다.

"간밤에 무슨 일이 일어났습니까?"

"적환이 있었소. 명화적 수십 명이 쳐들어와 사람을 상하게 하고 불까지 놓았다오."

조읍포창의 관리와 사과네 장정들은 그들이 포교임을 믿어 의심치 않았으니, 금교역말에서 직접 역졸이 안내를 하여 왔기 때문이었다.

"그러니까 자네들이 찾는 도적이 우리 포창에 숨어들었다는 말인가?"

판관은 용모파기서를 들고 흔들어 보이면서 되물었다.

"틀림없이 포창 내에 있거나, 아니면 며칠 내로 나타날 겁니다. 우리네가 일찍이 모의한 일당 중의 하나를 잡았는데 금천서 거사를 할 것이라고 실토를 하였소이다."

군관이 아는 체를 하였다.

"그러면 필시 어제 나타나 불을 지르고 달아난 자들이 분명하오."

"아니, 포창에 쌓여 있는 것이 모두가 곡식인데 이를 어찌 훔쳐간단 말인가?"

수운판관은 자기 책임소관인 창고들을 팔을 휘둘러 가리켜 보이면서 코웃음을 치는 것이었다. 마감동은 팔짱을 지른 채로 그들의 앞을 우왕좌왕하다가 고개를 흔들며 말하였다.

"여기가 아니오."

"아니, 금천을 도모한다면서 포창이 아니라면 그게 무슨 말인가. 그럼 뭣 허러 도적이 조읍포에 숨어들겠나."

마감동은 사과네 식솔들을 노려보았다.

"도적들이 노리는 곳은 바로 유사과 댁이오."

사람들은 모두 놀랐다. 군관과 수운판관은 고개를 끄덕이며 저희끼리 수군거리고는 이제는 유사과네 맏아들에게로 시선을 돌렸다. 그는 놀라지 않고 웃음을 터뜨렸다.

"허허허…… 우리 세가 금천서 어떠하다는 것은 삼척동자라도 다 알고 있소. 감히 한양의 좀도적들이 몇명 작당하여 왔다가는 공연히 우리 아이들 밥맛이나 돋우러 오는 게지."

"여하튼 우리는 저들을 잡는 게 목적이니까…… 이미 어젯밤에 적환이 있었으니 이제부터라도 경계를 늦출 수는 없소이다. 벌써 감영에도 들러서 토포할 안을 아뢰었으니, 곧 군사가 당도할 겁니다."

마감동이 천연덕스럽게 말하니 군관은 다시 아는 체를 하였다.

"감영에서 토포군이 나온다면 정말 큰 명화적당이로군."

마감동은 다시 말하였다.

"우리에게 군졸을 몇명 붙여주시우. 이제부터 포구를 집집마다 뒤지고 다녀야겠소."

사과네 큰아들도 포구의 행수와 더불어 나설 기색이었다.

"어느 놈이든지 지목만 해주시오. 우리가 잡아 족칠 터이니."

그러나 감동은 녹록지 않게 대꾸하였다.

"댁네는 달아나지만 못하게 허시우. 어디까지나 잡힌 도적은 우리 소관이라는 걸 잊지 마우."

변가에게도 군졸이 셋이나 배당되었다. 수운판관이 말하였다.

"토포가 모두 끝날 때까지 아이들 부리는 일이며 숙식이며 걱정을 말게. 자네두 따라가보아."

군관은 변가에게 따라붙었다. 그들은 포창을 윗거리와 아랫거리로 나누어 집뒤짐을 하기로 의논이 되었다. 윗거리는 변가 일행이 맡아서 절수처 부근 민가부터 뒤져 내려오게 되어 있었고, 아랫거리는 마감동 일행이 맡아 포구의 사공들이 묵는 어계방에서부터 시작하여 주막거리에서 만나게 되어 있었다. 그들이 집뒤짐을 벌이자 조읍포는 갑자기 술렁거리기 시작하였다.

우대용은 조읍포에 늦게 당도하였는데 그는 일당들과 함께 용선을 타고 일단 교동에까지 왔다가 셋이서만 중선을 갈아타고 예성강을 거슬러 들어왔던 것이다. 밀물때가 맞지 않아 약조하였던 날짜를 맞추지 못하였던 터이다. 우대용은 지정된 주막으로 가기 전에 어계방에서 기다렸고, 홍천수가 김기를 만나고 와서는 몹시 당황하여 그의 용모파기를 올리고 도적으로 몰아칠 계책을 알려주었다. 그러나 우대용은 껄껄 웃으며 회자수 노릇까지 하였거늘, 까짓 잠시 포박되는 일이야 심심파적으로 좋겠다고 대답하였다. 홍천수와 석범철이 아예 김기가 묵은 주막으로 가버린 뒤에 대용은 어계방에서 뱃사람들과 어울려 투전을 하며 시간을 보냈다. 한창 왁자지껄하며 동동이를 잡았느니 한짝이 모자라니 다투는 판인데 방문이 벌컥 열리면서 털벙거지가 고개를 들이밀었다.

"모두 밖으로 나서거라."

사공들은 아직도 판돈에 시선을 모은 채로 누가 뭐라건 아랑곳하지 않았다.

"이놈들, 귓구멍이 막혔느냐. 어서 썩 나서지 못할까?"

그제야 그들은 마당에 여럿이 늘어선 것을 보고 질리는 모양이었다.

"아니, 이거 왜 이러슈. 물때 기다리느라구 손목 좀 풀어보는 중인데, 동동이투전을 국법으로 금지시켰소?"

군졸들이 방문 양쪽에 지켜섰고, 아무도 빠져나가지 못하도록 마당을 둥그렇게 둘러싸고는 사과네 맏아들이 말하였다.

"적당이 있다는 발고가 들어와서 그런다. 모두들 나와서 얼굴만 보여라."

사공들이 그 말을 듣자 저희끼리 수군거리며 밖으로 나서는데, 우대용은 미리 듣고 있었던 참이라 혼자 빙긋이 웃고는 허리끈을 졸라맸다. 기왕에 순순히 잡히도록 의논이 되었으나, 흥이나 돋우어주자는 심사였다. 그는 사공들 틈에 섞여 나서자마자,

"에랏차차……"

고함을 내지르며 양측에 서 있던 군졸의 멱살을 두 손아귀로 틀어쥐어 맞박치기를 시켰다. 그러고는 옆으로 뛰는데 뭔가 번듯 지나

가면서 벌써 겨드랑이 밑이 시원하였다. 사과네 아들이 잽싸게 환도를 뽑아 그었던 것이다. 마감동은 그의 칼솜씨를 눈여겨보며 중얼거렸다.

"사로잡아야 허우. 뭘 데가 없수."

우대용은 감동이를 골려줄까 하고는 벼락같이 소리치며 발을 휘둘러 내차면서 그에게 달려들었다. 하마터면 턱이 걷어채어 뒤로 방아를 찧을 것을 감동은 슬쩍 주저앉았다가 대용의 배를 바라고 달려들며 껴안고는 함께 넘어졌다. 넘어지면서 감동이는 대용의 옆구리를 힘껏 쥐어 비틀었다. 대용은 어이구, 소리도 내지르지 못하고 눈살만 잔뜩 찌푸렸을 뿐이다. 감동이가 다급하게 뒷전에 대고 말하였다.

"어서…… 포승으루 묶어라."

군졸들은 이제는 마음 놓고 달려들어 감동의 밑에 깔린 우대용의 두 손목을 비틀어 오라를 친친 감았다. 대용이 한번 꿈틀대며 일어나 줄을 잡은 채로 맴돌이를 시킬 수도 있었건만, 순순히 팔을 내주고 말았다. 감동은 일부러 대용의 궁둥이를 호되게 걷어차며 투덜거렸다.

"이렇게 잡힐 놈이 남의 조반을 띠로 만들어주는구나."

"일으켜 세워라."

사과의 아들은 칼집에 칼을 꽂아넣으면서 명령하고는 군관에게서 용모파기를 받아 번갈아 대용의 용모를 살폈다. 용모파기에 적혔으되, 얼굴은 잿빛이고 가느다란 수염이 뻗쳤으며 턱이 네모나서 다부지게 보이며, 어깨가 아래로 처진 채로 널찍하고, 중키에 호리호리한 편이며 눈빛이 쏘는 듯하다고 되어 있었다. 사과 아들은 우대용을 바라보더니 느닷없이 뺨을 치는 것이었다.

"너희들이 우리집을 도모하겠다며? 네 일당들이 지금 어디에 있느냐?"

우대용은 의논 때문에 억지로 잡혀주었으되 면전에서 욕먹고 손찌검까지 당하니 당장이라도 한바탕 휘두르고 놓여나고 싶어서 팔에 힘이 들어갔다. 마감동이 눈치를 채고 그를 가로막았다.

"우리가 다 알아서 심문할 것이니 내버려두시오."

"자, 어서 절수처에 끌고 갑시다."

마감동과 군졸들이 우대용을 밀며 어계방 마당을 나섰고, 사과 아들과 포창 행수는 그들의 뒤를 따랐다.

"만약 오늘 안으로 모든 사실을 실토하지 않으면, 그놈의 고깃덩이를 우리가 가져다 회를 쳐 먹을 테니 그리 아슈."

사과네 사람들이 뒷전에서 그렇게 씨부렁대며 절수처까지 따라왔다. 그들은 주막거리에서 변가와 군졸 일행을 만났다. 변가는 예전에 재령 나무리벌의 악덕 집강 동춘만네 집을 들이친 이후로 우대용을 처음 만나는지라 하마터면 반색을 할 뻔하였다.

"어이구, 부장께서 벌써 잡으셨구려. 네 이놈, 한양서부터 갖은 말썽을 다 부리더니 이제는 서리 맞은 뱀 대강이 꼴이로구나."

우대용은 하도 더럽고 아니꼬워 어디 두고 보자는 시선으로 변가에게 입을 앙다물어 보였다. 그러나 변가는 슬며시 고개를 돌리는데 콧날개가 벌쭉하여진 꼴이 웃음을 억지로 삭이려는 모양이었다.

"헌데 요 위 주막에 낯선 한양 사람들이 묵었다 하오. 그 집이나 뒤져보면 혹시 이들 혈당이 나올지두 모르겠소."

변가가 말하여 마감동은 이제 김기에게 자기네 맡은 일의 진척을 선보여주게 생겼구나 싶었다. 변가가 앞장을 서고 마감동도 슬슬 뒤따라가다가 모두가 듣도록 중얼거렸다.

"이 집은 먼저 와서 하루 묵었던 곳인데, 혹시 그 선비님을 가지고 말하는 게 아닌가?"

딱부리라는 주인이 두껍게 늘어진 눈꺼풀을 젖히고 흰창이 드러난 눈을 굴리면서 그들을 맞다가 앞장선 변가를 보고 아는 체를 하였다.

"어서 오십시오. 포교나으리들께서 아예 떠나신 줄 알았더니 여태 계십니다."

"그래, 한양 선비님께서는 아직 묵고 계신가?"

"예예, 지금 낮잠을 주무시고 계시니 제가 가서 아룁지요."

마감동의 곁에 있던 군관이 중얼거렸다.

"거 뭐 갓 쓰고 도포 입었다고 모두 글 하는 선비인가. 뭔지 알 게 뭐야."

그러나 마감동이 미간을 모으며 군관에게 주의를 주었다.

"허허, 함부로 말하다가 저분이 들으시면 어쩌려우. 저분은 우리를 몰라도 우리는 잘 아오. 도승지 신대감의 친아우 되시는 분이오."

"아아, 저분이 그 양반이시군."

꼬장꼬장하고 오만하기로는 가장 으뜸이던 유사과의 큰아들이 의외에도 강한 호기심을 나타내며 앞장을 섰다. 마감동은 그자의 이러한 변화가 어찌된 영문인지를 몰라 어안이 벙벙하였다.

주막 별채의 마루에서는 말득이가 네활개를 펴고 잠들어 있었고, 두 방은 미닫이가 닫힌 채로 조용하였다.

"샌님 계십니까."

변가가 조심스럽게 불러보자 말득이가 벌떡 일어났다. 그는 총명한 눈을 굴려 그들을 차례차례 둘러보았다.

"얘, 샌님 계시느냐?"

마감동이 물으니 말득이는 일부러 입을 삐쭉였다.

"나 참 꼴값을 보네. 남의집살이를 하려니까 아무나 제 종놈 부르 듯 하는구나. 왜 그러우, 어제는 온다간다 없이 나가더니 제법 당상 이라두 땄나?"

주막 주인이 공기가 험해질까 염려하여 거들고 나섰다.

"쉬이, 이분들은 도적 잡으러 나온 포교라오."

그러나 말득이는 일부러 코를 힝하니 풀었다.

"포교면 포교지, 이 댁이 누구시라구 함부루 몰려와서 대거리를 하려구 들어."

마감동이 제법 도량 있게 너털웃음을 날렸다.

"대거리를 하려는 게 아닐세. 우리두 샌님이 어떤 분이시라는 것 은 잘 알구 있다네."

그러는데 미닫이가 천천히 열리며 김기의 얼굴이 나타났다. 그는 지금 막 잠에서 깨어났다는 듯이 한 손으로 입을 가리면서 하품을 하였다.

"웬일이냐. 누가 왔는가?"

"샌님, 단잠을 깨워드려서 죄송합니다. 급히 여쭈어볼 일이 생겨 서……"

김기는 시치미를 떼고 그들을 둘러보았다.

"자네들이 누구던가?"

"아, 왜 제가 말씀드렸지요. 한양 포교들인 것 같다구요. 이제 보 니 포도하러 조읍포에 내려온 모양이지요."

주막 주인이 다시 거들었다.

"요 옆방에서 하루 묵고 어제 나가지 않았습니까?"

"오, 그랬군."

마감동이 고개를 들지 못한 채 다시 말하였다.

"그제 여기서 뵙자마자 알아뵈었으나 맡은 임무가 있어 감히 내로라 현신하여 아룁지 못하였습니다. 몇달 전에 이문 밖 대장 댁에 들르신 것을 먼발치로만 뵈었습죠."

김기는 무심하게 대꾸하였다.

"그랬던가……"

"예, 한양서부터 추적하였던 명화적의 일당들이 이곳을 도모하려고 집결 중이라는 적경이 들어와서 우선 제가 부장인지라 먼저 당도하였습니다. 그래서 이와 같이 정탐하러 들어와 있던 자를 잡아냈습지요."

"허허, 이런 태평성대에 큰 우환이로구나. 나두 볼일이 많은데 이거 큰 낭패로군."

"염려 마십시오. 한 사나흘만 지나면 도적들은 잡히거나 스스로 물러가겠지요. 헌데 이 주막에 새로 장정 둘이 들어왔다는데 샌님께서 아시는 사람들입니까?"

변가가 물으니, 김기는 웃음을 지으며 몸소 건넌방의 미닫이를 열어 보였다. 두 사람도 자고 있었는지 부스스 깨어 일어났다.

"이 아이들은 우리집 것들일세. 사실은 집안에서 이장을 하려는데, 명당을 보아달라 하여서 내가 예성강 이북을 정하고 맥을 보러 원행하여 나오지 않았는가."

모인 사람들은 서로 돌아보며 고개를 끄덕이고 하였다.

"감히 문안인사 올립니다."

사과의 맏아들이 중얼거리더니 마루 위로 올라 큰절을 넙죽 하였다. 김기가 받는 둥 마는 둥하면서 그를 내려다보니 사과의 아들은 엎드린 채로 말하였다.

"진작에 벽파정에 오르셨다는 전갈을 받고 아직 아버님께 사뢰지 못하였습니다. 문수골 사는 사과 유아무의 장자올시다."

김기는 반색을 해 보였다.

"음, 일전에 아주 바람을 잘 쐬고 오랜만에 청정한 기분을 즐겼다네. 경치가 훌륭한 곳에 정자를 지으셨더군."

"시골 정자로는 풍광이 과히 나쁘지는 않습니다. 계시는 동안 언제든지 오르셔서 즐겨주십시오."

"자네 엄친께서 사과시라면, 자네도 과거를 하였는가?"

흉년에 권분으로 겨우 체아직(遞兒職)을 얻은 허울만의 사과임을 잘 알면서도 김기는 일부러 넌지시 던져보았다. 역시 사과의 아들은 당황하여 중얼거렸다.

"아니올시다. 무과나 한번 하여볼까 하여 활터 출입이나 하구 있습지요. 워낙에 미천한 가문이니 지벌을 따질 형편두 못 됩니다."

김기는 그 말을 놓치지 않았다.

"그만한 재산을 쌓은 이로 조정에 아는 이가 없단 말인가?"

"예, 아버님께서 늘 한탄하시는 바가 당대 명문 대가와 내왕이 없으신 점이올시다. 청컨대 어르신께서는 저희 집에도 오셔서 많이 가르쳐주십시오."

"허허, 내가 뭘 알아야지. 이 근방의 산은 모두 그 댁의 것인가?"

"천신산과 용두산에 저희 숲이 한 두어 봉 됩니다만, 어디다 명당을 쓰시든 저희들이 대납을 하든지 모두 감당해드릴 수가 있겠습니다."

"아아, 그건 안 되네. 공연히 나중에 산송에 휘말리면 가세를 의거하여 남의 것을 침탈하였다고 악평이 돌 게야."

"원 천만에 그럴 리가 있겠습니까?"

사과의 아들은 이런 좋은 기회를 놓으려 하지 않았다.

"내일이라도 당장에 사람을 보내겠습니다. 부디 사양하지 말아주소서. 아버님께서도 평생에 이런 광영이 없을 것입니다. 저희가 산역을 주선하도록 허락해주십시오."

김기는 그제야 신통찮게 말하였다.

"아무튼 말이라두 고맙네."

마감동이 자꾸 길어지는 자리를 끝내느라고 뒷전에서 인사를 올렸다.

"샌님, 이만 물러가겠습니다. 모쪼록 야밤에는 출입하지 마시고 어디 산에 오르시더라도 깊은 골에는 들어가지 마십시오."

"그래, 알았네."

유사과네 맏아들은 다시 정중히 절을 하고 일어섰다. 그는 김기를 명문 세도가의 사람이라고 믿어 의심치 않았으니, 어제 정자지기가 보내온 시문은 그의 높은 문장의 경지를 보여주었으며, 또한 한양서 나온 포도부장이 알아뵙고 인사를 올리는 데에는 더이상 의심할 바가 없었고, 그의 언행도 높은 선비로서 빈틈이 없었던 것이다. 사과의 아들은 어떻게 하든지 연을 맺어 한미한 시골 부자로부터 권세가로 일어설 기회를 얻어보고자 생각하였다.

그들이 몰려나가자 말득이는 주인이 밖으로 따라나가는 것을 확인하고는 돌아와 혀를 회회 내둘렀다.

"성님, 저는 본색이 탄로날까봐 간이 오그라듭디다. 그런 거짓 행세하는 법도 공자님께서 다 가르치셨수?"

"이 녀석아, 내 본색이 책상물림이지 별것이 있겠느냐?"

김기는 껄껄 웃으며 의관을 다시 벗어 걸었다. 홍천수는 자자한 이마빡을 남에게 보이지 않으려고 두건으로 아래를 널찍하니 둘렀는데, 도회지 왈짜로 해사하던 얼굴도 그간의 풍상을 겪어 거칠게 변하여 있었다. 홍천수와 석범철은 저희 두령이 묶인 꼴을 보고 나서 기분이 좋지 않은 모양이었다. 홍천수가 자못 배알이 틀린다는 듯 입맛을 다셨다.

"하필이면 저희 두령이 잡히는 역을 맡아야 합니까?"

"그럼 누가 맡겠나?"

김기가 되물으니 홍천수는 투덜댔다.

"일테면 구월산 마두령이라든가…… 아니 두령들은 빼고, 저기 저 강서방을 시키든지……"

그 소리에 말득이가 이죽거렸다.

"기왕에 경친 놈이니 자네가 하지 그랬어?"

"뭐라구, 어린것이 위아래도 모르고 함부로 지껄일테?"

"그만들 두게나. 우두령이 늦게 왔고, 나중에 할 일이 있어 그런 게야. 마두령이나 변두령이나 욕보기는 마찬가지야."

석범철도 천수와 더불어 불평하였다.

"저희 성님을 포박되게 하셨으니, 신변에 무슨 일이 생기면 나중에 선비님께서 단단히 책임을 져야 할 게요."

"염려 말게나, 단단히 앙갚음할 기회를 줄 터이니. 그리구 말득이는 내일 평산에 다녀오너라."

"횡하니 갔다가 중화참에는 돌아오지요."

"그래야지. 오후에는 문수골 유가네 집에 들어갈 작정이다. 아마 아침부터 사람을 보낼 게다."

말득이가 물었다.

"오늘밤두 마실 나가서 한바탕 북새통을 벌일까요?"

"그만두어라. 내일 평산 가거든 이제부터 내가 이르는 말을 하나도 잊지 말고 시행하도록 전하여라."

김기는 세 사람에게 각각 맡을 일에 대하여 얘기하였다.

우대용은 두 동료와 군졸들에 둘러싸여 절수처로 끌려갔다. 그는 절수처 마당에 꿇려지고 변가와 마감동이 번갈아 묻기 시작하였다.

"이놈, 네 혈당들이 어디 있느냐?"

우대용도 뜸을 들이노라고 처음엔 입을 다물고 완강히 버티었다. 사과네 포창 행수가 소매를 걷고 나서면서 불끈거렸다.

"시방 도적을 심문하는 게요, 아니면 서당에 데려다 글 가르치는 게요? 내가 사람을 좀 다룰 줄 아니 내게 맡기시우."

마감동이 손을 내저었다.

"비켜라, 자네가 뭘가. 관원 이외에는 아무도 도적을 다루지 못한다."

변가는 그를 사람들의 울타리 가로 밀어냈다. 마감동이 이번에는 부드럽게 말을 꺼냈다.

"자세히 이실직고하면 죄도 모면할 뿐 아니라 공에 따라서는 나라에서 내리는 가자(加資)도 받고 상급도 후하게 받을 수가 있다. 어떠냐, 말하겠느냐?"

수운판관이 말하였다.

"적인(賊人)이 당을 같이하여 만약 자기와 상대자를 발고하여 자수를 하고 법에 굴복하는 경우에는 면죄하고 은 오십 냥을 내린다. 또한 칠팔 인 이상의 적을 잡게 하면 면죄하고 가자할 뿐만 아니라 은 백열 냥을 내리게 되어 있느니라."

우대용은 잠시 생각하는 듯하다가 입을 열었다.

"모두 말하겠소."

"유사과 댁을 노리고 있다는 것이 사실인가?"

마감동이 물었고, 우대용은 슬슬 불기 시작했다.

"그러하오. 오는 스무하루가 큰물때인데 그날 급습을 하기로 의논이 되어 있소이다. 저희 동료가 먼저 다섯이 당도하여 형편을 살피고 나서 어젯밤에 떠났지요. 저는 거삿날까지 별일이 없는가 지켜보기 위하여 남아 있었소이다."

우대용은 그럴듯하게 둘러대었다.

"네 혈당들이 어디서 모이기로 하였느냐?"

"광복산 골짜기에 모이기로 되었사오나 제가 잡힌 것이 알려졌을 터이니 아마도 장소를 바꿀 것입니다."

"대개 몇명이나 되느냐?"

"한양 인근의 패거리와 송도 패거리 등등이 합세하였으니 적어도 삼십여 명은 되겠지요."

"병장기는 규모가 어떠한가?"

"병장기라야 두령급들이 환도를 가진 것이 고작이고 나머지는 몽둥이나 농기구를 되는대로 찾아 지녔을 것입니다."

곁에서 듣던 사과의 아들과 포교가 너털웃음을 웃었다.

"까짓 것들, 나 혼자서라도 상대해줄 수가 있겠구나."

사과의 아들이 말하였고 행수가 맞장구쳤다.

"물론입지요. 서방님 삼형제께서 떨치고 나아가면 그따위 난적 수십 명이야 구렁이 앞에 개구리 꼴이 되어 흩어질 겝니다."

마감동은 다시 물었다.

"앞으로 도적을 잡는 일에 협조를 하겠느냐?"

우대용이 머리를 조아리고 공손하게 대답하였다.

"기왕에 잡혀서 명화율로 죽게 되었은즉 어찌 공을 이루는 일을 마다할 리가 있겠습니까. 하나도 남김없이 잡도록 하겠습니다."

"좋다. 그러면 너는 변포교와 더불어 절수처에 머물면서 군졸들이 수상한 자를 잡아올 적마다 혈당인지 아닌지 가려내는 일을 도와주어라."

우대용의 자복으로 명화적들이 유사과의 집을 노리고 있음이 밝혀졌고, 사과네에서는 새로이 장정들을 모으고 단속을 하게 되었다. 수운판관은 그러나 조읍포창의 경비를 허술히 할 수 없다 하여 군졸을 내주기는커녕 민병의 동원도 허락하지 않았다.

"포창은 어느 사사로운 개인 재물이 아니라 나라의 살림을 위한 조세를 관리하는 곳이니 조읍포의 방비가 우선되어야 하오."

라는 것이 수운판관의 말이었다. 마감동이 사과네 사람들을 안심시켰으니 곧 관군들이 토포를 위하여 파견되어 올 것이라는 말이었다.

"토포할 동안의 모든 군비는 우리 집안에서 담당하겠소이다."

사과의 맏아들이 말하였다. 그들은 우대용을 절수처의 골방에 가두었고 마감동과 변가는 관군이 올 때까지 포구에 드나드는 자들을 빠짐없이 기찰하기로 하였다.

다음날 날이 밝자마자 말득이는 김기에게 알리고 주막을 나섰다. 평산까지 오십여 리 길을 단숨에 당도하여 살여울나루에 들어가니, 약속대로 뜸지붕을 올린 중선이 다섯 척이나 대어 있는 주막이 보였다. 말득이가 마당에 들어서니 마침 큰돌이가 방에서 나서는 참이었다.

"형님들 오셨수?"

"말득이 오느냐."

굵다란 목소리가 들리며 안에서 구레나룻이 뻣뻣이 일어선 강선홍의 얼굴이 내밀어졌다.

"어서 들어가자."

큰돌이가 말득이의 등을 밀었고, 방 안에서 최흥복과 김선일도 내다보며 반색을 하였다. 길산은 목침을 베고 누웠다가 일어나 앉았다.

"언제들 오셨수?"

"어젯밤에 왔다."

큰돌이가 말하였다.

"구월산에서는 두령이 둘이나 출타하여 만석이는 식구들과 남고, 내가 아이들 여덟을 데리고 왔지. 바로 옆집에 묵고 있다."

길산은 큰돌이가 자랑스레 하는 얘기가 끝날 때까지 기다렸다가 물었다.

"그래…… 포창이며 유아무의 집은 자세히 보아두었느냐?"

말득이는 지난 며칠간에 일어났던 일들을 대충 전하고 나서 김기의 계획을 말하였다.

"우리는 토포 군사가 되어 사과네 집을 지키러 가는 겁니다. 포창은 감동이 성님과 변두령이 맡아서 약조가 되어 있는 유민들과 더불어 도모한다는 말이죠. 조읍포 일대를 꼭 이틀 동안 완전 점령을 하게 된답니다. 김선비가 약도를 그려놓고 안을 짜기를 포구와 금교역으로 나가는 길을 잘라놓고 사매내와 천신산 고개를 막으면 쥐새끼 한 마리 새어나갈 틈이 없어요. 한편으로는 포창의 양곡을 유민들께 풀어내주고 우두령이 사매내로 하여 문수골의 재물을 실어 썰물을 타고 예성포구 팔십 리를 쏜살같이 빠져나간다고 말이우. 우리는 일이 끝난 다음에도 포구를 지키다가 일단 퇴로가 안정된 때를 어림하여 구월산 식구들은 온정 오거리로 빠지고 자비령 식구들은 다시 이곳 살여울로 되돌아오면 됩니다."

길산은 묵묵히 듣고 있었으며 최흥복이 말하였다.

"엉뚱한 골에서 성님이 토포사로 출신하게 되었구려."

"토포사는 성님이 아니라 자네가 맡으라데."

말득이가 말하였다.

"아무리 술책이라고는 하나, 큰성님이 철릭에 구슬상모 쓰고 토포사 노릇을 해서야 되겠나. 성님은 포창에서 유민들하고 창고나 도모허시우."

"글쎄…… 일이야 같지마는…… 유아무네 수하 사람들이 만만하지 않다며?"

길산이 물었고 말득이는 웃었다.

"듣기보다는 별게 아닙디다. 그 집에 아들 삼형제가 있는데 활도 다루고 환도를 조금 휘두르는 모양입디다. 그 밖에 무예를 안다는 자들은 서북 사람이 둘 있고 포수가 셋이랍니다. 이미 우두령이 거짓 귀순하여 적경을 알렸으니 이들 다섯은 아마도 문수암을 지키겠지만……"

"다 내게 맡겨. 엄파 쇠몽치로 쓸어버릴 테니까."

선흥이가 투덜대자 길산은 말득에게 물었다.

"문수암이라니?"

"유아무가 사사로이 산에다 지어놓고 제 어미를 살게 하는 암자올시다."

"그런데 그런 작은 암자를 무예를 아는 자들이 지키게 한다던가?"

말득이가 빙글거리며 말하였다.

"금불상이 세 분이나 계시답니다."

"유아무가 탈없이 재물을 쌓은 게 바로 그 마신(魔神)들 덕이었군."

길산도 처음으로 웃음을 지으며 중얼거렸다.

"부처님이야 무슨 죄가 있수?"

홍복이 농조로 말하니, 길산은 고개를 흔들었다.

"모시는 놈들이 누구인가 하는 것으로 부처님이 되기도 하고 마신이 되기도 하는 게여. 자, 그러면 모두 들었을 테니 준비를 해야지. 말이 두어 필 있어야겠고, 더그레며 벙거지 등속은 우리와 줄이 닿는 서흥으로 가서 일습을 만들거나 사들이도록 해야겠지. 하루가 급하니 큰돌 성님과 홍복이가 아이들 몇을 데리구 가서 아전들과 흥정하도록 해보게. 우리는 늦어도 모레 아침까지는 포창으로 들어갈 테니까."

"자, 나는 이만 일어서겠수. 중화는 포창서 식구들과 함께 들기루 했수. 다른 일이 생길지라도 감동이 성님과 변두령이 포교 역이니 염려 마우."

말득이는 선일이가 그래도 제 처남이라고 점심이라도 먹고 일어나라는 것을 끝내 뿌리치고 방을 나섰다.

역시 김기의 예상은 적중하여 말득이가 포창 딱부리 주막을 나간 지 얼마 안 되어, 유사과네서 하인과 청지기가 육포와 감홍로가 든 부담을 말에 싣고 찾아왔던 것이다.

"저희 상전께서 이르시기를 누추한 집이오나, 정원과 다락이 제법 한적하고 아늑하여 나으리께서 노독을 푸시기에 적합한 곳이오니 사양 마시고 행차하여줍시사는 말씀을 전하라셨습니다. 저희 댁에 계시면서 산도 둘러보시고 안내도 받으시지요."

김기는 선뜻 허락하고 나서는 것보다는 처음에는 사절하는 태도를 보이는 게 순서라고 생각하였다.

"가서 주인께 전하게. 간곡하신 뜻은 잘 살펴 짐작하겠으나, 때가 궁핍한 시절이요, 내가 한양서 널리 알려진 집안의 사람이고 주인은 향곡의 부호로서 서로 삼가지 않으면, 남의 말 하기 좋아하는 세상에 번거로이 구설에 오를 필요가 없겠네."

청지기는 자기가 더이상 간곡히 여쭐 입장이 못 되는지라 황송하게 굽신거리다가 돌아갔다. 그러나 김기는 그가 다시 되돌아올 것이며 이번에는 그의 아들이 동행할 것을 미루어 짐작하였다. 배가 출출하여 주막 주인에게 중화 준비를 이를 참인데, 말득이가 어김없이 평산서 돌아왔다.

"식구들을 만났느냐?"

"예, 모두 당도하여 있습디다. 이르신 대로 빠짐없이 일러드렸지요. 더그레며 벙거지 등속은 서흥서 마련이 될 거유. 큰돌인가 하는 이가 아전들과 거래하는 일에는 이력이 난 사람이니까 먹구름에 번개치듯 후딱 해치울 테지요."

"잘되었다. 옷을 짓는 데도 시간이 많이 걸릴 테고, 돼지털 벙거지를 스물 남짓 한꺼번에 준비하려면 봉산 서흥 재령 장을 차례로 보아야 할 게다."

"모레 아침에 조읍포에 들어오기로 하였수."

홍천수와 석범철이 포구를 둘러보고 들어왔다.

"배는 모두 열다섯 척인데 모두가 세곡선입니다. 규모는 작아도 가볍고 빠른 야거리를 두 척쯤 구해야 되겠어요. 사공들께 물으니, 돼지여울로 올라가면 금천 관아에서 쓰는 배가 있답니다. 삯을 후하게 주고 빌려다 놓을 작정입니다."

김기는 주의를 주었다.

"배를 빌리는 것은 토포군이 들어온 다음날에 착수하도록 하게."

점심상이 들어오는 바람에 그들은 하던 말을 끊고 명당 얘기로 바꾸었다.

김기는 윗방에서 독상을 받았고, 말득이, 천수, 석서방들은 아랫방에서 밥을 먹었다. 조읍포의 쏘가리탕이 얼큰하게 올라왔고 오전에 사과 댁에서 보내온 감홍로는 말득이 등의 차지가 되었다. 서로 권커니 잣거니 하면서 오랜만에 호강을 해보는 판인데, 누군가 마루 아래 비치더니 안을 기웃이 넘겨다보는 것이었다. 술을 한 모금씩 혀 위에서 굴리다가 커어, 하면서 목젖을 간질여보던 그들은 모두들 고개를 돌리며 낯선 자를 바라보았다. 말득이가 갯가 사람들보다는 눈치가 제법 돌아간다고 믿었던지 툭 하며 한마디 던졌다.

"뉘를 찾우?"

사내는 비록 옷매무새를 단정히 하느라고 고름도 매고 행전도 쳤건만 바지는 찢어졌고 저고리소매 끝이 새까맣게 더럽혀져 궁기가 한눈에 들어왔다.

"밥 좀 얻어먹읍시다."

그들은 서로 마주 보았다.

"쌀이 포창에 산처럼 쌓였는데, 주막에서야 한술 뜨고 나면 저녁에는 다시 고플 거 아니우?"

홍천수가 말하자 말득이가 눈을 끔벅해 보이더니 마루로 나섰다.

"주인장을 불러서 밥 한 상 차려오라구 해야겠군."

그러나 사내가 말득이의 바짓가랑이를 슬쩍 당기는 것이 아닌가.

"장두령 식구 되는 이를 찾소."

말득이는 그제야 깜짝 놀라서 그를 방 안으로 데리고 들어갔다.

"중화는 자셨수?"

"요즘 시절에 중화가 다 무어요. 나물죽도 간간이 얻어걸리면 다행입지요."

천수와 석서방이 조가 나우 섞인 밥을 상추에 얹다가 차마 입안으로 넣지는 못하고서 자리를 내었다.

"어서…… 같이 한술 뜨십시다."

사내는 사양하지도 않고 그들이 덜어내는 밥을 숟가락에 한 주먹만큼 뭉쳐 떠서는 미처 반찬을 집을 새도 없이 욱여넣었다.

"어찌되었소. 광복산 골짜기 살던 식구들은 모두 무사한가요."

"예예……"

"사람들이 얼마나 모였소?"

사내가 흘끔거리자 석서방이 바닥에 남았던 감홍로를 따라주었다.

"이게 화주인가요?"

"천천히 드시우."

말득이가 보기에 민망하여 슬그머니 수저를 놓고 물러나 앉으며 그의 배가 차기를 기다릴 자세를 취하였다. 사내는 밥 한 그릇을 삽시에 비우고 나서 국이며 물까지 한 대접씩 들이켰다.

"아, 잘 먹었다."

사내가 아직도 상머리에 붙어앉아 그들에게 물었다.

"산에서는 언제나 이렇게 배불리 먹을 수가 있나요?"

"굶주리지는 않소."

말득이는 그렇게 얼버무리면서 말을 흐렸다. 어쩐지 이 사내의 허접지접한 배고픔 앞에서 뭐라고 나대기가 부끄러워졌던 것이다. 밥보다 더욱 귀한 것은 세상에 아무것도 없다. 몇자 안 되는 육신을 땅위에 떠받칠 한 줌의 밥덩이야말로 가장 뚜렷하고 믿을 만한 뒷배가 아니던가.

"아이들만 없다면 나두 녹림당에 들어갈 텐데……"

말득이가 답하였다.

"당이 따루 있소? 배고픈 동류들끼리 모여서 먹으면 되지. 구봉산에 모인다던 사람들은 어찌되었수?"

"그 굼병이터에 말이지요, 지금 오륙십 명이 모였는데 내일이면 거의 백 명 가까이 모여들 게요."

그들이 주고받는 얘기를 듣고 김기가 아랫방으로 건너왔다. 사내는 갓 쓰고 도포 입은 김기의 행색을 보자 놀랐는지 머리를 조아리고 자세를 바로 하였다.

"편히 앉으시우. 우리 성님이니 반상을 가릴 게 뭐가 있수."

말득이가 답답하다는 듯이 한숨을 내쉬며 말하였다.

"양반을 그렇게 두려워하기만 하니 배를 곯고 흘러다닐밖에 별 도리가 있겠소?"

"산속에 유민들이 모여 있다고 그랬는가?"

"그제 내가 구해준 사람들이 동무를 모으고 나서 우리에게 알린다구 그랬거든요."

"모렛밤 이경쯤이면 천신산 벽파정 부근에 불이 보일 걸세. 그 불을 군호로 하여 일대는 그대로 포창 안으로 들어와 절수처를 점령하고 이어서 포구의 배가 뜨지 못하도록 막을 것이며, 또다른 패는 조읍포의 뒤편을 돌아 금교역말로 나가는 퇴로를 끊고 사매내로 넘어가는 고개를 지키게. 그리고 손목에 검은 천을 묶은 이는 모두 활빈당이니 서로 착오 없도록 하고, 비록 군복을 입었을지라도 검은 천을 묶었으면 역시 우리 혈당이니 충돌하지 않도록 전하게."

"잘 알겠습니다."

"모렛밤에는 싸울 수 있는 장정들만 먼저 들어오도록 하고, 그 이

튼날 오전부터는 되도록 여러 식구들을 빠짐없이 동원하여 조금이라도 더 많은 양곡을 운반해갈 수 있도록 준비하게."

"여부가 있겠습니까? 조읍포창을 빈쭉정이로 만들어놓고 말겠습니다."

말득이가 바깥을 살펴보고 나서 사내에게 나직하게 일렀다.

"만일에 주인이 이상스럽게 여기면 걸식을 왔다가 서울 양반으로부터 중화를 얻어먹었다고 그러시우."

사내가 주막을 나간 뒤에 얼마 안 있다가 주인이 앞장을 서고 그를 따라서 끼끗하게 차려입은 유사과의 큰아들이 하인 두 사람을 거느리고 들어왔다.

"샌님, 평안하셨습니까?"

"덕분에 잘 쉬었네."

"가친께서 샌님을 뵙고자 하여 별당을 치워두고 기다리신 지 오래이십니다. 저를 보내어 군이 모셔오라 하시니 사양하시지 마십시오. 궁벽한 곳이지만 또한 인정이 있는 고장이니 뉘라 구설에 올리겠습니까. 샌님께서 교유를 허락하신다면 저희 가문에도 영광이올시다."

사과의 아들이 간곡하게 권하자 김기는 마루를 서성이며 난처한 기색을 보였다.

"허, 내가 이러려고 온 것이 아닌데……"

"가친께서는 명당을 구하신다는 말씀을 들으시고 이 부근의 어느 산이든지 샌님 뜻대로 보아 쓰시라고 하셨습니다. 저희 외숙이 또한 풍수의 묘리를 조금 아시는 분이라 일부러 집에 오셔서 기다리고 계십니다."

김기는 짐짓 마음이 끌리는 척하면서 당장에 태도를 바꾸었다.

"내가 이번 길에 운이 좋았네. 자네 가친의 성의가 이러신데 내가 황차 무슨 고귀한 것이라고 거드름을 부린단 말을 듣겠는가. 시골의 인심으로 서로 마음을 허통하여 우리 집안과 자네 집안이 교유하는 것은 세상에서도 아름다운 일로 얘기될 게 아닌가."

김기는 벌써 마루에서 내려서고 있었다. 말득이가 대솔하인으로 따라나섰고, 홍천수와 석서방은,

"잘 다녀오십시오."

하며 문간에까지 나와 인사를 하였다.

서북으로 평산 가는 길로 한 오 리쯤 가노라면 흰돌재가 나오고 그 너머 사매내를 앞에 둔 마을이 유사과네 문수골이었다. 십 리가 미처 못 되는 거리라 요전처럼 말을 가져오든가 아니면 자비령에서 김기가 타고 온 나귀를 끌고 와도 되었으련만, 사과의 아들이 올 적에 이인교를 가지고 와서 김기는 그 위에 올라앉아 있었다. 맨 앞에는 사과 아들이 길라잡이를 섰고 남여 옆으로 말득이가 따라갔다.

"여기가 흰돌재올시다. 천신산의 등성이로 오르는 초입이지요. 산줄기가 취적산과 구봉산에 연이어서 황의산 모란산 그리고 멸악산에 닿습니다."

사과 아들이 손가락으로 산줄기와 멀리 보일 듯 말 듯한 준령들을 가리켜 보이며 설명하였고, 김기도 산을 휘둘러보고 벼랑 아래로 감돌아 흘러가는 예성강을 내려다보았다.

"음, 강이 없었더면 송도까지 닿을 뻔하였겠네."

과연 흰돌재에서 내려다보는 경치는 시원하고 가슴이 훤칠하니 터져나갈 듯한 기분이 들었다. 푸른 강물에는 바야흐로 단풍이 물들기 시작한 천신산의 그림자가 울긋불긋 어리었고 배를 띄운 사공들의 노래와 빨래를 두드리는 방망이 소리가 어우러져 들려왔다. 강

건너는 흰 자갈밭과 띄엄띄엄 늘어선 갈대숲이 고검산 봉수대의 드넓은 벌판에까지 닿아 있었다. 몇점 구름을 이고 벌판 끝에 길게 누운 광복산 줄기는 마치 가을 들판의 곡식더미나 새로 초가지붕을 올린 농가의 낮은 토담처럼 보였다.

"벽파정같이 끝없는 강줄기를 내다보는 것 못지않게 정이 넘치는 풍경이로다."

김기는 손짓하여 남여를 움직이게 하며 중얼거렸다. 흰돌재를 넘어 구부러진 사매내와 두 산의 등성이가 오목한 곳으로 돌아 들어가니 제법 널찍한 벌판이 나오면서 숲 가운데 아늑하게 자리 잡은 마을이 보였다.

"여기가 바로 저희 동리올시다."

"무릉도원이 따로 없네."

맏아들과 김기가 수작을 나누는데 벌써 그들을 본 유씨 댁 장정들이 들길로 마중을 나오고 있었다. 그들은 곳곳에 병장기를 들고 서 있다가 남여로 다가왔다. 한 열댓이 넘어 보였다.

"저희 집 사람들입니다. 샌님께서도 아시다시피 명화적당이 노린다는 적경이 들어온지라 사공들까지 모두 불러들였지요."

남여가 마을로 들어가는데 문수골은 유사과의 저택 외에는 모두 초가뿐이었다. 실로 뒤편 골짜기로는 거느린 홑집이 사오십 채가 넘는 듯하여 유씨 집안의 살림 규모를 짐작할 수가 있었다. 유사과가 정자관을 쓰고 대문 밖에까지 내달아 나왔다.

"원로에 수고가 많으십니다."

"아주 훌륭한 고장이로군요."

우선 대문간에서 간단한 예를 주고받고 나서 김기는 그들을 따라 집 안으로 들어갔다. 행랑채 앞에는 하인과 장정들이 섰다가 모두 허리를 굽혔고, 중문을 지나니 안채와 사랑채가 문을 사이에 두고 있었으며 따로이 별당과 정자가 있었다. 그들은 먼저 사랑채에 올랐고 서로 정중하게 맞절을 하였다. 그러고는 유사과가 아들 삼형제를 들어오게 하여 김기에게 인사를 드리도록 하였다. 첫째와 둘째는 상투잡이라 두어 살 터울이 있는 듯 보였고 막내는 떠꺼머리였다.

"훌륭한 자제를 두셨습니다."

김기가 나란히 무릎을 꿇고 앉은 세 젊은이들을 바라보며 고개를 끄덕였다.

첫째와 둘째는 기골이 장대하여 키도 큼직하고 어깨도 벌어졌으며 제 아비처럼 코가 넓죽하고 입술이 두툼해 보였으나, 막내는 안색이 파리하고 여위었으며 곱상하게 생겨서 전혀 달라 보였다.

"이거 미거합니다만 저희 집안의 가풍대로 무과를 보이려고 제각기 연마하는 모양입니다."

유사과가 자랑삼아 말하자, 김기는 맞장구를 쳤다.

"근자에 아조의 시속이 무를 천하게 여기는 풍조가 널리 퍼져서 두 차례의 국난을 겪는 중에 외적을 막을 인재가 드물었던 것이 참으로 통탄할 일이지요. 효종대왕 이래로 새로이 인재를 찾고 젊은이들의 심신을 단련토록 한 것은 늦으나마 다행한 일이지요. 또한 무과에서도 활만을 중시할 것이 아니라 단병접전에 유리한 제반 무예를 훈련원에서 다시 가르치기 시작하였으니, 방포술과 더불어 좋은 변화라 할 것이오."

"허허, 어쩌면 저와 그렇게 생각이 같으십니까. 싸움의 양상이 날로 변하여 전차가 기병을 이기지 못하고, 기병은 다시 밀집된 보병을 다룰 수가 없으며 공성구(攻城具)와 활은 화약과 조총에 상대할 수가 없게 되었으니, 지금 시행하는 무과의 궁술과 기마술은 실낱 같은 것이지요. 거기에 또한 단병접전에 능할 수 있는 십팔반무예가 연마되어야 할 것입니다."

권분으로 얻은 사과직이라 하나 유가는 그동안 병사나 첨사 등등의 무관들에게서 귀동냥이 많았던 듯 제법 아는 체를 하였다.

"그러면 자제분들에게는 무엇을 가르치셨습니까?"

"활터에는 모두 나갔으나, 큰아이가 조금 쏠 뿐 아직 과녁의 중핵을 꿰뚫지는 못하는 실력입니다. 그러나 몇가지 재주는 꽤 터득하였다고 봅니다."

김기는 유가네 삼형제에 대한 소문을 여러 번 들었는지라 그들의 솜씨가 어느 정도나 되는지 직접 보고 싶던 차였다.

"그래, 자네들은 각기 무엇을 연마하였는가?"

김기가 물으니 그들은 차례로 답하였다.

"예, 저는 환도를 조금 휘두를 줄 압니다. 쌍수도와 예도를 모두 씁니다."

"봉술을 배웠다고는 하나 그리 깊지는 못합니다."

사과의 맏아들과 둘째가 대답하였고 막내는 가만히 앉아 있었다. 김기는 눈으로 그에게 물었다.

"이 아이는 몸이 약하여서……"

제 아비가 말하였고 막내가 우물쭈물 대답하였다.

"총을 약간 놓을 줄 알지요."

김기는 그것이 궁한 끝의 대답인 줄만 여기고는 더이상 묻지 않았다. 밖에서 기침소리가 들리고 마르고 얼굴이 긴 선비 행색의 사내가 들어와 공손히 절하였다. 그는 유가의 처남 된다던 자칭 풍수가로 채신머리없어 보이는 사내였다. 안에서 후원에 주안이 마련되었으니 그리로 납시라는 전갈이 왔다. 그들은 사랑채를 나와 후원으로 나갔는데, 수목이 울창하고 여러 꽃나무의 향기가 가득하였고 너른 마당과 연못이 있었다. 담밑으로는 감나무, 은행나무, 살구나무, 앵두나무, 오동나무, 대추나무, 밤나무, 소나무 등이 운치 있게 둘러 있고 별당 아래로는 매화며 부용이며 서향, 모란, 국화 등의 화초와 이끼를 입힌 괴석이 서 있었다.

물 가운데 정자를 지었는데 지붕은 초가로 이었고 기둥은 통나무였으며, 누마루에는 화려한 화문석 돗자리를 정갈하게 깔아두었으며 자개상 위에다 술상을 보아놓았다. 연잎 위로 가끔씩 떨어지는 노란 감나무 잎이 수목 사이로 비치는 햇빛에 반사되어 반짝였다.

"집터가 아주 좋군요."

김기가 말하니 처남이란 자가 얼른 말하였다.

"썩 길한 터는 아니올시다."

"글쎄요, 대개 길흉을 볼 적에는 상지상의 길상은 범인으로는 감당치 못한다 하여 오히려 길하게 보지 않는 법이오. 길흉에는 분수가 있게 마련이지요. 분수에 맞으면 중지중이라도 분수에 맞지 않는 최길지보다 훨씬 낫지요. 집터는 대개 마당 안에서 집채만 따로 보는 것과, 동리 안에서의 조화를 보는 두 가지가 있는데 대개는 앞의 것만을 보기가 쉽지요. 그러므로 아무리 좋은 터에 집을 지었다 할지라도 동리 자체의 자리가 길지가 아니라면 별로 의미가 없을 테지요."

김기의 꾸며대는 말의 앞뒤 이치가 그럴듯하여 풍수가라고 자랑하던 처남은 그만 입이 막혀버렸고, 유사과는 가장 좋은 말을 들었다는 듯이 연신 고개를 끄덕였다.

"일례로 동네 앞의 실개천은 원래 있던 것입니까?"

"아니지요. 왼쪽의 청룡이 허하다고 하여 사매내를 파서 끌어들인 것이지요."

주인의 말에 김기는 그럴 줄 알았다는 듯이 혀를 찼다.

"길지라는 것은 사람이 만드는 것이 아니라 하늘이 내는 것이오. 따라서 부족함이 있으면 또한 다른 데서 그 손을 메우게 되고 넘치는 데가 있으면 반대로 모자라는 데가 있는 법입니다. 이 동리를 둘러볼 적에 청룡은 이미 좋은 자리에 있소이다."

"그게 어디인가요?"

"저쪽 멀리 흐르는 예성강이 청룡이요, 오른쪽으로는 돼지여울로 나가는 큰길이 있으니 바로 백호요, 사매내가 앞에 있어 주작이요, 뒤에 천신산 줄기가 있으니 현무가 갖추어졌소이다. 문수골 자체가 사위를 갖춘 길지인데, 그만 손실이 있소이다."

"손실이라니요?"

"산을 뒤에 두었다고는 하나 마을이 동북향을 하고 있으니 금교와는 정반대지요. 남북이 좁고 동서가 길어서 길지와는 정반대이지요. 그러나 이 댁에서 단 한 가지만 고치면 아주 길하겠지만, 그대로 두면 위험하겠소이다."

처남도 넋을 잃고 김기를 바라보고 있었으며 유사과는 침을 꿀꺽 삼켰다. 김기의 언변이 워낙 달변인데다 뜻깊게 얘기하는 것이 그의 마음을 온통 사로잡고 있었던 것이다.

"제발 가르쳐주십시오."

김기는 술을 천천히 마시고 나서 한참이나 뜸을 들였다가 힘주어 말하였다.

"바로 대문입니다."

"아니…… 그 대문이 어때서요? 주작을 피하여 서남방으로 낸 것인데요."

처남이 이견을 말하였으나 김기는 못 들은 척하였다.

"풍수지리에 있어 실지의 조건과 조화를 보지 않고 책에 씌어 있는 대로만 운영하는 법을 사법(死法)이라고 하지요. 물론 여기서는 동남방과 서남방밖에는 대문을 낼 데가 없으나, 책에는 동남방 대문이 불가하다고 되어 있소이다. 그러나 이곳은 강변이니 세찬 강바람이 서남방에서 몰아쳐오지요. 따라서 이곳에서는 오히려 동남방을 쓰는 것이 묘책이외다."

김기는 사과의 처남이 입을 열 듯 말 듯 옴찔거리자, 아예 그의 기를 죽여놓으려고 계속하여 말하였다.

"그러므로 길흉이 아무 원칙 없이 기분에 따라 정하여지는 것은 아니오. 다 경험에 의하여 이롭고 불리한 사실이 알려졌기 때문에 유리한 점을 택하였을 뿐이외다. 대저 여러 사람들이 오랜 세월에 걸쳐 시행해온 것들은 거의가 옳단 말이지요. 이를테면 대문을 세울 적에도 계절마다 그 방향을 달리 정하는 것은, 무엇보다도 공사하는 계절에 불어오는 강한 바람의 방향을 피하려는 것이오. 집 앞에 내는 길이 활처럼 휘어져야 길하다는 것은 큰물이 닥칠 때 집으로 곧장 흘러들지 않게 하기 위함이고, 문이 크고 집이 작으면 흉하다는 것은 살림할 능력의 분수를 지키라는 뜻이며, 수목을 집 앞에 심지 말라는 것은 그늘이 져서 양광을 받지 못함을 경계한 것이며, 우물 근처에 꽃나무를 심으면 흉하다 함은 실제로 벌레가 빠지기 쉽고 화초의 독이 들어갈까 저어함이요, 대문과 광이 맞보이면 흉하다 함은 도둑을 경계하는 것이며, 집 앞의 연못이 길하다 함은 마당과 택지 주위의 습기를 없애자는 것이며, 이러한 길흉에 대한 옛사람들의 말은 끝이 없을 지경이외다. 즉 입지조건에 따라서 길흉의 운영을 살려야 하겠지요. 이 집은 대문만 바꿔 내면 아주 아늑한 양택(陽宅)이"

올시다."

"허허, 구구절절 옳은 말씀이십니다. 이렇게 내왕하시자마자 누옥을 잘 살펴 말씀해주시니 기왕이면 저희 가문의 음택도 살펴보아주십시오. 사례로 아무 데든 귀댁에서 정하신 터의 산을 송두리째 매입하여 올리겠습니다."

유사과가 취한 듯이 듣고 있다가 김기에게 간곡히 말하였다. 그러나 처남 되는 자는 매우 기분이 상하였는지 볼멘소리로 중얼거렸다.

"『심안요지(心眼要旨)』나『지리용혈진(地理龍穴振)』을 보았으나 그런 글은 읽지 못하였소. 모든 풍수가에는 원칙이 있거늘 감히 동남방의 대문이 무어란 말이오?"

"그뿐 아니라『감룡경(撼龍經)』이나『의룡경(疑龍經)』『변정직해(辯正直解)』『천원오가천(天元五歌闡)』『의원공비지(義元空秘旨)』『설한요지(雪寒要旨)』등등에도 원칙은 구구하지요. 음양과 오행의 조화는 그때마다 다르게 마련이라, 전후좌우 청룡백호의 음양이 변합니다. 크게는 오행은 양으로 산을 합성 조직하며 오행의 이치로 섭리하고, 음은 지지(地支)로 방향을 제시 판단케 하며, 방향은 일변사방(一變四方) 이변팔방(二變八方) 삼변십이방(三變十二方) 하여 척도를 분별케 하는 것이다. 따라서 길흉은 큰 덩어리 속에 작은 것으로서의 조화를 얻은 지점으로 따져야 하겠지요. 동에서 서로 흘러내려가던 예성강 물이 완만하게 구부러져 이 동리 앞에서는 십여 리를 남북으로 흘러내려가니, 간만의 거센 흐름이 조읍포에서부터 꺾이어 배를 대일 수가 있는 것입니다. 서남방에서는 강한 예성강 들판의 바람이 불어오는데 한낱 지리서의 원칙이 길한 방향을 고집할 수가 없소이다."

과연 김기는 한양서 문중을 대표하여 명당을 보러 온 사람답게 조리가 맞아떨어지도록 달변을 토하였고, 이제 주인인 유사과는 그의 한마디 한마디를 놓치지 않고 듣고 있었다.

"내일이라도 당장 대문을 옮길 것이니, 집채에 좋은 자리나 정하여주십시오."

김기는 주인의 태도를 보고서 완전히 자기 수중에 들어왔음을 눈치챘다.

"적경이 있다는데 함부로 대문을 헐 수가 있겠소. 다음에 택일을 하여드리지요. 그보다는 내일부터 산이나 보러 다닐 테니 함께 다니시지요."

"불감청일지언정 고소원이올시다. 저희도 길지를 얻으면 이번 기회에 아예 이장을 하렵니다."

사동이 정자에 다가서더니 사과에게 아뢰었다.

"도련님들께서 준비가 되었다고 하십니다."

주인은 껄껄 웃고 나서 가볍게 손뼉을 쳤다.

"아이들의 재간이 과연 쓸 만한가 한번 구경이라도 하시지요."

김기는 눈가에 긴장한 기색이 돌며 후원 마당 쪽을 바라보았다. 주인의 손뼉 소리에 응하여 달려나온 것은, 소매 좁은 웃옷에 토수를 손목에 끼우고 행전을 단단히 치고 발에는 납작한 가죽신을 신었으며 한손에 환도를 든 맏아들이었다. 그는 환도를 두 손으로 받쳐 들고 머리를 숙여 군례를 올렸다.

"먼저 쌍수도(雙手刀)의 기(起)와 종(終)에 이르는 서른여덟 형의 자세를 보여드리겠습니다. 옛적 한고조께서 백사(白蛇)를 베인 칼이 칠 척이라 하는데 제 칼은 오 척이올시다."

그는 칼을 뽑아 두 손에 잡더니 지검대적(持劍對賊)부터 시작하여 칼을 휘둘러 받아치는 시늉으로 뛰어나갔다가 앉으면서 칼을 등뒤로 돌려 막고는, 왼편에서 치고 오른편에서 치면서 뒷걸음질쳐서 초퇴방적(初退防賊)에서 다시 앞으로 나왔다. 찌르고 막고 베고 하는 동작이 춤을 추는 것처럼 부드러워 장검을 휘두르는데 마치 버드나무 가지를 들고 한 점 바람을 희롱하는 듯하였다. 드디어 칼을 역으로 쥐어 어깨 너머로 돌려서 등을 방비하면서, 그대로 팔을 휘둘러서 전방을 베는 칼이 땅으로 가도록 하고 두 손을 모으니 장검가용세(藏劍賈勇勢)로 필(畢)하였다. 김기가 보기에는 모르긴 하여도 칼 쓰는 법식은 열심히 배웠으나 어딘가 답답하게 여겨졌다. 그 답답함은 동작이 부드럽고 칼짓이 재빨랐으나, 여러가지의 세가 바뀔 때마다 연결이 물처럼 흐르지 못하고, 잠깐씩 끊겼다 이어지는 데서 오는 것이었다. 마감동뿐만 아니라 길산의 솜씨까지를 곁에서 보아왔던 김기가 검법에 대하여는 깊이 아는 바 없었으나, 자신의 답답한 느낌은 분명히 검가의 부족한 점일 것이라고 여겨졌다.

그가 칼을 꽂아넣고 인사를 하고 물러갔다. 둘째아들이 웃통을 벗어젖히고 머리에는 전건(戰巾)을 쓰고 봉을 양손에 쥐어 빙빙 돌리며 나타났다. 그도 군례를 드리고 말하였다.

"척계광(戚繼光)에 의하면 끝에 예도나 갈고리나 꺾쇠를 달아 쓴다 하였으나, 보시는 바와 같이 칠척 이촌의 박달나무 봉(棒)이올시다. 봉은 모든 무예의 시원일 뿐 아니라 장창과 편곤의 종주(宗主)올시다."

그리하여 둘째아들이 봉을 잡고서 편신중란(扁身中攔)의 자세로 시작하여 적수(滴水)와 섬요전(閃腰剪)에 이르는 동작을 취해 보였다. 봉을 높이 쳐들었다가 수평으로 찌르기도 하고 뱅글뱅글 끝만 돌리기도 하며, 아래로 찔러들어가고 좌우로 후려치고 곧게 내리쳤다가, 뒤로 달아나며 갑자기 돌아서며 휘두르고 껑충 뛰어올라 돌리고 찌르고 때리기를 계속하니 작대기 가운데 바늘침 한 개 들어갈 틈이 없었다. 둘째의 봉술은 제 형의 검술보다는 훨씬 나아 보였다.

그러나 김기가 날카롭게 살펴본 바로는 봉이 기장이 긴만큼 공격점의 안으로 적을 용납하면 잡힐 염려도 많고, 두 손은 막대를 잡고 두 발은 균형을 잡으려 딛고 있으니, 사지(四肢)가 막대기에 잡힌 셈이었다. 따라서 봉이 무예의 시원이라 하는 것은 그 앞에 권법이 있은 다음에라야 가능한 것이다. 우선 사지를 놀려서 걷고 달리고 치거나 잡거나 한 연후에야 나뭇가지를 꺾어 쥐거나 돌멩이를 드는 법이다. 그것은 한 팔이나 한 주먹이나 사지 중의 어느 일지를 보강하려는 짓이지, 일지에 사지를 맡겨버리자는 노릇이 아니다. 그러므로 때때로 한 손은 봉에서 떼어 자유로이 가깝게 파고든 상대를 잡거나 막거나 치거나 해야 된다. 또한 두 다리도 상대편의 하반신이며 빈 곳을 노려 지르거나 비틀거나 하는 법이다. 만약에 권법과의 조화가 없이 봉술만을 익혔다면 한 팔과 두 다리를 잃고 다만 긴 팔 하나만을 얻은 셈이다. 김기는 슬그머니 물어보았다.

"내가 무예는 아는 바 없으나, 권법이 앞에 나오지 않던가?"

"예, 권법을 먼저 익혔으나 주로 봉을 배웠습니다."

김기는 알겠다는 듯 고개를 끄덕이고서 유사과에게 물었다.

"자제분들의 저러한 재간은 누가 가르쳤나요?"

"우리 집안은 대대로 부처님을 받들어 모시고 있습니다. 특히 불가의 가르침이 공맹의 학문보다 월등해서가 아니라, 선대에 부처님이 현몽하여 돌부처를 캐낸 뒤로부터 집안이 흥성하였던 까닭이지요. 그래서 문중에서 문수암이라는 기도처를 짓고 철마다 재를 올립니다. 그런 때에는 명산대찰을 찾아가 고승을 모셔오게 되는데 몇년 전에 와서 머물던 승려가 승병도감 출신이라, 제가 부탁하여 아이들에게 재간을 가르치도록 하였습니다. 지금은 많이 좋아진 편이지만 그때만 하여도 타처의 장정들을 데려다두었으니 어찌 마음이 놓였겠습니까."

그들이 얘기를 주고받는데 마당에서 기척을 알리려는 듯 가벼운 헛기침 소리가 들리고,

"아버님, 저는 그만둘까요?"

하고 말하는데 바라보니 막내아들이 서서 기다리던 중이었다. 김기도 막내는 허우대부터 보잘것이 없어 별로 신통치 않게 여기던 터이라 잊고 있었다.

"그럴 리가 있느냐. 네 재간이 빠지면 언니들의 재간도 빛을 잃구 말지."

아비는 그렇게 추어주었다. 막내는 가죽 배자 위에 두툼한 띠를 두르고 쇠뿔 화약통과 가죽 주머니를 찼고, 오른편 어깨에 총을 메고, 총 한 자루를 양손에 들고 서 있었다.

"아조에는 예로부터 군기시(軍器寺)로부터 나온 천지현황자(天地玄黃字)포가 있었고, 김지가 만든 승자총(勝字銃)이 있었는데 왜란 이후로 조총의 이점을 살려 승자소총이 나왔고, 지금 화기도감에 나와 있는 화승총이 나온 것입니다. 그러나 이 총은 동래에서 들어온 박래품으로 서양 것과 다름없는 왜식 화승총으로 조준 가늠자가 달려 있고 철환이 굵고 크며 멀리 나갑니다. 삼방술(三放術)을 보여드리겠습니다."

그는 담장 끝까지 걸어가서 헌 망건을 하나 알맞은 높이의 나뭇가지 끝에 걸어두고 되돌아왔다. 그러고는 한쪽 무릎을 땅에다 꿇고 다른 무릎은 세워 그 위에 총을 세웠다.

망건을 잠시 바라본 뒤에 가죽 주머니에서 부시를 꺼내어 총 잡은 손에 갖다대고 시척, 하더니 그대로 총대를 어깨에다 붙였다. 요

란한 폭음소리가 들렸고, 재빨리 방포한 총을 발치에 놓고는 오른편 어깨에 메고 있던 총을 팔굽을 뿌리쳐 쥐고 다시 한번 시척, 하고는 겨누었다. 또 한번 총성에 귀청이 찢어지는 듯하였다. 이제는 두 자루 총의 약실이 모두 비었다. 그는 먼저 쏜 총을 잡아 쇠뿔통을 기울여 약실을 채우고 입에 물었던 연환을 총구에 넣고는 기다란 쇠꼬챙이로 눌러주고는, 다시 처음처럼 시척, 하며 불을 붙여서 어깨에 올려 겨누었다. 그 순간이 여섯을 헤아릴 만큼의 간격이었으니 실로 놀랄 만큼 재빠른 솜씨였다. 대개 총포란 멀리 있는 자를 쏘기 위한 것이니, 여섯을 헤아릴 사이라면 상대는 사정거리의 안팎을 벗어날 수가 없을 것이다. 김기는 참으로 놀라서 벌린 입을 한참이나 다물지 못하였다. 더구나 그가 망건을 가져다 제 아비에게 바치고 물러갔는데 탄흔을 보고는 더욱 놀라지 않을 수 없었다. 망건의 한복판에 손가락 한 마디쯤의 사이로 구멍이 일렬로 뚫려 있었다.

"참으로 신묘한 재간이오."

김기는 진심으로 감탄하며 유사과에게 말하였다. 처남은 싱긋이 웃었고, 유사과는 김기가 놀란 양을 바라보며 유쾌하게 말했다.

"우리 고을에서는 아무도 호환을 염려하지 않습니다."

"호환은커녕 범도 기미를 알고 얼씬하지 못하겠지요."

유사과와 처남은 신이 나서 말하였다. 김기는 속으로 생각하기를, 퇴로를 안전하게 하려면 필히 사과의 막내둥이가 방포하지 못하도록 미리 손을 써야겠구나 생각하였다.

다시 술자리가 계속되어 인근에서 불려온 창기가 풍악을 잡히고 소리도 하였다.

말득이는 김기가 주인과 교분을 나누는 사이에 봉노에서 따로이 탁배기상을 받아 얻어먹었다. 그는 하인들로부터 삼형제의 무예에 대하여 자랑하는 말을 들었고, 문수암에 올라가 있다는 두 서북 사람의 창술에 대하여도 들었다. 그러나 벌써 김기 성님과 자기가 이 집의 울안에 들어와 손님 대접을 받고 있으니, 입에 넣은 떡이나 다름없는 일이라고 말득이는 자신만만하였다.

이튿날은 아침부터 김기와 유사과가 말안장을 나란히 하여 천신산으로 향하였고, 말득이도 수행하였다. 술과 안주가 담긴 찬합을 말 궁둥이에 싣고 하인들은 술 데울 노구까지 짊어지고 따라갔다. 천신산 등성이에서 명당을 본답시고 이리저리 돌다가 오후 내내 들놀이를 즐기고 돌아왔는데, 유사과는 김기를 사귈수록 얻어듣고 배우는 바가 많아 길지를 얻을 때까지 함께 다니겠노라고 스스로 다짐하였다.

다시 하루가 지나서 유사과는 산을 보러 나가자며 재촉인데 김기는 식구들이 나타나지 않아서 은근히 걱정을 하였다. 김기는 중화나 자시고 천천히 나서자고 미적미적하였다. 적경이 들어온 뒤로 문수골 일대에는 선단 사공들이 빙 둘러싸고 지켰으며, 맏아들은 조읍포 창에 나가 있었고 둘째는 문수암으로 올라갔으며 셋째는 집에 남아 있었다. 중화참이 지나서 이제는 김기도 주인과 함께 집을 나설까 하는데 사과 댁의 행수라는 사내가 헐레벌떡 뛰어들어왔다.

"토포 군사들이 당도하였습니다."

"번거로이 하지 않아도 될 것을 공연히 오는 게 아닌가."

유사과는 말하면서도 흡족한지 껄껄 웃었다.

"그래, 평산서 온다더냐?"

"아니올시다, 한양서 종사관 하나가 내려와 감영에서 군사를 내었다 합니다. 장교가 셋이나 되고 군졸이 이십여 인이라는데 모두들 수년간 조련을 받은 자들만 뽑았다 합니다."

행수가 말하였고, 김기도 혼잣소리로 중얼거렸다.

"종사관이 직접 파견되어 왔다면 큰 적경이네. 틀림없군요."

"허허, 모두 조읍포창 덕분이지요. 어쨌든 국은이 두터워서 앞으로 세곡 운반을 더욱 열심히 해내야 될 겁니다."

유사과는 김기와 더불어 대문 밖으로 나가 토포군을 마중하였다. 김기가 바라보니 맨 앞에 홍철릭 입고 구슬상모를 쓰고 말 위에 올라앉아 오는 종사관은 바로 최홍복이었다. 그 뒤로는 제각기 장교 복장을 차린 강선홍 김선일 큰돌이 등이 군졸들을 이끌고 있었다. 검은 더그레에 털벙거지를 쓴 군졸들은 길 양쪽으로 갈라서서 창검을 번쩍이며 행군하여 왔다. 맨 뒤에는 먼저 도착하여 절수처에서 기다리던 한양 포교 두 사람, 즉 마감동과 변가가 평복 차림으로 따라왔고 사과의 맏아들도 그 틈에 섞여 있었다. 행렬이 동구에 멈추었고 종사관은 말에서 내려 세 장교와 두 포교와 사과의 아들과 함께 집 앞에 이르렀다. 맏아들이 인사를 시키자 사과와 종사관은 군례와 목례로써 간단히 인사를 나누었고 사랑으로 안내하였다. 사랑에 들어가 앉아 서로 인사가 이루어진 다음에 사과가 입을 열었다.

"종사께서 이렇게 궁벽한 곳에 오셨으니 난적들은 곧 진압이 될 것입니다."

"관찰사께서 염려해주신 덕분이지요. 이번 적경을 일으킨 도적들은 원래가 해서를 본거지로 멀리는 한양 이남에까지도 발호하는 무리들로서 오랫동안 저희 포도청에서 잡으려고 갖은 기찰을 펴오던 놈들이올시다. 아까 포창에 들러서 이미 잡힌 혈당을 잠깐 심문하였는데 놈들이 이 댁을 노리는 것이 분명합니다. 앞으로 며칠 동안 지키다가 아무 일이 없으면 부근에 도적의 은신처로 알려진 광복산 골짜기와 일대를 모조리 뒤져서 잡아낼 작정입니다."

김기가 궁금하여 시치미를 떼고 물었다.

"여기도 걱정이지만 포창에는 판관 이하 군사가 한 오뿐이던데 도적들이 그쪽으로 들어오면 어찌하시려오?"

최흥복은 잠자코 있는데 포교 행세를 하는 마감동이 나서서 말했다.

"염려 마십시오. 저희들이 민병들과 더불어 철통같이 지키고 있습니다. 이곳을 지키던 자들 중에 절반은 나누어 포구를 지키도록 하면 더욱 든든하겠지요."

김기가 다시 초를 쳤다.

"도적들이 이 댁을 노린다는데 다시 사람들을 빼어가면 되겠소?"

최흥복이 껄껄 웃으며 장담을 하였다.

"염려 마십시오. 저희들만으로도 충분합니다. 이 군사들은 모두 호랑이사냥이나 명화적 소탕에 이력이 난 자들로 뽑혀온 사람뿐입니다."

맏아들이 동의하였다.

"그렇습니다. 포창이 털리면 세곡선을 감당하는 저희들로서도 책임을 면할 수가 없겠지요. 여기는 토포군이 직접 지키고 있으니 전혀 염려할 바 없습니다. 제가 사공들을 인솔하여 포창에 나아가 포구를 지키겠습니다."

"그러면 지금 마을 주변에는 몇사람이 나가서 지키고 있습니까?"

"민병들과 사공들이 십여 명 나가 있지요. 집에도 장정들이 있고."

최흥복이 행수의 말을 듣더니 장교인 김선일에게 지시하였다.

"지금 나가서 군사 셋으로 망보기를 세워두도록 하고 사공들은 거두어 포창으로 내보내도록 하여라."

사가네 안채 부엌에서는 군사들을 호궤한다고 닭과 돼지를 잡고 각종 물고기로 전을 지지고 음식을 하느라고 법석이었다. 떡벌어진 점심상이 들어오는데 김기와 사과가 겸상을 받았고, 종사관과 맏아들이, 그리고 수하 장교들과 포교들, 군사들은 행랑채에서 술과 고기를 배불리 먹었다. 상을 물린 뒤에 맏아들은 번을 서던 사공들을 거두어 마감동 변가와 더불어 포창으로 나갔고, 민병들은 문수암으로 올라갔다. 마을 주변에는 군사들이 번쩍이는 창검을 치켜들고 곳곳에 서 있었고 사과네 집 담장 안팎에도 둘러섰다. 종사관은 겸인방을 내어 사령소로 쓰기로 하였다. 김기가 슬그머니 들러 주위를 살피고 나서 최흥복에게 말하였다.

"오늘밤 이경에 유민들이 포창을 덮칠 게야. 장두령은 어디 있나."

"밤에 성님께서 묵으시던 딱부리 주막에 당도하실 예정입니다."

"음, 이 집은 이미 점령을 하였고…… 세 아들에 대하여는 들었겠지?"

"아까 선홍이 성님이나 선일이가 있는 데서 말득이가 모두 일러줍디다. 문수암은 맨 나중에 들이칠 작정이우."

"알겠네. 나는 사과를 데리고 나갔다가 딱부리 주점에 끌어다 놓겠네. 내일 아침에 만나지."

"조심하십시오."

김기는 겸인 방을 나서려다가 말하였다.

"집은 사과의 막내가 지킬 모양인데, 얕보지 말게. 솜씨가 대단한 포수야."

"이미 손안에 들어온 참새새끼올시다."

최흥복이 빙글대며 대답하였다. 김기는 사랑채로 건너갔고 말득이는 중문 밖에서 기다리고 있었다.

"말 준비를 시켜두어라."

"난 인제 구종배 노릇 안 할라우."

"허, 버릇 잘못 들었구나."

김기가 농을 치고 나서 안으로 들어가니 사과가 만면에 웃음을 가득 띠고 말하였다.

"오늘은 안 나가시렵니까? 어제 천신산의 북편 등성이를 보신다더니…… 말씀하신 뜻을 곰곰 생각하여보니 명당이 그곳 말고는 달리 없을 듯합니다. 아래로 예성강을 내다보고 뒤로는 취적산의 주능을 타고 앉았으며 고성산의 꼬리가 멸악산의 남은 줄기와 벌려 있어 그만한 데가 없을 것입니다."

"허, 듣기에는 실로 뛰어난 길지이오나 직접 봐야겠지요. 그러나 이렇게 집안이 분주한데 나가시렵니까?"

김기가 마음은 내키지만 사양하는 뜻을 비치자 사과는 고개를 내저었다.

"천만에요, 감영에서 군사들까지 나왔고 노련한 종사관이 지키고 앉았는데 무엇이 걱정할 게 있습니까. 천신산 북편이야 우리네는 마을 동산이나 한가지입니다. 십리지간이니 둘러보고 돌아오면 저녁밥이 아주 맛이 있을 겝니다."

"주인께서 그러시다면 저야 하루가 급하지요."

김기도 껄껄 웃으며 사랑을 나섰다. 말득이가 사과의 하인과 더불어 말을 준비하여 기다리고 있었다. 김기와 유사과가 말에 올라 사매내 쪽으로 가려는데 막내아들이 쫓아나왔다.

"아버님, 어디 나가십니까?"

"음, 진사어른과 산을 보러 나가련다. 왜 그러느냐?"

"오늘은 그만두시지요. 도적들이 온다던 날이 아닙니까."

김기가 대신 말하였다.

"바로 보이는 저 산등성이에 올라 둘러보고만 올 것이니 너무 염려 말게나. 도적이 온다면 한밤중에 움직일 것이라, 이런 벌건 대낮에 바로 토포군의 코앞에서 무슨 일이 있겠는가."

아들은 다시 돌아갔다. 그는 개가죽 배자에 띠를 둘렀고 왜식 총포를 두 자루 메고 있었다. 김기가 돌아보고 말하였다.

"과연 믿음직합니다."

유사과는 뭐라고 보태기도 멋쩍었는지 웃기만 하였다. 그들은 내를 따라서 갈대가 흐드러지게 피어난 골짜기를 올라갔다. 천신산 갈래는 세 가닥으로 내리뻗어 북으로 곧장 내려간 것과 사매내를 향하여 직선으로 뻗친 것과 사과네 동리로 뻗친 것이 있었는데, 위의 두 갈래 산줄기는 사실 구봉산과 취적산에서 뻗친 것이 천신산 줄기에 닿고 있었다. 그들이 일단 산길에 들어서서 산줄기가 갈리는 곳에 이르자, 김기가 남쪽을 손가락질하며 물었다.

"이리로 내려가면 벽파정이 나오는가요?"

"그렇지요. 하지만 여기서는 멉니다. 오히려 문수골에서 고개를 넘어 포창에서 올라야 가깝지요."

"그러면 바로 이 아래는 어디가 됩니까?"

"강음이 되고, 그 아래가 역말이 있는 금교가 됩니다."

"그러면, 이리로 내려가십시다."

김기가 남쪽으로 말머리를 돌리자, 유사과는 영문을 모르고 중얼거렸다.

"조금만 오르면 북편 등성이를 한눈에 내려다볼 수가 있는데, 왜 그쪽으로 넘어가려고 하십니까?"

김기는 말득이를 흘깃 바라보고 나서 이제까지와는 전혀 다른 어조로 차갑게 내뱉었다.

"주인장, 내 말을 들으시오. 벌써 당신의 집과 가속들은 모두 우리 손에 들어왔소. 우리는 해서 녹림당으로 오래 전부터 당신네 집안의 재물에 대하여 알고 있었소."

유사과는 안색이 하얗게 질려서 입을 벌리고 있다가 스스로 고삐를 잡아 말을 돌리려 하였으나 말득이가 단단히 움켜쥐고 있었다. 사과의 하인은 달려들지 못하고 주춤거리다가 몸을 돌려서 뛰는데 말득이가 한 손은 사과의 말고삐를 잡은 채로 다른 손에 자고를 뽑아 번개같이 날렸다. 목덜미에 자고가 꽂힌 채로 다시 몸을 일으키려는 하인을 향하여 이번에는 등판에 자고가 날아가 꽂혔다. 하인은 몇번 신음하면서 한손을 들어 나무를 잡더니 그 손도 풀리고 고개를 땅에 처박고 말았다.

"시키는 대로 하면 머리털 하나 상하지 않고 잘 모셨다가 집에 보내줄 것이오."

김기가 말하니 사과는 더이상 대꾸하지 않았다. 그는 말득이가 끄는 대로 안장 위에 얼어붙은 듯이 꼼짝도 않고 앉아 있었다.

"천천히 산천경개나 둘러보며 벽파정으로 가자꾸나. 황혼이 자못 아름다울 게야."

그들은 남쪽으로 길을 바꾸었다.

멀리 금교역말이 내려다보이는 산모퉁이에 이르러 김기가 뒷전에서 말하였다.

"자아, 이쯤에서 쉬었다 가지."

말득이는 사과를 태운 말의 고삐를 잡고 가다가 멈추어서 유사과를 부축하여 끌어내렸다. 사과는 아까보다는 훨씬 두려운 기색이 풀려 있었으나 입을 꾹 다물고 아무 말도 하지 않았다. 김기가 말에 실었던 술병과 찬합을 내려 풀밭 위에 벌여놓았다.

"저쪽이 취적산을 넘어오는 길이고, 저 맞은편 길이 구봉산에서 내려오는 길이우."

말득이가 북쪽과 서쪽을 번갈아 가리키며 말하였다. 김기는 잔을 내어 술을 따르며 말하였다.

"지금부터 밤이 깊도록 여기서 기다리자면 오한이 들 것이니, 적당히 마셔두는 게 좋을 게야."

김기가 가득 따른 화주 한잔을 유사과에게 권하였다.

"주인장, 한잔 드시오."

유사과는 외면하며 돌아앉았고, 말득이가 대신 받아 마셨다.

"도주공(陶朱公)도 스스로의 재산을 마음대로 못 하였고, 새옹득실 (塞翁得失)이 전전무상(轉轉無常)하나니 너무 심려 마시오. 우리가 대의를 위하여 주인장의 재물 약간을 덜어내간다 할지라도 전장이며 저택이며 어찌 떠갈 수가 있겠소. 물론 수년간에 모은 재물은 손실이 되겠지요. 그러나 땅을 빼앗아 나누어주지 못하니 댁네는 다시 농민의 등을 치고 관가에 붙어 세곡 운반으로 독점하여 막대한 이윤을 얻을 것이오. 우리 같은 또다른 녹림당이나 약한 백성들이 난을 일으키지 않는 한, 주인장네 집안은 대대손손 아무 탈 없이 일하지 않고 편안하고 호화롭게 살아가게 될 거요. 재물이란 예로부터 천하의 공변된 것이라, 쌓아두는 사람이 있으면 반드시 쓰는 사람이 있고, 지키는 사람이 있으면 역시 가져가는 사람도 생기는 법이외다. 주인장 같은 분은 쌓아두는 사람이요 지키는 사람이라면, 우리 같은 자들은 쓰는 사람이고 가져가는 사람들이 분명하외다. 줄어들고 자라나는 이치와 차고 기우는 변화는 곧 조화의 상도(常道)라, 주인장 역시 이러한 조화 중에 한낱 기생(寄生)하는 셈이지요. 어찌 자라나기만 하고 줄어들지 않으며 차기만 하고 기울어지지 않으려 하오? 그동안 힘없는 백성들 가운데서 재물을 모으는 사이에 저지른 죄는 죽어 마땅하겠으나, 본시 이러한 죄는 생명을 빼앗아 값하는 것이 아니고 그 재물을 옳게 쓰는 일로 값하는 것이라, 목숨은 보존토록 할 터이니 부드럽고 온화한 마음으로 받아들이시오."

단숨에 말하고 나서 김기가 다시 술잔을 내밀어주었고, 유사과는 억지로 받아 마셨다.

"이것도 인연이라 주인장께서 내게 보인 후의는 오래 잊지 않겠소이다. 그러나 나는 신모의 아우도 아니요 어느 세도가의 사람도 아니오. 나는 그저 낙백한 시골 서생에 지나지 않소이다. 벼슬이다 권세다 하는 것이 멀고 허망하여 오히려 지금 같은 난세에는 화를 불러들이는 일이라, 조읍포와 금천지계에 널려 있는 굶주린 백성들이야말로 가장 가깝고 믿을 만한 인정을 나눌 상대요. 차후로는 권세가와 교분을 나누어 이득을 볼 생각을 끊고 주변 백성들께 원망 사지 않도록 힘쓰시오. 그것이 가문과 재산을 바르게 지켜나갈 도리인 듯싶소이다."

아무 말 없이 앉았던 유사과가 용기를 얻었는지 말을 꺼내었다.

"조읍포창은 해서의 세곡이 모이는 곳이요 나라의 근본을 받쳐주는 곳인데, 감히 그 운반을 맡은 우리집에 해를 끼치면 나중에 당신들이 무사하겠소? 이것은 역적죄보다도 더욱 중벌을 받을 일이오."

김기는 허공에 너털웃음을 날렸다.

"염려해주어 고맙소이다. 포창은 해서 백성의 원한이 사무친 곳이오. 창고에 쌓인 것은 바로 저들의 피와 땀이외다. 우리는 주인장의 재물을 가져다가 다음 거사를 위하여 쓸 것이고, 흉년의 기민들은 포창의 곡식을 나누어 가져다가 죽어가는 가족들에게 먹일 것이오. 하늘이 시키는 일에는 국법이 따로 있을 수가 없소이다. 백성은 곧 하늘이지요."

술잔을 털어넣고 캬, 하면서 입바람을 불던 말득이가 호기 있게 말하였다.

"우리는 구월산에서 일어난 장길산 두령이 이끄는 녹림당이오. 지푸라기 같은 썩은 관군이 어찌 우리를 칠 수가 있겠수?"

문수골 사과네 집에서는 땅거미가 덮이기 시작하자 안채에서 걱정하는 말들이 나오게 되었고, 막내아들이 하인과 동네 장정들 몇명을 거느리고 사매내를 따라 북편 산기슭으로 나갈 채비를 차렸다. 그들이 대문 앞에서 패를 가르고 있는데 장교로 변장한 큰돌이가 쫓아나오며 말하였다.

"누구 허락을 받고 병을 움직이는 게요?"

"허락은 무슨 허락이야. 여보슈, 우리 아버님을 찾으러 나가는 거요."

막내가 고까운 기색으로 퉁명스레 받았으나 큰돌이가 완강하게 말하였다.

"아무리 댁네 집이라 하나 우리는 토포군이오. 사령소에 들어가 종사관께 아뢰고 나가시우."

"까다롭기는……"

막내는 투덜거리며 바쁜 걸음으로 행랑채의 끝에 있는 겸인의 방으로 갔다. 안내한 큰돌이가 미닫이에다 대고 말하였다.

"이 댁 자제분께서 종사께 현신이오."

"안으로 들여라."

미닫이가 열렸고 문가에 앉았던 선흥이가 먼저 고개를 내밀었다.

막내아들이 들어가 앉자마자, 한양 손님과 산을 보러 나간 유사과가 돌아오지 않아 찾으러 나갈 뜻을 밝혔다. 종사관과 문 옆에 앉은 장교는 서로 눈짓만 주고받을 뿐 말이 없더니, 장교가 중얼거렸다.

"그냥 시작하지……"

"아직 이른걸."

종사관과 장교가 주고받는 말이 알쏭달쏭하여 막내아들이 두리번거리다가 엉거주춤 몸을 빼어 일어나려는데, 장교로 차린 선흥이가 막내의 목덜미를 우악스런 손으로 꽉 움켜잡았다. 막내아들은 숨을 쉴 수도 없고 소리도 지를 수 없어 안색이 까맣게 죽어가고 눈을 홉떠서 그들을 바라볼 뿐이었다. 선흥이는 잠깐 그러고 섰더니 한주먹으로 총각의 뒤통수를 내리쳤다. 찍소리 없이 늘어지는데 충격이 컸는지 코끝에 피가 흘러나왔다.

"거 죽은 거 아니우?"

"괜찮아, 한참 자다가 깨어날걸."

그들은 막내의 행전을 풀고 다리를 묶은 다음에 입에는 버선을 틀어막고 뒷결박을 지어 이불을 씌워놓았다.

"슬슬 시작해야겠군."

강선흥은 겸인 방에서 나갔다. 그러고는 큰돌이를 앞세우고 막내아들이 모아놓은 하인들과 장정들이 기다리고 있는 대문 밖으로 나왔다. 강선흥이 장정들에게 말하였다.

"출발하기 전에 지시할 말이 있으니 모두 나를 따라오게."

그러고는 그들을 이끌고 사랑채 마당으로 들어가자 뒤에 섰던 큰돌이가 군사들을 불러모아 중문 안으로 밀려들어갔다. 강선흥은 장광문을 활짝 열어놓은 뒤에 허리춤에서 엄파 쇠뭉치를 꺼내었다.

"군율을 위반하고 함부로 진을 떠나는 것은 용서할 수가 없다. 토포는 우리가 맡은 일이고 도적들이 쳐오면 오히려 방해가 될 뿐이니 너희들을 당분간 가두어둘 수밖에 없다. 차례로 들어가라."

장정들은 웅성대기 시작하였고 창검을 겨눈 군사들이 몰려들어와 그들을 둘러쌌다.

"모조리 묶어라."

선홍이의 말이 떨어지자마자 큰돌이와 뒤미처 따라 들어온 김선일이 포승을 내어 그들을 빠짐없이 묶었다.

"도대체 왜 이러는 거요?"

그들 중에 제법 기골이 장대한 마을 장정 하나가 몽둥이를 들고 앞으로 나서면서 달려들 태세를 보였다. 선홍이 대번에 엄파 쇠몽치를 휘둘러 등판을 내리쳤고 장정은 묵직한 신음을 내지르며 엎어졌다.

"뭣들 하는 거냐. 어서 병장기를 버리고 그 자리에 주저앉아."

장정들은 모두들 빠른 동작이 되어 손에 손에 들고 있던 단검이며 몽둥이를 내던지고 주저앉아버렸다. 김선일과 큰돌이가 그들을 빠짐없이 묶어서 광 속에 처박아두었다. 문 앞에 지기를 세워두니 유사과의 집은 완전히 무인지경이었다. 그들은 다시 마을의 집집마다 군사를 보내어 지시가 있을 때까지 아무나 집 밖에 나오면 크게 다치거나 엄벌을 받을 것이라고 경고하였다. 외양으로 보기에는 유사과네 집은 포도 군사들에 의하여 물샐틈없이 경비되고 있었다. 완전히 어둠이 깔리자 그들은 집뒤짐을 시작하였는데, 벌써 아녀자들은 안채의 골방에 한데 몰아넣고 밖에서 자물쇠를 채워두었던 것이다. 집뒤짐은 방물과 귀금속이 있을 안채에서부터 시작하여 바깥으로 사랑채와 별당까지 훑어나오게 하였다. 멍석 두 장을 사랑채 마당에다 펼쳐두고 방물과 귀금속과 돈은 오른쪽 멍석 위에, 비단과 피륙은 왼쪽 멍석에다 쏟아놓도록 하였다. 그리고 갖은 약재와 박래품, 당화 등등은 마루 위에다 모으도록 하였다. 큰자부 방, 중간자부 방, 소실 방, 제수 방, 서부 방, 큰딸 방, 긴 골방, 짧은 골방, 큰 벽장, 작은 벽장, 동편 다락, 작은 다락, 앞곳간, 뒷곳간, 그리고는 큰사랑, 중간 사랑, 아랫사랑, 뒷사랑, 별당, 후별당에 있는 물건들이 쏟아져나왔다. 소문보다는 실로 어마어마한 재산이었다. 창고나 광마다 드높이 쌓인 곡물은 손도 대지 않았건만 벌써 멍석 두 장에는 발 디딜 틈이 없었다.

실로 두어 식경 만에 유사과네가 누대에 걸쳐 쌓아온 재물이 가을 바람에 쭉정이 털리듯이 말짱하게 쏟아져나왔던 것이다. 선일이와 큰돌이가 그것들을 운반하기 쉽게 섬을 지어 나누어 싸기 시작하였고, 최홍복 강선홍은 다시 한번 마을 주변을 둘러보며 동정을 살피고 다녔다.

최홍복과 강선홍은 포창서 천신산 고개를 넘어 문수골에 들어오는 길목에 망보기를 세워두었으니, 거기서 내려다보면 먼저 조읍포창의 불빛들이 번져 있는 들판이 보이고, 그 북쪽으로 멀리 금교역말의 불빛들이 보였다. 군호는 벽파정이 타오르는 불빛이었으니, 불빛이 보이자마자 강선홍과 최홍복이 복병을 이끌고 문수암 부근의 오솔길 두 군데로 나아갈 작정이었다. 그리고 다른 망보기를 문수골의 북쪽 동구에 세워두고 마을을 빠져나갈지도 모를 아녀자들을 감시하도록 하였다. 세 번째 망보기는 사매내의 작은 모래톱 부근을 지키게 하였으니, 그곳에는 바닥이 넓은 널판배가 두 척 매어져 있었다. 장을 보러 갈 때나 강 건너 말여울에 갈 적에 삿대로 지르며 건너가는 배들이었다. 그리고 돌담이 꼬불꼬불 이어진 동네의 외곽에 동서남북 사방으로 파수를 세워두었다. 이제는 문수골은 참으로 억센 손아귀 속에 움켜잡힌 작은 콩이나 한가지였다. 대문 양옆에는 창검을 비껴든 군졸이 나란히 지켜서 있었고, 집안의 중문이나 마당마다 한 쌍씩 지켜섰다. 사랑채 마당에 늘어놓았던 재물들은 섬으로 단단하게 포장이 되어 시각을 기다리는 중이었다.

"떴다!"

졸개 하나가 손가락질하여 모두 바라보니 허공중에 곧추 올라가는 불똥 한 점이 보였고, 그것은 다시 길게 둥근 선을 그리며 어둠속으로 곤두박질쳐서 사라졌다. 이것은 몇가지 의미가 겹친 군호였다. 천신산 모퉁이 고개에서 망을 보던 자가 조읍포창 뒤편의 큰 불길을 보았음에 틀림없었다. 벽파정에 불이 붙었으므로 구봉산 굼벙이터에서 출발한 유민들의 무리가 포창 근처에 다가와 기다리고 있다가 포창 안으로 밀고 들어갈 것이다. 그러므로 흥복과 선흥은 산속에서 문수암을 지키던 자들이 불빛을 보고 내려올 것을 염려하여 미리 매복하러 올라가야만 하였다. 돼지여울에서는 가볍고 빠른 야거리 두 척을 준비한 홍천수와 석범철이 때마침 크게 나가는 썰물을 타고 사매내로 당도할 것이었다.

"자…… 가자."

강선흥이 먼저 큼직한 짐을 셋이나 얹은 지게를 짊어지고 일어났고, 이어서 달구지와 지게에 짐을 싣거나 짊어진 졸개들 칠팔 인이 따라나섰다. 그들은 모래톱에 이르러 배를 물가에 바짝 끌어다 대놓고 짐을 실었다. 두 척의 널판배에는 유사과네 집 구석구석에서 털려나온 재물들이 가득히 실렸다. 두 사람이 고물의 덕판에 각각 올라서서 삿대를 잡았다. 그들은 배를 천천히 밀어냈다. 불었던 냇물의 흐름이 빨라지는 중이었다.

"서두르지 말구 천천히 나아가게."

최홍복이 당부하였다. 그들은 다시 고개를 향하여 올라갔고, 두 척의 널판배는 예성강 어귀로 나가는 갈대숲을 헤치면서 흘러갔다. 두 척의 야거리가 밧줄에 매어져서 넘실거리고 있었다. 배에 타고 있던 홍천수가 죽등을 흔들었다. 그들은 소리 없이 뱃전을 옆으로 갖다 대고 줄로 묶었다. 배들은 서로 부대껴서 끊임없이 부딪치며 삐걱대고 간격이 벌어졌다가는 다시 부딪치곤 하였다. 넷이서 팔을 부르걷고 짐을 야거릿배에다 옮겨실었다. 포목과 비단을 제외하고는 짐들이 거의 무겁지 않은 편이었다.

"빠짐없이 실었지?"

서로 점검하여보고 나서 야거리는 줄을 풀고, 강변의 말뚝에 매어진 줄을 널판배에다 옮겨서 묶어주었다.

"자아, 이다음에 봅시다."

홍천수가 돛줄을 당기고 키를 잡고 앉으며 말하였고, 녹림패도 인사하였다.

"조심해 가슈."

두 척의 야거리는 바람과 썰물을 타고 재빠르게 강심을 엇비슷이 질러가더니 금방 어둠속에 묻히고 말았다. 그들은 예성강 포구 팔십여 리를 빠져나가 예성 십자 수로를 휘돌아 송도의 서쪽 관문 중 하나인 승천포(昇天浦)에 당도할 것이었다. 그곳에는 박대근의 상단 차인배들이 마필을 준비하여 기다리고 있을 것이었다. 녹림패는 널판배를 가까스로 저어 갈대숲 안쪽에 대어놓고 자갈밭을 건너서 고개로 올라 저희 패거리와 합류하였다.

"모두 신구 갔지?"

"예, 썰물이 아주 빠릅니다."

강선홍은 앞장서서 천신산을 향하여 출발하였다. 홍복은 유사과네 막내가 가지고 다니던 왜식 총포 두 자루를 어깨에 메고 있었다. 그가 자비령서 길산네 패에 흡수된 뒤로 방포하는 재간을 익히기 시작하더니 스스로 다섯 포수를 조련시켜서는 벽력오(霹靂伍)라 이름 지었다. 이번 기회에 훌륭한 왜식 총포가 들어오게 되었으니 최흥복은 말 그대로 벽력장이 된 셈이었다.

3

유민들은 포창 서쪽의 억새풀 우거진 쌍봉골 들판에 기어들어와서 엎드려 있었다. 그들은 어둠속에서 탐욕스런 눈길로 포창을 노려보고 있었다. 저기에 그들 자신과 어린것들 노부모의 목숨이 걸린 밥이 있는 것이다. 그들의 수중에서 항아리에서 마을에서 연기나 모래처럼 사라지고 새어나간 곡식이, 한양 어디에 있는지도 모를 거대한 도깨비의 뱃속으로 들어가는 줄 여겼더니 바로 그 새끼 도깨비들이 지척에 있었던 것이다. 곡식을 마음껏 삼켜버린 창고가 마치 사냥감의 미련한 짐승들같이 어둠속에 거뭇거뭇 잠들어 있는 듯하였다. 불빛이 일렁거리더니 드디어 산중턱에서부터 활활 타오르기 시작하였다.

"가자!"

그들은 우 하니 일어섰다. 비록 기세는 당당하였으나 하나하나 살펴볼작시면 현순백결(懸鶉百結) 헌 의복에 살점이 울긋불긋, 천한각불말(天寒脚不襪) 벗은 발 헌 짚신에 지팡이 짚고 절뚝절뚝, 테만 남은 패랭이에 목만 남은 버선 신고 해어진 전대에는 돈 대신에 송홧가루요, 서 홉들이 오망자루에는 먼지바람만 폴폴 나고, 비슥비슥 걸음

걸이에 목은 학처럼 껑청하며 눈은 퀭 광대뼈 불뚝, 다리는 삭정이 같고 두 손은 까마귀 발이렷다. 한데 어디서 그런 기운이 솟는지 손마다 작대기 지팡이 몽둥이 낫 작도 호미 괭이 쇠스랑을 이 손 저 손에 치켜들고 으악, 소리 내지르며 일진광풍으로 몰려가는 것이었다. 땅 잃고 마을 떠나 타관 대처 포구 도방 산하 골골, 품팔이할 곳이면 어디로든지 이리 시끌 저리 덤벙 굴러다니던 사람들이라 목구멍 원한이 해동되어 나온 능구렁이와도 같았다. 그들은 저마다 손목에 마누라건 딸자식이건 할머니건 간에 검은 베 치맛자락을 찢어내어 질끈 감았으니 활빈도의 신표였던 까닭이다.

절수처에서 들창문 열고 이제나저제나 내다보며 기다리던 마감동과 변가는 벽파정에 불이 오르자 방문을 박차고 나갔다. 마당에는 벌써 방문을 부수고 뛰쳐나온 우대용이 서 있었다. 그는 귀순한 적당이라 낮에는 마감동 변가와 더불어 지내고 밤에는 맹꽁이자물쇠로 지른 뒷방에 갇혀 있었던 터이다. 그들은 제각기 검은 베를 찢어 나누었다.

그들은 손목에 검은 베를 동이고 나서 수운판관의 거처는 마감동이 맡고, 창고 부근에 수직하는 군졸 한 쌍은 변가, 그리고 우대용은 긴 회양목 깃대를 뽑아들고 포창 군관과 군졸들이 잠들어 있는 마당 앞을 가로막고 서 있었다. 난민들은 각양각색의 꼬락서니로 봇물이 터지듯 몰려들어왔다. 마감동은 절수처의 윗방에 올라섰다가 소란한 소리가 들리기 시작하자마자 미닫이를 벌컥 열었다.

"웬놈이냐?"

이부자리에서 벌떡 일어나며 판관이 외쳤다.

"활빈당이다. 꿈쩍 마라."

판관이 속등거리 바람으로 일어나려는 것을 마감동은 칼집째로 후려쳤다. 정수리를 얻어맞은 판관은 맥없이 뒤로 뻗었고, 마감동이 이불홑청을 찢어내어 결박하고 재갈을 물려두었다. 변가는 수직 군사가 바라보이는 창고 모퉁이의 벽에 찰싹 달라붙어 있었는데, 여럿이 달려오는 소리가 들리자 군사 둘이서 장창을 꼬나잡고 창고를 돌아나오고 있었다. 변가는 환도를 빼어들고 앞으로 나섰다.

"엇…… 누구냐?"

"도적들이 오는 모양이다. 가자."

군사는 그가 한양 포교이므로 의심하지 않고 창을 거두고는 변가를 앞질러 뛰었다. 변가는 그들이 두어 발짝 앞으로 지나쳐가자마자 뒤에서 칼을 날렸다. 두 군사는 치명상을 입고 쓰러졌다. 우대용은 회양목 깃대를 길게 늘이어 쥐고서 군사들이 거처하는 기다란 토담집 마당에 섰다가, 하나둘씩 그러고는 우르르 잠결에 뛰어나오는 자들을 향하여 덤벼들었다. 깊은 잠에 빠졌다가 불빛에 놀라 깨어나 무조건 튀어나오던 군사들은 다시 어둠속에서 기다란 작대기가 방향도 모를 곳에서 날아드니 엎어지고 자빠지고 그런 난리가 없었다. 정강이를 얻어맞고 주저앉아 발을 터는 놈, 배를 얻어맞아 입을 벌리고 숨통을 열려고 헉헉대는 놈, 눈 위에 불이 번쩍하여 땅바닥에서 엉금엉금 기는 놈, 아직 맞지 않아 몸은 성하건만 겁에 질려서 움찔거리며 방문 잡고 섰는 놈, 마당은 아수라판이 되었다. 우대용은 막사를 가로막고 횡횡대는 바람소리를 내면서 깃대를 사정없이 휘둘렀다. 그러는 중에 횃불을 켜든 난민들이 우르르 몰려왔다.

"겁낼 것 없다. 오합지중이다."

장교가 제법 큰소리를 치면서 환도를 빼어들고 앞으로 나섰고, 정신없이 나자빠졌던 군사들도 그제야 용기를 내어 장창과 환도와 육모방망이를 쥐고 슬금슬금 열을 지으려 하였다. 우대용은 깃대를 내던지고 뒤로 물러섰는데, 난민 중의 누군가가 열에 뜬 음성으로 부르짖었다.

"몰살해버려라. 우리를 괴롭히던 나졸들이다."

비록 백여 명밖에 안 되었으나, 조련이고 군율이고 알 바 없이 양식을 바라고 짓쳐들어온 사람들이라, 눈에 보이는 것이 없어 마치 폭풍에 아우성치는 산비탈의 나무숲처럼 보였다. 곡괭이며 쇠스랑이며 각종 농기구를 휘두르고 찍고 박으며 일시에 덮쳐드니 빈틈을 본다는 둥 좌우로 피한다는 둥의 법식을 찾을 틈이 있겠나. 난민들 몇이 앞장섰다가 창에 꿰이고 칼에 베이기는 하였어도 인파가 군사들을 한입에 삼켜버리고 말았다. 마감동과 우대용과 변가는 조금 떨어져서 잠시 숨을 돌리고 섰을 뿐이었다.

털벙거지와 검은 더그레를 본 난민들은 평소에 사방에서 그들로부터 받은 갖은 멸시와 구박이 생각났는지 병장기를 내던지고 이리저리 넘어진 군사들을 다시 일으켜 자빠뜨려보기도 하고 밟고, 치고, 또한 상투를 잡아 태기를 치거나 벽에다 처박기도 하고 뒤통수를 때리기도 하였다. 삽시간에 스물 남짓의 군사들을 두들기기를 개 닭 잡듯, 낚아채기를 고양이가 생쥐나 병아리 다루듯 하였다. 형세는 풍우가 지나는 듯하고 빠르기는 벼락 치듯 순식간에 절수처를 온통 쑥밭을 만들어놓고 점령하였다. 군사들은 포창 군관을 비롯하여 하나같이 땅바닥에 뻗어 있었다. 눈이 빠진 놈, 팔목이 부러진 놈, 코피가 터진 놈, 뒤통수가 깨진 놈, 옆구리를 접질리고 이빨이 빠진 놈, 귀가 떨어진 놈, 뺨이 팅팅 부은 놈, 이마가 부서진 놈, 발을 저는 놈, 뼈가 퉁겨진 놈, 살가죽이 터진 놈, 숨을 헐떡이는 놈, 눈만 멀뚱멀뚱 뜨고 넋이 달아난 놈, 쓰러져서 일어나지도 못하는 놈, 그야말로 형형색색 구구각각으로 다치지 않고 성한 놈은 없었건만 정작 한 놈도 아주 물고가 되지는 않았던 것이다. 마감동이 그들의 앞으로 나서며 말하였다.

"우리가 여러분을 기다리던 녹림의 활빈당이우."

그들은 감동과 다른 두 사람의 손목에 묶인 검은 천을 보았다.

"장사께서 구월산 장두령이란 분이십니까?"

그들 중에 강말득의 낯익은 얼굴을 찾아보려던 광복산 골짜기의 좀도둑 사내가 물었다. 그가 이들 무리의 우두머리 구실을 하고 있었던 것이다. 감동이 말하였다.

"그분도 와 계십니다. 아무튼 포창은 이제 우리 손에 들어왔고 양곡도 우리의 것이오. 여기서 열 사람만 우리 뒤를 따르고 나머지는 이 사람의 지시를 받으시오."

감동은 변가를 손짓하여주었다. 광복산 사내가 제 동료들을 이 사람 저 사람 지적해내어 마감동을 따랐다. 마감동과 우대용은 난민 열 사람을 이끌고 주막거리로 향하였다. 그들이 주막거리의 한가운데에 이르렀을 때, 희끗희끗한 사람의 형체가 보였다. 마감동이 일렀다.

"쉬이, 포구에서 듣고 나왔을지도 모르니 조용히⋯⋯"

그들이 길 양쪽으로 흩어져 살그머니 다가서는데 앞에서 물어왔다.

"거기 마두령인가?"

김기의 목소리였다. 김기의 곁에는 장길산과 강말득도 서 있었다. 김기는 산속에서 날이 어두워지자 곧장 주막으로 내려왔고, 길산은 혼자서 밤에 당도하여 빈 방을 지키고 기다리고 있었다. 그들은 유사과와 주막 주인 딱부리를 함께 포박하여 건넌방에 처넣었고, 식구들은 안채에 가둔 채 협박하여 꼼짝 못 하도록 해두었다. 그리고 이

경을 기다려 말득이가 벽파정에 올라 불을 지르고 방금 내려온 참이었다.

"포구 놈들이 미리 알고 빠져나가지 않았을까?"

변가가 강변 쪽의 어둠속을 내다보며 걱정하였다.

"염려 마슈. 내가 벽파정에 오르기 전에 여남은 척이나 되는 세곡선마다 밑창에 구멍을 뚫어두었으니까. 지금쯤은 아마 바닥에 물이 찰랑거릴 테지."

마감동이 고개를 끄덕였다.

"그렇다면 일부러 갯가에까지 나갈 필요가 없겠구먼."

"유사과의 집은 어찌되었는가?"

마감동이 물었고, 김기가 말하였다.

"아까 벽파정에 불이 붙고 나서 문수고개를 바라보니 불붙인 화살이 오르더군. 자, 우물쭈물할 틈이 없네. 포구는 두 사람이 맡도록 하게."

길산이 말하였다.

"이제는 끝마무리를 잘 지어야지. 나는 말득이와 함께 문수암으로 올라갈 테니 끝까지 실수 없도록 해라."

"웬만하면 절수처에 가서서 편히 쉬시우."

마감동이 말하였으나,

"아니여, 무예를 아는 자들과 포수들이 지키고 있다는데 선흥이와 흥복이만으로는 안심이 안 된다."

하며 길산은 김기와 헤어져 문수암으로 향했다.

김기는 한 사람을 시켜서 묶인 유사과를 주막에서 끌어내어 절수처로 업고 가도록 하였다. 마감동과 우대용은 포구로 내려가다가 말여울로 향하는 길과 문수고개로 넘어가는 길이 갈리는 곳에서 서로 약속하였다.

"내가 그들을 이쪽으로 유인할 것이니 성님은 입을 벌리구 기다리슈."

"그러면 저 논두렁에 엎어져 있으란 말인가, 젠장할."

우대용은 난민들 칠팔 인과 더불어 남았고, 마감동이 두엇을 데리고 내처서 뛰었다. 멀리 어계방의 거뭇한 집채가 보이는 곳에 이르렀는데 앞에서 두런대는 인기척이 들려왔다.

"누구야?"

외치는 목소리가 사과의 맏아들이 틀림없었다. 감동은 머뭇거리지 않고 뛰어가며 소리를 질렀다.

"마포교요. 큰일 났소……"

그들 쪽에서도 벽파정의 불을 보았던 것이다. 번을 들었던 자가 불을 보고도 대수롭지 않게 여기다가 절수처 쪽에서 들려오는 심상찮은 소리를 듣고는 어계방에서 잠들었던 사공들을 깨웠던 터이다. 그들은 제각기 병장기를 찾아들고 주막거리를 향하여 올라오던 참이었다. 맏아들이 달려오는 마감동을 막아섰다.

"뭐요, 도적이 쳐들어온 거요?"

"지금 포창 군사들과 접전 중이오. 어서 조력해야 하오."

맏아들은 얼결에 마감동의 멱살을 움켜잡았다.

"어찌된 거야. 우리집으로 쳐온다더니…… 수는 얼마나 되오?"

마감동이 그의 손을 뿌리치며 말하였다.

"어두워서 잘 모르겠지만, 작대기를 든 것들이 스물은 되는 모양입니다."

"작대기 가지고 포창을 점령한다? 그야말로 흉년 까마귀 빈 뒷간 들여다보듯 하는구먼. 누가 송장이 되어 나가나 두고 보라지."

맏아들은 감동을 엇비슷이 바라보며 코웃음을 날리더니 그를 돌려세우고 등을 내다 밀어냈다.

"그래가지고도 한양서 우리게에까지 도적을 잡으러 왔단 말인가. 얘들아, 가서 오랜만에 칼바람이나 일으키구 오자. 너희들은 예성강 잉어 몰듯이 내 칼날 앞으루 몰아넣기만 하여라."

그들은 주막거리를 바라고 뛰어갔다. 길이 갈리는 곳에 이르러 맏아들이 사공 하나를 불러서 일렀다.

"너는 문수골로 가서 토포군에게 도적들이 포창에 들어왔다고 알려라."

사공은 잡히러 가는 줄도 모르고 신이 나서 사라졌다.

그들이 논을 따라서 뛰는 참인데, 좌우에서 희끗한 사람의 자취가 우뚝우뚝 일어났다. 앞장서서 뛰어가던 마감동이 길을 막듯이 가운데에 버티고 서는 것이었다.

감동은 시르릉 하는 쇳소리와 함께 날렵하게 칼을 뽑아 겨누었다.

"꿈쩍 마라. 우리는 활빈당이다. 포창은 이미 수백 명의 백성들 손에 떨어졌다. 뿐만 아니라 문수골의 너희 집도 우리 손에 들어왔고, 네 아비는 우리가 모시고 있다. 필요없이 살생하구 싶지 않으니 모두 병장기를 버려라."

사과의 아들은 너무도 뜻밖이어서 멍하니 그를 바라보고 그들의 앞 뒤를 둘러싼 자들을 돌아보고 하면서 잠깐 망설였다.

"거짓말 마라. 문수골은 감영 군졸들이 철통같이 둘러싸고 있다."

말이 떨어지자마자 좌우로 벌려선 자들까지 일시에 웃음을 터뜨렸다. 마감동이 너털웃음을 웃으면서 비양거렸다.

"어리석은 놈, 토포군은 모두 변복한 녹림처사들이시다. 네가 방금 사람을 보냈으나 그들이 정말 토포군이라면 어째서 우리가 그냥 내버려두었겠느냐."

딴은 맞는 말이었다. 그러나 순순히 병장기를 버릴 수는 없었다. 유사과의 아들은 잽싸게 칼을 뽑아 땅바닥에 뿌리치고는 옆으로 쳐들었다.

"다친다. 그 칼 거두고 네 아비 목숨이나 보존할 생각을 하여라."

사과의 아들은 칼을 쳐든 채로 감히 달려들지는 못하고서 뒤로 두어 발짝 물러서더니 갑자기 사공들에게 외쳤다.

"누구든지 강을 건너가서 금천군 관아에 알려라."

두어 명이 뒷전에서 후닥닥 뛰었고, 우대용은 그들을 쫓아갔다. 마치 그것이 싸움의 신호이기나 한 듯이 사공들과 난민들이 서로 어울렸다. 사과의 아들이 과감하게 칼을 일직선으로 뻗으면서 뛰어들어왔고, 마감동은 그 칼날을 대수롭지 않게 피하여 엇갈려 빠져나가면서 다시 외쳤다.

"지금 순순히 항복하는 놈들은 살려주겠지만, 만일 끝까지 저항하면 모조리 죽여버린다."

주막거리 쪽에는 군데군데 횃불이 가득하였고 이리저리 뛰어다니는 사람들이 보였다. 이쪽은 무기라고 농기구나 작대기를 들고 있는 농투성이들이요, 저쪽은 배를 부리는 사공들이라 하나 일찍이 유사과가 자위를 위하여 제법 조련을 시킨 민병들이라 그들이 분을 내어 싸운다면 마감동을 빼고는 거의가 다치고 상하는 사람이 많이 나올 것이었다. 그러나 마감동의 으르렁대는 위협과 실제로 내다보이는 포창의 형편을 알고는 그들도 오금이 저려서 주춤주춤하더니 싸울 생각을 버리고 포구를 향하여 달아나기 시작하였다. 사공들이 등을 돌려 달아나자 난민들은 용기백배하여 제각기 소리를 지르며 추적하였다. 패싸움이란 한번 밀리거나 쫓기기 시작하면 걷잡을 수 없을 정도로 무너지게 마련이라, 일단 전열이 흐트러지고 등을 보이게되자 그저 달아 뛰기에만 급급하여 뒷전에서 제 동무가 등판을 얻어맞든 머리가 깨어지든 돌아볼 여유가 없었다. 그리하여 사공들은 거의가 포구에 닿기도 전에 난민들에게 붙잡혔다. 겨우 두어 사람만이배를 바라고 물에 텀벙텀벙 뛰어들었다.

갈랫길 위에는 이제 마감동과 사과의 맏아들뿐이었다. 그는 오히려 아까보다 침착해져 있었고, 이제는 상대를 단 몇합에 쓰러뜨릴수 있으리라 자신이 생겨난 모양이었다. 그는 빙글빙글 웃었다. 가끔씩 주막거리에서 일렁이는 불빛이 그들의 얼굴 위에 어른거리고는 하였다. 사과의 아들은 드디어 칼을 두 손에 쥐고 옆으로 비스듬히 세웠다.

김기가 일찍이 유사과네 초당에서 그 장자의 칼솜씨를 보고 느꼈듯이 그의 검술은 마감동에 비한다면 마치 늑대 앞의 황구라 하여도과언이 아니었다. 비록 모양과 자세를 샅샅이 배워서 웃통 벗고 연마하였다고는 하나, 언제나 후원의 화초 사이에서 칼바람에 꽃잎이나 몇장 날리던 무예에 지나지 않았던 것이다. 훈련원 교관이던 임태룡에게서 검법의 기초를 습득한 지가 어언 십 년이 다 되어가는마감동은 또한 거친 들과 산야에서 대소 수십 전을 겪었고, 해서감영에서 관찰사 이세백의 호위 무사였으며 임진강 북편에서는 아무도 겨룰 자가 없다던 김식을 무더리내 사근다리 밑에서 단칼에 베었던 것이 아닌가. 마감동은 그가 검법의 기본형에 아직도 얽매인 단계에 있음을 알아챘다. 감동이 조용하게 말하였다.

"내가 열 수만 접어주마."

마감동은 칼을 정면으로 반쯤 늘어뜨리고 눈을 감았다. 어둔 가운데 눈을 부릅떠봐야 정신만 흐트러질 뿐인 것이다. 사과의 아들은 쌍수도의 정도를 취한답시고 향좌향우(向左向右) 방적(防賊)의 자세를 보여주고 나서 그대로 격적(擊賊)의 세를 취하고 달려들었다. 칼을 상대편의 좌측과 우측으로 번갈아 돌려치고 그대로 돌면서 다시 진전살적(進前殺賊)으로 공격하여, 칼을 옆으로 그어 허리를 벤 다음에 돌아섰다가 나가면서 찌르기까지가 모두 열아홉 개 동작이었다. 감동은 칼을 들어올려 막거나 받아치거나 하여튼 대적을 않고서 다만, 좌우로 들어오는 칼을 경중 뛰면서 두 걸음씩 비켜나기만 하였다. 그자의 검이 오 척이나 되는 장검인데, 공격점이 긴 반면에 무거워서 날렵하지 못하여 미리 짐작으로 그만한 거리만큼 피하여주면 그뿐이었다. 칼을 써본 자는 알지만 휘두른 칼이 상대의 칼날에 맞아 튀거나 스치거나 하여야 싸움이 몸에 붙어 저절로 동작이 이어지게 마련인데, 헛칼질로 허공을 베는 것처럼 기운이 빠지고 동작의 중심을 잃게 하는 싱거운 노릇은 없는 법이다.

"아껴서 써라. 벌써 네 수나 허비하지 않았느냐?"

마감동이 좌우 발을 가볍게 굴러보며 약을 올렸다. 사과의 아들은 동작이 이어지지 않고 중도에서 저 혼자 칼을 휘두르고 나니, 벌써 호흡이 흐트러졌고 어디서 무슨 자세부터 이어나가야 할지 알 수가 없었다.

"그 다음은 휘검(揮劍)이니라."

사과네 아들이 막 발을 차고 칼을 쳐들며 나서는데 마감동이 미리 말해주니, 그는 당황하여 칼을 옆으로 휘두르지 못하고 그대로 머리 위로 번쩍 치켜들었다가 단칼에 두개골을 두 쪽을 내겠다고 뛰어들었다. 마감동은 그의 옆구리로 파고들어 지나가면서 칼자루 끝으로 배를 가볍게 질러주고는 등뒤로 빠져나갔다.

"여섯 수 지나갔다."

이제 그는 마감동의 조롱하는 말이 들리지도 않았다. 그는 흠칫하여 제 배에 손을 갖다대어보았건만 아무렇지도 않은 것이었다. 사과 아들은 미심쩍은 듯이 몇번이나 숨을 크게 내쉬어보았다.

"왜, 오랏줄이 나왔느냐? 네 수밖에 남지 않았으니 다 쓰고 나면 칼을 던지고 다시 배워라."

마감동은 연신 웃었다. 사과네 아들은 이제는 검법이고 무엇이고 따질 겨를이 없이 함부로 칼을 이리저리 여덟팔자로 내리그으며 달려들었다.

감동은 몸을 뒤로 바짝 꺾기도 하고 허공으로 껑충 뛰기도 하며 옆으로 비켜나기도 하여 그의 장검을 피하였다. 그러더니 유사과의 맏아들이 앞으로 곧장 찔러들어오자 처음으로 챙강, 하는 쇳소리를 내면서 아래로 쳐내고는 감동은 바람소리가 나게 칼을 한번 휙 흩뿌려 보이며 말하였다.

"아까운 열 수를 다 써버렸구나. 칼을 어떻게 쓰는지 내가 가르쳐 주마."

맏아들은 진땀으로 온몸이 젖어 있었다. 그는 어둠속으로 감동의 몸을 살피느라고 너무나 집중하였으므로 온몸은 굳어지고 눈앞은 가물가물하였다. 감동이 천천히 발을 옮기더니 그의 옆으로 파고들었고, 맏아들은 얼결에 제 왼쪽 어깨를 막느라고 칼을 옆으로 비껴서 세웠다. 그러나 감동은 상반신을 오른쪽으로 숙이면서 가볍게 아래로 칼날을 내리그었다. 맏아들은 얼굴이 화끈하였고 뒤로 물러서는데 다시 칼을 쥔 두 손목에 타격이 가해졌다. 얼결에 손을 펼치고 힘을 빼니 칼은 땅바닥에 떨어지고 말았으며, 마감동이 칼끝으로 그 칼을 끼어 휙 던져버렸다. 맏아들의 칼은 먼 곳으로 날아가 어디 진흙이나 논 가운데라도 꽂혀버렸을 것이다. 사과의 아들은 손을 얼굴에 가져갔다. 오른쪽 이마로부터 시작하여 눈두덩과 콧잔등을 지나 왼쪽 뺨 위로 얕은 자상이 지나간 것을 알았다. 한 치만 깊었던들 그의 머리는 무쪽같이 동강이가 났을 것이었다.

"수회천의 결을 아느냐?"

마감동이 물었고, 사과의 아들은 그 자리에 얼어붙어 서 있었다. 그는 두 손이 저려서 손가락을 움직일 수도 없었는데, 칼등으로 내리친 것이 분명하였다. 그제야 사과의 맏아들은 상대가 까마득한 고수(高手)임을 깨달았다.

"감영 무사 김식이 이 칼에 죽었다."

칼집에 칼을 꽂아넣으면서 마감동이 말하였다. 사과의 아들은 처음에 그가 내뱉었던 말이 무슨 소리인지 알아듣지 못했고, 그 다음의 말은 대번에 알아들었다. 그도 소문을 들었는데, 장터 왈짜들 사이에 파다하게 얘기가 돌았던 것이다.

"당신이……"

"꿇어앉아라."

마감동이 나직하게 내뱉었다. 사과의 아들은 자기도 모르게 마치 커다란 바위가 그의 머리를 짓누르기라도 하는 듯이 전신에서 힘이 빠지며 털썩 한쪽 무릎을 꺾었고, 다시 다른 무릎을 꺾어 주저앉으며 머리를 떨구었다. 겨우 목숨을 구걸할 수밖에 없는 완전한 참패였다. 주막거리 쪽에서 난민들이 달려왔다. 마감동은 그쪽을 돌아보고 나서 물었다.

"이름이 무엇인가?"

"수룡(守龍)이오."

"다시 사는 목숨이니 개명을 해야겠다."

마감동은 그때 유사과 맏아들의 이름을 귓전에 흘리고 말았다. 이는 바로 김식과 동행하였던 해주 군관들 가운데 두 사람의 생존자와 같이, 구월산 토포군의 앞장을 서게 되는 자의 이름이었던 것이다.

"이 자를 묶어서 절수처로 끌어가시오."

다가온 난민들에게 마감동이 말하였고, 그들은 사과의 맏아들을 이리저리 새끼줄로 사정없이 묶었다. 마감동은 포구를 향해 걸어갔다.

우대용은 강을 건너 금천 관아에 적환을 알리려고 뛰어가는 민병을 뒤쫓아 포구로 내려갔는데, 벌써 배가 물에 잠기기 시작하여 뜨지 못할 것은 알지만 헤엄을 쳐서 건널 것이 걱정이었다. 강줄기를 휘어들여 좌우로 자갈과 모래를 쌓아 선창을 만들었는데 배들은 아직도 강변에 가지런히 떠 있었다. 대용은 배를 향하여 뛰어올라가는 그들의 뒤를 따르며 삿대를 집어들었다. 몇발짝 앞에서 배의 덕판과 창막이 판자 사이를 건너뛰는 자를 향하여 우대용은 삿대를 엇비슷이 던져버렸다. 두 다리 사이에 장목이 걸려 발모가지 부러진 말이 자빠지듯이 그자는 삐끗하더니만 물이 괸 뱃바닥에 머리를 처박았다. 대용은 그대로 그자를 건너뛰어 반대 방향으로 뛰고 있는 자에게로 쫓아갔다. 그가 강 쪽으로는 가장 가녘에 있는 배로 건너뛰더니 뒤를 힐끗 돌아보고 상대가 맨손인 것을 알자 그 자리에 멈추었다. 한번 해볼 만하다고 여겼던 것이다. 그자는 짜른 칼을 들고 있었다. 날이 넓적하고 끝은 날카로웠다. 뱃사람들이 흔히 쓰는 칼이었다. 대용은 주춤하였다. 그는 배의 덕판에 한쪽이 부러진 채 버려져 있는 닻을 집어올렸다. 밧줄이 그 아래로 줄줄 딸려올라왔다. 대용은 넉넉하리만큼 줄을 빼어 왼손에 감아쥐고 오른손에 닻을 잡았다. 이것은 사슬낫이라 하여 꺾쇠처럼 휘어진 칼자루 끝에 쇠사슬과 추(錘)를 연결한 수군의 무기와 다를 바가 없었다. 그자가 칼을 앞으로 쥐고 달려들며 몇번 좌우로 돌려 위협하더니 대용의 가슴팍을 바라고 곧장 찔러들어왔다. 대용은 비켜나면서 밧줄을 그 손목에 감아 잡아채니 앞으로 고꾸라졌고 닻으로 등판을 내리찍었다. 물소리가 요란하게 들리며,

"저기 간다, 물속이다."

"잡아라, 놓치지 마라."

떠드는 소리에 우대용이 고개를 들어 바라보니 하나는 바로 물가에서 난민들께 덜미가 잡혔고, 다른 하나가 빠르게 헤엄을 쳐서 선창을 벗어나려는 참이었다. 우대용은 얼른 죽은 자의 짧은 칼을 집어 입에 물고는 그대로 첨버덩, 물에 뛰어들었다. 대용의 헤엄은 이러한 좁다랗고 잔잔한 강물에서 익힌 것이 아니라, 일찍이 해주 용당포에서 산더미 같은 파도를 헤치고 넘나들며 익힌 그것이었다. 물장구도 별반 없이 스멀스멀 다가드는데 차츰 간격이 좁아졌다. 사공은 몇번이나 뒤를 돌아보았고, 입에 칼을 물고 성큼성큼 다가가는 대용의 모습에 그만 정나미가 떨어진 모양이었다. 정작 대용이 다 가들어 발을 거세게 튀기며 훌쩍 뛰어 먹이를 채는 숭어처럼 그자의 상투를 잡고 칼을 잡아 번쩍 쳐드니 그는 제풀에 발장구를 그쳐서 물에 잠겼다. 그리고는 말은 못 하고 하푸하푸 물을 삼키며 두 손을 조금 내밀어 모아 비비는 시늉을 보였다. 대용은 그를 타넘고 지나가서는 물속에서 발로 내지르며 밀어냈다. 말이 없건만 뭍에 오르라는 지시인 줄을 어찌 모르랴. 사공은 허겁지겁 대용에게서 멀어진 것만 반가워 선창 쪽으로 되돌아갔다. 대용이 강변에 오르니 오히려 물속은 나은 편이어서 가을바람이 썰렁하게 느껴졌다. 그는 대충 옷을 쥐어짜고 물에 젖어 흐트러진 상투를 위로 끌어올렸다.

"어찌되었소?"

마감동이 다가와서 물었다.

"한 놈도 못 건넜다."

대용은 흐드득 몸서리를 치며 말하였다. 조읍포는 이제 철벽에 둘러싸인 것이다.

길산과 말득이가 문수고개로 올라가니 지켜섰던 자가 갑자기 어둠속에서 뛰쳐나오며 창검을 들이대었다. 한식구인 줄 잘 알면서도 길산은 놀라서 가슴속으로 손을 넣었고, 말득이도 얼결에 허리춤을 더듬었다. 아무리 흑색 더그레에 털벙거지 차림이라 하지만, 그도 역시 손목에 장표(章標)로서 검은 천을 매고 있었다.

"문수암은 어찌되었느냐?"

"조금 전에 매복한다고 강두령과 최두령이 두 오를 끌고 올라갔습니다."

"유가네 재물은 떠났는가?"

"예, 우두령 식구 두 사람이 야거릿배에다 옮겨싣고 벌써 썰물을 탔습니다."

"자네 혼자 망을 보나?"

"짝이 있습니다만, 방금 문수골로 내려갔지요. 사공 한 놈이 포구에서 이쪽으로 뛰어오길래 불문곡직 잡아서 한 사람이 사과네로 끌고 갔습니다."

"음, 삽살개 한 마리라도 고개를 넘게 해서는 절대로 안 된다. 만일 힘에 부치는 상대가 나타나면 하나는 싸우고 하나는 문수골로 알려라. 밥은 먹었느냐?"

"유아무네 집에서 군사를 호궤한다고 돼지를 잡았는데요, 어이구 갑자기 기름진 것을 먹어서 그런지 속이 느끼합니다. 역시 군복이 좋긴 좋습니다."

길산은 패거리들에게 한결같이 친형제 대하듯 하였다. 그는 말득이와 함께 산으로 올라갔다. 좌우로 풀이 우거져 늘어졌기 때문에 간간이 길의 자취가 끊어지기는 하였으나, 걷기에 그리 불편하지는 않다. 문수골로 올라가는 산골짜기 아래에는 깊이 팬 개천이 흘러내려갔고, 중턱에는 용바위 개바위 매바위 등의 갖은 형상의 바위들이 둘러선 곳이 있는데, 거기서부터 골짜기를 가로질러 바위 사이로 오르면 산의 오목한 곳에 문수암이 박혀 있었다.

"불빛이 보여요."

말득이가 말하였다. 컴컴한 산의 자취 가운데 까물거리는 한 점의 빛이 떠 있었다.

"길이 외길이더냐?"

"제가 얼마 전에 살펴두려고 부근에까지 올라가보았는데 경사가 매우 급하여 숨이 턱에 닿습니다."

용바위는 처음에는 꼭대기에 두 뿔과 같은 바위가 달렸더니, 그중 하나는 왜장의 총에 맞아 부러졌다는 풍설이 있었고 지금은 뿔 하나만이 있다는데, 용이 사리를 틀고 머리를 쳐든 것과도 같다는 것이었다. 용바위의 중간에는 배꼽 비슷한 모양이 있는데 이 배꼽의 색깔이 평소에는 누런색이지만, 때때로 다른 색깔로 변하기도 하여 그럴 때면 이 지방에 흉년이 든다고 하였다. 용바위는 아들을 점지한다고 전해져서 부인들은 날을 받아 용바위 앞에 올라와 절을 하고 아들 낳기를 빌기도 하였다.

그러나 용바위 부근이 문수암의 기도처 중의 한 곳이 되고부터는, 큰마님께서 가끔 산신 기도를 하러 암자에서 내려오기도 하여 마을 여자들의 범접을 엄금하였다. 이유는 부정을 탄다는 것인데 잡인이 기도처를 더럽히고 가면 효험이 없다는 것이었다. 말득이가 가면서 시시콜콜 얘기하니 길산은 빙긋이 웃으면서 녀석이 꽤는 여러가지로 알아보았구나 생각하였다.

"어디서 그런 자세한 얘기를 들었니?"

"말두 마우. 내가 선비 성님 구종배 노릇만 맡아놓고 하려니, 유아무네 집에 가서도 행랑것들하구만 놀았지요. 그 자식들이 외방 사람들께 하는 얘기야 주인네 자랑 아니면 흉입지요."

"가만있거라……"

길산이 문득 무엇을 느꼈는지 말득이의 소매를 당겼다.

"부근에 사람이 있다."

길산과 말득이는 거뭇거뭇한 바위가 서 있는 사잇길을 오르려다가 멈추었다. 길산이 바위에 몸을 기대는데, 느닷없이 바위 위에서 누군가가 뛰어내렸다. 길산은 방비했던 참이라 슬쩍 비켜나며 그의 두 팔을 마주 잡아 어깨넘이를 하여 맞은편 바위에 처박았다.

"어이쿠."

"누구냐, 이건 우리 식구 아닌가."

그래서 올려다보니 바위의 양편에 하나둘씩 사람들이 일어나는 것이 보였다.

"성님이슈?"

"응, 선홍이로구나. 하마터면 붙안고 골짜기에 떨어져 죽사발이 될 뻔하였고나."

길산은 머리를 흔들며 비틀거리는 졸개의 등을 두드려주었다.

"괜찮으냐, 다치진 않았지?"

"골이 깨지는 줄 알았수."

위에서 말하였다.

"이리 올라오슈."

사잇길을 지나 바위의 위편으로 돌아드니 두 바위가 반쯤 묻혀져 훨씬 낮아 보였다. 길산이 물었다.

"예서 뭘 하느냐?"

"한 사람 보내어 동정을 살피구 오라 하였지요."

길산은 말득이를 돌아보았다.

"번거롭게 할 것이 없다. 너 아까 하였던 얘기를 흥복이 선흥이에게도 해주어라."

말득이가 용바위 얘기를 하니, 선흥이는 이게 느닷없이 웬 옛말인가 하여 시큰둥했다. 그러나 역시 당초망 최흥복은 고개를 끄덕였다.

"우리가 여기서 기도처를 범하면 되겠구먼. 시끌벅적하면 내려오겠지."

"관솔불을 훤히 밝혀놓지."

의논이 이루어지자마자 군복 입은 패거리들은 모두 숨고, 길산이가 나서려니 흥복이 말렸다. 흥복은 구슬상모와 철릭 따위를 벗어버렸다. 길산은 그들의 하는 짓이나 구경하러 숲속에 들어가 나지막한 나무에 올라가 앉았다. 위로 살피러 올라갔던 졸개가 돌아왔다.

"밖에 두 놈이 나와 있고, 방에는 아직 불이 켜져 있습니다."

"올라갈 필요 없다. 이리로 끌어내려야지."

최흥복이 쌈지를 꺼내어 관솔가지에 불을 붙여서는 용바위 아래 이곳 저곳에 꽂아두었다. 흥복이와 말득이가 일부러 서로를 부르며 큰 소리로 떠들었다.

"제물을 어디에다 놓지?"

"성님, 우리 먼저 술 한잔 하구 시작합시다."

"이 녀석아, 그런 버르장머리가 어디 있어. 네 마누라는 안 데려오구 불알 덜렁 찬 놈들만 와서 무슨 효험이 있겠냐."

어쩌고저쩌고 귀먹은 놈에게 재담 들려주듯 골짜기가 떠나가라고 소리를 질렀다.

문수암에서도 그 소리를 듣고, 유사과의 둘째가 마루로 나와 귀를 기울여보다가 수직하고 있는 장정에게 말하였다.

"이봐, 좀 내려가봐라. 뭣들인가."

그도 가만히 귀를 기울여 들어보더니 대수롭잖게 말하였다.

"용바우에 점자(點子)기도 드리러 온 모양이우. 내버려두면 그냥 갈 테지요."

"뭐야? 슬그머니 지내고 가도 나중에 할머님께서 아시면 노발대발하실 텐데, 저렇게 내로라고 떠드는 것들을 그냥 놔둔단 말인가? 그리구 시방 때가 어느 때야, 도적들이 우리집을 노린단 지가 벌써 사흘이 지났어."

수직하고 섰던 민병이 대꾸할 말이 없어 환도를 집어들고 일어섰다. 문수암은 뒤로 천신산의 깎아지른 듯한 암벽을 등지고 있었으며 오른편으로는 사람 두어 키쯤의 작은 폭포가 흘러내렸고, 왼편으로는 오솔길이 나 있는데 그것은 오십여 보도 못 가서 경사가 급한 산마루로 오르게 되어 있었으며, 아래로는 전나무와 소나무가 빽빽이 들어선 가파른 비탈이었다. 수직하는 다른 민병 한 사람은 바로 그 오솔길 앞에 서 있었으나, 누가 천신산의 굽이굽이를 돌아 내려오든가, 그 가파른 비탈을 나뭇가지를 비집으며 밤중에 오르리라고는 짐작할 수도 없었다. 가장 주의해야 할 것은 역시 문수고개에서 오르는 큰길이었다. 암자 마당으로 들어서는 곳에서 층계가 있었고, 골짜기와 산길을 건너질러 돌다리를 세워두었는데, 아래는 깊숙한 절벽으로 물이 거세게 흘러내려가고 있어 골짜기의 냇물에 합류하고 있었다.

"사내건 계집이건 가리지 말구 잡아라."

사과의 아들은 아직도 골짜기의 소란을 별로 대수롭지 않게 생각하고 있었다. 암자는 일자의 기와집인데, 가운데가 불상이 모셔진 불당이요 왼쪽이 노마님이 기거하는 방이고, 그 뒤가 바로 부엌이며 부엌 옆에 보살이라 불리는 중년의 여종 방이 있었고, 불당 오른편에 잇대어진 방에는 사과의 둘째아들과 서북 사람 둘이 기거하였으며 그 뒷방에 관동 포수가 셋이 있었으며, 북편의 기다란 토방에는 불목하니로 불리는 노복이 기거하였는데 여덟 명의 마을 민병들은 거기서 지내고 있었다. 사과의 둘째아들이 마루에서 서성대자니 방문이 열리며 서북 사람 하나가 고개를 내밀었다. 목소리에 가래가 잔뜩 낀 듯하고 눈이 가느다란 사내인데, 예전에 압록강변에서 호인과 싸우던 대총(隊總)이었다. 비록 두 오를 거느리던 자였으나 장창을 쓰는 데는 그를 당할 자가 없었다. 그와 같이 있는 자도 요도수(腰刀手)로서 오랫동안 종군하였다. 군령을 어겨 군문을 이탈하여 이곳저곳을 떠돌며 부잣집의 호위도 서고 상고의 호송도 맡아하더니, 유사과가 평양에 갔다가 의주 부상의 소개를 받아 급료를 후히 주기로 하고 데려왔던 것이다. 그들은 적어도 일반 왈짜들과는 달랐고 제아무리 사과의 삼형제가 무예의 기본을 배웠다고는 하나, 실전도 겪고 무수한 죽을 고비를 넘겼던 그들과는 상대도 되지 않았다. 그들은 판단이 재빠르고 안전과 위험을 한눈에 짐작하여 알았으며 사람을 알아보는 눈도 날카로웠다.

"뭐요?"

서북인이 가래를 내뱉으면서 둘째에게 물었다.

"별건 아니구, 용바우에 웬것들이 와서 또 점자기도를 드리는 모양이라."

"점자기도?"

"기도처를 더럽혀서 엄금시켰더니 밤에도 오는군."

그는 제 동무를 깨웠다.

"이봐, 일어나. 뭐가 온 모양이야."

요도수 다니던 자가 벌떡 일어났다. 둘 다 중년인데 대충 다니던 자보다는 훨씬 해사하고 젊어 보였다. 그들은 마루로 나섰고 목쉰 자가 중얼거렸다.

"우리더러 내려오라는 수작이로군."

"그러면 저것이 도적들의 꾀임수란 말이우?"

둘째가 그제야 놀란 듯이 다급하게 물었고, 서북 사내는 방문 옆에 세워두었던 가죽 전대 비슷한 것을 집어들었다. 전대의 위와 아래로 명주줄이 꿰어져 나다닐 때에는 등에 엇갈려 메도록 되어 있었다. 누가 보더라도 그 속에 병장기가 들었을 것으로는 여기지 않을 것이었다. 서북 사내는 전대에서 두 개의 봉을 꺼냈다.

"용바우에 오는 이라면 이 부근 마을 사람들일 테고, 그들은 대개 적경이 일어난 것을 들었을 겝니다. 때맞추어 일부러 요즘처럼 살벌한 때에 기도를 드리러 왔다니, 적당들 외에는 달리 없소이다."

그는 굵은 봉과 비교적 가느다란 봉을 마주 잡아 서로 끼워 비틀었다. 그러고는 옆으로 가로 뚫린 구멍에다 나무로 만든 이음못을 꽂아 넣었다. 서북 사내는 봉의 가운데를 잡고 어깨 너머로 앞뒤로 몇번 휘둘러보았다. 그는 봉의 끝에다 뾰족한 창날을 박고 석반(錫盤)을 끼워 단단히 조였다. 대충 지낸 사내가 병장기를 조립하는 모양은 빈틈이 없었고, 싸움에는 벌써 이력이 나 있는 자가 분명하였다. 사과 댁 둘째도 봉에는 자신이 있었으므로 칠 척 이 촌의 박달나무 막대를 집어들고 대충 사내처럼 휘둘러보았다. 뒤에서 바라보던 해사한 서북 사내가 픽 웃으며 말하였다.

"봉이 매끈하구먼. 칼자루의 금을 보면 얼마나 죽었나 알 수가 있지."

"어쩔 셈이우."

둘째가 그의 말을 못 들은 척하며 대충 사내에게 물으니,

"우선 관동 포수들을 깨웁시다. 그리고 우리도 경내에다 등을 휘황하게 달아놓읍시다."

하고 그는 엉뚱한 말을 하였다. ●

"우리를 훤히 드러내잔 말이오?"

"내가 진법(陣法)을 조금 압니다. 이른바 가운데를 공허하게 드러내고 주변을 싸는 것을 언월진(偃月陣)이라고 합니다. 매복에 잘 쓰는 설진법이지요. 언월진으로 있다가 적을 궁지에 몰 때에 예진(銳陣)으로 화살 모양으로 바꿉니다."

다른 사내가 포수들을, 둘째가 장정들을 깨워서 마당으로 모였다. 그들은 함께 대충 사내의 지시를 들었다. 먼저 포수들이 접근하여 어지럽게 총을 쏜다. 매복하고 있던 적당들은 틀림없이 골짜기를 타고 돌다리를 건너올 것이다. 그러면 그들이 암자 어귀에 들어서자마자 둘러싼다. 그들의 선두를 끊는데 예진으로 바꾸어 두 서북 사내는 기중 날랜 자들을 맡아 암자 오른편의 산비탈 쪽으로 내몰고, 둘째가 장정들과 더불어 적당의 끊어진 후위를 암자 앞의 후미진 계곡에다 몰아 처넣는다. 적당들 중에 약삭빠른 자들이 다시 다리를 건너 되돌아 달아날 테지만 이때에 접근하여 있던 관동 포수들이 겨냥하여 방포한다. 이쯤 되고 보면 호구(虎口)라는 말 그대로 범의 아가리가 된 셈이었다. 관동 포수가 먼저 아래로 내려갔다.

길산 일행은 어슬렁거리며 내려온 장정을 잡아놓고 문초하여 저쪽의 형세가 오히려 포창이나 포구보다도 튼튼하게 방비되어 있음을 알았다. 홍복이가 그의 목에 칼을 갖다대어 시키는 대로 소리를 지르도록 하였다.

"서방님, 큰탈 났습니다. 여자가 죽었어요. 서방님…… 좀 내려오십시오."

그가 외치는 소리는 고요한 온 산이 찌렁찌렁 울리도록 의외에도 컸다.

그러나 그뿐, 위에서는 아무런 반응도 없었다. 길산은 가까운 곳에서 버석이는 가랑잎 소리와 나뭇가지 꺾이는 소리를 들었다. 잠시후에는 쇠가 맞부딪는 소리가 짧게 들려왔다.

"홍복아, 피해라."

당초망 최홍복이 부시 치는 소리를 못 들었을 리가 없었다. 그가 재빨리 잡고 있던 장정을 앞으로 밀어내면서 바위틈에 뛰어들자마자 총성이 두 방 울렸다. 장정이 맞아 쓰러졌다. 길산과 선흥은 식구들을 인솔하여 위로 뛰쳐올라갔다. 말득이가 홍복에게 낮게 속삭였다.

"포수가 셋이라면, 한 방 남았다."

홍복과 말득은 포수들이 숨은 암자 왼쪽의 산등성이를 향하여 기어 올라갔다. 홍복이도 왜총에 환을 재어 하나는 어깨에 메고 또 하나는 옆구리에 끼어들고 있었던 것이다. 자비령 식구들 가운데서 홍복의 오가 되었던 사람 둘이 또한 그들의 뒤를 따랐다. 그들은 가까이 기어 올라갔고, 홍복이가 말득이를 툭 건드렸다. 말득이도 알아채고는 갑자기 벌떡 일어나서 뛰어올라가며 외쳤다.

"끼놈들, 게 섰거라아!"

포수들이 급해졌는지 우뚝우뚝 일어났고 홍복이 기다리고 있다가 놓치지 않고 쏘았다. 하나가 쓰러지자 다른 하나는 아래로 뛰어내려갔는데 몇번 구르다가 다시 일어나는 것을 홍복은 다른 총으로 연거푸 쏘았다. 홍복은 스스로도 장하다는 듯이 유사과네 막내에게서 빼앗은 왜총의 개머리판을 툭툭 두드려주었다. 움직이지 않았던 포수가 부지런히 약을 재고 환을 넣어서 다가드는 말득이를 쏘아 맞히려고 겨누었다. 말득이는 열 걸음쯤 다가들며 허리에서 자고를 뽑아서는,

"싯."

소리를 지르며 날렸다. 포수는 발치에다 꽝, 하고 헛방을 놓으며 넘어졌다. 말득이가 총을 발길로 차 내던지고 달려들어보니 자고가 뺨에 맞아 깊숙이 들어박혀 있었다. 뒤이어 식구들이 올라와 관동 포수라는 것들을 수습하고 보니, 하나는 숨이 식었고 둘은 부상을 당한 것이다. 이렇게 하여 매복했던 관동 포수를 단숨에 무찌른 것이었다.

사실 서북 사내는 적당이라야 시골 왈짜패에 지나지 않을 줄로만 알았던 것이다. 그로서는 해서의 활빈당에 대하여도 어렴풋이 들은 적이 있건만, 서흥에 가서 막상 소문에 접하고는 노소와 아이들까지 섞인 난민 따위로나 알았다. 그는 난민들 틈에 이렇게 무서운 재간이 숨겨져 있을 줄은 전혀 몰랐다. 또한 아무리 난다 긴다 하는 한양 인근의 도적들이라 할지라도 단병접전에 관한 무술의 기본도 되어 있지 않을 듯싶었다. 머리 숫자만 많고 고작해야 짜른 칼이나 작대기를 휘두르겠거니 여겼던 것이다. 이렇게 하여 그의 언월진은 전혀 집체적인 조련을 받지 않은 도적들을 양쪽으로 협살하려던 것이었다.

선홍이가 앞장을 섰고, 맨 뒤에 길산이 있었다. 길산을 빼고는 그들은 모두 벙거지에 군복 차림이었다. 암자의 양쪽에 숨어서 언월진을 벌이고 기다리던 문수암 패거리들은 처음에는 의외에도 관군이라 멈칫거리고 있었다. 그들이 호기를 놓치는 사이에 선홍이는 이미 법당 앞으로 뛰어올라갔고, 길산은 마당 가운데로 뛰쳐들어왔으며 식구들은 마당 가녘에 들어서 있었다. 길산은 마당이 텅 비고 등불만 훤히 밝혀진 것을 보자 암자의 층계로 올라서서 식구들에게 일렀다.

"집을 등지고 돌아서라."

자비령 식구들은 곧 눈치를 채고 마당을 비우고서 암자를 등에 지고 바짝 물러섰다. 마당에 도적들이 들어서자마자 집 왼편에 숨어 있던 사과네 둘째아들과 민병들이 몰려나오게 되어 있었으나, 그들은 바로 집을 호위하러 왔던 군사들이므로 둘째는 망설였던 것이다. 그가 태평하게 봉을 땅에 짚은 채로 걸어나오는데, 오른쪽에 숨었던 두 서북 사내들은 무기를 휘두르며 뛰쳐나왔다.

"속지 마라, 도적들이다."

벌써 대충 지낸 사내는 장창에 자비령 식구 한 사람을 꿰었고 다른 사내는 환도를 휘두르며 층계 오른편에 뚫고 들어오는 중이었다. 선홍이와 식구 서넛이 그들을 맞아 뛰어내렸고, 길산은 남은 식구들과 더불어 왼편을 맡았다. 싸움이 어지러운 중에 둘째가 봉을 좌우로 내리치며 다가들었다. 길산은 맨손으로 비켜나다가 그의 머리를 향하여 일직선으로 날아오는 봉을 수도로써 상단에 뻗어올려 막으면서 봉을 잡아 한번 당겨주었다. 앞으로 넘어져오는 상대를 길산은 손끝으로 쇄골을 찔러넣어주고 한 팔로 휘둘러서 목을 감아 조였다.

"너희 집이 점령되고 아비는 우리에게 잡혀 있다. 죄 없는 마을 사람들 다치게 하지 말고 병장기를 버리게 하여라."

사과의 둘째아들은 그 한마디에 기운이 쭉 빠지는지 다급하게 말하였다.

"모두 그만두어."

그들도 마을에 들어왔던 군사들이 이제 문수암까지 올라왔으니 이미 조읍포가 결딴이 나버린 것을 눈치챌 수 있었던 것이다. 뒤미처 말득이와 홍복과 두엇의 자비령 식구가 올라오는데 하나는 아예 들쳐업었고 다른 하나는 옆구리에 부축받고 그리고 세 번째는 안면이 온통 피투성이였다. 그가 바로 말득이의 자고를 뺨에 맞은 자였다. 동네 장정들은 모두 병장기를 땅에 떨구었으나 오른편의 마당에서는 어지러운 싸움이 계속되고 있었다. 강선흥이 성난 곰같이 이리 돌고 저리 도는데 두 서북 사내들은 능숙하게 양쪽에서 선흥이를 몰아치고 있었다. 선흥이가 엄파 쇠몽치를 쓰는데 기운은 누구보다도 세어 일찍이 장연 남대천의 쇠뿔을 뽑았다는 소문이 있기는 하나, 변방에서 수십 차례의 전투를 벌인 익숙한 싸움꾼들을 어찌 당하랴. 벌써 한 팔은 칼에 베어져 피가 배었고 창날이 옆구리를 스쳐서 배자자락이 크게 벌어져 있었다. 말득이가 자고를 뽑아 양손에 갈라쥐고 나서려니 길산이 제지하였다. 길산은 가슴속에 언제나 넣고 다니는 반 팔 길이의 예도를 뽑았다. 길산이 층계로 하여 천천히 걸어 내려가며 조용하게 말하였다.

"솜씨가 좋으나 더이상 싸우면 살려둘 수가 없다. 치워라."

그러나 대총은 돌연 선흥에게서 장창을 물리자마자 그대로 길산에게로 내뻗었다.

"오냐, 네가 적당의 수괴로구나. 오늘이 네 장삿날이다."

길산은 칼을 들어올릴 것도 없이 가볍게 마당 위로 내려뛰었다.

선홍이는 하나가 빠지자 짐이 훨씬 가벼워져서, 제 어깨를 향하여 비스듬히 내려오는 칼날을 엄파 쇠몽치를 들어 그대로 일직선으로 쳐버렸다. 거센 충격을 이기지 못하여 칼의 중동이 날카로운 쇳소리를 내면서 부러지고 그자는 칼자루를 놓치고 말았다. 선홍이가 분이 코끝에까지 치밀었던 판이라 그대로 으악, 소리 내지르며 달려들어가 쇠몽치를 내려쳤다.

선홍이가 분을 내어 내려친 엄파 쇠몽치라면 소나무 둥치도 꺾어질 판이라, 사람은 말할 것도 없었다. 선홍이는 씩씩거리며 쇠몽치를 들고 돌아섰다. 장창 가진 대총 사내를 맡기 위해서였는데, 그는 이미 길산이 대적하고 있었고, 흥복이가 그의 소매를 가만히 당겼다.

"그냥 놔두시우."

등불이 훤히 켜진 마당 한가운데에 두 사람은 잠시 서 있었다. 서북 사내는 돌층계에서 뛰어내린 길산의 상반신을 노리며 비파(琵琶)의 자세로 창날을 위로 치키고 다리는 향로의 그것처럼 구부려서 벌려 딛고 있었다. 길산은 칼을 쥐고 두 팔을 내려뜨리고 마주 서 있었다.

그들의 뒤에서는 구월산 식구들과, 병장기를 버리고 주저앉았던 문수골 민병들이며 사과의 둘째아들이 숨을 죽이고 바라보고 있었다. 비파의 자세는 마치 넉 줄의 팽팽한 비파를 손가락 끝으로 퉁기듯이 창 끝으로 허공을 찢는 창법이었다. 대총은 발을 재게 놀려서 뛰쳐들어오며 길산의 안면을 노리고 긋고 찌르는 작은 원을 수없이 그렸다. 그러나 길산은 그 자리에 선 채로 귀 옆으로 창날을 흘리기도 하고, 상체를 굽혀 바로 코앞에까지 온 창날을 칼끝으로 살짝 비껴가게도 하였으며, 앞으로 숙여 창날이 어깨 위로 빠져나가게도 하였다. 그러면서도 길산은 결코 그의 창길이인 일 장 오 척 안으로는 뛰어들려 하지 않았다. 서북 사내가 약이 올랐던지 갑자기 두 다리를 꾸부리고 주저앉으며 창을 밑으로 숙여 아랫도리를 찌르니 바로 포지금(鋪地錦)으로서 비단을 땅바닥에 펼치는 듯한 동작이었다. 길산은 펄쩍 뛰었다가 비스듬히 서면서 발로 창대를 밟고는 두 발을 뛰어 디디니 바로 그의 창대를 잡은 손에 닿았다. 서북 사내가 빙긋 웃으면서 창대를 획 꺾어 적수(滴水)로 고쳐 쥐었다가, 그대로 피리를 부는 듯이 창대의 끝을 나란히 잡고서 길산의 옆구리로 돌연 찔러들어오는데 철번우(鐵翻竿)가 분명하였다. 길산이 그대로 반듯이 땅바닥에 나가떨어지는가 하였는데, 어느 틈에 다리는 위로 올라가고 허공중에 큰 맴을 돌면서 한 칸 폭이 넘게 떨어져서 섰다. 그러니 다시 창길이의 맞춤한 바깥이었다. 이것은 무예에는 나오지도 않는 재주로서 길산이 어려서 광대 다닐 적에 몸에 너무나 오랫동안 익혀 왔던 근두(筋斗)짓이니 지금 보인 재간은 널뛴근두였다. 비로소 대총 사내는 당황한 빛을 보였다. 웬만한 상대 같았으면 적수에서 철번 우의 급습으로 돌변할 때 창날에 꿰이거나 적어도 부상당하게 마련이었고, 강선홍도 바로 그 창술에 배자의 옆구리가 찢어져나갔던 터이다. 길산은 이제껏 한 번도 단검을 휘두른 적은커녕 변변히 창대에 갖다댄 적도 없었던 것이다. 그냥 팔의 일부분인 듯이 들고만 있었다. 대총은 다시 호흡을 가다듬고 나서 영묘촉서(靈貓捉鼠)로 앞발을 크게 벌려 뛰고 뒷발을 끌면서 창을 낮게 숙여 맴돌리며 들어왔다. 길산은 팔을 휘돌려 허리를 슬쩍 비틀어 창대를 어깨 위로 얹고는 눈앞에서 단칼에 내리쳤다. 창날 달린 중동이 수수깡처럼 깨끗이 잘려나갔고, 땅바닥에 떨어진 창날이 쇳소리를 내었다. 서북 사내는 이제 장검만 한 길이로 남은 봉만 들고서 당황하여 뒤로 몇걸음 물러났다. 길산이 그의 발끝에 떨어진 창날 쪽을 발등으로 허공에 차던지더니 칼을 좌우상하로 내려치고 올려치고 옆으로 치는데 칼날은 뵈지 않고 등불빛에 섬광만이 반짝거렸다.

베어진 창봉이 작달막한 나무토막이 되어 무 조각처럼 땅에 이리저리 흩어졌고, 끝으로 챙그랑, 하는 소리가 들렸다. 창날마저 길산의 칼이 허공으로 날렸는가 하였으나, 길산은 칼날을 옆으로 하여 수두(獸頭)로 수평이 되게 쳐들고 있던 칼을 손바닥 위로 슬며시 내렸다. 창날이 그의 손 위에 떨어졌다. 창봉은 원래 자작나무나 단풍나무 또는 박달나무를 쓰는데, 특히 박달나무를 창봉용으로 재배하여 수년이 지나 굵기와 곧기를 가늠하여 뿌리 위로부터 절취하여 쓰는데, 잘라내자마자 그 나뭇결의 속을 채우기 위하여 오줌에 오랫동안 담그고는 꺼내어 뜨거운 재 속에서 말려서 다시 동백기름을 속속들이 먹이는 것이다. 습기와 화기에 단련되고 다시 기름을 먹였으니 아무리 나무 몽둥이라 하여도 들어보면 묵직하기가 그만한 기장의 동철과 맞먹는다 하였다.

새로이 뻗어나간 가지가 아니고 뿌리부터 자라났던 나무라 제법 나이배기요, 굵기가 한 줌이어도 목피를 벗겨냈으니 통나무의 속이나 매한가지로 단단하기가 차돌과도 같은 것이었다. 그런 창봉을 길산이 짜른 칼로 한 번 내리쳐서 벤 것은 놀랍기도 하려니와, 설령 베었다 할지라도 한 끝은 제 어깨 위에 얹고 저쪽 끝은 서북 사내가 쥐고 있었으니 중동을 베기가 수월했다고 치더라도 도대체 허공에 떠 있는 잘려진 창대를 어찌 무처럼 토막쳐서 날릴 수가 있었는지 더욱 놀라운 솜씨였다. 뿐만 아니라 그렇게 힘껏 후려치는 동안에 어찌 창봉은 칼날의 언저리를 맴돌았겠으며 또한 가뿐하고 고요하게 창날을 칼날 위에 받은 것은 또한 신묘하지 아니한가. 이는 그 재간의 기와 교가 힘이나 재빠름에 치우친 것만이 아니라 완급과 강약이 섬약하나 마치 강인한 명주실처럼, 한순간도 떨어지지 않고 연결되어 조화를 이룬 까닭이었다. 길산은 손에 받은 창날을 만지작거리면서 말하였다.

"그동안 이것으로 몇이나 죽였는가. 보아하니 권세가나 부잣집에 식객으로 드나들며 약한 백성들깨나 울렸겠구나."

사실 며칠 전에 광복산에서 유민 일가를 토끼몰이하듯 잡아올 적에도, 서북 사내는 노인의 허벅지를 찔러 상처를 입히고는 달아난 가족들이 하는 수 없이 돌아와 순순히 잡히도록 했던 것이다. 그는 잘려서 짤막한 목도가 되어 있는 봉을 두 손으로 쥐고는 주춤주춤 물러섰고 길산은 천천히 한 걸음씩 쫓아들어갔다. 그가 마당을 다 빼앗겨서 드디어 암자 밑의 벼랑을 등에 지게 되었을 적에 길산은 멈추었다. 그러고는 다시 창날을 보고는 뒤로 던졌다.

"말득아, 네가 써라."

말득이가 허공중에 날아오른 쇳조각을 뛰어서 잡아챘다. 한 자루의 표(鑣)로서 안성맞춤이었다. 대총 사내는 이제 더이상 몰렸다가는 안 되겠던지 몽둥이를 쌍수도처럼 두 손아귀에 쥐고 야, 하고 고함을 지르면서 뛰쳐들어왔다. 길산은 너른 마당을 비워주면서 비켜섰다. 그는 이제 마당으로 들어서 안심이라는 듯이 층계를 힐끗 보더니 그쪽으로 뒷걸음쳤다. 길산은 여전히 똑같은 걸음걸이로 그에게 다가들고 있었다. 다시 한번 그가 뛰어내리며 공격을 시도했으나 길산은,

"말득아!"

하면서 그의 등마루를 옆차기로 내질렀다. 사내가 벼랑 끝에 걸릴 찰나에 그 자신의 창날이 덜미에 날아가 꽂혔다. 그의 몸은 이미 벼

랑 끝에 보이지 않았다. 길산은 벼랑 끝으로 걸어가서 캄캄한 계곡을 내려다보았다.

"사람의 일생이란 게 각양각색이로구나. 이러한 목숨이 되지 않기를······"

길산은 허공을 우러르며 탄식하였다. 속으로는 그릇된 길임을 잘 알면서 자신의 한때의 이익을 위하여 힘이 세고 권력이 큰 자에게 붙어 개의 노릇을 하면서, 스스로 권세를 가졌다고 착각하여 저와 같은 백성을 짓밟는 자는 불쌍한 자가 아니랴. 그는 다만 잔꾀와 기교로써 그 주인을 위하여 죄업만을 짓고 있는 것이었다. 따라서 옛말에도 세상의 악을 돕지 말고(不於世長惡), 세속의 가장 착한 적(敵)이 되라고 하였다.

약하고 보잘것없는 많은 목숨을 위하여 그 의를 바쳐 스스로 희생하는 자는, 폭포를 거스르는 고기처럼 스스로의 생명력을 갖추어, 세상 물건과 자신의 목숨을 전혀 새롭고 풍부하게 만들어내는 사람이다. 아아, 그러함에도 짧은 이를 좇아 권세영욕의 주구가 되는 자가 끊이지 않음은 어인 연고이뇨. 제가 누구인지 어느 쪽에 서야 할지도 모르고 허망한 물거품처럼 스러지는 일이야말로 가장 사람답지 않은 삶인 것을.

"성님, 저것 좀 보시우."

강선홍이 활짝 열린 법당을 가리켜 보였다. 어린아이만한 금불상이 앉아 있는데 일렁이는 불빛을 받아 찬란하게 빛나고 있었다. 가운데는 석가여래요, 왼쪽에 약사여래, 오른쪽은 아미타여래의 상이었다. 불상의 눈은 가물가물 먼 곳을 바라보고 있었으며 광배는 불꽃 모양으로 번쩍였다.

"들어내라."

길산이 말하자 흥복이가 대꾸하였다.

"부처님을 들어내기가 어쩐지 민망허우."

그러나 길산은 다시 말하였다.

"겉치레뿐이다. 이미 영험은 예서 떠나신 지 오래이다. 중생은 없이 저희 일문의 안락과 부귀만을 대대로 빌었으니 이것은 겉만 부처님의 모습이요, 실상은 가귀(家鬼)에 지나지 않는다."

길산이 몸소 머리를 잡아 보좌에서 들어냈다.

"이것을 녹이면 수백여 호가 기근을 면할 것이다."

자비령 사람들은 민병과 유사과의 아들이며 노마님과 몸종을 차례로 묶어 건넌방에다 가두었다. 길산이 들여다보더니 식구들에게 지시하였다.

"우리 식구와 함께 부상당한 사람들은 유아무네 집으로 옮겨 치료하여주도록 해라."

하고 나서 그는 다시 말하였다.

"누가 저 할머니와 아주머니를 묶었느냐. 이리 나오시게 하여라."

머리가 하얗게 세고 회색빛의 긴 저고리에 묵주를 목에 건 노마님과 몸종이 밖으로 끌려나와 결박이 풀렸다.

"그리고 저 유아무 댁의 서방님도 이리 끌어내라. 형제는 집에다 모아놓아야지."

하고 나서 길산은 노마님에게 타이르듯 말하였다.

"할머니, 이 금불상 대신에 송도 가셔서 장인(匠人)을 데려다가 돌부처나 나무 부처님을 모시도록 허시우. 그리고 혼자서만 불공 드리지 마시고 인근 백성들 누구나가 와서 기도를 드리도록 해주시우. 이 금부처는 만인에게 보시될 터인즉 모두 할머니의 공덕이니 아까워하지 마시우."

노마님과 몸종은 안색이 파랗게 질려서 벌벌 떨고 있을 뿐 제대로 대꾸도 못 하였다. 그들은 세 불상을 밧줄에 동여서 기다란 작대기에 꿰었다. 그들은 일단 유사과네로 돌아가기 위하여 문수암에 소두령과 식구 몇을 남겨두고 사과의 둘째아들을 끌고 내려갔다. 내려가보니 문수골은 야무지게 단속이 되어 동네 골목에는 인적이 없었고 요로마다 창검을 치켜든 군복 차림의 식구들이 서 있었다. 군호의 전언과 후언이 엄정하여 그들도 문수골의 도처에서 군호를 외쳐야 하였다. 이미 사랑방을 치워놓고 선일이가 기다리고 있었다.

"식구들은 모두 어디 있느냐?"

"광에다 나누어 감금하였는데 저녁으로 주먹밥을 한 덩이씩 갖다 먹였습니다."

하는 선일이의 말에 선홍이가 내뱉었다.

"기름기가 명치에까지 올랐을 테니 한 사흘은 굶겨두 되겠네."

"아니다, 주리는 설움이야 먹던 사람이나 굶던 사람이나 매한가지다. 끼니때마다 꼭 먹여주도록 하여라."

길산이 말하니, 사랑에서 나오던 김기가 듣고 고개를 끄덕였다.

"사람의 도리가 그러하지만, 또한 잡혀 있는 자를 안심시키는 데도 음식을 먹여두는 것이 좋겠지요."

그들은 함께 사랑방으로 올라갔다. 방이 절절 끓었고, 벌써 자비령 식구들이 찬장을 뒤져내어 갖은 마른안주 등속에다 화주를 내어 한 상 조촐하게 차려놓았다. 길산은 김기에게 물었다.

"포창은 마무리가 잘되었겠지요?"

"예, 창고는 내일 날이 밝으면 열기로 하였고 우선 밥 구경한 지가 오래라, 절수처의 큰 용가마 둘을 내어 밥과 국을 끓이는 것을 보고 왔습니다. 포창에서 밖으로 나가는 길은 선창까지도 샐 틈 없이 수직을 세워두었지요. 판관과 군관부터 군사에 이르기까지 모두 의복을 벗겨내어 난민들이 그 숫자만큼 나누어 입었지요. 내일 아침에 함께 나가보기로 하십시다."

"이제는 유사과네 가산을 몰수하는 일은 모두 끝났고 포창의 쌀을 모조리 내어 기민들에게 나누어주는 일과, 그 사람들이 안전하게 금천 군계를 빠져나간 뒤에 우리가 관군의 추적을 받음이 없이 산채로 돌아가는 일이 남았소."

길산이 앞으로 해야 될 일을 말하니, 김기는 덧붙여서 자세히 계획을 설명하였다.

"우두령의 식구들은 장물 처분을 위해 승천포로 벌써 출발하였고, 우두령도 내일 새벽에는 먼저 떠날 것입니다. 나중에 대동강으로 하여 황주로 우리 몫을 실어올 것입니다. 구월산 식구들 몫은 풍천 솔포로 닿는다 합니다. 우리는 모레 아침까지 포창을 지키면서 난민들을 내일 저녁에 모두 각처로 떠나보내야 합니다. 하룻밤 동안이면 그들이 해서든 경기든 아무 데든지 안전한 곳으로 빠져나가겠지요. 우리는 구월산 식구와 자비령 식구로 나뉘어 구월산 식구들은 온정 사거리로 하여 입석을 지나 신천 방향으로 빠지고, 자비령 식구들은 먼저 한밤중에 떠나 살여울에 들렀다가 내쳐서 평산을 돌아서 서흥으로 오르게 됩니다."

"자비령 식구들이 먼저 떠나는 것은 무슨 까닭이오?"

길산이 물으니, 김기가 웃으면서 대답하였다.

"예, 그것은 금교역말과 평산 사이의 빈번한 역마의 내왕 때문이올시다. 역의 통로를 하루 이상 막아둘 수는 없겠지요. 더구나 우리 퇴로가 북쪽이니 평산을 지나려면 자비령 식구가 먼저 가야 합니다. 구월산 식구들은 멸악산의 깊은 골짜기를 넘어가게 되니까 뒤에서 추격한다 하더라도 잡지 못할 테니까요.”

“이번 일이 모두 선비 성님의 공으로 이루어졌습니다. 두 산채의 살림은 물론 겨울철의 절량 가호를 여러 집 도울 수 있게 되었소이다.”

길산이 치하를 하니, 김기는 정색을 하고 말하였다.

“한갓 공명이나 꿈꾸던 시골 서생으로서 참으로 대의를 위해 조그만 힘을 보탤 수 있도록 끌어준 이가 이갑송 장사요, 또한 내가 철저하게 새로운 세상을 알도록 깨달음을 준 이가 바로 장두령이외다. 이런 일은 어느 한 사람이나 몇몇 녹림처사의 공로가 아니라, 천하의 대세인즉 모든 것은 하늘이 시켜서 하는 노릇이지요.”

길산도 그제는 자세를 바로 하며 말하였다.

“참으로 저의 편의대로 나온 겉치레의 말을 용서하십시오. 이는 하늘의 운명입니다. 우리는 다만 그 대세를 좇아 심부름을 할 뿐이지요. 이러한 재물로써 우리가 산에서나마 세상의 힘 있고 재물 가진 자들처럼 호화롭게 산다 하면 천벌이 내릴 것이요, 우리가 장한 의기로 이러한 활빈행에 나섰다는 생각을 먹는 것처럼 교만방자한 생각이 없겠지요. 저두 이런 데서 남의 방에 앉아 남의 술상에 남의 안주로 도적놈의 이겼다는 의기양양함이나 즐기고 싶지는 않소이다. 사내자식이 세 때 밥을 배불리 먹고 속도 삭히기 전에, 또 무슨 주제넘은 향기로운 술과 귀한 안주로 녹적지근하고 한가한 풍류로 흥청거리겠습니까?”

김기는 이번엔 풀린 얼굴로 환히 웃었으나 말은 더욱 맵게 하였다.

“술을 물리시는 것은 너무하지만, 역시 이런 말씀이 있고 보니 두령께 제가 잔을 따르지 못하겠소이다. 역시 장두령께서는 한 번도 자신을 늦굴 적이 없는 분이시오.”

그때 밖에서 선일이가 들어와 말하였다.

"광에 갇힌 것들이 춥다고 이불이나 덮어달라고 보챕니다."

"음, 노약자나 부녀자는 모두 안채에 재웠거늘 펄펄 뛰어다니며 유민들을 못살게 굴던 녀석들이 무에 이런 날씨에 춥단 말인가?"

김기가 그렇게 말하였으나, 길산이 너그럽게 대답하였다.

"좋다, 그러면 모두 행랑채의 큰 방에다 옮겨주어라. 사과의 아들들은 다 잘 있느냐?"

"둘이 있습니다."

김기가 껄껄 웃으며 말하였다.

"큰아들인가 하는 자는 제법 이 고장 왈짜패들 사이에 칼깨나 휘두른다고 소문이 났던 모양인데 그만 마두령에게 혼찌검이 났지요. 지금 절수처에 가두어두었으나 내일 식전에 이리로 데려다놓을 것입니다."

"음, 그러면 내일 유사과의 집은 선홍이와 선일이 홍복이에게 맡기구 우리는 나가서 난민들을 만나보십시다."

"그러지요. 담배나 한 죽씩 태우고 일찌감치 주무십시다."
하여서 그들은 실로 오랜만에 부잣집 찬광에서 나온 노루고기포며 홍합말림이며 부각이며 약과며에 손도 대지 않고서 주안상을 물리고 말았다.

이튿날 새벽에 변가가 유사과의 큰아들을 묶어서 문수골로 데리고 넘어왔다. 그는 집안에 검은 장표를 손에다 묶은 군사들만 득시글거리는 꼴을 보고는 한결 풀이 죽었다. 길산은 말없이 내다보았고 김기가 사랑채 마루로 나아가 타일렀다.

"어제 내가 사과어른께도 말씀드렸지만, 재물이 집 밖으로 나가서 널리 세상에 쓰여지는 것은 비록 잃는다 할지라도 『주역』의 산택

손(山澤損) 괘상(卦象)과 같이 스스로 주어서 덕을 얻는 일일세. 손익(損益)과 영허(盈虛)는 모두 시의와 함께 행하여지는 것이야. 상(象)에 말하기를 산(山) 밑에 못[澤]이 있는 것이 손(損)인데 군자는 이를 보고 분(忿)을 경계하고 욕심을 막는다고 하였네. 손(損)하여 성실함이 있으면 크게 길하고 허물이 없을 걸세. 아버님은 번잡하고 피로한 때를 당하여 혹시 노구에 건강이 나빠질까 우려되어, 우리가 조용한 곳에서 쉬시도록 권유하였네. 그러니 공연히 딴마음 먹지 말고 가친께서 무사히 돌아오시기까지 아우들과 함께 근신하고 있도록 하게."

김기가 눈짓을 하니 최흥복과 선흥이가 그를 작은사랑으로 끌고 갔다. 김기와 길산이 조읍포창으로 나가기 전에 사과네 집을 점령하고 있는 식구들에게 다시 한번 주의를 주었다. 길산이 말하였다.

"동네 사람들은 불편하더라도 내일 아침까지 집 밖으로 나오지 않도록 단단히 주의를 주고 빈틈없이 살펴라. 오늘 하루가 가장 중요하다. 우리는 우리 자신들뿐만 아니라, 이제 인근에 널려 있던 수백여 명의 난민들에게 양곡을 풀어먹여야 하므로 그들의 안전에 든든한 뒷보가 되도록 지켜야 한다. 그러니 추호라도 실수가 없도록 하여라. 저녁이 되면 문수암에 연락하여 거기 갇혀 있는 자들을 모두 이 집으로 끌어와 함께 가두어놓고 나서 우리가 포창에서 당도하면 즉시 함께 떠난다."

김기가 덧붙였다.

"내가 서신 한 장을 써두었는데, 그것은 이 댁 형제들에게 쓴 것이오. 만약 우리의 뒤를 쫓거나 관군에 연락하면 저희 아비의 목숨을 빼앗겠노라고 하였으니 감히 선뜻 나서서 쫓아오지는 못할 거요. 헌데 이 앞의 사매내에 널판배가 있는가?"

홍복이 대답하였다.

"예, 아까 우두령 식구들께 물건을 넘겨줄 때 쓰고 나서 문수고개 아래의 갈대밭 가에 매어두었다 합니다."

"잘했네. 그러면 부처님 세 분은 배로 살여울까지 모시고 가도록 하지."

김기와 길산과 변가는 다시 한번 문수골 주위를 둘러보고 나서 문수고개를 넘어 포창으로 나아갔다. 포구에는 가군사 한 오가 지키고 있었는데 모두 군복을 빼앗아 입은 난민들이었다. 배는 말득이의 솜씨에 의하여 거의 침수된 채로 기울어져 있거나 가라앉았다. 거룻배 한 척만이 온전했는데, 그것은 어계방 앞의 자갈밭에 끌려올라와 있던 배였다. 거룻배를 띄워놓고 저쪽 강안에서 사람이 부르면 오늘은 배가 뜨지 않는다고 떠들어놓았다가, 관리나 아전 나부랭이들이 와서 찾으면 태우러 건너갈 판이었다. 물론 그들을 포구에다 실어놓으면 금방 돌변하여 절수처로 끌고 가 심문한 뒤에 일이 끝날 때까지 가두어놓을 셈이었던 것이다. 그리고 포창 주막거리의 문은 모두 잠그고 바깥 통행이 금지되어 있어서 저자에 보이는 백성들은 모두가 흉년의 난민들이었다.

변가는 금교역말서 들어오는 길목에 군복을 빼앗아 입은 난민들과 더불어 나갔고, 말득이는 조읍포창의 이곳 저곳을 돌아다니며 연락을 맡았으며, 서북쪽 구봉산으로 나가는 길에는 역시 군복을 빼앗아 입은 난민들이 나가 있었다.

절수처에서 마감동은 광복산 사내와 더불어 난민들을 질서정연하게 열 지어 세워두고 길산을 기다리고 있었다. 길산과 김기가 앞에 나서자 마감동이 난민들에게 말하였다.

"여러분이 기다리던 해서 활빈당의 두령님이시오."

난민들은 그 보통 몸집의 눈매가 날카로운 젊은 사내를 바라보았다. 길산은 맨상투에 흰 두건을 질끈 동였고 저고리 바람이었다. 겉으로 보아 그가 난민들과 다를 바가 없었다. 곁에 섰는 김기는 오히려 품위가 있는 흰 얼굴에 수염이 보기 좋았고 갓 쓰고 도포를 입고 있어 진사 생원 나리처럼 보였다. 그러나 길산의 볼 것 없는 옷치레와 체구는 이들 피로한 백성들에게 만만한 느낌을 준다기보다는, 오히려 자기네와 똑같은 천민으로서 어찌 나라를 등지고 기민을 구휼하는 일을 여러차례 해내었을까 하는 감탄과 격려를 주는 것이었다. 길산은 어젯밤 포창을 단숨에 점령해버린 무리들이 이제는 소처럼 순하게 자신을 향하여 물끄러미 바라보는 눈길을 대하자 콧날이 시큰하였다. 더구나 그들의 더럽고 남루한 옷과 호적도 없이 각처를 배회하는 동안에 별로 얻어먹지도 못하여 광대뼈와 목젖이 삐죽이 솟은 꼴을 대하니 명치끝이 묵지근하였다.

"간밤에 밥을 지어 잘 드셨지요?"

길산이 할말이 없어 불쑥 물으니, 난민들이 여기저기서 대꾸하기 시작했다.

"실컷 먹었습니다."

"쌀이 이렇게 많을 줄은 몰랐수."

"이 쌀이 전부 우리 것인가요?"

"식구들 생각이 나서 밥이 안 넘어갑니다."

길산은 그들을 이리저리 둘러보고 나서 말하였다.

"여러분, 조읍포창은 해서의 세곡이 모이는 곳입니다. 이 쌀은 여러분과 같은 가난한 백성들이 관의 강징에 이기지 못하여 반은 전주(田主)에게 떼이고 그 반에서 다시 떼어서 물어낸 쌀이지요. 실로이 한 톨 한 톨이 우리 백성의 피와 땀이올시다. 이 쌀이 한양에 올라가

가난하고 맑은 관리의 녹이 되기도 하고 군량이 되기도 하지만, 거의 반 이상은 부당한 이득이 되어 장사치와 권세가의 배를 불리게 될 게요. 아마 이들은 떡을 해먹고 술을 빚어 수백 가호가 목숨을 이을 양식을 순식간에 허비하여버리고 말 것이오. 여러분은 일찍이 남의 땅을 빌려 농사를 짓던 무전지민(無田之民)으로서, 흉년을 만나 양식을 찾아서 도처의 고을이나 저자 근처로 흘러왔을 줄을 다 알고 있습니다. 이것은 우리 쌀이지요. 하지만 우리가 자신의 것을 찾기는 하였으나, 손쉽게 먹고살 방도가 생겼다 하여 일도 않고 늘 활빈의 방책이 또 어디서 없을까 기대하는 것은 스스로 살아감에도 아주 불리한 폐단이 될 수가 있습니다. 한 가족이 기근을 면하기에 족할 만큼 나누어서 각자 집으로 돌아가시오. 돌아가서 명년에 살아갈 대책을 세워야겠지요. 정 못 견딜 적에는 뜻 맞는 이들끼리 모여서 스스로 활빈의 길을 찾되, 절대로 몇몇의 이익을 탐하려 하지 말고 다른 이들과 나누어야겠지요. 이 일은 우리 몇사람이 재간이 좋아 벌이는 일은 아니올시다. 되도록이면 많은 식구들에게 나누어줄 수 있도록 인근 사방에 널려 있는 빈민들의 움에 가서 알려주시오."

무어라 달리 할 말이 있을 것인가. 길산은 자기도 모르게 부끄러운 생각이 들어서 얼굴을 붉히며 비켜섰다. 김기가 안을 짜내어 구휼과 조읍포창의 봉쇄에 관하여 마감동에게 자세히 일렀다. 마감동은 광복산 사내와 더불어 난민들을 질서정연하게 열 명씩 패를 지어주었다. 인근에서 서로 연락을 받아 몰려든 난민들이 삼백여 명이었다. 아직은 아침나절이라 그들은 주로 강의 북쪽 조읍포창의 외곽을 떠돌던 자들이 대부분이었다. 각 길목에서는 모여드는 난민들을 정돈시켜놓고 몸뒤짐을 하여 병장기나 관의 문서를 소지한 자가 없는가를 샅샅이 조사하였다. 일단 절수처로 모인 사람들을 마당에 앉혀두고, 그중에 이십여 명의 건장한 사람들을 가려 양곡을 날라오는 역을 맡기도록 하였다. 김기가 절수처의 윗방에 길산과 함께 좌정하여 오전에 배급할 사람들을 대장에 올리고 나서 지표(紙票)를 나누어주었다. 지표에는 그들의 식구 수가 적혀 있어서 저마다 양식의 양이 많고 적었다. 대개 같은 동네나 가까운 지역에서 떠나온 사람들끼리 함께 타가도록 하였으니 서로 협동하여 운반해가기에 편리하겠기 때문이었다. 배급이 끝난 사람들은 대장에 표를 하여 다시 타가지 못하도록 하였다. 오전 내내 진휼이 계속되는데 일단 조읍포창으로 들어온 사람들은 해가 질 때까지 나갈 수가 없게 되어 있어서, 포창의 여러 빈터에는 곧 유민들로 가득 차서 큰 장시가 이루어지고 있었다. 유민들이 한시라도 바삐 밥을 지어 먹으려 하였으므로 주막거리에서 용가마 열 개를 징발하여 그들이 배급받은 쌀을 조금씩 내어서 사이좋게 나누어먹도록 하였다. 그들은 모두 양식을 가지고 식구들에게 돌아가려 하였으나 포창의 안전을 위하여는 이 많은 사람들이 각처로 흩어져나가는 것을 막을 수밖에 없었다. 사실 그들이 어느 고을의 아전이나 관리나 군관에게 귀띔을 해줄지도 모르는 일이었기 때문이다.

오후가 되자 말득이가 포구로부터 달려왔다. 그는 절수처에 와서 길산과 김기에게 보고하였다.

"강 건너에서 수십여 명이 늘어서서 배를 태워달라고 부르고 있는데 어찌하우?"

김기가 되물었다.

"행색이 어떠하더냐?"

"그냥 이쪽에서 바라보자니 굶주린 꼬락서니들이 난민들이 분명합니다."

길산이 말하였다.

"배를 보내주어라. 그렇지만 일단 선창에 닿기 전에 모두 손을 들고 서 있게 하였다가, 맨손으로 내리도록 한 다음에 병장기가 없는가를 확인하고 나서 데리고 오도록 하여라."

말득이는 포구로 뛰어나갔다. 말득이는 배를 보내고 나서 군사들을 선창에다 늘어세웠다. 배가 거의 선창 가까이 왔을 때 노를 잡은 난민에게 배를 세우도록 명하고 나서 모두 손을 들고 일어서도록 하였다. 그들은 이십여 명이 넘었는데 모두 손을 들고 일어났다.

"그대로 배를 대이게."

말득이는 병장기를 일제히 배를 향하여 겨누도록 하고서 한 사람씩 뭍에 오르도록 하였다. 두 번째로 내린 사내가 말득이의 곁을 지나가면서 소곤거렸다.

"저 뒤에 네 놈이 있소이다."

말득이가 바라보니 역시 맨 뒷전에서 우물쭈물하고 있는 사내들이 보였다. 그들은 거룻배의 고물 근처에 몰려 서 있었다. 말득이의 눈에도 그들이 여느 유민들과 다른 것은 얼굴에 제법 핏기가 돌았고 머리가 단정하였으며 몸집이 건장한 것이었다. 눈이 또렷또렷한 것이 굶주린 기색은 전혀 보이지 않았다. 말득이는 손을 허리춤에 찔러넣어 자고를 잡은 채로 그들에게 말하였다.

"꾸물대지 말구 어서 내리슈."

앞에 섰던 사내가 슬그머니 어깨를 숙이더니 자리에 둘둘 말아 묶은 짐을 쳐들었고 뒤에 섰던 자들이 그 속에서 쳇소리를 내며 환도를 뽑아들었다. 삿대를 쥐고 있던 유민은 겁에 질린 나머지 물에 뛰어들었으며 말득이는 자고를 날렸다. 환도를 빼들었던 자가 눈에 자고가 박혀서 뒤로 넘어졌고, 말득이는 틈을 주지 않고 다시 한 대를 연달아 던졌다. 앞으로 나섰던 자가 목을 움켜쥐며 주저앉았다. 군복 입은 난민들이 장창을 겨누며 배로 올라섰다. 말득이가 나머지 둘에게 말하였다.

"칼을 버려라."

그들은 환도를 내던졌다. 난민들이 달려들어 그들을 묶었다. 물에 빠졌던 자도 끌어올렸는데 그자는 이미 제정신이 아니었다. 말득이는 부상당한 두 사람과 다른 둘을 절수처로 끌고 갔다. 그들의 짐 속에는 비수와 환도가 각각 두 자루씩 들어 있었다. 절수처의 마당에 이르러 난민들이 그들을 꿇어앉혔고 김기와 길산이 나와 앉았다. 먼저 말득이에게 일러주었던 유민이 나서며 말하였다.

"우리가 양곡을 나누어준다는 소문을 듣고 고성산 고개를 넘어오는데, 이 사람들이 관리들과 함께 강변에 서 있었습니다. 배를 타기 전에 병장기를 감추는 것을 보고 수상하게 여겼지요."

김기가 고개를 끄덕였다.

"금천 관아에서 나왔는가?"

사내들은 주저하며 말하려 하지 않았는데, 말득이가 곁에서 발을 굴렀다.

"어서 바른대로 대지 못하겠느냐. 어느 쪽 눈을 빼주어야 얘기를 하겠는가."

제 동료의 처참한 꼴을 잘 보고 알고 있는지라, 그들은 두 손으로 머리를 휘감으며 황급히 말하였다.

"예, 우리는 금천 관아의 장교 사령들이올시다."

김기가 다시 물었다.

"누가 보내어 왔느냐?"

"비장이 보냈소."

길산이 물었다.

"너희들이 민간복을 입고 병장기를 감추어 왔을 적에는 무엇인가 들은 말이 있었겠지?"

장교가 대답하였다.

"어떤 자가 삼문 앞에 와서 고하기를 지금 유민 패거리 사이에 조읍포창에서 양식을 나누어준다는 소문이 자자한데, 필시 해서에서 활빈당을 자처하며 날뛰던 도적들일 것이라는 말이었습니다. 그래서 비장과 병방이 군병과 민병을 동원하고 있었는데 저희가 먼저 들어와 동정을 살피려던 것이올시다."

"동정을 살핀다는 자들이 병장기는 무엇 하러 가지고 왔는가?"

"여차직하면 수괴의 머리를 베어 공을 세우고자 하였소."

길산은 잠자코 있었으나 김기가 껄껄 웃었다.

"그래 뭍에 내리기도 전에 자고에 맞아 병신이 된 것들이 어찌 두령의 목을 베겠는가. 지금 금천 관아에서는 여기를 들이칠 작정이란 말이냐?"

그들은 망설이며 대답을 하지 않았다. 김기가 그들을 둘러보다가 뒷전에 앉아 있는 젊은 사내를 보자 눈짓하여 그를 끌어내도록 하였다. 김기가 그를 방 안으로 데리고 들어갔다.

"네가 만약 바른대로 얘기만 해주면 여기서 나온 세목 열 동과 백 냥을 주겠다. 너는 사령이지?"

"그렇소. 지금 내게 그 물건을 넘겨준다면 다 말해주고 나는 해서 쪽으로 넘어가겠습니다."

김기가 말득이를 불러 일러주었고 말득이는 마감동에게 말하였다. 감동이가 지체하지 않고 세목 열 동과 돈 백 냥을 봇짐에 싸서 들여보냈다. 사령은 물건을 보자 너무도 좋아서 벌린 입을 다물지 못하였다.

"어서 말해보게나."

"금천 관아에서는 아침에 그러한 발고를 받기는 하였으나, 강변에 나와 정탐하여본즉 군사들이 그대로 있고, 다만 양식을 나누어주며 여기저기서 밥을 짓는 꼴이 못내 수상하였습니다. 그래서 우리가 건너오게 된 것인데 만약에 해질녘까지 우리가 돌아가지 않으면, 평산 관아로 사람을 보낼 것입니다. 금천서 돼지여울을 건너면 조읍포와는 삼십여 리나 떨어져 있으니 아무도 모를 테지요. 만약 적경이 틀림없다면 평산과 금천에서 앞뒤로 퇴로를 끊고 난민들을 잡겠다는 것이지요."

김기는 고개를 숙이고 한참이나 생각에 잠겼다. 그는 말득이를 불러 금천 사령을 난민들이 떠날 때 놓아보내도록 하라 이르고 나서 장교와 다른 자들은 절수처의 군사와 함께 가두어버렸다. 그리고는 길산과 의논한 끝에 문수골에 남아 있는 흥복과 선일이를 먼저 돼지여울까지 보내어 지키도록 하고 나서 저물자마자 자비령 식구들부터 빠져나가기로 의논이 되었다. 그리고 구월산 식구들은 난민들을 먼저 보내고 그들 중에 원하는 자들과 더불어 내일 새벽까지 조읍포를 점령하고 있다가 온정 오거리로 빠져 멸악산 계곡으로 달아날 작정을 하였던 것이다.

진휼은 오후까지 계속되었다. 이제 조읍포창은 오백여 명이 넘는 유민들로 발 들여놓을 틈조차 없어 보였다. 길산과 김기는 마감동 변가 큰돌이 등에게 뒷일을 당부하고 말득이와 함께 천신산 문수고개를 넘어갔다. 문수골에 당도하니 선홍이가 문수암에 올라가 가두어두었던 자들을 끌고 내려와 있었고, 선일이와 흥복이는 돼지여울로 출발하였다. 그들은 유사과의 맏아들을 불러서 다시 한번 아비의 무사함을 알리고 경고를 해놓았다. 어두워지기 시작하자 구월산 식구들은 포창으로 갈려나갔고 자비령 식구들만 먼저 출발하였다. 그들은 앞서 금불상을 널판배에 실어서 평산 살여울까지 보낸 터였다.

그들이 출발한 뒤에 갇혀 있던 문수골 식구들은 가까스로 결박을 풀고 뛰쳐나와 서로를 풀어주고 광에서 끄집어내고 하였다. 사과의 맏아들 유수룡이 뛰쳐나와보니 사랑채에는 불이 훤히 켜져 있었고 김기가 써두었던 서신이 기둥에 붙여져 있었다. 절대로 경거망동하지 말고 유사과가 올 때까지 기다리라는 내용이었다. 유수룡은 어찌할 바를 모르는데 행수 되는 자가 말하였다.

"어서 강을 건너가 금천 관아에 알려야 합니다."

그러나 둘째아들이 반대하였다.

"어제부터 일을 진행하는 모양을 보니 저들이 보통 화적당이 아닙디다. 오히려 아버님이 무사히 돌아오시기까지 관망하는 수밖에 별 도리가 없소이다."

유사과의 큰아들 수룡은 한숨을 내쉬다가 다시 주저앉아버렸다. 그는 마감동의 칼을 떠올렸고 이제 다시는 부딪치고 싶지도 않았던 것이다.

"여하튼 포창이 어찌되었는가 동정은 살펴보아야 합니다."

행수가 말하였으나 수룡이 고개를 흔들었다.

"아버님께서 끌려가셨으니 관군이 달려들면 그들은 틀림없이 아버님을 해칠 것이다. 아버님께서 무사히 돌아온 뒤에 손을 써도 그리 늦지는 않을 게다."

문수골 유사과네서는 이리저리 흩어졌던 세간을 다시 정리하고 집 안을 치우면서 밤을 보내게 되었다. 실상 그들은 지난 며칠 동안의 일로 완전히 기가 죽어버렸던 것이다.

조읍포창에서는 이미 난민들이 산지사방으로 흩어져간 뒤에 광복산 사내를 비롯한 이십여 명의 장정들이 자원하여 지키고 있었고, 마감동과 변가와 큰돌이 그리고 구월산 산채의 식구들이 남아 있었다. 그들은 제각기 포창의 요로를 지키며 밤을 새웠다.

초저녁에 돼지여울로 먼저 나갔던 최흥복과 선일이는 장사치 차림으로 삼거리의 주막에 앉아 있었다. 양식을 내주고 밥을 지어달라 이르니 주인은 매우 반가워하였다. 흥복이가 물었다.

"해질 무렵 되어서 강을 건넌 이가 있소?"

"요즈음은 행객이 별로 없소이다. 오전에는 조금 보이더니 아직 없군요."

"배는 어디 있소?"

"예, 저 아래편에 사공의 집이 있습니다. 건너가시게요?"

"아니, 우리는 지금 평산으로 나가는 길이라…… 그러면 저 건너에서 배를 부르려면 어찌하우?"

흥복의 말이 싱겁다는 듯 주인은 껄껄 웃었다.

"그야 사공이 사람이니, 귀에 들리라고 고함을 쳐야지요."

선일이와 흥복이도 따라서 웃었다. 선일이가 말하였다.

"우리 귀에도 들리겠구먼."

주인이 밥을 차려오면서 말하였다.

"포창에서 나오는 길이오?"

"왜 그러우?"

"아뇨, 쌀이 하두 귀한 시절이라 혹시 가지신 것이 있으면 무명을 드릴 테니 조금 팔고 가시지요."

"이건 길양식 조금 지니고 나온 것이라서 몇되밖에 안됩니다."

흥복이가 자기 봇짐을 내주며 말하였다.

"한 서 되가웃이 될 거요. 주인이 쓰시구려. 그대신 한 가지 부탁이 있소이다. 얼마 후에 포창을 지나오는 상단이 당도할 터인즉 배를 낼 수가 있겠소?"

"몇척이나 쓰시렵니까?"

"한 두어 척 있으면 되겠소."

"금천으로 건너가시게요?"

"아니, 살여울까지 올라갈 작정이오."

주인이 잠시 생각하는 눈치였다.

"삯은 두둑이 내리다."

"거룻배가 있긴 있습니다. 한 척은 쓸 만하겠지요. 삿대로 밀고 오르려면 보통 힘드는 일이 아니지요."

그들이 밥을 먹고 있는데, 바람결에 사공, 사공 하며 외치는 소리가 들려왔다. 선일이가 수저를 놓았다. 홍복이가 눈짓을 하며 일어났다. 사방은 벌써 어두컴컴하였다. 그들은 삼거리에서 강변으로 내려갔다. 배가 대어져 있었고 삼간초가에는 사람이 없는지 불빛이 보이지를 않았다. 홍복이가 말하였다.

"우리가 건너가 모시지."

그들은 배를 밀어내고 노를 저으면서 돼지여울을 건너갔다. 강폭은 포창 앞이나 말여울보다 좁았고 물살도 훨씬 느렸다. 그들이 맞은편에 거의 다가가니 과연 털벙거지에 더그레 차림의 사령이 기다리고 있었다.

"얼른 와주어 고마우이."

사령은 적당한 거리가 되자 훌쩍 뛰어오르면서 인사조로 중얼거렸다. 그러나 홍복과 선일은 아무 대꾸도 하지 않았다

"헌데 자네 못 보던 얼굴이군. 전에 사공 하던 노인은 어디 아픈

가?"

홍복이 삐걱이며 노를 저었고, 우두커니 서 있던 선일이가 불쑥 물었다.

"평산까지 가슈?"

"그렇다네."

해놓고는 사령은 의아한지 두 사람을 번갈아 돌아보았다.

"뭣 하러 가슈?"

선일이가 다시 묻자 사령은 점점 이상해지는 모양이었다.

"뭣 하러 가긴…… 이봐, 자네 시방 내게 시비를 하자는 건가?"

"금천 사는 놈이 한밤중에 평산에는 찾아가 뭐 할려구 그래."

홍복이가 뒷전에서 슬슬 까스르며 말하였다.

"어…… 이놈들 봐라."

하는데 선일이 사령의 멱살을 꽉 움켜쥐었다.

"너 평산 관아에 적경을 알리러 가는 놈이지? 우리는 조읍포에서 너를 잡으러 나온 사람들이다. 엿보러 왔던 네 동무들은 모두 잡혔다."

선일이가 씹어뱉자 사령은 마주 힘을 쓰려고 선일이의 두 손을 잡았다. 선일이는 대번에 머리를 뒤로 젖혔다가 서북 사내답게 박치기를 올려붙였다.

"어이쿠."

두 눈에서 불이 번쩍하는지 사령은 두 손을 늘어뜨리고 주저앉았다. 선일이가 그의 허리춤을 만져보다가 빨깃거리는 소리를 확인하고는 일봉 서신을 빼어냈다. 평산 관아로 보내는 것이 틀림없었다.

선일이는 그의 허리춤에서 다시 오라를 끌러내어 사령의 손발을 묶고 그의 두건을 풀어서 입을 틀어막았다.

"방망이나 칼을 휘둘렀더라면 그대로 강물에 장사를 지내주었을 터이지만, 맨손이어서 살아난 줄 알아라."

선일이가 뱃바닥에 웅크린 사령을 내려다보며 을러댔다.

"저것을 어찌할까?"

선일이가 물으니 흥복이 말하였다.

"끌어다가 어디 들판에 던져두지."

그들은 배를 대어놓고 그자를 양쪽에서 떠메고 길을 벗어나서 억새가 드높이 자란 곳까지 가서 내려놓았다.

"야기가 써늘하지만 하룻밤 새우고 나면 구들목 지고 자빠져 자는 게 얼마나 상팔자인가 잘 알게 될 거다. 다음부터는 밤길 나다니지 말아라."

흥복이가 말을 보태주고 두 사람은 삼거리 주막에 돌아갔다. 배가 한 척뿐이라고 하더니, 사공의 집 뒤에 구멍난 배가 한척 더 있는데 판자를 갈아대면 쓸 만하리라는 것이었다. 주인은 스스로 앞장을 서서 다시 나루터로 나갔다. 깊이 잠들었던 사공을 깨워 사정을 말하고 삵여울까지만 배를 빌리자고 하여 나머지 한 척을 곧 수리하기로 결정이 되었다. 배의 수리가 끝날 무렵에 자비령 식구들이 밤의 짐승들처럼 소리 없이 나루로 모여들었다. 그들은 곧 배를 띄워 평산 삵여울까지 나아갔고, 금불상을 실은 배는 벌써 그곳에 당도하여 있었다.

마감동은 절수처의 윗방에 앉아서 날이 새기를 기다리고 있었다. 새벽이 되어 안개가 부옇게 깔릴 즈음 포구로부터 난민들이 달려와 알렸다.

"맞은편 고성산 아랫녘에 군사들이 집결하고 있습니다."

마감동은 군복을 벗어서 방에다 던지고는 일어났다.

"강을 건널 기색입디까?"

"예, 강 하류에서 배가 서너 척 올라오는 게 보입디다."

"모두 절수처로 모이시오."

감동이 전령하여 요로에 나가 있던 변가와 큰돌이와 구월산 식구들과 군복 입은 난민들이 절수처로 모여들었다.

"자, 이제 헤어질 때가 되었소. 여러분들은 각자 안전한 방향으로 달아나시오. 여러분 덕택에 다른 수백 명의 유민들이 무사히 군계를 넘어갔소이다."

그들이 제각기 군복을 벗어던지고 법석을 떨 때 광복산 사내가 마감동에게로 나와 말하였다.

"저희들도 식구들이 있기는 하나, 함께 따라가서 녹림의 일당이 되고자 합니다. 받아주십시오."

그러나 마감동은 고개를 흔들었다.

"산채의 형편이 옹색하여 진작부터 분가를 하기까지 하였으니, 이제 더이상 식구들을 늘릴 수가 없소. 어디 깊은 골에 들어가 별대를 이룬 뒤에 구월산으로 기별해주시우. 힘껏 도와드리리다."

마감동은 변가와 큰돌이를 불러 지시하였다.

"달아나기 전에 창고와 절수처를 불지르도록 하게. 그리고 유사과는 끌고 나와 말에 태우도록 하고, 일대가 먼저 떠나고 이대가 뒤에 처졌다가 모란산 어귀에서 만나도록 하세나."

마감동과 큰돌이가 구월산 식구들 몇명과 더불어 말에 태운 유사과를 끌고 먼저 출발하였다. 조읍포에서 구봉산까지는 이십 리 길이니 산마루를 넘어가면 곧 평산 군내가 되었고 그 북방의 멸악산맥은 거의 무인지경이나 다름이 없었다.

그들이 구봉산을 넘으면서 뒤돌아보니 포창 쪽에서는 검은 연기가 자욱하게 오르고 있었다. 후발대는 관군을 유인하여 취적산을 돌아서 무음천을 건너 모란산 어귀에 이르도록 되어 있었다. 마감동일행은 거기서 다시 시오 리 길인 온정 오거리를 돌아서 모란산 어귀까지 이십오 리 길을 단숨에 내달았다. 여기부터가 첩첩한 멸악산맥의 초입인 셈이었다. 구월산까지는 실로 해서의 초입에서 거의 막다른 끝까지 종주해야 될 판이었다. 재령과 신천 경내를 지날 것인데 그곳은 일단 구월산의 판도 안에 드는 셈이라 그들을 잡을 자가아무도 없을 것이었다.

모란산 어귀에 이르러 그들은 나무숲에 앉아서 식구들을 기다렸다. 두어 식경이나 지나서 무음천을 건너오느라고 하반신이 다 젖어버린 변가 등 일행이 당도하였다.

"불을 지르고 취적산까지 십리 길을 뛰는데 관군이 새카맣게 포창 안으로 들어섭디다. 무음천까지 추적해왔는데 아직은 보이지 않는데요."

"자, 그렇다면 어서 떠나야겠군. 이 늙은이는 이제 돌려보내주어야지."

마감동이 유사과가 탄 말을 들판 쪽으로 끌어내어 말의 볼기를 힘껏 갈겨주니 말은 놀라 부르짖으며 달려갔다. 그들은 여유 있게 모란산을 넘어서 멸악산맥의 깊은 골짜기 사이로 자취를 감추었다.

4

승지(承旨) 신엽(申燁)은 이른바 청직(淸職)이라 하여 응교(應敎) 교리(校理) 집의(執義) 사간(司諫) 등의 요직을 거쳤고 품계는 정이품에 이르렀다. 그는 성품이 강직하고 정세 판단이 민첩하여 소론 중에서도 남을 탄핵하고 벌주는 일에는 마치 칼날과도 같았다. 황해도 관찰사로 임규(任奎)가 되어 나가더니 그 두 달도 못 되어 감사의 경질이 거론되고 있었다. 이유는 이세백이 감사를 하던 당시로부터 문제가 되었던 해서의 명화적당 때문이었다. 특히 구월산에서 일어나 스스로를 활빈의 녹림처사라고 부르는 장길산 일당은 조정 중신들 사이에 널리 알려져 있었다. 사실 이름 없는 포악무도한 도적떼들에 대하여는 걱정이 없었으되, 스스로 의적을 자처하면서 빈민을 구휼하는 활빈행을 실천하는 무리들처럼 국체에 위험을 끼치는 자들은 없었다. 그런 부류들이야말로 백성의 마음을 사로잡아 드디어는 조정에 대하여 창끝을 들이대는 무리로 변할 가능성이 컸다. 특히 최근에 일어난 조읍포창의 점령은 그것이 국본을 떠받칠 세곡에 대하여 난민에게 나누어준 행위로 지극히 위험하고 방자한 짓이었다. 임규는 질책을 받고 곧 감사자리에서 물러나지 않으면 안 되게 되어 있었다.

해서에는 화적당뿐만 아니라 광범하게 퍼져나간 유민들로 하여 고을마다 크고 작은 민요(民擾)가 그치지 않고, 인심이 차츰 관으로부터 이반되어간다는 급한 장계(狀啓)가 속속 들어오니 주상이 크게 근심하여 편전으로 중신을 모으고 진무할 도리를 물으니 영상 김수항이 말하였다.

"화적당이 따로 있는 것이 아니라 수령 방백이 정치를 잘못하므로 참다못한 백성들이 그리 떨어지는 것이오니, 수령과 서리들을 단속하고 백성을 무마하며 화적을 토벌하여, 나라의 근심을 없앨 단호하고 결단성이 있는 자를 감사로 택인하여 상하를 진무함이 좋을까 합니다."

여러 중신들도 그런 말밖에는 다른 소리가 없었다.

"택인을 어찌하면 적당한 인물을 얻어 해서에서 일어나는 민요를 무마하겠소."

주상이 물으니 여러 중신들이 일시에 안이하게 아뢰었다.

"이것은 승정원(承政院)으로 하교하시어 이품 이상의 조관에서 시원임대신(時原任大臣)에게 공천을 받도록 하는 것이 합당한 줄 아뢰오."

주상이 승지 하나를 불러서 각 시원임대신에게 나아가 사흘 안으로 공천을 하도록 지시하였다.

실상 정치가 잘못되었다면 사람 하나를 갈아 쓰는 것으로는 성난 백성이 진정될 리도 없고, 근본적으로 백성을 편하게 보살필 정책의 변동이 있어야 하거늘, 언제나 조정에서는 그러한 근심이 생겨날 적마다 누가 억누르고 압박하는 데 그 술수가 능한 사람인가부터 의논하던 것이었다. 만약 백성 자신들에게 진무할 책을 직접 물었다면 그들만큼 자기의 처지를 몸소 겪어서 알고 있는 사람이 따로 없는지라 자연히 가라앉게 되련만, 착취와 압제의 기구는 그대로 남겨둔 채 또다시 우두머리만을 새로이 갈아치우려는 것이 아닌가.

중신들이 승지의 전명하는 하교를 받고 공정하게 택인하여 천서를 정원에 올리니 그 가운데에는 승지들 중의 하나인 신엽도 끼여 있었다. 개봉이 되고 본즉 승지 신엽을 황해감사로 지목한 이가 다섯이나 되었다. 신엽은 입궐하여 주상께 승후(承候)하였다.

"신은 백의 자격이 없고 그러한 중임을 맡을 덕이 부족합니다."

주상이 그의 사양을 물리치며 하교를 내렸다.

"이번 일은 대신이 다섯 사람이나 공천한 것이요, 백성을 구제하고 나라의 근심을 없이하려는 것이니, 경은 번거로이 사양하지 말라."

신엽으로서는 임금의 곁을 지키는 승지의 자리를 내놓고 외방의 도백으로 나가는 일이요, 그렇지 않아도 정국이 하룻밤새가 다르게 바뀌어가는 판이라 어쩐지 내키지 않는 자리였다. 한 번 더 사직하는 소를 올리려 하였으나, 대신들의 중론이 분분하였다. 공천을 무시하고 도탄에 빠진 해서의 백성을 생각하지 않는 것은 신하 된 도리가 아닐 뿐만 아니라, 중책을 가진 조정 신하가 외방에 나가기를 꺼려하는 것은 정국에 대한 야심이 있어서가 아닌가 하는 극언까지도 나올 판이었다. 신엽은 하는 수 없이 황해도 관찰사의 직을 제수받게 되었던 것이다. 애초에 신구 관찰사의 경질문제가 나오게 된 것이 해서 각처의 난민들과 화적당의 발호 때문이었으므로, 신엽이 관찰사로 부임하자마자 처리해야 할 일은 적당의 토벌이 급선무였다. 이제 해주에서 신연(新延)이 오기 전에 신엽은 가장 먼저 만나보아야 할 사람이 있었으니, 그가 바로 전 관찰사였던 승지 윤반(尹攀)과 또한 그전의 관찰사로 재임기간이 길었던 한성판윤 이세백(李世白)이었다. 이세백은 우암의 사람으로서 노론이었으되 암행어사를 거치고 평안 황해 양도의 관찰사로 오래 나가 있어서 그쪽 지방의 민심에 가장 밝은 사람이었다. 신엽은 하인 하나만을 앞세우고 호마에 타고서 삼청동 이판윤의 집으로 나아갔다. 솟을대문 안에는 초헌과 남여가 놓여 있어 어느 댁 대감인가가 먼저 방문한 듯싶었다. 신엽은 사랑으로 바로 들지 않고 아랫방으로 건너가며 책방에게 말하였다.

"손님들이 와 계신 모양인데 나는 은밀히 뵈올 일이 있어 여기서 기다리겠네."

"판서 대감과 전 좌윤 이인하 대감께서 와 계십니다."

신엽이 어차피 자리를 같이하게 될 판이라 그냥 기침을 하면서 이세백의 사랑으로 다가섰다. 책방이 밖에서 알렸다.

"승지 신대감께서 오셨습니다."

신엽이 들어가자 좌중의 사람들이 모두 반색을 하였다.

"어쩐 일로 오늘은 신대감까지 이런 누옥을 찾아주셨소."

신엽이 두 사람을 보니 이인하는 동색으로 소론이라 어언 허심탄회한 마음이 되었다.

"해서로 나가시게 되었다지요?"

"모두 공천 덕분이올시다. 그러나 이러한 막중한 일을 어려운 시절에 감당을 해낼까 걱정이지요."

"원, 별말씀을 다 하십니다. 신대감이야 오랫동안 안의 청직만을 맡아하셨으니, 오랜만에 민심도 살피고 치민에 대한 경력도 쌓아야 이다음에 국정을 잘 살펴 주상을 보필하게 될 것이 아니오이까."

"걱정이 이만저만이 아니올시다. 때가 더욱이 흉황이라서……"

신엽이 속시원하게 말하자 이세백은 고개를 끄덕였다.

"종기도 작을 때에 짜버려야지 키워놓으면 목숨까지 위험하지요. 제가 해서에 있을 적에도 가장 큰 두통거리가 몇가지 있었소이다. 그 제일 첫 번째가 감영의 행정력이 미치지 못하는 후미지고 벽궁한 곳의 백성이 언제나 나라를 등진다는 점이지요. 그 다음에는 아전 소리들을 믿을 수가 없는 점이오. 언제나 두 마음을 먹고 있어서 수령의 자리가 위태로운 기색만 보이면 이내 등을 돌리고 마는 것이오. 그리고 세 번째로는 바로 그 장씨 성을 가진 자가 이끄는 자칭 활빈당이란 무리요. 일찍이 들으셨는지 모르나 장아무개란 자는 전에 해주감영 옥을 탈옥한 살인수였다고 합니다. 그자와 구월산의 적당들에 관하여는 각 지방 수령들의 밀계에 여러차례 나오고 있거니와, 수년 전에는 문화 재령 신천 등지에서 관리를 모칭하거나 관민을 여럿 살해한 일이 있소이다. 구월산 인근 읍의 관아에는 슬며시 일러주는 백성과 하리배들이 있어서 더욱 토포하기가 어렵지요. 그렇다고 따로이 토포군을 대대적으로 일으키자니 이 어려운 시절에 군비도 문제려니와 백성이 더욱 난경에 빠질 처지라 큰 골칫거리지요."

이세백이 관찰사로 재임 시에 겪은 일을 요점을 들어 말하였고, 신엽이 재차 따져 물었다.

"감영에서 단호하게 나가지 않으면 점점 자라날 것입니다. 이제 보니 해서는 아예 적당들의 수중에 떨어지고 말았습니다그려. 대감께서는 재임 시에 그들 혈당의 근거지조차 한 번도 탐문해보지 않으셨나요?"

이세백은 미간을 찌푸리고 열을 내어 얘기하는 신엽의 얼굴을 한동안 물끄러미 바라보았다.

"글쎄요…… 아무리 화적의 무리라고는 하나 그들은 일테면 수목이 되지 못하고 버섯이 되어버렸거나 음식이 상하여 곰팡이가 되어버린 자들이니, 원래는 순한 백성들이 변하여 그리된 것이지요. 헌데 저는 무리하여 치민하는 것을 별로 좋아하지 않고, 상하 명복에도 각박한 것은 취하지 않으려 하지요. 무리한 거병을 피하여 도적의 우두머리를 제거할 계책을 세워보았으나 예상보다는 대단한 무리들이었소이다."

곁에서 묵묵히 듣고 있던 이인하가 말하였다.

"김식이라는 자가 그때에 살해되었지요."

이세백은 무장으로서 서반인 이인하를 돌아보며 천천히 고개를 끄덕였다.

"그렇소. 이대감은 김모라는 자를 잘 아시겠지만 칼솜씨가 훈련원에서 으뜸이라던 무사였소. 제가 해서로 부임할 제 그 고장에 난민과 도적이 끊이지 않는다 하여 특별히 뽑아 막하에 두고 든든히 여겼던 사람이오. 그 김식이와 표한하기로 이름난 감영의 장교들을 뽑아서 화적 괴수의 목을 베어오라 하였으나, 변변히 싸워보지도 못하고 송화 저자에서 참살당하였소이다."

신엽은 혀를 찼다.

"허 저런…… 아니 훈련원에서 뽑힌 으뜸 무사라는 자가 일개 도적의 칼에 맞아 죽었단 말인가요?"

이세백이 그것 보라는 듯이 신엽의 놀란 표정을 바라보며 가볍게 웃음을 지었다.

"그것도 도적 괴수가 아니라 그의 부하라는 자에게 당하였소."

"그렇다면 훈련원 포도청 오위영 등의 각 군영에는 그까짓 들쥐 하나 잡을 무사가 한 사람도 없단 말인가요?"

이인하가 신엽의 말을 받았다.

"해서 전체를 적굴로 본다면 그들 도적과 맞서서 몇몇 장졸이 대적한다는 것은 스스로 함정에 빠져드는 일과도 같습니다. 제가 보기에는 예전 효종 연간에 나라에서 민간에 숨어 있는 기이한 재목들을 널리 찾게 하였는데, 스스로 뛰어난 재간을 터득한 자들이 무수히 있었다고 합니다. 그런 자들이 무리를 이루어 익숙한 지형에 의거하여 숨어 있으면, 제아무리 효용이 절륜한 무장이라 할지라도 싸우기가 매우 곤고한 노릇이지요. 그러니 이런 일은 나라 안의 근심이라 하여 가벼이 할 것이 아니라, 북관에서 여진을 토벌하듯 감영과 군읍의 군병을 일시에 일으켜서 오랜 기간을 두고 토포하여 아예 적굴을 쓸어버려야 할 것입니다. 그러려면 먼저 내통이 된 듯한 관민을 탐색하여 잡아내고 그들과 연락이 있는 마을을 초토화하고 적당을 고립시켜야 하겠지요."

이인하가 무장답게 얘기한즉 이세백은 침통하게 말하였다.

"거병이란 태평성대에도 국난이 아니면 피하는 것이 상책이요, 지금 같은 흉황에는 더욱 못 할 노릇입니다. 비록 도적은 잡는다 할지라도 우매한 백성으로 군졸에 뽑혀서 무고히 죽는 것과, 군졸이 한번 지나가면 마을 촌촌이 계견(鷄犬)까지 화를 당한다고 고금에 널리 알려져 있소이다. 저는 화적당이 완전히 소탕되지도 않으려니와 오히려 백성들 사이에 원한이 커져서 급기야는 더욱 큰 우환이 생기리라고 봅니다. 덕이 있고 넉넉한 정사를 펴서 그들이 스스로 양민으로 돌아오도록 순치시켜야겠지요."

그러나 강경하게 조처해야 한다는 의견에는 이인하와 신엽이 같았다.

"해서의 근심뿐만 아니라 삼남에서도 도적들 때문에 골머리를 앓고 있습니다. 이번에 구월산을 샅샅이 뒤져내서라도 도적의 씨를 말리지 못하면 근심은 더욱 커져 나중에는 걷잡을 수 없이 될 것이오."

"군령을 엄히 세워 백성들에게 피해가 가지 않도록 하고 암행하여 탐색하는 한편 정확하게 적굴을 찾아내어 불시에 급습을 하는 것이 관민에게 모두 유리하겠지요."

이세백도 절충하여 말하였고 신엽이 그에게 물었다.

"그렇게 강대한 무리를 능히 제압할 지모와 무예에 뛰어난 자가 혹시 없겠습니까?"

"글쎄요, 감영에는 장교들이 있지만 김식과 같은 재간을 능가할 자는 없는 줄로 압니다. 혹시 이대감께서 눈여겨보신 무장이 있으면 천거하시지요."

이인하가 조심스럽게 얘기를 꺼냈다.

"아까부터 토포에 관한 말씀이 있고 나서 저는 떠오르는 사람이 하나 있었습니다만, 몇가지 거리끼는 바가 있어서 망설이고 있었습니다."

"나라의 근심을 제거하는 일에 가릴 것이 무엇이오."

신엽이 재촉하였고 이인하는 머뭇거리다가,

"근년의 소연한 정국과 관련이 깊은 사람이라서⋯⋯"

하며 털어놓았고, 당색이 다른 이세백이 얼른 눈치를 챘다.

"혹시 광남(光南)과 관계 있는 일인가요?"

"그렇습니다. 갑자년에 한양에 살주계와 검계라는 난민이 횡행하였을 때에 조정쟁론의 불씨가 될까 하여 병판과 좌우 포도대장이 논의하고 일단락을 지었지요. 그때에 바로 수습하지 않았다면 조정은 피바람이 몰아쳤을 겝니다. 전에 포도 종사관을 지내던 자인데, 김익훈이 어영대장을 하던 시절에 그 댁의 식객으로 있었답니다. 문제가 미묘하여 그자는 피혐(避嫌)하노라고 관직을 사직하였지요. 통제영에 도목을 올렸으나 그자는 끝내 내려가지 않았습니다."

"벌써 햇수로 두 해가 지났는데 그러한 미관말직의 사람에 까탈을 잡아 이러쿵저러쿵할 사람이 누가 있겠소. 나중에 무슨 문제가 생긴다면 나도 나서리다."

당색 다른 이세백도 스스로 난처함을 털어내려는 듯이 말하였고 신엽도 거들었다.

"광남의 일이라면 우리가 다시 거론할 이유가 없소이다. 그리고 이것은 도적을 토포하는 일이라 그 일이 끝나고 나면 제가 그 사람을 끝까지 거둘 필요도 없지요. 그 사람의 수완 여하에 따라서 나중에 영전을 시키든 상급을 내리든 할 게 아닙니까. 대감은 천거만 하시지요. 쓰는 것은 제가 알아서 하고 토포가 끝나면 적절히 대우하여 돌려보내겠습니다."

이인하가 침착하게 말하였다.

"전 포도 종사관 최형기라는 자가 그자입니다. 아, 배오개 누렁다리 부근에 산다는데 사람을 보내어 수소문하시면 즉시 닿을 것입니다."

"최형기라…… 어디서 많이 들었는걸."

이세백이 중얼거리자 이인하가 말하였다.

"원래 그자의 가계가 아전붙이라 무과를 하였어도 제 길로 환로에 들어서지 못하고 있습니다. 사실 포도청에는 그만큼 민첩한 자가 없지요. 이대감께서 해서로 데리고 가셨던 김식이도 최형기의 아랫사람입니다. 최형기는 날으는 제비를 단칼에 벤다는 소문입니다."

"미거한 출신이 공에는 급급하게 마련이지만, 자못 불안한 데가 없는 것도 아니지요. 잘 쓰고 적당한 때에 버리면 이런 일에는 아주 적합할 것 같소이다."

이인하는 신엽의 너그럽지 못한 말을 듣고 공연히 얘기를 꺼냈나 하며 후회하였으나 이미 늦은 일이고, 자기와는 상관이 없는 일이라고 스스로 치부해버렸다.

"오늘 대감 댁을 방문하기를 아주 잘하였습니다. 요행히 이대감도 여기서 뵙고 아주 유익하였습니다. 해서에 부임하기 전에 다시 들르겠소이다."

신엽은 이세백의 집을 나와 홀가분한 마음으로 돌아갔다. 그는 집에 가자마자 책실을 불러 분부하였다.

"너 내일 일찍 배오개로 나아가 누렁다리 사는 종사 다니던 최형기라는 자를 수소문하여 데리고 오너라."

"알겠습니다."

"모대감이 추노하는 일인데 급료를 두둑이 내린다고만 말해주어라."

신엽은 일단 자기가 쓰기로 작정하였으니 급료는 후하게 내릴 생각이었다. 그의 전정에 대하여 책임지지 않겠다면 넉넉히 먹고살게는 보살펴주어야 할 것 같았다. 그러는만큼 그자가 가진 기량을 남김없이 발휘시켜서 적당을 끝내 소탕해야 될 것이다. 신엽으로서는 해서의 치민이 문제가 아니라, 그의 부임의 목적이 온통 구월산의 토벌에 있다고 믿었다. 그는 초토의 책을 꺼내던 이인하의 말을 잊지 않고 있었다. 가혹하더라도 능력이 쉽게 드러나 인정받는 것은, 이세백도, 윤반도, 임금도 끝내 해내지 못했던 일을 자기가 수삼 개월 만에 해치워버려야만 한다고 신엽은 생각하였다. 이번에 그가 감사의 제수를 받은 것은 그의 단호한 결단성 탓이었다. 그는 일찍이 남형(濫刑)과 가혹한 조처로 남구만(南九萬)의 탄핵을 받은 적도 있었다. 신엽은 마치 전장에 나가는 장수처럼 결연한 생각으로 신연을 기다리는 중이었다.

최형기가 포도청을 사직하고 나온 것이 검계가 나던 갑자(甲子) 가을이었고 을축(乙丑)을 지나고 벌써 병인(丙寅) 시월이니 꼭 들어찬 두 해가 되는 셈이었다. 그는 사직하고 나서 이듬해 봄에 도목에 올라 통제영으로 발령이 났건만 여러가지로 사양하였다. 파직이 되었던 사람이라도 일정 기간이 지나면 복권되게 마련이지만, 최형기로서는 섣불리 나설 수가 없었다. 그가 그렇게 조심하여 처세하였음에도 정국의 회오리바람에 휩쓸려버렸던 것이다. 그는 김익훈과 아무런 관련이 없었는데도 불구하고 주위에서는 최형기가 한때 그의 막하에 있었다 하여 아예 광남의 파로 여기고 있는 듯하였다. 만약에 최형기가 조금의 지벌이라도 있거나 뒤를 보아주는 중신이 있었다면, 그런 문제는 아예 거론되지도 않았을 것이다. 한미한 출신이어서 극히 조심하며 지내온 처세가 오히려 그를 궁지로 몰기가 더욱 용이하도록 만들었다. 소론뿐만 아니라 광남파의 사람들도 최형기가 분명 그의 은혜를 입었음에도 불구하고 표리가 부동한 자라고 괘씸하게 여기는 눈치였다. 물론 이것은 그와 같은 직계의 무관이나 부장들이 수군대는 소리지만, 위에서 모를 리가 없었다. 그러나 누구 한 사람 자네의 전정을 내가 책임질 테니 내 사람이 되어라 하며 손길을 내밀어주는 이가 없었다. 이는 세상 구설에 오른 자로 택인하여 구태여 자기 사람을 만들지 않으려는 사대부들의 전통적인 기휘(忌諱)의 탓이었다. 그들은 아예 어린아이 적부터 그 총명과 임기응변을 보아 인재를 길러내어 특채시켜서 조정에 자기 세력을 심기도 하였으니, 천생으로 상전을 잘 만나서 서로 상부상조하여 정국의 소용돌이를 뚫고 나간 자들이 한둘이 아니었다. 최형기는 김익훈이 완전히 영락해버리든지 아니면 스스로 수습하여 복권이 되든지, 결판이 나야만 자신이 환로에 다시 발을 디딜 수 있으리라는 것을 알고 있었다. 만약 김익훈이 다시 영달한다면 최형기는 이제라도 그의 허리끈을 단단히 붙잡을 자신도 있었다. 그러나 최형기의 판단에 의한다면 그는 조정 중신들을 여럿 죽게 했던 고변자(告變者)였다. 언제 입장과 처지가 바뀔지 모르는 것이다. 눈짓으로 주고받는 싸움이라면 모르되 피를 본 싸움은 피를 부르게 마련인 것이다. 충천하던 김익훈의 기세는 이제 한풀 꺾였고 그는 날로 몰리는 중이었다. 최형기는 그가 처참한 최후를 마치게 될 것을 미루어 짐작하였다. 그러나 재산이든 권력이든 마찬가지지만 그 끝이 지루하게 끌면서 오래가는 법이 아니던가. 최형기는 마치 까마귀처럼 나뭇가지에 걸터앉아 그가 죽기만을 기다릴밖에 별 도리가 없었다. 그는 환로에 대한 정이 뚝 떨어져버린 듯이 안면을 익힌 서반 대신들의 문간에는 얼씬도 하지 않았다. 그러나 언젠가 권토중래(捲土重來)하려면 옥당 청직의 문사들과는 다른 입장이라 꾀죄죄한 처지로는 어림도 없을 듯하여 재산 경영에 몰두할 생각이었다. 자고로 무장이 되려면 호방하고 돈이 있어야 하는 것이다. 포도청의 부장이나 종사관들 가운데 최형기만큼 시정에 밝은 자가 따로이 없었다. 최형기는 시정아치들의 약점이나 어두운 속내를 훤하게 꿰고 있었고, 시정배들도 그가 보통 사람이 아니란 것을 잘 알았다. 이제 포청을 물러나온 처지에 그들을 핍박하거나 위협하여 이득을 보는 것은 천만부당하니, 그들을 슬그머니 손아귀에 넣어 자기를 돕도록 만들 셈이었다.

　최형기가 맨 처음에 손을 댄 것은 역시 그의 집동네 부근인 배오개였다. 소의문 쪽은 관직에 있을 때도 그의 구역이 아니었고, 종루 시전은 워낙 뿌리가 완강하기 때문이었다. 그는 배오개에서 아무것도 벌이지 않은 빈 점포를 내어놓고는 준수하게 생긴 기민한 사동 하나를 고용하였다. 그리고 그는 점포 안쪽의 깊숙한 방에 화로를 끼고 앉아 담배나 태우고 팥죽이나 비우고는 하였다. 원래 기방은 그의 기찰 요소라서 최형기는 퇴기들을 여럿 알고 있었다. 대개 아전붙이나 별감이나 역관의 처첩으로 들어앉게 마련이라, 최형기는 광통방과 다방골 등지에서 이름을 드날리던 퇴기들을 수소문하여 주로 역관들에 줄을 넣기로 하였던 것이다. 의주나 해서로 일 년에 한 번씩 사신이 내왕하며, 동래에서는 아예 왜인과의 교역이 사시사철 허가되어 있으니 모든 당화와 왜화가 그런 물길로 흘러들어오는 것이었다. 상인들이 미리 자금을 넣어 사행에 끼여 직접 무역도 하지만 역관 자신들이 사대부의 청탁을 받거나 스스로 무역을 하여 역관이 대물림이 되면 장안에서 거부가 되지 않는 이가 거의 없었다. 그러나 물화란 서로 소통되어 사고 팔게 마련인데 이런 물건이 공공연하게 매매될 수 없음은 뻔한 이치였다. 누군가 팔아 거대한 이윤을 얻은 것이 회자되면 노리는 이도 생길 것이요, 질시하는 이도 있을 것이며 탄핵의 대상이 되는 것이었다. 또한 그러한 물건을 산 쪽에도 구설이 그치지 않아 분수에 넘친 사치라거나 재물의 출처를 깨끗지 않게 여길 것이며, 사헌부나 조정 중신들의 입에 오르내리기 시작하면 내리막길이 되기가 십상이었다. 자연히 뒤로 숨어서 매매가 이루어지던 것이다. 최형기는 부장들이 그런 기미를 알면 중개자에게 압력을 넣어 기찰전을 심심치 않게 뜯어 쓰는 것을 잘 알고 있었다. 최형기는 바로 당왜화의 매매 거간이 되었던 것이다.

역관의 처첩으로 들어앉은 퇴기들이나 광통방의 창기들에게서 통자가 들어오면 우선 찾아가 물건을 확인하고 나서 원매자를 물색하였다. 궁중 나인들이나 각 권세가의 하님들에게 물품의 물목을 들여보내면 사람이 점포로 기별을 하였다. 날짜를 맞추어 양쪽에서 물품과 은자를 가지고 오면 그가 중개하여 흥정을 붙이고 구전을 먹었다. 포교들도 최형기가 예전의 상관이라 알고도 기찰전을 요구하지 못하였고, 최형기는 또한 그 나름대로 한 철에 한 번씩 담당구역의 포교 몇과 부장을 불러 용채도 쥐여주고 새옷도 지어주고 하였다. 그러니 자연히 어느 점포에 가면 당왜화의 매매가 틀림없이 소문도 안 나고 잘 풀린다고 알려지게 되어, 배오개에서 그의 점포가 가장 명색이 없어도 속으로는 알심이 두둑하였다. 이렇게 되니 자연히 요령을 모르고 노는 돈을 가진 장사치가 대금을 내놓으며 이윤을 반분할 것을 들고 나왔다. 최형기는 단골에게는 적당히 물목을 들여주고 자기가 사서 직접 매매할 것은 모조리 사들였다. 물건은 절대로 점포에 두지 않고 이른 아침이나 땅거미 내린 뒤에 누렁다리 그의 집 광에 재도록 하였다. 그리고 고객이 오면 필요한 물건만을 전에 내려다 보이고 팔았다. 두 해 사이에 그는 옆집을 사서 담을 터버리고 광을 신축하고 하면서 착실히 경영을 하였던 것이다. 최형기는 그러나 점포에서는 수수하게 중치막에 사방관을 쓰고 곰방대를 물고 앉아서 술값이나 얻으러 오는 활터 한량들과 바둑도 두고 한담도 하였다.

그의 점포에서는 당왜화는 무엇이든지 취급하였다. 일광단 월광단 공단 대단 모초단 한단 왜단 영초단 우단 모단 등등의 각종 비단과 낭릉 화릉 추릉 항라 갑사 생초 숙초 등의 청나라 비단에다, 금패 호박 밀화 산호 진주 청강석 유리 진옥 수만호 대모 서각 사향 용뇌 우황 녹용 용주 한충에다가, 천은 화대모 한중향 회서피 등의 진귀한 물품들이 손님의 청에 따라서 사흘 말미만 주면 즉각 당도하였다. 최형기는 한량들과 마주 앉아서는 절대로 조정이나 관청에 관한 이야기는 비추지도 않았다. 혹 누군가 무과에 대한 얘기나 무장에 관하여 말을 꺼내어 이러쿵저러쿵하면, 그는 잠자코 턱이나 쓸고 있든지 문득 시정의 얘기를 꺼내어 딴청을 부리는 것이었다. 몰이에 쫓겨 궁지에 빠진 짐승은 결코 섣불리 덤벼들거나 움직이지 않고 덤불에 숨어서 급박한 위기가 지나기를 기다리는 것이다.

그가 비록 이전에 종사관이었다 할지라도 저자에 나와 시정배가 되었으니, 아무도 그가 다시 환로에 나와 승급과 출세를 바라리라고는 여기지 않을 것이다. 요즈음 세월이 재물 또한 권력에 못지않아 부가옹은 어느 때든지 높은 공명을 따낼 수가 있었고, 조정 대신이라 할지라도 그의 수하에 이재의 능력이 있는 자를 두어 치부하기를 꾀하였다. 형기의 장사라는 것이 곡물이나 어염이나 채소를 쌓아두고 번거롭게 이리 다투고 저리 외치는 열립 장사도 아니고, 뒷전에서 수군수군 해치워버리는 거래라서 표도 나지 않고 남들이 능멸할 바의 것도 아니었다.

최형기는 그날도 청룡정 활터에서 내려온 한량들과 앉아서 바둑을 두고 있었다. 곁에 앉아 들여다보던 한량이 말하였다.

"이병사 댁에서 우황을 구한답디다. 그 댁의 손자가 경란기가 심하다지요."

그자는 무심코 말하였건만 최형기는 놓치지 않고 바둑돌을 쥔 채로 바깥에 앉은 사동에게 일렀다.

"경상도에 나간 이병사 댁이다. 남부에 있으니까 찾아가서 우황이 있노라고 전하고 오너라."

"우황이 떨어졌을 텐데요."

하니까 최형기는 문갑 서랍을 열고 치부책을 이리저리 들추더니 한 곳을 손가락으로 짚어보며 말하였다.

"돌아오는 길에 작년에 사행 나갔던 김동지 작은댁네에 들러라. 작은마님에게 하인을 보내면 즉시 지불을 하겠으니 우황을 전부 내달라고 하여라."

사동이 급히 뛰어나가자 그제야 최형기는 손에 쥐었던 바둑돌을 쳐들고 이리저리 둘 곳을 찾았다.

"가만있자…… 아까 어떻게 두었더라……"

이제까지 지켜보고 있던 두 한량은 어이가 없는 모양이었다. 먼저 입을 뗀 사람이 말하였다.

"말을 꺼내기가 무섭군요. 선다님은 우리에게 팥죽 한 그릇 내시고 큰 수지를 맞추십니다."

"자아…… 이거 꼼짝없이 죽었는걸."

최형기는 바둑돌을 놓으면서 딴전을 피웠다. 처음에는 한량들이 저희들의 활터 선배랍시고 앞으로 승진이 된다는 의미로 최선전님이라 부르더니 조금 가까워지자 전직대로 종사님이라 불렀다. 최형기가 자기는 이미 시정에 나와 앉은 사람이라 종사라고 불리는 것은 가당치 않다 하여 그냥 무과를 하였다고 선달로 부르게 하였고, 거래차 그를 찾아오는 이들도 자연히 그를 선다님이라고 부르게 되었다.

"계십니까?"

누군가 밖에서 찾는 소리가 들려 최형기가 내다보니 처음 보는 손님이었다.

"누구를 찾으시는지."

최형기는 그의 복색과 인상을 보고 대뜸 그가 어느 정도의 신분에 있는 사람인가를 알아차렸다. 얼굴이 곱상하고 얌전하게는 생겼으나 선비라기에는 눈빛과 입언저리에 위엄이 없으니 책상물림이기는 하되 남의 밥을 먹는 자가 분명하였다.

"포청 다니던 최종사라는 분을 뵙고자 합니다."

최형기가 그의 아래위를 쓱 훑어보고 일부러 들어오란 말도 없이 장사꾼 티를 내었다.

"무슨 물건을 찾으시나, 아니면 내놓을 물건이 있소?"

"그런 게 아니라 저······"

하면서 그는 방 안을 기웃거리고 사내가 둘이 앉아 있는 것을 살피고는 머뭇거렸다.

"이 사람 물목도 알아보지 않고 온 모양이군. 다시 가서 자세히 알아가지고 나오시오. 여기는 당왜화의 거래만 하는 곳이니까."

최형기가 문을 닫고 들어오니 그자는 밖에서 서성대며 말도 못 꺼내고 안절부절 못하였다.

"저어 사실은 승지 신대감 댁에서 왔습니다만……"

최형기가 안에서 물었다.

"헌데 종사는 왜 찾나?"

"긴히 부탁하실 게 있으시다고……"

"허, 괴이한 일이로군. 거래할 물건도 없으면서 사람을 보내다니."

하면서도 최형기는 공연히 마음이 설레었다. 승지라면 임금의 무릎 아래 있는 사람이고 웬만한 무관의 앞길은 혀끝으로 간단히 좌지우지할 수가 있는 것이다. 그가 거래도 아닌 부탁의 말을 하기 위하여 자기에게 사람을 보냈다면 심상한 일이 아닌 것이다. 최형기는 안쪽에 따로이 거래를 하기 위한 응접실이 있었건만 한량들을 따버리느라고 돌을 떨어뜨리며 말하였다.

"오늘 바둑은 내가 졌네. 그만 두도록 하지."

"선다님, 술은 어찌됩니까?"

"밖에 낯선 이를 세워두고 우리만 마실 수가 있는가?"

하자 그들은 금방 눈치를 채고 옷을 털며 일어났다.

"에이, 공연히 골머리만 앓았군. 오늘 술은 빚이올시다?"

"그리고 말 보태드린 빚두 있구요."

그들이 나가자마자 최형기는 신승지 댁에서 온 사람을 들어오도록 하였다.

"그 댁의 책방으로 있습니다. 다름 아니라 대감께서 이르시기를, 최종사가 기찰에는 워낙 명자가 난 사람이니 긴한 부탁을 드린다구 하시면서 뵙자고 여쭈랍니다."

"이미 저자에 앉아 시정아치가 되어 손득이나 따지고 있는 사람에게 기찰이 다 무어요."

"추노할 일이 있는데 포청에는 알릴 수 없어서 부탁드린답니다. 보수는 얼마든지 내시겠답니다."

최형기는 추노라는 말이 나오자 그것이 전혀 터무니없는 소리임을 알았다. 적어도 그쯤 되는 집안의 노비라면 한두 해에 박힌 것이 아니요, 대물림이기 쉽고 노비들도 권세가에는 그를 뒷대어 자세하며 이를 취하여 살아가기가 편한즉 구태여 달아날 리도 만무한 것이었다. 몰락한 양반이라면 몰라도 당대의 세도가 댁에서 추노란 당치 않은 말이었다.

"허허, 보수를 얼마든지 내겠다니 어디서 왕소군(王昭君)만 한 미색을 종년으로 두었는가."

최형기는 어이없는 웃음을 웃고 나서 정색을 하고 말하였다.

"가서 너희 주인에게 말해라. 아무리 포도청 종사관이 종육품의 미관말직이기는 하지만 세도가의 노비나 잡으러 다니려고 저자로 나온 것이 아니라고 말해라. 어서 냉큼 일어서지 않으면 무관을 능멸한 값으로 모가지를 비틀어서 천변에 내칠 것이다."

신엽의 책방은 낯이 파랗게 되어서 오금을 못 펴다가 최형기가 손가락으로 방문 밖을 가리켜 보이자 얼른 일어나 신도 제대로 꿰지 못하고 저자의 사람들 사이로 숨듯이 사라져버렸다. 최형기는 결코 화를 낼 사람이 아니었다.

그는 짐짓 화를 낸 척했을 뿐이다. 최형기는 그가 승지 신엽의 댁에서 왔다고 말을 꺼냈을 때부터 뭔가 특별한 일이 있다고 느꼈던 것이다. 그까짓 추노하는 일이라면 그것만 언제나 맡아놓고 해오는 별감배 출신이나 포교 출신의 무뢰한이 한양 성내에 한둘이 아니었다.

신엽이 승지쯤 되는 사람이니 전 종사관이 사노비를 잡으러 나서리라고는 생각지 않을 것이었다. 그러면 무엇일까. 반대당을 기찰해 달라는 것인가. 그 일도 아니었다. 그런 일이라면 자기가 오랫동안 아래에 두어 부리던 자가 아니면 맡기지 않을 것이다. 최형기는 빙 긋 웃었다. 그렇군, 도적을 잡는 일이렷다. 한양은 또한 아니다. 한양 이라면 구태여 자기를 은밀히 부를 필요가 없이 포청에서 나서서 토 포를 해나갈 것이다. 외직이로군.

승지에 걸맞은 외직이라면 관찰사밖에는 없었다. 신엽이라면 명 민한 사람으로 주상의 무릎 언저리로만 돌던 사람이 갑자기 격하되 어 군수나 현감이 되어 나갈 리는 없을 것이었다.

"관찰사라······"

잘하면 줄을 잡게 될지도 몰랐다. 조보(朝報)를 살펴보면 알게 되 겠지만 집의와 사간에서 교리 승지까지 지내던 이가 밖으로 급작스 레 나가는 것은 무엇인가 외방에 큰 근심이 일어났기 때문이 아닌 가. 누구나 걱정스러운 일에는 측근자로 하여금 처리하도록 시켜야 마음이 놓이는 법이다. 그래서 그런 대명을 받잡고 나가면서 자신의 일을 도울 사람을 찾는 것이 분명했다. 아마도 큰 도적이 일어났을 것이다. 최형기는 얼핏 삼남지방과 해서지방을 떠올렸다. 혼자서 이 궁리 저 궁리 하고 앉았는데 심부름 갔던 아이가 돌아왔다

"시키신 대로 다 해두었습니다. 동지 댁에서 곧 우황을 가지고 오 니까 값을 준비하라는데요. 돈은 싫고 왜단을 구해달랍니다."

"응 그래, 잘하였다. 그것보다도 너 얼른 요 건너 좌포청으로 달려 가서 부장포교에게 내가 그러더라고 요새 나온 조보가 있으면 좀 보 자구 그래라."

아이놈은 횡허케 달려나갔다. 곰방대 한 죽을 태우는 사이에 아이 가 헐떡이며 돌아왔다.

"갑자기 웬 조보를 찾으시느냐고 묻데요."

"그래 뭐랬느냐?"

"셈이 안 된 분이 계시는데, 갑자기 부지거처가 되어 시방 어디쯤가 계시는가 알아보신다구 그랬지요."

아이가 눈을 동그라니 뜨고 최형기를 들여다보았다. 형기는 흡족하게 고개를 끄덕였다.

"그래, 아주 잘 대답하였구나. 어디 좀 보자."

조보를 펴들고 이리저리 들춰보던 최형기는 역시 자기 생각이 맞았다며 고개를 끄덕였다. 신엽위황해도관찰사특수(申燁爲黃海道觀察使特授)라고 박혀 있었으니 그가 필요한 사람은 해서를 소연케 하는 명화적을 토포할 사람일 것이었다.

"좋다, 외직에 나아가 공을 세우고 돌아온다면 광남과의 연루는 깨끗이 잊혀지겠지."

조보를 들여다보며 최형기는 혼자 중얼거렸다. 최형기는 곰방대를 화로 위에다 탕탕 떨어버리고 재를 덮었다.

"삼종(三鍾)아, 가게 문 닫아라."

"예? 아직 해가 지려면 멀었는데요."

"이 녀석아, 닫으라면 닫아."

최형기는 사동에게 일렀다.

"오늘은 집에 일찍 들어가자."

사동이 영문을 모른 채 가게의 덧문을 안으로 걸어잠갔다. 그들은 장바닥의 혼잡을 지나 누렁다리로 하여 집에 이르렀다. 식구들은 그가 돌연 일찍 들어오는 것에 놀란 모양이었다. 그의 아내가 말하였다.

"아직 저녁 준비가 멀었는데 벌써 닫구 들어오셔요?"

"음, 그럴 일이 있소."

그는 들어가 앉기도 전에 사동 삼종이에게 일렀다.

"너 흥인문 밖으로 나가서 좋은 호마 한 필만 세내어오너라."

"예, 늠름한 구렁말을 빌려오지요. 그리구 가죽 안장에 은동자 올린 마구 제속까지 일습을 빌려올까요?"

삼종이는 역시 빠른 아이라 제가 알아서 대꾸하는데 형기는 부드럽게 웃었다.

"허 그놈…… 그래라, 네가 다 알아서 해오너라. 자, 어음이다."

형기가 소매 속에서 보름짜리 어음을 내어 수결하여주었다. 삼종이는 원래가 광통교 밑에서 깍정이들과 더불어 자라났는데, 좌포청에서 꼭지딴과 상번수들이 도적에 연루되어 잡힐 적에 불쌍하여 거둔 아이였다. 얘기를 들으면 누군가가 거적에 싸서 철물교 밑에다 던진 것을 깍정이들이 밥찌끼로 암죽을 내어 길렀다고 하였다. 그래서 철물교가 종루의 제삼교이니, 삼종이라고 지었던 것이다. 삼종이는 눈치가 빠르고 빈틈이 없어서 좌포청서 부장포교들의 사동 노릇을 하면서 귀여움을 많이 받았다. 특히 최형기는 기찰을 나다닐 때 삼종이를 여러 번 데리고 다녔고 그 아이도 형기를 매우 따랐던 것이다. 형기가 포청을 사직하고 나올 때 삼종이를 데리고 나왔던 것이다. 눈치를 보면 삼종이는 유능한 포도 장교가 되는 것이 원이었고, 어린 소견에도 최종사가 아무리 못해도 나중에 병수사는 해먹을 사람으로 여기는 모양이었다. 그가 갑자기 세마를 내어오라 하였고, 때가 마침 시월 초의 도목(都目)철이라 어디 현감직이라도 하나 따낸 줄로 지레 짐작하는 듯했다. 외관의 발령은 정월 사월 칠월 시월에 걸쳐서 일년에 네 차례가 있게 마련이었다.

"저녁 먹고 곧 나갈 것이니 당신은 구군복과 전립을 손질해주오."

"구군복이오? 아니 당신…… 출관하시는 거예요?"

최형기의 아내는 반색을 하면서 물었다. 그러나 그는 혀를 찼다.

"손질이나 해주어요. 출관을 하든 않든 그런 일에는 상관 말고."

아내가 장롱을 열면서 혼잣소리로 중얼거렸다.

"포청 일은 이젠 그만 하셔요. 차라리 살아서 부귀를 누리는 게 낫지요."

"포청이 아니오. 내가 아주 시정배로 평생을 보내는 것이 좋겠소?"

최형기가 말하니 그의 아내는 곁에 바짝 붙어앉았다.

"그럼 승급이 되셨나요. 여보, 그렇다면 통제영 같은 데로는 가지 마시구 경기도 어느 고을 자리나……"

최형기는 아내의 호기심을 털어버리려고 슬쩍 말을 돌렸다.

"저녁에는 꼬리고음탕이나 한번 끓여보우."

"먼 변방에 나가신다면 차라리 그만두셔요. 지금 장사만으로도 수년 내에 누만 전의 부자가 될 수 있잖아요."

최형기는 대답을 않고 새로 낸 별채의 사랑으로 올라갔다. 저녁을 먹고 있으려니 삼종이가 돌아와 말을 끌어다 놓았다고 아뢰는 것이었다. 최형기는 다시 안방에 들어가 홍철릭을 입고 그 위에 남빛 협수 걸치고 검은 전복을 입었다. 상모와 구슬이 달린 전립을 쓰니 어느덧 늠름한 무장이었다.

"여보, 어디 신례라도 드리러 가시지요? 어느 댁에 가셔요?"

아내가 걱정 반 기쁨 반으로 이리저리 묻는 것을 최형기는 모르는 체하고 밖으로 나와 목화를 신었다.

"제가 수종할깝쇼?"

삼종이가 문간에서 매었던 말고삐를 풀어다 끌어놓으며 물었고 최형기가 말하였다.

"괜찮다. 집에 있거라."

최형기는 대문 밖에서 말에 올라 천천히 종루거리로 나아갔다. 날은 이미 저물었는데 저자는 파장이 되어 한산하였다. 제용감고개를 넘어 사직골로 들어갔다. 인왕산록과 백악산록에는 문관들이 많이 살았고 조정 중신들은 대개 백악 근처의 삼청동이나 순화방이나 가회방 진장방에 많이 살았고, 사직골 필운대 옥류동 백운동 등지에는 맑은 선비들이 많이 산다고 하였다. 그러나 이는 궁에 가까워 궁인들이나 주상의 행차가 빈번한 곳이라 그럴 뿐이지 실은 맑은 선비가 그러한 요지에 살 수는 없었다. 그들은 문밖이나 문안이라 하여도 남산골 낙산 아랫녘 등의 변두리에 살았다. 최형기는 사직골 승지 댁에 멈추고 하마하여 솟을대문 앞에서 외쳤다.

"이리 오너라."

문이 열리더니 하인이 나와보고는 의젓한 구군복 차림의 무장이라 얼른 비켜서며 한 손으로 대문 옆에 있는 허술청을 가리키며 말하였다.

"안으로 듭시지요."

청지기가 앉았다가 일어나 예를 드리며 붓과 명함을 내놓았다.

"여기다 명자하여주십시오."

최형기는 전 종사관 최형기라고 썼고 청지기가 안으로 가지고 들어가자마자 책방이 바삐 뛰어나왔다.

"이렇게 오실 것을 가지고 공연히 소인의 애를 태우십니까?"

"아까는 피차 그리되었네."

최형기가 안으로 따라 들어가니 신엽은 무엇인가 쓰고 있다가 다 그만두고는 그를 반겨 맞았다.

"전 종사 최형기 현신하였습니다."

최형기가 장지 밖에 꿇앉으며 공손히 절하였다.

"어서 안으로 들어오게."

최형기는 일어나서 방 안에 들어가 단정하게 앉았다.

"그렇잖아도 아까 사람을 보냈더니 그냥 왔길래, 내일은 내가 한번 찾아가 만나려던 참일세."

"황공합니다."

하고 나서 최형기는 당당하게 말하였다.

"해서로 나가신다는 것을 조보에서 보고 알았습니다. 막중한 직무가 계시온데 저 같은 한미한 무장을 부르심은 대감께나 저에게나 또는 감영에서 보더라도 결코 흘려서는 안 될 기밀이라 일부러 책실을 꾸짖어 보냈습지요. 만에 하나라도 교만방자하였다면 죽어 마땅한 죄올시다."

신엽은 무릎을 치며 감탄하였다.

"과연 듣던 대로군."

그는 설렁줄을 당겨서 술상을 내오라 일렀다.

"자네 얘기는 벌써 이좌윤에게서 들었네. 내가 이번에 임관찰사 대신에 그의 과만(瓜滿)은커녕 석 달밖에 안되어 새로 관찰사로 제수받은 것은 해서지방의 끊임없는 민요(民擾) 때문일세. 자네의 역량은 무장을 지낸 사람이라면 다 알고 있더군. 나를 도와서 민요를 가라앉히고 화적을 토포하지 않겠는가?"

"소인이 비록 포청을 물러나왔다 하나 대감의 부르심을 받고 이렇게 구군복을 갈아입고 달려온 것은 관직에 미련이 있어서가 아니올시다. 소인은 삼문에서 나온 뒤에 저자에 나가 앉아 요족하게 평생을 편안히 지낼 만큼 돈을 벌 기틀을 잡아두었습니다. 그러나 짐작컨대 해서의 도적은 장차 나라의 큰 근심이 될 것입니다. 소인의 수하 장교인 김식이라는 자가 살해되고부터 언젠가 기회가 닿으면 꼭 토포군의 앞장을 서리라 생각하였습니다."

"음, 그랬었군."

신엽이 처음 듣는 척하며 고개를 끄덕였다. 최형기가 다시 말했다.

"소인이 호종 무사로 대감을 모셔도 좋고, 아무런 직함이 없어도 좋습니다마는 한 가지 설원할 일이 있습니다."

"그게 뭔가?"

"미관말직의 신변 잡사에 관한 일이오라 일일이 기억하시고 유념하시지 않을 줄 압니다. 소인은 일찍이 광남 김익훈이 어영대장을 지낼 때 그 댁의 식객 노릇을 한 적이 있습니다. 그래서 세상에서는 제가 광남의 일파인 듯이 여기는 이가 많사옵니다. 그러나 저는 광남이 고변하고 훈척이 되어 하늘 높은 줄을 모르고 날로 득세하는 것을 보고 지감(知鑑)이 따로이 있어서가 아니라 문벌도 지벌도 없는 자로서 근신해야겠다고 생각하여 그의 극성기에 떠났습니다. 그러고는 제 힘으로 관직에 오르게 되었습니다. 하온데 연전에 한양 성내에 살주계라느니 검계라느니 하는 난민들이 일어나 소인이 기찰하고 잡아들였사온데 난민들은 거의가 시간배(市奸輩)들이라 관청의 동향을 훤히 알고 있었사옵니다. 그들의 모략에 걸려 광남과 은밀히 소론을 도모할 계책으로 검계를 날조하는 듯한 의심을 받게 되었습니다. 관직에서 물러난 뒤로 누구에게도 얘기하지 못하고 그저 근신하면서 울울이 지내고 있었습니다. 대감께서 소인을 해서로 데려가시려거든 소인의 전정도 열어주십시오. 모함에서 벗어날 수 있다면 소인의 후사를 위하여도 분골쇄신하겠나이다."

신엽은 최형기에 관한 다 알고 있는 얘기를 들으면서 그가 어쩐지 당돌하고 반지빠르다는 느낌을 받았다. 그리고 미천한 출신을 벗어나려는 강하고 끈질긴 야심이 감출 수 없이 번뜩이는 듯한 인상을 받았던 것이다. 저런 자는 내가 몰락할 조짐만 보이면 칼로 무를 베듯 할 사람이로구나,라고 신엽은 혼자 생각하였다. 우선 도적을 토포할 의논부터 하고 일이 끝난 뒤에 은근히 꺼내어도 늦지는 않을 터인데 참으로 영리하되 박덕한 자라고 그는 생각하였다.

"글쎄 자네에게 그런 일이 있었던가. 어쨌든 나는 자네를 호종 무사로 데리고 갈 수는 없네. 자네가 종사를 지냈으니 감목관이 마땅하겠지만, 그동안 승급이 되었을 테니 만호(萬戶)가 어떠한가. 내가 우선 데리고 가서 감영 외곽에 있는 등산곶(登山串) 만호로 천거하여 명년 정월 도목에 올리도록 해주지."

만호라면 첨사 병사 수사로 오를 수 있는 가장 적합한 무관직이었다.

"소인에게는 과남합니다."

그때 술상이 들어왔다. 신엽이 은잔에 술을 따라 최형기에게 내밀자 그는 극구 사양하였다.

"먼저 대감께서 받으소서."

"아닐세, 오늘은 내가 아주 요긴한 사람을 얻었으니 특별히 권해야지."

최형기가 공손히 두 손으로 받들어 돌아앉아 마셨다. 신엽이 껄껄 웃으며 말하였다.

"허, 그 사람 참…… 파격(破格)을 해야지. 이런 자리에서 그러면 내가 불편해서 안 되겠네."

술이 몇순배 오가고 나서 신엽이 물었다.

"그래 아까 도적을 잡으려다 죽었다는 자의 얘기도 했네만, 자네 같으면 어찌하겠는가?"

"예, 김아무의 잘못이 몇가지 있습니다. 도적을 잡으려면 먼저 그 정황을 샅샅이 알도록 면밀한 기찰이 있어야 합니다. 도적의 수는 몇인가, 그의 장단처는 무엇이며 호불호는 무엇인가, 도적의 내통자는 누구인가, 혹시 가족은 없는가, 그들은 어떠한 병장기를 쓰며 어떠한 전술을 쓰는가 등등을 자세히 알아야 합니다. 그 다음에는 도적이 있는 적굴과 그가 빠져나가고 숨을 지형을 샅샅이 익혀두어야 합니다. 그러고 나서 일시에 병력을 동원하여 에워싼 다음에 재빨리 적굴을 급습해야만 할 것입니다. 물론 유인해내거나 적당을 매수하여 수괴를 죽이게 하거나 하는 방법도 있습니다만, 이러한 것은 시간이 많이 걸릴뿐더러 다른 혈당을 일망타진할 수가 없게 됩니다. 원래 고금에 토포는 겨울철이 적합하다 하였지요. 대개 겨울에는 녹림이 헐벗어 굴혈과 골짜기가 드러나며 눈에 자취가 남아 도주하기가 어렵고 불 때는 연기가 몇십 리 사방에서 보이고, 도망하여도 추워서 노숙도 못 할 뿐 아니라 식량을 구하기가 어렵습니다. 적당이 그 본거지를 일단 빼앗기면 그 다음에는 마치 토끼몰이를 하는 것과도 같지요. 적지와 그 부근에 대한 기찰도 없이 적은 수로 도적과 직접 맞붙으려 하였다면 김아무개라는 자는 죽여달라고 제 발로 찾아간 격입니다. 소인 같으면 전 토포기간이 열이라면 기찰을 아홉으로 잡겠습니다. 그리고 살수와 포수로 모든 군사를 채우고 단병접전은 되도록 피하는 것입니다. 일방 섬멸시키는 가운데 실로 무예에 자신 있는 자들이 몰이에 지쳐서 피곤해진 적당을 하나씩 때려잡아야만 합니다. 이것은 동절의 호랑이사냥 때에도 쓰는 전술이올시다."

과연 최형기의 말을 듣고 보니 앞뒤가 맞고 이론이 정연하며 용병전술의 하나하나가 일목요연하게 눈앞에 떠오르는 듯하여 신엽은 근심이 일시에 가시는 기분이었다.

"음, 이제 해서에 비로소 성은이 닿겠구나."

신엽이 술잔을 내려놓고 중얼거렸다.

"내일부터 떠날 준비를 하고 집안정리를 해두게나."

"예, 분부대로 거행하오리다."

최형기는 공손히 대답하고 나서 이어서 말하였다.

"몇가지 대감께 부탁이 있습니다."

"무언가?"

"호종 무사가 되었든 등산곶 만호가 되었든 간에, 적당을 토포하자는 것이 대감과 소인의 뜻이 아니오이까?"

"그래서……"

"이런 일은 면밀히 해야 될 줄 압니다. 절대로 소문이 돌아서는 안됩니다. 시정에 나가 있던 전 종사관 최아무가 승지 대감을 따라 해서로 나간다네, 하구 말이 돌면 일을 그르치게 됩니다."

그것은 신엽도 바라는 바였다. 그러잖아도 무엇을 모르는 친척붙이들과 연줄이 닿는 중인배들이, 하다못해 찰방에서 비장에 이르기까지 한 직임이라도 얻어 나가려고 뻔질나게 사랑채 주변을 드나들며 눈치를 보는 중이었다. 처가나 혹은 외가 시골 작은집, 그리고 책방과 겸인이나 심지어는 유모 종년에 이르기까지 청탁을 한두 번받아보지 않은 사람은 그의 집안에 없는 듯하였다. 신엽은 남의 과만과 교대하여 부임하거나 특별히 도백(道伯)을 하려고 나가는 게 아니라, 오로지 해서의 들뜬 민심을 진무하라는 주상의 특명을 받잡고 나가는 것이었다. 그러므로 세간에서 쉽사리 생각하듯 감사자리한번은 영상을 바라볼 기틀을 닦는 기간이라는 말과는 실상 거리가 먼 외임이었다. 신엽은 그런 생각을 내색하지 않고 덤덤하게 대꾸하였다.

"그래야지……"

"신연이 당도하면 소인께 기별하여주십시오. 소인이 감영에 관하여 미리 알아볼 일도 있고 또한 당부해둘 일도 있습니다. 일단 부임 날짜가 정해지면 소인은 먼저 출발하여 벽란나루에 가서 대감을 기다리겠습니다."

"어째서 하필 또 벽란도(碧瀾渡)인가?"

"거기가 기순(畿旬)의 끝이올시다. 강만 건너면 연안 배천이라 해서의 관문이지요. 소인은 강을 건너면서부터 등산곶 만호 노릇을 하겠습니다. 절대로 소인이 포도청의 종사관이었다는 사실이 주위 아전들이나 군중들에게 알려져서는 안 되니까요."

"다 자네가 알아서 하도록 하게."

최형기는 덧붙여 말하였다.

"그리고 소인이 포청에 있을 때 함께 데리고 다니며 기찰을 시키던 명민한 포교가 두엇 됩니다. 이번 토포에도 그자들을 데리고 가고 싶습니다."

신엽은 붓과 종이를 밀어주며 고개를 끄덕였다.

"그 사람들의 명자를 적어놓고 가게. 내가 대장께 일러 그 사람들을 호종 무사로 데리고 가는 형식을 취할 터이니."

최형기는 염두에 두고 있던 포교들의 이름을 써넣었다. 단병접전에도 능하고 기찰에도 민첩한 자가 필요할 것이었다. 신엽은 명자를 받아서 들여다보다가 물었다.

"그래 얼마나 걸릴 듯한가?"

"준비하고 기찰하는 데 넉넉잡고 석 달은 잡아야겠지요. 동지섣달이 토포기로는 아주 최적기입니다."

신엽은 최형기의 잔에 다시 술을 따라주었다.

"수괴의 목을 베면 자네는 병수사일세. 나는 자네만 믿네."

최형기는 다시 돌아앉아 술을 넘겼다. 이제부터 그의 전정은 신엽에게 맡긴 것이나 다름없었다.

이튿날부터 최형기는 주변의 정리를 해나가는데, 고향 파주로 통기하여 아전으로 있던 삼촌을 올라오도록 하였다. 그리고 그에게 물목이 적힌 치부책과 당왜화를 들여오는 역관들의 명단이며 단골인 궁중나인들이나 각 권세가의 하님들에 관하여 상세히 알려주었다. 광에 재어둔 물건과 부탁받은 물건들, 또 아직 청산되지 않은 어음, 외상 같은 것들이 모두 수수될 때까지만 맡아주는데 그 이익은 반분하자고 최형기는 제안하였다. 삼촌 되는 이가 워낙에 파주 양주 바닥서 이재에 빠르기로 둘째가라면 서럽다 할 아전 출신이라 쾌히 응낙하였고, 나아가서는 그의 가게를 아주 떠맡겠노라는 것이었다. 이제 뒷보는 든든히 받쳐둔 셈이었다. 최형기는 삼종이에게는 따로 지시하여 거래는 꼭 네가 나서서 하되 언제나 반분하는 것을 잊지 않도록 하라고 주의를 주었다. 아내에게는 북관으로 올라 큰 이윤을 올릴 물건에 대하여 살필 겸 직접 청인과 거래할 길도 틀 겸 하여, 서너 달 가 있다가 해동이 되어 돌아오겠노라고 적당히 꾸며대었다. 무변의 여편네들이란 오지랖이 넓어놔서 바깥일에 이리저리 참견이 있을 뿐 아니라, 이번 일을 발설했다가는 틀림없이 부근에 사는 포청 부장들의 여편네들에게 자랑조로 늘어놓을 것이었다. 최형기는 아내에게 다만 포청의 부장포교 아무개를 일러주고, 가게에 무슨 일이 생기면 가서 부탁하면 될 것이라고만 말하였다. 그러고는 그가 언제나 데리고 다녔던 포교 두 사람을 퇴청 후에 은밀히 가겟방으로 불러다 놓고 해서로 나가게 된 사실을 말해주었다. 그들은 검계 살주계 등의 난민을 잡을 적에도 그의 손발이 되었던 자들이다. 하나는 훈련원 출신이요, 다른 하나는 시정 왈짜 출신으로 완력이 세어 웬만한 낭관(郎官)은 우습게 보는 자였다. 박완식 백섭 등인데 환도와 철퇴를 제법 휘두를 줄 알았고 전형적인 경아리들이었다. 그들은 최형기가 매우 유능한 포도관이라는 것을 너무도 잘 알고 있었고, 또한 당대의 신엽 대감이 직접 지휘하는 일이고 오랜만에 외방 바람을 쏘이는 것도 또한 해롭지 않은 일이라 자기들이 뽑힌 것을 고맙게 여기는 눈치였다.

"너희들이 신연이 당도하자마자 대감 댁으로 가 있다가 출발할 때 관찰사를 모시고 감영으로 가는 것이다. 내 일에 관해서는 절대로 발설치 말고 모른 척해야 한다. 나는 먼저 출발하여 벽란나루에 가서 기다리고 있겠다. 한양을 떠나는 그날부터 우리는 토포를 개시한 날이라고 여겨야 한다."

신신당부하고 나서 최형기는 말 두 필과 짐을 꾸려놓고서 기다렸다. 짐이란 관복과 그가 아끼는 왜단검과 길양식과 노자 삼십 냥뿐이었다.

닷새쯤 지나서 신대감 댁 책방이 가게로 찾아왔다. 그는 지난번처럼 마구 지절대지 않고서 주위를 살핀 뒤에 가만히 들어와서 조심스럽게 전하였다.

"신연이 당도하였습니다."

"어디에 있는가?"

"대감께서 숙소를 일러주었습니다. 제가 얼굴을 아니까 앞장을 서지요."

최형기는 아무 말 없이 그를 따라나섰다. 돈의문을 나서서 홍제원에 당도하니 번창하던 주막거리는 한산한데 경주인네 앞에는 말과 사람들이 시끌벅적하였다. 역졸들이 바삐 들락거리고 사령배들은 떠들썩하게 농지거리를 나누고 있었다. 책방이 그들 중 한 사람에게 수리(首吏)의 사처를 물으니 그들은 대번에 조용해지면서 공손히 일러주었다.

"계시오?"

하는 책방의 목소리가 들리자마자 방문이 밖으로 밀쳐지더니, 아전으로는 아깝다 싶을 정도로 수염을 짙게 드리운 풍채 좋은 중년의 사내가 허리를 숙이며 뛰어나왔다. 신대감 댁 책방이 뭐라고 말을 보태기도 전에 그는 마루에서 내려서며 말하였다.

"순사또께서 분부가 계셨습니다. 진장어른입지요?"

수리가 한껏 높여 부르는 말이었다. 최형기는 마루로 올라서며 책방에게 말하였다.

"자넨 가보게나. 대감께는 내가 명일 새벽에 떠난다고 여쭙게."

"그럼 또 뵙겠습니다."

아랫것들끼리도 서로 인사를 나누고 나서 책방은 밖으로 나갔고 수리는 안으로 들어와 아랫목에 앉은 최형기를 향하여 문안을 올렸다. 평소 같으면 형기의 성미로 그런 예는 폐하도록 하였겠으나, 위엄을 보여야 할 외지로 나가는 길이라 묵묵히 고개만 끄덕일 뿐이었다.

"승지 대감의 이번 부임을 어찌 생각하는가?"

최형기가 틈을 주지 않고 그에게 갑자기 물었다. 수리는 얼떨떨한지 곁에 누가 없는데도 한번 주위를 돌아보았다. 그래도 명색이 작은 고을이나 목의 수리가 아니요 관찰사가 있는 감영에서 올라온 수리인데, 고작해야 진장보다 아래인 만호나 되는 자가 공연히 자세를 부린다고 아니꼬워하는 눈치가 역력하였다.

"어찌 생각하다니요?"

"전 관찰사가 과만인가."

그제야 수리는 깨달았다.

"예, 본관께서는 주상 전하의 특명을 받잡고 나가십니다."

최형기는 눈을 날카롭게 뜨고 수리를 노려보았다.

"우물쭈물하지 말라. 그저 관가에 앉아 딴생각이나 하면서 방백의 임기가 끝나 갈려가기만을 기다린다는 것인가? 나는 당장이라도 네 모가지를 베어 들판에 던져버릴 수가 있다. 당산곶 만호란 한낱 모청에 지나지 않는다."

수리는 급해졌는지 고개를 숙여버렸고 방바닥을 짚은 두 팔이 덜덜 떨리기 시작했다.

"상명은 해서에 들끓는 명화적을 토포하라는 분부시다. 안전께서는 임금의 명을 받잡은 토포사이시다. 그리고 나는 토포장이다. 이것을 명심하되, 발설하지 말라. 오늘부터 토포가 시작되는 것으로 알고 어기면 군령으로 다스린다."

"알아 모시겠습니다."

최형기는 잠시 사이를 두었다가 조용히 말하였다.

"편히 앉게."

이방은 어찌할 바를 몰랐다. 최형기는 그의 오금을 질러놓고 나서 부드럽게 풀어주었다.

"나는 도적들만 기찰하고 다니던 종사관일세. 내가 일부러 신연을 나온 자네를 만나고자 한 것은 다름이 아닐세. 도적을 치려면 거병을 해야 하고 거병을 하려면 군기가 누설되어서는 안 되는 걸세. 군기를 지키려면 시정과 긴밀한 자네와 군병을 맡은 내가 손발이 맞아야 하겠기 때문이네. 순사또께서 부임하는 즉시 자네가 해야 할 일이 있네."

"분부만 내리십시오."

수리는 최형기의 호흡에 완전히 끌려들어와 있었다.

"인근 산촌에 호환이 났음을 널리 알리고, 사냥을 탄원하도록 해 주어야겠네. 그리고 해주를 자주 내왕하는 원행 장사치들에 관해서 도 알아야겠네."

"장사치들이야 해주뿐만 아니라 들고 나는 행상 차인배들까지 뜨르르 꿰고 있지만, 갑자기 호환이라니 무슨 말씀이십니까?"

수리가 어리둥절한 모양이었다.

"자네는 시키는 대로만 하게."

최형기는 그렇게 윽박지르고는 넌지시 물었다.

"구월산의 장적(張賊)에 관하여 요사이 새로 들어본 소문이 있는 가?"

"글쎄요…… 조읍포창이 결딴난 뒤에 가산을 털린 집의 아들 형 제가 감영에 찾아와 거병을 해달라고 탄원한 적이 있습니다."

"감히 초야의 백성이 관가에 찾아와 병에 관하여 이러쿵저러쿵하 다니…… 그래 관찰사는 어찌하였는가?"

"때가 흉황이고 감영의 군졸들도 요미도 제대로 받지 못했으며 군기는 노후하고 군량의 염출도 어려웠습니다. 촌중에서 속오군(束 伍軍)을 동원하자 하여도 백성의 생계가 피폐하여 나올 자가 없는 실 정이었습니다."

최형기가 수리의 말을 듣고 빙긋 웃었다.

"털을 뽑아 제 구멍에다가 박을 양반이로다. 바로 그와 같이 기량 도 권도도 없어 두 달도 못 되어서 감사자리를 물러나오게 된 것이 야."

"그러믄요, 오죽하면 유가 형제가 사병이라도 동원하겠다구 그랬 겠습니까? 허락만 내려달라구 그랬지요."

"그건 안 될 일이고…… 어찌 도적들에 대하여 소상이 알고 있다 던가?"

"이리저리 수소문하여 짐작을 한답니다. 감영의 군관 중에도 송 화 싸움에 나갔던 장교들이 있는데요."

최형기는 고개를 끄덕이며 생각에 잠겼다.

"우리 안전께서는 미세한 일에까지 골몰하실 여유가 없으시니, 이번 토포는 자네와 내 손에 달렸네. 힘껏 나를 돕는다면 자네 공으 로 미루어 해주서 향리나 해먹지 않아두 될 게야."

수리는 급히 읍하며 다짐을 하였다.

"뭐든지 시키십시오. 착오 없이 시행하겠습니다."

"음, 첫째로 이런 자리는 나와 자네만이 알아야 할 일일세. 앞으로 자네에게 지시를 내리더라도 한양서 안전을 따라가는 책방을 통하 여 할 것이니 그리 알게. 둘째로 만약 자네의 실수로 감영의 토포계 획이 민간에 새어나간다면 자네는 죽네. 나는 흐리멍덩한 사람이 아 니야. 방법은 여러가지가 있겠지. 포흠을 씌워도 될 것이고 아니면 뒷전으로 무뢰배를 사서 박살할 수도 있을 게야. 셋째로 자네를 시 켜 군비 염출을 해낼 것인데, 장사치와 토호들 중에 그럴듯한 자들 을 골라내어 도움을 받을 작정일세. 명분이 물론 있어야겠고, 그들 의 이해와 맞아떨어져야겠지. 그런데 만일 자네가 사사로이 배를 채 워 물의가 일어나거나 시비가 생기면 그때엔 자네 식구들까지 모두 화를 당할 게야. 명심하도록 하게."

수리는 최형기가 말을 한 가지씩 덧붙일 적마다 지금 그런 일을 당하기나 한 듯이 화들짝 놀라며 이리 둘러보고 저리 둘러보며 안절부절 못하는 것이었다.

"그대신 적굴이 소탕되고 나서 포도논상(捕盜論賞)이 벌어지면 내가 앞장서서 자네의 공을 품하겠네. 화적 오 구(五口)를 떼어주어 가자(加資)를 받도록 할 것이며, 적의 장물은 무훈을 세운 장교들과 똑같이 나누어가지게 할 것이다. 내가 자네와 은밀히 만나려던 것은 바로 이런 점을 서로 다짐하기 위해서이다. 잘 봉행하렷다."

"여부가 있겠습니까?"

그러나 수리는 근심으로 잔뜩 찌푸린 얼굴이었다. 최형기가 차근차근 말하였다.

"호환을 알리고 범사냥 나갈 준비를 해두라는 것은 토포군의 조련을 은폐하기 위함일세. 자네가 감영에 당도하자마자 몇몇 양민을 시켜서 호소하도록 잊지 말고 시행하게. 그리고 벽란나루에 이르면 아랫것들 중에 충직한 자를 시켜서 조읍포창에 산다는 그 부호의 형제들을 급히 감영으로 오도록 해두게. 또한 향청(鄕廳)에서 발령하여 올라온 쇄마전(刷馬錢)이 사백여 냥 될 터이나, 이는 안전께서 따로이 받지 않고 물리치실 것이라, 자네가 간직하고 있다가 며칠 뒤에 기찰의 명을 받은 장교들에게 차례로 나누어 지급하도록 하게."

수리는 황황히 붓을 들어 비망첩에 깨알 같은 글씨로 적어나가기 시작했다.

"삼일점고(三日點考) 지낸 뒤에 열 읍 수령의 연명(延命)이 끝나고 나서 그 자리에다 땅마지기에 돈냥깨나 있는 첨지 동지들을 모아 연회를 베풀 것이다. 어디가 좋겠나?"

"예, 부용당(芙蓉堂)에서 해왔습니다."

"부용당에서 부가옹들을 위한 간략한 주석을 여는데, 멀리 벽지 나도계에서까지 여럿을 불러올릴 것은 없고, 해주 근처의 이를테면 연안 배천이라든가……"

"평산 재령 신천 장연 강령 등지 말입지요."

"거기서 신천과 재령 장연 등 지방은 빼게."

수리가 붓을 멈추었다.

"어째서요?"

최형기는 잠깐 묵묵히 있다가 중얼거렸다.

"구월산에서 가까워……"

최형기는 구월산에서 백 리 이내에 들어 있는 지역은 모두 적당이 활동하고 있는 곳으로 여기고 있었다. 그런 지역에는 틀림없이 정탐 꾼이 있을 것이고 관가나 향반의 작은 움직임까지도 그들 귀에 닿을 것이었다. 수리가 적은 것을 들고 읽어나갔다.

"자, 그러면 연안 배천 평산 강령이올시다."

"뭐라고 했던가, 조읍포창의 유가라구 했던가?"

"유사과입죠. 거기는 그러니까 금천입니다."

"다섯 고을이군. 그만하면 한 열 사람은 충분히 되고도 남겠는 걸."

"스물쯤 추릴 수가 있습니다."

"아닐세, 한 고을에서 둘 이상은 무리야. 해주 목내에서도 서넛은 될 테니까."

"용댕이 결성포에서 하나, 들머리서 하나 그리고 새벌이나 대냇 벌 아니면 돌장승에서도 토호를 골라낼 수가 있습지요."

"그들에게서 토포전을 기부받는다. 다만 겉으로는 다른 명목을 내세워야지."

"제게 맡기십시오. 각 지방마다 형편에 맞을 그럴듯한 구실을 찾 아내겠습니다."

"이제 내 얘기는 모두 끝났네."

최형기가 일어서자 수리가 따라나오려 하였다.

"아니, 그저 대감 댁에서 전언 나온 사람으로 여기도록 그냥 앉아 있게나."

"하오면 토포장 나으리 멀리 안 나갑니다."

"엇, 내 직함을 잊었나. 등산곶 만호일세."

최형기는 슬그머니 경주인 집을 떠났다.

신엽은 임금께 하직하고 집 안팎에도 두루 하직을 하였는데 부인과 자제는 부임지에 동행하게 되어 있었고 노부모 또한 함께 모시고 나가도 되건만, 특명을 받은 임무가 무겁고도 촉박하여 가정세사에 매달릴 수가 없어 홀홀단신에 집의 책실만을 데리고 떠났다. 문밖으로 발정할 때에 육방 비장이 역마를 타고 앞에 서고 오 척이나 되는 해서제군사명(海西諸君司命)이라고 쓴 사명기를 앞세웠다. 신엽은 평교자 위에 호수립(虎鬚笠)을 쓰고 남철릭을 입고서 한손에 등채 쥐고 걸터앉았다. 그 좌우로는 호종 무사로 가는 자들이 구군복에 환도를 차고 걸었으며 신연맞이 관속들과 사령배는 뒤에서 따라왔다. 전도(前導)가 앞에서 외치는 권마성(勸馬聲)이 시끌벅적하였다. 전도는 길을 살피면서, 에라 물렀거라 떠들면서 나아갔다. 이 정도면 관찰사의 도임 행차로는 검소한 편이었으나, 신엽은 다시 수리에게 마을이나 역원을 지날 때에만 한 번씩 소리를 지르라고 일렀고, 말짐을 살피고 나서 마필을 줄이도록 하였다. 이런 것은 모두 조용히 기순 어름을 벗어나려는 뜻에서였다. 북으로 오르는 첫 숙박지인 고양(高陽)까지는 오십 리가 채 못 되는데, 임금께 하직인사를 올리고 그대로 발정해야 하므로 고양서 어스름녘을 맞게 되는 때문이었다. 새벽 일찍 고양을 떠나서 파주서 중화 치르고 돼지포 얼른 건너 장단에서 여장을 풀었으며, 이튿날은 장단서 송도까지 사십 리를 단숨에 내달아 유수(留守)가 보낸 다담을 들고 작별이 늦어져 객사에 머문 뒤에 나흘째가 되어서야 예성강 벽란나루로 행차가 나서게 되었다. 나루는 물살이 빠르고 조수가 세차서 제법 위험하였으나 또한 진흙 갯벌이 없어서 타고 내리기가 다른 나루터보다 수월하였던 것이다. 초루에는 관원들이 나와서 나루터를 관장했고, 벽란정은 오가는 벼슬아치들이 잠시 다리쉬임을 하고 가는 곳이었다. 강은 서로 바다와 하늘에 잇닿았고 산은 들판에 가로놓여 잠룡처럼 구불구불하였다. 언덕의 곳곳에는 개암나무와 가시나무가 무성하였는데 철성(鐵城) 이공(李公)이 지은 식파(息波)라는 정자가 그럴듯하였다. 벌써부터 배천과 연안에서는 나루에 관찰사께서 탈 배와 수행원들이 탈 배며 짐실을 거룻배들을 대기시켜놓고 기다리는 중이었다. 전도 비장이 말을 달려와 감사께서 당도하실 것을 알렸고 취타소리로 강 건너에 대기하고 있는 연안부사와 배천군수 일행에게 알려주었다. 이제부터 신엽은 그가 통치할 지방의 관문에 들어선 것이다. 벽란정에서 기다리던 최형기가 내려오는데 구슬상모 달린 전립을 쓰고, 붉은 호의 위에 검은 전복 걸치고 단검을 찼다. 누 아래에는 가죽 안장을 얹은 여진 구렁말을 대기시켜두었으며 또다른 말에는 부담과 짐이 얹혀 있었다. 관찰사의 행차가 이르자, 최형기가 바삐 내달아 군례를 드리며,

"등산곶 만호 최형기 현신이오."

아뢰니, 신엽은 그저 끄덕할 뿐이요 아무 말이 없었다. 그때로부터 최형기가 도강과 행차의 전열을 모두 지휘하는데 이제까지 검박 일변도로 해왔던 것을 돌연 화려하고 떠들썩하게 바꾸었다. 삼현육각에다 기치 창검을 늘이고 각 고을에서 행차를 인계받아 무장한 군병

이 호위하고 나가도록 하였다. 이는 바로 신구 감사가 갈릴 때 큰 도적이라면 반드시 염탐자를 연도에 풀어놓을 것이라 짐작하였기 때문이다.

갑자기 해서 경내로 들어서자마자 행차가 떠들썩하고 화려해진 것은 바로 염탐자나 구경꾼들에게 관찰사의 도임 자세를 속이려는 데 있었다. 한갓 아이들과 부녀자들의 눈요깃감으로 휘황찬란한 깃발과 요란한 풍악을 잡히며 위세나 보이려 드는 수령 방백일수록, 과감한 개혁이나 어진 통치를 기대하기가 어려운 법이다. 고을의 수령들과 아전들이 보기에도 이번 관찰사께 봉물이나 푸짐하게 보내고 진상품을 철철이 놓치지만 않으면 그리 나쁜 점수는 받지 않겠구나 하며 안심을 하였다. 사치하고 안일무사에 젖은 늙은 관료가 오는 것이다. 이런 점은 백성들도 또한 잘 아는 바였다. 최형기는 신엽과 의논하여 연도의 보이지 않는 눈을 속이고, 신임 관찰사의 인품에 관한 그릇된 소문이 퍼져나가기를 바랐던 것이다. 그렇다고 그런 행차가 다른 도백들에 비하여 눈에 띄도록 지나친 광경은 아니었다. 그저 누구나 어슷비슷한 행차인데, 평소 간원과 헌부에 봉직했던 신엽으로서는 용납할 수가 없었달 뿐이었다. 그는 좌우로 무장한 병사를 늘어세우고 위엄 있게 들어가기를 원하였으나, 최형기가 반대하였다.

"순사또께서는 그저 임기나 채우러 외직으로 나오시는 분이라야 합니다. 공연히 숙연하고 긴장된 빛을 보일 필요가 없습니다."

지나는 고을의 객사마다 떡벌어진 다담상에 관기와 악공들을 좌정시켜서 신임 감사를 맞이했고, 신엽은 가장 풍류를 즐기는 듯이 풍악 소리에 귀를 기울이고 산천의 수려함을 칭송하고는 하였다. 연안서 하루 자고 느지막이 출발하여 긴다리에 당도하니 청단역(靑丹

驛) 찰방이 중화 준비를 하여 내를 건너와 기다리고 있었다. 노구에 술을 데우고 갖은 육포를 벌여놓고 끼끗한 농가의 사랑에 화문석을 내다 깔고서, 감사는 먹고 마시고 쉬고 나서 저녁녘에야 청단역의 객사에 들었다. 감영까지 남은 거리가 사십여 리 되지만 오후 늦게 들어가는 법도 아니고 때마침 시월 하순이라 바람이 세차게 불면서 싸락눈이 날리기 시작하였던 것이다. 전도는 먼저 해주감영으로 들어가 신임 관찰사의 당도를 알리면 준비하고 있던 구관은 명일 아침에 즉시 떠나 중도에서 만나 간단한 송구영신의 예를 치르는 것이다. 최형기는 다시 한번 순사또의 사처에 올라가 아뢰었다.

"선화당에 듭시면 점고는 간단히 끝내시고, 사흘 후 수령 연명 뒤에 시골 부호들과의 연회가 있사오니 잊지 마십시오. 또한 각군 순력이나 기민의 진휼 순서는 생략하십시오."

신엽은 그저 어이가 없는 모양이었다.

"허허, 자네가 아예 나를 무능하고 형편없는 방백으로 만들 작정이로구나."

"잠룡은 엎드려 있으되 때가 되어 풍우가 몰아치면 승천합니다."

"어쨌든 빈틈없이 토포를 진행하게."

드디어 도임 행차가 들어가는데 해운정(海雲亭)에는 대강의 예식이 준비되어 있었다. 예전 태조가 큰 화살로 적장을 쏘아죽이고 말을 솟구치게 하여 뛰어 건넜다는 약마지(躍馬池)의 언덕 위에 여섯 칸짜리 정자가 서 있었다. 소나무와 잣나무가 빽빽하고 앞에는 큰 들이 펼쳐졌으며 뒤로는 연못이 시원스레 패어져 있었다. 으레 그러듯이 촌로들이 흰 수염을 날리며 원류(願留)를 하소하는 흉내를 내고 있었으며, 정자에는 조촐한 주안상이 차려져 있었다. 여기서 임규와 신엽은 서로 형식적인 인사를 나누었다.

서로 치하하는 인사가 오가고 신구 감사는 인부(印符)를 주고받았다. 동정송객(東亭送客)이 있고 나서 신엽은 성내로 들어갔는데, 연도에는 많은 백성들이 나와서 읍하고 있었다. 삼현수와 취타수들이 어지럽게 때리고 불고 비비고 하였고, 전배 후배 사령 군노는 삼승 섭수 노랑 홍의 남전대를 눌러 띠고 털벙거지 굴깃 달아 날랠 용(勇)자 적게 붙여 쓰고 장창 주장 비껴들고 쌍쌍으로 늘어서서,

"에라, 물렀거라, 비켜라."

"훤화를 금하라, 쉬이……"

이리 윽박지르고 좌우로 권마성을 부르는데 물색 좋은 청일산에 세악성 취타성은 원근 산천 성 안팎에 떠들썩하여, 니나노 나노 뚜따 뚜따 처르르, 그런 야단이 없었다. 동문 안 큰길가에는 오색 기치가 휘날리고 있었다. 신엽은 객사에 들러 옷 갈아입고 다시 남여 바꿔 타고서 선화당으로 올라갔다.

여기 좌기(坐起)를 차리자마자 아직 피로도 가시지 않았는데 점고를 차분히 받고 나서 신엽은 주위에 물어보았다.

"이 고장에 가장 급한 폐단이 무엇인가?"

새삼스럽게 수리가 나서며 아뢰었다.

"예, 얼마 전부터 수양산과 북숭산 불족산 등의 산줄기를 타고 범이 넘나들어 산간 백성이 죽고 상하였으며 가축을 여러 마리 잃었다는 급보가 와 있습니다."

신엽은 혀를 끌끌 찼다.

"허…… 흉년에다 호환까지 당하였으니 백성들이 얼마나 고생이겠느냐."

그는 좌우를 둘러보았다.

"최만호가 마침 나를 따라온 게 다행이로구나. 자네가 감영 군사

를 데리고 산야로 나가 범사냥을 하도록 하여라."

"곧 잡아 올리겠습니다마는, 아직 군영에 화포가 쓸 만한 것이 몇 자루나 되나 알지 못하니 자세히 점고한 뒤에, 사냥에 나갈 장교와 군사를 뽑을까 합니다."

신엽은 고개를 끄덕였다.

"그 일이 끝날 때까지 만호는 등산곶으로 나가지 말고 감영에 머물러 있도록 하라."

관찰사가 내아로 들어가자 최형기는 군사들을 모아 좌우 병방 비장들과 더불어 병장기와 인원을 점검하였다. 수리는 또한 최형기의 지시대로 금천 연안 배천 평산 강령 다섯 고을과 해주목의 결성포 들머리 새벌 돌장승 등지의 부호들에게 비관(秘關)을 보내어 수령들의 연명연회에 참석하라고 전하였다. 그날로 급주로 달려가게 하였으니 삼일 점고가 끝나는 글피까지는 당도할 시간이 넉넉하였다.

최형기는 객사에 거처를 정하고 관찰사의 호종 무사로 따라온 포교 박완식 백섭 등과 함께 지내기로 하였다. 그날 밤이 되어 최형기는 송화 무더리의 싸움에서 살아 돌아왔다는 감영의 장교 두 사람을 불러들이도록 하였다.

"불러 계시오이까."

밖에서 기척이 들리자 최형기는 조그맣게 말하였다.

"어서 들어오너라."

그들이 아무 영문도 모르고 들어와 앉자 최형기가 물었다.

"군영에 들어온 지 얼마나 되었느냐?"

키 큰 장교가 먼저 말하였다.

"예, 올해로 꼭 십일 년이 됩니다."

얼굴이 붉고 목소리 걸걸한 자도 대답하였다.

"팔 년째올시다."

최형기가 다시 물었다.

"조련 점수는 어떠한지 모르겠다마는 병장기는 다룰 줄 아느냐?"

키 큰 자가 자신 있게 말하였다.

"쇠도리깨 철퇴 환도 무엇이든 조금씩 다루는데, 저는 환도를 약간 쓸 줄 압니다."

안색 붉은 자가 덧붙였다.

"저는 철퇴를 조금 휘두릅니다. 호랑이사냥에는 병장기보다두 몰이를 잘해야 됩니다. 여러 곳에 함정을 파고 산 둘레와 골짜기 어귀에 인성(人城)을 둘러 몽둥이를 하나씩 들고 고함을 지르면 되지요. 요처에마다 포수와 살수를 매복시키면 어디에든 걸리게 되어 있지요."

최형기는 빙그레 웃었다.

"참으로 네 말은 요긴한 말이다. 달아나는 호랑이야 그렇겠지만 꾀를 가지고 숨기도 하고 달려들기도 하는 호랑이는 어찌하겠느냐?"

"일단 궁지에 몰려 사냥이 시작된 것을 알면 호랑이는 활로를 뚫을 때에만 덤벼듭니다."

"그것 보아라."

최형기는 부시를 쳐서 장죽에 불을 붙여 몇모금 빨았다.

"너는 환도 쓰는 법을 누구에게서 배웠더냐."

키 큰 장교가 시무룩해졌다.

"김식이라구 전에 이판윤께서 호종 무사로 데려왔던 사람이올시다. 김부장은 무참하게 죽었지요."

최형기가 눈을 빛내면서 다가앉았다.

"헌데 부장이 죽고 나서 시체를 수습하는데 그자가 인정을 보였소이다. 의리대로라면 장사를 지내주겠으나 자기들은 세상을 등지고 사는 사람들이라 그럴 수 없다면서 비용을 내주었지요."

하는 대목에서 그는 담뱃대를 놋재떨이에 놓고 숙연하게 말하였다.

"검이 그 정도라면 사람도 이루어지는 법이다. 때가 난세라 아까운 자들이 들판을 헤매고 있구나. 하지만 그럴수록 그런 자를 내버려둘 수는 없다. 사람들의 마음을 사로잡으려는 도적처럼 나라에 무서운 적은 없는 것이야."

최형기는 위엄을 얼굴에 드러내며 말하였다.

"내가 너희들을 부른 것은 그 도적을 치기 위해 준비를 하자는 것이다. 먼저 해야 할 일은 정예군 이백을 뽑아내는 일이다. 그중에 오십여 명은 따로 포수로 채운다. 얼마나 걸리겠느냐?"

"한 닷새면 되겠습니다."

"좋다. 그 일이 끝나고 나서 따로 지시를 내릴 것인데 아까도 말했듯이 기밀을 엄수하라."

"명심하겠습니다."

최형기는 토포군이 편성되고 나면 자신이 직접 조련을 시킬 셈이었다. 그리고 한양서 온 두 포교와 감영 장교 두 사람과 금천서 내일쯤 당도할 유가 형제들을 묶어서 기찰조를 편성할 생각이었다. 경험 많은 두 포교가 그들을 지휘한다면 구월산의 형세는 손바닥 안으로 들어올 것이었다. 적들의 기침소리까지 앉아서 들을 수가 있을 것이었다. 구월산 인근 사읍 가운데 가장 적들의 손길이 잘 닿지 않을 만한 곳에 집 한 채가 필요하리라고 그는 생각하였다. 최형기는 거의 새벽닭이 울기까지 화로를 끼고 앉아 생각에 잠겨 있었다. 장길산, 그는 어떤 자인가. 공연히 재물을 털어 기민들에게 나누어주는 행위를 최형기는 도저히 이해할 수가 없었다.

신임 관찰사 신엽의 행차가 당도할 때 연도에 늘어서 있던 시정의 백성들 가운데는 박대근네 송방(松房)의 차인들도 끼여 있었다. 각 도에 흩어져 있는 송방 가운데도 평양과 의주가 있는 서북 송방과 사행의 왕래가 잦은 해서 송방에서는 관가의 동향에 가장 민감하였다. 신구 감사가 갈릴 적마다 도백의 사람됨이며 정책의 변동에 따른 물산의 움직임과 백성들이 소문 따위를 낱낱이 탐문하여 송도의 사대전(四大廛)을 운영해나가는 임방에다 알려주게 되어 있었다. 임방 좌장으로 있는 박대근은 송도에 앉아서도 관가의 세밀한 사무를 훤히 알 수가 있었던 것이다.

특히 해서에 관하여는 그의 형제들의 청에 따라서 강말득이 다녀갈 적마다 낱낱이 알려주었고, 급한 일이 있으면 심복 차인을 직접 보내기도 하였다. 해주의 해서 송방 차인들은 연도의 백성들 틈에 끼여서 신엽의 행차를 끝까지 구경하였다. 행차가 지나가는데 감사는 온갖 호사한 비단 철릭에다 호수 주립을 쓰고 기치 창검으로 울긋불긋 화려하게 장식하여 그런 구경거리가 없었다. 그러나 이러한 신연 행차라면 돈 수천 냥이 소모되었을 것이다.

"앉아서 연회나 베풀고 시나 짓다가 가실 분이군."

"한양에서 온갖 호사를 하셨을 테니 우리 사정을 어이 아실까."

"지난번 임관찰사의 행차보다도 몇배나 더욱 장하고 번거로우니 순사또의 위인됨을 알겠구나. 아마도 뼛기름까지 짜겠는걸."

"저기 비장들 좀 보게. 말이며 의복이며 얼마나 화려한가. 저것들이 틀림없이 들인 돈을 뽑으려 할 것이라 우리 백성들만 죽어나겠고나."

이런 속삭임이 군중들 틈에서 수런수런하였다. 송방 사람들도 그런 얘기를 듣지 않았다 할지라도 눈에 보이는 일이라 오래 서 있지 않고 곧장 삼문 밖으로 나가 점고의 내막이 나오기를 기다렸다. 사령 하나가 퇴청하여 나오면서 그들에게 일러주었다.

"별반 색다른 것은 없고, 순사또께서 도내에 가장 시급한 일이 무엇이냐 물으시데. 허 참, 내 어이가 없어서……"

사령은 혀를 차더니 입맛을 다셨다. 차인은 그에게 은근히 물었다.

"왜, 무슨 황당한 명이라두 떨어졌는가?"

"황당하다뿐인가. 이방인지 수리인지 하는 사람이 나서서 고작 한다는 말이 수양산록에 호환이 잇달아 일어나니, 호랑이사냥이 가장 촉급한 일이라는 게여. 그러니 지금 때가 어느 시절인가, 팔도에 흉황이 들어 사방에서 기민들이 난리를 치는 판인데, 진휼하거나 비축미를 풀어 환자를 낼 의논은 않구 무슨 난데없는 호랑이여? 이제 우리 군노사령들만 공연히 찬바람부는 산야에서 시달리게 되었다구."

차인은 함께 혀를 차며 말을 보탰다.

"허, 인자한 수령 방백이란 부임 시에 가장 먼저 홀어머니와 고아의 처지를 묻는 것이 도리인데, 고작 호랑이사냥이 무언가. 이제 해주 목내에 급기야 난리가 나겠구먼."

"왜 아니래. 수령들의 하례가 끝난 뒤에 으레 각 고을을 순방하여 백성들의 참상을 살피고 쌓인 형옥도 처리하여 덕을 보이는 것인데, 아무 지시가 없으시니 비장들 등쌀에 우리만 혼이 나게 생겼다니까."

송방 차인은 사령의 말을 들으면서 한편으로는 마음이 놓였다. 원래가 탐욕한 관리란 장사치들에게는 만만한 상대여서 그가 부정을 저지를 기회가 많을수록 상인들 또한 이를 얻을 틈이 많은 법이었다. 그러한 관리가 무슨 엉뚱한 짓을 벌이건간에 장사치를 끼여넣지 않고서는 원망이 드러나거나 세상에 알려지게 마련이었다. 송방 차인은 이런 사정을 해서의 차인 행수에게 자세히 알렸고 행수도 또한 만족하였다.

"사행은 물론이요 봉물건에 관하여도 우리가 들어갈 자리가 많아지겠구나. 올해의 사행선은 모두 우리가 무역별장을 따내야지."

"봉물도 우리가 각 수령들에게 위탁받을 수 있습니다. 이번 기회에 은밀히 이방을 통하여 신연 선사를 하시지요."

행수는 흡족하여 임방에 보내는 통문을 쓰도록 하였다. 그들은 황해도 관찰사의 사람됨이며 신구의 교체에 대하여 느낀 바를 낱낱이 적어서 송도로 보냈던 것이다. 박대근이 통문을 받아본 것은 그로부터 닷새가 지나서였고 별로이 관심을 두지 않고,

"비단과 산삼 몇근을 준비하여 해서에 보내도록 하게. 전례에 준하되 따로이 은자를 마련해두는 것도 좋으렷다. 신임 감사는 탐욕스런 자라니까."

라고 무심히 지시를 내렸을 뿐이다.

그러나 또 한 달포쯤 지나서 송도의 관아에서 나온 자들과 술을 먹다가 신임 송도유수에 대한 얘기를 나누고, 해서의 신임 감사에 대하여 얘기하다가 그가 신엽이라는 전 승지벼슬에 있던 자라는 말을 들었다. 그 자리에서는 무심하게 신대감이 간원과 헌부에서도 청직만을 돌았다는 얘기를 한쪽 귀로 흘렸던 것이다. 이튿날 박대근은 술이 깨어 오전 내내 보료에 기대앉아 쉬다가 같은 임방에 있는 송상의 방문을 받았다.

"허허, 좌장께서 오늘은 한가하십니다."

"예, 어제 관아것들과 인사술을 나누었더니 아직껏 뒷골이 멍한 것이 정신이 들지를 않소그려."

"그럼 잘되었습니다. 오후에 전의 아이들을 데리고 삼뜯기 외입이나 갈까 하지요."

박대근이 껄껄 웃었다.

"난데없이 그건 또 무슨 말이오?"

"겨울철에 몸풀이 놀음으로는 매사냥이 으뜸입지요. 제게 해동청이 두 마리 있는데 모두 탐을 낸답니다."

"얼마나 길을 들였는지."

"세 해가 지났는데 쌀 열 섬에 연평서 구입해왔습니다. 좌장께서는 그냥 구경 삼아 오시지요. 들판에서 꿩고기에 화주를 해장으로 몇잔 들고 오면 심신이 아주 상쾌합니다."

"그러십시다. 나두 지금 무료하던 참이오."

"기방에두 알려서 아이들 서넛을 부르겠습니다. 그런데 몰이는 좌장 댁에서도 내셔야 합니다."

"뭐 두어 사람 데리구 가면 되겠소?"

임방 사람은 고개를 내저었다.

"두엇이라뇨. 제가 차인들 중에 젊은 사람들로 추려서 여덟을 데리고 갑니다. 매가 두 마리니 꿩을 튀기려면 스물은 되어야겠지요. 사냥은 마치 진전과도 같아서 책상물림들은 어림두 없습니다."

임방 사람이 자신의 호방함을 자랑하는 조로 말하였으나, 그 순간에 박대근은 무엇인가 불빛처럼 눈앞으로 스치는 생각이 있었다. 그는 저도 모르게 중얼거렸다.

"호랑이사냥이라니……"

박대근은 생각을 가다듬기 위하여 그 자리에 다시 주저앉았다. 임규의 재임기간은 겨우 두 달 동안이었고, 신엽이 갈려오기 전에 조읍포창은 결딴이 나버렸던 것이다. 듣자하니 신감사가 헌부와 간원을 거친 사람이며 승지로서 임금의 측근에서 총애를 받던 사람이라는데, 그가 구태여 다른 사람이 과만을 채우기도 전에 외관직으로 나온다는 것은 특명이 아니라면 있을 수 없는 일이었다. 그렇다, 무엇인가 매우 중대한 상명을 받잡고 특파된 관찰사일 것이다. 헌부와 간원을 거치고 임금의 신임을 받고 있는 중신이라면, 결코 백성들이나 향리 아전들에게 책잡힐 짓은 보이지 않을 것이었다. 그런데도 해주 송방의 통문에서 그렇듯 탐욕스럽고 무능한 관리처럼 적혀올라온 것에는 무슨 깊은 까닭이 있을 것이다. 어째서 부임 점고 때에 처음 꺼낸 시책이 고작해서 호랑이사냥이란 말인가. 호랑이사냥이란 병을 일으켜 산을 둘러싸듯 하고서 방포하고 몰이를 해야 하는 일종의 군사 조련과도 같지 아니한가.

"그렇군…… 토벌이다."

박대근은 나직하게 중얼거리고는 앞산을 내다보았다. 나뭇가지들은 바늘끝처럼 날카롭고 앙상하게 겨울바람에 흔들리고 있었으며 골짜기에는 희끗희끗 얼음이 덮인 곳이 한눈에 바라보였다.

"어쩌시렵니까. 안 나가시겠소?"

"아, 아무래두……"

박대근은 펀뜻 정신이 들어 얼버무렸다.

"오늘은 그냥 누워서 지내야겠소. 두통이 매우 심한걸."

임방 사람은 자못 실망이 큰 모양이었다.

"허허, 그냥 방 안에서 누워 계시면 생병이 든다니까요."

"다음에 가겠소. 꿀물이나 마시고 쉬는 것이 낫겠소."

박대근은 매사냥을 조르던 이를 그렇게 따돌리고 나서 다시 자신의 생각을 정리하여보았다. 틀림없이 신엽은 해서를 진무하기 위하여 내려온 토포사가 분명하였다. 호환이란 병을 일으켜 조련시키기 위한 구실에 지나지 않을 것이다. 장길산이라는 이름은 저들의 활빈 행을 통하여 널리 알려져 있었다. 송도에서도 주먹깨나 휘두른다는 왈짜패들은 모두들 길산이 어느 고을에서 어찌하였다더라 하는 얘기를 풍을 쳐서 신명을 올리며 떠들고는 하였다. 장적 토포가 시작될 것이다. 조읍포창의 기습은 실상 작은 형세의 화적들로서는 엄두도 내지 못할 거사였다. 드디어 조정에서 그를 주목하기 시작한 것이다. 박대근은 근심에 잠겼다가 다시 스스로 떨쳐버렸다. 앞으로 형세가 커지려면 필히 겪어야 할 시련이 아닌가. 활빈행을 한다면서 어찌 백성들의 입에 오르내리는 것을 피하며 토포를 두려워하여 관가를 들이치지 못하겠는가. 이제부터 싸움의 시작이 아닌가. 박대근은 설렁줄을 잡아당겼다. 하인이 달려왔다.

"부르셨습니까?"

"음, 임방 행수 들어오라구 하여라."

박대근은 임방에서 그의 일을 도와주고 시행하는 심복 차인을 길산에게로 보내어 자기 의견을 알릴 셈이었다. 그러나 그는 애초부터 잘못을 저지르고 있다는 것을 깨닫지 못하였다. 장길산이라는 도적이 관에 탐문된 것은 오래 전의 일이었으되, 그의 은신 장처는 구월산으로 되어 있음을 대근은 생각지 못하였다. 따라서 그는 구월산의 마감동 오만석과 은율 탑고개의 마을은 까맣게 잊어버리고 있었던 것이다.

박대근은 길산에게 토포군이 일어날지도 모른다는 소식을 전하는 데에만 마음이 급하여 깊은 생각을 하지 못하고 임방 행수를 자비령으로 보냈던 것이다. 그리고 한편으로는 예전에 그의 일을 도와

주었던 송도 청교방(靑郊坊) 못골에 터를 잡고 있는 이학선에게 사람을 보내어 급히 들어오라고 일렀다. 못골 학선이라면 일찍이 해주감영 옥에 회자수와 대시수로 떨어져 있던 우대용과 장길산을 금부도사로 가장하여 빼내었던 자이다. 한양에서 판서 댁 청지기로 밥을 먹다가 거기서 보고 익힌 벼슬아치들의 흉내를 내어, 가어사로 어수룩한 북관을 돌아다니며 밑구린 수령 토호들에게서 돈푼깨나 우려내던 바로 그 이학선이었다. 학선이도 이제는 색주가를 열어놓고 투전판을 벌여서 그런대로 옹색하지 않게 살아가고 있었으나, 역시 예전 버릇은 버리지 못하여 밑의 아이들을 시켜서 남을 속이고 위협하여 잇속을 채우는 짓은 여전하였다. 그는 송상이 가는 곳마다 제 식구들을 보내어 관차들 상대를 대행하여주었고, 아직도 그는 박대근의 말에는 거역치 못하였으니 서강의 모신이처럼 장물이나 밀상의 물건들을 매매 또는 알선하여 짭짤한 재미를 보고 있었던 것이다. 사실 조읍포의 유사과네 재물도 우대용이 예성강 어귀를 감돌아 선편으로 승천포에 대었던 것을, 박대근이 학선이를 시켜서 거두고 타처에 먹이도록 했다. 학선이는 박대근과 비슷한 연배였지만 수염이 짙고 잘생긴 모양이며 희고 칼칼한 인상은 여전하여, 그가 그토록 못된 짓으로 반평생 밥을 먹었음에도 학문이 무르익은 선비나 사대부처럼 보였다. 대근은 학선이에게 해주감영의 토포계획 여부를 탐지하게 하려는 것이었다. 그러나 이미 때는 늦어 있었으니 박대근이 감영의 수상한 기미를 알아채고 자비령에 소식을 보낸다, 정탐을 시킨다, 하며 손을 쓰기 시작한 것은 신엽과 최형기가 해주에 부임한 지 스무 날이 훨씬 지나서였던 것이다. 어쨌든 한발이 늦어 있었고 그맘때에 최형기는 벌써 신천에다 기찰소를 열고 정탐하는 포교와 장교들을 보내어 송화와 은율 일대를 샅샅이 살피고 있을 무렵이었다.

최형기는 부임한 다음날 저녁에는 금천서 비관(祕關)을 받고 먼저 올라온 유사가네 형제들과 객사에서 만나고 있었다. 맏아들 수룡이와 둘째 수호가 찾아왔는데 그들은 최형기를 만나자마자 먼저 구월산의 화적당에 관하여 얘기를 꺼냈고, 임규에게 거병토포를 탄원하였던 것도 밝혔다. 최형기는 일부러 무덤덤하게 듣고 있었다.

"만약에 감영의 군사를 일으킬 수 없다면 만호께서 장교 몇사람만 저희에게 붙여주십시오. 저희 집안은 원래 포창의 미곡을 경강으로 실어보내고, 해서의 물산을 경향 각지로 크게 거래하는지라 밥을 먹이는 젊은 아이들을 많이 데리구 있습니다. 지난번에 하도 어처구니없이 기습을 당하여 가산을 반나마 잃고 말았습니다. 다른 패물이나 돈 따위야 또 벌면 되겠지마는 저희 집안은 대를 이어 문수암이라는 암자를 지어 부처님을 모셔오고 있사온데 지난번 적환에 법당에 모셨던 금부처 세 분을 빼앗겼습니다. 조모님께서 아침 저녁으로 공양을 드리며 치성을 바쳐오던 터라 실심이 이만저만이 아니시지요. 저희가 구월산의 장적을 토포하지 못한다면 그런 불효가 없고 조상님께서도 면목이 없는 노릇입니다. 저희들은 도적들의 식구가 사는 마을도 염탐해내었습니다."

최형기는 조는 듯이 눈을 감고 앉았다가 번쩍 고개를 들었다.

"그곳이 어딘가?"

수룡이와 수호는 최형기가 갑자기 관심을 보이는 것에 놀랐는지 서로 마주 보았다.

"예, 은율에 탑고개라는 광대들의 마을이 있습니다."

수호가 먼저 머리를 조아리며 아뢰었고, 수룡이가 덧붙였다.

"저희는 이 포한을 갚고자 사방으로 아이들을 보내어 알아보도록 하였는데, 문화에서 그런 뒷소문을 들었답니다. 그래서 제가 직접 다녀오기도 하였지요. 원래는 문화에 재인말이라고 창우 패거리가 살던 마을이 있었다는데, 예전에 군외로 쫓아냈다는 것입니다. 그래서 탑고개라는 구월산 골짜기에 은밀히 마을을 이루어 산답니다."

"마을이 크던가?"

"크지는 않았으나, 골짜기의 입구가 비좁고 가파른지라 적당이 미리 알면 들이치기가 쉽지 않을 듯합니다."

최형기는 눈을 빛냈다.

"그곳에 도적들의 식구가 살고 있다는 것을 어찌 알아냈나?"

"송화 무더리 장에 가면 가끔씩 촌에서는 볼 수도 없는 진귀한 물건들이 풀려나올 적이 있답니다. 바로 도적의 졸개들이 지나는 행상단이나 양반의 행차를 덮쳐서 탈취한 물건들이라지요. 이것은 모두 장사치를 통하여 수소문한 얘기들입지요. 고을 하속들은 물론이려니와 아전들까지도 그들을 눈감아주고 있답니다. 탑고개마을을 먼발치서 내려다보기만 하였는데, 동네가 깨끗하고 집집마다 기름이 반지르르 흐르는 듯하였습니다. 저녁에는 모든 집에서 연기가 올랐고, 닭울음 소리와 개 짖는 소리도 들렸지요. 이는 흉황이 휩쓸고 지나간 다른 인근 촌락에서는 들을 수 없게 된 지 오래입니다."

최형기는 소매 속에 두 손을 넣고 들으면서 고개를 끄덕였다.

"탑고개라…… 자네들 아주 중요한 곳을 알아냈구먼. 그렇지 않아도 본도 감영에서는 구월산 토벌을 준비하고 있네. 내가 수리를 시켜서 자네 집에 비관을 보내도록 일렀지. 토포하기 전에 자네들의 힘을 빌릴까 하던 참일세."

"무슨 일이든지 시켜주십시오. 수괴의 목을 반드시 베고 말겠습니다."

유수룡은 그에게 개명을 하라면서 조롱하던 낯빛 검은 사내를 잊을 수가 없었다. 그에게는 그자의 머리를 베어 조읍포의 선창에 장목을 세우고 매달아놓는 것이 소원이었다.

"여기서 기다렸다가 기찰조가 떠날 제 동행하도록 하게. 그리고 거병을 하자면 군비의 조달이 시급한데 감영에는 그만한 재물이 없네. 여러 지방 부호들로부터 다른 명목을 내세워 기부를 받으려는데, 자네 집에서도 좀 도와줘야겠네."

"저희는 군량을 대겠습니다. 우선 감영의 비축미를 얼마든지 내어 쓰십시오. 나중에 포창에서 그 결손을 메우도록 하겠습니다."

최형기는 다시 그들 형제로부터 포창과 문수골이 점령되던 전말을 빠짐없이 들었다. 그들의 말에 의하면 도적들의 용병하는 재간과 나아가고 물러가는 전술에 빈틈이 없었고, 병력도 수백 명이 되는 듯하였다. 최형기는 물론 그런 병력이 모두 구월산에 들어가 있지는 않는다 치더라도, 사방의 산협에 흩어진 여러 갈래의 도적들을 한손에 움직이는 자들이 틀림없이 구월산 속 깊이 웅거하고 있으리라 여겼다.

각 고을 수령들의 연명 연회가 파하고 나서 선화당 뜰안의 부용당에서는 최형기의 계획대로 군비를 걷기 위한 인근 고을 부호들의 잔치자리가 마련되어 있었다. 얼어붙은 못 위에 수석들이 쓸쓸한데 예전 선조대왕께서 행재소(行在所)로 쓰셨던 부용당의 주적당(駐蹟堂)이라는 사랑에는 병풍이 펼쳐졌고, 미닫이를 터서 넓고 기다란 방으로 꾸며놓았다. 각 고을에서 올라온 부호들이 모두 스물넷이나 되었는데, 그중에는 하루 전에 금천서 유사과 대신 올라온 그의 맏아들 유수룡도 끼여앉아 있었다.

관찰사도 뒤늦게 연회에 참석하였으니 수리와 목사의 귀띔에 의

하여 백이 숙제의 사당을 창건할 뜻을 밝히게 되었다. 전조에서부터 해주를 고죽(孤竹)으로 불렀고 고을의 진산을 수양산이라 이름지었으며, 동남해 가운데의 두 섬을 형제도라고 불러 백이와 숙제가 당도하여 죽은 고장이라 일컬었던 것이다. 자세히 알려진 바는 없으되 허격(許格)이라는 팔순의 노인이 있다는데 성종조의 우의정이었던 허종(許琮)의 오대손으로서, 그가 서른 살 적에 남한산성이 청병에게 함락되고 임금이 치욕을 당하자 그는 세상을 버리고 일찍이 산곡에 숨었다 하였다. 허격은 해주 수양산에 백이 숙제의 고사가 얽힌 것을 알고는 굴욕적인 강화가 이루어지던 매해 삼월 열아흐레가 되면 산에 올라가 분향하고 통곡한다는 것이었다.

해주의 유림들이 이를 알고 감영에 여러차례 백이 숙제의 사당을 건립하여줄 것을 건의해왔고 진작에 우암 송시열이 맹자 가운데서 백이성지청자야(伯夷聖之淸者也)라는 글귀를 따서 청성묘(淸聖廟)라고 묘호까지 붙여둔 터였다. 이번에는 터를 닦아 사당을 창건하는데 광석천 일대와 수양산 남록에 그에 따른 정자도 세우기로 하였던 것이다. 이 고장 백성들에게 나라에 충성을 바치는 것과 절개를 숭상하는 일을 가르쳐 교화하려면 기왕에 얽힌 고사를 드러내주는 사적이 있어야겠다는 것이었다. 유림들의 그러한 건의를 받아들이면서 신엽은 부호들로 하여금 그 건립비용을 자진하여 기부하도록 권유하였다.

실상 사당 건립이란 겉으로의 명목이요 구월산 화적당의 토포를 위한 군비의 염출이 급선무였던 것이다. 부용당 연회에서는 관민의 의견이 일치되어 부호들은 기꺼이 기부할 재물을 미곡 몇석, 포 몇동, 돈 몇냥이라고 적어냈다.

최형기는 한양서 관찰사의 호종 무사로 따라왔던 포도청의 박완식 백섭 두 포도부장과 유가 형제 수룡 수호를 사처로 불러들였고, 감영 수리도 자리를 함께하였다. 최형기는 따로이 감사가 신천군수에게로 보내는 비관문서를 지니고 있었으니, 감영서 내려가는 기찰조가 집 한 채를 구입하고 활동할 때 은밀히 뒤를 밀어주라는 명령서였던 것이다.

"내가 곰곰 따져보니 도적의 일당이 내왕하는 곳은 송화와 은율인 듯하고 신천 안악 등지에는 별반 문제가 없는 듯하다. 나중에 구월산을 포위할 제 소화 문화 은율 안악 등지에서 군병을 동원하여 각 요로를 지킬 터인즉 지형 탐색이 중요하다. 기찰조의 오장은 박포교가 맡고, 섭이는 지형의 탐색을 샅샅이 해두어라. 그리고 자네 형제들은 송화 무더리 일대와 은율고개 일대의 내통자와 가족들과 산에 왕래하는 내막이며를 빠짐없이 정탐하여 그 허실을 파악하게. 앞으로 한 달 동안에 모두 알아내야 하고, 나중에 내가 몸소 찾아가 점검할 때 미흡한 구석이 없도록 명심하게. 기찰이 모두 끝나면 여기서 토포군이 출발하여 불시에 적굴을 들이친다. 이번 일의 성패는 자네들의 손에 달렸다. 가지고 왔겠지?"

최형기가 수리에게 묻자, 그는 전대에 꿰어 담은 돈을 내밀었다.

"향청 발령의 쇄마전이올시다. 순사또께서 물리치신 것을 만호께서 분부하신 대로 기찰용전으로 보관하구 있었지요. 모두 사백오십 냥이올시다."

유수룡이 사양하여 말하였다.

"저희는 돈이 필요없습니다. 상단의 어음을 내어 관가로 돌리면 전환이 되니까요. 그리고 기찰조를 따로 편성했으면 합니다."

"그 이유는……?"

"소인이나 우리 아이들은 남의 간섭을 받고 일해보지 않아서 부장들과 함께하기가 불편할 듯합니다."

최형기는 빙긋이 웃었다. 유수룡이 아무리 시골 토호의 아들이라고는 하나, 한낱 포도부장으로부터 이래라저래라 명을 듣기가 거북스러운 모양이었다.

"무슨 이야기인지 알겠네. 이 사람들은 십여 년 이상씩 포교질로 한양서 도적과 무뢰배들을 족집게로 집어내듯 하던 사람들이고, 기중 유능한 탓으로 부장에까지 오른 사람들일세. 도적을 기찰하는 일이라면 이들을 따라갈 사람은 아무도 없지. 그리고 자네 형제 외에는 한 사람도 기찰조에 더 넣을 수가 없네. 공연히 머릿수만 많아져서 이리저리 몰려다니다 보면 남의 의심이나 사고 공론이 많아져서 일에 차질이 오기 십상이야. 기찰조는 믿을 만하고 열성 있고 수완 있는 자네들 넷이면 충분해. 그리고 자네 집안에서 군량미를 내기로 하였으니 기찰전은 보낼 필요가 없어. 돈이 많아지면 편해져서 일에 빈틈이 생길 뿐만 아니라, 돈을 쓰다 보면 자연히 도적들의 눈에 뜨이게 마련일세. 기찰하려다가 오히려 기찰당하지 말고 고생할 생각을 해야지."

"옳은 말씀입니다. 돈은 작은 집을 구입하고 장사밑천을 하는 데들일 것이고, 주로 아낙네들을 상대로 수소문할 것입니다. 또한 만만한 자가 있으면 매수하는 데 돈을 아끼지 않겠습니다."

"매수는 위험한데…… 저들은 보통 도적들이 아니라 민심을 휘어잡고 있다."

"염려 마십시오. 곤경에 처한 자나 저들에게 원한을 가진 자가 틀림없이 있을 것입니다. 발설해놓고 나서 변심할 듯이 조금이라도 비치면 가차 없이 죽여버리겠습니다. 그러나 이것은 나라에서 도모하는 일이라 성사 후에 포상을 앞세워 제안한다면 대개는 기꺼이 달려들 것입니다."

"하여튼 착오 없도록 하라."

최형기는 박포도부장에게 기찰의 세부적인 요건들을 모두 일임하기로 하였다. 이들 기찰조만큼 토포에 열성인 자들은 따로 없을 성싶었다. 유사과네 형제들은 집안 재물은 물론이요 가보로 내려오는 문수암의 불상들까지 탈취당하였으니 설원하고자 하는 열성이 대단할 것이었다. 포도부장들은 그들대로 이번 토포계획이 조정 중신들간에 깊이 논의되어 주상께서 승지 신엽에게 해서관찰사를 특수하면서까지 당부한 일인만큼 이번처럼 공을 드날릴 기회가 평생에 다시 있을까 말까 하다고 여기고 있을 터였다. 그것은 최형기도 마찬가지의 느낌이었다. 예전에 양주 백정 임꺽정을 구월산서 토포했던 무장 남치근의 얘기는 아직도 잘 알려져 있었다. 기찰조는 그날 밤으로 아무의 눈에도 뜨이지 않게 해주감영을 빠져나갔다.

광석내는 꽁꽁 얼어붙었고 그 위에 눈이 덮여 바야흐로 설경이 한창이었다. 고목과 노송들은 가지마다 흰눈을 얹고 신선처럼 둘러서 있었으며, 수양산은 구름같이 푸르게 씻겨진 하늘 높직하니 솟아올라 있었다. 오층탑이며 석불이 새겨진 음비(陰碑)가 서 있는 옛 절터에서 수양산의 남록을 따라 올라가면 높직한 곳에 돌연 너른 마당이 펼쳐지는데, 그 앞의 전망이 좋은 곳에 탁열정(濯熱亭)이 지어져 있었다. 탁열정은 성의 근양문을 나서서 동편에 있는데 감영에서 가까운 곳이다. 정자에서 동쪽으로 계속 나아가면 수양산성에 이르는데 이 부근의 너른 마당과 계곡과 언덕은 예로부터 감영의 습진장(習陣場)으로 알려져 있었다.

최형기는 정자에다 승창을 놓고 앉아서 감영의 두 장교가 뽑아놓은 이백여 정병 군사들의 조련받는 것을 지켜보고 있었다. 곁에는 병방 비장이 서서 최형기의 지시를 받고 있었다. 오십 명은 따로 떼어 스물다섯씩 두 대(隊)를 짰으니 우대는 포수요 좌대는 궁수로 편성하였다. 다시 스물다섯을 뽑아 유군(遊軍)을 삼았으며 나머지 백이십오 명 전원으로 여(旅)를 삼아서 스물다섯의 오(伍)로 나누었다. 키크고 환도를 쓴다는 자는 전(田)가요, 얼굴이 붉고 목소리 걸걸하며 철퇴를 쓴다던 자는 하(河)가였다. 전군관이 여를 맡아 지휘하고 하군관이 유군을 지휘하도록 하였으며 포수와 궁수의 좌우대는 병방비장이 맡도록 하였던 것이다. 최형기는 이러한 편제가 실제 토포전에서는 변화하리라는 것을 알고 있었지만, 바로 감영의 이백여 정병이 선두가 되어야 한다고 믿었다. 나중에 발제군병(發諸郡兵)을 할 것인데 그들은 주로 요로를 막아 봉쇄하는 임무만을 맡길 작정이었다. 접전이 벌어지면 스물다섯 오로 편성된 일개 여의 장창수(長槍手)들이 열진(列陣)하는데 북소리에 따라 처음에는 두 줄의 학익진(鶴翼陣)으로 벌려서서 앞으로 창을 겨누고 돌진하다가 다시 꽹과리 소리에 따라서 다섯 오씩 전후좌우중(前後左右中)으로 나뉘어 고기비늘처럼 서로 엇갈려 서는 어린진(魚鱗陣)으로 변한다. 전오가 적의 진의 충심을 지나자마자 접전하며 벌려서면 좌오 우오가 그 옆으로 잇달고, 중오는 왼편 줄로, 후오는 오른편 줄로 잇달아 구부러진 초승달 같은 언월진(偃月陣)으로 적을 둘러싸서 후방으로 내몰아친다. 뒤에 대기하던 유군 일대가 어지러이 유격하면서 언월진의 입구를 막으며 짓쳐들어간다. 그때그때 적의 형세에 따라 곡진 직진 예진 방진 원진으로 바꾸는 조련을 하였고, 장창수들에게는 오와 열의 엄정함을 알게 하고 유군들에게는 단병접전의 기술을 각자 연마토록 하여 자기가 맡은 병장기의 형과 세를 철저히 익히도록 하였다. 포수와 궁수는 후위와 전위를 맡아 진이 변화하며 빠져나가거나 접전이 시작되기 전에 먼저 방포하고 나중에 활을 쏘는 법을 가르쳤다. 군령은 엄했지만 병사들이 질리는 것을 피하기 위하여 최형기는 장교들에게 화기애애하게 졸을 다루도록 주의를 주었고, 매 오전 오후 조련이 끝날 적마다 이런 흉년에는 맛도 볼 수 없는 고기와 술을 먹였다. 황우 두 마리를 잡았고 개를 열 마리나 잡았으니 실로 습진 조련에 장졸들은 때아닌 잔치를 만난 격이었다. 매 삭마다 피아로 나뉘어 승패(勝敗)를 가르는 대습련을 가졌다. 그에 덧붙여 야조(夜操)라 하여 밤에 기습하고 추적하는 조련까지 빠뜨리지 않았던 것이다.

5

구월산에는 겨울이 깊어져 골짜기마다 인적이 끊긴 지 여러 날이요 가끔 산짐승들이 눈 덮인 등성이를 넘어 마을을 찾아 내려오고는 하였다. 탑고개의 겨울은 외방에 나갔던 자들이 모두 돌아오는 계절이라 어느 때보다도 번거롭고 아낙네들도 이때에 잉태하며 젊은 것들은 이맘때 정분이 나기도 하였다. 길산의 양부모 장충과 안무당은 여전히 그 갑송이네 집 옆의 삼간초가에 살았다. 갑송이네 집은 일시 폐가가 되었다가 이제는 달마산이 관군에 함몰될 때 강선홍이 변가와 함께 옮겨왔던 업복이네 식구들이 살고 있었고, 김기의 노모와 아내도 여전히 다음 집에 살았으며 변가네 식구들도 있었다. 탑고개에는 그동안에 달마산 식구들이 옮겨오고 괴뢰배와 사당패들이 늘어나서 제법 호수가 많아졌다. 김기는 한 달이나 달포에 한 번쯤씩 들러보고는 하였으며 대개는 자비령에 머물고 있었던 것이다. 어떤 때에는 길산이가 말득이나 홍복이를 데리고 된목이골 마감동네 산채에 들렀다가 탑고개의 양부모들을 찾아보고는 하던 것이었다. 탑고개 아래 동네는 사선골[四仙洞]인데 이웃 동네라고는 하여도 워낙 나한암의 바위넘이고개가 험하여 겨울철에는 오가기가 보통 힘이 드는 것이 아니었다. 사선골에도 광대들이 나가 살았고 송화 까막내나 한가지로 장인들이 모여서 살았다. 가재는 게와 한통속이라고 그들도 구월산 패거리에 관하여 은밀히 눈치를 채고 있었으며 구월산 졸개들 중에 사선골에 살림을 하는 자들도 있었던 것이다. 자연히 탑고개와 사선골은 너나들이로 스스럼이 없어 산속에서 가장 절친한 이웃마을이었다. 장충은 근력은 없었지만 건강은 여전하여 자리도 삼고 눈 속에 덫도 놓으러 다니고 하였다. 가끔씩 까막내에서 갖바치 박서방이 그의 딸과 번갈아서 들여다보기도 하는데, 외손자가 함께 올 적마다 장충은 혼잣소리로,

"우리 수복이…… 많이 컸을 텐데."

하며 섭섭한 듯이 중얼거렸다. 안무당도 그런 때는 마음이 안 좋아져서 돌아앉는 것이었다.

"여기가 얼마나 살기 좋아. 저어 가까운 안악이나 문화 고을이라면 모를까 월단강을 훨씬 넘어가니…… 봉순이가 오지 못하니 수복이 볼 생각은 아예 맙시다."

장충은 곰방대를 문 채로 눈 덮인 골짜기를 내다보았다.

"거 참 무심한 사람일세. 이럴 줄 알았으면 길산일 쫓아가 자비령 가서 살 걸 그랬지."

"아예 그런 말씀 마슈. 그애는 식구고 집안이고 정신이 없는 아이예요. 공연히 우리 늙은 것들이 쫓아가봤자 짐이나 되지 뭘."

안무당은 술을 거르다가 한 바가지를 푹 떠서 장충 노인에게로 내밀어주었다.

"예 있수, 아주 맞춤하게 익었수. 누룩내가 다 가시진 않았지만 잡 쉬보우."

"허…… 동네 말 나겠군. 길산이가 가장 걱정하는 것이 이런 흉황 에 배부르게 술 담가 먹는 짓이야."

안무당은 바가지를 도로 거두어가는 시늉을 하며 말하였다.

"싫으면 그만두시구랴. 늙마에 살림이 조금 요족하니 이런 술 몇 잔이야 못 먹겠어요?"

"허허, 괜히 목젖만 세워놓구 그래. 기왕에 푼 술을 다시 쏟겠나."

장충이 마누라의 손을 잡은 채로 끌어다가 꿀꺽이며 마셨다.

"커어, 시원하다. 이게 구월산 물맛이지."

"지난달에 보내온 미곡이 남았길래 술을 담갔어요. 내가 오늘 사 선골 나갔다가 이틀 지내고 돌아올 테니 당신은 김선비 댁에 가서 진지를 드시구려."

안무당이 술을 따로이 항아리에다 걸러서 유지로 주둥이를 밀봉 하였다. 장노인은 시무룩해서 말하였다.

"사선골이라면 한걸음에 오락가락하는 이웃골인데 이틀씩이나 새우고 온다고? 까막내 나가려구 그러는 게 아니오. 달포 전에 아이 들이 다녀갔는데 그간에 별일이 있겠다구 쪼르르 내려가구 야단인 가."

안무당이 술항아리를 들어다 툇마루에 놓았다.

"참 당신두…… 아 내가 뭣 하러 박서방 집에 내려가서 이틀이나 지낸다우. 거기두 요즈음은 산에서 보태주는 양식으루 지낼 텐데."

"그러게 미안허단 얘기지. 큰돌이가 노상 드나들며 살림을 보아 준다는 모양이여."

안무당이 옷을 갈아입으면서 안방에서 말하였다.

"신맞이가 있어요. 내가 들이는 딸은 아니지만, 그래두 구월산 일대에서는 내가 가장 연로한 내림당골이라구 나를 불러가는 거예요. 아이가 열예닐곱 되었다는데 총기가 대단하구 영력이 신통하게 씌었다지 뭐예요."

장충은 남은 술을 조금씩 마시고는 옛날 일이 생각나서 빙긋이 웃었다.

"자네두 그런 말을 들었지. 내가 선을 본다구 우리 식구 패거리를 따라서 까막내로 가보니까 신통은커녕 몽당치마에 머리는 까치집이지, 알 수 없는 소리만 혼자 중얼중얼하더구만. 내가 아녔으면 누가 자네 같은 자를 아낙으로 용납했을꼬."

안무당은 그날따라 홍상에다 녹색 저고리를 걸치고 머리에는 붉은 댕기를 드렸는데, 꼭 처음 굿에 나가는 애무당과도 같았다.

"흥, 내가 요 꼴이 된 게 다 누구 때문일 줄 알아요. 신장님들만 모시구 우리 몸주님께 치성이나 드리며 살았다면 나는 아마 서북이나 해서에서 가장 큰 만신마마님이 되었을 거예요. 당신 모시고 애 낳구 사는 바람에 몸주님이 떠나신 거예요."

"공연히 그런 소리 말게. 내 덕분에 신병앓이를 면한 게여."

늙은 광대와 무당은 이렇게 다정하게 농지거리를 주거니받거니 하고 있었다.

"어머니 계셔요?"

삽짝 밖에서 소리가 들리더니 젊은 여자 하나와 중년 여인 둘이서 안으로 들어섰다. 중년의 여자 둘은 봉순이 뒤에 문화와 은율서 신딸이 되어 무당이 되었던 여자들이고, 다른 하나는 월정사 사당골에 살던 백련이었다. 백련이는 도화와의 인연으로 탑고개 출입을 하다가 아예 안무당에게서 무녀의 수업을 받았던 터이다.

"어서 가십시다. 저녁부터 시작인데 점심때가 지났으니 모두들 준비해놓구 기다리구 있겠지요."

장충은 여자들이 몰려들어오는 바람에 슬그머니 방으로 쫓겨들어갔다. 여인들이 장충에게 제각기 인사를 하였고, 백련이는 술항아리를 보자 반색을 하였다.

"에구머니, 이게 뭐야. 왕가뭄 들고 나서 저승으루 떠나셨던 희광탕이 예 있네요. 나두 오늘은 이걸 한잔 잡숫고 구월산 산신님과 합환지사를 엮어야겠네."

안무당이 신발을 꿰며 그들에게 물었다.

"그런데 그애 이름이 뭐라구 그랬지?"

"원향이라구 하든가……?"

중년 여자 중의 하나가 말하였다. 백련이도 거들었다.

"왜 보셨잖아요. 예전에 월정사서 춘궁 진휼을 나갔다가 부황이 들어 다 죽게 되었던 식구를 살렸지요."

안무당이 생각난 듯이 고개를 끄덕였다.

"옳아, 이제 생각이 나는구나. 내가 계화 때문에 한번 불려갔었지. 계화는 예사로 알았지마는 그애가 신병을 앓고 있는 걸 내가 알아챘지. 그래 말을 시켜보지 않았든가. 어디서 오신 뉘시냐구 그랬더니 오락가락하는데, 덕물산 최장군이라구 했다가 안악 운암이 고갯마루 기시다가 해전에 큰물에 떠내려가신 앉은 미륵이라구두 하더구만. 아직 제 몸주를 잡은 것은 아니지만 여러분이 들락날락하시는데 그냥 내버려두었다가는 살을 맞아 넋을 잃고 말 지경이라 계화를 시켜서 치성을 드려주라구 했지. 눈매나 귓바퀴나 입매를 보아하니 넋이 들면 아주 큰 무당이 될 아이야. 계화가 견디지 못할 게야. 나 같은 것이야 신맞이굿이나 열어주고 물러날 그릇이지."

그들은 한참이나 굿판 얘기를 더 늘어놓다가 일어났다. 장충이 미닫이를 열고 말하였다.

"모두들 조심해여. 바위넘이 아래 눈이 쌓여 그렇지, 한번 굴러서 빠지면 해동 때까지는 머리털 한 가닥 못 찾는다구."

안무당이 대꾸하였다.

"그런 염려 놓으슈. 아, 우리가 누구라구 구월산 산신님이 골짜기로 밀어넣겠수?"

"거 날씨가 꾸물꾸물하는 것이 눈발이 날릴 듯한데. 하여튼 모레는 무슨 일이 있어두 돌아와야 허네."

안무당 대신 백련이가 삽짝을 나가면서 농을 쳤다.

"아이구, 나두 어디서 서방님이라두 하나 얻어 들여야지. 염라전 아랫동네 사는 이들두 하룻밤을 못 참아 저 난린데, 백련이 사타구니에는 거미줄만 슬었고나."

"예끼…… 이 버르장머리……"

장충은 정말로 화가 나서 아낙네들의 뒤통수에 대고 외쳤다. 그들은 각자 해가지고 가는 물건들을 머리에 이고 조심하여 나한암의 비탈길로 올라갔다. 그들이 고갯마루로 올라서는데, 웬 사내가 느닷없이 바위 뒷전서 튀어나오며 냅다 소리를 지르는 것이었다.

"어, 참빗이여 귀이개에 뒤꼭지에 쪽집게에 갑사댕기 금박댕기 은박댕기 없는 게 없습니다."

사내는 머리에 개잘량을 깊숙이 눌러썼고, 등뒤에 커다란 버들고리를 메고 있었으며 다리에는 털 달린 행전 치고 짚신에는 감발을 쳤다. 백련이가 곁으로 물러서며 쫑알거렸다.

"에구, 깜짝이야. 갑자기 오줌 쌀 뻔하였네. 아니 손님이라군 너구리에 토끼들밖에 없는데 어디서 소리를 치는 거예요?"

"허허, 말씀 맙쇼. 그럼 아주머니들이 너구리 여우님이란 말유? 내 여기서 다리쉬임을 하다가 맞춤한 손님들을 먼발치서 찍어놓고 기다리던 참이외다. 자아, 구경들 하십시오."

안무당이 혀를 끌끌 차면서 개잘량의 사내를 노려보았다.

"이런…… 보아허니 방물장사인 모양인데, 장사를 하려면 대처 도방으루나 가야지 지금 같은 보릿고개에 이런 화전골엘 찾아오면 뭘 하우?"

개잘량의 사내는 희멀쑥한 얼굴에 웃음을 가득 내보이면서 너스레를 떨었다.

"거 모르시는 말씀 맙쇼. 도방에서야 이런 것을 진작에 구해놓았지요. 이런 물건은 한번 장만하시면 만년묵기올시다. 아무리 보리 흉년이라지만 우리는 곡물도 받지 않고 면포도 받지 않습니다, 예. 이런 골에서야 그 귀한 족제비나 너구리나 여하튼 온갖 피물이 많겠습죠. 얼마든지 가져오세요. 자아, 바늘에 분에 거울에 장도에 떨잠에 댕기며 화관에다 얼레빗 달빛 참빗 노리개 향갑 없는 게 없습니다. 지금 주시지 않아도 좋습니다. 댁이 어디신지 알려만 주신다면 나중에 제가 찾아갈 제 털가죽이나 몇장 얻어 가지겠습니다."

사내가 고리짝을 열어 갖가지 희한한 황화를 들추며 보여주자 그들은 역시 아낙네들이라, 고갯마루에서 쭈그려앉아 이것저것 집어다 옷에 대보거나 머리에 꽂아보거나 만지작거리기 시작하였다. 안무당은 어서 사선골에 가서 굿판 준비할 마음만 바빠서 발을 동동 굴렀다.

"아니 얘들아, 이렇게 지체하다가 눈보라가 몰아치면 어쩌려느냐. 구월산에서 겨울해가 노루꼬리인데 금세 어두워진다. 어서들 일어나."

"가만있으슈. 나는 이 향갑이나 하나 가졌으면 했어. 어머니두 하나 골라봐요."

백련이가 매듭으로 화려하게 장식된 향갑을 골라 가슴 아래 대보면서 종알거렸다.

"자, 이건 어떠십니까?"

사내가 달빗을 들어 안무당의 머리에 슬쩍 꽂아주는 것이었다.

"아니 이이가……"

"염려 맙쇼. 지금 돈 달라구 손벌리는 게 아니올시다. 덫에 걸린 짐승의 가죽이나 몇장 주시면 됩니다."

사실 안무당도 그 달빗이 탐나지 않는 것은 아니었다. 자기가 갖겠다는 것보다도 까막내 사는 딸이 놀러 오면 내주고 싶었다. 더구나 탑고개서는 집집마다 흔해빠진 털가죽으로 치러달라는 게 아닌가. 안무당은 달빗을 빼내어 손에 쥐고는 저도 모르게 주저앉아 이것저것 뒤적이다가 당화인 듯한 쇠바늘이 열 개쯤 꽂힌 바늘통을 골라냈다.

"헌데 어디서 오시는 길이우?"

안무당이 태도를 바꾸어 묻자 장사치 사내가 신이 나서 떠들었다.

"송화서 자고 방금 들어오는 길입지요. 우리는 송도 임방서 차인질 다니다가 아무래두 내 장사를 벌이는 게 입에 풀칠을 하더라도 낫겠구나 싶어서, 직접 한양에 올라가 물건을 떼어다가 동절에는 주로 피물로 바꾸어 갖다 팝니다. 이 골엔 방금 첫발이지요."

안무당이 혼잣소리로 중얼거렸다.

"이 골에 산짐승 안 남아나겠군. 여보슈, 여기가 어딘 줄 알어. 이런 물건 밝히는 아낙들이 떼로 있는 동네여."

"그럴 줄 알았지요. 우리는 동네의 지붕을 먼발치서 척 보기만 해두 장사해먹기가 어떠한가 대번 알아냅니다."

안무당이 다시 재촉하였고 백련이와 다른 무당들도 일어섰다. 그들은 알기 쉽게 장충의 초가지붕을 손으로 가리켜 보였고, 사내는 연신 벙글거리며 고개를 끄덕였다.

"아주머니를 제가 새달에 찾아뵙지요. 지금 마을에 내려가서 한 바퀴 돌아볼 터인데 어느 댁 아주머니께 가서 부탁하면 가장 좋을까요?"

방물장수 사내가 바위넘이를 내려가는 안무당 일행에게 외쳐 물었다. 아무리 외상거래라지만 녀석이 끈을 잡아물고 들어가려는 것에는 역증이 나서 안무당이 중얼거렸다.

"그 사람…… 이제는 우리까지 엮어서 팔아넘길 셈인가."

향갑을 품에 지닌 백련이가 신이 나서 목청을 돋우며 대답했다.

"저어기 고사목 있는 모퉁이에 변서방네가 있어요. 동네 아낙들이 저녁에는 그 집에 모여서 유기를 짠답니다."

"예예, 고맙습니다."

고개 아래로 싱글거리며 연신 허리를 굽혀 보이던 사내의 얼굴에서 서서히 웃음기가 사라져갔다. 그는 다시 날카로운 눈매로 변하여 눈에 덮인 탑고개마을을 이리저리 살펴보았다. 탑고개의 사방이 한눈에 보이는 곳은 나한암 바위넘이가 기중 나은 장소였던 것이다. 그는 먼저 안무당이 내려간 곳으로 눈을 돌리며 중얼거렸다.

"저기가 아사봉 줄기의 끝이로군. 그러면 사선골이 이 골짜기의 입구가 되는 셈이렷다."

그는 아사봉의 산맥을 따라서 위로 죽 시선을 끌어올렸다. 골짜기 양편으로 향나무와 잣나무들이 빽빽이 늘어서 있었으며, 골짜기는 가운데로 삐죽이 솟아오른 나한암으로 해서 막혔다가 다시 안쪽으로 터져들어간 것이다. 나한암 아래는 가파른 계곡이 벼랑이 되어 입을 벌리고 있었고 바위넘이를 내려가면 이쪽과 저쪽의 협로가 두 가닥의 통나무 다리로 연결되어 있었다. 아래쪽은 바위넘이에서보다는 그리 깊어 보이지 않았으나 거의 열 길 높이는 되어 보였다. 아름드리의 통나무 두 개를 칡덩굴로 엮어놓은 다리인데, 만약 그것을 태우거나 들어내버리면 사선골과 탑고개는 길이 끊기는 셈이었다.

그러나 다시 돌아서서 나한암의 뒤편을 내려다보니 골짜기가 넓어져 시야가 확 트이는 느낌이었다. 나한암 아래편에서 보면 탑고개와 아사봉 등성이로 하여 가파르고 비좁은 골짜기만이 계속되고 있을 듯한데 그 뒤편에 이렇게 너른 분지가 벌려져 있는 것이었다. 골짜기를 따라 흘러내려오던 시냇물은 나한암 아래의 깊숙한 벼랑으로 흘러내려가는 게 지금은 꽁꽁 얼어붙어 흰눈이 두껍게 쌓여 있었다.

"그렇군!"

방물장수는 아래를 내려다보다가 스스로 감탄하였다. 미끄럽기는 하겠지만 저 계곡의 시내야말로 탑고개로 들어가는 가장 안전한 길인 것이다.

"일단 이곳을 적이 모르게 지나고 나서 마을 안쪽에 들어가 있다가 들이치면 될 것이다."

방물장수는 다시 잡화 방물이 들어 있는 고리짝에 멜빵을 걸어 짊어졌다. 이제부터 각 집마다 사내들이 있는 집과 없는 집을 가려내고, 소문과 같이 산속의 명화적당과 괴뢰배 사당패 들이 섞여 살며 내통하고 있는지도 알아낼 작정이었다. 또한 무엇보다도 산에서 마을로 내려오는 그들만의 지름길도 답사할 작정이었다. 얼굴이 희고 손매가 고운 방물장수는 바로 유사과의 맏아들 유수룡이었다. 그들

형제는 며칠 전에 신천을 출발하여 송화 무더리에 봉노를 잡고 기찰을 시작한 것이다.

사선골은 읍내에서 들어오자면 이십여 리 길이요, 곰너미고개를 넘어서 구월산의 서록에 닿는 깊은 골짜기 사이에 있으니 이웃 탑고개 마을과는 오리지간이었다. 사선골의 깊숙한 골짜기는 십리장곡(十里長谷)이라 하였다. 사선골 너머로 정곡사(停穀寺)가 있었는데 이 역시 월정사의 부속 사찰이었다. 사선골은 골짜기 양쪽에 억지로 틀어박혀 생겨난 동네였고 처음에는 산 위의 사노비들이나 화전꾼 또는 수상한 유민들이 서너 집씩 들어와 살다가 어느결에 마을이 되었다. 그들 역시 탑고개 사람들처럼 다른 마을과는 별로 왕래하지 않고 살아갔다. 안무당 일행이 사선골 원향의 집을 찾아가니 때마침 계화(戒化)가 길 저쪽에서 마주 오다가 반색을 하는 것이었다.

"아이구, 성님 내려오슈. 나는 우리 원향이가 신어머니를 못 만날까봐 얼마나 걱정을 했는지."

"뭘 자네가 대신 하지."

안무당이 말하자 계화는 펄쩍 뛰며 손을 내저었다.

"당치두 않은 말씀이우. 내야 어디 만신(萬神)의 자격이 있나요. 다 성님 덕에 대무 노릇이나 하는 게지."

"아이가 어떻든가?"

"틀림없어요. 이따가 몸주가 하강하면 말씀 나눠보시구랴. 아직은 갈피를 못 잡고 그냥 비지땀이나 흘리고 몇마디 중얼거리다 맙디다."

"말은 해서 뭘 해…… 내가 보면 다 아네."

원향이네 집은 골짜기의 끝집이었다. 역시 가난한지 낮은 초가인데 벽이 헐어서 수수깡이 드러난 곳도 있었다. 이를테면 남자가 없는 집안이었다. 삽짝도 여기저기 망가져서 집안이 들여다보였다. 여인들이 들어가니 먼저 와서 기다리던 사내 둘이 일어나 안무당에게 꾸벅해 보였고, 주인 아낙네가 반기며 뛰쳐나왔다.

"만신님 오십니까. 이 눈길에 우리 원향이 때문에 어려운 걸음 하십니다."

안무당은 그저 웃으며 고개를 끄덕였고 계화가 말하였다.

"이제부터는 자네 딸이 아니여. 몸주님께 바쳤으니 섭섭타 생각 말구 신어머니 모시도록 허게."

"자네들두 수고가 많구먼."

안무당이 사내들에게 아는 체를 하였다. 두 화랭이 역은 하나는 오계손(吳季孫)이란 신천 박수인데 원래는 월정사 사당골에서 모가비 임가와 더불어 출행을 다녔던 자이고, 또 하나는 계화의 남편인데 예전에 문화 재인말서 큰돌이와 장충의 중간 또래로서 경기지방에 나다녔던 광대였다. 계화 남편은 아내의 좌무 역을 맡아서 살아가고 있었는데 모두들 부엉이 박수라 불렀지만 김승운(金勝運)이 그의 이름이었다. 계화는 안무당이 등장하자 장고를 맡았고 백련이는 신딸 원향이를 곁에서 돌보아주기로 하였으며 두 무녀들은 각각 북과 꽹과리를 맡았고 오계손이 해금을, 부엉이 김승운이 피리를 맡기로 하였다.

건넌방에서 단장하고 기다리던 원향이가 나오는데 노랑 저고리에 붉은 치마를 입었고 그 위에 남빛 동달이를 걸쳤으며 털벙거지를 엇비슷이 쓰고 있었다. 갸름한 얼굴에 눈썹은 가늘고 눈은 꼬리가 긴데 눈자위가 불그레하고 시선이 멀었다. 입술은 쫑긋하고 머리털에 반쯤 가리운 귀는 엽전처럼 작고 동그랗게 찰싹 붙어 있었다. 몸은 길고 말랐으며 손가락들 역시 희고 길었다. 안무당의 눈이 긴장하여 그 모든 것을 훑어보고 있었다.

"잘 놀겠구나!"

안무당은 예전에 봉순이를 일곱 살에 신딸로 들이던 때가 생각나서 무심결에 중얼거렸고, 김승운이 함께 눈을 내리깔며 중얼거렸다.

"만신감이오."

"귀와 눈은 너무 좋은데…… 턱이 너무 박하구나. 명이 짧으려나."

안무당은 어딘가 그 계집아이에게서 섬뜩한 감명을 받았던 것이다. 해맑갛고 가녀린 것이 마치 가을 물과도 같았다. 두 손으로 떠올리기도 아까운 작은 샘이었다. 어느 신장님께서 묘하게도 짚어냈구나 싶었다. 백련이가 옆에서 부축하여 원향을 데리고 들어왔고 다른 무당 하나가 잽싸게 일어나 그 왼편을 부축하였다. 신딸로서의 예를 올리는 것이니 만신께 뵈는 것이다. 안무당은 아미를 숙이고 고요히 무너져앉듯 절을 하는 원향이를 홀린 듯이 바라보고 있었다.

"이름이 뭐라구 했더냐?"

"원향입니다."

안무당이 다시 물었다.

"너 어디서 낳았니?"

원향의 생모가 곁에서 공손히 말하였다.

"풍천 여기포(女妓浦)에서 낳았습니다."

"음, 바닷가에서 낳았구나. 사주는?"

"예, 경술 유월 스무이레 축시올습니다."

안무당은 그 자리에서 손가락을 꼽으며 주역으로 따져보았다.

"천택화뢰풍수산지, 경술이 열하나요, 유월에 스무이레 진(震)이로구먼. 축시면 여섯 수에 감(坎)이로다. 합하여 뇌수해(雷水解), 그 동효(動爻)를 보아하니 지수사(地水師)로다."

손가락을 꼽던 안무당이 멈칫하였다. 웬일일까, 불운이 닥쳐오지
만 풀리고 다시 큰 싸움을 겪는다. 위험하다, 이 작은 소녀에게 장수
의 괘는 당치 않다고 여겼으나, 역시 큰무당은 신장의 혼령을 받지
않는가, 고쳐 생각하고 나서 안무당이 고개를 끄덕였다.

"이름은 오늘부터 용녀(龍女)라 하여라. 수변지처(水邊之處)에서 낳
았으니 진은 곧 용이니라. 네 무명(巫名)은 이미 받아서 태어났느니
라."

원향은 그린 듯이 고요히 앉아 있었다. 아직도 그녀의 시선은 저
끝없는 어딘가에 멎어서 움직일 줄을 몰랐다. 원향을 앉혀두고 안무
당은 내림굿의 절차를 벌이기 시작하였다. 부정거리가 시작되어 먼
저 집안의 구석구석을 깨끗이 하고 나서 가망거리로 들어가는데 이
때 안무당은 철릭을 입고 주립을 쓰고서 손에 방울을 들었다. 그때
부터 원향의 눈은 빛나기 시작하더니 합장하고 있던 손이 떨리는 것
이었다.

"아아……"

원향의 뺨에 홍조가 번져갔고 이마에는 땀이 송송 솟아올랐다.

"성 주신 가망 본 주신 가망이며 씨 주신 가망이요, 도당으루 살융
가망 사해루 용신 가망 성주루 어비 가망 안당으루 불사 가망 만신
몸주로 대신 가망 수본향 수천왕 육본향 육천왕 가망이며……"

안무당이 서서히 공수를 받을 기색을 보이면서 목소리가 높아지
고 열에 뜨기 시작하는데, 원향은 이미 덜덜 떨고 있었다. 눈은 광희
로 빛나고 입술은 붉어져서 무엇인가 말을 할 듯 말 듯 조금씩 달싹
였고, 드디어는 입을 딱 벌리곤 하였다. 그리고 긴 숨을 오랫동안 토
해냈다.

원향은 풍천의 여기포에서 군관 홍봉기(洪奉基)의 둘째딸로 태어났다. 그녀의 어미는 신량역천(身良役賤)인 염간의 딸이었다. 홍봉기가 읍성인 추성 기패관(旗牌官)으로 있다가 장교가 되면서 사행선이 닿는 여기포의 진영 당관으로 나가게 되어 원향은 바닷가에서 나고 자랐던 것이다.

그의 어미 후례는 조모에게서 배운 대로 날마다 새벽이면 뒤란에 정화수를 떠놓고 꿇어앉아 빌었다. 사행 행차의 송영을 맡아 순서와 법도에 맞추어 진행하는 일은 진영 장교와 같은 말단에게는 그야말로 아슬아슬한 일이 한두 가지가 아니었다. 무역별장을 비롯한 장사치들은 흔히 감영이나 중앙으로부터 청탁을 넣어온 자들이라 자세가 심하였고 걸핏하면 소리들을 궁지에 몰아넣기가 일쑤였다. 진장은 또한 장교들을 통하여 장사치들과 손을 잡아 이윤을 올릴 것을 원하였다.

홍봉기는 걸핏하면 군문에서 곤장을 맞고 나왔다. 원향의 어미 후례는 어서 남편이 이곳을 떠나게 되는 것과 재임 동안에 제발 무사 건강하기를 날마다 빌었고 그에 덧붙여 홍봉기를 닮은 씩씩하고 강직한 사내아이를 갖게 해주십사고 치성을 드렸던 것이다. 산기가 있어 아기를 낳았는데 또한 여아였다. 후례는 너무도 분해서 참고 견딜 수가 없었다.

남편은 군영에서 열흘째 돌아오지 못하고 있었다. 어미는 갓난 살덩이를 안고 바람이 부는 바닷가로 뛰쳐나갔다. 머리는 산발이었고 아랫도리는 피투성이의 속곳 바람이었다. 그날은 폭풍우가 몰아쳤고 온 바다가 끓는 가마솥과도 같았다. 하늘에서는 우렛소리가 요란하였고 번개가 삭정이 가지처럼 구불거리며 하늘의 곳곳을 찢어발겼다. 후례는 바닷가의 비바람치는 모래 위에다 아이를 던져두고 돌아섰다. 그러고는 미친 듯이 해변을 달려서 되돌아왔던 것이다. 얼마쯤이나 뛰었을까. 뇌성벽력이 길게 소리치며 지나갈 때 후례는 못내 뒤를 돌아보고야 말았다. 창백하게 드러난 백사장 너머로 벽처럼 일어서서 큰 물결이 달려오고 있었다. 후례는 심장이 멎는 듯하였다. 아이를 향하여 뛰었다. 물결과 그녀는 서로를 향하여 달려오고 달려가는 것처럼 보였다. 후례가 아이의 몸 위를 감싸며 엎드린 것과 파도가 덮친 것은 거의 동시의 일이었다. 후례의 잔등을 후려때리며 폭포수처럼 쏟아졌던 물결이 그 가랑이 사이로 재빠르게 빠져나갔다. 후례는 이미 차디차서 시체나 다름없는 살덩이를 끌어안고 집으로 돌아왔다. 아기의 맥박은 이미 사그라지기 시작한 작은 불티와도 같았다. 후례는 아기를 감싸고 입김으로 불어서 녹여주었다. 폭풍이 가라앉고 나서 사위가 고요해진 새벽녘이 되어서야 아기는 숨통을 터뜨렸다. 그러고는 맛나게 젖을 빨았다. 이튿날은 정말 언제 그랬냐는 듯이 화평하고 청명한 아침이었다. 보통 날처럼 소금기 걷힌 순풍이 어루만지듯 불어 지나가고 있었다. 후례는 미륵님께 눈물을 흘리며 참회하였다. 홍봉기가 돌아왔고 그는 또 딸을 낳은 것을 보고도 실망하기는커녕 벙글대며 좋아하였다. 홍봉기는 요미를 두어 말 자루에 담아서 들고 나왔던 것이다. 남편이 돌아왔으므로 후례는 그날은 굶주리지 않아도 되었다. 땔감을 주우러 나갔던 봉기가 물에 젖은 나뭇가지들과 함께 사랑스럽고 요염하게 핀 해당화를 한 묶음 꺾어가지고 들어왔다.

　간밤에 물에 쓸린 모양인 걸……

　꽃은 방금 번진 피를 머금은 듯하였다. 후례는 그냥 넋을 잃고 문가에 기대앉아 있었다. 봉기가 마당에다 꽃들을 아무렇게나 던졌고 흩어진 붉은 꽃잎들이 정말 피처럼 뚝뚝 떨어져서 젖은 땅 위에 달라붙었다. 꽃의 잔해는 참으로 참혹하게 보였다.

지금 문득 생각이 났네. 고년 이름을 으뜸 원(元) 향기 향(香), 원향이라구 짓지.

후례는 원향이가 자랄 때 언제나 그 돌벽처럼 서서 덮치려 달려들던 파도를 잊지 못하였다. 그래서인지 후례는 원향이가 조금이라도 아프거나 울거나 하면 견딜 수가 없었다. 큰딸 인향(仁香)이는 말수가 적고 책임감이 강한 아이였다. 저희 애비를 닮아서 고통스럽거나 즐거운 일이 있을지라도 쓰다 달다 아무런 반응이 없었다. 그들은 거의 같이 붙어지냈다. 봉기가 군영에서 닷새 열흘 보름씩 틀어박혀 지내면 후례는 어려서부터의 버릇대로 갯가에 나가 조개도 줍고 미역도 뜯었다. 어린 인향이가 언제나 원향이를 안고 업고 재우고는 하였다.

인향이가 열일곱 살, 원향이가 열두 살 때의 일이었다. 그때는 준보가 갓 태어난 때였다. 사행이 있었고, 봉기는 여기포에 나와 눈코 뜰 새가 없었다. 그래도 밤이 되면 들어왔다가 닭이 울자마자 포구나 당관으로 뛰쳐나가기는 하였어도 날마다 들어오는 것만이 온 식구에게는 반가운 일이었다. 사행선 호위로 따라나왔던 선전관 하나가 술이 취하여 하는 수 없이 군관 홍봉기가 집으로 모셔오게 되었다. 상방을 치우고 다시 술상을 보아서 그에게 극진히 대접을 하였다. 실로 선전관이라면 입술 한번 달싹이는 것으로 이러한 한벽한 진의 장교쯤은 지옥과 극락을 멋대로 골라서 던져버릴 수가 있는 처지였다. 선전관은 무과를 한 지 얼마 안 되어 새파랗게 젊은 한양의 낭관이었다. 위인이 어찌나 호방한 체하고 놀기를 좋아하던지 홍봉기를 앞세워 다니며 여기포로 몰려나온 관기들을 모두 한 번씩 집적거렸다. 술상을 들여오는데 아내를 들이기도 뭣한 일이라 봉기는 인향이에게 가지고 들어오도록 이른 것이 잘못이었다. 문이 열리고 어린 인향이가 제법 예의를 갖추어 머리를 수그리고 두 손으로 공손히 상을 받쳐 들어서자, 선전관은 펀뜻 정신이 나는 모양이었다. 그자는 비스듬히 벽에 기대고 앉았다가 몸을 바로 세우며 취한 목소리로 중얼거렸다.

허…… 자네 여식을 잘 두었네.

뭐 아직 어려서요. 미거합니다.

봉기는 그냥 인사치레려니 여기고 그렇게 받았을 뿐이다. 술잔이 거듭되고 나서 봉기도 몹시 취하였고 선전관은 더욱 인사불성이 되었다. 봉기가 비틀거리며 일어나 금침을 피려 하자 선전관이 그의 소매를 잡고 턱짓으로 앉으라는 것이었다. 선전관은 눈에 노기를 띠고 말하였다.

자네 이런 비례가 어디 있는가?

무슨 말씀이시온지 소인은……

자네 집엘 가자고 한 것이며 술상을 들게 하여 선을 보인 것이며가 다 저의가 있을 터인데, 이제 내 곁에 누우려 하니 자네는 상관을 희롱하려는가?

홍봉기는 깜짝 놀랐다.

아니올시다, 전혀 그런 게 아닙니다. 저것은 아직 어린것이라 전혀 그런 생각을 한 적이 없습니다.

선전관이 더욱 노하여 말하였다.

양반의 법도로는 미혼 처자를 외간남자에게 보이는 것은 훼절이나 한가질세.

홍봉기는 선전관의 말을 알아듣지 못하였다.

어찌해야 하올지요?

어찌하기는 뭘 어떻게 해. 너는 물러가고 여식으로 하여금 잠자리를 보살피도록 하여야지.

홍봉기는 기가 막혔다.

나으리, 제 딸은 기녀가 아니올시다.

나도 아네. 그러니 내가 소실로 데려가면 되지 않겠는가. 병수사가 아직 아니되었다고 자네가 이러는가?

홍봉기는 그의 말에 감복하는 마음이 되었으니, 언감생심 자신과 같은 군관으로서는 선전관 사위란 꿈도 못 꿀 처지였던 것이다.

아내와 의논한 뒤에 대령하겠습니다.

하여튼 속히 하게. 닭이 울면 끝나는 게 아닌가. 술상도 다시 보아 오고⋯⋯

봉기가 그의 아내 후례와 더불어 인향이를 소실로 들일 일을 의논하는데 그 아내는 아무리 상한의 딸이라고는 하지만 느닷없이 취한 양반에게 소실을 구실 삼아 잠자리 시중감으로 내보내기가 원통한 모양이었다.

가서 저만 호강하면 되었지, 까짓 성대한 예식이 무슨 소용이 있겠나. 옷 갈아입혀서 들여보내게.

봉기가 달래자 후례는 고리짝에 깊이 넣어두었던 그녀의 예전 혼수옷을 꺼냈다.

제가 일러줄 말이 있어요.

눈시울이 벌써 그렁그렁한 아내가 옷자락을 쓰다듬는 꼴을 보자 홍봉기는 밖으로 나왔다. 부엌에 희끗한 인향의 자태가 보였다. 봉기가 기침을 하고 나서 그리로 다가서니 인향이는 흙벽에 기대서서 쾌활하게 말하였다.

아버지, 염려 마셔요. 사창 군관이나 둔별장이 되셔서 동생들 쌀

밥 실컷 먹고 살도록 할 테야요. 나는 저 양반께 소실로 가겠어요.

봉기가 어리게만 생각하다가 또라지게 종알거리는 딸의 말을 듣고는 스스로 대견하여 그 등을 토닥여주었다.

그래, 너는 참말로 효녀로구나.

봉기는 뒷짐을 지고 묵묵히 섰다가,

어서 느이 엄마에게 들어가보아라.

하였을 뿐이다. 인향이가 아내와 나직하게 소곤거리는 말을 듣자니 아마도 제 나름의 내훈을 가르치는 모양이었다.

이어 선전관이란 자의 높다랗게 코를 고는 소리가 봉창 너머로 들려오고 있었다. 봉기는 뒤돌아서서 하늘을 올려다보았다. 별이 그 밤따라 또롱또롱하게 가까워 보였다. 살그머니 미닫이가 열리고 인향이가 마루를 건너는 것이 아마도 제 어미의 한 벌뿐인 혼수옷을 내림으로 얻어입은 모양이었다. 미닫이가 열리고 닫히는 소리가 들렸다. 창호에는 그린 듯이 앉아 있는 인향이의 그림자가 비춰 보였다. 봉기는 더이상 보기가 민망하여 슬그머니 방으로 들어가버리고 말았다.

불은 거의 동이 터올 무렵까지 그대로 켜 있었고 두 내외도 잠들지 못하고 뜬눈으로 새웠다. 두런거리는 얘기 소리가 들리기 시작할 때,

도대체 내가 언제 너를 들어오라고 그랬단 말이냐?

하는 선전관의 목소리를 들었다. 홍봉기가 마루로 뛰어나갔다. 그자는 의관을 차려입고 불쾌하다는 듯이 툇마루로 나서는 참이었다.

나으리, 어디 가십니까?

그자는 멀뚱한 시선으로 홍봉기의 아래위를 훑고 나서 물었다.

저애가 자네의 여식인가?

어제 안전께서 저 아이를 소실로 들이시겠다 하옵기로……

선전관은 화들짝하며 놀라는 양을 보였다.

허어, 큰일 날 사람이로고. 연경에 가는 사행의 절차 때문에 온 내가 그럴 경황도 없으려니와, 더욱이 이제 출사한 관리로 작첩하여 돌아간다는 것은 말도 안 되는 일일세. 자네의 뜻이 아무리 그러할진대 취중의 상관을 이런 식으로 우롱한단 말인가?

봉기는 기가 턱 막혔다. 후례는 안방에서 나서지도 못하고 쥐 죽은 듯이 앉아 있었고, 인향은 어젯밤 그 자리에서 목석처럼 붙박여 있었다. 홍봉기는 말을 더듬었다.

제 뜻이 아니오라…… 그건…… 안전께서 그렇게 지시를……

여러 말 말게. 자네가 아무리 양반 사위가 소원이라지만 내가 정혼한 지도 십 년이 못 된 사람이야. 만약 이런 일로 나를 번거롭게 하면 상관을 능멸한 죄로 다스리겠네.

선전관은 찬바람이 쌩하니 돌도록 혼자서 잘라 말하고는 뒤도 돌아보지 않고 말 위에 올라 포구로 나가버렸다. 봉기도 처자를 대할 면목이 없어 그대로 여기포로 나와 관가의 잡색들과 어울려 탁배기나 마시며 울분을 달랬던 것이다. 저녁녘에 아내가 한 손에는 원향이를 끌고 등에는 준보를 업고서 달려왔다. 홍봉기는 공연히 가슴이 철렁하였다.

아침부터 인향이가 보이질 않아요.

어디 갈 데가 따루 있을라구……

그는 내색을 않으면서도 속으로는 짐작이 갔다. 인향이가 열일곱이니 이미 과년한 나이였고, 저 나름대로 생각이 깊은 아이였다. 인향이 스스로 말했듯이 한벽한 포구의 군관으로 박료에 고생하는 아비를 세곡을 담당하는 사창 군관이나 역시 군량을 책임지는 둔별장의 직임으로 바꾸어놓고 말겠다는 것은, 어머니와 어린 동생들의 고생을 함께 겪어서 잘 알고 있기 때문이었다. 그런데 실언한 양반은 취하여 코를 골고 잠들었고 그런 굳은 결심으로 소실이 되겠다며 제 발로 들어간 새색시는 등잔 곁에서 말뚝처럼 뜬눈으로 새웠다 하였어도 이튿날 선전관이 실언을 뉘우치고 장부의 언약을 지켰더라면 그러한 곤욕은 저절로 사라졌을 것이다. 그는 당황하고 발뺌에 급급하여 끝내 심한 모욕만을 남기고 돌아갔고, 인향이의 스스로를 던지겠다는 갸륵한 마음은 우스꽝스럽게 짓밟히고 말았던 것이 아닌가. 봉기는 처음에는 그의 딸이 부끄러움에 견디지 못하여 어디 산이나 들판에 나가 혼자서 삭이고 있으려니만 여겨졌다. 그날 밤 늦게까지 인향이는 돌아오지 않았다. 다음날 오후가 되어 포구에서 나갔던 주낙배들이 물결에 떠밀린 처녀의 익사체를 건져가지고 돌아왔다. 인향이의 시신은 너무도 가엾고 처참하였다. 후례의 곡성은 하늘을 찢는 것 같았다. 원향이도 언니가 죽어서 돌아오던 날을 생생히 기억하고 있었다. 언니는 상반신에 헌 자리를 덮고 마당에 누웠는데, 새옷을 입고 있었고 버선코가 예쁘게 솟아오른 것이 보였다. 홍봉기는 식칼을 품고 군영으로 찾아가 선전관의 가슴팍을 바라고 달려들었다. 그러나 좌우의 비장들이 말리는 바람에 겨우 그의 손가락을 베었을 뿐이다. 상관을 살해하려 하는 행위는 군문에서 즉시 참수하여 효수하게 되어 있건만 봉기의 사정이 알려져서 태형을 받고 원격지에 유배를 당하게 되었다. 그는 처자식을 그 고장에 두고 떠날 수가 없었다.

봉기는 매를 맞고 나서 군영 밖으로 내처졌고 후례가 수습해다가 집으로 데려갔다. 그 길로 북관의 유배지로 떠나야 하건만 동료 장교들이 사정을 알아서 모두들 모른 척하고 있었고 개중에는 어서 달아나버리라고 슬그머니 일러주는 이도 있었다.

여보, 당신을 두고 갈 수는 없소. 어디 간들 여기보다 못하겠소.

봉기는 후례를 달랬다. 딸의 시신을 묻자마자 남편의 비참한 꼴까지 보게 된 후례는 거의 미친 여자와 같았다. 봉기는 동료들의 도움을 받아 나귀에 가장집물을 골라 싣고서 절뚝거리며 풍천계를 빠져나갔다. 그들은 한내를 앞에 두고 은율의 조산틀〔造山坪〕에 이르렀다. 후례는 실성하였는지 준보를 등에 업은 채 걷기만 하였고, 철없는 원향이는 배가 고프다고 칭얼거렸다. 봉기는 더이상 걸을 수가 없었다. 온몸은 장독으로 부어올라서 열에 들떠 있었다. 그는 한내의 자갈밭에 지쳐 쓰러지고 말았다. 물을 먹고 싶어서 입술을 달싹거렸으나 아내는 아무것도 알아듣지 못하였다. 원향이가 봇짐 속에서 사발을 꺼내어 한내의 물을 떠다가 아비에게 먹였다. 꿀꺽대며 실컷 먹고 난 봉기는 원향이에게 가느다랗게 말하였다.

원향아, 저어기 큰길이 보이지? 그리로 죽 올라가거라. 아무 집에나 가서 우리 식구 얘기를 하고 살려주시면 은혜를 갚겠다구 해라.

원향이는 큰 눈에 그렁그렁한 물기를 담고 신음하는 아비를 향하여 고개를 끄덕여 보였다. 그러고는 타박타박 읍내를 향하여 걸어갔다. 원향이는 큰 솟을대문이 달린 집은 무서웠다. 아비가 군영에서 반죽음이 되어 실려나오던 광경을 엄마와 함께 똑똑히 보았던 터이다. 원향이는 장림〔長林〕을 지나갔다. 마침 숲 안에서는 선비들의 답청놀이가 한창이라 기생들이 드높은 소리로 태평가를 노래하고 있었고 삼현육각이 흐드러지는 판이었다. 원향이는 기름진 음식 내음에 취하여 저절로 발길이 그리로 향하였다. 기생 하나가 일어나 자리 위에서 치마를 날리며 춤을 한바탕 추고 있었다. 원향이는 홀린 듯이 그런 광경을 보았다.

애애, 저리 가거라.

노구에 술을 데우고 앉았던 하인이 몰골이 초라한 계집아이가 넋을 잃고 구경하는 것을 보자, 쫓으려고 손을 홰홰 내저으며 다가왔다. 원향이는 문득 가슴에 뭉쳤던 것이 터지면서 자기도 모르게 큰 소리로 울음을 터뜨렸다.

어허, 이거 야단났네. 여기서 우물쭈물하면 네 부모가 단속하지 못한 죄로 혼쭐이 난단 말이야.

원향이는 그 말을 듣고는 등을 돌려 정신없이 달아났다. 장터에 이르러서야 아버지가 하던 말이 다시 생각났다. 원향이는 팥죽을 팔고 있는 아낙네의 앞으로 가서 말을 걸었다.

우리 식구 좀 살려주셔요. 우리 식구가 죽어가요.

죽 파는 아낙은 눈을 휘둥그렇게 떴다.

아니, 구걸을 다녀도 식구 걱정까지 하는 애는 첨 보겠네. 옜다, 죽이나 한 그릇 먹구 가거라.

하면서 구기로 듬뿍 퍼서 죽 한 그릇을 내미는 것이었다. 원향이는 아버지의 말밖에는 아무것도 생각나는 것이 없었다.

우리 아버지가 그랬어요. 살려주시면 은혜를 갚는다구요.

지나가던 장꾼들이 원향이를 유심히 내려다보았다.

애, 너 왜 그러느냐?

원향이가 돌아보니 가사 장삼의 스님 한 분이 사람들 틈에 끼여서서 묻고 있었다. 깎은 머리가 희끗희끗했고, 눈자위에는 인자한 주름이 잡혀 있었다.

우리 아버지가 길에서 넘어졌어요. 엄마하구 동생두 거기 있어요. 살려주셔요.

유민인 모양이군……

다른 장군이 중얼거렸다. 원향이는 눈물을 쫄쫄 흘리며 이리저리 둘러보는데, 그 스님이 원향이의 조막손을 살그머니 잡았다.

그래, 느이 식구들 있는 데로 가자.

원향이는 어쩐지 마음이 놓이고 아버지가 그럴 때처럼 아늑한 느낌이 들었다. 오던 길을 되돌아가는 동안 스님은 내내 원향이의 손을 가만히 잡고 있었다. 식구들 있는 한내의 냇가로 와보니 준보는 엄마의 등에서 악을 쓰며 울고 있었고, 아버지는 물가에 하늘을 바라보며 반듯이 누워 있었다. 원향의 기억으로는 아버지는 다가오는 그들을 아래로 눈을 깔아 지그시 바라보고 있는 듯했다. 스님이 멈칫 섰다.

나무관세음보살……

그는 합장을 하고는 뒷전에 멍하니 앉아 있는 원향의 어머니를 돌아보았다. 후례는 입을 반쯤 벌리고 머리는 사방으로 흐트러진 채 먼 장림의 숲 언저리를 내다보는 양이었다. 원향이가 홍봉기에게로 가서 손을 잡았다.

아부지, 사람을 불러왔어요.

손은 뺏뻣하고 차가웠는데 장작개비 같은 것이 아래로 툭 떨어졌다. 스님이 가까이 다가앉더니 봉기의 아래로 뜬 눈 위에 손을 갖다 대고 쓸어내렸다. 그는 눈을 감았다. 원향이는 아비의 옷자락을 잡아흔들었다.

일어나요, 일어나라니까.

아가야, 아버지는 잠이 깊이 들었다.

스님은 잠시 그 자리에 앉아서 뭔가 중얼거리며 염불을 외우고는 세 번 합장 배례를 하고 일어났다. 원향이도 언니의 죽음을 보았으므로 이미 눈치를 채고 있었다. 이제 아버지는 다시 돌아오지 못하고, 땅속에 묻히는 것이다.

너 여기 있거라. 내가 가서 사람들을 불러와야 할 테니까. 무섭지 않지?

원향이는 고개를 좌우로 흔들었다. 스님이 내를 건너 사라지고 나서 그애는 엄마 곁에 가서 띠를 풀고 준보를 떼어냈다. 준보는 원향이가 가슴에 안자 울음을 그치고 입술을 달싹였다. 배가 고파 젖을 찾는 것이었다. 원향이는 그냥 준보를 안고 토닥였다. 아이는 까무룩 잠이 들었다가 다시 깨어나 울다가는 또 잠이 들곤 하였다. 한참 뒤에 얼굴이 준수한 젊은 중과 거사들이 내를 건너왔다.

풍열스님, 저 어린것 좀 보십시오. 세상에 저렇게 야무질 수가 있나.

거사들 중의 하나가 감탄을 하였다. 사람들은 봉기의 시신을 무명에 감아 둘러멨고 젊은 스님은 원향이를 등에 업었으며, 큰스님은 엄마를 부축해 일으켰다. 그들은 우선 월정사의 사당말로 갔다. 젊은 스님은 땀과 먼지와 눈물로 범벅이 된 원향이를 냇가로 데리고 가서 머리를 감아주고 낯도 씻겨주었다.

아이, 착하다. 네 이름이 뭐니?

원향이……

나는 여환이라구 한단다. 나두 너만 한 누이가 있었다.

여환이라는 스님은 풍열스님의 상좌였다. 언제나 말이 없고 사람을 보면 빙긋 희미한 웃음을 지어 보이곤 하는 것이었다. 원향의 어미 후례는 나흘 만에 제정신이 돌아왔다. 후례는 월정사의 보살 노릇을 하면서 스님들 빨래도 해주고 부엌일도 맡았다.

원향이와 준보는 걱정 없이 뛰놀았다. 원향이는 곧잘 풍열스님이 계신 암자에 올라가 놀았고, 상좌인 여환스님을 친오빠처럼 따르기 시작했다.

하루는 암자에 놀러 갔더니 여환이 보이질 않았다. 거기에는 얼굴이 험상궂고 기골이 장대한 못생긴 중이 상좌로 와 있었다. 원향이가 풍열에게 물었다.

스님, 작은스님 어디 갔나요?

풍열은 빙긋 웃더니 곁에 무릎을 꿇고 앉아 있는 못생긴 중을 바라보았다.

작은중이…… 여기 있구나.

코는 주먹만이나 하고 눈알은 부릅떴고 콧수염 자리가 벌써부터 거뭇거뭇한 것이 꼭 법당에 세운 사천왕의 목상 비슷하게 보였다. 원향이는 다시 쳐다보기도 만정이 떨어졌다.

여환스님 말이어요.

원향이가 새침하게 말하자 풍열이 덤덤하게 말하였다.

여환은 갔다.

어디로요?

원향의 물음에 풍열은 대답이 없었고 험상궂은 중이 물었다.

스님, 이 애기가 누굽니까?

음, 뒷방 보살의 딸이니라.

원향이는 여환스님이 없어졌다는 것을 알고는 금방 울음이 터질 듯하였다.

언제 갔어요?

새로 온 상좌가 말하였다.

방금 내려갔다. 너 여환스님하고 동무 했구나?

피이!

나는 옥여라고 부른다. 이제는 나허구 동무로 지내자꾸나. 가만있자……

못생긴 중은 돌아앉아서 꿈지럭거리더니 바랑 속에서 무엇인가 한 보따리 꺼냈다. 유지를 펴자 강정이 그득하게 들어 있었다.

스님, 드십시오. 금강산 실백강정입니다. 옜다, 너도 먹어라.

옥여라는 스님이 강정 한 개를 내밀었지만 원향이는 샐쭉해져서 일어났다.

누가 그따위 것 먹는대나.

어어…… 왜 화났니?

풍열도 웃으면서 옥여에게 말하였다.

그냥 두어라. 저것이 여환이가 갔다고 저러지 않느냐. 허허, 살아 있는 것들은 모두 정에 부대끼는구나.

원향이는 뒤도 돌아보지 않고 암자에서 뛰어내려왔다. 아무 스님 이나 붙잡고 혹시 여환스님이 지나는 것을 못 보았느냐고 물었다.

응, 아까 사당말에서 인사들 나누고 하던데, 그리루 가보아라.

원향이는 부리나케 월정사 경내를 빠져나가 사당패가 살고 있는 아랫마을로 달려갔다. 여환스님은 보이지 않았다. 마당에서 키질을 하고 있던 사당에게 원향이 물었다.

보살님, 여환스님 보셨수?

응, 원향이로구나. 아이, 이쁘기도 해라. 어서 들어오너라, 내가 밀 전병 부쳐주께.

아이, 여환스님 못 봤나니깐.

누구? 아, 작은스님 말이냐. 방금 수렛고개로 나간다고 저기 가던 데, 조금 아까까지도 모퉁이에 보이더니만……

원향이는 숨이 턱에 닿고 옆구리가 결려서 더이상 뛸 수가 없었 다. 허위허위 산모퉁이를 돌아가니 산 아래 세 사람이 걸어가고 있는 것이 보였다. 하나는 바랑을 짊어지고 송낙을 쓴 호리호리한 여환스님이었고 다른 두 사람은 전송을 나가는 거사들이었다. 원향이는 두 손을 모아 여환을 불렀다.

여환스님……

원향이의 쨍쨍한 목소리가 골짜기에 길게 퍼졌다. 세 사람이 멈추었고, 여환이 돌아보았다. 여환은 대답없이 가만히 서 있었다.

스님.

다시 한번 부르니까 여환은 손을 들어 보였다. 그러고는 돌아서서 계속 걷는 것이었다. 원향이는 이제 옛말 해주는 사람도, 등성이에 올라가 산천을 보여주는 사람도 뒤에 와서 깜짝 놀라게 왁 소리를 지르는 사람도 없어진 것이었다. 세 사람은 다시 한 굽이의 산모퉁이를 돌아가버렸다. 길 위에는 아무것도 없었다. 원향이는 입을 비쭉거리며 서 있었다.

치이, 누가 뭐 쫓아간댔나.

원향이는 바위에 쪼그리고 앉았다. 여기는 가끔 와서 앉아 있던 곳이다. 여환스님과 엄마가 문화나 은율 장을 보고 돌아오는 초입이었던 것이다. 이곳은 월정사에서 바깥세상으로 나가는 길목인 셈이었다. 그러고 보니까 며칠 전에 여환이 은율 다녀온다고 나갈 때 원향도 따라나온 적이 있었다. 여기쯤에서는 원향이가 돌아서야 되건마는, 그날따라 스님을 쫓아서 장 구경을 하고 싶어서 몸을 젖히며 돌아가지 않겠다고 버티었다. 여환은 가볍게 한숨을 내쉬었다.

안 된다니까. 지금 상목을 팔러 나가는 길이란다. 늦으면 장거리서 자게 될지두 모르는데 어딜 쫓아간다구 그래.

싫어, 나두 갈 테야.

여환이 걸음을 옮기면 원향이도 옮기고 우뚝 서면 따라서 섰다.

여환이 화가 치밀었던지 버럭 소리를 질렀다.

너 정말 이러면 나는 안 올 거야. 동무도 안 해주고 담부터 너 혼자 놀아.

원향이는 그 말에 놀라서 입을 벙긋 벌리고 있다가 고개를 끄덕여 보이고는 돌아섰다. 한참 타박타박 걷다가 돌아보니 이번에는 여환이 그 자리에 서 있는 것이었다. 여환이 원향이에게로 와서 부드럽게 말하였다.

그래, 내가 잘못했다. 우리 원향이한테 괜히 소리를 질렀구나. 너 사당말까지 데려다줄 테니까, 거기부터 혼자 절까지 돌아가야 한다.

원향이는 고개를 끄덕였다. 걸으면서 여환이 혼잣말로 중얼거렸다.

스님 말이 맞는가 보다. 사문은 개도 닭도 새 한 마리라도 길러서는 안 된다더니.

여환스님의 청수한 이마는 잠깐 흐려졌다. 그는 길에서 작은 돌멩이를 주워들었다. 한참 가지고 걷다가 그것을 원향이에게 내밀었다.

이 자갈돌이 참 예쁘다. 꼭 참새알 같지 않으냐? 너 갖구 놀아라.

원향이는 별로 맘에 없었지만 돌을 받아쥐었다. 축축한 온기가 남아 있었다. 여환은 말하였다.

내가 옛말 해줄까?

응, 긴 걸루. 토막 잘라서 내일 해주면 싫구.

그래, 길지두 짧지두 않은 것으루 해주마. 옛날에 칠 년 왕가뭄이 있고 나서 갑자기 중천이 뚫어지더니 비가 많이 쏟아졌대. 하늘에는 큰 연못이 있었는데 글쎄 연못을 지키는 천관이 물꼬를 터놓고는 잠이 들었다지 뭐야. 천관이 한 번 자고 석달 열흘을 깨어나지 않으니까, 이 세상은 온통 홍수가 져서 물천지가 되었지. 들도 높은 산도 물속에 파묻혔으니 논밭이나 마을도 온통 남김없이 떠내려갔단다. 그래서 이 세상 사람들은 모두 죽고 둘만 살아남았다는구나.

누가 살아남았어?

부모님도 친척들도 온 세상 사람들이 다 죽고 오누이만 살아남았다지. 그 아이들은 다행히 홍수를 피해서 높은 산으로 올라갔었는데, 물이 발목에까지 차올라올 때 천관이 잠을 깨었다는구나. 천관은 허겁지겁 물꼬를 막았지. 그래서 살아난 거야. 물이 빠져서 오누이가 마을로 내려왔지만 산야는 모두 버려지고 사람은 하나도 남지 않았으니 적막강산이었다. 그래서 살 길을 찾으려고 오누이는 집도 새로 짓고, 농사도 지으면서 열심히 일했지. 그런데 오누이끼리라 자식이 있어야지. 자식이 있어야 세상에 사람이 퍼져갈 게 아니냐? 그래서 둘이는 맷돌을 가지고 높은 산으로 올라갔지. 산꼭대기에서 두 손을 모아서 하늘님께 빌었단다. 우리는 오누이라서 혼인할 수가 없으니 어쩌면 좋겠습니까, 했지. 오라버니는 수맷돌을 동쪽으로 굴리고 누이동생은 암맷돌을 서쪽으로 굴려보내고 나서 둘이는 산에서 내려왔대. 산을 내려와서 보니까 이상하게두 해가 뜨는 쪽으로 보낸 맷돌과 해가 지는 쪽으로 보낸 맷돌이 만나서 합쳐져 있었다지. 그래서 오누이는 아, 하늘이 우리더러 혼인하라구 그러는구나 생각하고는 그렇게 했단다. 그래서 예전부터 사람들은 부부는 오누이라고 말하는 거야.

얘기를 들은 원향이가 아무 생각 없이 종알거렸다.

나두 크면 스님한테 시집갈 테야.

여환은 웃으면서 아무렇지도 않게 말했다.

그건 안 된단다.

어째서 안 돼?

전생 때문에 안 된다.

그게 뭐야?

여환이 다른 말을 물었다.

너 아까 그 돌멩이 어쨌니?

응…… 참.

여환의 얘기에 팔려서 걸어오는 사이에 원향이는 손에 쥐고 있던 돌멩이를 어디다 흘린 모양이었다. 돌아보았으나 저 수많은 길 위의 잔돌들 가운데서 다시 찾을 수가 없을 것 같았다. 여환은 원향이의 등을 가볍게 밀어주면서 말했다.

이젠 혼자 갈 수 있지?

원향이는 바위 위에 꼼짝도 않고 앉아 있었다. 그뒤로 차츰 철이 들고 처녀로 커가는 동안에도 원향은 여환을 잊지 않았다. 뒤에 들으니 감영이 있는 해주 수양산의 어느 절에 있다는 것이었고 원향이는 어머니와 더불어 정곡사 아랫동네로 이사했다. 사선골에서 산 지가 어언 다섯 해였다. 절 땅을 부쳐먹고 어머니는 절의 대소사를 도우며 살아갔다. 지난해의 흉년을 힘겹게 넘기다가 그들 모녀는 다시 풍열스님의 도움을 받았다. 그런데 원향이는 꿈에 자주 죽은 인향이가 보이는 것이었다.

인향이는 바다 위에서 금빛 찬란한 덩을 타고 있었다. 처음에는 미열이 나고 머리가 지끈거리며 온몸이 알 수 없게 나른하더니, 헛소리를 하기 시작했다. 후례는 일을 나가면서도 어린 준보에게 누나 곁을 떠나지 말라고 몇번이나 이르는 것이었다. 자기가 예전부터 실성기가 있다가 부처님을 모시게 되면서 가라앉았듯이, 딸도 그런 몹쓸 기질을 물려받았다고 후례는 마음 아파하였다. 어느날 한동네에 사는 계화라는 무당에게 보였더니, 그는 와서 눈을 한번 맞춰보고는 부들부들 떨며 운신을 못 하였다. 계화는 구슬 같은 땀을 흘리며 말하였다.

"나는 대가 약해서 못 당하겠네. 탑고개 만신님께 뵈어야겠어."

한편 유수룡은 방물고리를 메고 탑고개마을로 내려갔다. 슬그머니 집 안팎을 살펴보니 마당에는 쌀겨가 흐트러져 있었고 닭과 개는 살이 쪘다. 마루는 기름을 바른 듯이 반들거리고 문창호는 깨끗하게 발려 있었다.

"틀림없군……"

그는 스스로 고개를 끄덕였다. 남의 것을 빼앗아 살아가는 자들과 내통하지 않고서는 도방 대처도 아닌 이런 화전촌 같은 데서 근년과 같은 흉년을 고이 넘겼을 리가 없을 터였다. 싸릿대 사이로 사람의 자취가 희끗하였다. 유수룡은 일부러 헛기침을 해보았다.

"누군가, 임서방인가?"

늙은이가 삽짝을 밀고 내다보더니 그를 아래위로 훑었다.

"누구슈. 이 동네 사람이 아닌데?"

"아, 예…… 이것 보십쇼. 방물 황화올시다."

"안 사오. 이 동네에서 누가 그런 물건을 사겠소."

늙은이는 아무래도 마음이 놓이지 않는지, 고리를 멘 멜빵천을 두어 번 추스르고 돌아서는 수룡을 불러세웠다.

"우리 동네루 들어오면 먼저 이정에게 가서 알리구 나서 돌아다니구, 동네를 나갈 때도 알리고 나가야 하오."

수룡은 짐짓 괴이쩍다는 얼굴을 지었다.

"행상 다니는 사람을 나라에서 막는답니까. 이정의 허가를 다 받게요."

늙은이는 당황하여 손을 내저었다.

"아니오, 그런 게 아니라니까. 나라에서 등짐장사 다니는 것을 막는다는 게 아니라, 다 동네에는 그만한 사정이 있구 약속이 있는 게야. 세상이 어수선한데 낯선 사람이 동네를 드나들면 안 그렇겠소? 다 큰 처자들두 있구, 또 우리게에는 빈집이 많아. 남정네 없는 집이 많단 말이야."

"옳아, 그러니까 저처럼 행상길이라두 나갔군요."

"비슷허지. 여긴 쟁인들이 많이 사니까······"

"어이구, 그럼 장사 잘되겠네. 가만있자, 이 집 마누라님두 내 달빛을 하나 사셨지요."

집을 둘러보니 세 여자가 찍어주던 곳이 분명하였다.

"누가 무슨 돈으루 샀다구 그러나?"

"아 예, 우리는 돈이나 상목으루 받는 게 아니라 피물로 받습니다. 너구리 오소리 따위의 가죽 몇장이면 됩죠. 아까 저기 고갯마루에서 세 아낙을 만나서 마수걸이를 했습죠."

장충은 혀를 끌끌 찼다.

"그러게 여편네들이란 꼭 아이들 같단 말이야. 어느 겨를에 방물을 벌써 사가지구 갔단 말인가."

유수룡이 껄껄 웃었다.

"말씀 맙쇼. 견물생심이라고 하잖습니까. 보세요, 자아, 이 쌈지 주머니는 어떻습니까? 이 은 달린 담뱃대는 어떻구요."

"필요 없어. 나는 모르겠으니 나중에 피물이 안 나오면 당신이 그 여편네들하구 오소리굴에 불 때러 가시구려."

장충도 웃으면서 그런 농을 던졌다. 유수룡은 두리번거렸다.

"고사목이라······ 음, 저기로구나. 저 집이 변서방 댁이지요?"

"거긴 왜?"

"아까 그 마누라님들이 하루 묵어갈 집을 가르쳐주던데요."

"허긴 그 댁에서 저녁마다 동네 여편네들이 모여서 노닥거리지."

"자, 그 쌈지는 어르신께서 하십시오. 말 보태주신 값이우."

"어어, 나는 쓸 데 없대두."

"가지시라니까요. 이 댁 때문에 마수를 하구 그랬으니 이렇게 드려야 장사가 더 잘됩니다."

"허, 그 사람……"

장충도 기분이 나쁘지는 않은지 몇번이나 쌈지를 들여다보았다.

유수룡이 동네로 올라가면서 말하였다.

"여기서 묵게 되면 이정을 찾아뵐 것이니 염려 마십시오."

과연 안으로 들어가보니 한산하게 아이들이나 부녀자만 있는 집들이 여러 채 되는 듯하였다. 대개 산골마을의 겨울철이라면 사내들이 농사일을 놓고 어울려서 시끌덤벙할 텐데 농번기처럼 적막한 것이 이채로웠다. 수룡은 고사목이 섰는 집 앞에 이르렀다. 안을 들여다보니 몸집이 크고 괄괄해 보이는 여자가 절구를 신명 나게 찧고 있었다. 아이는 마당에서 뛰놀았고, 노파는 양지쪽에서 해바라기를 하고 있었다. 처마에 주렁주렁 달린 고드름 끝에서 쉴 새 없이 물이 떨어지고 있었다.

"평안합쇼."

사립짝을 벙긋이 열고 수룡이 말하자 아낙네가 절굿공이를 쳐들었다가 떨어뜨리고는 제풀에 놀랐다.

"에구머니나."

아낙네는 공이를 뒤로 감추면서 물었다.

"뭐유, 누구슈?"

"예예, 참빗에 귀이개에 뒤꼭지 쪽집게 갑사댕기 금박댕기 청국 바늘에 분에 거울에 장도요 얼레빗 달빗……"

부지런히 주워섬기는데 아낙네가 화를 냈다.

"안 사요, 안 사. 지금 세월이 어느 때라구 그런 걸 산담?"

그러나 유수룡은 변죽 좋게 사립짝 안으로 들어서면서 궁둥이를 돌려대고 고리짝을 두드렸다.

"아무거나 골라보시지요. 방금두 저 윗집 사시는 마누라님들께서 달빗에다 향갑에다 바늘통에다 노리개, 세 분이서 골고루 사셨지요. 예가 변서방 댁이지요?"

"백련이가 다녀갔는데……"

노파가 곁에서 참견하였다.

"그러면 무당 댁 아니냐."

"예, 맞습니다. 그분들이 이 댁에 가보라구 해서 왔지요."

변서방댁은 공이를 절구에 넣고는 유수룡의 등에 짊어진 고리 앞으로 다가섰다. 사실은 궁금하여 떡이라도 한 둘레 쪄먹으려고 미곡을 찧던 중이었다. 그러나 산에서는 엄금하고 있는 터요, 누구 눈에 띄어 말이라도 나면 산에 가 있는 변서방이 난처할 것 같아 조심조심하여 절구질을 했던 것이다. 수룡이 절구 속을 놓치지 않고 들여다보았다. 백옥 같은 쌀이었다.

"어이구, 이 흉년에 떡을 찧는 댁에서 방물을 안 산다니 말이나 됩니까?"

변서방댁이 당황하였다.

"애기 암죽을 끓일려구 그러는 거예요."

"걱정 마십시오. 그저 하룻밤 재워주시고 저녁하구 아침만 먹여주시면 그 값으루 두 가지 고르셔두 좋아요."

변서방댁은 수룡이 자연스럽게 마루에 내려놓은 고리짝 앞으로 쫓아가 걸터앉았다. 아이와 노파까지도 다가와서 신기한 듯이 눈을 빛내며 구경하였다.

"아이, 곱기두 해라."

댕기를 집어들고 들여다보던 변서방댁은 다시 빗도 집어보고 노파는 역시 바늘통을 집어보고, 아이놈은 잽싸게 은장도를 집더니 가지고 달아나는 것이었다.

"아니 저 자식이…… 이리 가져오지 못해?"

저희 어미가 쫓아가더니 은장도를 빼앗아서 고리 안에다 던졌다.

"이게 얼만 줄이나 알아."

"뭘…… 이깟 것들 우리 같은 사람들에게는 반나마 소용없는 것들이다. 나는 바늘이나 한 통 사야겠다."

노파가 말하였다. 아이는 마당에 털퍼덕 주저앉아 발버둥을 치고 울었다.

"잠깐 가지구 놀게 하슈."

"안 돼요. 떼부리면 다 될 줄 알구?"

변서방댁은 얼레빗과 거울을 골라들었다. 수룡은 속으로 역시 박색이 다르구나 싶었다. 아까 그 해끔하던 여자는 향갑을 골랐던 것이다.

"헌데…… 어디 마땅한 방이 있어야지."

"아무 데나 좋습니다. 장광두 좋구, 부엌두 좋구, 다락두 좋구, 마루 밑두…… 아, 거긴 안 되구."

타령을 하듯이 늘어놓으니 변서방댁은 박장대소를 하였고, 노파도 입을 흐물거리며 웃었다.

"삽사린가 마루 밑을 찾게……"

"다락을 찾았으니 마루 밑인들 어때."

"예예, 이 석 자 남짓 거추장스러워 못 살겠으니 잠만 재워주고, 저는 멜빵을 한 손에 쥐고서 밖에 서 있어두 좋구요."

"아이구, 우스워라. 재담두 잘하오."

수룡은 그들의 경계하는 마음을 풀어주려고 너스레를 떨었다.

"방물장사 반평생에 남은 것은 재담뿐이올시다."

"저 골방이 어떻겠느냐?"

"아이, 거긴 지저분한데."

"눕힐 수만 있다면야……"

"어디 와보세요."

북쪽으로 문이 난 뒷방으로 가서 변서방댁이 방문을 열어 보여주었다. 천장에 종자가 매달렸다. 종자까지 먹어버린 가호가 흔한 시절에 방 안에는 미곡섬이 석 섬이나 구석에 쌓여 있었다.

"어때요?"

"어이구, 이만허면 훈련원 앞마당이올시다."

"짚 한 뭇만 넣어두 아랫목이 절절 끓어요."

유수룡은 슬쩍 퉁겨보았다.

"허, 이 댁 농사가 실한 모양입쇼?"

변서방댁은 그 말에는 대꾸도 않고 문을 탕 닫았다.

"조산틀에 친정이 있는데 거기서 갖다줘서 먹지요. 우리네야 하루갈이두 못 되는 조밭뿐이지요."

둘러대는 말인 것이 뻔하였다. 조산틀에 친정이 있는 여자가, 이런 외떨어진 산골짜기로 시집왔을 리가 없었다. 유수룡은 멍충이처럼 입을 헤벌리며 끄덕여주었다.

그날 저녁이 되자 역시 아낙네들이 모여들었다. 고리를 짜는 여자도 있었고, 바느질감을 가지고 온 여자도 있었다. 유수룡이 또 재담을 풀어놓으면서 방물을 펼쳐놓자 여자들은 다투어가며 골라 가졌다. 수룡이 물건만 팔고는 얼른 뒷방으로 넘어와버렸는데, 자리를 피하여 아낙네들이 지껄이는 얘기들을 엿들어보기 위해서였다. 바로 벽 하나 사이인데다 아낙네들의 재깔거리는 소리가 높아서 잠이 들어도 들릴 만하였다.

"또 산에서 부르러 내려왔으면 좋겠네."

"왜 마음에 드는 이가 있어?"

"아이구, 못 하는 소리가 없네. 출행 나간 서방 돌아오면 길길이 뛰라구. 그게 아니라 노루포에다 화주 한잔 얻어먹구 싶어서 그러지 뭐."

"지난번에 된목이골서 두령들 계회가 있을 적에 노루 두 마리 산 돼지 한 마리를 잡았는데 우리는 뼈를 가져다 국물을 맛나게 끓여먹었다구."

"노루뼈 국물이 노인들에게 좋지."

"된목이골에는 잘난 사내들도 많어."

"마두령은 아마 고자인가 보데."

아낙네들이 깔깔대며 손뼉을 치며 웃었다.

"고자는 털이 없는 법이래. 그 사람 가슴팍을 보았지? 냇가에 왕골처럼 수북하다구. 그런 장사가 고자라니……"

"팔에 알통 배긴 것하고 거기에 뼈 있는 것하군 다르다니까."

아낙네들은 다시 박장대소를 했다.

"이제 춘궁 보시철이 되어가는데 마을로 한 떼거리 내려오겠군."

"그 오두령도 마두령처럼 계집이라면 질색인 모양이데. 그래 우리 고개에는 쓸 만한 처자가 없다는 거야?"

"사당말에 가보게. 얼마나 이쁜 애들이 많은가."

"흥, 고것들이야 도방 대처 뭇 잡놈들하고 살을 섞고 노랫가락에 술추렴으로 날을 보낸 것들인데, 답답해서 어찌 한 사내 섬기며 살림을 살겠어."

"도화란 년이 생각나네. 참 그 갑송이라는 사내가 불쌍하지."

"아이, 그 얘기는 동네서도 다시 하지 않기로 하였잖아. 그 집 사람이 모두 떠났는데 자꾸 꺼내면 뭘 하누."

"기가 막혀 하는 얘기지. 며느리가 시어미를 해코지하고 외간 사내와 배가 맞아버렸으니."

"흥, 그 사내가 은율 읍내에 사는데 여간한 인물이 아니랍디다. 옥처럼 훤하게 생겼다지."

"하긴 이두령이야 텁석부리에 흰자위 드러난 꼴이며 꼭 낮도깨비 같은 얼굴이지."

"사내가 그렇게 생겨먹어야 도량도 넓고 마음씨가 서글서글한 게야. 계집처럼 생긴 사내치고 옹졸하고 잔망스럽지 않은 녀석 못 봤다니까."

"은율 읍내의 누구라고?"

"한량이라지. 근방에서도 소문난 외입쟁이랍디다."

"어떻게 생겨먹었는지 꼴이나 보아둘 걸 그랬네."

"아니 할 말이지만 그 녀석들이 서넛씩 짝을 이루어 술동이 지고서 탑고개로, 사당말로 자주 오르내렸다구. 그래서 한번은 우리 애기 아부지서껀 된목이골 장정들 여럿이서 혼을 내준 적도 있지."

벽 바로 뒤의 골방에서 유수룡은 탑고개의 아낙네들이 무심코 주고받는 얘기들을 하나도 놓치지 않고 들었다. 된목이골이 바로 구월산 화적당들의 본거지임을 쉽게 알아차릴 수 있었고, 이 마을에는 그냥 내통자 정도가 아니라 적당들의 가족들이 모여 살고 있다는 것도 알아차렸던 것이다.

"사선골에서 보시를 시작한 모양인데 우리도 나가야지?"

"아무렴, 밥두 하고 국두 끓이고 며칠 동안은 눈코 뜰 새가 없을 게야."

"사선골 보시는 구월산 인근 사읍의 기민들이 해마다 겪어서 잘 알고 있으려니와 다른 고장에서도 넘어온다지요."

"관가에서도 으레 그러려니 하니까 우리네는 걱정할 게 없네."

"월정사서 큰일을 치르겠네."

"월정사 스님들이야 솥만 빌려주는 게지. 벌써 세 해 전부터 된목이골에서 구휼미가 나오고 있잖아."

"그 장두령이 참 큰 인물이야."

"누가 아니래. 그렇게 잘난 사내도 드물지."

장모의 얘기가 나오자마자 유수룡은 긴장하였다. 해서 화적당의 수괴라는 장적이란 바로 그가 아닌가.

"이제 그런 얘긴 그만 하세."

"쉬이, 옆방에 아까 그 장사치가 있다고."

"아이구, 그걸 깜박 잊었네."

낮은 목소리가 들리더니 저희끼리 무엇인가 수군거리는 소리가 들려왔다.

"가만있게. 내가 가서 살피구 오지."

낯익은 변서방댁의 걸걸한 목소리가 들리고 나서, 문 여닫는 소리가 들리고 신 끄는 소리가 뒤꼍을 돌아왔다. 발걸음 소리가 바로 방문 밖에서 멈추었고, 유수룡은 가늘게 콧바람을 내었다. 밖에서 잠시 엿들어보는 듯하더니 잠시 후에 옆방에서 저희끼리 소곤대는 소리가 들려왔다.

"아주 곯아떨어졌데. 정신없이 자구 있어."

"그러게 산사람들 얘기는 하지 말자구."

"아이, 계집들이 모이니까 사내 얘기말구 할 거리가 있어야지."

"자네두 서방한테 머리끄덩이 잡혀서 질질 끌려다니구 싶어?"

"에구머니, 별소릴 다 듣네. 도화말구 그런 년이 탑고개에 어디 있어."

아낙네들은 뒤이어 시끌덤벙하며 사내들 얘기를 늘어놓다가 한밤중이 되어서야 흩어졌다. 유수룡은 처음부터 들었던 아낙네들의 이야기를 대충 머릿속으로 되뇌어보고 나서 잠이 들었다.

이튿날 일찍 일어나보니 밤 사이에 누가 왔는지 집안이 술렁술렁하였다. 유수룡은 슬슬 앞으로 돌아나와 짐을 마당 구석에 갖다놓고 물건을 다시 챙기는 척하였다. 방문이 열리더니 구레나룻이 희끗희끗하고 어깨는 떡벌어졌으며 턱에 심술살이 붙은 초로의 사내가 마루로 나섰다. 그는 아마 밥을 먹다 말고 나왔던지 입을 우물거리고 있었다.

"음, 이녁이 방물장수여?"

"예…… 하룻밤 신세를 졌습니다."

"올라오슈. 아직 안 일어났다길래 먼저 수저를 들었던 참인데 같이 먹지."

"뭘요, 괜찮습니다. 나중에 얻어먹지요."

"에이 여보, 아무리 장사차 내 집에 묵었다지만 손님인데 그럴 수가 있소. 어서 올라오슈."

하는데 부엌에서 변서방댁이 나오며 거들었다.

"그렇게 허슈. 자아, 다 차린 밥상이니까 밥만 한 그릇 갖다놓으면 돼요."

"그럼 실례를 허겠습니다."

변두령은 신새벽에 된목이골서 내려온 참이었다. 며칠 뒤에는 사선골서 월정사의 춘궁 보시가 있으므로 구월산 두령들이 내려올 판인데, 그가 먼저 내려와 일의 앞뒤도 맞춰놓고 월정사의 옥여스님과도 의논을 할 작정이었던 것이다. 그는 우선 낯선 외방 장사치가 자기 집에 묵고 있는 사실을 알고는 자못 불쾌하게 생각하였다. 그러나 건넌방에 맡겨둔 고리짝을 조사해보니 모두가 아낙네들이 쓰는 장신구며 치장물이며 화장물 등속이라 께름하였던 생각을 애써 지워버린 터였다. 마당으로 돌아나오는 작자의 몰골을 보아하니 해끔하고 유순해 뵈는 것이 꼭 방물장숫감이었다. 변가는 탑고개서 과객이나 나그네를 재우는 일이 흔치 않은 일이고, 세상에 산골 인심이란 것이 있는 터에 자기가 너무 의심이 많다고 오히려 미안하게 생각하고 있었다.

"자아, 앉으슈. 나는 이 집 주인으로 변씨 성 가진 사람이우."

"어이구, 이거 실례가 많소이다."

변가의 앞에 마주 앉아 수저를 들면서 유수룡은 너스레를 떨었다.

"역시 산골루 와야 인심이 남아 있지 도방에서야 찬밥 한술도 어림없습죠. 좌우지간 여러 골을 다녀봤지만 이렇게 포실한 동네는 처음이우."

변가도 요즘같이 어려운 시절에 이밥 먹었다가는 남의 눈총도 있고 산식구들이 말도 많을 것이라 약간 조심스러웠다. 메조가 나우 섞이긴 하였으되 희끗희끗한 쌀이 보이는 밥을 내놓고 변가는 변명하듯이 말하였다.

"허허, 아녀자들이란 기분만 좋으면 별짓을 다하는구려. 어제 뭐

황화인가 방물인가를 몇점 사놓더니 친정붙이라두 찾아온 날처럼 이밥을 내놓았어."

"그저 황감할 뿐이지요. 이 댁에서는 물건값을 안 받겠습니다."

"어이, 그러면 뭐 남는 게 있겠수?"

"실은…… 제가 그전에 잠상질두 많이 다녔지요. 의주서 월강질을 여러 번 다니다가 관에 포촉되어 치도곤이를 당하고는 아예 손을 뗴었습죠. 이까짓 장사라구 다녀봐야 그 시절에 비기면 그야말로 도주공과 옹기장이의 차이입죠."

유수룡은 확증을 잡기 위하여 변가를 슬쩍 떠보느라고 그렇게 얘기하였다. 아이가 슬금슬금 눈치를 보더니 미닫이를 열고 나갔고 부스럭거리며 고리짝을 뒤지는 모양이었다. 변가는 조밥이 흐트러지지 않게 숟가락으로 주발의 모서리에 꾹꾹 눌러서 퍼올렸다.

"그런 시러베아들놈들 같으니라구. 아, 자기네들은 갖은 못된 짓으루 장사치들과 결탁하여 이익을 보면서, 까짓 잠상들의 부스러기 돈을 버는 것에 배가 아파서 그 야단이 아니겠소."

"엄청나지요. 하다못해 비장이나 별장은 물론이려니와 대갓집 종놈이라두 되어보슈. 사행에 끼이기만 하면 수천 냥을 법니다."

하다가 유수룡은 미닫이를 열고 마루를 내다보았다. 변가의 아이가 고리짝에서 막 은장도를 집어내어 마당으로 내려뛰는 찰나였다.

"어…… 얘애, 그거 갖구 놀다 다칠라."

역시 아이놈은 어제부터 그 물건이 몹시 탐이 난 모양이었다.

"저런 배라먹을 자식 같으니. 기어이 손을 대는구나."

변가의 아낙이 소리를 버럭 지르며 부엌에서 쫓아나가더니 아이의 귀싸대기를 철썩 때리고는 은장도를 빼앗았다.

"그냥 주시지요. 그러잖아도 저애가 갖고 싶어 하여 오늘 주고 가려던 참이었습니다."

유수룡이 말하자, 변가는 손을 내저었다.

"어유, 그게 말이나 되오? 은장도를 아이들 장난감으루 내주다니……"

하고 나서 변가가 제 아내를 향하여 말하였다.

"여보, 전번에 내가 가져왔던 것 어쨌소?"

"무어 말예요?"

"거 왜 있잖아. 내가 잘 간수해두라구 이른 것 말일세."

"예, 농에 넣어두었어요."

변가는 다시 자리에 앉더니 잠깐 망설이다가 유수룡에게 천천히 말하였다.

"돌아다니다 보면 가끔 물건두 사구 그러시겠구려."

"그럼요. 어떤 때엔 궁벽한 고장에서 훌륭한 당화나 왜화를 사들일 적두 있습니다. 저희는 일단 물건을 보구 나서 돈을 장만하여 가지구 찾아와 사가니까 틀림이 없지요."

"가만있자……"

변가가 아예 수저를 놓고 일어나더니, 농문을 열고 뒤적이다가 작은 보퉁이를 꺼냈다. 변가가 보를 끄르자, 섬세하게 만들어진 수정 갓끈과 옥합과 옥지환이 나왔다. 유수룡은 한눈에 그것이 자기네 집에서 나온 물건들임을 알았다. 수정 갓끈은 아버지 유사과의 것이요, 옥합 역시 큰사랑에서 나왔을 테고, 옥지환은 모친의 것이 틀림없었다. 유수룡은 분이 나서 가슴이 두근거렸으나, 마음을 꾹 눌러앉히고 갓끈을 들어 수정알을 만지작거리면서 중얼거렸다.

"호오, 이게 모두 당화가 분명합니다. 제가 값을 정할 수는 없으나, 아마도 모두 합하여 천 냥 돈어치는 되겠습죠."

변가의 입이 딱 벌어졌다.

"뭐…… 처, 천 냥?"

사실 화적질을 다니다 보면 집뒤짐을 할 때 이러한 귀중품은 두령 되는 자가 얼마든지 빼돌릴 수 있었다. 구월산 식구들은 그래도 서로간에 신의가 있어서 동료들 몰래 물건을 혼자 가로채거나 하는 법이 없었다. 재물을 탈취하면 장물아치를 통하여 셈이 치러진 다음에 산 살림이며 활빈할 몫이며를 제하고 나서, 마감동 이하 모두 똑같이 나누어가지던 것이었다. 변가는 원래가 달마산서 선홍이의 부하가 되기 전에도 학령에서 행인들 털이를 해왔던지라 손버릇이 쩨쩨하였다. 그는 졸개 두엇을 데리고 지나가다 만만한 행인이라도 지나치면 구월산 녹림당답지 않게 빼앗아서 챙기고는 하였다.

"허어, 그렇게 비싼 물건인 줄은 몰랐는걸?"

유수룡은 수정 갓끈을 들고 감탄하며 말하였다.

"부르는 게 값이지요. 이런 갓끈은 한양으로 가지고 가면 사대부 양반댁에서 서로 다투며 흥정하자구 할 겁니다. 그야말루 대물림할 물건입지요."

"사시려오?"

변가가 침을 꿀꺽 삼키며 묻자, 수룡은 그제야 물건을 내려놓았다.

"사다뿐입니까. 허지만 제게 가진 돈이 없으니 돌아가서 물주를 구하여 어음을 떼어다가 사지요. 한 달 뒤에 꼭 찾아오겠습니다."

"내가 구전은 톡톡히 내리다."

"구전은 필요없습니다. 사는 쪽에서 받을 테니까요. 다시 말씀드리지만, 천 냥은 충분히 받고도 남습니다."

"천 냥이면 도대체 논밭이 몇결이나 되는 게여. 하여튼 기다리겠소. 한 달 뒤 오늘쯤이 어떨까. 오늘이 그러니까 초이레 아니우?"

"예, 그렇게 하시지요."

하고 나서 유수룡은 소리를 낮추어 말하였다.

"도대체 이런 물건을 어디서 구하셨습니까. 다른 물건이 있다면 소개 좀 해주시지요. 큰돈을 만지도록 해드리지요."

변가는 이윽고 경계하는 빛을 띠었다.

"나두 우연히 얻은 게요. 다음에 오면 그때 가서 봅시다."

변가의 생각으로는 혼자서 거래할 장물아치를 정하는 것도 해롭지 않으리라는 것이었다. 유수룡은 그가 더이상 입을 열 기색이 아니라서 밥상머리에서 일어났다.

"여러가지루 신세가 많았소이다. 사흘 뒤에 피물을 거두러 다시 이 동네에 올 터인데 또 뵙겠수."

변가는 따라오면서 다짐하였다.

"아니, 그때는 내가 집을 비울지도 모르오. 한 달 뒤에 꼭 오시오."

유수룡은 변가네 집을 나와 골목을 돌다가 걸음을 멈추었다. 그 집의 아이놈이 양지쪽에서 코가 죽 빠져서 서 있는 게 보였던 것이다.

"얘, 너 이리 좀 와봐라."

아이는 제 엄마에게 귀쌈을 얻어맞아서 주둥이가 비죽이 나와 있었다. 유수룡은 변가의 자식을 어제부터 눈여겨보아두고 있던 터였다.

"내가 좋은 것 주랴?"

그는 팔을 돌려서 고리짝 속을 더듬어 아이가 그렇게도 탐을 냈던 은장도를 꺼내들었다.

"옜다, 이것……"

아이의 눈이 둥그레졌다. 그는 못 믿는 듯한 표정이더니 잽싸게 달려와 손을 뻗쳤다. 아이가 은장도를 덮치기 직전에 유수룡은 그 조막손이 닿지 않을 만큼 위로 살짝 치켜들었다.

"아니 잠깐만…… 내가 네게 물을 말이 있다. 내게 일러주면 얼른 주지."

아이는 타는 듯한 시선으로 작은 칼을 올려다보았다. 유수룡은 장도를 뽑아서 날을 보여주기도 하고 다시 꽂아서 장식된 술을 손가락으로 쓰다듬기도 하면서 걸었다.

"느이 아부지가 어디 산에 있느냐?"

"저어기……"

아이가 손가락질을 하였다. 구월산 아사봉의 눈 덮인 흰 봉우리가 눈에 들어왔다.

"뭐라구 그러더라…… 그 무슨 목이라구 그러던데?"

"된목이골."

"응 그래, 된목이골이랬지? 너 아부지를 따라서 산에 가본 적이 있느냐?"

"없수."

"그럼 어디만큼 따라가본 적두 없구?"

"어머니를 따라서 저 윗길까지 가본 적은 있수."

유수룡은 싱긋 웃었다.

"옳지, 착하다. 오늘 나를 거기까지 데려다주면 당장에 이걸 네게 내주마. 이 아저씨는 산으로 장사하러 찾아갈려구 그런단다."

아이가 머리를 끄덕이더니 앞장을 섰다. 나한암 바위넘이 쪽으로 오르다가 왼편에 가파른 바위로 굽어지는 작은 길로 들어섰다. 바위를 쪼아서 디딤대를 만든 흔적이 보였다. 웬만큼 높은 곳에 이르니 눈 위에 발자국이 보였고, 그 비좁은 길은 여러 굽이를 돌면서 산줄기의 등성이에까지 닿아 있었다.

"저기서 어디루 가니?"

"월정사 뒤를 돌아서 간대요."

유수룡은 아이에게 얼른 은장도를 내주었다.

"옜다, 이런 얘기는 어른한테 하지 마라. 괜히 혼날 테니까."

아이가 참새를 채가는 매처럼 은장도를 탐욕스럽게 움켜지고 뒤도 돌아보지 않고 뛰어내려갔다. 유수룡은 반사된 눈빛으로 잠시 얼굴을 찌푸리고 서 있었다. 매서운 바람이 골짜기와 등성이를 휩쓸며 지나가자 눈보라가 하얗게 일었다가 가라앉곤 하였다. 수룡은 이마에 손으로 차양을 만들어 가리고 먼 곳을 내다보았다. 절이 보이는 것은 아니지만 목측으로도 어디쯤인가를 짐작할 수 있었다. 소나무숲이 빽빽한 아사봉의 서북편이 바라보였다. 그러니까 이쪽 산등성이가 마주 닿을 그 어름이었다. 그는 일단 여기서 되돌아가기로 마음을 먹었다. 산중을 기찰하는 일은 한양서 왔다는 두 포도부장이 해내기로 되어 있었기 때문이다. 유수룡은 다시 산을 내려와 이번에는 조산들의 넓은 벌판을 삼십 리나 걸어서 까치내를 건너 송화 무더리로 돌아왔다. 봉노에는 그의 아우 수호가 먼저 돌아와서 뜨뜻한 구들장을 지고 누워 있었다.

"인제 오우?"

"그래 좀 다녀보았니?"

"응, 어제 수렛고개라는 데를 다녀왔지."

"구월산 놈들이 목 지킨다는 곳 말이냐?"

"그런데 거긴 손을 댈 필요가 없을 것 같던데. 왜냐하면 놈들이 언제나 번의 교대를 할 터인데 공연히 건드려놓았다가는 산에서 미리 알아버릴 게란 말이야. 그러니까 이곳 무더리에서 내통하는 놈만 잡아버리면 수렛고개의 정탐하는 놈들은 눈뜬 장님이나 한가지여."

"그래, 그자를 알아냈니?"

"그야 떠나올 제부터 들었던 얘기가 아니우? 주막 주인이 둘이 있는데 하나는 저기 높은 언덕바지에서 주막을 하는 큰돌이란 놈이고 또 하나는 예전에 해주 군관들이 와서 묵었던 집의 좀 미련하게 생긴 녀석이야. 큰돌이만 잡아놓으면 구월산에 전해지는 소식이 끊기는 셈이지."

"그러고는 또 내통자가 없을까?"

"있지. 이 고을 이방하구 군관 두엇이 뇌물을 가끔 얻어먹는 모양이야. 군병을 동원할 제 그 점을 미리 최만호께 알려드려야 해."

수룡은 만족한 웃음을 떠올렸다.

"수고했다. 나두 건진 게 많다. 사선골과 탑고개는 도적들과 한통속이거나 그들의 식구가 사는 데야."

"짐작대로군."

"지형과 동네 사람들을 샅샅이 살펴봤지. 사선골에서는 월정사 중들을 앞세워서 화적당들이 활빈한답시고 춘궁 보시를 하는 모양이더라. 우리가 가볼 필요는 없고, 한양 포도부장들께 맡기면 된다. 월정사 뒤로 된목이골이라는 도적들의 소굴로 오르는 길이 있는 모양인데 거기까지는 답사하지 않았다. 그리구 매수를 하거나 사로잡을 녀석도 대강 점찍어두었다."

"어떤 놈이우?"

"도적의 일당인 변서방이라는 자를 잡아 달래어도 될 듯싶더라. 그놈이 얘기 끝에 아버님의 수정 갓끈이며 옥합을 내놓는데 어찌나 분통이 터지든지……"

"우리 동네에 왔던 놈들이 틀림없구려."

"그뿐인 줄 아니? 어머님의 옥지환도 가지구 있더라."

"저런…… 육시를 할 놈들."

"자, 이젠 슬슬 여기를 떠날 때가 되었다. 이제부터는 문화와 안악 쪽을 살펴보아야지. 이제 한 열흘 있으면 최만호가 직접 찾아오실 게다."

"언니가 먼저 나가우. 청송서 만나 함께 가십시다."

하여서 유수룡이 먼저 주막을 나섰고, 한참이나 지나서 수호가 집을 나서며 그동안의 숙식비를 치렀다. 값을 후하게 쳐주니 주인은 다음에 들르면 꼭 이 집에 다시 오십사고 신신당부하는 것이었다. 그들 형제는 무사히 청송에 당도하여 맡겨두었던 말을 타고 반나절이 못 되어 신천에 당도하였다. 기찰소로 정한 곳은 신천 남산 아랫녘에 있는 외떨어진 초가집이었다.

박완식과 백섭 두 포도부장은 오후 내내 유가 형제가 돌아오기를 기다리고 있었다. 그들은 신군수에게 은밀히 부탁하여 영리한 포졸 두 사람을 쓰고 있었다. 그래서 부처고개와 안악의 배고개에 각각 정탐소로 쓰는 초막과 주막집이 있다는 것을 알아낸 터였다. 유가 형제가 기찰해온 내용을 정리하여 들려주자 부장포교들은 그것을 대충 간략하게 받아적었다. 그러고 나서 이튿날 날이 밝자마자 이번에는 하나는 포졸을 데리고 떠났고 다른 하나는 혼자 길을 떠났다. 박완식은 두꺼운 털을 댄 개잘량을 덮어쓰고 털배자를 입고 털토시에 행전 위에다 역시 털로 된 발감개를 둘렀다. 허리에는 장약이 담긴 염소뿔을 매달고 부시쌈지며 총포를 메었다. 누가 보더라도 영락없는 포수였다. 두 사람의 신천 포졸들도 장창을 들고 털로 감싼 차림이었다. 그들은 길양식으로 찰떡을 해서 짊어졌고, 마른 육포에다 화주도 두어 병 넣었다. 그리고 산중에서 밤을 맞을 채비로 두꺼운 산토끼 가죽을 이어서 만든 따스한 동달이를 한 벌씩 말아서 짊어졌다. 이들 포수 일행은 월정사를 목표로 구월산의 남록을 넘어갈 셈이었다. 그들은 문화의 장재이벌을 지나지 않고 인적이 뜸한 전산(錢山) 줄기를 타고 구구월(口九月)까지 나아가기로 하였다. 또한 부장 포교 백섭은 찢어진 옷을 입고 등에는 뚫어진 자리와 식기 나부랭이를 짊어지고, 뒤축 없는 짚신에다 빈 자루를 허리에 차고 지팡이를 짚은 차림이니 누가 보더라도 영락없는 각설이었다. 그는 사선골과 탑고개를 다시 한번 살피고 월정사까지 들어갈 셈이었다. 기찰한 바에 의하면 월정사가 도적들과 무엇인가 긴밀한 연관이 있는 듯한 냄새가 났기 때문이다. 그들은 각각 닷새를 기한하여 떠나는 길이었다. 이제 황주 쪽의 통로만 알아두면, 물샐틈없는 구월산 기찰이 모두 끝날 판이었다. 신천서 은율까지 팔십여 리 길이니 백섭은 문화를 북쪽으로 지나서 내고개를 넘어 은율로 들어갈 작정이었다.

백포교는 걸인 행색으로 곰너미고개를 넘어서자마자 금방 심산유곡에라도 들어선 기분이었다. 그는 추위에 떠는 듯이 두 손을 호호 불면서 사선골로 들어갔다. 개나리로 울타리를 두른 집 앞에 이르러 그는 안에 대고 외쳤다.

"어, 밥이 되나 미곡이 되나 좀 보태줍시오."

부엌에서 달그랑거리던 그릇 씻는 소리가 멈추더니 삽짝문 틈으로 어릿어릿 여자 옷자락이 보였다. 문이 열리자 백포교는 눈앞이 아찔하는 것 같았다. 얼굴과 목덜미가 희었고 표정은 무심하며 눈은 새까맣고 몸은 가녀린 젊은 처녀가 그를 바라보았다. 백섭은 무의식중에 뒤를 돌아보았는데, 처녀의 눈이 저쪽 먼 곳에 가 있는 듯해서였다.

"지금 막 치웠는데 어쩌나…… 참, 수수개떡이라두 드시려오?"

처녀가 나직하게 물었다. 백포교는 그제야 제정신이 들어서 대꾸하였다.

"지금 세 끼를 굶었은즉 무얼 못 먹겠소. 아무거나 좀 주시우."

안에서 묻는 소리가 들려왔다.

"원향아, 밖에 누가 왔니?"

"예, 시주 다니는 거사님 한 분이 오셨어요."

후례가 고개를 내밀어보더니 역시 딸처럼 다정하게 웃으며 말했다.

"우리두 개떡으루 아침을 들었다우. 다행히 남은 게 있으니 드시구 가시구려."

백포교는 삽짝 안으로 들어섰다.

"어디서 오시는 길이우."

툇마루에 걸터앉는 그를 보고 후례가 물었다. 포교는 추위에 떠는 시늉으로 온몸을 웅크리고 두 손은 간간이 떨었다.

"말두 맙시오. 문화서 잤는데 어쩌나 인심이 야박하던지 잘 곳이 없어서 그냥 퇴락한 비각 안에 들어가 바람만 피했지요."

원향이가 개다리소반에다 개떡과 따뜻한 국을 올려들고 오면서 말하였다.

"인심이 야박한 게 아니라, 지금 석삼 년 흉년이라 이런 시절에 먹을 것이 남아 있기도 흔한 일이 아니어요."

"우리두 정곡사와 월정사에서 도와주어 이나마 먹고 견딘다오."

후례도 그렇게 말하였고, 부장포교는 상이 놓이자마자 덥석 수수개떡을 집어 입안에 아귀아귀 틀어넣고 우물거렸다. 원향이가 국그릇을 밀어주며 말하였다.

"저런…… 목메시겠네. 국을 마시면서 천천히 드셔요."

백포교가 그리 기한이 든 것은 아니지만 유랑 걸인의 입내를 똑같이 내려니 일부러 허겁지겁 씹어삼키는 중이었다.

"식구들은 없수?"

후례가 물었으나 포교는 일부러 못 들은 척하다가,

"홀몸이냔 말이우."

하는 물음에 우물거리기를 잠깐 멈추고 허공을 우러르는 척하였다.

"말은…… 꺼내면 하 기가 막혀서…… 모두 노중 객사하구 말았지요."

포교가 단숨에 개떡을 먹어치우고는 속으로는 억지로 집어넣어서 가슴이 무둑한 판인데도, 두리번거리며 못내 아쉬운 꼴을 지었다. 후례가 말하였다.

"양에 차지 않는 모양이구려."

"무슨 맛인지두 모르겠군."

포교가 국사발을 들어 단숨에 들이켰고, 원향이가 딱하다는 듯이 말하였다.

"어쩌나…… 그게 마지막인데."

"웬걸요, 이제 겨우 살 것 같습니다. 저는 배천서 남의 땅을 부쳐 먹구 살았는데, 재작년 흉년부터 도무지 작료도 물어낼 수 없고 소출만 바라고 굶기도 지겨워서 온 식구가 걸식이라도 하려고 해주로 나갔었지요. 저는 갖은 품팔이를 다니고 아내도 아이들을 데리고 구걸을 하러 다녔습니다만 점점 시절이 궁핍해지니 누가 선뜻 도와줘야 말이지요. 지난번 추위에 온 식구가 얼어죽었는데, 저는 다행히도 사람들의 눈에 띄어서 한 사날 뜨거운 미음 마시며 드러누웠다가 기사회생이 되었습니다. 목숨은 모진 것이라, 온 식구가 죽어버렸는데도 나는 이렇게 살고 있습니다그려. 제가 이 고장에 오게 된 것은 사선골에서 언제든지 굶주린 유민들께 보시를 해온다길래, 혹시나 하여 한 철이나 넘겨보려고 찾아왔습지요."

백포교가 한숨을 섞어서 담담하게 얘기를 하니, 후례는 옛날 저희 식구들이 은율 한내 가에서 쓰러져 있다가 풍열스님에게 구원을 받던 생각이 나서 저도 모르게 옷고름으로 눈을 씻었고, 원향이도 지난 가을에 온 마을이 겪던 굶주림이 생각나서 고개를 떨구었다.

"철이 좀 이르오. 앞으로도 한 달은 지나야 춘궁 보시가 있을 터인데, 그동안 어디 가서 몸 붙여 일해줄 곳이나 찾아보시려오?"

"고을마다 장정들이 병들고 굶주려 넘어가는 판인데, 저와 같이 오래 걸인으로 떠돌아다닌 자가 어디 가서 뭘 하겠소이까? 정말 이렇게 살 바에는 어디 산곡에라두 들어가 도적이 될밖에 없겠지요."

백포교가 그들 모녀에게서 무엇인가 들어보려고 한마디 던졌다.

"그것두 쉬운 일이 아닌 모양입디다."

후례가 무심코 말하였고, 원향이가 덧붙였다.

"뭐 도적이 따루 있나요. 우리네 같은 사람들에게는 그런 이들이 고맙기까지 하지요."

백섭은 눈을 휘둥그렇게 떴다.

"아니, 고맙다니요. 사람을 죽이고 물건을 빼앗아가는데두 괜찮단 말이우?"

"우리 모녀처럼 힘도 없고 가진 것도 없는 사람들이야 무서울 게 없답니다. 관차가 더욱 무섭지요. 벼슬아치들은 하늘이 놀랄 일을 저지르고도 수염 하나 까딱 않고 오히려 호통을 치고, 그럴듯하게 둘러대지요. 감쪽같이 양민의 고혈을 빨아먹고도 오히려 벼슬아치 해먹기가 어려운 노릇이라구 발뺌을 해대지요. 여우 같은 놈은 우리의 등을 토닥이며 골을 빼먹고, 호랑이 같은 놈은 무섭게 으르렁거리면서 혼쭐을 내어 한꺼번에 깨물어먹고, 뱀 같은 놈은 찰싹 달라붙어 갖은 아양을 다 떨어가며 혓바닥으로 핼끔거리다가 천천히 삼켜먹고 하는 판이니 아예 우리 대신에 그런 것들을 휩쓸어버리는 이들이 나와야지요."

후례에게는 여기포에서부터 쌓인 원한이 뼛속 깊이 맺혀 있어 저도 모르게 안색이 새파랗게 질리고 입술이 얇아지면서 치를 떨었다. 백포교는 여자의 독기 어린 목소리에 어쩐지 뒷덜미가 서늘하였다.

"어머니, 내 백일기도두 안 끝났는데 그렇게 말하시면 어떡해요?"

"신령님들두 다 아신다. 내가 무슨 말인들 못 하겠니. 인향이와 네 아버지의 원혼이 계신데 산천이 이대로야 있겠느냐."

"어서 드시구 일어서세요. 저희 어머니 심기가 이러시니……"

원향이가 그에게 나가달라는 눈치를 보였고, 백포교도 앉아서 마주 주고받기도 민망하여 슬그머니 일어섰다. 실로 무엇인가 관가에 대하여 깊은 포한이 쌓여 있음이 분명하였고, 화적당들에 관하여 자세히 알고 있는 사람들 같았다.

"예, 잘 얻어먹구 갑니다. 헌데 혹시 월정사나 정곡사로 찾아가 시노라두 살 길이 없을까요?"

원향이는 고개를 살래살래 흔들었다.

"그 절에는 시노 따위는 없답니다. 도망쳐오는 사람들을 받아주기는 하지요. 하지만 사당말에 가면 받아줄지두 모르지요."

백섭은 허리를 굽신거리고 나서 돌아섰다. 그의 뇌리에는 아낙네의 서서히 강렬해지던 목소리와, 어딘가 이 세상 사람 같지 않은 이상한 눈매를 가진 처자의 하얀 얼굴이 오랫동안 남아 있었다. 그러나 부장포교의 기찰 중에 우연히 지목된 후례와 원향 모녀는 상상할 수 없는 환난이 앞에 기다리고 있다는 것을 알 수가 없었다. 백섭 포도부장은 사선골을 이리저리 돌아다녀보고 나서 월정사의 사당말로 찾아갔고, 유수룡의 말대로 그곳에 화적당들의 기맥이 닿고 있음을 확인하였다. 그는 사당말서 이틀이나 묵으면서 품팔이로 밥을 얻어먹다가 떠났다. 최형기가 신천으로 온다는 날짜가 가까워지고 있었던 것이다. 적당들의 소굴이 있다는 된목이골 부근을 정탐하러 갔던 박완식도 사냥꾼으로 변장한 신천 군졸을 데리고 무사히 돌아왔다.

기찰조가 감영을 떠나온 지 한 달 만에 어언 최형기가 찾아올 날짜가 다가왔다. 백섭과 박완식의 부장포교와 유수룡 유수호 형제는 이미 그들이 원하던 바를 샅샅이 알아내고 등산곶 만호가 오기를 기다렸다. 저녁때가 되어 마을의 초가 위로 연기가 실오라기처럼 피어오르고 있을 때 다락다리 쪽에서 말을 탄 행객 세 사람이 나타났다. 남산의 서편을 돌아가는 모퉁이 길에는 박포교와 유수룡이 나가서 기다리던 중이었다. 그들 앞에는 수철원(水鐵院)까지 마중을 하러 보냈던 신천 군졸이 앞장서서 견마를 잡고 있었다. 최형기는 풍류 나온 선비인 듯, 털 달린 개잘량 위에다 갓을 쓰고 도포 입고 짚신 신고 안장 뒤에는 찬합과 호리병을 매달았다. 나머지 두 사람은 수행한 하속처럼 패랭이에다 털배자를 걸친 차림이었으니, 탁열정 습진장에서 감영 정병을 조련시키던 전군관과 하군관이었다.

"원로에 수고가 많으십니다."

유수룡이 나아가 말 아래서 문안을 드렸고, 박포교도 군례를 올렸다.

"음, 모두들 무사한가?"

"예, 분부하신 대로 기찰을 모두 끝냈습니다."

최형기는 고개를 끄덕였다.

"관아에서도 알고 있느냐."

"알리지 않았습니다."

"잘하였다."

그들은 기찰소로 정한 집에 당도하였고, 상방은 깨끗이 치워졌으며 발을 씻을 더운 물과 정갈한 다담상이 준비되어 있었다. 저녁을 먹고 둘러앉자마자 유가 형제와 두 부장포교가 제각기 자기들이 정탐한 바를 낱낱이 보고하였다. 최형기는 담뱃대를 물고 상체를 천천히 흔들면서 그들의 얘기를 들었다.

"된목이골이라…… 지세는 보아두었느냐. 약도를 준비하는 게 좋을 것이다."

"다녀오자마자 이렇게 그려두었습니다."

박완식이 준비했던 간지를 꺼내어 펼쳤다. 월정사에서 오르는 비좁은 조도와 투구봉과 아사봉 사이의 골짜기며 그 은밀한 장처인 된목이골이 상세히 그려져 있었다. 된목이골의 주위는 적송의 빽빽한 숲이라 점이 무수히 찍혀 있었다. 최형기가 훑어보더니 중얼거리기 시작했다.

"참으로 요충이로구나. 그러나 요충일수록 허점이 많은 법이다. 자고로 용병에 있어서 요충이란 막아 지키는 곳이라, 본진이 힘을 비축하고 공격의 기회를 기다리는 동안에 적의 예봉을 꺾는 목이니라. 일단 그곳을 떠나거나 빈 곳이 뚫어지면 삽시에 궤멸하게 마련이다. 더구나 화적당은 뒷보가 없고 숨어 있는 것들이라 스스로 구멍을 뚫고 들어앉은 짐승과 같다. 먼저 송화의 내통자를 없애버린 뒤에 구월산 사읍에 통문을 돌려서 산줄기의 요로를 끊고, 우리 감영 토포군은 막바로 사선골과 탑고개를 점령하여 들어간다. 탑고개를 토포영으로 하여 포수와 궁수를 조도의 앞에다 매복시키고, 전군관이 여를 이끌고 된목이골을 급습하고 하군관은 유군을 데리고 패하는 잔당들을 잡아낸다. 그런데, 그 탑고개에 산다는 도적의 혈당이 누구라구 했느냐?"

유수룡이 얼른 대답하였다.

"변가라구 하였습니다."

"변가에게 물건을 사겠다고 하여 송화로 유인해내어라. 잡아서 마음을 돌리도록 해야 한다. 필시 은자를 주고 전비를 묻지 않는다면 쉽게 변심할 자가 틀림없다."

"그자와 약조한 날이 이제 보름 남았습니다."

유수룡이 자랑스럽게 말하였고, 최형기도 빙긋이 웃었다.

"우리가 예정한 토포기와 딱 맞아떨어지는구나. 숲에 나뭇잎이 돋아날 일도 없을 테고 산에 눈이 녹을 리도 없지. 섣달 중순이라…… 범도 옴치고 뛸 수 없는 철이로구나."

박완식이 말하였다.

"된목이골을 잘 살필 수 있는 곳을 알구 있습니다. 토포장께서 한번 살피시렵니까?"

최형기는 아사봉 부근의 약도를 손바닥으로 짚었다.

"이것으로 충분하다. 이달 열흘께에 토포군이 출발한다. 장호령에 나와 기다리고 있거라. 그리고 너희는 그동안 구월산에 별다른 동정이 없는지, 적환이 일어나지 않는지를 면밀히 살피도록 하여라. 사선골은 은율 읍내와 고개 하나 사이라 철통같이 도모하지 못하면 적당과의 내통자들을 놓치기 쉬울 것이다."

"예, 사선골과 탑고개는 아예 쓸어버려야만 합니다. 그들은 원래

터를 잡고 살던 양민들도 아니고 유민 따위에 지나지 않습니다. 반수가 화랭이 광대 거사 등속의 상것들이지요."

"이번 토포는 도적들뿐만 아니라, 그와 엇비슷한 것들을 쓸어버려서 아예 화적당이 일어날 근거를 없애야 한다. 그리고 장모라는 수괴는 필히 사로잡아야 한다."

백섭이 물었다.

"야습이 좋겠습니까?"

"아니다, 신새벽부터 개시하여 중화참쯤에 된목이골을 들이쳐야지, 때를 놓치면 사읍의 군졸이 한 달쯤 고생하게 될 것이다."

이제 기찰이 물샐틈없이 끝났으니 구월산의 식구들은 관군의 손바닥 위에 있는 것이나 다름없었다.

해주의 해서 송방(松房)에는 얼마 전부터 송도 사대전 임방에서 좌장을 대신하여 감역이 나와 있었다. 송방의 운영을 살피고 장부를 수거하여 상거래가 어찌되는가를 파악하자는 것인데, 이번에 나온 사람은 생기기는 준수하고 얌전하게 보이는 자가 주색을 즐기고 사람들과 어울려 놀기를 좋아하였다. 송방의 행수도 처음에는 긴장하고 잘 대접하였으나 그만 감당할 수가 없어서 장사일로 바쁘다는 핑계를 대고 슬그머니 발뺌을 해버렸다. 감역은 또한 송방과는 아랑곳 없이 제 돈을 쓰면서 주야로 술판을 벌였다. 그는 감영 아전붙이와 관속들을 위무하고 인정을 쓴다고, 날마다 사람을 보내어 오늘은 어느 기방이다, 내일은 어느 포구다 하면서 놀러 다녔다. 자연히 관속들이 술잔이나 걸치고 창기들과 노는 재미에 별일이 없어도 감역의 처소를 드나들었다. 그는 바로 박대근의 지시를 받고 감영의 이상한 기미를 살피러 온 사또 이학선이었다. 송도 못골의 학선이는 말투와 눈짓 하나를 보아 관청의 돌아가는 공기를 훤히 알아내는 사람이 아니던가. 그의 처소에는 향청의 좌수와 호방 비장이 찾아와 함께 간밤의 해장을 겸하여 중화를 들고 있었다.

"허 참, 이해할 수가 없네. 요즘처럼 재미난 때에 병방 비장은 한번도 얼굴을 내비치지 않으니…… 내가 평안도로 나갔을 제는 병방과 사귀어 사냥도 나가고 심심치 않았소이다."

학선이 슬쩍 퉁겨보니 좌수가 입맛을 쩝쩝 다시며 고개를 흔들었다.

"이건 감영이 관찰사가 있는 곳인지, 엽사가 있는 덴지 분간을 할 수가 없다니까."

"아니, 그건 또 무슨 말이오?"

학선이 묻자 호방은 시큰둥하니 말하였다.

"이런 섣달에는 각 포창의 미곡도 파악하고 신년 봉물도 준비하고 눈코 뜰 새가 없는 철인데, 신관 순사또께서는 선화당에도 납시질 않소이다. 그러고는 등산곶 만호짜리로 온 무장이 공연히 장졸을 들볶아치면서 습진 조련을 시킨다고 온통 삼문 안팎이 뒤숭숭하지요."

학선이는 바로 그 점을 알고 싶어서 맞장구를 쳐주었다.

"저런…… 어리석은 일이로군. 태평성대에 더욱 격에 맞지 않는 노릇이우. 이러한 흉황에 각 고을의 백성들이 산다 못 산다 하는 판인데 진휼은 고사하고 병졸의 조련이 다 무에요. 무슨 난리가 난답디까?"

"내 원 참, 그 형방이라는 사람 입을 꾹 다물고 쉬쉬하는 꼴을 보면 마치 비국(備局)의 군기라두 담구 있는 척하거든. 수양산 인근 촌에서 호환이 났다구 호랑이를 잡는답디다."

"허허, 호랑이사냥을 한다면 습진까지는 필요가 없을 터인데."

참견 않던 좌수가 상머리로 고개를 숙이고 나직하게 소곤거렸다.

"사냥은 무슨…… 그게 다 핑계지요. 호랑이는 잡으러 가지 않고 달포 가까이 조련만 하는데 자그마치 군사가 이백여 명이오. 그래 그것들이 사냥에 나갈 군사라 합시다. 언제는 호랑이사냥에 동네 주민을 동원하지 않은 적이 있습디까. 주민들을 뽑아 인성(人城)을 둘러쳐야만 몰이를 할 수 있고, 산세나 지형을 아는 백성이 향도를 해야 되는 게요. 저어 광석내 어귀로 가보아. 나무꾼도 얼씬을 못 하지. 절터에는 수직하는 군사가 장창을 치켜들구 잡인의 출입을 막구 있습디다."

호방이 고개를 끄덕였다.

"거기가 바루 습진하는 탁열정 앞마당의 아래턱이지."

"호랑이사냥 때문에 병을 일으킨 게 아니라면, 도대체 무엇에다 용병을 하자는 거겠소?"

"이녁은 어떻게 생각하시우?"

학선이 묻자, 오히려 좌수가 되물었다. 학선이는 잠시 생각해보는 듯하다가 근심을 가득 담아서 중얼거렸다.

"글쎄, 어디서 역란이 일어난 것두 아닐 테구…… 혹시 어려서부터 어르신들께서 말씀하시던 대루 북벌이 시작되는 게 아닐까요? 강을 건너서 짓쳐들어가자는 비관(祕關)이 떨어진 모양이지요."

호방과 좌수가 서로 힐끗 바라보고 나서 어이가 없는지 너털웃음을 웃었다. 학선이는 바보처럼 입을 헤벌리고 함께 따라 웃었다.

"우리네야 나라의 돌아가는 사정을 알겠습니까. 하지만 송도 임방에서는 누만 전을 던지는 장사일라, 국변에 대해서는 소슬바람에 문풍지 떨리듯 세세히 살피지요. 의주나 동래에서도 늘 그런 격정입니다."

좌수가 웃음을 지우지 않고서 말하였다.

"임방에서 감역으로 나왔으니 그럴 만도 하겠소. 그러나 너무 불안해하지 마오. 도대체 이런 시절에 도백이 두 달 만에 갈려나가고 도승지를 하던 이가 외지로 갑자기 나왔다면 무슨 일이겠소. 임금의 특명을 받잡고 나온 분이지요. 우리는 지난번에 임관찰사께서 금천의 장계를 받고 당황하여 고을 수령들을 모아 논의하던 바를 잘 알지요."

학선이는 눈을 가늘게 뜨고 좌수의 입만 바라보고 있었다.

"금천서 무슨 일이 있었는데요?"

호방이 입맛을 쩝쩝 다시더니 스스로 말을 꺼냈다.

"지금 그 일의 뒤처리를 하느라고 몇번이나 왕래하였는지 모르겠소. 하필이면 포창이 화적들에게 결딴이 나버렸지요."

"아, 그렇다면 조읍포 말씀이로군요."

그들은 고개를 끄덕였다. 호방은 상인들과 직결되지 않고서는 떨어지는 이문을 얻어먹을 수가 없는 입장이었고, 향청 좌수 또한 여러 고을의 토호 부자들의 앞을 서주어야 그 자리를 지키며 재물을 모을 수가 있었던 것이다. 따라서 송방에서는 도백이 있는 감영마다 이들을 매우 중시하였다. 말하자면 손발이 맞는 자들끼리 만난 격이었다. 학선이는 뒤늦게 생각이 미쳤다는 듯 방바닥을 가볍게 두드렸다.

"아차, 그걸 몰랐군. 바로 토포를 하려는 모양이군요."

"왜 아니겠소. 저희끼리 돌부처처럼 입을 꾹 다물고 있어도 우리 눈을 속이지는 못하오. 내가 그러잖아도 조련에 나다니는 사령 아이에게 가만히 물으니 그 녀석도 영문을 모르고 있습니다. 아 글쎄, 소를 잡고 술을 빚어 군사를 호궤한답디다. 원래 주육이란 접전 전에 병졸의 사기를 위해서 내는 것이라, 곧 토포가 시작된다고 보아야겠지요. 그 아이 하는 말이 습진뿐만 아니라, 피아로 나뉘어 승패를 겨루는 대습련에다 야조와 추적까지 익힌다지 않소."

학선이는 그 이상 그들의 입에서 자세한 얘기가 나오지 않을 줄을 알았다. 도대체가 그들의 소임이 아니었기 때문이다. 학선이 밝은 얼굴로 말하였다.

"그 참 잘되었군. 화적이란 장사치에게는 천적인데 진작 관가에서 백성들을 위하여 잡아냈어야 할 일이지요. 도대체 화적의 소굴이 어디길래 감영에서 이런 법석인가. 행상단이 이달에 돌아오는데, 피하여 오라는 전갈을 보내야 되겠군. 가만있자…… 내가 병방이라두 만나뵙구 송방에서도 군비를 내겠다고 여쭈어볼까요?"

호방이 펄쩍 뛰면서 손을 내저었다.

"어이구, 큰일 날 소리를…… 그랬다가 누가 알려주더냐고 말을 캐면 우리 처지가 매우 난감하오. 아예 내색도 하지 말고, 더욱이 어디 가서 말을 내서도 안 되오."

"저런, 장사치가 도적을 잡는 일에 조력하려는 것은 스스로 몸속의 이를 잡아내려는 경우와도 같거늘 참으로 답답하오."

군비를 내린다는 말에 좌수는 구미가 동하는지 슬그머니 얘기를 꺼냈다.

"혹시 모르지요. 수리(首吏)가 그런 일을 맡았을 것이니 넌지시 가서 의논해보시오."

"자아, 이젠 그 얘기는 걷어치웁시다. 해장술 얹히겠소."

학선이 술잔을 들고 말하였다. 시끌벅적한 중화자리가 엄벙덤벙 끝나고 나서 손님이 돌아가자, 학선이는 구종배로 따라온 부하 중의 하나를 불렀다.

"너 지금 즉시 광석내로 나가서 탁열정 부근을 살피구 오너라. 수직하는 군사들이 있다고 하니 길을 잘 물어서 멀찍이 살필 수 있는 곳으로 가야 헌다."

이런 일이라면 못골 사또 학선이를 따라다니며 여러 번 해치웠던 부하라 찍쩍 소리 없이 사라졌다. 학선이 다시 나머지를 불러서 지시하였다.

"감영으로 나아가 수리 되는 자에게 송도 임방서 감역으로 나온 이가 저녁에 조촐한 자리나 함께 하잔다고 전하여라."

학선의 지시를 받은 그의 부하는 탁열정을 찾아서 근양문을 나섰다. 그는 길을 물어서 광석내로 오르지 않고 수양산성 쪽으로 올라갔다. 지게를 지고 손에는 건성 낫을 들었으니 만약 들킨다 할지라도 나무꾼으로 보일 셈이었다. 수양산성이 내다보이는 등성이에서 다시 서쪽으로 굽돌아드니 눈 아래편에 탁열정의 기와지붕이 내려다보였다. 벌써부터 군사들의 기합소리가 우렁차게 들려오고 있었다. 그는 지게를 벗어놓고 앉은걸음으로 비탈을 슬슬 미끄러져 내려갔다.

탁열정의 너른 마당에는 창날이 햇빛을 받아 번쩍였고, 검은 더그레와 털벙거지를 쓴 군사들의 자세는 엄숙하고 절도가 있었다. 계곡 건너편에서 일시에 방포소리가 울려퍼지자 학선의 부하는 하마터면 벌떡 일어나 달아날 뻔하였다. 실로 간이 벌벌 떨릴 듯한 폭음이었다. 화약 연기가 매캐하게 피어올랐다. 학선의 부하는 다시 고개를 들고 살펴보았다. 맞은편 계곡의 숲속에 포수들이 줄지어 엎드려 있었다. 다시 방포소리가 일제히 들려왔다.

그는 눈을 꼭 감았다. 습진장 끝의 무너진 언덕에는 커다란 나무

둥치들이 세워져 있었다. 이어서 바람을 가르는 날카로운 소리가 지나갔다. 한 번, 두 번 그리고 세 번, 화살이 소나기처럼 몰려서 습진 장 끝에 날아가 처박히는 것이 보였다. 그 안에 사람이 서 있었다가는 머리털도 온전하지 못할 듯싶었다.

북소리가 긴 간격으로 삼세번씩 아홉 번 들리자, 이십오 명씩 대를 나눈 군사들 열 오(伍)가 장창을 지남침 세로 겨누어들고 앞서 나아가고 나머지 열다섯 오는 철우경지(鐵牛耕地) 세로 종렬을 지어 마당의 측면을 질러나아갔다.

종렬의 끝과 횡렬 우측의 끝이 만나자 북소리가 두 번 울리고 종렬의 끝 오가 십면매복(十面埋伏) 세가 되어 오른편으로 돌아서 짓쳐 나아갔다. 나머지 각각 두 오는 그 뒤로 벌려서 따르니 화살 모양의 극진(棘陣)이 되었다. 그들은 마당의 끝에 이르러 북소리 두 번과 함께 일시에 장사진(長蛇陣)으로 변하더니 어지러이 각자의 형과 세를 취하여 찌르고 돌리면서 나왔다. 그러고는 둥그런 언월진(偃月陣)으로 마당을 둘러싸고 정자 아래 열 지어 섰던 스물다섯 명의 유군(遊軍)이 환도와 쇠도리깨를 휘두르며 그 빈터를 어지러이 치며 나아갔다.

유군이 나가자마자 다시 화살이 날아오는데 빙 둘러싼 저희 편에게는 닿지도 않게 정확히 원의 한가운데에 날아가서 쏟아졌다. 군사 조련법이나 습련을 모르는 학선의 부하가 보기에도 등이 서늘할 정도였다. 이것은 싸움을 하자는 것이지 결코 사나운 짐승 몇마리를 잡으려는 습련이 아니었다. 군관들이 그중에 몇을 골라내어 맞은편을 가리키자 비호처럼 날쌔게 뛰었고, 뒤이어서 군사들이 소리도 없이 중 좌 우로 세 갈래가 되면서 지형에 따라 한편은 등성이를 향하여 달리고 다른 쪽은 뒤를 끊으려고 언덕을 넘어갔으며 가운데만이 그대로 뒤를 따라갔다.

추적을 습련하는 모양이었다. 그들이 꼭대기까지 올랐다가 다시 날쌔게 골짜기를 타고 내리는데 포수들이 일시에 흩어지더니 활로를 열어주고 양쪽에 포진하는 것이었다. 세 군사가 뛰어내려와 진을 통과하자마자 양쪽에서 높직하게 방포하였다. 소나무 가지에 철환이 맞아서 나뭇가지 부러지는 소리며 꺾여져서 땅에 늘어지는 것이 똑똑히 보였다. 학선의 부하는 다시 앉은걸음으로 비탈을 올라 수양산성의 동편을 돌아 내려왔다.

수리에게 보냈던 자가 먼저 돌아와서 학선에게 알렸다.

"퇴청하자마자 남정 부근에 있는 기방에서 만나겠답니다. 낙락장송 두 그루가 서 있다지요."

"그래, 눈치가 어떻더냐?"

"반색을 합디다. 아전들치고 송방 사람들 싫어할 자가 어디 있겠수. 송도 임방에서 감역차 나왔다가 감영 수리께 인사나 하시겠다구 그랬더니, 그러잖아두 말은 들었다면서 궁금하게 여겼답니다. 그 자가 자기는 한 번도 불러주지 않은 것이 꽤나 섭섭했던 모양이올시다."

학선이는 빙그레 웃었다.

"내일 떠난다. 마필이며 짐이며 다 챙겨두어라."

"아니, 일 다 보셨수? 좌장께서 뭐라구 안 하실까요."

학선이 껄껄 웃으면서 중얼거렸다.

"이미 다 끝난 일이다. 감영에서는 토포군을 조련시키구 있다. 너두 생각이 나느냐? 연전에 우리가 의금부 도사가 되어 감영을 휘젓고 나오지 않았더냐."

부하가 눈을 동그랗게 뜨고 속삭였다.

"어이구, 그럼 장길산이 말이우?"

"그래, 그 아이를 잡겠다구 난리라는구나. 조읍포서 우리에게 먹인 물건을 너두 봤지. 참 그렇게 배포 큰 녹림당이 될 줄이야 누가 알았겠느냐. 길산이는 그때만 해두 코흘리개였어."

학선이는 감개가 무량하다는 듯이 먼 곳을 바라보았다. 그가 구해내지 않았다면 지금쯤 해서가 떠들썩한 활빈당의 수괴는 주내방 사거리 저자에서 아이들의 구경거리로 효수되었을 터이다. 무슨 인연인지 두 번이나 그의 목숨을 살려주게 되는 것이 아닌가. 광석내로 나갔던 부하가 옷이 흙투성이가 되어 빈 지게를 덜그럭거리며 돌아왔다.

"가보았느냐?"

"성님, 말두 맙쇼. 내가 아주 혼이 다 달아났소이다."

그는 흐르는 땀을 소매로 연신 씻어냈다.

"이 녀석아, 덤비지 마라. 우리 식솔들은 자다가 천장이 무너져두 놀라지 말아야 입에 밥이 들어가는 업이 아니냐."

"습련하는 모양을 지켜보았는데 정말 찬바람이 일어납디다. 그것은 분명히 범이나 서너 마리 잡자는 놀음이 아니올시다."

"어떻더냐?"

"사람을 잡자는 게 아니고서야, 궁수에 포수에 단병접전까지 아예 이건 진전입디다."

"모두 몇명이나 되더냐?"

"예, 유군이 스물다섯 그리고 진을 짜는 오가 스물다섯, 그리고 궁수 포수가 다섯 오였습니다. 사람을 뛰어 달아나게 하고 뒤로 쫓아 몰아서 살진 속으로 넣는 것까지 조련하고 있습디다."

학선이 고개를 끄덕였다.

"그렇겠지. 수고했다. 그런데 그 옷 꼴이 왜 그러냐?"

"아이구, 사지가 떨려서…… 나무 뒤에 앉아서 보다가 가까스로 일어나 내려왔지요. 그만 딴데 정신을 팔구 오다가 비탈에서 두 번이나 나뒹굴었습니다."

학선이 농기를 싹 거두고 말하였다.

"너는 구경이나 했지, 이제 당하는 사람들도 있을 게 아니냐."

"예…… 당하다니요?"

"아니다, 저녁에 놀러 나갈 것이니 사방등이나 준비해두어라."

학선이는 역시 길산이가 자비령 근처에 있다는 것만 알 뿐, 구월산에 대해서는 까맣게 잊고 있었던 것이다.

학선이는 기방으로 사람을 먼저 보내어 안채의 은밀한 곳에 자리를 마련하도록 해두었다. 저녁이 되어 학선이는 하인에게 사방등을 들려서 남정거리로 나아갔다. 화초 담장이 둘러 있고 홍등이 내걸린 기루에 당도하니 기모가 나와 반기면서 안으로 안내를 하였다.

"손님이 오시면 이리루 안내하게."

"예, 알아 모시겠습니다."

"그리고 이 집에서 인물이 가장 뛰어난 동기를 들여 시중을 들게 하고 손님을 여기서 주무시고 가도록 해야 하네. 그래도 이 고장은 해서의 수부가 아닌가. 그만한 일을 해낼 계집이 있겠지."

"여부가 있겠습니까. 감영 객사의 손님이 아니면 웬만한 향리의 부자들도 저희 집에서는 받지 않습니다. 송방에서 나오셨으니 일반 손님들과는 다르지요. 비용이 좀 과중합니다마는 머리를 얹어야 할 아이가 있습지요. 가야금을 제법 할 줄 알지요. 해우채가 좀 과해서요."

"해우채는 얼마나 주면 되겠나?"

"지난해 봄에 의주에서 사행이 들어올 제 한 역관이 역시 동기의 머리를 얹어주었는데 삼백 냥과 비단 패물을 주셨지요."

"알았네. 이런 자리가 모두 이문을 보자는 일이라, 자네의 이문에 대하여도 박할 수가 있겠는가. 송도 임방에서 수결한 오백 냥짜리 어음을 돌려줄 것이니 알아서 쓰도록 하게. 그대신 내가 몇가지 부탁이 있네."

학선이 당장에 임방의 직인이 찍힌 어음을 내어 수결하고 내어주니 주모는 눈이 휘둥그레지면서 앞으로 다가앉았다.

"아이구, 어느 분부시라고 어김이 있겠습니까."

학선이 목소리를 낮추어 속삭였다.

"다름이 아니라, 요즈음 감영에서 군사 조련을 한다, 군기를 지킨다, 하며 뒷전에서 뒤숭숭하게 돌아가는 모양일세. 자네가 알다시피 우리네는 장사치가 아닌가. 손짓 하나로 누만 전이 모였다 흩어졌다 하는 판일세. 북방에서 변이라도 일어난다면 보통 일이 아닐세. 만약에 출병하게 된다면 언제쯤이며 어디로 가게 되는지를 알고 싶네."

주모는 주의 깊게 듣고 나서 고개를 끄덕였다.

"대인께서는 염려를 놓으십시오. 향기로운 술과 달콤한 말로 물으면 사내의 간장도 녹여낼 수가 있습니다."

"자네만 믿겠네."

학선이 송도서 하던 대로 처리를 해놓고 나서 잠시 기다리려니 수리가 헛기침을 하며 마루로 다가오는 기척이 들렸다. 문이 좌우로 열리고 그가 들어서자 학선이는 벌떡 일어났다.

"어서 오시지요. 이거 한번 모신다 하면서도 그동안 향리 저자를 돌아보느라고 틈이 없어서 결례가 이만저만이 아니올시다."

"원 별말씀을…… 호방에게서 얘기는 벌써부터 듣고 있었지요."

그들은 좌정하여 흉황에 대한 이야기며 풍천서 해마다 떠나는 사행에 관한 일까지 시시콜콜하게 의견을 나누었다. 학선이는 그를 꾀느라고 슬쩍 미끼를 던져보았다.

"결성포의 신대인께서도 평안하시겠지요?"

수리는 이마를 잠깐 찌푸렸다.

"연전에 그 어른이 작고하여 자제 되는 이가 물려받았지요. 그렇지만 송방하고야 이제 비교가 되겠습니까?"

"무역별장직이 송방에 떨어지도록 해주신다면 따로이 짐을 마련하겠습니다."

이방이 시큰둥하게 받았다.

"실상 사행철이 되면 눈코 뜰 새가 없어서 일일이 분별하여 대면하기가 쉽지 않습니다. 짐도 짐 나름이라 뭐 별게 있어야지요."

학선이 얼른 눈치를 채고 말하였다.

"송방의 짐이라면 다릅니다. 인삼이라면 어떻겠습니까? 그것도 돌아올 제의 이문을 송두리째 드리지요."

이방은 과연 놀란 표정이 되었다.

"하기는 저 혼자서 할 수 있는 일도 아닙니다만, 안전이나 목사께서는 대략 그러한 일은 제게 일임을 하시지요."

얘기가 그럭저럭 풀려나가는데 술상이 들어왔다. 감영의 수리로서는 조금 과분한 자리였다. 조촐한 주안상이 벌어지고 나서 주모가 문을 열더니 단장시킨 동기를 데리고 들어왔다. 황의 홍상에 보름달 같은 얼굴이며 옥 같은 목덜미와 조금 수그린 이마 아래서 가끔씩 위로 치켜드는 눈이 부끄러운 듯 추파를 던지는데, 벌써 수리는 좌불안석이 되는 것이었다. 주모가 곁에서 부축하고 동기는 나비가 내려앉는 듯 절을 하였다. 수인사의 수작이 오가고 나서 재간을 묻고 곧 가야금이 들어왔다. 무릎에 얹고 한 가락을 타는데 수리는 이미 제정신이 아닌 듯하였다. 벌써 주안상이 세 차례나 갈려나가자 수리는 동기의 잘록한 허리를 안고 인사불성이었다. 학선이 시간이 된 것을 알고는 슬그머니 자리를 피하여 다시 주모에게 신신당부를 하고 나서 기루를 나섰다. 이제 명일 식전에 떠나기 전에 사람을 보내어 말을 캐어보기만 하면 되는 것이다.

이튿날 일찍 일어나서 말에 안장을 얹고 짐을 싸는 동안에 학선의 부하가 남정거리로 나갔고, 학선이는 차를 마시며 기다렸다. 초조하게 기다리는데 부하가 웃는 얼굴로 들어섰다.

"그래, 알아냈느냐?"

"예, 석불이라 할지라도 웃고, 봄볕에 고드름이 될 터인데 제까짓 것이 입을 다물고 배겨내겠습니까?"

"언제 출병한다더냐?"

"앞으로 보름 뒤에랍니다. 아직 장적의 굴혈은 알아내지 못하였으나, 벌써 한 달 전에 기찰하는 자들이 좍 깔렸다지요."

"음, 그렇다면 알아냈을 것이다."

"아주 중요한 것을 알아냈습니다. 서흥에서 토포군이 집결을 한답니다."

학선이 무릎을 쳤다.

"되었다. 보름 뒤에 서흥에 토포군이 집결한다? 수는 이백이요, 궁수와 포수, 그리고 스물다섯 오의 중군과 다섯 오의 유군으로 짜여진단 말이렷다. 자아, 임방 박좌장께 비용을 더 내라 하여도 되겠구나."

학선이 기뻐하며 해주를 떠났으나, 사실은 최형기의 철저한 계획에는 미치지 못하였던 것이다. 그는 어느 시기가 지나면 탁열정 습진장에서의 조련에 관한 갖가지 소문이 퍼지게 될 것을 걱정하였던 것이다. 따라서 실제로 토포에 참가하는 자들에게도 날짜와 집결지를 틀리게 알려놓고 있었다. 보름 뒤라면 그때에 비로소 신천에서 기찰이 끝나 철수하게 될 무렵이었다. 그때쯤에는 습진 조련도 일시에 중지할 계획이던 것이다. 그랬다가 정작 토포할 때가 되어 야밤에 느닷없이 거병하여 송화의 무더리로 나아가고 구월산 사읍에 감영의 비관을 돌릴 셈이던 것이다.

학선이가 송도로 돌아가 박대근에게 사실을 알렸고 자비령의 길산네게 즉시 전해졌다. 길산은 식구들과 둘러앉아 대책을 의논하게 되었다. 산채의 큰사랑에는 박대근이 보낸 임방 차인이 와서 앉아 있었고 길산을 위시하여 강선홍 최흥복 김선일 강말득 그리고 김기 등등이 둘러앉았다. 길산이 입을 열었다.

"나라에서 우리를 잡으려고 토포군이 온다는데 우리가 무턱대고 산채를 비우고 달아난다는 것도 우습고, 그렇다고 이 골짜기에 틀어박혀서 관군을 대적한다는 것은 더욱 불리하다. 너희들 생각은 어떠하냐?"

선홍이는 눈을 부릅뜨고 주먹을 불끈 쥐었다.

"이제 겨우 자비령에서 자리가 잡혔고 해서뿐만 아니라, 관북과 서북지방에서도 우리가 널리 알려진 판인데, 변변히 관군과 맞서보지도 않고서 종적을 감춘다는 것은 말도 안 되우."

선홍의 아내는 해산달이 가까워져 있었고 길산의 아내 봉순이도 딸을 낳은 지가 두어 달 전이었다. 산채에는 식구들까지 붙어서 살고 있었으니 싸우는 것은 물론이요 떠난다 할지라도 이런 겨울철에 또 어느 산골짜기로 가족들을 끌고 다니며 고생을 시켜야 할지 그것이 더욱 걱정이었다. 최홍복이 말하였다.

"맞붙어 싸울 수는 없수. 정작 감영서 짜여진 토포군이 이백여 정병이라지만 저들은 틀림없이 군현의 군노 사령들과 민병을 동원할게요. 이번 토포는 아마도 국가의 조세를 관리하는 조읍포창을 습격한 때문이겠지요. 저들도 나라의 엄한 기강을 세워 보이려는 것이 아니우? 우리가 일시에 숨어버린다면 헛되이 산골짜기나 뒤져보다가 물러가겠지요. 녹림당은 관군이 두려워서 이미 흩어져버렸고, 종적을 찾지 못하였다 하게 되면 나라의 체면도 세워주는 셈이우. 이번에는 한판 싸움으로 토포군을 꺾어버린다 할지라도 다음번에는 더욱 강대한 관군으로 우리를 쓸어버리려 할 게요. 차라리 싸움을 피해서 잠시 숨어버리는 것이 나을 겁니다."

선홍이와 홍복이의 의견이 이렇게 엇갈리자 김선일, 강말득 또한 서로 다른 의견을 내어 이러쿵저러쿵하는 것이었다. 김기가 고개를 숙이고서 한참이나 그들의 갑론을박을 듣고만 있다가 송도에서 온 박대근의 차인에게 물었다.

"앞으로 보름이란 말인가?"

"예, 한 달 전에 기찰이 끝났답니다."

"그렇다면 관군은 벌써 우리들의 사정을 훤히 알고 있겠군."

김기가 말득이에게 물었다.

"만동이네서두 오늘 올라온다고 하던가?"

"형제가 모두 봉산서 겨울을 나니까 요즈음 집에 있지요."

김기가 말하였다.

"되었네. 우선 토포기간이 지날 때까지 식구들을 만동이네로 맡겨서 도계의 너머로 피해 있도록 하지. 우리는 그냥 물러설 수도 없고 또한 정면으로 부딪쳐 싸울 수도 없는 형편일세. 관군을 하늘이 내린 천군이나 도깨비의 군사로 보아서는 안 되네. 저들은 지금 성난 개에 지나지 않아. 개는 이빨을 드러내고 어깨를 움츠려 털을 곤두세우고 다가서는 중일세. 개라고만 똑똑히 알고 자세를 취하면 두려울 것도 없고 물리지도 않는 게야. 개는 도깨비와 달라서 언제든 빈틈이 생겨나게 마련이야. 그런데 우리가 돌아서서 뛸 태세를 취하자마자 개는 덥석 우리의 발과 뒤꿈치를 물 게 아닌가. 등뒤에다 넉넉하게 뛰고 피할 길을 내두고서 성난 개에게 먼저 달려들어 기를 꺾어놓아야겠네. 일단 기가 꺾이고 나면 다음 공세를 바로잡을 때까지는 시간이 걸린다네. 장두령, 개가 꽁무니를 사리고 뛰었다가 되돌아올 무렵에 우리는 천천히 뒤로 물러서서 숨어야 하오. 그러고 나면 스스로도 별로이 신명도 나질 않고 맥이 풀려서 돌아가버리고 맙니다."

길산이 김기의 말을 대번에 알아차렸다.

"서흥에서 토포군이 집결한다고 하였다. 우리는 관군이 미처 포진하기도 전에 서흥을 들이쳐서 그들의 예봉을 꺾어놓는다. 그러고는 자비령으로 물러나면서 가끔씩 토포군의 진군을 방해하고 괴롭히며 끊임없이 달아난다. 산줄기를 타고 북관으로 잠적한다. 우리는 산에서 단련된 수십여 명의, 이를테면 유군이라, 동 출몰 서 잠적이 기민하고 간편하여 추위와 험한 지형이 오히려 도움이 되지만, 관군은 워낙 숫자가 많고 산세와 지형에 서툴러서 군량의 조달도 어렵고 눈 덮인 산속을 진군해오기도 힘겨울 것이다. 사나흘만 행군한달지라도 거의 반나마 낙오해버리겠지. 하는 수 없이 토포군은 철군하게 될 것이다. 우리는 그들이 완전히 감영으로 돌아갔다는 연락을 받고 나서, 다시 산채로 돌아온다. 감히 토포를 하려는 자가 없게 될 것이다."

모두들 주의 깊게 길산의 말을 듣고 있었다. 김기가 연이어서 말하였다.

　"자, 오늘부터 아녀자들을 두어 가구씩 만동이 식솔들에게 보낸다. 언제나 밤중에 하산시켜서 그들의 안내를 받도록 해야 하네. 한댓새면 모두 빼돌릴 수가 있겠지. 그리고 사방에 번을 들어 요로를 살피며, 강서방은 아이들 몇을 데리고 서흥으로 나아가 관군의 동태를 살피게. 그리고 집결한다던 날이 앞으로 보름 뒤, 초닷새쯤이니까 우리는 행상단으로 꾸며서 초사흘쯤에 서흥 인근에 나아가 기다리도록 하지."

　"직접 관아로 짓쳐들어갑니까?"

　선일이가 물었고, 김기가 대답하였다.

　"아마도 관아 앞이나 객사 부근에 진영을 세우겠지. 저들의 간담이 서늘해지도록 진영의 한가운데를 무너뜨려버려야지. 지난번에 마련하였던 군복이 있지 않은가. 우리는 관군의 일대로 변복하여 그들의 영에 바짝 다가들어 불시에 치고 베고 쓰러뜨리고 불지른 다음에, 미처 적이 정신을 수습하기 전에 빠져나오는 것일세."

　이제는 모두들 걱정하던 기색이 사라져버렸다. 그날로 의논된 일이 시행되는데 만동이네서 사람이 오자 아녀자들 두어 가족을 딸려서 선일이가 함께 봉산으로 나갔다. 늙은이나 선흥의 아내 춘천댁처럼 몸이 불편한 사람들은 보교나 세마에 태워서 보낼 참이었다. 길산은 제 식구를 맨 마지막에 보내기로 하였다. 봉순이 길산에게 안을 내었다.

　"아무도 모르는 곳에 가서 지내고 오느니, 탑고개에나 다녀오구 싶어요. 어머님과 아버님 뵈온 지도 오래되었고, 도무지 어떻게나 지내시는지 궁금해서 그래요. 성님네두 한번 들러보구 싶어요."

그러나 길산은 고개를 저었다.

"다른 식구들이 모두들 북으로 떠났는데 자네만 혼자 탑고개로 나가는 것은 안 될 말이야. 노상에서 고생도 함께 하고 춘천댁의 해산도 보살펴주어야 할 게 아닌가. 그러잖아도 해동이 되면 함께 탑고개에 가볼 셈이었어. 자네가 일행을 따라가서 아우들의 식구들을 잘 살펴주어야지."

길산의 바른 생각으로 결국 그의 처자녀는 구월산 토벌의 와중을 벗어날 수가 있었던 것이다.

관군의 토포가 시작된다는 소식이 구월산의 마감동 오만석에게도 전해졌으나 그들은 토포군이 서흥에 집결한다는 말을 따져보고는 이는 틀림없이 자비령 길산이네 산채를 노리고 있는 것이라고 지레짐작을 하였다. 마감동네서도 서흥 관아를 들이칠 때 합세하기를 원했으나 김기가 만류하였다.

그는 일단 관군의 추적이 시작되어 자비령 일대를 뒤지고 있을 즈음, 봉산이나 재령의 변두리에 출몰하여 토포군의 배후를 어지럽혀달라는 부탁을 하였던 것이다. 관군의 포진에 혼란이 올 것이며 각 지방 수령들과 소생들 사이에 무사안일하게 토포의 기간을 넘기겠다는 생각이 퍼져갈 것이었다. 뿐만 아니라 관군에 협조하던 자들도 언제 어디서 녹림당이 출몰할지 모르니 관군의 철저한 보호가 없이는 앞장서서 나서려고 하지 않을 것이었다. 자비령 식구들이 서흥을 들이치고 나서 재빨리 산속으로 잠적하여 토포군을 깊숙이 끌어들일 즈음에 구월산 식구들이 엉뚱한 곳에서 출몰하여 외떨어진 현이나 관군의 일대를 급습하여 괴롭히기로 전략이 세워졌다.

강말득이 졸개 세 사람을 거느리고 서흥의 같은 식구가 열어둔 주막으로 나아갔다. 그러나 아무리 살펴보고 돌아다녀보아도 관군이 집결할 기미가 전혀 보이질 않았다.

"참 이상한걸. 토포군이 집결하려면 이맘때쯤에는 서흥 관아에 무슨 변화가 있을 터인데……"

"혹시 관군은 변복을 하고 벌써 들어왔는지도 모르오. 이제는 인근의 다른 군까지 살펴보십시다."

그러나 강말득과 졸개들이 사방을 살피고 돌아다녔어도 언제나 삼문 근처는 조용하였고, 군노 사령배들도 전혀 긴장하거나 대비하고 있는 기색이 엿보이지 않았다.

"아직 날짜가 안 되었으니 더 기다려보기로 합시다. 우리가 떠나버린 뒤에 무슨 일이 벌어진다면 그런 낭패가 다시없지요."

강말득이 부하의 말을 받아들여 약조된 날짜까지 기다렸다. 초이틀에 김기와 길산이 말을 타고 한가한 행색으로 주막에 당도하였다. 강말득은 고개를 연신 기웃거렸다.

"참으로 알 수가 없습니다. 이제 집결한다던 날이 이틀 남은 셈인데 저렇듯이 관아가 무심하게 보이니 오히려 함정이 아닐까요?"

김기가 빙긋 웃었다.

"아직 날짜가 이르니 좀더 기다려보지. 함정이라면 벌써 들어와서 매복한 군사가 있거나, 아니면 우리 산채 가까이까지 토포군을 숨겨놓고 우리를 꾀어내거나 했을 터인데 아무런 사람의 기척을 보고 듣지 못하였네. 아마 토포를 하려는데 군비며 병력이며가 제대로 갖추어지지 않은 모양일세. 이러한 흉황에 나라에선들 즐겁고 편한 일이겠는가."

관아를 살피러 나갔던 자와 멀리 해주로부터 오는 길을 살피러 갔던 자들이 돌아와서 언제나처럼 관군은커녕 행객조차 드물었다고 말하였다.

"만약에 초닷새까지 아무 일이 없으면 우리는 그냥 여기서 노리고 있다가 헛물만 켜고 돌아갑니까?"

말득이가 심드렁하게 물으니 길산이 대답하였다.

"어찌됐든 서흥 관아를 들이친다. 만약 토포군이 오지 않는다 할지라도 그들은 우리가 미리 알고 있었다는 사실을 깨닫게 될 것이다. 관군은 틀림없이 당황하겠지."

이튿날 봉산에서 행상단이 내려왔다. 그들은 오후에 서흥에 닿자마자 뒤떨어진 다른 일대를 기다린다며 읍의 외곽에서 짐을 풀고 앉았더니 사방이 어두워지자 삼삼오오 짝을 갈라서 흩어졌다. 철에 맞지는 않으나 서흥 봉산 사이로 행상단이 떼를 지어 왕래하는 것은 이 골에서는 너무도 흔한 일이라서 아무도 주의를 돌리는 이가 없었다. 강선흥 최흥복 김선일 강말득 등이 대개 칠팔 명씩을 데리고 외곽의 여러 마을에 흩어져나가 방을 잡고 들이칠 시간만 기다리고 있었다.

토포군이 집결한다던 초닷샛날 아침부터 길산이네 식구들은 읍의 남녘 길로 나아가 살폈으나, 저녁때까지 관군은커녕 일반 행객들도 열 손가락으로 접을까 말까 한 정도에 지나지 않았다.

김기는 내심 매우 꺼림칙한 구석이 있었으나, 기왕에 식구들을 몰고 병장기를 갖추어 내려온 참이라 헛걸음을 칠 수도 없었다. 김기는 길산에게 말하였다.

"그러면 그렇지, 다 썩은 관리들이 입으로 내뱉은 것을 제대로 실현할 리가 있나. 아마 계획이 변경되었을 게요. 명년 봄이나 다음 겨울이나…… 그렇게 미루다 보면 이번 관찰사도 과만이나 별일없이 넘기고 내직으로 다시 돌아가지 않겠소?"

길산이도 웃으면서 말하였다.

"좋다, 관군이 약조를 어겼을지라도 우리는 언제나 어김없이 해낸다는 것을 보여주어야 하오. 오늘밤에 서흥 관아를 들이치고 창고의 미곡과 병기를 모두 탈취하여 돌아가십시다."

그날 밤으로 여러 곳에 흩어져서 기다리고 있던 혈당들에게 거사의 자세한 순서가 정해져서 시달되었다. 세 방향으로 진로를 잡았으니 서쪽으로는 강선흥이 거느린 일대가 군영을 덮치고 들어가며 동쪽으로 객사를 덮치는 것은 김선일의 대가 맡으며, 최흥복의 벽력오는 군영과 객사에서 쫓기는 자들을 총포와 활로 살상하면서 가운데로 곧장 삼문을 향하여 달려들고, 길산과 말득이가 거느린 일대가 동헌의 북쪽 담장을 넘어들어가 관가를 장악한다는 안이었다. 그들은 조읍포창을 들이치던 때와 마찬가지로 군복을 입기로 하였고, 이번 거사에서는 주로 병고의 무기들을 탈취하기로 작정이 되었던 것이다.

자정이 넘어서 싸늘한 겨울바람만이 얼어붙은 땅 위로 스쳐지나갈 즈음에 그들은 각기 정하여진 길을 따라서 읍내로 스며들었다. 강선흥은 장교의 복색을 하고서 손에는 엄파 쇠몽치를 움켜쥐고 군영으로 달려들어갔다. 뒤에는 장창을 잡은 군졸의 복색을 한 졸개들이 우르르 달려들어 장교와 군졸들이 자고 있는 기다란 격자 창문 앞을 가로막아 섰다. 선흥이가 다짜고짜로 마루에 올라 방문을 벌컥 잡아당기고 큰 소리로 외쳤다.

"이놈들, 지금이 어느 때라고 자빠져 자구 있느냐?"

숙직하던 장교 하나가 가까스로 졸린 눈을 비비며 일어나 앉으니 누구인지 알 수도 없는 장교가 눈앞에 버티고 서 있었다.

"이놈, 적환이 일어나 온 군내가 벌집이 되었는데 너는 잠이나 자면 되느냐? 어서 이놈을 묶어라."

곁방에서도 자고 있던 군졸들이 웅성대며 일어나는데 졸개들이 우르르 달려들어 창날을 겨누고는 꼼짝을 못 하도록 해놓았다.

"어느 고을의…… 장병들이오?"

잠결에도 수상하다고 느꼈는지 서흥 장교가 더듬거리며 물었다.

"예끼 이놈, 무슨 잔말이 많아."

선흥이 벼락같이 소리치며 엄파 쇠몽치로 장교의 어깨를 내리치니, 봉산 수숫대 동선령 바람에 휘어지듯 모로 넘어져버렸다.

"허, 그놈 힘도 못 쓰는 것이 호통만 살았고나."

졸개들은 장창을 겨누고 선잠에서 깨어난 서흥 군사들을 이리저리 묶었다. 그야말로 된불 만난 고드름 막대기 꼴이었다. 김선일은 객사인 용천관(龍泉館)으로 달려가 세 채의 집과 정자를 둘러싸고 그 중에 서북으로 가던 무장 하나와 부사의 친척 되는 자와 그들의 하인들을 잡아냈다.

강말득과 길산은 관가의 북편 담을 넘어들어가 부사의 침소를 손쉽게 점령하였다. 김기가 최흥복과 더불어 삼문 앞의 매복을 풀고 안으로 들어왔고, 길산은 점잖게 기침을 하면서 부사가 자고 있던 방의 미닫이를 열었다.

"사또, 평안하시오?"

부사는 가까스로 일어나 부들부들 떨면서 뒤로 물러나 앉았다.

"누…… 누구야, 너는 뭣 하는 놈이냐?"

길산은 우두커니 선 채로 한손에는 짜른 칼을 들고 부사를 내려다보았다.

"너무 놀라지 마시오. 나는 해서 활빈도의 수령 되는 장모라는 사람이외다. 우리들의 행적은 들어서 잘 알 것이오만 무시로 사람을 해치거나 재물을 빼앗거나 하지는 않소. 잠깐 앉아도 되겠소?"

길산이 정중하게 물으니 부사가 우물쭈물하면서 길산의 손에 쥐어진 짧은 칼과 그의 얼굴을 번갈아 살폈다.

"공사 분주하시다가 곤히 주무시는 잠을 깨워드려서 미안허우."

길산은 단검을 곧추 쳐들어 연상 위에 떨구었다. 칼이 푸르르 떨면서 박혔다. 길산은 이불을 걷고 부사의 맞은편에 천천히 앉았다.

"오늘 내가 불시에 서흥부를 방문한 것은 사또께서 더 잘 아시겠지요?"

부사는 길산의 정중한 태도에 두려움이 많이 가셨는지 자세를 고치고 앉았다.

"때가 흉황이라 우리 고을에는 가져갈 물건이 없네. 미곡이 있다 하나 그것은 몇달 뒤에 환자로 나갈 것이라, 활빈을 칭하면서 어찌 그런 재물을 가져가겠는가?"

길산은 손을 내밀며 말하였다.

"내가 원하는 것은 종이 한 장이오."

부사는 어리둥절한 모양이었다. 길산이 재촉하였다.

"감영에서 내려온 비관 문서가 있겠지요?"

"비관이라니⋯⋯"

"토포군이 서흥에 집결하기로 되어 있지 않소. 사또의 측근에는 우리와 통하는 자들이 얼마든지 있고, 감영에도 우리에게 소식을 전해주는 관리들이 있소이다."

부사는 더욱 당황하였다.

"신임 순사또께서 부임하신 뒤로 비관은커녕 아직 장계도 드리지 않았네."

길산은 잠깐 부사의 안색을 살폈다. 송방에서의 정탐이 어긋났던 게 아닐까. 아니면 아직 시기가 이르거나, 계획이 변경되었는지도 몰랐다. 그렇다면 서슬이 퍼런 자의 수염이나 미리 베어 전의를 꺾어두는 것이 필요할 터였다.

"감영에서 공연히 군사를 일으켜 우리를 토포하려는 조련을 시키고 군비를 모으고 법석인 모양인데, 우리 녹림당은 해서 골골의 산마다 틀어박혀 관군의 움직임을 훤히 보고 있소이다. 만약에 우리를 잡으려면 전 해서가 들고일어나 동서남북을 한꺼번에 뒤져내고 둘러싸도록 하시우. 그렇게 하지 못한다면 공연히 마른 들에 쥐불 놓기요. 지금 서흥은 우리들이 완전히 둘러싸서 바람 샐 틈도 없소. 이런 일쯤은 하룻밤 사이에 어느 때든지 해치울 수가 있수. 오늘 관군이 모여들지 않았기 망정이지 우리와 맞붙었다면 관가는 벌써 불바다가 되었을 게요. 만약에 토포군이 당도하면 우리는 다시 올 것이며, 남쪽으로부터 해주감영을 들이칠 수도 있소. 백성이 무서운 줄 알면 섣불리 나서지 마시우. 토포를 한다면서 공연히 금령이나 발동하여 못살게 구는데, 금령이 엄할수록 우리들 녹림당에게는 이롭지요. 금령에 시달린 백성들이 급기야는 관군에게 대적하기 때문이오. 우리를 치시우. 몇몇이 잡히고 죽고 다치겠지만, 백성들은 우리를 딛고 일어설 게요. 잔꾀를 써서 속이려 하지 마시우. 우리가 오늘은 한판 싸움을 못 하고 물러가지만, 꼭 다시 오리다."

길산은 일어나면서 연상에서 단검을 뽑았다. 그러고는 와룡 쌍촛대 위에서 일렁이는 불꽃을 바라고 수평으로 싹 그었다. 심지가 잘려나갔는지 불이 일시에 꺼지고 방 안은 캄캄했다.

"해 뜨기까지 푹 주무시우. 병고의 병장기들은 이러한 태평성대에 쓸모가 없을 것이니 우리가 가져가겠수."

길산은 조용히 미닫이를 닫았다. 김기가 밖에 서 있었다.

"감영에서 아무런 소식도 없는 모양이지요?"

"예, 부사는 모르고 있는 듯합니다. 어쨌든 토포군의 창끝을 잘라준 셈이오. 병장기나 걷어갑시다."

자비령 식구들은 일사불란하게 각자 흩어져서 지킬 곳은 지키고 살필 곳은 살피면서, 병고와 세곡이 쌓인 창고를 열었다. 우선 장창이며 삼지창을 서른 자루쯤 걷어내고, 활 십여 자루와 화승총 네 자루, 그리고 쇠도리깨며 육모방망이 등속을 꺼내놓으니 대번에 백여 명의 군사가 무장할 수 있는 양이 되었다. 하지만 총구는 녹슬고 창 자루는 오래되어 상했으며 환도는 잘 뽑아지지도 않으니 결국은 쇠도리깨며 육모방망이만 사용할 수가 있었다.

"쳇, 이러니 외침이 일어날 적마다 늘 파죽지세로 밀리는 게 아닌가."

김선일이 발길로 쓸모없는 병장기들을 내지르니, 김기가 말하였다.

"총포는 못쓰게 되었지만 창은 창날을 뽑아 다시 재생할 수가 있고, 환도는 숫돌에 갈고 기름을 바르면 다시 명검이 될걸세."

"미곡은 어찌할까요?"

최흥복이 길산에게 물었다. 길산은 하늘의 별자리를 한번 살펴보고 나서 말하였다.

"아직 닭이 울려면 멀었다. 인심이나 쓰고 가자꾸나. 서너 섬씩 말 꽁무니에 끌어다가 뿌려두어라."

말 세 필을 내어 안장에 줄을 매고 쌀섬을 묶은 다음에 멀리 삼문 밖으로 끌고 나가 섬의 한끝을 터뜨려놓으니 흰쌀이 땅바닥에 줄을 그리며 흘러나왔다. 동녘이 부옇게 트도록 읍내의 사방으로 말을 끌고 다니니 한길이며 골목마다 때아닌 곡식이 길을 낸 것이다. 관속들보다 먼저 일어난 양민들은 돌이 많이 섞였을지언정 오랜만에 밥을 그득히 먹게 될 판이었다. 숙종 십이년 이월의 이른바 서흥지변(瑞興之變)이 바로 이것이었다. 장길산의 혈당들은 관가의 서슬을 꺾어놓고 아무런 방해도 받지 않고 자비령 깊숙이 퇴각하였다.

6

최형기는 신천의 기찰소에서 돌아오는 길로 탁열정에서의 군사 조련을 중지하였다. 그러나 이백여 명의 군사들을 감영 안에 풀어놓지는 않았다. 병방과 하군관 전군관이 군사들을 인솔하여 화산(花山)으로 나아가 대기하도록 지시하였다. 화산은 결성포의 깊숙한 만을 휘돌아 서북방을 병풍처럼 막아선 암벽 줄기였다. 화산의 끝과 용댕이 사이는 가까워서 거룻배가 넘나들 수 있었다. 취야정(醉也亭)에서 서쪽으로 치닫는 기다란 산줄기를 따라서 갈숲과 송림이 오십여 리에 걸쳐서 계속되는데, 인가는커녕 아예 사람의 발길이 끊어진 곳이었다. 산줄기를 타넘으면 곧바로 강령지계였다. 강령의 서쪽 끝인 등산곶은 최형기의 부임지이기도 하였다. 연평이 바로 앞바다에 떠 있는 곳이었다. 감영의 정병 이백여 명은 야간에 행군하여 취야정에서 일박하고 내쳐서 화산 아랫녘에 있는 해남창에 나아가 머물렀다. 그들은 황당선의 출몰에 대비한다면서 날마다 사창 앞벌에서 조련을 계속하였다. 최형기는 그맘때에 관찰사 신엽이 급히 불러서 선화당으로 올라갔다. 신엽은 최형기의 절을 받는 둥 마는 둥하면서 조용하지만 차디찬 음성으로 말하였다.

"자네는 아직도 범사냥 중인가?"

"예……"

"읽어보게."

신엽이 연상에 들었던 문서를 집어서 최형기의 무릎 앞에 던졌다. 최형기는 송구스러워 고개도 들지 못하고 그것을 펼쳐들었다. 읽어나가는 중에 그는 전혀 예상하지 못했던 바는 아니지만, 뒤통수를 호되게 얻어맞은 듯한 느낌이었다. 정체를 알 수 없는 무뢰배들이 깊은 산 골골마다 떼를 지어 인가를 약탈하고, 백주에 한길에 나타나 나그네의 전대를 터는가 하면, 웬만한 주군(州郡)을 치는 짓도 쉽사리 하는데, 최근에는 서흥에서 해서 활빈도를 자처하는 적당이 야간에 관가를 급습하고, 하리배와 병졸들은 거의가 달아났으며 병고와 미창이 유린을 당하였고, 수령을 우롱한 뒤에 새벽이 되어 종적을 감추었다는 내용이 적혀 있었다. 평산부사가 올린 밀계였다. 최형기는 말미를 훑어보고 나서 신엽에게 물었다.

"장계가…… 서흥에서는 없었습니까?"

"없었네. 추궁당할 것이 두려워서 서흥의 수령은 적환을 당하고도 숨기고 있는 게야. 그러니까 평산서 뒤늦게 밀계가 올라왔지. 당장에 감영으로 소환할 생각인데…… 자네는 뭘 그렇게 꾸물대고 있는가?"

신엽이 눈을 크게 뜨며 최형기를 노려보았다.

"도적들이 이제는 관가 알기를 마치 솔가한 종놈의 집 드나들듯 하고, 관리와 수령 보기를 대호가 삽살개 어루듯 하니, 내가 욕을 당하려고 외임으로 나왔단 말인가. 주상의 특수를 받잡고 해서에 나와 이렇듯 서적(鼠賊)의 무리에게 조롱을 당하니, 목이 잘려도 후대에 발명할 말이 없을 만큼 불충한 노릇이다. 이렇게도 내외에 인재가 없으니 나라일이 장차 어찌되려는지 통탄할 노릇이야."

최형기는 관찰사의 싸늘한 질책을 받으면서 등줄기에 식은땀이 배어오는 듯한 느낌이었다. 실로 그가 붙잡은 마지막 동아줄이 아니 었던가.

"이렇게 우졸한 자를 등용하여 나라의 중임을 맡겨주신 순사또의 은의를 잊었을 리가 있겠습니까. 이제 막 구월산 화적굴과 그 혈당 들에 대한 기찰이 마무리되었습니다. 소인이 기밀을 지키기 위하여 바로 초닷새에 토포군을 서흥에 집결시킨다고 소문을 냈더니, 바라 던 대로 도적들의 귀에 들어간 것이 분명합니다. 이것은 감영 주위 에도 도적들의 내통자가 있다는 증거이니 섣불리 도모할 수가 없습 니다. 순사또께서는 고정하시고 수일간만 기다려주십시오. 도적들 이 토포군의 예봉을 꺾고 사기를 죽이려고 서흥을 급습하였으나, 이 제 우리가 좀처럼 병을 움직이지 않고 있으면 아예 토포가 없을 것으 로 믿고 만심할 것입니다. 소장은 이미 그런 것을 눈치채고 병력 을 화산의 해남창으로 옮겨 심장하여두었습니다. 이 모두가 책략과 용병에 연유한 일이오니 순사또께서는 아직 서흥에 대하여 질책하 지 마시고 모른 척해두십시오."

신엽의 곤두선 눈썹이며 찌푸린 미간은 아직 훤하게 펴지지 않았 다. 그는 잘라서 말하였다.

"여하튼…… 장적을 소탕하지 못하게 되면, 자네하구 헤어질 수 밖에 없네."

"명심하겠습니다."

최형기는 두 손을 모으고 답하였다.

"반드시 사로잡아 선화당 아래 꿇리고 공초를 받도록 하겠습니 다."

신엽이 고개를 끄덕였다.

"이러한 태평성대에 감히 활빈도를 자처한 발칙한 놈, 수괴의 목을 베어 장대에 높이 달아 백성들에게 꼭 보여주어야 한다."

"며칠 내로 곧 출정하겠습니다."

최형기는 무거운 마음으로 관찰사의 방을 물러나왔다. 그는 신천으로 사람을 보낼까 하다가 마음을 돌렸다. 기찰조가 살피는 동안에는 도적들이 구월산에서 움직일 기미는 전혀 보이지 않았던 것이다. 어느 틈에 구월산에서 안악과 재령을 지나 서흥까지 출몰한 것인가. 최형기는 그때까지는 이해할 수가 없었던 것이다. 그는 적당들의 기민하고 빈틈없는 활동에 대하여 은근히 두렵고 불안하게 생각하였다. 해서 도처에 도적의 내통자들이 속속들이 박혀 있는 것만 같았다. 송화에서부터 은율의 사선골과 탑고개에 이르기까지 물샐틈없는 공격이 동시에 이루어져야 할 것이었다. 특히 도적의 혈족들이 모여 산다는 두 마을에 대하여는 가차 없는 보복과 제재로 관군의 엄혹함과 두려움이 세상에 널리 알려질 필요가 있었다. 최형기는 이번의 임무가 한양에서 종사관으로서 범법 무뢰한이나 왈짜를 잡아내던 일과는 전혀 다르다는 것을 느꼈다.

열하룻날에 발병 명령이 떨어졌다. 최형기는 오후 늦게 감영을 나와 취야정까지 혼자 말을 타고 갔다. 물론 관복은 벗고 평복에 갓을 쓴 차림이었다. 토포군은 미리 연락을 받고 화산 해남창으로부터 나와서 기다리고 있었다. 장졸은 모두 저녁을 든든히 먹고 흰 두건이나 패랭이 차림에 길양식을 간단히 짊어진 보부상의 행색들이었다. 말이 오십여 필이요 병장기를 감추어 싣기 위한 수레가 두 대였다. 최형기는 우선 백 명씩 나누어서 선진과 후진으로 정하였다. 선진은 돌못을 지나 문산 뱀고개를 넘어서 해지점 사거리로 하여 학령을 넘고 장호령(長湖嶺)에서 신천 기찰조와 만날 예정이었다. 후진은 곧바로 북숭산을 넘어 수철원을 지나 신천을 경유하여 문화로 잠입할 것이었다. 선진이 송화(松禾)에, 후진이 문화(文化)에 당도하자마자 쌍급주(雙急走)로 호마를 탄 장교 둘이 연락할 것이었다. 선진과 후진이 동시에 행동을 개시하자마자, 구월산 인근 사읍에 관찰사의 비관이 돌아서 군병(郡兵)을 일으키게 될 것이었다.

선진이 일단 송화로 들어가 후환을 없이한 연후에 후진은 구월산 내고개를 넘어 아사봉의 남쪽을 막아버리는 것이었다. 된목이골에서의 퇴로는 구월산 서북쪽인 은율과 동북쪽의 안악이 열려 있게 되는 셈이었다. 안악은 서쪽으로 월당강에 길이 끊겨 있고 바로 남쪽이 재령의 나무리벌과 신천의 어루리벌이니 숨을 데가 없을 것이다. 산세가 험한 은율 쪽이 가장 맞춤한 퇴로가 될 것이고, 무엇보다도 내통자와 그들 혈족이 사는 사선골과 탑고개는 저들의 마지막 방어진이 되기가 십상이었다. 선진은 송화에서 수렛고개를 덮치고 나아가 사선골과 탑고개를 급습한 연후에 선 후진이 된목이골의 사방을 포위하고 공략할 셈이었다. 아니면 후진이 아사봉의 남록으로부터 몰고 내려오면 선진은 탑고개를 미끼로 삼아 쫓겨내려오는 도적들을 함정에 몰아넣을 작정이었다. 선진은 최형기가 신천의 기찰조들과 함께 인솔하여 가고, 후진은 병방과 두 군관이 인솔하기로 되었다. 앉은개(鞍峴)로 나온 감영 정병 이백 명은 돌못을 지나자마자 반으로 나뉘었다. 거기서 선진은 서북방의 뱀고개로, 후진은 정북인 수철원 쪽으로 갈라져 행군하는 것이다.

"되도록 야간에 행군토록 하고, 낮에는 큰길을 피하여라. 또한 십 리나 오 리 간격으로 두 오씩 떼어서 가도록 해야 한다."

최형기가 병방에게 주의를 주었다. 병방은 패랭이에 개잘량 덮어 쓰고 털배자를 입은 간편한 차림이었다. 매서운 겨울바람이 코를 베는 듯하였다.

"명심하겠습니다."

"쌍급주가 가자마자 아사봉으로 오르라. 그때에는 사 군(郡)의 군병들이 퇴로를 철통같이 둘러쌀 것이다."

후진의 긴 행렬이 문산(文山)의 동쪽 산굽이를 돌아서 어둠속으로 사라질 때까지 최형기는 지켜보았다. 그는 고삐를 잡아채며 군졸들에게 외쳤다.

"자아, 어서 떠나자. 낮에 해남창서 푹 쉬었겠지. 오늘밤 안에 학령을 넘어야 한다."

기패관 하나가 엄두가 나질 않는지 놀란 목소리로 받았다.

"어이구, 그러면 해지점에서 자구 가는 게 아닙니까?"

"해지점까지 겨우 삼십 리 길이다. 어디 놀이 가는 줄 알았느냐?"

"이런 추운 밤에 학령에는 눈이 산처럼 쌓였을 텐데요."

최형기는 채찍을 들어 잔말이 많은 기패관의 뺨을 힘껏 후려갈겼다. 어찌나 호되게 맞았는지 그자는 고개를 홱 돌리며 얼어붙은 눈고랑에 고꾸라졌다.

"자아, 행렬에서 낙오하는 자는 이 벌판 아무 데서나 목을 베고 파묻어버리구 간다. 감발을 단단히 해두어라."

뱀고개서 미륵산 고개까지가 십 리인데 길은 별로 험하지 않았다. 군사들은 긴장하였고 최형기의 단호한 행동과 어조에 무엇인가 건성 조련이 아니라 싸움터로 나간다는 것을 깨달은 모양이었다. 선두가 꾸물거리면 최형기는 말을 달려 나아가 꾸짖었고 후미가 뒤떨어지면 다시 쫓아가서 앞으로 몰아내고는 하였다. 해지점의 희미한 불빛이 까물거리는 게 멀리 보이자, 최형기는 향도를 선 군졸에게 명하였다.

"저 달마산 쪽으로 돌아서 간다."

향도가 말을 멈추고 섰다.

"만호, 그쪽은 길이 없습니다."

최형기는 그의 말 궁둥이를 채찍으로 내리쳤고 말은 크게 울면서 사정없이 시내와 얼어붙은 논을 건너 내달려갔다. 최형기가 인솔하는 선진은 강행군으로 학령을 넘어갔다. 학령에는 예상대로 눈이 무릎까지 빠질 정도로 덮여 있었다. 그들은 관솔 횃불을 밝혀들고 행군하였다. 병장기며 군량을 실은 달구지가 눈길에 빠졌을 때에는 온 장정들이 앞뒤와 바퀴에 달라붙어 밀고 들어올리고 하였다. 황우는 지쳤는지 코뚜레가 빠지도록 당겼으나 비척거리며 오르지 못하였다. 군졸들이 교대로 멍에와 원(轅)에 매달려 끌어야만 하였다. 학령을 넘어 십 리를 더 가서 큰어미고개에 이르니 짙은 어둠이 바래지면서 하늘이 부옇게 터왔다. 고개를 넘으면 바로 신천 기찰조와 만나기로 정한 장호령이었다. 최형기는 거기서부터 두 오씩 출발을 시켰다. 최형기는 향도를 남겨두고 혼자서 말을 달려 고개를 넘어갔다.

오른편은 달마산과 용문산을 잇는 구이령 줄기가 뻗쳐 있고, 왼쪽은 탑벌이 펼쳐져 있었다. 장호령 사거리로 들어가는데 인가가 너덧 채 보였고, 길가 쪽으로 있는 집의 사립문 앞에 마늘등이 걸려서 바람에 흔들거리고 있는 것이 보였다. 최형기는 말에서 내렸다. 사립문 앞으로 가서 큰 소리로 외쳤다.

"이리 오너라."

하자마자 맞은편에 불이 켜져 있던 방문이 열리면서 누군가 황급히 뛰쳐나왔다.

"어이구 샌님, 이제 오십니까?"

하는데 살펴보니 백섭 포도부장이었다. 그들이 마당에 들어서니 주

인은 미리 귀띔이라도 받았는지 마루에 나와 있다가 내려와 문안을
드리는 척하였다.

"어서 오십시오. 어떻게…… 어한이라도 하시게 국이라두 한 그
릇 데울까요?"

"그만두게."

"과연 양반네들이라 약조는 어김이 없으시군."

주인은 들으라는 듯이 중얼대며 방으로 들어가고 최형기도 문간
방으로 들어갔다. 유수룡이 방문을 열고 내다보고 있었다. 방문을
닫고 최형기는 따뜻한 아랫목에 내려앉았다.

"급주의 전갈을 받구 왔겠군."

"예, 어제 식전에 받고서 오후에 출발하여 이 집에서 저녁을 먹었
습니다."

유수룡이 말하였고, 백포교가 이어서 말하였다.

"서흥에 변이 있었다는 전갈을 받고 저희들은 깜짝 놀랐습니다.
신천서 서흥까지가 백오십 리 상거라 모르고 있을밖에요. 헌데 거
참 알 수가 없습니다. 구월산에서 화적들이 작당하여 나갔다면 우리
기찰에 걸렸을 터인데, 안악 동방의 지초나루나 재령의 당여울을 건
넌 흔적이 없었습니다."

"큰길이나 인가가 있는 곳을 피하여 재령의 남쪽을 우회하여 빠
져 나갔는지두 모른다. 하여튼 날짜를 따져보니 도적들은 이제 한시
름 놓고 막 구월산 소굴로 들어갔을 게다. 설마 코앞에 우리가 숨어
들었는지는 모르겠지."

"군사는 어찌되었습니까?"

유수룡이 물었다.

"큰어미고개에서부터 차례로 오를 나누어 행군해오는 중이다. 은

둔처는 물색을 해두었느냐?"

"가화(嘉禾)마을에서 은둔하기로 정하였습니다. 송화의 동창(東倉)이 있는 곳이라 사창 군관에게 명하여 군기를 엄수케 한다면 오늘 하룻동안은 염려가 없을 것입니다."

백포교가 말하자 최형기는 만족한 듯이 고개를 끄덕였다.

"그러면 밖에 나가 기다렸다가 군졸들을 향도하도록 해라."

백포교와 유수룡이 사거리로 나아가 기다렸다가 먼저 당도하는 오를 시오 리 떨어진 가화마을로 인도하였다. 유수룡은 사거리에 다른 오가 당도할 적마다 앞서간 오의 방향을 일러주었고, 그동안에 최형기는 잠시 방에서 몸을 녹였다. 사방이 어두컴컴한 대로 희부옇게 밝아왔고 지붕마다 연기가 피어올랐다. 유수룡이 들어와서 최형기에게 알렸다.

"방금 마지막 오가 지나갔습니다."

최형기는 일어섰다.

"여보게, 우리 가네."

유수룡이 이르자 주인이 말 두 필을 끌고 나왔다.

"여물을 먹였나?"

"예, 굽도 다 살폈지요. 북방마인지 이렇게 다리가 잘록한 놈들은 처음 봅니다."

유수룡이 숙식대로 양곡과 상목을 주인에게 내주었다. 흉황이라 시골의 주막에서는 돈을 잘 받으려 하지 않았다. 벌판 위에는 달구지 자국과 여러 군사의 발자국이 어지럽게 찍혀 있었다. 그들은 천천히 말을 타고 군사들의 뒤를 쫓아갔다.

"토포장, 소청이 한 가지 있소이다."

유수룡이 최형기에게 말하였다. 최형기는 그를 돌아보았다.

"뭔가?"

"이번에 사로잡을 자가 한 명 더 있습니다."

"장적말고 또 있는가?"

"예, 조읍포에 도적들이 들어왔을 제 소인과 대적하였던 자가 있습니다. 소문에는 그가 장적의 부장이라고 하는데, 얼굴이 시커멓고 날래기가 표범 같았습니다. 저는 그자에게서 갖은 조롱과 수모를 당하였지요. 무더리에서 김군관을 베어버린 장본인입니다."

최형기는 불현듯 어떤 생각에 미친 것 같았다. 그는 중얼거렸다.

"김식을 벤 자는 장적이 아니라 그의 부하였다. 그래…… 전군관과 하군관 등이 장적을 바라고 구월산에 갔을 적에 그는 몸소 내려오지 않았지. 자네는 조읍포에서 장적을 보았는가?"

유수룡이 자신 있게 말하였다.

"소인은 못 보았으나 포창 군사들이나 제 아우 수호의 말을 들으면 장적은 몸이 마르고 눈매가 사나운 자라고 들었습니다. 그는 소인의 집에서 고용한 서북 무사 둘을 간단히 처치하였지요."

"그 얘기는 자네 아우에게서 들었네."

"제가 생각하기로 부하보다도 장적은 더욱 고수이고 게다가 재간까지 있다고 합니다. 땅재주 넘는 재간이 어찌나 비상한지 허공을 날으는 듯하더랍니다."

"그야…… 그는 창우였으니까. 자네 소청이란 무어야?"

"예, 조읍포서 저와 대적하였던 자를 사로잡게 해주시고, 소인이 직접 문초하고 참수하도록 해주십시오."

"선비 차림의 글줄이나 안다는 자는 부장이 아니던가?"

"그자는 가친의 말씀대로 모사인 듯합니다."

"그들 셋은 반드시 사로잡아 감영으로 압송해야 할 것이다. 참수는 허락할 수 없으나 추국에는 자네가 사령들을 지휘해도 좋다."

건성으로 중얼거리면서 최형기는 다른 생각에 골똘하여 있었다. 그는 감영을 나올 때부터 무엇인가 꼭 집어낼 수 없는 의심 때문에 짙은 먹구름 속으로 휩싸이는 듯한 느낌이었다. 혹시 장길산은 구월산에 없는 게 아닐까. 벌떼가 분봉하듯 당세가 커지면 산채가 나뉘는 일도 생각해볼 수 있었다. 구월산의 수괴는 김식을 베었다는 얼굴 검은 그자가 아닐까. 그들은 여러 곳에 산채를 나누어 숨어 있다가 조읍포창을 결딴낼 때처럼 유사시에는 서로 회동하는 것일지도 몰랐다. 그러나 세상 소문에는 길산이 문화 광대말에서 몸을 일으켜 구월산에서 혈당을 모았다는데 아무래도 그의 근거지는 구월산을 바탕으로 하지 않고는 생각할 수가 없었다. 그러나 최형기는 기찰에도 걸리지 않고 백오십 리 밖에 있는 서흥에까지 쳐들어간 적당들의 행동이 아무래도 마음에 걸렸다.

"그렇다, 유유상종이라 하였으니 각처의 도적들끼리 결맹이 된 것이다."

해서의 골짜기마다 틀어박힌 도적떼가 사발통문하여 결맹을 함직도 하였다. 그들은 장적의 동당인 활빈도를 자처할 것이다. 본산은 역시 구월산 된목이골이다. 이른바 머리인 것이다. 머리를 베면 사지 수족은 스스로 멈출 것이 분명하였다. 그러나 또다시 의심이 뭉게뭉게 일어났다. 아무래도 최형기의 마음은 개운치가 않았다. 그러면서도 이런 느낌은 한양에서 오랫동안 포도 종사관으로 일해온 몸에 밴 습관이려니 싶었다.

수룡과 최형기가 가화마을로 들어서니 이미 큰 집 세 채를 비워서 군사들이 짐을 풀고 있었다. 사창 군관과 마을 이정이 현신하였고, 최형기는 병부(兵符)를 보여주고 나서 신천으로 호랑이사냥을 나

가는 감영의 군사들인데 하룻동안 마을 사람들의 바깥 출입을 금지
시킨다고 알렸다. 그리고 이제 각 고을 수령에게 비관이 돌려질 것
이나 감영에서 관찰사의 명이 있기 전에는 절대로 관가에 알리지 말
것을 지시하였다. 마을 어귀에는 금줄을 치고 노란 기를 내걸었으니
역병이 발생하였다는 표시라, 얼씬을 못 할 것이었다.

  최형기는 군사들을 푹 쉬도록 해주었다. 가화서 무더리까지가 삼
십여 리요, 무더리에서 수렛고개까지가 이십 리, 그리고 거기서 사
선골과 탑고개까지가 삼십 리 길이었다. 그날 밤에 송화로 들어가
비관을 사읍에 돌리고 내통자를 처치한 뒤에 다시 밤을 기다려 수
렛고개 토막을 덮치고, 이어서 새벽녘부터 사선골 탑고개 된목이골
에 이르는 구월산 지경을 휩쓸 것이었다. 우차를 끌고 온 황우를 잡
게 하여 군사를 호궤시키고 따뜻한 구들목을 지고 하루종일 늘어져
자도록 내버려두었다. 밤이 깊어질 때까지 꼼짝을 않다가 자시가 넘
어서야 군사들을 깨워 일으켰다. 향도에는 백섭과 유수룡이 나섰고
행렬 후미에 최형기와 박완식과 유수호가 따랐다. 그들이 마을 곁을
소리 없이 지나칠 때 동네 개들이 기척을 알고 목청을 드높여 짖고
는 하였다. 멀리 무더리 장터의 불빛이 보였고, 최형기는 행군을 멈
추게 하였다. 유군 중에 한 오를 내고 최형기는 유수룡 유수호 형제
만을 데리고 몸소 앞으로 나섰다. 무더리를 장악하는 일은 이번 토
포의 가장 중요한 첫째 임무인 까닭이었다. 그들은 모두가 말을 타
지 않고 걸어서 갔다. 물론 제각기 환도며 쇠도리깨며 알맞은 병장
기를 가지고 있었다. 최형기는 언제나 애지중지하는 동래의 왜단도
를 도포자락 안에 차고 있었다. 무더리의 다리를 건너자, 유수룡이
장터 뒤편에 엇비슷이 솟은 낮은 비탈을 손가락질하였다. 제법 큼직
한 초가가 보였다. 추운 날씨에다 밤이 깊으니 모두 문을 꼭꼭 닫고

잠들어 있는 모양인지 사방이 괴괴하였다.

"저 집이 맞습니다. 대추나무집이란 곳인데 구월산의 간자(間者)가 열고 있는 주막이랍니다."

유수룡이 전군관과 하군관의 귀띔에 따라서 이미 기찰 대상을 샅샅이 살펴둔 터였다.

무더리의 대추나무집과 우물집이 도적들의 내통자가 열고 있는 주막이며 부근에 이상한 일이 있으면 그들은 곧 수렛고개의 토막으로 연락한다는 것도 유가 형제는 알아냈던 것이다.

최형기는 손짓으로 군졸들을 언덕 위로 오르도록 일렀다. 무더리 저자의 주막과 가가들이 줄지은 초입에 높직이 자리 잡은 큼직한 초가집이 세 채가 있었는데 대추나무집은 그중 첫번째 집이었다.

유수룡이 맨 앞에 섰고 군졸들이 뒤를 따랐다. 그들은 삽짝의 나무 빗장을 빼어내고 문을 살그머니 밀었다. 의외로 놋쇠방울이 달려 있어 딸그랑거리는 소리가 들렸고 방 안에서 지금 막 잠에서 깨어난 듯한 사내의 졸린 음성이 들려왔다.

"누구 왔나…… 거 누구요?"

유수룡이 마루로 후다닥 뛰어올라갔고 군졸들 다섯은 마당에 둥글게 섰으며 최형기는 문 앞에 서 있었다. 방문이 밖으로 벌컥 열리면서 사내가 뛰쳐나오는데 유수룡이 칼을 뽑아 그의 목덜미에다 갖다댔다.

"꿈쩍 마라!"

"어……?"

큰돌이는 얼결에 앞으로 넘어져버렸다. 그때 건넌방의 툇마루 쪽으로 난 방문이 우당탕 열리면서 또 한 사내가 뛰쳐나왔다. 그는 맞은편에 서 있는 군졸의 배를 발길로 내지르면서 문을 향하여 뛰었고, 최형기는 옆으로 슬쩍 비켜나면서 한 손을 가볍게 위로 쳐들었다. 끊기는 듯한 숨소리가 들리면서 사내는 싸리 울타리를 부여잡았다. 최형기가 쳐들었던 팔을 이번에는 아래로 내려뜨렸다. 군졸들은 사내의 희끗한 저고리가 좌우로 갈라지는 것을 보았다. 사내는 옆으로 털썩 넘어졌다. 최형기는 피 묻은 비수를 넘어진 자의 옷에다 닦아내고는 천천히 도포를 젖히고 꽂아넣었다.

"모두 잡아버려라."

최형기가 말하자 유수룡이 대추나무집 주인 큰돌의 뒷덜미를 잡아일으켜 마루 아래로 밀어버렸다. 큰돌이는 개구리처럼 마당에 나가떨어졌다. 방 안에서 영문을 모르던 큰돌의 처가 뛰쳐나왔다.

"여보⋯⋯"

방 안에는 아이들만 있는지 울음소리가 왁 하고 일어났다. 유수룡이 아낙네에게 말하였다.

"애새끼들 울지 않게 해라. 시끄럽게 굴면 모조리 죽여버린다."

아낙네는 다시 마루로 뛰어오르더니 이번에는 아이들을 부여잡고 안절부절못하였다.

"누구시오⋯⋯ 왜 이러시오?"

큰돌이가 마당에 질펀히 주저앉아 그를 둘러싼 때아닌 장정들을 올려다보며 더듬었다.

"우리가 누구라고 생각하느냐?"

최형기가 그의 머리 위로 다가서더니 조용하게 되물었다. 큰돌이가 얼이 빠진 듯 둘러선 자들을 이리저리 돌아보았다. 모두가 행상 차림으로 간편한 옷에다 흰 두건이나 패랭이를 쓰고 털배자를 입은 자도 보였다.

"이 집이 어떤 집인지 모르는 모양인데⋯⋯ 당신들이 가져갈 물건도 없으려니와 나중에 후회하게 되리다. 어느 산에서들 내려왔소?"

큰돌이는 앞뒤 생각할 겨를도 없이 잠자다 당하는 일이라, 괴한들에 대하여 깊이 생각지 못하였다. 그는 요즈음 산야에서 작당하여 외떨어진 인가나 만만한 행객의 봇짐을 터는 근거 없는 좀도둑이려니 여겨졌던 것이다. 둘러섰던 자들이 껄껄 웃었고 최형기가 대답하였다.

"우리는 구월산에 웅거하고 있는 장길산 두령의 활빈당이다."

큰돌이는 저도 모르게 울컥하였다.

"어라, 이놈들이 바루 호가호위(狐假虎威)하는고나. 내가 구월산 활빈도의 소두령 되는 큰돌이란 사람이다."

"바로 맞혔다."

최형기가 날렵하게 큰돌의 볼때기를 손끝으로 후려갈겼다.

"자네는 두 사람을 데리구 가서 우물집을 없애게."

최형기가 유수룡에게 이르자 수룡은 밖으로 나가기 전에 물었다.

"모두…… 말입니까?"

"본보기니까."

최형기는 부옇게 동터오는 하늘을 올려다보았다. 그가 군졸 하나에게 일렀다.

"가서 조용히 들어오게 하여라."

사근다리 밖에서 기다리는 선진을 마을로 들어오도록 하려는 것이다. 최형기가 다시 큰돌이에게 물었다.

"이제는 대강 눈치를 채었느냐? 여기 서 있는 사람들은 인정이란 쥐뿔도 없는 사람들이다. 네 혀끝 하나 놀리는 데 따라서 너의 처자가 살고 죽는다. 내가 알고 싶은 것이 몇가지 있으니 바로 댈 수가 있겠느냐?"

큰돌이는 제법 눈을 똑바로 뜨고, 갓 쓰고 도포 입은 최형기를 노려 보았다. 그가 아무리 재간 없고 수완 없는 재인말의 광대였다 할지라도 숱하게 겪어서 생각은 있는지라 이 자리가 어떤 자리인지 잘 알았다. 큰돌이가 길산이 갑송이들과 출행을 나다니면서 호형호제할 적부터 의기와 신명은 가장 앞섰던 터이다. 그도 이제는 중년 고개를 넘어 구월산 녹림당의 어깨너머로 알아온 협기가 온몸에 배어 있는 것이 아닌가.

"너희들이 관군이냐?"

"허, 그놈 잘 맞힌다."

최형기가 다시 큰돌의 입을 손끝으로 찰싹 후려갈겼다. 무예를 아는 자의 솜씨인지라 뺨 두 대에 벌써 큰돌의 입안이 터져서 입술은 피로 물들어 있었다. 최형기가 물었다.

"송화 관아에 산과 내통하는 자가 누구인가?"

큰돌이는 눈을 부릅뜨고 최형기를 노려보더니 입을 꾹 다물고 고개를 떨구어버렸다.

"모르쇠라…… 좋다. 그러면 입찬말은 묘 앞에나 가서 하려느냐?"

최형기가 남은 군사 둘 중의 하나에게 물었다.

"이 자의 자식이 몇인가 들여다보아라."

그가 안방을 기웃하여보더니 대꾸한다.

"둘에다가…… 갓난쟁이 하나 더 있소."

"그러면 네 마디를 물으면 다 죽겠고나."

최형기가 혼잣소리로 중얼거리더니 더욱더 조용하게 물었다.

"관아의 내통자를 말해보아라."

"모른다."

큰돌이는 고개를 숙인 채로 말하였고, 최형기가 다시 뒤를 돌아보았다.

"그 갓난애를 끄집어내다가 이 자가 말을 않거든 마당에 태기를 쳐버려라."

큰돌의 처가 비명을 질렀다. 군졸은 벌에 쏘인 듯이 울어대는 갓난애를 쳐들고 마루로 나섰고, 큰돌의 아내가 울며 사정하며 쫓아나왔다.

"우리는 아무것두 모릅니다. 제발 아이를 돌려주어요. 여보, 어서 말해요."

최형기가 한 손을 쳐들고 큰돌이에게 다시 물었다.

"누구냐…… 이름만 대라."

큰돌이는 눈을 감았다. 귓전에는 아이의 울음소리와 아내의 거의 미친 듯이 사정하고 애걸하는 소리가 들려왔다.

"제발 나으리…… 살려주셔요. 제가 다 말할게요. 호방어른이 가끔 다녀갔고 그 조장교란 이가……"

최형기는 놓치지 않았다.

"그 둘이 맞느냐?"

큰돌이 희미하게 고개를 끄덕였다. 그의 두 눈은 꾹 감겨진 채였다. 최형기는 이런 마당에는 더 볼일이 없다는 듯 삽짝 곁으로 가서 마을길을 살펴보았다. 새벽안개 속으로 토포군이 조용히 들어오는 중이었다. 그들은 순서 있게 마을의 이곳 저곳으로 오를 나누어 흩어지고 있었다. 마을은 철통같이 봉쇄될 것이었다. 토포군은 화적당이 조읍포를 도모하던 때와 마찬가지로 마을에서 한 사람도 나가지 못하게 할 것이며 들어오는 자는 무조건 하룻동안 감금해둘 것이었다. 집뒤짐이 시작되는 모양인데 개 짖는 소리가 요란하였다. 최형기는 고개를 돌려 땅바닥에 주저앉아 있는 큰돌이에게 물었다.

"네가 만약 토포군의 길라잡이를 해준다면 살려주마."

그러나 큰돌이는 아무 대답이 없었다. 그는 벌써 최형기가 다른 자를 우물집으로 보내면서 이르던 말을 귀담아들었던 터이다. 기왕에 죽는 목숨이 아니던가. 그는 철모르던 어린시절에 무동이 역으로 광대인 아비를 따라나섰다가 병신이 되도록 얻어맞는 아비를 보았다. 저보다도 어린 것이 양반이라 하여 아버지는 사가에 끌려가 멍석말이를 당하였던 것이다. 대개 천생 광대는 누구나 그런 꼴을 많이 겪으며 살아왔고, 큰돌이는 언제나 재인말서 함께 자란 길산을 마음속 깊이 자랑으로 여겨왔다. 큰돌이는 재인말이, 그의 정다웠던 고향마을이 관군에 의하여 폐허가 되는 꼴도 보았다. 이미 이렇게 드러난 이상 자신이 사람의 대접을 받으며 살아남을 수는 없다는 것을 그는 너무도 잘 알았다. 난리가 일어나면 적보다도 평정하러 온 관군이 또한 얼마나 무서운가를 백성들은 사방에서 겪고 들었다. 큰돌이는 결정하였다. 바위처럼 소리 없이 죽으리라.

"장적의 일당은 모두 역률에 해당된다. 그의 처자녀 역시 매한가지다. 살고 싶으면 일어서라."

최형기는 말을 던져보고 나서 잠깐 기다려보더니, 드디어 고개를 저으며 혀를 찼다.

"이들은 모두 본보기다. 알겠느냐?"

"예이."

최형기의 말에 군졸들이 환도와 쇠몽치를 치켜들었다. 최형기는 울 밖으로 나왔다. 안에서 비명이 들려왔다. 언덕 위로 군졸들이 올라와 다른 두 집으로 몰려들어가고 있었다. 최형기가 저잣거리로 내려가니 박포교가 말을 대기시키고 기다리고 있었다. 그는 말에 오르며 박포교에게 일렀다.

"송화 관아로 가자."

그들은 토포군이 하얗게 깔린 무더리의 장터를 달려 지나갔다. 무더리서 관아까지는 십 리가 조금 못 되어 그들은 곧 삼문 앞에 이르렀다. 삼문 밖에 이르러 두 사람이 말에서 내리자 수직하던 사령이 쫓아나왔다.

"어인 일이오?"

최형기는 바삐 서둘며 말하였다.

"너희 안전께서는 기침하셨느냐?"

"아직 조례도 멀었소. 등청하시려면 해가 더욱 높이 떠야 하니 어디 주막에라도 가서서 길청이 열리기를 기다렸다가 예방(禮房)을 통하여 청알(請謁)하시우."

박포도부장이 곁에서 말하였다.

"우리는 감영에서 군무로 관찰사의 영을 받들어 밀행하여 오는 사람들이다."

최형기가 도포를 들치고 병부를 보이니 사령은 곧 엄숙한 얼굴로 바뀌었다.

"안으로 듭시지요."

사령이 그들을 데리고 동헌을 지나 현감의 숙소인 정당(政堂)으로 갔다. 사령은 정당이 가까워지자 박포교 쪽을 자꾸만 돌아보았다.

"여기는 야복(野服) 입은 이는 들어가지 못합니다."

실상 현감이 고을의 수령 되는 자리라 적절한 예의가 따르는 것이지 사실상은 부장과 같은 종육품이었다. 박포교는 귀찮은지 상을 찡그리고 말하였다.

"나는 포도부장 되는 사람이고, 이분은 등산곶 만호이시다."

"아 예, 알아 모시겠습니다."

사령은 대번에 공손하여졌으니 만호가 종사품으로 현감보다 서품이 위인 까닭이었다. 다만 문무가 다르고 함께 고을의 수령이라 대등하게 예를 보일 따름이었다. 사령이 정당의 미닫이 앞에 가서 읍하고 아뢰었다.

"사또, 감영에서 만호 어르신께서 오셨습니다."

곧 부스럭거리는 소리가 들리고 안에서 목소리만 흘러나왔다.

"잠깐 기다리시라고 여쭈어라."

현감은 의관을 갖추어 입는지 잠시 지체되었다. 그러나 최형기로서도 아무리 이른 아침일지언정 별로이 결례가 될 바도 없었다. 원칙이 조례는 동틀 무렵에 하는 것이요, 밤 이경에야 퇴청하게 되어 있기 때문이었다. 방문이 열리고 마루로 나오는 현감은 머리가 허옇게 센 노인이었다. 그는 관복 대신에 사방관을 쓰고 도포를 입고 있었다. 그는 마루에서 내려서며 권하였다.

"어서 오르시지요."

최형기는 목례만 보내고는 먼저 방으로 들어갔다. 현감과 마주 앉자 서로 인사를 나누고 나서 최형기가 말을 꺼냈다.

"구월산 인근에 화적이 들끓어 관민을 해치고 활빈을 빙자하여 민심을 흉흉하게 만든다는 것을 동관께서도 잘 아시겠지요. 나라에서는 지난번 금천 조읍포의 적환으로 조정이 소연합니다. 주상께서 깊이 근심하시어 도승지 신엽 대감을 본도 관찰사로 특수하신 것이오. 본관은 이에 비밀히 토포장으로 임명받아 등산곶 만호의 직임으로 순사또를 따라나왔소. 토포군이 이미 송화 무더리를 점령하였은즉 동관께서는 감영의 비관을 받아 봉행하시오."

박부장이 품안에서 송화현감에게 보내는 비관을 내어 전하자 현감은 자세를 고치고 두 손으로 받아 읽었다.

"이 늙은 몸이 송화에 나와 나라의 근심인 적당을 토멸치 못하여 이러한 불충이 없습니다. 감히 어느 영이라고 봉행치 않으리까. 지금 곧 수교를 불러 거병하겠습니다."

최형기가 설렁줄을 당기려고 일어나는 현감에게 손을 들어 제지하였다.

"그전에 먼저 호방과 수교를 잡아들이게 하시오. 뿐만 아니라 그의 가솔과 가까운 친척들까지 모조리 잡아들이시오. 군기를 지키려면 읍내의 봉쇄가 긴요하니 토포군이 무더기를 떠날 제까지 읍을 둘러싸고 한 사람도 새어나가지 못하도록 해주시오. 그리고……"

최형기가 손을 내밀자 박포교가 다시 눈치를 채고 품안에서 풍천(豐川)부사에게 보내는 비관을 꺼내어 최형기에게 내밀었다. 최형기가 그것을 들고 말하였다.

"송화의 군졸만 가지고는 포위성을 두르는 것이 어려울 터이니, 풍천부의 군사를 진주하도록 해야겠소. 송화에서 급주를 내어 전하게 하시오. 이 모든 일을 동관께서 차질이 없도록 봉행하시오."

현감이 그들을 동헌에 나가 있도록 하더니 이윽고 호수립 쓰고 철릭 입고 위엄을 갖추고 나왔다. 이미 뒷전에서 은밀하게 영이 떨어졌는지 군노 사령배들이 삼문 밖으로 풀려나갔다. 곧이어 수교와 호방이 잡혀들어왔다. 그들은 제각기 어리둥절하여 동헌을 우러르며 하소하였다.

"사또, 무슨 죄가 있다고 소인을 이렇게 잡아들이라십니까."

"쇤네야 영을 어겼으면 군영에서 태형을 받겠으나 마누라에 어린 것들까지 잡아오라시니 이게 무슨 변입니까."

현감은 최형기에게서 그자들이 구월산 화적당의 내통자라는 것을 들었으므로 위엄을 세워 한마디 던질 뿐이었다.

"이놈, 네 죄를 알렷다."

"사또, 억울합니다. 제가 호방으로서 장세를 횡류하였거나 세곡에 차질이 있었습니까. 포흠진 일도 없거늘 어찌하여 사람을 이리 다루도록 하십니까?"

장교도 또한 오라로 뒷결박이 된 채로 팔에다 힘을 주면서 몸부림을 쳤다.

"소인이 수교를 하는 동안에 이 고을서 적환이 있었습니까, 아니면 민변이 있었습니까, 무슨 죄로 이리하십니까, 사또."

최형기가 조용하지만 매섭게 한마디 하였다.

"시끄럽다. 너희 죄는 역률에 해당한다."

수교가 최형기의 평복을 보자 기가 죽지 않고 말하였다.

"당신은 누구요. 댁이 나를 잡아오라고 시켰수?"

"헛, 저놈이……"

현감과 최형기가 나란히 앉은 뒷전에 서서 내려다보던 장교가 눈을 부릅떴다. 최형기가 그를 돌아다보았다.

"둘 다는 필요없다. 하나면 충분하니까."

하면서 그는 수교를 내려다보았다. 박포교가 뛰어내려갔다. 그는 익숙한 솜씨로 쇠뭉치를 꺼내더니 우선 송화 수교의 어깨를 내려쳤다. 어이쿠, 소리를 내지르면서 그자가 무릎을 꿇었고 어깨뼈가 부러졌는지 팔이 축 늘어지며 저고리가 불쑥하니 퉁겨져 올라왔다. 위에서 최형기가 말하였다.

"너는 누설 군기(軍機)하였고, 국록을 얻어먹는 자로서 수령뿐만 아니라 너를 믿는 수많은 백성들을 배신하였다. 내가 몇마디 국문할까 하였으나 우선 본보기로 처단한다."

최형기가 고개를 끄덕이자마자 박포교는 쇠몽치로 수교의 머리를 박살하였다. 그는 비명 한번 못 지르고 땅바닥에 꼬라박혀버렸다. 피가 마당 위에 번졌고 수교는 더이상 움직이지 않았다. 현감 이하 모든 아전과 형리 사령들이 숨을 죽이고 있었다. 최형기는 그러한 숨막힐 듯한 침묵을 깨뜨리고 말하였다.

"나라에서 구월산의 화적을 토벌하랍시는 영이 내려 이제는 토포군이 진주하고 각 읍의 군병이 일어나게 되었다. 함부로 소문에 휩쓸리거나 적에게 밀통하는 자는 이런 꼴이 될 것이다. 그의 가솔은 역률에 따라 관노비로 묶이고 모든 전장과 가옥과 재산은 몰수한다. 구월산의 화적당이 명화율에 저촉되지 않고 역률로 다스려지는 까닭은 그들이 감히 홍황의 활빈당을 자칭하여 어리석은 백성을 미혹시킨 때문이다. 이미 적굴이 관군에 의하여 포위되었으니 군령을 엄수하고 군기를 누설치 않도록 명심하라."

이르고 나서 최형기가 다시 호방에게 물었다.

"이 고을에 너희들 말고 다른 동류가 없느냐?"

호방은 수교가 단매에 맞아죽는 꼴을 보고 벌써 제정신이 아니었다. 그는 꿇어 엎드려 어깨를 계속 떨고 있었다.

"예, 없습니다. 은율에는 있는 줄로 아오."

"그가 누구냐?"

"은율 예리(禮吏)와 좌수의 아우와 사령 잡배가 두엇 있습니다."

"문화에는 없느냐?"

"문화에도 둘이 있습니다. 형리와 통인입니다."

"백성들 중에는 없는가?"

"그것은 쇤네도 잘 모릅니다."

"구월산 된목이골에 간 적이 있는가?"

"저들은 우리를 믿지 않아서 탑고개로 오게 하였습니다. 탑고개에 두 번 갔던 적이 있습니다."

"돈을 받았느냐?"

"가끔 포전을 말짐에 실어 사가로 보내오곤 하였습니다."

최형기는 마루에 엎드려 받아적고 있는 서리를 잠깐 돌아보고서 계속 말하였다.

"장적을 만난 적이 있는가?"

"누구 말씀이오이까?"

"길산이라는 적의 수괴 말이다."

호방은 말하였다.

"길산이는 송화에서는 모르는 이가 없습니다. 그가 어렸을 적부터 쇤네는 여러 번 보았습니다. 지금 군졸들 중에도 소싯적에 그 아이가 광대 재간 부리는 것을 많이 보았습니다."

"살려주면 지금 이 길로 은율에 가서 밀통자들을 잡아내도록 돕겠느냐?"

호방은 금방 울음이 터졌다.

"아이구, 어느 명이라구 거역하겠습니까. 모조리 잡아내겠습니다. 소인은 백번 죽어도 마땅한 일이나 처자식은 아무것도 모르오니 제발 덕분 은의를 베풀어주옵소서."

최형기가 그를 끌고 가라고 손짓하였다. 그는 문화와 은율의 내통자를 비관이 돌자마자 잡아낼 작정을 하였다. 그는 박포교와 함께 다시 무더리로 나갔다. 마을 입구의 사근다리 밑에는 큰돌이네 식구들과 우물집 주막 주인네 식구들의 시신이 나란히 뉘어져 있었다.

장터는 병장기를 들고 지키는 토포군만 보일 뿐 깨끗하게 인적이 끊겨 있었다. 황혼녘이 되자 문화에서 급주가 당도하였고 안악과 문화에도 비관이 전해졌으며 내통자들이 잡혔다는 전갈이 왔다. 최형기는 후진의 구월산 봉쇄를 명하였다. 그러나 무더리에 들어왔던 선진은 해시 무렵까지 움직이지 않았다. 한밤중에 그들은 군복을 떨쳐입고 대오를 지어 까막내를 따라 올라갔다. 온정을 지나니 바로 수렛고개의 턱밑이었다.

"길로 올라가서는 안 됩니다. 여기서부터 오른편 등성이를 타고 올라야 합니다."

유수호가 나서며 말하였다. 송화 수렛고개를 그는 세 번이나 오르내린 터였다.

"앞장서라."

그리고 최형기는 백섭 박완식 두 포도부장과 유수룡과 군졸 두 오를 보냈다. 그는 구슬상모에 구군복을 입고 손에는 팔찌 조이고 발에는 두툼한 목화 신고 허리에 단검을 찼다. 그는 지금 구월산 사읍의 모든 병력을 손에 쥔 토포사인 것이다. 그의 채찍이 한번 가리킬 적마다 마을이건 사람이건 온전할 수가 없었다. 녹림당은 물론이려니와 토포지역의 백성들에 대한 생사를 그의 마음대로 할 수가 있었다. 최형기는 말 위에 올라앉아 입을 다물고 서 있는 토포군을 다시 한번 둘러보았다. 유군은 모두 말을 타고 있었으니, 도망하는 자들은 그들이 추적하여 잡아낼 것이었다.

유수호는 그들을 이끌고 산등성이를 타고 올랐다. 눈이 몹시 미끄러워서 그들은 병장기를 지팡이 삼아 짚고 올랐다. 왼쪽은 고갯길이었고 산등성이는 위로 뻗어올라가 내고개의 척추능선과 만나고 있었다. 내고개의 줄기가 끝나는 데서 구월산의 본줄기가 시작되는 셈이었다. 그 후미진 뒤편에 아사봉이 있고 아사봉 아래가 구구월이며 그 밑에 탑고개와 사선골이 자리 잡고 있는 것이다. 그들은 등성이의 끝까지 올라가서 다시 송림이 빽빽한 작은 골짜기로 내려갔다. 그들은 거의 미끄러지다시피 하면서 골짜기로 내려갔다. 유수호가 손을 쳐들었다. 모두들 그의 주위에 모여앉았다.

"저기 보이지? 저 거무스레한 것이 도적들의 토막이우. 여기서부터 조심해서 다가들어 에워싸고 들이치면 될 게야."

수룡이 물었다.

"모두 몇명이나 될까?"

"다섯이우."

"한 오로군."

백포교가 말하였다.

"그중에 하나는 살려두게."

"알았습니다."

그들은 비탈을 조심해서 기어내려갔다. 스무 발짝이나 될까 한 공터에 바위절벽을 뒤에 대고 토막이 서 있었다. 아무 소리도 들리지 않았다. 백포교가 환도를 살그머니 뽑았고 유수룡도 환도를 빼어들었다. 수호는 철봉을 가졌고 박포교는 쇠몽치를 들었다. 군사들은 모두가 장창을 꼬나들고 있었다. 군사들은 익숙하게 집을 둘러싸고 창을 지남침으로 곧추 겨누었다. 토막의 방문 양쪽에 수룡과 백포교가 붙어섰으며 박포교와 수호는 군사들의 양끝에 서 있었다. 박포교가 헛기침을 해보았다. 그러나 그들은 깊이 잠들었는지 아무 반응이 없었다. 때가 겨울의 한가운데라 행객도 없었으며 산에 오르는 이도 드물었던 것이다. 그들은 날마다 덫이나 놓으러 다니고 송화에 내려가 놀고 오기도 하면서 한가하게 지내던 중이었다. 설마 이런 추운 겨울밤에 관군이 바로 방문 밖에까지 기어들어왔을 줄은 꿈에도 생각 못 할 노릇이었다. 백포교가 이번에는 우렁우렁한 목소리로 을러댔다.

"도적들, 꿈쩍 마라. 관군이 왔다."

아니나다를까 후닥닥 하는 소리가 들리더니 누군가 방문을 차면서 뛰쳐나왔다. 뛰쳐나오는 것을 맞받아서 유수룡이 성급하게 베었다. 설맞았는지 그는 펄펄 뛰면서 땅바닥에 굴렀고, 지남침 자세로 창을 겨누고 섰던 군사들 중의 하나가 그를 찔렀다.

밖에서 당하는 소리를 듣고 방 안의 구월산 패들은 처음에는 꿈쩍도 않는 눈치였다.

"불을 질러버릴까?"

수호가 박포교를 돌아보며 중얼거리자 그는 말하였다.

"안 되네. 불빛은 멀리서두 보이니까."

백포교가 다시 을러댔다.

"너희들은 관군에 완전히 포위되었다. 병장기를 버리고 하나씩 나오너라."

이윽고 투덕투덕 무엇인가 마루 위에 떨어졌다. 툇마루에 올라서 있던 유수룡과 백포교가 칼이며 쇠몽치 등속을 발로 밀어냈다.

"항복이우, 베지 마오."

방 안에서 중얼대는 소리가 들리더니 도적들은 두 손을 쳐들어 보이면서 나왔다. 세 사람째 나오는 중인데 뒤편에서 삐걱이는 소리가 들렸다.

"놓치지 마라. 뒤로 달아난다."

백포교가 외치자 박포교는 다른 사람들을 움직이지 못하도록 팔을 들어 막았다.

"내게 맡겨라."

남은 사람 하나가 집 뒤의 들창을 열고 빠져나가는 참이었다. 박
포교가 뒤꼍에 당도했을 때 도적은 두 발을 땅에 딛고 막 일어서려
는 중이었다.

"끼놈, 게 섰거라."

박포교가 환도를 휘두르며 달려들자, 그도 역시 환도를 들어 막으
며 뒤로 물러섰다. 박포교는 사정없이 다가들어 도적의 머리를 바라
고 내려쳤고, 그는 얼결에 주저앉으며 칼을 위로 쳐들었다. 칼날이
마주쳐서 끼걱대는 소리가 들렸다. 박포교가 그대로 칼을 위로부터
내리누르며 발길로 도적의 아랫배를 걷어찼다. 그는 더이상 버티지
못하고 뒤로 벌렁 나뒹굴었고 박포교는 그대로 칼을 그의 옆구리에
꽂아넣었다.

박포교는 도적의 죽음을 확인하고 나서 토막 앞으로 돌아나왔다.
이미 모두 해치워버렸고 그중에 하나만 무릎을 꿇려놓고 있었다. 군
졸이 아래를 향하여 두 손을 모으고 부엉이 울음소리를 흉내내어 몇
번 군호를 보냈다. 잠시 후에 말발굽 소리와 인기척이 들리며 토포
군이 올라왔다. 군졸들은 토막 마루 위에 관솔 횃불을 밝혀두었다.
최형기가 말에서 내려와 시체를 둘러보더니 생존자에게 물었다.

"번의 교대가 언제냐?"

그는 거의 넋이 나간 모양이었다.

"사흘 뒤입니다."

"너희 패거리들은 지금 모두 된목이골에 있느냐?"

"예, 모두 있습니다."

"탑고개에는 너희 패가 내려가지 않았느냐?"

"거기 집이 있는 사람들은 수시로 오르내리니까 누가 내려갔는지
잘 모릅니다."

"사선골에두 너희 패거리가 있는가?"

"그 동네 사람들은 우리 산에서 대사가 있을 적마다 올라와서 도와주곤 합니다."

최형기는 그 이상 묻지 않고 박포교에게 말하였다.

"토막을 그냥 비워두어도 별일이 없겠구나. 이 길로 사선골을 들이친다. 저 자에게 묻도록 하여 적군과 왕래하던 자들은 남김없이 잡아내야 한다."

토포군은 지체하지 않고 수렛고개를 넘어 조산틀을 가로질렀다. 모을산 굽이를 돌아서 사선골이 보이는 곰너미에 이르자 별빛이 바래가고 있었다. 골짜기는 꽁꽁 얼어붙었고 눈이 무릎에까지 빠졌다. 읍에서부터 이십여 리 떨어진 정곡사 계곡은 수석이 다양하고 십 리 장곡이라, 입구를 막아놓으면 구월산 서록 외에는 나갈 곳이 없었다. 이른바 운하동천이라 하여 정곡사 사선골 일대의 구곡경을 일컬었다. 잣나무와 상수리나무 그리고 아름드리 소나무들이 계곡의 양편에 바늘끝처럼 빽빽이 늘어서 있었다. 곰너미에서 사선골까지가 오리쯤 되는 거리였다. 토포군은 거기서 잠시 지체하였으며 이윽고 동이 훤히 터오면서 북서쪽으로부터 행군하여 오는 군졸이 보였다. 말에 올라앉은 장교가 토포군을 보자 곧바로 달려왔다. 그는 말에서 내려 토포장을 찾았다. 최형기가 답하였다.

"그래, 너희는 은율의 군병이냐?"

"은율 영군 수교 임원진이라 하옵니다. 군병과 향군 합하여 삼백을 이끌고 관찰사의 밀령에 응하여 오는 길입니다."

금일 미명이 거병의 시각이었던 것이다. 최형기는 고개 아래 늘어선 군사들과 창검 기치를 내려다보았다.

"음, 그러면 너희는 좌대와 우대로 나누어 좌대는 탑고개와 사선골 어귀가 되는 건지산과 모을산 사이를 막고 우대는 아사봉의 북록인 갈래물 아래를 막도록 하여라."

최형기가 명을 내리자 은율의 수교는 제안하였다.

"안악과 경계 되는 버들재는 어찌됩니까?"

"버들재와 배고개는 안악의 군병이 봉쇄하도록 되어 있고 남록의 부처고개는 문화 군사가 막는다."

"알아서 봉행하오리다."

"개미새끼 한 마리 빠져나가지 못하게 하라. 구월산 쪽에서 나오는 모든 백성들은 일단 잡아서 한곳에 모아두었다가 잘 심사하여 적당의 동류를 가리도록 할 터이다. 저항하거나 달아나려는 자는 가차없이 죽여라. 알겠느냐?"

"영대로 하오리다."

수교는 말에 올라 고개를 내려갔다. 은율의 군사들은 두 패로 나뉘어 한 패는 고개 아래에서 다시 멀찍이 건지산 쪽으로 움직이기 시작했고 다른 한 패는 들판을 지나 갈래물을 향하여 갔다. 그들의 행렬이 동쪽 숲속으로 사라지고 나서 최형기가 등나무 채찍을 쳐들었다.

"일시에 사선골을 휩쓸고 나서 막바로 탑고개로 넘어간다. 관군의 엄혹함을 잘 알게 해주어라."

말에 올라앉아 유군이 앞장을 섰고 보군은 뒤를 따랐다.

원향이는 주위가 아직 컴컴할 때 깨어 일어나 있었다. 준보와 어머니는 잠들어 있었지만 원향이는 아침마다 뒤란에서 정화수를 떠놓고 치성을 드렸던 것이다. 원향이는 샘에서 물을 떠서 두 번을 가시고는 세 번째의 물을 대접에 떠서 소반에 올려두었다. 별빛은 수저로 때리면 딸그랑하면서 부서져 떨어질 듯 초롱초롱하였다. 원향이는 두 손을 모으고 마음을 가다듬었다. 이상하게 몸 한구석이 찌릿하더니 등덜미로 소름이 끼쳐왔다. 마치 뒤에 무엇인가 서서 막 자기를 덮어누르는 것 같았다.

"아……"

원향이는 저도 모르게 뒤를 돌아다보았다. 아무것도 없었다. 깨어난 참새들이 잔솔밭에서 우짖어대고 있었다. 원향이는 심기가 어쩐지 불안하여 좀처럼 정신을 모을 수가 없었다. 원향이는 계화에게서 배운 대로 예경(禮敬)을 올렸다.

"옴바아라 도비아훔, 옴바아라 도비아훔, 옴바아라 도비아훔. 지심귀명례(志心歸命禮) 현거도솔(現居兜率) 당강용화(當降龍華) 자씨미륵존여래불(慈氏彌勒尊如來佛)."

두 손을 모으고 일어났다가 절을 올린 원향은 이어서 다음 절을 외운다.

"지심귀명례 복연증승(福緣增勝) 수량무궁(壽量無窮) 자씨미륵존여래불."

두 절을 더 외우고 나서 원향이는 물을 버리고 소반을 치웠다. 아궁이에 불을 지피고 아침거리를 안쳤다. 뒤란에서 솔가지를 날라오려다가 원향이는 요란한 말발굽 소리를 들었다. 원향이는 발을 돋우고 뒤란 쪽의 울타리 사이로 밖을 내다보았다. 원향이네 집은 사선골에서도 골짜기 안쪽의 깊숙한 끝이라 왼편으로 휘어져나간 동구가 보이지는 않았다. 연기가 자욱하게 동네를 뒤덮고 있었다.

그것은 겨울안개인가 싶었다. 그런데 자세히 보니 동네의 지붕들 위로 불길이 오르고 있는 것이었다. 말발굽 소리가 가까워지며 한 손에는 횃불과 또 한 손에는 칼을 쥔 벙거지와 더그레 차림의 군사들이 보였다. 그들은 마을의 큰길로 질풍처럼 달려오면서 지붕 위에 횃불을 던지고 있었다. 어느결에 기마군이 원향이네 집 앞을 달려 지나갔다. 원향이네 집의 지붕 위에도 횃불은 어김없이 날아들어 흰 연기를 내기 시작하였다. 원향이는 정신없이 마당으로 뛰어가며 소리질렀다.

"어머니…… 어머니, 어서 피해요!"

문이 열리며 원향의 모 후례가 주위를 살폈다. 벌써 바깥은 시끌 벅적하였다. 후례는 준보를 껴안고 맨발로 뛰쳐나왔다. 마당은 맵싸한 연기로 가득 차 있었다.

군사는 일단 불을 지르며 두 갈래로 갈라져서 마을을 횡단했다.

일대는 용연(龍淵)으로 오르는 계곡을 막아섰고, 다른 일대는 정곡사로 오르는 고개를 막았다. 그리고 보군이 한 오씩 짝을 지어 동구로부터 짓쳐나왔다. 그들은 집의 마당이나 마을길로 뛰쳐나온 사람들을 일단 마을의 동북쪽 좁은 골짜기를 향하여 몰아붙였다. 군사들은 끝없이 밀리는 파도처럼 일파가 밀고 나가면 다시 일파가 쓸어왔다. 군사들이 오를 지어, 타오르기 시작한 집으로 몰려들어가 수색하였고, 마당에서 가재를 꺼내어 나르고 있는 사람들을 밖으로 내쫓았다. 어떤 사람은 겁도 없이 관군의 창날을 뿌리치며 밖으로 나가기를 거부하고 짐과 곡식을 꺼내는 일을 계속하였다. 관군은 다시 방으로 뛰쳐들어가는 그 사람의 등에 창을 꽂았다. 관군은 그대로 불속에 밀어넣었고 아낙네가 미친 듯이 소리를 질렀다. 군사들은 다시 그 여자마저 찔러버리고는 불더미 속에 넣었다. 마을은 온통 지옥과도 같았다. 외떨어진 곳에 있는 집에서는 요행히 군사들의 눈을 피하여 울타리 뒤쪽으로 빠져나온 사람들도 있었고, 그들은 산비탈을 허겁지겁 올랐다.

사선골과 구월산이 맞닿은 높은 바위 위에서 내려다보던 최형기가 그쪽을 가리키자, 포수와 궁수들이 어지럽게 쏘았다. 사람들은 수숫대처럼 넘어졌다. 몇사람이 총포와 화살에 맞지 않고 이번에는 정곡사로 가는 고개를 향하여 뛰었고, 막아서 있던 기마군 중에 하나가 마주 달려내려오며 환도로 베어넘겼다. 이제는 온 마을이 연기에 휩싸여서 아무것도 보이지 않았다.

"애고머니나…… 우리집이 타는구나."

마당으로 뛰쳐나온 후례는 지붕이 타는 꼴을 보자 눈이 뒤집히는 모양이었다. 후례는 준보를 놓고 부엌으로 뛰어들어갔다.

"불을 꺼야지. 세간을 꺼내야지."

후례는 대독에서 바가지 하나 가득 물을 퍼올렸다가 그대로 쏟아버리고는 방으로 뛰쳐들어갔다.

"먹서리, 먹서리."

후례는 곡식이 담긴 먹서리를 찾았다. 먹서리로 둘쯤 저장된 메조는 그들의 생명이나 한가지였다.

"어머니, 여기 있어요."

원향이도 정신없이 뛰쳐들어가 곡물이 담긴 먹서리를 들고 나왔다. 벌써 불은 지붕을 활활 태우고 천장과 대들보에 붙어 있었고 열기로 온몸이 달아올랐다. 연기 때문에 그들 세 식구는 눈물과 기침으로 정신을 차릴 수가 없었다. 불똥이 튀더니 어느결에 울타리에 옮겨붙어 탁탁거리며 보기 좋게 불길이 오르고 있었다.

"또 하나…… 또 꺼내야 한다."

벌써 문짝이 활활 타고 있는데 후례가 정신없이 뛰어들려는 것이었다. 원향이는 제 어미를 뒤에서 꼭 껴안았다.

"안 돼요. 어머니, 타죽어요."

"에구, 우리 무명 다 타버린다. 춘궁을 어찌 넘기려느냐, 놓아라."

그때 관군들이 마당에 들어섰다. 오장이 외쳤다.

"뭘 하느냐. 모두들 집 밖으로 나가라."

후례는 관군쯤은 보이지도 않는 모양이었다. 원향이는 얼른 손을 내밀어 동생 준보를 허리 아래 껴안았다.

"어서 내몰아."

관군들이 그들의 가슴을 밀어내려고 손을 대자 준보가 냉큼 뛰어올라 손을 물어버렸다.

"아야, 이 손을 봐라."

사정없이 발길로 준보를 걷어찼다. 어린것이 어른의 발길에 걷어채었으니 그대로 성할 리가 없어서 금방 안색이 파랗게 죽어서 늘어졌다. 후례가 마구잡이로 손을 휘저으면서 군사에게로 달려드니 주춤거리며 뒤로 물러나던 자가 사정없이 창대를 내밀었다.

"어머니."

원향이 달려들었을 때는 이미 늦었다. 후례의 아랫배에서 창날이 빠져나가는 참이었다.

"끌어내라."

오장이 외치자 다른 군졸들이 원향의 머리채와 저고리 깃을 잡아 끌고 갔다. 원향의 머리는 산발이 되었고 눈동자는 격정으로 이상스럽게 번들거렸다.

"준보야, 준보야⋯⋯"

길에 나서자 마을 사람들이 관군에 쫓겨서 한 방향으로 치닫고 있었다. 서로 식구를 찾으며 울부짖는 소리가 사방에 가득하였다. 원향이는 다시 몸을 돌려 집 쪽으로 다가갔다. 관군들이 창을 곧추 겨누고 마주 오고 있었다.

"어머니, 준보야……"

군사들은 원향의 찢어진 옷자락 사이로 드러난 속살과 가슴을 보고는 마을의 샛길 쪽으로 밀어던졌다. 군사들 셋이서 몸부림치는 원향이를 솔밭 쪽으로 질질 끌고 갔다. 적당한 장소에 이르자 그들은 원향이를 눈 위에 그대로 내던졌다. 원향이는 미친 듯이 동생을 부르며 일어났고 군사 하나가 원향의 명치께를 호되게 내질렀다. 원향이는 숨을 헉 들이마시고는 뒤로 넘어졌다. 군사들은 서로 아무 말도 주고받지 않았다. 그들은 차례로 바지를 끌어내렸을 뿐이다. 군사들은 허기진 듯이 원향에게 차례로 덤벼들었다. 원향이는 눈을 멍하니 뜬 채로 허공만 올려다볼 뿐이었다. 옥인형 같은 원향의 몸은 질퍽하게 녹아내린 눈 위에 내던져져 있었다. 군사들은 서로 눈짓을 주고받았다. 그들은 다시 벌거벗겨진 원향의 팔다리를 아무렇게나 잡아 질질 끌고 갔다. 탐스럽게 널름거리고 있는 불속에 던져버려 자취를 없애려는 것이었다. 그들이 골목으로 들어섰을 때 말을 탄 군관이 지나갔다. 그는 한 손에 낭창낭창한 싸릿대를 쥐고 이리저리 몰리는 마을 사람들의 등줄기나 면상을 후려치면서 내몰고 있었다. 그가 원향이를 끌고 돌아나오는 군졸을 보고는 말머리를 돌려 달려갔다.

"이놈들, 무슨 짓이냐."

그는 회초리로 군사들을 닥치는 대로 후려갈겼다. 군사들은 별로 겁도 먹지 않고 두 팔을 들어 가리는 시늉을 하면서 달아났다. 마을은 그들의 완전한 먹이였다. 사냥감을 어떻게 요리하여 먹든 아무도 말릴 수가 없었다. 어떤 군사는 재물 훔치기에 바빴고 어떤 자는 곡식을 져나르기에 정신이 없었으며 혹은 반반한 여자를 마당이나 부엌이나 돌담 아래서 거리낌 없이 범하였다. 자고로 난을 평정하러 출전한 관군들은 거리낌 없이 악행을 저질렀으니 토포 평정이 있을 적마다, 무고한 양민이 살해되어 한 고장이 일시에 결딴이 나버리는 경우가 너무도 흔하였다. 그래서 속 있는 벼슬아치들은 일단 거병하는 일은 백성을 괴롭게 하는 일임을 잘 알고, 치민에 있어서 가장 하책으로 여겼던 것이다. 백섭 포도부장은 말 위에서 그 낯익은 처녀를 내려다보았다. 한눈에 그 아이가 무슨 일을 당하였는지 알아볼 수 있었다. 치마는 갈기갈기 찢겨졌고 머리는 산발인데 저고리의 고름은 뜯겨져서 가슴이 다 풀어헤쳐졌다. 다리며 무릎이며 돌과 나무에 긁힌 상처투성이였다. 백포교는 눈살을 찌푸리고 내려다보다가 말에서 천천히 내렸다. 원향이는 뒤로 반듯이 넘어진 채 사지를 던지고 눈을 멀뚱히 뜨고 있었다. 백포교는 부근에 가서 거적을 가져다가 처녀의 몸 위에 덮었다. 그는 일부러 고개를 돌리고는 얼른 말에 올랐다. 그리고 그는 한 끼니의 먹을 것을 대접받았던 고마움에 보답이 되었으리라고 자위하였다.

원향이는 거적을 뒤집어쓴 채로 아무의 눈에도 발견되지 않았다. 또한 누군가 보았다손 치더라도 거적 밖으로 비죽이 내밀어진 버선발과 두 손을 보고는 시체로 여겼을 것이다. 관군은 다시 한번 마을을 샅샅이 수색하고 나서 한곳으로 몰아넣은 마을 사람들을 끌고 곰너미고개로 갔다. 그리고 최형기는 내쳐서 토포군을 이끌고 나한암으로 올랐던 것이다. 관군 두 오가 사선골 사람들을 은율군에 넘겨주기 위하여 뒤처졌던 것이다. 거기서 그들은 한 번이라도 적굴에 갔었거나 그들과 내왕했던 사람들은 가차 없이 처형하였다.

사선골에서는 오랫동안 연기가 올랐다. 타서 주저앉아버린 지붕은 잿더미가 되었고, 타다 남은 기둥들이 뒤늦게 넘어가기도 하였다. 마을은 괴괴하였다. 어디선가 까마귀들이 날아와 허공을 배회하고 있었다. 바스락거리는 소리가 들리더니 솔밭 가운데서 누군가가 기어나왔다. 그것은 사선골의 무당 계화였다. 계화는 공포에 질린 눈을 들어 사방을 살피고는 원향이가 쓰러진 돌담 아래로 뛰어갔다. 그리고 원향이를 끌어안아 올리고는 아직도 숨어서 동정만 살피고 있던 남편 김승운을 불렀다.

"여보, 어서 이리 좀 나와봐요."

그러나 부엉이 박수 승운은 대답도 못 하고 솔밭 깊은 곳에 콱 처박혀 있었다.

"어이구, 저런 겁쟁이…… 관군은 다 물러갔단 말예요."

계화는 하는 수 없이 원향이를 가까스로 일으켜서 팔을 제 목에 두르고 겨드랑이를 어깨로 받치고 일어섰다. 원향이는 뼈가 없는 사람처럼 두 다리로 버틸 힘을 잃었는지 자꾸만 흘러내렸다. 몇걸음 걷다가 주저앉고 하면서 솔밭 가까이 가자 그제야 김승운이 고개를 내밀었다.

"어서 와서 좀 잡아줘요."

승운이 달려오더니 차마 원향이를 잡지 못하고 두 손을 뻗친 채로 비죽비죽 울음을 터뜨렸다. 계화도 입을 묘하게 일그리고 울음을 씹어삼켰다.

"어서 잡으라니까……"

김승운이 원향의 허리를 잡고 팔을 자기 목덜미 뒤로 돌려감았다. 그들 부부는 솔밭으로 들어갔다. 한참이나 들어가서 큰 고목이 있는 바위 아래에 이르러 원향이를 내려놓았다.

"내가 가서 물을 떠올게요."

"나가지 말게. 관군이 되돌아올지두 몰라."

"아니에요, 관군은 탑고개로 갔어요."

"갑자기 온 세상이 미쳐버린 게 아닐까."

"보면 모르우? 관군은 구월산의 녹림당을 토포하러 온 거예요."

김승운이 원향의 눈앞에다 손을 흔들어보더니 고개를 저었다.

"아예 청맹이 되어버린 모양이야. 이 아이는 지금 아무것두 못 보는 게야."

"지금 제정신이 아니에요. 얼이 빠진 거예요. 그전부터 이런 기색이 가끔 있었는데 이젠 좀처럼 안 돌아올 거예요."

"나는 다 봤어. 이런 천인공노할 일이 있나."

"토포군이 아니라 악귀 같았어요. 나는 안 잊어버릴 거야."

"신천 오박수한테 찾아갈까."

"그래요, 밤이 되면 떠납시다."

원향이는 아무 표정도 없었다. 마치 모양만 있고 알맹이는 없어진 매미의 허물과도 같았다.

최형기가 이끄는 토포군의 선진은 사선골에서의 방화와 살육을 통해서 군사 전원이 살기로 가득 차 있었다. 그들의 창칼은 벌써 피맛을 듬뿍 본 터였다. 바위넘이를 급히 넘자마자 협로를 잇는 통나무 다리가 나왔다. 유수룡이 말하였다.

"저것을 없애버리면 탑고개는 완전히 고립되고 맙니다."

"굴려버려라."

최형기가 명하자 몸집 좋은 군졸들이 대여섯 명 달라붙어 통나무 둘을 엮은 다리를 계곡 아래로 밀어냈다. 눈보라를 하얗게 일으키며 통나무가 굴러내렸다. 그들은 유수룡이 이끄는 대로 나한암의 벼랑 아래로 흘러내려가는 시내를 길로 삼았다. 바닥은 꽁꽁 얼어붙었고 눈은 허벅지에 차오도록 쌓여 있었다. 시냇물은 가파른 나한암 아래를 지나서 차츰 탑고개의 널따란 분지로 스며들어가고 있었다. 여름

같으면 급류로 발 디딜 틈도 없는 곳일 터이었다. 그들은 아무의 눈에도 띄지 않고 스며들듯이 탑고개마을의 턱 아래로 접근하였다. 사선골에서는 어둑어둑한 새벽이었으나 여기서는 벌써 겨울해가 비스듬히 솟아올라 햇빛은 눈 덮인 빈터에 새하얗게 반사되고 있었으며, 나뭇가지에서 녹아떨어지는 눈 소리가 똑똑히 들려왔다. 최형기가 등채를 들어 가리키자 궁수와 포수들이 먼저 얼어붙은 시내를 따라서 탑고개마을의 안쪽으로 깊숙이 뛰어들어갔다. 그들은 마을이 한눈에 내려다보이는 북쪽의 비스듬한 언덕에 올라 달아나거나 방어 저항하는 마을 사람들을 쏘아죽이려는 것이었다.

그 다음에는 보군이 양쪽으로 갈라져서 시내의 동서쪽에 늘어선 마을의 집집으로 몰려들어갈 참이었다. 말을 끌고 온 유군들은 나한암 바위넘이에서부터 일제히 휩쓸고 내려오면서 저항하는 자들을 살수의 진 속으로 몰아넣을 모양이었다.

탑고개마을 초입에 있는 장충네 집에서는 마침 두 양주가 함께 일어나서 일을 시작하고 있었다. 장충은 툇마루 아래 쭈그려앉아서 굵은 장작을 안무당이 쏘시개로 쓸 수 있도록 잘게 쪼개고 있었으며 안무당은 밥을 안치고 부엌 앞에 나와 앉아 곰방대를 빼물고 있었다.

"인제 겨울이 다 갔나, 눈도 올 만큼 왔지?"

장충이 말하자 안무당은 곰방대를 입에 문 채로 중얼거렸다.

"어이구, 어림없는 말씀 하지두 마슈. 꽃 피고 새 울어도 얼음 녹으려면 한참은 걸릴 거예요."

"우리 수복이 많이 컸겠네."

"인제 곧 그믐인데 언제 한번 안 올려나. 이름도 짓고 치성도 올려야죠."

"딸이라면서?"

"김선비가 그럽디다. 아주 에미를 쏙 빼었다고 그러던데……"

"이제 일간 강서방이 들르거나 김선비라도 오겠지."

곰방대를 물고 있던 안무당이 갑자기 일어섰다.

"가만…… 이게 무슨 소리유?"

장충도 칼질을 멈추고 귀를 기울여보았다.

"무슨 소리."

"얼음이 갈라지는…… 자갈이 부딪치는 소리가 들렸어요."

그것은 개천을 따라서 마을 북쪽으로 올라가는 궁수와 포수들의 발걸음 소리였다. 장충이 다시 칼질을 하면서 대수롭지 않게 말하였다.

"간밤에 꽁꽁 얼어붙었다가 풀리는 소리 아니여."

그러나 안무당은 느낌이 안 좋은지 으쓱 진저리를 치고 나서 울타리 쪽으로 걸어갔다. 장충의 집은 나한암에서 돌아오자 첫 번째 집이었으므로 바위넘이가 훤하게 보였다. 안무당이 바라보니 그쪽에는 흰눈이 경사진 비탈 위에 밋밋하게 쌓여 있었다. 그때 안무당은 푸르륵거리는 말의 콧김 소리를 들었다.

"저 봐요, 뭔가 이상해요. 간밤의 꿈도 이상하고……"

안무당은 지난밤 꿈에 마을이 온통 부서진 절터로 변해버리고 하늘에는 까마귀떼가 새까맣게 떠 있던 광경을 본 터였다. 새벽에 잠이 깨니 어쩐지 으슬으슬하고 맥이 빠진 듯한 느낌이었다. 그래서 안무당은 아무래도 목욕재계하고 스스로를 위하여 치성굿을 한판 벌여보아야겠다고 생각했던 것이다. 한번 이상스럽게 느껴진 사람의 눈에는 그냥 스쳐지나가는 일들이 의외로 또렷하게 보이는 법이라서 안무당은 바위넘이 옆의 계곡 사이에 어지럽게 짓뭉개진 눈자취를 발견하였다.

"어떤 자들이 많이 몰려왔나……"

그렇게 혼자 중얼거려보다가 안무당은 허리를 굽히고 시내의 한 굽이를 슬쩍 돌아 사라지는 옷자락과 털벙거지를 똑똑히 보았다.

"에구머니…… 관군이에요."

"뭐야?"

"방금 봤어요. 저 아래 개천 속에 관군이 떼거리로 숨었어요."

"뭐가 있다고 그래……"

긴가민가하여 두리번거리던 장충은 아내가 손가락질하는 대로 바위넘이 옆으로 보이는 어지러운 눈자취를 보았다.

장충은 이어서 부근의 다른 곳에 있는 등성이나 빈터에 편편하고 매끄럽게 눈이 쌓인 모양을 보고는 안무당의 손목을 덥석 잡았다.

"누군가 여럿이 왔네. 엊저녁에도 아무렇지 않았으니…… 아마 조금 전이거나……"

장충은 무조건 안무당을 잡아끌고는 뒤꼍으로 돌아갔다. 울바자를 뜯고 나가려는 중인데 일시에 북소리와 함성이 일어났다.

"관군이다!"

장충은 아내의 손을 끌고 달려가 부엌으로 데려갔다. 그는 대독을 기울여 부어 밖으로 물을 쏟고는 아내의 겨드랑이를 잡았다.

"왜…… 왜 그러셔요."

"둘이 함께 있으면 안 되어. 자네는 무슨 일이 있더라도 이 안에서 나오면 안 되네."

"아이구, 무슨 말씀이셔요."

"어서……"

안무당은 장충이 시키는 대로 대독 속으로 웅크리고 들어갔으며 장충은 큰 함지를 내려 위를 덮고 시래기나 마른 나물 등속을 함지 위에 아무렇게나 던졌다. 장충이 부엌에서 마당으로 나오는데 창을 치켜든 군졸 둘이 뛰쳐들어왔다.

"꿈쩍 마라."

장충은 그들을 멍하니 바라보며 서 있었다.

"웬일들이시오?"

장충이 침착하게 묻자 다른 군사는 방문을 이리저리 열어젖히며 돌아다녔다.

"아무도 없는데……"

"모두들 어디로 갔느냐?"

군사가 장충에게 창끝을 들이대며 물었다.

"이 집엔 내자와 내가 살고 있소. 우리 두 늙은이뿐인데 마누라는 딸 집에 가서 아직 안 들어왔소이다."

"밖으로 나가라……"

군사들이 밀어내자 장충은 순순히 마을길로 나왔다. 연이어서 군사들이 밀려들고 있었다. 뒷전에 처졌던 군졸이 아궁이에서 불붙은 장작을 꺼내어 지붕의 여러 귀퉁이에다 불을 붙였다. 사방에서 요란한 울부짖음과 집이 타는 연기가 일어나고 있었다. 시내의 건너편에서도 여러 집에서 쫓겨나온 사람들이 마을의 끝을 향하여 몰려올라가고 있었다.

업복이네와 변가네는 다른 집과 달리 두 오가 달려들었다. 업복이는 산에서 내려오지 않았으나, 변가는 간밤에 내려와 곤한 잠에 빠져 있었다. 북소리와 함성이 울릴 때,

"관군이 와요."

하는 아내의 찢어지는 듯한 비명소리에 그는 벌떡 일어났다. 바지춤

을 여미고 벽에 걸어두었던 환도를 빼어들고 마루로 뛰쳐나오니 벌써 장창수 다섯이 우르르 몰려들어오고 있었다. 변가는 앞장서서 들어오는 평복 차림의 사내를 보고 흠칫 놀랐다.

"주인장, 안녕하슈. 당화를 사러 왔소이다."

수룡이 한 손에 환도를 세워들고 말하였다. 변가는 빠져나갈 곳을 이리저리 살펴보았다. 아내는 아예 자지러져서 부엌 문지방 위에 주저앉았고, 안에는 노모와 아이가 있었다. 그는 혼자서라도 빠져나가 된목이골에 알려야 한다고 생각하였다. 변가는 오른쪽 담 밑에 있는 헛간을 눈여겨보았다.

"칼을 버려라."

유수룡이 얼굴을 험상궂게 일그러뜨리며 으르대었다. 변가는 칼을 발 앞에 내던졌다. 쳇소리를 내면서 칼이 떨어지자 앞으로 치켜졌던 창끝이 잠깐 거두어졌고 변가는 그 틈을 놓치지 않았다. 그는 한걸음에 내달아 마당에서 발을 구르며 나지막한 헛간의 지붕 위로 솟구쳐 올라갔다. 군사들이 그를 향하여 우르르 몰릴 때 변가는 이미 울타리를 뛰어넘었다.

"잡아죽여라."

"도적이다."

유수룡과 군사들은 제각기 외치며 바깥 길로 뛰쳐나갔다. 변가는 한눈에 마을을 휙 둘러보고는 바위넘이 쪽을 향하여 뛰었다. 그는 구월산 아사봉으로 오르는 그들만의 길을 향하여 뛰었다.

바위 사이에 뚫린 협로를 지나면 곧 월정사로 오르는 길이고 거기서부터는 온통 사방에 숨을 곳이 있었다. 그러나 변가는 바위넘이의 중턱에도 오르지 못하고 주춤 서버렸다. 위에서부터 말 탄 군사들이 눈보라를 하얗게 일으키며 달려내려오고 있었다. 변가는 돌아섰다. 마을 쪽에서는 유수룡과 군사들이 뛰어왔다. 그는 하는 수 없이 서쪽의 건지산 능선을 바라보며 뛰었다. 그러나 말의 거친 숨소리가 그의 등뒤에서 들려왔고, 뒤를 돌아보니 기수가 팔을 위로 뻗친 찰나였다. 변가는 상반신을 굽히며 납죽 엎드렸다. 칼바람이 그의 머리 위를 가르며 지나갔다. 변가는 눈에서 스스로 몸을 굴렸다. 위험을 벗어났는가 싶어서 무릎을 세우려는 순간, 무엇인가 후루룩 하는 바람소리가 들리며 등판에 끔찍한 타격이 가해졌다. 마치 아름드리 쇠뭉치가 둔탁하게 그의 몸 전체를 두드린 듯한 느낌이었다. 변가는 이를 악물었다. 그의 등뒤로부터 꽂힌 창끝이 가슴께로 비죽이 솟아나와 있었다. 변가는 아사봉을 올려다보면서 꺼져가는 소릴 간신히 내질렀다.

"관군……이다."

변가는 앞으로 얼굴을 박고 넘어졌다. 창대가 그의 등뒤에 곧추서서 떨리고 있었다. 말에 탄 유군들이 천천히 그의 곁을 지나 마을로 내려가는 중이었다. 유수룡과 함께 그를 추적했던 보군이 달려와 자신의 창을 뽑았다. 그는 발로 변가의 시신을 뒤척여보았다.

"수급을 뱁시다."

그가 손을 벌려 유수룡에게서 환도를 빌리고자 하였다. 그러나 수룡은 줄을 내어 변가의 목에다 맸다.

"일단 끌구 가게. 토포장 어른께 보고를 해야지."

달아나려 하거나 조금이라도 반항하려는 자는 남녀노소를 불문하고 죽이라는 명령이 내려져 있어서 군사들은 그야말로 남살을 하였다. 시신이 너저분한 곳마다 불을 지르고 몰아 처넣고는 하였다. 사선골에서처럼 관군은 마을을 깨끗이 청소하고 나서 생존자들을 북쪽의 골짜기 끝 쪽에다 모으려는 것이었다.

김기의 집에서는 관군이 들이닥치자 김기의 아내가 한 손에 식도를 치켜들고 안방문 앞에 버티고 섰다. 관군들은 서로 돌아보며 픽픽 웃어댔다.

"어찌할까, 침이나 한번 발라볼까."

마루 앞에까지 다가섰던 군사가 농지거리를 던졌다.

"이 녀석아, 보아하니 현부인이신데 모가지 달아나고 싶은가."

"아이구, 나는 모가지 아니라 아랫도리가 잘리울까 걱정이여."

김기의 아내는 식도를 치켜들고 부르르 떨었다. 뒷전에서 김기의 노모가 다가서더니 며느리의 팔을 잡아당겼다.

"치욕을 당하면서 살겠느냐, 차라리 그 칼로 나를 찔러다우."

"가만 계세요."

김기의 아내는 침착하였다. 언제나처럼 무명옷 단정히 입고 얹은 머리 단정히 빗어올렸고 표정은 평온해 보였다.

"네 이놈들, 아무리 무지한 사령배라고 하나 위로부터 법도를 배웠을 터이다. 너희 관장 수령이며 너희 고을 양반들은 부녀자에게 그따위 짓거리를 하라고 가르치더냐. 비록 우리가 나라를 등지고 숨어 산다고는 하나 사족의 피붙이거늘 당장 죽을지언정 욕은 볼 수 없다. 죽이려면 단칼에 곱게 죽일 것이요, 함부로 농락하려 하지 마라."

군사들은 멈칫하여 얼굴이 굳어졌다. 오장이 뒤에서 듣고 있다가 외쳤다.

"뭘 꾸물대느냐, 사족이고 뱀의 발이고 명화율에 적당의 처자녀는 관비로 박는다 하였다. 천하 상것들이다."

"몰아내라."

군사들이 타오르는 장작개비를 들어 방문이나 지붕이나 울타리에나 집안의 이곳 저곳에 닥치는 대로 불을 댕겨놓았다. 방문의 창호가 타면서 김기의 조촐한 초가집은 곧바로 불길에 싸였다. 그러나 두 여자는 밖으로 뛰쳐나오기는커녕 안방으로 뛰쳐들어갔다. 군사들은 잠시 둘러서서 바라보다가 연기 때문에 기침을 몇번 터뜨리곤 울 밖으로 물러섰다.

"어머니, 이걸 둘러쓰셔요."

연기와 열기 속에서 김기의 아내가 노모의 머리 위에 이불을 들씌웠다.

"아니다, 내게 가까이 오너라."

며느리가 시어미를 껴안았다. 나무와 짚이 타는 소리가 들렸다. 연기는 새하얗게 그들의 주위를 뒤덮었고 차츰 불길이 혀를 날름거리면서 옮겨왔다.

"봉산 백학동 여서방네, 우리 외손주 보고 싶구나."

노모가 중얼거렸다. 김기의 아내는 때마침 남편이 없음을 다행으로 여겼다.

그녀는 글을 읽어 나라에 벼슬을 하겠다던 남편이 녹림당의 일원이 되어버린 것을 처음에는 절통해하고 수치스럽게 여겨온 터였다. 그러나 막상 탑고개에 들어와서 산사람들과 내왕하고 마을의 괴뢰배나 월정사 사당들과 이럭저럭 지내다 보니 그만 저들의 순박하고 꾸밈없는 정에 젖어들고 말았던 것이다. 탑고개처럼 이웃과 이웃이 서로를 아끼고 아무 차등 없이 평화롭게 살아가는 마을이 모든 세상에 걸쳐서 이룩되어야 할 것이었다. 길산이나 갑송이나 감동의 반생에 대하여도 익히 들어온 김기의 아내로서, 글을 읽은 자의 식솔로서, 떳떳하게 이 참담한 마을의 환란 속에서 죽어갈 수 있었다.

김기의 아내는 열기로 찢어질 듯한 아픔 때문에 이를 악물었다.

불길이 천장에 번지자 그녀는 방바닥을 더듬었다. 김기의 아내는 내던졌던 식도를 찾아냈다. 그녀는 한 손으로 노모의 얼굴을 더듬었다. 질식하여 실신해버렸는지 노모는 축축한 이불 속에서 꼼짝도 하지 않았다. 김기의 아내는 밖으로 뛰쳐나가고 싶은 유혹을 참아내느라고 순간적으로 저 불길 밖을 돌아다보았다.

마당에 몰린 연기가 바람에 불리는 것이 보였다. 그녀는 눈을 질끈 감았다. 그러고는 칼을 거꾸로 쥐어 스스로 가슴에 힘껏 박았다. 김기의 아내가 노모의 몸 위에 넘겨졌고 잠시 후에는 불꽃의 일렁이는 이빨들이 그들을 삼켜버렸다.

탑고개에서 저항이 전혀 없었던 것은 아니었다. 때가 동절이라 마을에는 먼 출행에서 돌아온 괴뢰배와 걸립패들이 돌아와서 해동을 기다리고 있었던 것이다. 맨 처음에 보군의 집뒤짐이 시작되었을 때 마을 장정들의 대부분은 공포에 질려버리고 말았다. 그러나 관군의 남살과 방화가 자행되자 그들은 어차피 욕스럽게 목숨을 부지하거나 살해당할 것이라는 눈치를 채게 되었던 것이다.

최초의 저항은 총대가 사는 집에서 일어났다. 그들은 행중에서 서로의 안전을 위해 방비하고 습련하던 패거리답게 곧 가족을 포기하고 울타리를 빠져나가 장정들 서넛이 몰려서 총대네 집으로 뛰어들었다.

"싸우다 죽자구."

"마을이 어육이 되는 판이우."

"찍 소리라도 하고 갑시다."

총대인 초로의 사내는 괭이를 잡고 있었다. 다른 이들도 제각기 몽둥이나 낫이나 쇠스랑 따위를 집어들고 있었다. 밑에서부터 훑어 들어오던 보군들 한 오가 그 집으로 자신만만하게 들어왔다.

문 양편에는 두 사람이 서 있었고 헛간 뒤에 두 사람, 그리고 총대 노인은 보라는 듯이 괭이를 들고 기다렸다.

군사들은 돌아볼 사이도 없이 마당 안으로 우르르 몰려들어왔다. 그들이 일단 등을 돌려대자마자 좌우전후에서 일시에 달려들어 등판이건 어깨건 닥치는 대로 후려쳤다. 토포군으로서 처음 당하는 반격이요, 군사들은 사선골에서부터 일방적으로 온갖 행악을 벌여왔으므로 느닷없는 공격에 창대 한번 세워보지 못하고 자빠졌다. 장정들은 그들의 병장기를 집어들고 집 뒤로 빠져나갔다. 그들은 아직 불붙지 않은 집으로 뛰어들어가 패거리들을 끌어모았다. 어언간에 십여 명으로 불어났던 것이다. 처음에는 관군 쪽에서도 눈치를 채지 못하였다.

말에 탄 유군들은 아무 저항도 받지 않고 마을 앞을 지나는 얼어붙은 시내를 따라서 거슬러올라가고 있었다. 최형기는 그 행렬의 중간쯤에 끼여 있었다. 그는 자기가 점령한 마을의 참담한 꼬락서니를 아무 감정 없이 둘러보았다. 뒤처진 생존자들이 보군의 창끝에 밀려서 마을의 안쪽으로 뛰어가고 있는 것이 보였다. 그때 쫓긴 보군들이 사람들에게로 합세하여 길을 끊었다. 뒤에서 몰고 가던 보군들은 주춤하였고 일시에 와 하는 함성이 일어났다.

"무슨 일인가?"

최형기가 알아보기 위해서 열을 빠져나가려고 말고삐를 채는데 무엇인가 후두둑거리며 날아왔다. 앞줄에 있던 유군 몇명이 말에서 떨어졌던 것이다. 말 한 마리가 굽을 모으고 울부짖으며 곤두서는 바람에 장교 하나가 굴러떨어지는 게 보였다. 돌멩이가 우박처럼 쏟아져 내려오고 있었다. 보군들이 허둥지둥 쫓겨내려왔다. 일단 흐트러지자 보군의 전열과 유군이 한 덩어리가 되어 뒤엉켜버렸다.

"뭐냐, 뭣들인가?"

최형기가 등채로 보군의 등줄기며 털벙거지를 마구 후려쳤다.

"도적들입니다."

"어디서 병장기를 들고 일시에 쏟아져나왔습니다."

"오와 열을 갖추라."

최형기가 소리를 질렀으나 돌멩이는 점점 더 치열하게 날아왔다.

마을 사람들은 이제 남녀노소 합하여 서른 명 가까이 되었다. 그들은 가족이 눈앞에서 살해당하는 것도 보았고, 정든 집이 불더미에 휩싸이고 가재가 무참하게 타는 꼴도 보았던 것이다. 한 덩어리로 몰리게 되자마자 그들은 이것이 마지막 저항임을 알았다. 아낙네들은 길 양편에 있던 집에 들어가 장독을 깨어 날랐고 그릇을 박살내어 사금파리를 그러모았다. 그들은 돌담이나 나무를 의지하고 정신없이 던졌다. 아이들도 눈물과 그을음이 범벅이 된 얼굴에 홍조를 띠고 어른들의 앞으로 뛰쳐나가 팔매질을 하였다. 그들은 앞에 있는 무리가 사람이라기보다는 흉년의 역병이나 해충이나 사나운 짐승으로 보였다. 보가 터질 때 그러하듯이 그들은 둑을 쌓고 흙과 돌을 나르고 물길을 내고 하는 것처럼 일사불란하게 움직였다.

"뒤로 물려라……"

최형기가 유군에 명령을 내렸고, 그들은 주춤거리며 마을 어귀로 퇴각하였다. 장정들은 함성을 내지르며 달려나왔다. 그러나 총대 노인은 이 자리를 잃어서는 불리하다는 것을 깨닫고 곧 그들을 거두어들였다.

"월정사 가는 길로 오릅시다. 그쪽으로 가면 산속에 숨을 수가 있어요."

"된목이골로 갑시다."

"사람들을 산으로 보냅시다."

제각기 떠들었으나, 총대가 말하였다.

"아닐세, 저들은 토포군이 분명하네. 산에도 벌써 관군이 휩쓸었을 거야. 관군의 토포가 시작되었다면 사방의 군병들도 일어나 구월산을 둘러쌌을 걸세."

걸립패 중의 하나가 외쳤다.

"우리가 비록 고개에서 녹림당과 함께 마을을 이루어 살았다고는 하나, 우리는 양민이오. 공연히 관군의 토포를 받을 이유가 없소이다. 우리가 화적의 동류가 아님을 밝히고 살 길을 찾읍시다."

그러나 총대는 괭이 자루로 땅을 치면서 말하였다.

"살 길은 없네. 우리가 비록 구월산 녹림당과는 다르다 하나 나라에서는 수상한 유민으로 여겨 트집만 있으면 이 마을을 쓸어버리려고 집적거렸어. 이 중에 구월산에 한 번도 오르지 않았거나 그들의 도움을 받지 않은 이가 있으면 나와보게나."

모두들 잠잠하였다.

"관군은 처음부터 방화하고 살육하며 이 마을을 급습하였네. 우리를 양민으로 여긴다면 그러지 않았을 게야."

"좋소, 끝까지 싸우다가 죽읍시다."

"그렇지만 아녀자들은 내보냅시다."

"피아가 군사를 갈라서 싸우는 게 아니오. 저들은 코웃음을 치고 말 거요."

마을 사람들의 의견은 분분하였다. 마을길은 텅 비어 있었고 불길은 차츰 잦아들기 시작하여 연기가 더욱 뽀얗게 탑고개를 삼키고 있었다. 북소리가 들려오기 시작하였다. 그들은 서로 돌아보며 불안하게 귀를 기울였다.

"나는 녹림당이 아니여. 관군에 맞설 이유가 없소."

몇몇 사람들이 동요하였다.

"우리가 먼저 나서서 된목이골로 오르는 길을 가르쳐주겠다면, 관군이 우릴 해치지 않을지두 모르오."

처음부터 저항하는 것에 반대하고 나섰던 걸립패 중의 하나가 말하였다. 그의 집에는 아직 보군이 닿지 않아서 가족들도 집도 상하거나 불타지 않고 말짱한 터였다. 괴뢰배 중에서 덜미 놀리는 젊은이가 울부짖었다.

"이 자식아, 느이 집이며 식구며가 아직 무사한 것은, 우리가 병장기 빼앗아들고 일어났기 때문이여. 우리는 식구가 바로 눈앞에서 죽는 꼴을 겪었다. 어서 쫓아가서 관군의 길라잡이가 되어 동네 사람들 가슴에다 창날을 들이대어라."

그는 총대의 집에서 관군으로부터 빼앗아들었던 장창을 겨누며 걸립패 사내를 찌르려 하였고, 총대 되는 이가 괭이 자루로 그것을 가로 막았다.

"지금 온 마을이 불바다가 되었는데 서로 싸우면 무얼 하나. 자, 누구든지 관군에게로 갈 사람들은 돌담 밖으로 나가게. 길을 비켜줄 테니까."

총대가 사람들을 비켜나게 했건만, 아무도 감히 움직이려 하지 않았다. 북소리가 계속해서 들려오고 있었다.

"뒤에서 군사들이 오구 있어요."

어느 아낙네가 외쳤다. 그 북소리는 실은 마을의 북쪽으로 올라갔던 나머지 보군들과 궁수 포수들의 재전열을 재촉하는 신호인 셈이었다. 선진의 보군은 모두 열 오였고, 포수 궁수가 합하여 스물다섯, 말탄 유군이 스물다섯이었던 것이다. 저항하는 마을 사람들이 점거한 총대네 집 근처의 돌담 안쪽은 마치 포위된 작은 성곽처럼 되어 버렸다. 북쪽 골짜기로 쳐들어갔던 보군은 세 오가 채 못 되었다. 포수 궁수들은 가장 먼저 탑고개의 얼어붙은 시내를 따라 북쪽 등성이를 타고 올랐으니, 박포교가 지휘하고 있었으며 마을 사람들을 수색하여 내몰아나갔던 선두의 오들은 유수룡 수호 형제가 맡았던 것이다. 그들은 조련받은 대로 북소리가 들리자, 창을 지남침으로 겨우어 잡고서 둥그렇게 언월진을 치고 마을로 내려오다가 북소리와 함께 멎었다.

"군사들이 막고 섰어요."

어느 아이가 다시 외쳤다. 아무리 분김에 일어섰다고는 하나 그들은 역시 스스로 방어하기 위하여 일순간에 병장기를 들었달 뿐 용병이나 진법은 알지 못하였다. 총대가 지시하였다.

"돌멩이와 사금파리를 더 모아두게."

그는 다시 장정들로 길의 양편에 가서 막아서도록 하고 나머지 노약자 아녀자들에게는 관군이 접근하면 팔매를 날리도록 일렀다. 그러나 관군은 움직이지 않았다. 하늘은 푸르게 갰고 산간의 찬바람이 시시때때로 불어와 골짜기 속으로 눈가루를 날려보냈다.

겨울의 멧새들은 여전히 먹이를 찾으러 부산을 떨며 날아올랐다. 탑고개의 생존자들은 굳어진 얼굴로 흰눈 위에 벽처럼 서 있는 관군의 엄숙한 전열을 바라볼 뿐이었다. 아직도 맹렬하게 타오르고 있는 마을의 지붕들이 불길 속에서 하나둘씩 무너져내리는 중이었다. 누군가가 연기 냄새에 목이 메는지 기침을 터뜨렸다.

최형기는 자꾸만 하늘을 올려다보았다. 해가 제법 능선 위로 서너 뼘 솟아올라 있었다. 아마도 지금쯤은 병방과 두 군관들이 지휘하는 후진이 아사봉의 남쪽을 넘어 된목이골로 쳐들어갈 즈음이었다. 그는 백섭 포도부장에게 말하였다.

"귀순하도록 권유하여보아라."

"그냥 밀어버리지요. 저것들은 실로 한 줌도 안 됩니다."

백포교는 빼어들고 있던 칼자루에 건성 침을 뱉어보았다. 최형기는 고개를 저었다.

"이건 그저 순서일 뿐이다. 어차피 저들을 모두 살려둘 수 없다."

최형기는 귀순 권유도 전투의 한 가지라고 생각했다. 누구나 의심하고 요행을 바라고 흔들리고 매달릴 수가 있는 법이다. 이 정도쯤이면 살아남지 않을까, 그저 이렇게 하면 용서받을지도 모른다, 너무 지나친 것은 아닐까 등등으로 심기가 복잡할 때 상대는 이미 두 손을 들어 투항해버린 포로보다도 더욱 다루기가 쉬워진다.

"가라!"

최형기가 짧게 내뱉자 백포교가 말을 천천히 몰아 나아갔다. 그는 등자로 말의 옆구리를 차기 전에 이미 칼을 꽂아넣고 있었다. 돌팔매가 날아오다가 그쳤다. 전투는 한 번도 해보지 못한 마을 사람들이었지만 그가 맨손이었고 그들에게 살의를 보여주지 않은 탓이었다. 백포교는 적당한 거리에서 고삐를 당겨 말을 멈춰 세우고는 외쳤다.

"우리는 왕명을 받잡아 구월산의 명화적당을 토포하러 온 감영의 토포군이다. 너희가 나라의 은의를 잠시 저버리고 도적들을 비호하고 불고지한 죄는 적당과 동률로 다스려질 죄이나, 토포장께서는 특히 사선골과 탑고개의 백성들 중에 죄질이 뚜렷한 자만을 가려내어 벌주고, 나머지는 진무하여 착한 백성으로 생업을 잇도록 하려 하시니 관군의 용병작전에 협조하라. 심지어 돌과 병장기를 들어 대적하려 함은 하늘을 모르고 어버이를 모르는 극흉한 짓이니 즉시 항복하

라. 만약 듣지 않으면 본인은 물론이요 그 처자녀까지 모조리 도륙당할 것이다."

거기까지 계속되었을 때 누구인가 길 가운데로 뛰쳐나가며 날카로운 사금파리 조각을 날렸다.

"이크……"

백포교는 질겁을 하면서 말 잔등에 찰싹 엎드렸고 사금파리는 날카로운 바람소리를 내면서 그의 털벙거지 위로 아슬아슬하게 날아지나갔다. 그는 익숙한 솜씨로 말머리를 돌려서 달아났고, 뒤이어서 돌멩이들이 비 쏟아지듯 떨어졌다.

"저것들은 양민이 분명 아니올시다. 필시 적당들이 끼여 있는 모양입니다."

백포교는 이마에 맺힌 땀을 씻으면서 최형기의 곁으로 돌아왔고, 최형기는 고수에게 일렀다.

"살수들에게 알려라."

북소리가 길게 삼세번씩 아홉 번 울렸다. 문득 쏴아, 하는 바람 가르는 소리가 들려왔다. 열다섯의 궁수들이 일시에 살을 메겨 쏘았던 것이다. 화살들은 정확하게 총대네 돌담 안으로 쏟아져들어갔다. 마을의 뒷산 등성이에서 훤히 내려다보며 쏘는 화살이라 길과 마당에 섰던 마을 사람들이 각각 등판이나 어깻죽지를 맞고 쓰러졌다.

"나무 밑이나 처마 밑으로 피하시오. 마당에 나서지 마오."

그들은 제각기 외치며 쓰러진 사람들을 부둥켜안다가 총대네 마루나 벽 앞으로 끌고 갔다. 화살은 계속 쉭쉭 소리를 내면서 날아와 집의 이곳 저곳에 닥치는 대로 박혔다. 이제 그들은 돌팔매는커녕 몸을 피할 겨를도 없게 되었다. 다시 화살이 날아오는데 이번에는 끝에 황을 바른 것인지 불똥이 되어 박히고 있었다. 지붕과 울타리가 타오르기 시작했으며 연기와 불기에 견디지 못한 사람들이 길 쪽으로 우르르 뛰쳐나갔다. 방포소리가 들렸고 그들은 몸을 뒤틀며 쓰러졌다. 탄환이 날아와 박히는 소리가 날카로웠다.

"자아, 나갑시다. 죽기는 매일반이오."

총대가 괭이를 쳐들고 외치면서 뛰어나갔고 마을 장정들도 그 뒤를 따랐다.

최형기가 등채를 들어 흔들자 유군이 말고삐를 잡았다. 방포와 활쏘기가 그치고 말 탄 유군들은 길 좌우로 벌려섰다. 백포교가 환도를 뽑아 쳐들며 외쳤다.

"전진……"

그들은 농기구와 병장기를 아무렇게나 휘두르며 달려오는 군중들의 가운데를 향하여 말을 달려 나아갔다. 유군은 두 줄이 되어서 기수 한 사람씩 엇갈려 나아가는데 군중들과 부딪치자 사정없이 환도를 휘둘렀다. 위에서 익숙한 솜씨로 내려치는 칼날을 어찌 당하랴. 뒤이어 유군은 계속 쓰러지는 군중들 틈을 뚫으며 밀려들었다. 최형기는 무표정하게 마상에 올라앉아 일사불란하게 벌어지고 있는 살육을 바라보았다. 유군 이십오 인이 휩쓸고 지나간 자리에는 칼 맞은 시체가 즐비하였고, 부상당한 자들의 신음소리가 드높았다. 보군들은 창을 겨눈 채로 양쪽 길을 막아서서 부동의 자세로 바라볼 뿐이었다. 최형기는 다시 하늘을 올려다보았다. 이제는 낮빛이 완연하였다.

"뭣들 하느냐, 다 끝났다. 앞으로 나아가라."

뒤처졌던 보군들이 오와 열을 맞추어 걸어갔고, 최형기도 맨 뒤에서 천천히 말을 몰아갔다. 보군들은 저항하던 자들을 처치하면서 나아갔고 비교적 가벼운 자상을 입고 쓰러져 있던 자들은 일으켜세워서 골짜기 끝으로 몰아갔다. 어깻죽지에 깊은 상처를 입고 쓰러졌던 총대를 군졸이 멱살을 잡아 일으켜세우고 있었다.

"잠깐…… 놓아두어라."

최형기는 고삐를 당겨 말을 세우고 마상에서 그를 찬찬히 살펴보았다. 머리가 희끗희끗하고 억센 주름이 잡힌 총대 사내의 얼굴에는 그을음이 시커멓게 묻어 있었고, 어깻죽지에서 흐른 피가 흰 저고리의 오른편을 흠뻑 적시고 있었다.

"네가 누구냐?"

최형기는 나직하게 물었다. 그는 고통을 참으려는 듯 아랫입술을 깨물고 가늘게 뜬 눈꺼풀 사이로 열기 어린 눈빛을 쏘아보냈다.

"너도 활빈당이냐?"

곁에 섰던 군졸이 그를 창대로 질러주며 말하였다.

"어서 대답해라. 토포장 어른이시다."

총대는 비틀거렸다가 두 다리에 꼿꼿이 힘을 주어 버티면서 중얼거렸다.

"나라에서 버린 백성이다."

최형기는 참을성 있게 다시 나직하게 물었다.

"어찌 나라에서 버린 백성이라 자처하는가?"

"나는 꼭두각시나 놀리러 다니는 쟁인이다마는, 일찍이 내가 태어난 고장의 산과 강과 초목을 미워한 적이 없다. 다만 한스러운 것은 온 세상이 우리에게 발붙이고 살 데를 아무 곳이든 허락하여주지 않은 것이다. 이제 구월산의 녹림의 무리를 친다는 핑계로 우리네 천한 백성의 남녀노소를 가리지 않고 살상하였으니 어찌 버림받은 백성이라 자처하지 않겠는가?"

최형기는 고개를 끄덕였다.

"음, 이치에 닿는 말이다. 그러나 병은 부득이하여 일으키는 일이 되, 피할 방도가 있다면 반드시 피해야 할 일이다. 진작부터 구월산 명화적당의 폐해가 날로 심해져서 저들은 방자하게도 국본을 바치는 조세 포창을 겁탈하였다. 어진 백성은 환난을 미리 알아서 극흉한 무리들에 섞여 살지 않는다. 너희들이 은근히 나라에 반심을 먹고 저들 패거리를 비호하고 내통하며 살지 않았는가?"

최형기의 말에 총대는 더이상 대꾸하려 하지 않았다.

"사선골과 탑고개 두 마을을 본도의 향리로서 인정치 않는다. 다른 고장을 정하여줄 터이니 네 식솔들과 더불어 양민이 되어 살아가겠는가?"

총대는 최형기에게서 먼 산 쪽을 향해 고개를 돌리고는 이윽히 내다보았다.

"이미 늦었다. 만약에 너희가 조용히 들어와서 그런 말을 먼저 꺼냈다면 우리 동네의 노유가 모두 순응하였을 터이다."

그는 흐트러진 머리카락 사이로 최형기를 내다보며 조용히 말했다.

"어서 죽여라."

최형기의 마음속에 잠깐의 동요가 일어 지나갔다. 그러나 그것은 한 줌도 못 되는 감정일 뿐이었다. 그는 벌써 예전에 벼랑의 저쪽으로 건너뛰어버렸던 것이다. 최형기에게는 저쪽은 전혀 상상이 닿질 않는 전인미답의 세계였다. 그는 말고삐를 당기며 군졸에게 명하였다.

"그자를 죽이지 말고 끌고 가라."

그는 마상에서 길 양편에 무참한 모습으로 타고 있는 초가를 이리저리 둘러보았다. 이 나라는 내가 선택한 사람들의 나라이다. 지금 나는 뚫어지고 금이 가기 시작한 집의 담벽을 수리하러 파견된 자가 아닌가. 더욱 견고하게 빈틈없이 막아야 할 것이다. 그러나 최형기는 어쩐지 마음이 허전하고 참을 수 없도록 답답하였다. 정말 내가 택한 사람들은 하늘이 용납한 자들인가? 하늘이 그렇게 하지 않았다면 과연 어떻게 수백 년간이나 굳건하게 수천 리의 국토를 다스려왔던 것일까. 최형기는 그의 전립 꼭대기로 아득하게 뻗어나간 조정의 불가항력적인 힘과 높이를 가늠해보는 것이었다.

"무도한 도적들은 반드시 평정되어야 한다."

그는 또 하늘을 올려다보며 중얼거렸다. 탑고개마을은 이제 완전히 없어져가는 중이었다. 포수와 궁수들은 북편 언덕에서 천천히 내려오고 있었고, 보군 두 오가 다시 불타는 마을의 골목마다 샅샅이 뒤져왔다. 탑고개마을의 생존자들은 관군의 지시에 의하여 모두 땅바닥에 모여앉아 있었다. 유가 형제와 박포교가 관군을 돕겠다고 나선 칠팔 명의 사내들을 최형기에게로 끌고 왔다. 최형기가 가장 먼저 요구한 것은 도적의 가족을 골라내는 일과 된목이골로 오르는 지름길의 안내자였다. 관군은 업복이 변가네 가족을 따로 세우고,

"장적의 가족이 있습니다."

하는 발고에 따라서 장충 노인을 군중들 틈에서 골라냈다. 장충은 곧 최형기에게로 끌려왔다.

"그대가 장길산의 아비인가?"

장충은 대답하였다.

"길산이는 내 자식이오."

최형기는 어쩐지 가슴이 두근거리는 것이었다. 그는 스스로 흥분을 삼키고 나서 물었다.

"지금 장길산은 어디 있는가?"

역시 장충은 입을 다물고 그를 뚫어져라 바라보기만 하였다. 최형기는 어조를 바꾸었다.

"물론 그대의 자식이 나라에 큰 죄를 저지른 자임엔 틀림없다. 그러나 소문과 같이 그가 의협 남아이고 도량이 큰 인물이라면, 본도 토포사이신 순사또께서는 조정에 아뢰어 지난날의 죄를 사하게 해주시고 나라에서 쓰도록 천거해주실 것이다. 명화율에도 스스로 동당을 모아 귀순하여 오면 그 인물을 보아서 죄를 사함은 물론이요, 가자를 내리고 등용할 수 있다 하였다. 어찌 스스로 몸을 버려 잠룡이 되어 나라에 해악을 끼치는 짓을 하겠는가. 그대가 자식을 찾아내어 설득하고 바른 길을 일러주도록 하라."

장충은 웃음을 머금으며 태연하게 말하였다.

"일찍이 길산이는 내가 낳은 자식은 아니로되, 이 손으로 직접 핏덩이를 받아내어 태를 잘라 키운 자식이라 살 한 점 피 한 방울도 내 정이 깃들이지 않은 곳이 없소. 길산이는 그대가 보기에는 극악한 명화적이라 하나, 인근 사방의 모든 백성들은 대의를 아는 사람이라 하오. 그가 나라를 등진 것은 나라가 버린 백성이 너무도 많기 때문이고, 백성을 괴롭히는 자들이 끊임이 없기 때문이오. 그애가 토포를 받을 지경으로 큰 도적이 된 것은 스스로 활빈도를 행하였던 까닭이라, 그렇게 키우고자 한 아비로서 여한이 없소. 길산이가 대죄를 범한 것이 애초부터 이 아비의 뜻이니 그 죄는 내가 받아 마땅하오. 나는 그대들 손에 떨어졌고 아비가 죽을지언정 자식을 사지로 끌어들이지 못함이 인지상정이거늘 더이상 묻지 마오."

최형기는 한숨을 쉬었다. 시간이 없는 것이다. 백섭 포도부장이 물었다.

"어찌합니까?"

"도적의 식솔들은 모두 송화로 압송했다가 감영으로 끌고 간다. 그리고……"

하면서 그는 관군에 대항하였던 무리를 지휘한 마을 총대 사내를 돌아다보았다.

"저 자는 모두 보는 가운데 참수하라."

백포교가 지시하여 군졸들이 총대를 끌어냈다. 그는 군중들 앞에 꿇어앉혀졌다. 최형기가 말하였다.

"양민이 되어 이 고장을 떠나 살겠다는 사람들은 모두 구휼미와 무명과 돈을 받을 것이다. 그대들은 일단 송화 관아로 가서 심문을 다시 받고 마을이나 땅을 지정받을 것이다. 차후로는 나라의 은혜를 뼛속 깊이 알고 부지런히 생업에 힘써서 호적에 들지 않은 무리가 되지 마라. 이 자는 관군의 명에 거역하여 감히 병장기를 들고 맞섰으므로 너희가 보는 가운데 처단한다."

좌중에서는 간간이 흐느끼는 소리가 들릴 뿐이었다. 최형기가 눈짓을 하자 백포교가 한 걸음 앞으로 나서더니 환도를 뽑아 두 손에 쥐고 치켜들었다. 획 하는 칼바람이 일었는가 하자, 총대 사내는 앞으로 쓰러졌다.

최형기가 거느린 토포군은 지체하지 않고 바위넘이 곁을 지나 월정사를 향하여 물밀듯이 몰려올라갔다. 보군의 앞에는 마을에서 뽑은 길라잡이와 유가 형제와 박포교가 따랐고, 그 뒤에 포수 궁수들, 그리고 유군들은 이제 말에서 내려 후미에서 걸어갔다. 토포군이 바위넘이로 사라져버린 뒤에 마을 사람들은 모두 오라에 뒷결박이 되었다. 장충을 비롯한 변가네 업복이네 식구들과 구월산 졸개 몇의 식구들이며, 달마산에서부터 강선흥을 따라왔던 패거리의 식구들이 모두 스물 남짓 되었는데, 그들은 따로이 뒷결박과 함께 굴비두름 엮이듯 목에 줄이 걸려졌다. 장충은 목에 올가미를 쓰면서 둘러보았다. 김기의 노모와 아내가 보이질 않았다. 아마…… 목숨을 잃었을까, 차라리 그편이 깨끗했을 것이다. 그는 물독 속에 숨은 마누라 안무당을 생각하였고, 그리고 수복이를 생각하였다.

"우리 수복이…… 이담에 커서 아비나 할애비처럼 쫓기지 말구 살아야지……"

장충은 갑자기 머리가 핑 돌고 눈앞이 흐려지는 것을 느꼈다. 가슴과 명치끝에 찢어지는 듯한 압박이 왔다. 그는 입을 벌리고 가쁜 숨을 토해냈다. 눈앞에 검은 천이 펼쳐져 그를 덮어씌우는 것만 같았다.

"수, 수복아……"

장충 노인은 허물어지듯이 주저앉았고 이내 모로 넘어졌다. 그의 입가에 거품이 일어 있었다. 앞뒤에 섰던 다른 이들이 엉거주춤 서버리자 그들의 압송을 위해 남았던 보군 열 명과 유군 다섯은 일제히 멈추었다. 말에 탄 유군의 장교가 말하였다.

"일으켜세워. 우리는 은율 읍내까지 나갔다가 되돌아와야 한다."

"일어나, 이놈의 늙은이."

보군이 달려와 장충의 옆구리를 내질렀으나 그의 다리는 뻣뻣해지는 참이었다. 말 위에서 내려다보던 장교가 중얼거렸다.

"허허, 낭패로세. 그거 졸사(猝死)가 분명하구나."

보군은 어떻게 하라는 듯이 장교를 올려다보았다.

"하는 수 없다. 시신을 가져다 보여야 할 테니 줄을 풀고 말에다 실어라."

그는 유군 기패관 하나를 말에서 내리게 하고 축 늘어진 장충의 시신을 안장에 걸치도록 하였다. 그러고는 떨어지지 않도록 오라로 엮었다.

벽란나루에서 길산을 밴 여비를 만나서 그 여자를 구해준 인연으로 자갈목마을의 헛간에서 스스로의 이빨로 탯줄을 끊어주며 길산을 받아냈던 늙은 광대는, 그런 모습으로 마지막 정처를 떠났다. 그는 색주가 창기보다도 더욱 더럽고 천하다는 여사당에게서 아비가 어느 거사였는지도 모른 채 길산이처럼 길바닥에서 태어났던 것이다. 장충이 어미의 시신 대신에 모가비로부터 한 줌의 머리카락을 받았던 것처럼, 이제 그의 시신은 식구를 떠나 관청으로 끌려가는 중이었다. 길 위에 묻히면 창부(倡夫)라도 되겠건만, 명화율에 걸린 범법 대죄인의 시신으로 죽어서도 놓여나지 못할 것이다.

관군이 온 마을 사람들을 끌고 사라진 뒤에 탑고개에는 적막이 내려덮었다. 가끔씩 마른 나무가 불에 타면서 튀는 소리가 들릴 뿐이었다. 꺼진 지붕의 잿더미에서는 흰 연기가 끊임없이 오르고 있었다. 무심한 새떼가 요란하게 지저귀며 겨울의 헐벗은 나뭇가지 위로 날아다녔다. 아무 자취 없던 골짜기의 눈밭에는 어지러운 발자국과 핏자국이 여기저기 번져 있었다. 안무당은 거의 혼절할 정도로 지쳐서 타버린 집터로부터 기어나왔다. 그녀는 끔찍한 모양의 시신을 이리저리 피해가면서 남편을 찾으러 다녔다. 충혈된 안무당의 눈에서는 소리도 힘도 없는 눈물이 스멀스멀 솟구쳐 흘러내렸다.

월정사의 원주승 옥여는 사당말 거사들의 전갈에 의하여 구구월 쪽에 무슨 일이 벌어졌다는 것을 알게 되었다. 그가 공양을 끝내고 묵상에 잠겨 있는데 밖에서 다급한 목소리가 들려왔던 것이다.

"스님, 큰일입니다. 지금 구구월에 난리가 벌어진 모양입니다요."

사당말 모가비 임가의 목소리였다. 옥여는 미닫이를 열었다.

"난리라니…… 아침부터 그게 무슨 소린가. 아침공양은 마쳤지?"

"하이고 스님, 농이 아니올시다. 지금 당장 나가서 보시라니까요."

옥여가 영문을 모르고 그를 빤히 바라보는 중인데 아득하게 바람을 가르고 들려오는 투명한 소리가 한 번 두 번 그러고는 연이어서 들려왔다. 옥여는 고개를 갸웃하였다가 물었다.

"저게 무슨 소린가?"

"그렇다니까요, 방포소리입니다."

"뭐라구?"

옥여는 벌떡 일어났다.

"저희 마을에서는 더 잘 들립니다."

옥여가 마루에서 내려서 신발을 꿰는데 임가가 연신 말을 이었다.

"탑고개에 무슨 일이 생긴 게 분명합니다."

옥여는 임가의 앞으로 나서서 바삐 걸었다. 그는 절 마당을 지나서 문루를 나섰다. 거기서부터는 사당말로 내려가는 가파른 비탈길이었고, 비탈을 내려가지 않고 앞으로 비죽이 솟은 바위의 끝까지 걸어가면 구구월 쪽이 훤히 내려다보였던 것이다. 임가가 이번에는 옥여의 앞을 질러가서 손가락으로 가리켜 보였다.

"저 자욱한 연기를 보십시오."

구구월에서부터 건지산 마루턱까지 서북방으로 뱀처럼 길게 뻗어내려간 능선이 바라다보였다. 그 중간 어름께가 연기로 가득 차 있었다.

"음, 탑고개가 분명하네."

"저희들도 처음에는 산불인가 싶었습죠마는 방포소리에 기겁을 했습니다."

"관군이로군."

옥여가 중얼거리자 임가는 믿기지 않는 모양이었다.

"녹림당끼리 싸우는 게 아닌가요?"

"녹림당을 토벌하러 온 관군들일세. 자네 얼른 내려가서 마을 사람들을 모두 이끌고 올라오게."

임가가 뛰쳐내려가려고 하니, 옥여는 무엇을 생각하였는지 다시 그를 불러세웠다.

"세간 건질 생각은 말고 양식이나 간수해 오도록 하게. 그리고 모두 나오면 자네와 거사들이 손을 써서 마을에 불을 질러버리고 올라와."

"예? 내 집에다 불을 질러요?"

임가는 펄쩍 뛰었다.

"살구 싶으면 내가 시키는 대루 하게. 그리고 이제부터 월정사가 온전하게 남느냐 하는 것이 중요한 일이야. 어서 가서 시행하라구."

"허, 아무리 그렇기로 저 살던 집에 어찌 불을 놓겠습니까?"

옥여가 미간을 찌푸렸다.

"저 밑에서는 집만 타구 있는 게 아니야. 탑고개 사람들은 거의 죽었을 걸세."

임가는 그 말에 그제야 놀란 듯이 후닥닥 몸을 돌려서 뛰어내려갔다. 옥여는 다시 급히 돌아와 대중방에다 승려들을 모이게 한 뒤에 계곡을 따라서 풍열스님이 기거하는 달마암 쪽으로 올라갔다. 선방에는 풍열스님도 상좌도 보이질 않았다. 옥여는 달마암의 비좁은 뜰을 돌아서 등성이를 타고 올랐다. 풍열의 장삼자락이 바람에 펄럭이고 있는 게 보였다. 풍열스님이 속세를 내다보는 유일한 다락인 너럭바위 부근에서 상좌를 데리고 서 있었다.

"스님…… 보셨습니까?"

옥여가 위를 향하여 물으니 주지는 고개를 끄덕였다.

"온밤 내 잠자리가 편치 않더니만, 저런 환난이 오느라구 그랬나 보다."

옥여가 너럭바위에 올랐고 풍열은 먼 들판 건너를 손가락으로 가리켰다.

"저 너머는 벌써 다 타버리고 남은 연기가 오르고 있다. 아마 사선 골이겠지. 저쪽 탑고개는 지금부터 불타기 시작했느니라."

옥여는 모을산으로 하여 은율 읍내의 동북방을 휘돌아 뻗어나간 산줄기의 중간에서 안개처럼 피어올라 흩어지고 있는 흰 연기를 보았다.

"사선골두 타구 있습니까?"

"그래…… 관군이다. 다음엔 우리 차례가 될 테지. 너는 어찌하는 것이 유리하다고 생각하느냐?"

옥여는 잠깐 사이를 두었다.

"환난은 우선 옆으로 피해야 합니다."

"관군이 사당말 사람들을 그냥 내버려둘 성싶으냐?"

"그래서 난피를 시키노라고 마을에 불을 먼저 지르고 월정사로 올라오라 하였습니다."

풍열은 허탈하게 껄껄 웃었다.

"호, 그러면 우리가 겪을 차례로구나."

그의 얼굴에서 일시에 웃음이 사라지면서 단호하게 말하였다.

"관군이 거병하여 산중에까지 이른 것은 녹림의 무리를 토포하기 위함이다. 전의와 살기로 가득 찬 군사들을 우리 부처님이 계시는 법당 경내로 들어오게 할 수는 없다."

"스님, 그러면 불자로서 관군과 싸웁니까?"

"아니다, 우리는 예전부터 해서 승병으로 여러차례의 외침에 맞서 싸워왔다. 온 나라와 백성들이 겪는 환난에는 우리도 저 세속에 내려가 싸워야 할 것이나, 피비린내가 산사의 부처님께로 다가들면 문루를 막아 지켜야 하느니라."

"잘 알겠습니다."

"어서 내려가자. 칠성암 수련장에서 병장기를 꺼내어 무장을 갖추어라. 그리고 사당말 사람들이 다 올라오고 나면 문루를 굳게 닫고 산비탈을 지키도록 하여라. 용병은 네가 잘 알아서 할 줄 믿는다마는……"

"활이 유용할 것입니다."

옥여의 말에 풍열은 그저 고개만 끄덕여 보였다. 풍열이 대웅전에 들더니 붉은 가사를 걸치고 앉아 목어를 때리면서 낭랑하게 염불을 시작하였다. 옥여는 모인 대중들에게 지시하여 칠성암의 병장기를 모두 꺼내오도록 하고 나서, 창이며 봉이며 철퇴 환도 등속을 제 기량껏 나누어 갖추고, 그 위에 모두 활과 전통을 메었다. 예로부터 월정사의 승려가 무예를 잘하기로는 원근 사방에 알려져 있었으며 호란 때에도 평안도 지경까지 나아가 청군을 괴롭혔던 것이다. 젊고 늙은 승려들이 모두들 한가닥씩 하는 터에 월정사는 지형이 험한 곳에 있는 요충이라 간단히 해넘길 수는 없을 거였다.

드디어 사당말에서도 연기가 피어올랐고 그들은 간단한 보퉁이를 꾸려 지고 남부여대하여 월정사로 몰려들어왔다. 모두 들어온 것이 확인되자 문루는 굳게 닫혔다.

최형기는 구구월을 벗어나 톱니 같은 구월산의 연봉이 바로 올려다보이는 아사봉 계곡으로 들어서면서 갑자기 치솟는 연기를 보고 당황하였다. 그가 손짓하자 행군이 잠시 멈추었고 백포교가 재빨리 곁으로 다가왔다.

"우리 후진이 아사봉을 넘어와 공격한 것은 아닐 것이다. 후진이 적굴을 들이치려다 오히려 역습을 당한 것은 아닌가?"

최형기가 걱정하니 백포교가 답하였다.

"글쎄요…… 하긴 벌써 된목이골을 들이쳤을 시각입니다. 일이 잘못되면 월정사 쪽으로 퇴각하게 되어 있으나 워낙에 조련을 많이 받고 역습 준비를 해왔는지라 빈틈이 없을 것입니다."

"여하튼 어서 올라가 된목이골 계곡의 어귀를 막아야 한다."

토포군은 월정사로 오르는 산길을 거의 뛰다시피 하여 강행군하였다. 사당말에 이르자 움은 벌써 거의 타서 주저앉았고 집들도 불길을 올리며 반나마 타고 있는 참이었다. 주변의 나무에 앉은 눈이 열기에 녹아 물을 흘리며 떨어져내리고 있었다. 백포교가 지시하여 포수와 궁수들은 뒤에 남아 마을 주변을 노리게 하고, 먼저 보군들이 마을의 길로 두 오씩 나누어 뛰었다. 그리고 유군들은 최형기가 직접 인솔하여 사당말의 좌측을 돌아갔다. 혹시 복병이 있을까 하였으나 마을을 완전히 벗어날 때까지 온통 연기와 불길뿐, 짐승조차 보이질 않았다. 최형기는 그제야 월정사와 깊은 관계가 있는 사당말 사람들이 탑고개에서의 불타는 연기를 보고 미리 마을에 불을 지른 뒤, 절 안으로 피하였다는 것을 눈치챘다. 마을을 벗어나자마자 가파르고 비좁은 길이 되었다. 최형기는 매우 초조하였다. 된목이골로 넘어가는 조도(鳥道)를 한시바삐 점령해두어야만 그쪽에서 쫓겨오는 도적들을 빠짐없이 해치울 수가 있었던 것이다.

"어서 올라라."

최형기의 영이 떨어지자마자 보군들은 미끄러운 비탈길을 오르기 시작하였다. 그곳은 일부러 계곡의 비탈을 깎은 곳이라서 겨우

두어 사람 비켜나갈 만큼 비좁았으며 층계처럼 되어 있어 이리저리 휘돌아가게 되어 절을 도무지 올려다볼 수가 없었다. 보군 뒤에 유군, 그 뒤에 포수 궁수들이 오르는 순서였다. 아직 보군의 꼬리는 비탈을 채 오르지도 않았는데, 갑자기 위에서 날카로운 바람소리가 들리더니 화살이 열을 지어 날아왔다. 애초부터 겨냥은 하지 않았는지 그들의 머리 위를 지나 맞은편 등성이의 눈 속에 처박히는 게 보였다. 살이 박혀 있는 곳은 마치 고슴도치의 잔등처럼 보였다.

"엎드려라!"

백포교가 외치면서 두 줄로 엎드린 보군들의 사이로 뛰어올라 갔다.

"뭐냐, 도적들이냐?"

"위에 무엇이 있는지 아무것두 보이질 않습니다."

백포교는 비탈길이 휘돌아간 굽이의 끝까지 바짝 기어올라갔는데, 거기서는 월정사의 문루가 올려다보였다. 아마도 궁수들이 다락의 난간 뒤에 숨어 있는 듯하였다. 뒤따라서 최형기도 뛰어올라 왔다.

"뭔가, 어디에서 날아오는 거냐?"

백포교가 엎드린 채로 절의 문루를 손가락질해 보였다.

"보십시오, 여기서는 꼼짝할 수도 없습니다. 온통 산을 돌아 넘지 않는 한 이 길밖에는 없습니다."

최형기는 잠깐 기다려보다가 산등성이로 엇비치는 햇살을 바라보곤 하였다. 오전의 햇살이 빽빽이 늘어선 노송의 가지 사이로 줄지어 비치고 있었다. 최형기는 벌떡 일어섰다. 그는 여차직하면 다시 엎드릴 셈이었으나 화살은 더이상 날아오지 않았다. 문루 아래로 굳게 닫힌 홍문과 돌담이 보였다. 최형기는 몇발짝 앞으로 나아갔다. 누군가가 다락의 가운데서 천천히 일어섰다. 그것은 회색 장삼의 키가 크고 몸집이 떡벌어진 옥여였다. 최형기는 중의 복색을 보자 갑자기 분노가 치밀었다.

"우리는 관군이다. 어째서 산간의 승려가 감히 활을 쏘며 관군에 대적하는가?"

중은 두 손을 모아 공손히 배례하고 나서 답하였다.

"우리는 관군에 대적한 적이 없소이다. 다만 사찰은 부처님이 계신 곳이오라 싸움하는 분들을 들일 수가 없어서 짐짓 경고하였을 뿐이오."

최형기는 발을 굴렀다.

"우리는 구월산의 명화적당을 토포하러 온 것이다. 어명이다. 문을 열고 관군을 들이도록 하여라."

"아무리 어명을 받잡고 나오셨어도 사찰 경내로는 들일 수가 없소이다."

중은 여전히 정중하고 침착하게 말하였다.

"만약에 우리를 막고 지체시켰다가 토포에 차질이 오면 어명을 어긴 죄로 엄중히 다스릴 것이다."

"월정사는 적굴도 아니려니와, 관군의 토포에는 길라잡이를 서는 한이 있더라도 싸움하던 군졸을 정결한 불당에 들여서는 아니 됩니다. 장수께서 부득이 군사들을 들이시려 한다면 저희들은 막을 수밖에 없겠지요. 나중에 저희를 문책하신다 할지라도, 세간에서는 도적을 토포하러 간 관군이 도적들은 다 놓치고 애꿎은 백성들과 산간의 수도승들만 토포하였다고 비웃을 것입니다. 장수께서는 노하지 마시고 저희 대사님의 말씀도 잠깐 들어보시지요."

하더니 그의 곁에 붉은 가사를 두른 머리가 희끗희끗한 중이 나타났다. 그도 역시 최형기를 향하여 정중하게 합장 배례하였다.

"전 해서 승군의 중군이었으며, 지금은 월정사의 주승인 풍열이 문안드립니다."

최형기도 두 손을 깍지끼어 군례로 받지 않을 수 없었다.

"해서감영서 나온 토포장 등산곶 만호 최형기란 사람이오."

"막중한 임무로 일각이 급하시겠으나, 잠시 논의를 드릴 것이 있으니 안으로 드시지요."

하는 노승의 말에 최형기는 불쾌한 어조로 말하였다.

"대사의 말은 그러하나, 관군을 가로막고 함부로 살을 날리니 내가 어찌 걸어들어가겠소?"

풍열스님은 그 말에 잔잔히 웃으면서 고개를 끄덕였다.

"이를테면 부처님의 집을 지키는 금강역사의 현신이라 여기시고, 찻주전자 잠시 끓일 사이만 주옵소서. 어서 안으로 드시지요. 얘야, 문을 열어드려라."

최형기의 뒤를 따라서 보군들 두엇과 백포교가 일어서서 몇걸음 나서니, 다락에 섰던 몸집 큰 중의 손짓에 따라 화살이 날아왔다. 최형기가 돌아보니 그들의 발치쯤에 화살 네 대가 나란히 박혀 있었다. 최형기는 이를 물며 중얼거렸다.

"여기서 기다리도록 하여라."

최형기가 홍문 안으로 들어가는데 문 앞에는 동승을 거느린 주승 풍열이 마중 나와 있었다. 한눈에 훑어보니 활에다 살을 메긴 중이 십여 인이요, 문 양옆에는 장창과 환도 월도 철퇴를 든 건장한 중들이 또한 십여 인이나 눈을 부릅뜨고 버티고 있었다. 최형기가 문안에 들어서자마자 육중한 문짝이 삐걱이며 닫히고 한아름 되어 보이는 빗장이 걸렸다. 아까의 그 사납게 생긴 중이 앞으로 나와 정중하게 두 손을 쳐들고 말하였다.

"죄송하오나 장수께서는 환도를 잠깐 맡기십시오."

최형기가 미간을 찌푸리고 그를 노려보며 물었다.

"자네의 직임이 바로 금강역사 자리인가?"

"아니오, 소승은 원주를 맡고 있소이다."

"내 칼은 임금께서 친히 내리신 칼이라 내줄 수가 없네."

"그렇다면 부처님의 법력으로 잠깐 맡아두어야겠습니다."

옥여는 고지식하게 중얼거리더니 솥뚜껑 같은 손을 들어 최형기의 겨드랑이에 매달린 환도 자루를 잡았다. 최형기가 팔굽을 들어올려 옥여의 면상을 바라고 내지르니 옥여는 손바닥 바탕으로 턱 막으면서 칼을 중간까지 뽑았다. 최형기는 그냥 내버려둔 채 두어 걸음 앞으로 내디디면서 몸을 휘익 돌려서 옥여의 팔뚝을 찼다. 옥여는 칼을 놓치면서 성큼 뒤로 물러났고, 떨어지는 칼을 최형기가 날렵하게 잡아채어 두 손에 그러쥐고 옥여에게로 나섰다. 누구인가가 옥여에게 철퇴를 던졌고 옥여는 그것을 쥐고 물러서며 중얼거렸다.

"여기서는 살전을 할 수가 없소."

풍열이 조용하게 거들었다.

"옥여야, 어서 거두어라. 만호어른의 칼은 그냥 차고 계시도록 해드려라."

최형기가 풍열을 한번 돌아다보더니 빙긋이 웃고는 칼을 휙 돌려서 자루가 앞으로 나오도록 하여 내밀었다.

"맡아두게."

"죄송합니다."

옥여가 두 손으로 칼을 받았다. 최형기는 풍열의 안내로 바깥 선방에 올랐고 이미 찻주전자가 달각거리면서 북풍한설이 몰아치는 듯한 소리를 내고 있었다. 동승이 차를 냈다.

"이렇게 지체하게 해드려서 죄송합니다. 저희가 관군을 사찰 경내로 들일 수 없는 데엔 몇가지 이유가 있습니다. 저희들은 구월산 깊은 골에 명화적당이 숨어 있다는 것을 잘 알고 있습니다. 이는 물론 구월산 사읍 인근에서는 어린아이들까지 모두 알고 있는 일이지요. 그러니 관가에서도 잘 아는 것은 두말할 필요가 없겠지요. 저희 월정사는 이곳에 자리 잡은 지 벌써 천여 년이 넘습니다. 도적들이 있기 까마득하게 훨씬 오래 전부터 부처님을 모시고 있었지요. 새삼스럽게 이제 토포군이 당도하여 경내로 들어오려는 것은 이해할 수가 없습니다."

계속되려는 풍열의 말을 최형기가 잘라냈다.

"우리가 기찰한 바에 의하면 저 아래 구구월의 사선골과 탑고개와 월정사에 도적들이 드나들고, 백성들 중에 그들과 내통이 되어 있는 자가 많다는 것이었소."

풍열은 태연하게 껄껄 웃었다.

"저희는 누구든지 부처님께 공양을 드리고 참회하고 기도드리는 이에게는 언제나 법당 문을 활짝 열어주지요. 만호께서도 오신 김에 잠시 뵙고 가십시오."

"지금 대사와 말재간을 다투러 온 게 아니오."

최형기가 무릎을 틀면서 단호하게 말하였고 풍열은 여전히 웃는 낯이었다.

"예, 알겠습니다. 물론 도적들 중에 몇몇이 찾아온 적이 있소이다. 그러나 저들은 본시 제 고장에서 생업을 잃고 이리저리 쫓겨다니던 양민들이었지요. 예전 효종 연간에는 그렇게 세상에서 숨어 빛을 못 보던 인물들이 많이 등용되어 북벌군의 장교들이 되었지요. 아시는 바와 같이 이곳은 부처님의 자비와 법력을 널리 축생들에게도 미쳐야 할 곳이며, 하물며 저들이 아무리 도적이라 하나 춘궁의 보시에 구휼미를 내어 공양을 드리는데야 더 말할 나위가 없겠지요. 물론 노중이나 대소 저자에서 도적들로 인한 폐단이 없는 것은 아닐 테지요마는 그것은 엄연히 국록을 먹는 장졸 군사들이 해야 할 일입니다. 그래서 저희는 관군이 도적들을 잡겠다면 길안내를 해드릴 수가 있다는 것이며 그 대신에 불공을 드리겠다면 무운도 빌어드리겠으나, 엉뚱하게 도적을 수색한다며 살기 띤 군사가 경내로 진입하는 것은 막겠다는 것입니다."

풍열의 잔잔한 말에는 앞뒤에 정연한 이치가 있는지라 최형기가 비집고 들어갈 빈틈이 없었다.

"대사께서는 산 아래 사당말에 호적도 없는 유민들이 모여살고 있음을 잘 아실 테지요?"

"예, 저희 식구들이라 모를 리가 있겠습니까? 만호께서도 짐작을 하시겠지만, 저들은 세상에서 가장 천하고 버림받은 것들이라 아무 데서도 거처를 빌려주거나 받아주지를 않습니다. 오직 부처님 발 아래 엎드려 동가식서가숙하는 세 철은 빼고 겨울 한 철만을 이 골짜기에서 지내는 지가 어언 수십 년이올시다. 거사패라 하는 부류가 세간 저자 객점에 떼지어 몰려다녀도 으레 그러려니 하여 민적을 따지고 하지는 않습니다. 민적을 주려면 살 터를 나라에서 보살펴주어야겠지요."

"하물며 그러한 자들이 도적과 내통하지 않았을 리가 없습니다."

"글쎄요…… 내통이 되었거나 아니거나 저들은 일 년에 한 철만 여기서 보내고 평소에는 노약자들만 남아서 빈 귀틀집을 지킵니다. 저자에서 재주를 팔아 호구하는 것들이 도적질을 한다면 사당말에 살 리도 없을 테지요."

최형기는 입맛을 다셨다.

"관군이 들어오기 전에 마을에 불을 지른 자가 누구요?"

풍열은 찻잔을 들어 한 모금 마시고는 최형기에게 권하였다.

"차가 알맞게 식었습니다. 드십시오."

최형기가 찻잔을 드니 풍열은 이어서 말하였다.

"예로부터 병이 일어나면 지혜로운 장수는 가장 먼저 백성의 노고를 살핀다 하였습니다. 그런데 어찌된 일인지 근년에는 난리만 일어나면 군사가 지나간 곳마다 민폐가 극심하여 안팎의 두 난리를 겪게 된다지요. 소승의 암자에서 방포소리를 듣고 산에 올라 구구월을 보았습니다. 연기가 대단하더군요. 나라에서는 토포를 명하셨으니, 인근 촌락을 다 불태우라고는 않으셨겠지요. 그야 물론 용병하는 장수에 따라 다르기도 하겠지요."

최형기는 더이상 할말이 없었다. 풍열이 찻잔을 내려놓더니 중얼거렸다.

"일각이 급하니 어서 토포를 하셔야 될 겁니다. 길안내를 할 승려가 지금 밖에서 기다리고 있습니다."

최형기는 고요한 자세를 흩트리지 않고 눈빛만 쏘는 듯한 괴이한 노승을 어찌할 도리가 없었다.

"좋소이다. 그런데…… 사당말의 유민들이 모두 여기 있겠지요?"

"예, 월정사에는 암자가 모두 다섯이올시다. 그 어느 골짜기에 난피하였겠지요."

"그들 중에 적당과 내통된 자가 있다면 대사께서 책임을 지겠습니까?"

"예, 큰 죄를 내리셔도 제가 받겠습니다. 민변의 경우에도 수모자

외에는 묻지 않고 양민으로 살게끔 도와주는 법이어늘, 하물며 명화적의 토포에 인근 양민을 괴롭히는 것은 대명률에도 없는 일이올시다."

최형기는 처음보다는 많이 누그러졌고 무엇보다도 그는 햇빛을 올려다볼 적마다 안달이 났다.

"길안내를 서도록 해주시오."

최형기의 말이 떨어지자마자 풍열이 죽비를 들어 두 번 두드렸고, 이어서 승려 하나가 솜배자에 행전 치고 누빈 휘양을 쓴 차림으로 나타났다.

"부르셨습니까?"

"관군을 된목이골 어귀까지 안내해드려라."

최형기는 그제야 생각이 났다는 듯 벌떡 일어났다.

"멀리 안 나갑니다. 살펴가십시오."

풍열이 합장하며 말했고, 최형기도 이번에는 허리를 굽혀 공손히 대꾸하였다.

"차 대접을 잘 받았소이다. 며칠 뒤에 은율 관아에서 뵙게 되겠지요."

최형기가 밖에 나오니 역시 문루에는 활과 병장기로 잔뜩 무장한 승군이 꼼짝도 않고 지키고 있었다. 그가 문 앞으로 다가서자 옥여가 두 손에 왜단검을 받들고 달려왔다.

"아주 명검이올시다."

"원주는 무예를 아는가?"

최형기는 칼을 집어들어 옆구리의 빈 집에 꽂아넣으면서 물었다.

"무예랄 것도 못 됩니다. 큰스님께서 약간 일러주어 시늉만 낼 정도이지요."

"언제 한 수 배우러 오겠네."

"언제든지…… 그러나 불자라서 소승은 살전은 사양하겠습니다."

"죽는 건 두려운 모양이군."

최형기는 소리내어 웃었고 험상궂게 생긴 옥여도 입을 주욱 찢어보였다. 그렇게 하여 관군은 월정사에는 범접도 못 하고 절 앞의 소로를 지나 아사봉으로 오르는 조도로 접어들게 되었던 것이다.

관군의 후미가 멀리 사라지자 옥여는 바깥 선방으로 풍열을 찾아갔다. 그는 화가 나서 입을 굳게 다물고 있었다. 옥여는 제 동무들이나 매한가지인 된목이골의 활빈당이 이제 승려의 길안내로 어육이되어가는 꼴을 상상만 하여도 견딜 수가 없었던 것이다.

"스님, 어쩌자구 산식구들을 잡으러 온 놈들에게 길안내까지 붙여줍니까?"

풍열은 눈을 감고 묵주만 헤아리고 있다가 옥여를 지그시 건너다보았다.

"이제까지 꿈쩍도 않던 관군이 토포군이 되어 몰려온 것은 감영의 영은 아닐 게다. 조정에서 의논이 있지 않고는 토포장이 저렇듯당당할 수가 없다. 그렇다면 저들은 이미 구월산 일대를 겹겹이 포위하고 물샐틈없는 기찰을 끝냈을 게야. 구월산은 마치 엎어놓은 항아리 속처럼 되어버렸다. 관군이 이른 아침에 예까지 올랐으니 이미활로는 다 끊긴 것이니라. 된목이골은 끝났다. 탑고개나 사선골과같은 참극이 일어나서야 되겠느냐? 버려서 죽을 자가 있으면 사는자도 있게 마련이다."

선진이 한발 앞서 탑고개를 급습할 무렵에 후진은 구월산의 남쪽골짜기를 올라 투구봉을 넘었다. 인솔자인 병방 비장은 최형기의 지시에 따라서 구월산에 들어서기까지 대오를 나누어 접근하였다. 투구봉의 북편에 바늘끝처럼 뾰족한 기봉이 서 있으니 바로 아사봉이었다. 선진의 군사들은 그곳에서 모두 관복을 입고 병장기를 갖추었다. 군관들과 유군들과 비장은 문화에다 군마를 기탁하여 보군과 함께 걸어서 행군하였던 것이다. 후진이 문화에 들어설 때 이미 거병하라는 감영 비관이 파발로 돌아서 문화 군병이 수렛고개 추산 마루턱에서 부처고개에까지 나와 봉쇄하였다. 그 무렵에는 송화 은율 안악의 군병이 구월산 주위의 요로를 둘러싼 참이었다.

고갯길과 골짜기와 들판을 인근 사읍의 군병 및 민병들이 구역을 나누어 막아섰으니 그야말로 인성(人城)을 쌓은 셈이었다. 사방에 눈이 쌓이고 나무는 잎을 떨구고 앙상하여 멀리까지 내다볼 수 있을 뿐 아니라 눈밭에는 도주하는 적당들의 발자취가 뚜렷이 남을 것이었다. 투구봉과 아사봉 사이에는 박달나무 오리나무 숲이 대단한데 거기서부터 험로가 시작되었다. 계곡의 후미진 곳은 눈이 허리에까지 빠질 정도로 두껍게 쌓여 있었다. 병방은 뒷전에서 재촉하였다.

"선진의 군호를 받자면 먼저 아사봉에 올라야 한다. 낙오하는 자는 군율로 처단한다."

감영 백여 군사들은 가까스로 아사봉의 정상 아래를 돌아 서북쪽으로 넘어갔다.

"바로 저곳입니다."

향도와 앞서나갔던 하군관이 병방에게 와서 손짓하였다. 골짜기의 오르막이 끝나는 곳에 통나무로 얽은 귀틀집이 보였다. 지붕은 초가요 위쪽은 훤히 내다뵈도록 툭 터져 있었다.

"모두 엎드려라."

그들은 제각기 나무나 바위 뒤로 몸을 숨겼다. 된목이골의 남쪽 망루인 셈이었다. 안에는 분명히 수직하는 망보기가 있을 것이다.

"우선 망보기를 해치워야 한다. 자네가 몇사람을 데리구 가게."

병방이 전군관에게 지시하였고, 전군관은 유군 중에서 기패관을 포함하여 넷을 골라냈다. 그들이 정탐한 바로는 남쪽에 망루가 있고 서북쪽 월정사로 가는 조도의 어귀에도 또 망루가 있으며 동쪽에도 망루가 있는 것으로 알고 있었다. 월정사 쪽에서는 선진이 올라와 새납을 길게 세 번 부는 것으로 공격 군호를 정해두고 있었다. 이쪽에서는 된목이골을 들이치면서 동쪽 망루 아래의 안악 배고개로 빠지는 퇴로를 차단할 셈이었다. 전군관 일행이 귀틀집 가까이 다가설 때까지 아무런 기척이 없었다. 때가 한창 엄혹하게 추운 계절이고, 또한 인근의 정탐꾼들에게서는 관가의 미세한 움직임까지 알려오는 터이라 망루의 수직은 아예 방심하고 있는 것이 분명하였다. 물론 수괴들도 졸개들을 그리 단속하지 않을 것이었다. 그들은 통나무 벽에 찰싹 달라붙어 서서 안의 동정을 살폈다. 전군관이 살그머니 고개를 들어 안을 넘겨다보니 번 드는 졸개는 아예 초소의 바닥에 털가죽을 깔아놓고 웅크리고 잠들어 있었다. 전군관은 칼을 빼어들고 졸개의 목 아래로 칼끝을 대어 눌렀다.

"누…… 누구……"

그가 눈을 뜨자마자 다른 군사들이 달려들어 입을 막고 결박을 지었다.

"조용해라, 시키는 대로만 하면 목숨은 살려준다. 지금 관군이 온 구월산의 사방을 철통같이 둘러싸고 있다. 시키는 대로 하겠느냐?"

수직하던 망루의 졸개는 간신히 고개를 끄덕여 보였다. 그의 병장기인 장창은 아예 벽에 세워져 있었다. 전군관이 아래를 향하여 손을 흔들었고 골짜기에 숨었던 군사들은 조용히 망루 아래까지 다가들었다. 병방이 망루 안으로 들어섰다. 벽 다른 쪽의 터진 곳으로 내리막길의 비좁은 골짜기가 보이고 그 아래 널찍한 분지가 내다보였다.

"된목이골입니다."

전군관이 말하였다. 사방에 눈이 덮였고 눈을 이고 있는 칠팔 채의 초가가 보였다. 된목이골의 동북쪽 울퉁불퉁한 암벽 뒤로는 벌겋게 아침놀이 번져 있었다.

"바로 코밑에 온 셈이로군."

병방은 중얼거리고 나서 사로잡힌 구월산 졸개에게 말하였다.

"너는 천운을 타고난 놈이구나. 우리에게 협력하면 전죄를 묻지 않고 상을 내릴 것이다."

"예…… 분부대로 하겠습니다."

"번의 교대가 언제인가?"

"아침을 먹을 때까지입니다."

"지금 도적들은 몇명이나 있는가?"

졸개가 잠깐 생각해보고 나서 대답하였다.

"한 서른댓 됩니다."

"백여 명은 넘을 것으로 아는데 그것밖에 안 되느냐?"

"저두 백운산에 있다가 변두령을 따라서 옮겨왔는데 그전에 산채가 갈려나갔습니다."

병방은 군관들을 돌아보았다.

"산채가 갈리다니…… 지금 여기 장적은 있느냐?"

"장두령 말입니까?"

"그렇다."

"진작에 자비령으로 옮겼습니다. 저는 변두령 수하 사람이라 여기 남았지요."

병방은 환도에 손을 대어 자루를 두드리며 탄식하였다.

"장적이 없다면 이번 토포는 허사일세. 완전히 빈집을 들이치는 격이다."

"장적이든 무엇이든 명화적을 토포하는 일이지요."

"두령들을 잡으면 곧 장적의 은신처를 알 수가 있겠지요."

병방은 다시 졸개에게 물었다.

"두령이 몇명이나 되는가?"

"지금은 셋밖에 없습니다."

하군관이 물었다.

"얼굴이 시커멓고 칼을 잘 쓰는 자가 있는가?"

"마두령입니다. 지금 공회소로 쓰는 저 큰 집에 오두령과 같이 기거하구 있습니다."

졸개의 말을 듣고 전군관이 말하였다.

"그자가 키 크고 창을 잘 쓰는 놈인가?"

"맞습니다."

하군관과 전군관은 일찍이 수회천에서 김식이 죽을 때 구사일생 하였던 터라 그 두 사람의 얼굴을 또렷이 기억할 수가 있었다.

"그러면 두령은 둘뿐인가?"

"변두령은 며칠 전에 탑고개로 내려갔고 업복이라구 달마산서 소두령 하던 이가 있습지요. 칼을 제법 씁니다."

병방이 군관에게 물었다.

"자네들은 멀리서도 그 마가 오가 두 놈을 알아보겠나?"

"아다뿐입니까. 우리는 아마 평생 잊어버리지 않을 거요."

"두령들은 토포장의 명에 따라 사로잡는다. 나머지는 항복하는 자 외에는 모두 처치해도 좋다."

후진의 군사들은 그러고도 한참이나 기다렸다. 아래쪽에서 연기가 오르기 시작하고 초가에서 사람이 나타나 오락가락하는 것을 보자 병방은 차츰 초조해졌다.

"후진의 공격이 왜 이리 늦춰지는가. 이러다가는 오히려 우리가 당하겠는걸."

"염려 놓으십시오. 여하간 식전까지는 아무도 이곳으로 올라오지 않을 겁니다."

전군관이 말하였다.

"올라온들 별수 있습니까. 대번에 달려들어 소리 없이 베어버리지요."

군사들은 행군할 적에는 몰랐으나 눈 쌓인 골짜기에 가만히 엎드려 있자니 마치 살이 찢어져나갈 듯이 추워져서 차차 견디기가 힘들었다. 어쨌거나 어서 싸움이 일어나는 게 얼어죽는 것을 면하는 방책일 듯싶었다. 그때 날라리 소리가 길게 들려왔다.

"들립니다. 선진이 왔습니다!"

"자, 내려가자."

새납소리는 연이어 두 번에 끊어서 이어졌다. 병방이 손짓하자 골짜기에 웅크리고 있던 군사들이 원기가 나는지 일시에 몰려왔다. 포수 열 명과 궁수 열다섯이 기패관 두 사람의 인솔로 나섰고, 그 뒤에 보군 오십 명이 하군관의 지휘를 받고 있었으며, 유군은 스물다섯으로 전군관이 선봉이었다. 그들은 질서 있게 된목이골을 향하여 내려갔다.

"퇴로는 어찌합니까?"

살진에는 활로를 터주고 뒤를 시살해 들어가는 법이라 전군관이 물었고 병방이 답하였다.

"월정사 쪽은 열어준다."

포수가 앞서고 그 뒤로 궁수가 따랐다. 모두들 탄자술과 궁술이 감영 군사 중에 좋은 점수를 얻은 군졸들이고 또한 그간에 조련을 통하여 방포 속사하는 재간도 익히고 있었다.

"유군은 동루를 점령해라."

병방의 말이 떨어지기가 무섭게 전군관이 환도를 빼어들고 단병 접전에 능한 군사들을 이끌고 된목이골의 동쪽을 향하여 뛰었다. 동쪽에도 역시 귀틀집의 망루가 있었으니 퇴로를 차단하려는 것이었다.

"자, 너는 어서 가서 관군이 왔다고 알려라."

병방이 사로잡혔던 졸개의 등을 밀어내니 그는 어리둥절한 모양이었다.

"셋을 헤일 때까지 뛰쳐나가지 않으면 벤다."

병방이 환도를 뽑아들자 그제야 정신이 들었는지 그는 분지 아래로 미친 듯이 뛰어내려갔다.

마감동은 잠에서 깨어나 아직 이부자리 속에 있었다. 한겨울이라 산채에는 별로 할 일이 없었다. 가끔씩 산 아래에서 올라오는 세상 소식이나 전해들으며 가끔 사냥이나 나다니는 것이 고작이었다. 정초에 자비령 식구들이 탑고개에 다니러 오면 그때에나 사냥도 나가고 술도 마시며 회포를 풀 작정이었다. 간밤에 땐 군불로 방 안은 절절 끓었고 마감동은 머리맡에 놓인 자리끼의 식은 숭늉을 벌컥벌컥 들이켰다. 어디선가 야릇한 호적소리가 들려왔다. 그가 문득 이상한 생각이 들어 그릇을 내려놓는데 연이어 들려왔다.

"군호가 아닐까……"

어쩐지 예감이 좋지 않았다. 그는 이불을 박차고 일어나 한편으로는 바지를 꿰면서 미닫이를 열었다.

"만석이…… 자구 있나?"

그가 마루 건넌방에 대고 물으니 오만석도 마침 옷을 꿰고 일어나는 참이었다.

"날라리 소리 아닌가?"

마감동이 물으니 만석이도 불안하게 되받았다.

"나도 방금 들었수. 이런 산속에서 갑자기 날라리 소리라니 뭔가 이상허우."

"나가보자."

마감동은 재빨리 환도를 찾아들었고 오만석도 자기 병장기인 일장 오 척의 장창을 집어들었다. 그들이 마루에서 내려와 신을 꿰는데 돌연 온 산이 울리면서 고함소리가 들려왔다.

"관군이다, 관군이 왔다!"

그들은 잠시 멈칫하였다. 산채의 초가에서 방마다 들어앉았던 구월산 식구들이 우르르 몰려나왔다.

"저쪽입니다."

"관군이다."

졸개들이 떠들며 손짓하는 곳을 바라보니 동쪽 망루를 향하여 달려가는 한 떼의 군사들이 보였다.

"잡아라."

오만석이 졸개들을 이끌고 곧장 눈밭을 뛰기 시작하였다. 마감동은 순간적으로 이미 된목이골은 완전히 포위되었을 것이라고 느꼈다. 맞서 싸우는 것보다는 적당한 활로를 찾아 퇴각하는 것이 가장 피를 적게 흘리는 길이라 믿었다. 그는 뛰쳐나가는 만석이를 만류하려 하였으나 이미 늦어버렸다. 졸개들은 모두 병장기를 갖추고 나왔다.

"관군이 둘러쌌다!"

아까부터 고함을 지르며 뛰어오는 자가 보였다. 그것은 남쪽 망루를 지키던 자가 분명했다. 업복이가 졸개들을 데리고 마주 달려갔다.

"업복이, 돌아와."

마감동이 일렀으나,

"골짜기를 막아야 합니다. 두령은 어서 퇴로를 찾으시우."

외치면서 그는 뛰쳐나갔다. 총 놓는 소리가 온 산을 울렸다. 엎드려 있다가 일어난 포수들이 제각기 화승에 불을 달아 방포하는 모습이 똑똑히 보였다. 오만석과 함께 동루로 달려가던 자들이 짚단처럼 맥없이 넘어갔다. 그리고 업복이들 쪽에서도 서넛이 쓰러졌고 뒤이어 바람 가르는 소리와 함께 화살이 날아들었다.

"산채로 돌아와라."

마감동이 외쳤고, 와 하는 함성이 들리더니 갑자기 검은 더그레와 털벙거지 차림의 군사들이 기치 창검을 번쩍이며 나타났다. 그들은 두 줄로 열을 짓더니 창을 곧추세우고 달려내려왔다. 업복이는 부상당한 자나 시체도 거두지 못하고서 쫓겨내려오는데 화살이 그들의 등뒤에서 비 오듯 하였다. 십여 명이 쫓아올라갔다가 성해서 뛰어 돌아온 것은 서넛이었다.

오만석은 역시 십여 명을 이끌고 동루를 향하여 달렸으나 첫번 방포에 대여섯 명이 쓰러지고 보니 싸울 자가 없어진 셈이었다. 동루를 대번에 점령한 관군들은 제각기 환도며 철퇴 등속을 가지고 막강하게 대오를 정비하여 곧장 달려내려왔다.

"돌아와."

뒤에서 마감동이 외치는 소리가 들려왔다. 그러나 만석이는 장창을 일단 꼬나들고는 뒤로 물러설 수가 없었다. 관군 쪽에서는 한 오만 남아서 망루를 지키고, 이십 명의 유군이 살진을 짜서 넓게 간격을 벌리고는 그들을 둘러쌌다. 만석이가 장창을 휘돌리기도 전에 그는 뒤를 차단당하고 말았다. 이는 감영 군사 중에서도 단병접전의 조련을 따로 받은 자들이라 병장기를 다루는 솜씨가 제법 예리하고 민첩하였다. 유군은 장신에 환도를 잘 쓰는 전군관이 지휘하였으니 그는 먼저 전방 오를 뒤로 물러나게 하면서 살진을 벌려 쫓아올라오는 구월산 패들을 끌어들였다. 그러고는 중앙 오가 그들의 가운데를 가르고 나아가며 좌우 오가 양쪽을 싸고 나아가니 몸이 성한 네 사람만이 살진 안에 둘러싸였다. 전방 오가 압축해나오면서 좌우 오는 일시에 엇갈리면서 시살(弑殺)해 들어갔다. 오만석은 창대를 영묘착서세(靈描捉鼠勢)로 낮게 쥐어 그들의 살진을 흐트러뜨렸다. 오만석은 창대를 군사들의 허벅지 아래쯤에 겨누어 이리저리 찌르면서 나아갔으나 동료들에게서는 멀어졌고, 살진은 그를 널찍이 둘러쌌을 뿐 다른 자들을 공격했던 것이다. 나머지 한 오만으로도 셋을 쓰러뜨리기는 충분하였다. 아무리 용맹한 구월산 녹림패라고는 하나 일정기간 정연한 군율에 의하여 습진 조련을 받은 관군을 대적할 수는 없었던 것이다. 처음부터 그들은 허를 찔렸고, 무엇보다도 중과부적이었으며 병법을 찾을 겨를이 없었다.

오만석은 마감동이 돌아오라고 외치는 소리를 여러차례 들었다. 그러나 그는 여러 해 동안 구월산에서 한솥의 밥을 먹으며 살아온 정다운 부하들이 목전에서 쓰러지는 양을 보고 참을 수가 없었다. 오만석은 창의 중간을 잡아 편신중란(扁身中欄)에서 선인봉반(仙人棒盤)까지의 봉술 동작과 함께 적수(滴水)에서 십면매복(十面埋伏)까지의 창술 동작을 취하면서 국화 무늬로 동작선을 그리며 찌르고 쳤다. 그러나 관군은 오만석이 공격해 들어가면 물처럼 갈라졌다가는 그의 측면이나 배후에서 합쳐졌다. 가끔씩 만석의 창날이나 봉 가운데 군사들의 칼이며 철퇴 따위가 가볍게 부딪칠 따름이었다.

남루 쪽에서는 관군의 공격이 더욱 일사불란해졌다. 마감동이 퇴각하여 쫓겨내려온 업복이와 식구들을 산채 앞마당에서 맞아들이는데 오십 명의 보군들은 일단 비탈의 중간에서 멈추었다. 그 뒤로부터 포수들이 달려나와 전열에 서더니 한 무릎을 꿇고 일제히 방포하였다. 우왕좌왕하던 졸개들이 또 여러 명 쓰러졌고, 마감동은 숨가쁘게 외쳤다.

"집 뒤로 숨어라."

매캐한 화약 연기가 뽀얗게 일어났고, 관군은 숨돌릴 틈을 주지 않았다. 이어서 궁수가 달려나와 활을 메겨서 세 번 연거푸 쏘았다. 그들은 이제 열 사람 남짓이었다. 마감동은 화살에 맞은 업복이를 끌고 집 뒤로 돌아갔다.

"오두령…… 어디 갔나……"

감동이 문득 동루 쪽을 바라보니 만석이는 완전히 몰이꾼에 몰린 야수처럼 이리저리 돌면서 창을 휘두르고 있었다.

"성님, 달아나우. 뒤는 내가 맡겠수."

"그래, 우리는 이젠 틀렸다. 한 사람이라도 많이 살아 나가야 한다."

마감동은 젖은 눈으로 업복이의 팔에 박힌 화살을 비틀어 뽑았다. 업복이가 악문 이빨 사이로 비명을 내질렀다.

"만석이, 돌아와라!"

마감동이 외쳤으나 때는 이미 늦었다. 살진은 오만석을 죄어들었고 대오 중에서 벌써 무엇인가를 꺼내어 머리 위로 빙빙 돌리고 있었으니, 납편이 달린 오랏줄을 던지려는 것이었다. 납덩이들이 서로 엇갈리면서 오만석의 사지를 향하여 날아왔다. 그의 창대와 한쪽 다리에 줄이 걸렸다.

"어라……"

오만석은 당황하며 창을 당기고 한쪽 다리를 뿌리쳤다. 창에 감긴 줄은 늦춰졌고 다리에 감긴 줄은 오히려 팽팽히 당겨졌다. 그는 균형을 잃으면서 뒤로 몸을 기우뚱하였다. 납덩이 하나가 날아와 그의 뒷덜미로부터 목 앞으로 뱅글 돌아서 매달렸다. 숨이 콱 막혔다. 그는 어김없이 뒤로 넘겨졌다. 줄이 팽팽하게 당겨졌다. 마지막이다 싶었다. 와 하는 기합소리가 들리더니 칼 부딪는 소리가 들렸고.목의 압박이 대번에 풀어졌다. 마감동이 살진을 뚫고 뛰어들어 오라를 끊었던 것이다. 감동은 만석의 겨드랑이를 잡아일으키며 중얼거렸다.

"뛰자, 살아야지."

감동이 먼저 날랜 솜씨로 군사 둘을 단칼에 베면서 뛰쳐나갔고 오만석은 고함을 지르면서 청룡헌조세(靑龍獻爪勢)로 살진을 벌리며 나아갔다. 감동의 칼에 둘이나 쓰러졌고 이어서 만석의 휘돌리는 창날에 가까이 대들던 자들이 자상을 입으니 한 오가 무너졌던 것이다. 마감동과 오만석은 동루에서 산채의 뒤편으로 엇비스듬하게 뛰었다.

"월정사로 물러나라."

마감동이 업복이에게 외치며 뛰자니 유군들이 된목이골 북편의 구월산성으로 통하는 암벽을 막으려는 듯 일렬로 뛰어가는 것이 보였다. 그렇다면 열린 곳은 단 하나 월정사 계곡으로 내려가는 조도(鳥道)뿐인데 어쩐지 이상한 예감이 들었다. 관군은 남루와 동루의 문화 안악 군계로 가는 골짜기를 먼저 막았고 이제는 장연계로 빠지는 구구월의 북쪽 능선도 막으려는 것이다. 그 능선 아래가 구월산성의 옛터였고 남은 것은 은율계인 탑고개로 빠지는 월정사 골짜기뿐인데 관군은 그쪽으로 퇴로를 터주고 있는 게 아닌가.

"함정이다……"

마감동은 다급하게 오만석에게 말하였다.

"저 바위 봉우리를 넘어가면 산다. 나를 따라와."

마감동이 이번에는 곧바로 북쪽의 암봉을 바라고 뛰었으며 오만석도 나란히 뛰었다.

"저놈들을 놓치지 마라."

유군을 이끌고 산채의 뒤편을 우회하던 전군관이 외치자 십여 명은 산채로 덮쳐들어가고 나머지는 곧장 북편으로 뛰었다. 보군 오십 명이 창검을 곧추세우고 물밀듯이 밀려들자 된목이골은 완전히 풍비박산이 되었고, 업복이와 남은 패거리들은 그대로 월정사로 내려가는 조도를 바라고 뛰었다.

"궁수와 포수는 저 두 놈을 잡아라."

병방도 이제는 그들이 두령인 줄 아는지라 발을 구르며 외쳤다. 바위 봉우리의 비탈은 엎드려서 기어야 할 정도로 경사가 급하였다. 산을 기어오르는 데는 워낙 산사람인 마감동과 오만석을 아무도 당할 수가 없었다. 관군의 촉급하던 추적은 차츰 뒤떨어지고 있었다. 그때 총성이 요란하게 일어났다. 마감동보다 위쪽에서 기어오르던 오만석이 주춤하더니 맥없이 주르르 미끄러져 내려왔다. 감동이 얼른 어깨로 받치고 치켜올리며 부르짖었다.

"뭐야, 왜 그래."

"맞았수."

숨을 헐떡이며 엎어진 만석을 일으키며 감동은 숨을 몰아쉬었다.

"길마재로 빠져서 봉황산 능선을 타면 산다. 여길 넘어야 한다. 힘을 내라."

만석을 간신히 일으키자 그는 비틀거리며 감동의 팔을 움켜잡았다. 만석의 등 오른편 죽지 부근에 피가 번져 있었다. 그의 검은 솜배자 위가 손바닥만 하게 피로 젖어 있는 게 보였다. 벌써 오만석이 놓쳐버린 창대가 바위 아래로 미끄러져 떨어졌고 관군들은 함성을 지르며 새까맣게 쫓아올라왔다. 병방은 맨 뒤에서 몇번이나 눈에 미끄러지며 군사를 독려하였다.

"도적의 수괴다. 이번 토포의 성패가 걸렸으니 꼭 사로잡으라."

마감동은 아래를 내려다보고 나서 주변에 이리저리 걸리고 박힌 큰 돌들을 집어던지기 시작하였다. 바윗돌은 던져서 바로 맞히지 못한다 하여도 다른 바위에 부딪쳐 튀고 구르며 내려가게 마련이라 한두 사람이 상하는 게 아니었다. 워낙 무더기로 몰려서 오르던 군사들이 돌에 맞아 외마디 소리 내지르며 구르기도 하고 가파른 곳에서 줄줄 미끄러져버리기도 하였다. 여러 명이 심하게 다치자 추격은 곧 주춤해졌다. 마감동은 오만석을 겨드랑이에 끼고 계속해서 위로 올랐다. 눈앞에 바위 사이의 비좁은 통로가 보였고 된목이골 식구들이 매둥지넘이라 부르는 마루턱에 가까워졌다. 총소리가 콩 튀듯이 들려왔다. 감동은 만석을 껴안고 통로 안에 뛰어들며 납죽 엎드렸다. 탄환이 암벽에 맞아 튀는 소리가 귓전에 맴돌았다. 총포는 한번 쏘고 나면 많이 지체되어 각이 뜨게 되고 까짓 활이야 밑에서 위로 쏘아서는 잘 맞히지 못한다는 것을 감동은 잘 알고 있었다. 관군은 꽤 멀리 떨어져 있었다. 그는 가슴이 터지는 듯하여 차가운 얼음 위에 볼을 대고 숨을 가라앉혔다. 오만석이 고통으로 얼굴을 찡그리고 중얼거렸다.

"성님, 나는 틀렸수. 어서 혼자 빠져나가시우."

"아니다, 군계만 넘어가면 어디 숨어 있을 인가가 나올 게다. 탄자만 빼버리면 열흘쯤 고약 붙여 나올 상처다."

"가슴속에 불이 난 것 같소. 숨을 못 쉬겠어."

하면서 만석은 약하게 기침을 하였고 이어서 입술 위로 피가 흘러내렸다. 감동이 보기에 연환이 폐부에 박힌 모양이었다. 요행히 빠져나간다 할지라도 그를 구할 길은 없는 셈이었다.

"자, 가자."

마감동은 다시 만석을 추슬러 그의 팔을 둘러 목에 감고 허리를 껴안아 일으켰다. 두 사람은 간신히 매등지넘이에 올라섰다. 올라서자마자 저 아래로 눈부시게 흰 구구월과 그 갈래의 봉황산 능선이 도도히 구부러져 흘러가는 게 보였다. 눈을 덮어쓴 소나무 잣나무의 물결이며 멀리 장연계로 나가는 들판이 내다보였다. 한마디로 그 도정은 엄청난 것이었다. 그들은 어깨동무를 하고서 멍하니 내려다보았다. 오만석이 스르르 주저앉더니 바위 위에 넘어졌다. 마감동이 그를 다시 일으키려고 두 손을 내밀며 허리를 굽혔다. 두 사람의 눈이 마주쳤다. 감동은 일순 동작을 멈추었다. 오만석이 희미하게 웃으며 천천히 고개를 저었다.

"잘 알지 않우. 나는 못 가. 어서 뛰시우."

"오두령……"

"둘 다 잡히구 말 거유. 자비령까지 가면 길산이 성님이랑 식구들께 말이나 전해주슈."

마감동은 그렁그렁한 눈을 돌려 그를 외면하고서 다시 한번 눈 덮인 산천을 내다보았다. 그는 제 털가죽 배자를 벗었다. 그러고는 만석의 머리 밑에 고여주었다. 이제까지 풀잎처럼 잔기가 가녀리게 보이던 오만석이 어디서 그런 기운이 생겼는지 마감동의 멱살을 와락 틀어쥐었다.

"성님…… 그 칼로 내 급소를 한 번만 찔러주고 가슈."

감동은 번들거리는 만석의 눈빛을 감당치 못하여 얼결에 눈을 내리깔았고 뜨거운 것이 볼을 타고 흘러내렸다. 감동은 그의 손을 어루만지며 타일렀다.

"그래, 이 손 놔다우. 한발 물러나야지."

만석이 감동의 멱살을 탁 풀어주었고 그는 잽싸게 뒤로 물러섰다.

"잘 가거라."

마감동은 시르릉 쇳소리가 나도록 한 번에 칼을 뽑았다. 그는 칼을 거꾸로 쥐고 오만석의 명치를 노려보았다. 감동은 만석이 얼마 남지 않은 것을 그의 눈에서 총기가 걷혀가는 모습으로 알았다. 그는 아우의 피를 차마 자신의 칼날에 한 방울도 묻힐 수가 없었다.

"치워……"

오만석이 기침을 하면서 중얼거렸다. 만석은 픽 웃었고 감동은 힘없이 칼을 내려뜨렸다. 만석이 갑자기 큰 소리로 말하였다.

"어서 멀리 달아나……"

마감동은 눈물을 닦지도 않고 몇발 뒷걸음치다가 돌아서서 아래를 향하여 뛰었다. 이어서 만석의 포효하는 듯한 부르짖음이 귓전으로 쟁쟁하게 들려왔다.

"성님!"

고함소리에 온 산이 찌렁찌렁 울리는 듯하였다. 감동은 환도를 쥐고 몇번이나 눈 속에 나뒹굴면서 산비탈을 미끄러져 내려갔다. 그는 곧 숲 안으로 들어섰고 마루턱은 나무에 가려서 보이지 않았다.

전군관을 선두로 두 사람의 뒤를 쫓던 유군 십여 명은 숨을 헐떡이며 고갯마루에 올라섰다. 그들은 대번에 바위에 털배자를 베고 비스듬히 누워 있는 오만석과 그 앞에 어지럽게 흐트러진 눈 자취를 발견하였다.

"이 자는 총 맞은 놈이다."

전군관이 한 손에 환도를 쥐고 다가섰다.

"네가 구월산 화적당의 괴수냐?"

전군관의 물음에 오만석은 아까보다 더욱 기침을 심하게 터뜨리더니 중얼거렸다.

"그렇다. 어서 내 목을 베어 공이나 세워라."

전군관은 그가 장창을 다루는 자라는 것을 알고 있었다. 그의 등 뒤에서 끊임없이 흘러나온 피가 눈 위에 흥건히 번져가고 있었다. 군관은 도적이 곧 죽을 것임을 알았다. 그는 무릎을 굽혀 만석의 머리맡에 앉았다.

"장적은 어디에 있느냐?"

만석은 빙긋 웃을 뿐이었다.

"달아난 자가 된목이골의 두령인가?"

오만석이 고개를 끄덕였다.

"그자의 이름은?"

"한양 사람…… 마……감동이다. 경서를 읽은 사람이지."

만석이 자랑스럽게 말하였다. 군관이 다시 물었다.

"네 이름은 무엇이냐?"

"평안 진군의…… 장교…… 안주 사람 오만석이다."

만석이 다시 기침을 하는데 핏덩이가 울컥 쏟아지더니 눈의 촛점이 가셨다. 바람이 무심하게 그의 흐트러진 머리카락을 날렸다. 전군관은 일어섰다.

"시체를 아래로 운반해라. 끌지는 말고 어깨에 메어라."

병방은 전군관에게 유군 다섯과 포수 다섯을 따르게 하여 계속해서 눈 위에 남은 마감동의 발자취를 추적하게 하였다. 그리고 그는 나머지 몇명과 함께 먼저 뒤를 치며 내려간 군사들을 쫓아 월정사 계곡으로 가는 조도에 들어섰다. 조도의 오른편은 북봉의 암벽이 가파르게 서 있고 왼편은 까마득한 계곡이었다. 조도에는 발디딤할 자리를 까놓았으나 눈과 얼음이 틈틈이 박혀 매우 위험하였다. 조심조심 널찍한 산길로 들어서는데 아래쪽에서 방포소리가 연달아 들려왔다.

"선진입니다."

포수 하나가 말하였다.

"놈들은 하나도 빠져나가지 못하겠구나."

그들이 더욱 아래로 내려가니 모든 것은 싱겁게 끝나버렸다. 관군은 계곡의 사방에 쓰러진 자들을 찾아내고 있었다. 큰 바위에 우뚝 올라서서 뒤처리하는 군사들을 내려다보고 있는 최형기의 구군복이 선명하였다. 병방 비장은 뛰어내려가 군례를 드렸다.

"만호, 다 끝났습니다."

"두령들은 잡았는가?"

최형기는 안색이 좋지 않았다. 병방이 우물쭈물 답하였다.

"장적은 여기에 없답니다."

"알고 있다. 마감동이와 오만석이란 자를 잡았느냔 말이다."

"오만석은 총포에 맞아 죽고…… 마감동이는 도망하여 전군관이 지금 뒤를 쫓고 있습니다."

"그를 꼭 사로잡아야 한다. 장적의 굴혈을 찾을 수 있을 것이다."

하고 나서 그가 등채를 쳐들어 흔드니 곧 부장포교 백섭이 달려올라 왔다.

"부상자가 셋이고 넷은 죽었습니다. 네 명은 주저앉아 항복하여 사로잡았습니다."

"산채와 이곳의 뒤처리는 후진에게 맡긴다. 선진은 곧 이동할 준비를 하라."

"알겠습니다."

최형기의 말이 떨어지자마자 선진의 군사들은 대열을 갖추었고 유가 형제 백포교 박포교 등이 앞에 섰다. 최형기가 병부 주머니에서 구월산 지세도를 꺼내어 바위 위에 펼쳤다. 그러고는 병방에게 물었다.

"기찰조에게서 받은 된목이골의 약도를 가지구 있겠지?"

병방이 품에서 얼른 꺼내어 펼쳤다. 최형기가 물었다.

"도적이 달아난 곳이 어느 쪽인가?"

"예 여기, 이 북봉을 넘었습니다."

최형기가 구월산 지세도에서 아사봉 북쪽에 있는 산줄기를 짚었다.

"이곳이로군. 탑고개와 버들재가 좌우에 있고 이 산줄기는 바로 장연 봉황산으로 뻗어나가는 능선이다. 건지산 봉수에서 모을산까지의 어귀는 은율 군병의 좌대가 막고 있고, 우대는 탑고개와 봉황산 줄기 사이의 갈래물 아래를 지키고 있다. 그가 빠져나갈 길은 단 하나…… 여기다."

그곳은 장연 군계와 안악 군계가 은율 군계와 맞닿는 곳이었다. 양쪽으로 산줄기 사이에 개천을 낀 협곡이 대동강변의 갯벌에까지 이어져 있었다.

"여기가 어디인가?"

최형기가 물으니 박포교가 사로잡힌 구월산 졸개 하나를 끌어왔다. 버들재에서부터 안악서 장연으로 통하는 큰길이 나오게 되어 있었고, 그 십 리쯤 안쪽에 협곡의 첫번째 마을이 있었다. 끌려온 졸개가 말하였다.

"큰샘이란 동네가 있습죠."

최형기는 만약 자기가 도망한다면 틀림없이 큰샘이라는 은촌(隱村)에서 한숨을 돌릴 것 같았다. 만일에 후일의 보상을 약속하고 숨겨주는 자가 있다면 이삼일 묵는 것은 촌에서 손쉬운 일이 아닌가. 길어봤자 사흘 밤낮이면 인성(人城)을 친 사군의 군병과 민병들도 포위망을 풀고 물러가거나 해이하여질 것이다. 더구나 요즘 같은 추위라면 밤새 요로를 지킨다는 것은 아무리 군율이 엄중하여도 어려울 것이었다. 아니, 사흘이 아니라 하룻저녁 잠시 은신하였다가, 한밤중에 시오 리 길인 장연읍으로 스며들어 봉노의 장사치들 틈에 끼이면 모래알에서 좁쌀 줍기나 마찬가지다. 최형기는 마감동과 자기의 내기는 오늘 해가 떠 있는 동안에 결판이 날 것이라고 내다보았다. 어두워지기 전까지 그의 종적을 잡지 못한다면 이번 토포는 완전 실패였다. 그는 초조했고 자신의 운이 별로 밝지 않음을 느꼈다. 우선 장적이 없고 보니 빈집을 들이치며 법석을 떨어댄 꼴이 되어버렸다. 사실 나라에서는 세간에 낭자한 해서 활빈도의 명자나 다름없는 장모의 수급을 원하고 있었다. 장길산이라는 자가 실제로 있기는 한 것인가. 최형기는 문득 구월산에서 저쪽 월당강 건너편 자비령에 가 있다는 또다른 장길산 패거리들에 생각이 돌려졌고 그곳에도 그는 있는가 하는 의심이 들었다. 서흥을 먼저 앞질러서 들이쳤던 흉적들이란, 바로 그들이었다는 것을 최형기는 사로잡은 도적들을 심문하여 알고 있었다. 구월산의 삼십여 명 되는 일당을 잡기 위해서 온 해서를 북새통으로 만들었으니, 이제 또 어떻게 하여 자비령 일대를 뒤질 것인가. 이미 활빈도의 토포가 시작된 것을 천하가 다 알고 있어서 산간의 작은 무리를 이룬 좀도적들도 든든한 방비를 해두었을 터이다. 최형기는 순간 엄청난 느낌이 들었다. 온 세상이 그들의 패거리를 은근히 돕고 편들어주고 있는 것만 같았다. 형기는 무력감 때문에 견딜 수가 없었다.

"꼭 잡아야 한다."

저도 모르는 사이에 그는 구월산의 연봉을 올려다보며 중얼거렸다. 그는 만약에 마감동이 잡히면 그를 이용하여 장길산의 소재지를 알아내고, 신엽의 발치를 떠나더라도 재물과 인력을 써서 끝내 장적을 잡아내리라 작정하였다. 그는 입을 굳게 다물고 둘러보았다. 박포교가 물었다.

"행군할까요?"

최형기는 등채로 사로잡힌 졸개의 턱을 치켜올렸다.

"고향이 어디냐?"

"예, 해주계 백운산 아랫녘이올시다."

"가족이 있느냐?"

"노모와 처자가 저 아래 사선골에 살구 있습니다."

졸개는 사선골과 탑고개가 어찌되었는지 알 리가 없었다.

"식솔을 생각해서라도 살 궁리를 하라. 네 관군을 돕겠다면 양민으로 처리해줄 터이다. 어찌하려느냐?"

졸개가 두 손을 모으고 머리를 땅에 두드리며 애걸하였다.

"살려만 주신다면 백골이 먼지가 되도록 장군을 받들어 모시리다. 어찌 하명 받잡지 않겠습니까."

최형기가 고개를 끄덕이고서 물었다.

"여기서 큰샘까지 가장 가까운 지름길을 아느냐?"

"구월산성을 가로질러 갈래물 못 미쳐서 고개를 넘어가면 됩지요. 화전 민호가 열 채쯤 있습니다."

"거기까지 갈 동안에 혹시 빠져나갈 길목이나 없느냐?"

"두 군데가 있습니다. 하나는 산성으로 내려오는 골짜기요 다른 하나는 바로 갈래물 못 미쳐서 있는 고개입니다."

최형기가 포교들과 유가 형제를 둘러보았다.

"모두 들었겠지?"

그는 다시 병방에게 일렀다.

"된목이골과 월정사, 그리고 탑고개와 사선골에 수직을 세워두고 토포가 완료될 때까지 경계한다. 자네가 투항한 적당이며 부상한 자들과 시신 수습을 빈틈없이 하여 인원을 맞추어두라. 나중에 점고할 것이다."

"잘 알아 봉행하오리다."

후진을 남겨놓고 선진의 백여 군사들은 급히 산성으로 넘어가는 능선을 타고 올랐다.

월정사와 된목이골 사이의 계곡에 누인 시체 중에는 업복이가 보이지 않았다. 물론 사로잡힌 자들 가운데도 없었다. 부상자들 속에도 역시 없었다. 병방은 나중에 된목이골로 그들을 몰고 가서 여러 가지로 묻고 따지고 점고한 뒤에야 업복이라는 소두령의 행방이 희미하다는 점을 발견하였다. 그가 화살에 맞아 부상을 입었으며 조도를 함께 내려갔고 관군의 급습을 받기 전까지 계곡의 초입에 있었다는 얘기였다. 점심때가 지나서야 월정사 아래 계곡의 재수색이 있었으나 그의 시체를 찾지 못하였다.

업복이는 마감동의 고함소리를 듣고 조도를 타고 내려갔다. 그는 가운데쯤에 서 있었다. 그들이 아래로부터 완전히 노출되었을 적에 총포가 터졌으며 뒤에서는 유군들이 계속 추격하였다. 첫 총성이 울릴 때 업복이는 이곳이 바로 함정임을 깨달았다. 그는 여기서 어정거리다가는 몰살한다는 것을 알았다. 그는 문득 계곡 아래편을 내려다보았고 두 번 생각해볼 여유도 없이 궁둥이를 아래로 하여 미끄러졌다. 그는 몇번 부딪치며 아래로 굴러떨어졌다. 하절기에는 깊고 빠른 여울이 되는 좁은 물길이었다. 다행히 눈이 계속 쌓여서 돌 틈바구니에 심한 충격을 받지 않고 나뒹굴었던 것이다. 그는 잠깐 몸을 움직일 수가 없었다. 일어나려고 상체를 일으키고 다리를 버둥거렸으나 오른쪽이 말을 듣지 않았다. 누군가가 곁에 털썩 떨어졌다. 총에 맞은 식구였다. 돌아다볼 틈도 없었다. 계곡의 틈틈이 매복하여 있던 관군들이 이리저리 수색을 시작하고 있었다. 그는 무조건 눈을 헤치며 기었다. 화살에 맞은 왼팔은 팔굽을 굽히거나 펼 수가 없어서 그저 어깨에 달렸을 따름이었다. 가까운 곳에서 관군의 발걸음 소리들이 들려왔다. 아, 틀렸다…… 하면서 그는 돌아누워 관군의 칼을 보면서라도 받겠다고 몸을 뒤집었다. 업복이는 비좁은 시내의 한쪽 끝에서 몸을 버둥거렸다. 팔이 저쪽으로 쑥 빠져나가는데 이상스레 허공이었다. 바라보니 눈 속에 깊이 박혔다. 업복이는 혹시나 하여 팔을 휘저었다. 역시 공동(空洞)이었다. 바위 틈바귀가 씻기고 밀리면서 아늑한 구덩이를 만들어 처마밑처럼 된 곳이었다. 물이 범람하면 안쪽 끝까지 차오를 것이다. 업복이는 눈을 헤치고 안쪽으로 기어들어 다시 눈을 밀어붙였다. 깊숙한 안쪽에는 제법 보송보송하게 마른 왕모래가 깔려 있었다. 그는 위를 바라고 반듯이 누웠다. 관군들이 부상자와 생존자를 잡아내는 동안 그는 부상당한 팔을 묶었다. 구월산 패들 중에서 업복이 단 한 사람만 무사했던 것이다.

마감동의 도망로를 차단하려는 선진의 행군은 민첩하게 계속되었다. 최형기도 부하 장졸들과 더불어 얼음 덮인 바위를 기어오르고 눈 비탈에 미끄러지며 계속 뛰었다. 군사들은 모두 뛰다가 걷다가 하였다. 새벽부터의 행군이라 지칠 대로 지쳤으나, 구월산이 완전히 소탕되었고 가는 곳마다 불지르고 살해하여 군사들의 전의와 살기가 날카롭게 곤두서 있었다.

구월산성은 주위가 삼십 리에 높이 열다섯 척으로 구월산 상봉인 사왕봉을 북한(北限)으로 하여 은율읍 동쪽 시오 리 지점에까지 이르렀다. 원래 호란이 있던 정묘 연간에 증축하였으나 차츰 해이해져서, 성채가 많이 퇴락하였다. 별장이 있었고 수성 군졸과 지방 모군을 두어 지키도록 하였으나, 수성장을 겸임한 은율현감들도 갈려오고 갈 적마다 별반 관심을 두지 않게 되어 역을 진 민병 두 오가 번갈아 지키게 했다. 그 뒤로 역을 진 민병들마저 무명 대납으로 때우게 되어 완전히 돌보는 이가 없게 된 터였다. 사방에 문이 있으나 동서 양문에만 문루가 있었고 북에는 작은 석문(石門)이 있고 남문은 폐쇄되었다.

관군 선진은 동문이 있는 바위 벼랑 아래를 지나 북문 쪽으로 계속 나아갔다. 전혀 다른 방향이지만 최형기는 혹시 몰라서 동문으로 가는 산협에 두 오의 군사를 해질녘까지 매복하게 하였다. 그러고는 산성의 북쪽 성줄을 돌아서, 서쪽으로는 길마재가 보이고 북으로 봉황산 줄기가 보이는 골짜기와 북문 부근에 포수와 유군을 포함하여 삼십여 명을 매복시키고 박포교를 지휘자로 떨구었다. 여하튼 계속 북으로 나아가지 않는다면 새어나갈 요로마다 봉쇄한 셈이었다. 암벽과 산비탈이 가파른 급경사를 몇번이나 기어오르고 달려내리며 넘고 나니 어느덧 해의 꼴로 보아 오후가 되어 있었다. 겨울에는 노루꼬리인데 더욱이 북녘 산협의 해는 더욱 짧은지라 벌써 계곡에는 짙은 음영이 드리워져 있었다. 다행이라면 눈이 쌓여 박명이 길 것이라는 점뿐이었다. 안내를 서던 구월산 졸개가 침엽수림 너머로 드넓게 펼쳐진 동북쪽과 서북쪽을 번갈아 가리켰다.

"저쪽이 갈래물이고 이쪽이 큰샘으로 가는 방향입니다."

최형기가 지세를 살피며 물었다.

"아까부터 보이던 저 능선이 봉황산 줄기인가?"

"예, 바로 우리와 함께 왔습죠. 요 밑에서 계곡이 합쳐집니다."

"음, 거길 막는단 말이렷다?"

"역사가 있을 적마다 부역 나온 백성들이 서로 미루고 관리들도 군계를 따지고 다툰다는 곳이지요. 안악 장연 은율 군계가 나뉘는 곳입니다. 그래서 시내도 갈래물이라구 합니다."

최형기는 다시 그곳에서 사십 명의 군사를 내어 좌우를 나누고 갈래물 길목과 봉황산 능선의 북방로를 끊었다. 물론 각 대에 포수와 궁수를 배치하였다. 이제 남은 것은 포수 세 사람과 백포교와 유수룡과 유군 십오 명뿐이었다. 최형기는 그들을 데리고 봉황산 능선을 타넘어 큰샘골로 내려갔다. 그들은 마을 백성들이 미리 보게 될까 하여 산협의 서쪽 가녘으로 바짝 붙어서 눈밭을 뛰었다. 그들은 마을 초입에서 촌민 한 사람을 잡은 다음에 그를 앞세우고 조용히 마을 안으로 들어갔다. 두 사람씩 짝을 지어 열두어 채의 귀틀집마다 철저한 수색이 시작되었다. 한겨울이라 마을 사람들은 거의가 집안에 있었다. 관군은 노유를 가리지 않고 그들 모두를 마을의 북쪽 동구로 끌고 갔으며 집 두어 채를 비워 수용하도록 하였다.

그중에서 젊은 장정들 칠팔 명을 가려내어 마을의 서북쪽으로 오르는 비탈길을 막도록 하였으니 마감동에게 스스로 마을의 한가운데로 뛰어들게 하려는 것이었다. 쫓기는 자가 나타나면 고함을 지르며 막아서라고 일러두었던 것이다. 최형기는 큰샘의 이정 격이 되는 중년 사내를 불러다가 메조를 군량으로 징발하도록 명하였다. 토포군은 아침부터 끼니를 거르고 전대에 차고 있던 볶은 곡식과 눈을 뭉쳐서 넘기고 허기를 달랬던 터이다. 최형기는 포수 세 사람을 측근에 데리고 큰샘의 남서쪽 동구에 있는 외떨어진 집에 가서 기다리고 있었다. 백포교와 유수룡은 유군들을 둘씩 짝지어 마을의 비워진 집에 적당한 간격을 두어 배치하였다. 해는 차츰 봉황산 줄기의 허리를 향하여 처지고 있었다.

마감동은 빽빽한 송림 사이를 뛰었다. 어디를 보아도 흰눈, 눈뿐이었다. 그는 골짜기로 내려갔다가는 붙잡히고 만다는 것을 잘 알았다. 능선에서는 겨우 무릎에 오는 눈이 골짜기로 내려가면 허리에까지 차오를 게 뻔했다. 뒤쫓는 자들은 마치 백포와 같이 펼쳐진 눈 위에 찍힌 어지러운 자취로 금방 따라잡을 것이다. 감동은 정신없이 미끄러지고 다시 일어나 뛰면서, 그의 귓전에서 아직도 아득하게 들려오는 듯한 오만석의 고함소리를 떨쳐버릴 수가 없었다. 길산이 성님이며 갑송이 대근이 성님들과 어울려서 노가를 제거하고 구월산 산채를 잡을 적에 끝까지 저항하였던 오만석의 고지식함도 되새겨졌고, 그와 더불어 해서 각처에서 행하였던 활빈행의 신명 나던 일들도 지나치는 소나무 가지들과 더불어 흘러갔다. 감동에게 만석은 참으로 아우와 같은 동반자였다. 또는 그의 그림자요 등과도 같았다. 감동은 숨이 차서라기보다는 형언할 수 없는 슬픔으로 명치끝이 찢기는 것 같았다.

"살아야 한다. 잡히지 말아야 한다."

혼자 중얼거리는 목소리 가운데 만석의 울부짖는 소리가 우렁우렁 겹쳐져서 들려왔다. 감동은 자기가 계속 능선을 곧장 달려가고 있음을 깨달았고, 관군이 일정한 간격을 두고 쫓고 있다는 것도 알아차렸다. 그는 구월산 인근의 지형을 제 손바닥 들여다보듯 하였으며 자신이 서 있는 곳이 어디만큼이고 전후좌우에 어떤 곳이 나올지도 훤히 알고 있었다. 어서 은율 군계를 빠져나가야 한다고 그는 생각했다. 봉황산의 끝에 다다라 대동강만 넘으면 그는 토포군의 손아귀를 완전히 벗어날 수 있을 거라고 믿었다. 그렇다, 밤이다. 어두워지기만 하면 살아남는 것이다. 갈래물이나 버들고개까지 가면 빠져나갈 기회는 얼마든지 생길 것이었다. 우선 저 뒤쫓는 자들을 아예 엉뚱한 곳으로 따돌리고 한숨을 돌려서 은신처를 찾아야 할 것 같았다.

마감동은 일부러 봉황산 능선에서 왼쪽으로 몸을 굴려 골짜기를 허우적거리며 건너고, 다시 나뭇가지들을 움켜잡고 맞은편 능선으로 기어올랐다. 뒤쫓는 자들과의 거리를 정확하게 가늠해보려는 것이었다. 그가 서 있는 곳에서부터 구월산성의 한 길이 넘는 성줄이 계속되고 있었다. 숲이 가끔씩 성기어진 곳으로 돌 성벽이 달리고 있는 게 보였다. 감동은 문득 산성의 동문을 지나 작은 북쪽 석문으로 빠져나가는 샛길이 떠올랐다. 감동은 그 샛길로 하여 사선골과 탑고개 너머에 있는 소금산 줄기를 타고 갈래물까지 나아가는 길을 그려보았다. 그러나 탑고개에서 너무 가까운 것이 불안하였다. 이를테면 그는 식구들과 함께 나다녔던 동절기의 사냥을 떠올렸다. 달아나는 멧돼지나 사슴을 함정에 몰아넣기 위하여 어찌하였던가 생각해보았다. 우선 짐승이 잘 지나다닐 길목을 터주고 군데군데마다 사수를 숨겨두고 뒤를 바짝 쫓는다. 그러고는 길목의 끝에 막다른 곳을 정하여 짐승을 몰아넣고는 포위망을 서서히 죄어가던 것이다. 감동은 어쩐지 구월산성은 항아리의 속과도 같다고 느꼈다. 한번 발을 들여놓으면 조롱에 든 새처럼 될 것이다. 그 너른 산림에는 단 네 군데의 활로만이 남을 뿐이고, 그나마 문을 막고 지키게 되면 스스로 성벽 안에 갇히는 셈이었다. 성벽을 돌아서 소금산 줄기를 따라가다가 다시 골짜기를 가로질러 봉황산 등성이를 탈 작정을 하였다. 털가죽 감발을 하고 그 위에 행전을 단단히 쳤으며, 미투리에 가죽끈을 친친 동여매니 원래가 산을 타는 데 익숙하던 차림새였다. 무릎까지 눈 속에 빠지면서 뛰는 사이에 발등과 행전에는 온통 얼음이 달려 있었다. 마감동은 나뭇가지 사이로 자기가 방금 미끄러져 내려온 능선을 건너다보고 있었다.

드디어 털벙거지가 보이는 듯하더니 검은 더그레가 올라섰다. 손에는 총포를 들고 있었다. 하나 둘 셋, 그리고 여덟 아홉…… 매둥지넘이를 바짝 따르던 군관이 그가 어지럽힌 눈자국을 손가락질하며 뭐라고 지시하고 있었다. 포수 다섯에 단병접전을 할 군사 다섯, 그리고 환도를 제법 씀직한 군관 하나, 감동에게는 너무 벅찬 상대였다. 포수들만 있든지 아니면 병장기 가진 자들만 있다면 비좁은 골짜기에서 맞서 베어넘길 자신이 있었다. 그러나 접전하는 사이에 방포를 해올 것이고, 포수들에게 접근하려면 군사들이 막을 것이다. 눈이 없거나 아니면 어둠이 깔리기 전에는 그들은 발자취를 놓치지 않을 것이었다. 감동은 슬며시 나무 뒤에서 나와 산등성이의 끝으로 걸어나가보았다. 아니나다를까, 앞서오던 자들이 뭐라고 소리치며 무릎을 세우더니 팔을 잽싸게 놀리고 나서 총을 어깨 위로 올렸다. 총성이 들렸다. 그 소리는 여음을 길게 끌면서 골짜기의 저 끝까지 비집고 나가는 듯하였다. 감동이가 섰는 산등성이 훨씬 못 미쳐서 흰눈이 풀썩 하는 게 보였다. 연환이 닿질 않는 것이다. 감동은 눈대중으로 사정이 어느만큼인가를 뇌리에 새겨두었다. 그는 소금산 줄기와 잇닿은 성줄을 따라서 뛰었다. 눈은 더욱 깊숙하였고 움직이는 데 힘이 들었으나 잡목이 빽빽하여 몸을 숨기기에는 맞춤하였다. 눈을 헤치며 경중걸음으로 뛰던 감동의 귀에 역시 가까운 곳에서 여러 사람이 뛰고 있는 듯한 소리가 들려왔다. 눈 밟는 소리와 거친 호흡소리며 나뭇가지 꺾이는 소리 따위가 들려왔던 것이다. 감동은 동작을 멈추고 잡목 사이에 엎드려 주위를 살폈다. 성벽과 소금산 줄기가 간격을 두어 차츰 둥글게 벌어지는 산협으로부터 한 떼의 군사들이 달려오는 중이었다. 그들의 입에서 입김이 길게 토해지고 있었다. 성줄의 서쪽은 길마재요 북쪽은 탑고개로 나가는 소금산 줄기이며 바로 건너편이 봉황산 줄기였다. 역시 산성에는 매복 군사가 물샐틈없이 박혀 있었다. 감동은 뒤에서 쫓는 군사와 지금 엇갈려 오는 군사가 합대하기 전에 뛰어야 한다고 생각하였다.

발자취를 남기지 않으려면 허공을 걷는 수밖에 없었다. 머리 위로 매달린 나무 다리가 있으면 싶었다. 감동은 손으로 성벽을 더듬었다. 가녘에 늘어진 나뭇가지를 잡고 울퉁불퉁한 돌을 디디면 한 길의 성벽 위에 오를 수 있을 것 같았다. 그는 뒤에서 쫓는 자들이 잡목을 헤치고 여기까지 이르려면 제법 오래 지체될 것이라 여겼다. 감동은 환도를 등뒤로 엇비슷이 찔러넣고는 나뭇가지에 매달려 발로 성벽을 차고 올랐다. 간신히 맨 위의 돌에 손을 걸고 상반신을 끌어올려 얹었다. 안쪽에는 흙을 돋우어 사람 두엇 지나칠 정도의 통로가 성벽을 따라 오르내리며 계속되고 있었다. 눈발을 맞기가 어려운 곳이라 발목에 닿을까 말까 하는 깊이로 눈이 얕게 쌓여 있었다.

감동은 성 안쪽의 좁은 길을 따라 정신없이 뛰었다. 어느결에 두어 번 산굽이 아래 쪽에 북문이 자그맣게 내려다보였다. 감동은 본능적으로 반달 같은 북문의 구멍이 범의 아가리 같다고 느꼈다. 자기가 토포군의 장교라 할지라도 그곳에 군사를 매복시킬 만하였다. 사실 최형기는 그곳에 포수를 포함하여 유군과 보군 삼십여 명을 배치하고 박완식 부장을 남겨둔 터였다. 마감동은 다시 성벽 위에 올라 살펴보았다. 눈을 수북이 덮어쓰고 눈꽃을 화려하게 달고 있는 잣나무 등속이 솜 위에 수없이 꽂힌 바늘처럼 수해를 이루어 계속되고 있었다. 관군의 추적은 완전히 따돌린 듯싶었다. 감동은 성벽에서 뛰어내렸다. 그는 소금산 줄기를 버리고 다시 동쪽 골짜기로 내려갔다. 이번에는 맞은편의 봉황산 능선이 멀리 떨어져 있었다. 그는 비탈을 내려갈 때 마음 놓고 높이 치솟았다가 줄줄 미끄러졌다. 얼어붙은 시내를 건너서 능선으로 오르기 전에 잠깐 쉬기로 하였다. 그는 눈의 거죽을 쓸어내고 속에서 곱고 깨끗한 부분을 파내어 주먹만 하게 뭉쳐서 감자를 씹듯이 먹었다. 마감동은 어쩐지 섬뜩한 느낌이 들었다. 지친 그의 눈앞에 의형의제로 결의한 식구들의 부릅뜬 눈이 차례로 지나갔다. 그들 부릅뜬 눈들은 분노로 이글이글 타는 것만 같았다. 절대로 잡혀서는 안 된다, 이대로 죽어서는 안 된다, 또는 용기를 잃어서는 안 돼라고 씹어뱉는 듯이 보였다. 까마득한 옛날 여비로 늙은 그의 노모가 담장 아래서 외치던 소리도 들려왔다. 감동아, 멀리 가거라! 그는 일어났다. 다시 산등성이를 오르기 시작하였다. 이번에는 왜 그런지 무릎에서 힘이 빠져 몇번이나 주르르 미끄러져 제자리로 돌아오곤 하였다. 뒤쫓는 자들을 따돌렸다 싶으니 피로가 한꺼번에 몰려왔던 것이다. 그는 쉬고 싶었다. 따뜻한 온돌을 등에 지고 잠깐만이라도 눈을 붙이고 싶었다. 아침부터 먹은 것이라곤 냉수 한 대접뿐이었다. 장연으로 어서 빠지려면 버들고개 십 리 길을 넘어야 하고, 거기에 이르면 대동강 갯벌은 인적이 없는 곳이고 하룻밤이면 충분히 도계를 넘을 만하였다. 그렇지, 큰샘에 가서 밤이 되기까지 요기도 하고 좀 쉬어야겠다. 마감동은 그런 후미진 산협에 화전갈이 하는 십여 호의 작은 동네가 있다는 사실은 산식구들 외에 아무도 모를 거라고 생각하였다. 구월산 녹림패나 인근 약초꾼들만 알고 있었다면 유능한 장수가 반드시 그곳에 군사를 심장할 법하건마는, 마감동은 그만큼 지쳐 있었다. 식전부터 그는 오후 늦게까지 계속 숨가쁘게 쫓겨왔고, 식구들의 패망은 물론이요 만석의 최후는 그의 머릿속을 뒤죽박죽으로 만들어버렸던 것이다.

스스로 관군의 살진 속으로 찾아들어가는 줄도 모르고 마감동은 봉황산 줄기를 오른쪽으로 벗어나 큰샘으로 내려가고 있었다. 그가 왼편의 갈래물로 내려갔어도 그는 스무 명이나 되는 관군을 대적해야 되었으며, 그대로 능선을 타고 북쪽으로 나아갔다면 맥을 끊고 기다리는 매복 군사들을 만났을 터이다.

나무꾼이 오르내리는 오솔길이 나왔고 멀리 경작지가 보이기 시작하였다. 눈을 덮어쓴 초가지붕들이 비좁은 계곡 안에 어린 짐승들같이 엎드려 있었다. 감동은 최형기의 일행이 그러했듯이 동구에 이르러 큰길을 피하여 밭의 가녘을 돌아갔다. 밭 건너편으로 외떨어진 집이 보였다. 감동은 마을 가운데로 들어가려고 계속 길 오른쪽의 밭을 질러가고 있었다. 송판을 대나무로 내려치는 듯한 소리가 들렸다.

감동이 멈칫, 하는데 연이어 두 방이 터졌다. 종아리의 소퇴가 타는 듯이 아팠다. 감동은 목을 움츠리고 허리를 낮추고는 밭고랑을 뛰어 건넜다. 거의 다 건넜을 무렵에야 왼쪽 다리에 힘줄이 서지 않는 듯함을 느꼈다. 무엇인가 다리 힘이 허순하게 풀려버린 느낌이었다. 관군이다…… 생각하면서도 아래를 살피니 연환이 얇게 할퀴고 지나갔는지 바짓자락이 벌겋게 물들었다. 마감동은 환도를 빼어들고 재빨리 주위를 살폈다. 뒤로 집이 세 채, 앞으로는 길 오른편에 두 채, 왼편에 한 채가 보였다. 생솔 울타리가 이어진 길 가운데로 나가면 그 양쪽에 집이 벌려 서 있었고 조금 더 올라가면 널찍한 공터가 나왔다. 감동은 이미 틀렸다는 걸 깨달았다. 이제 남은 것은 사로잡히지 않고 죽는 길뿐이었다. 뒤에서 하나둘씩 관군이 나타났다. 그보다 조금 떨어져서 포수 세 사람을 거느린 무장이 천천히 걸어오고 있었다. 그의 뒤쪽에 기울어진 해가 산마루에 걸려 있어서 검은 자태만이 보였다. 감동은 이마 위에 손을 대고 눈을 찡그리고 그를 바라보았다. 구슬상모와 구군복이 보였다. 길 건너편 집에서도 칼과 창을 가진 군사들이 차례로 나타났다. 그들은 서두르지 않고 천천히 다가들었다. 마감동은 한편으로는 군사들을 살피면서 넓게 트인 마을 한복판의 공터를 내다보았다. 관군은 그곳으로 감동을 몰아넣어 사로잡으려는 것이다. 만약 빈터로 나가게 되면 힘껏 싸우다가 기진하여 스스로 살고 싶어지게 되고 사로잡히게 될 것이다. 마감동은 오만석이 된목이골의 마지막 싸움에서 투승에 걸리던 광경을 떠올렸다. 투승을 던지지 못하도록 장애물이 많은 장소를 택하여 무엇인가를 등지고 싸워야 할 것이다. 그는 좌우를 돌아보면서 천천히 뒷걸음질을 쳤다. 그는 길 건너편에 외떨어져서 앞으로 비죽이 나와 있는 집을 향하여 뛰었다. 마당 한쪽에는 땔나무가 두어 길쯤의 높이로 쌓여 있었고 삽짝으로 들어서자마자 문간에 헛간이 있었다. 비좁은 툇마루에 이어진 방문이 두 짝 보였고, 끝에는 부엌이었다. 해서의 촌에 가면 어디서나 볼 수 있는 일자집이었다. 대여섯 명이서 좌충우돌 날뛰기에는 좀 불편한 공간이었다.

마감동은 아예 칼집을 내버리고 칼날을 역으로 가도록 쥔 채 툇마루 앞에서 집을 등지고 섰다. 되도록 많은 적을 가까이 끌어들여 막고 베기에는 거꾸로 칼을 잡는 것이 이로울 듯하였다. 밖에서 수군거리며 이리저리 뛰는 발걸음 소리가 들리더니 생솔 울바자 사이로 군사들의 더그레 자락이 비치기 시작하였다. 그들은 선뜻 안으로 들어서려고 하지 않았다.

마감동은 발을 몇번 굴러보았다. 장딴지가 시큰거리기는 했지만 아직은 뛰고 차고 할 수 있을 것 같았다. 그는 잠깐 호흡을 가누려고 아랫배에 힘을 주고 천천히 들이마셨다가 길게 토해냈다. 누군가가 들어서더니 헛간 앞에 섰다.

"나를 알아보겠느냐?"

평복에 솜배자 입고 남바위를 눌러쓴 사내가 환도를 아래위로 간들거려 보이면서 말하였다. 그 뒤로 군사들 셋이 들어와 마당 가운데 벌려섰다. 감동은 그들의 위치를 가늠하느라고 자기 발치 끝에서 그들까지의 발짝을 마음으로 헤아렸다.

"벌써 잊은 모양이구나."

평복의 사내가 말했고, 감동은 그제야 그의 얼굴에 시선을 주었다.

"그래, 네가 누구냐?"

마감동은 아무렇지도 않게 물었다. 사내가 미간을 잔뜩 찌푸렸고 그의 뒤로부터 군관 복색을 한 자가 환도를 그냥 칼집에 꽂은 채로 들어서서 마당을 지나갔다. 그가 걸으면서 중얼거렸다.

"조읍포에서 검을 가르쳐준 사람을 잊었는가?"

장교는 잔솔가지를 쌓아놓은 곳에 가서 걸음을 멈추었다. 울바자 밖에는 군사들이 집 주위를 둘러쌌는지 솔가지 사이로 옷자락이 보였다. 감동은 다시 사내를 힐끗 보았다.

"옳아, 네가 포창 사과의 자식이로구나. 나를 베러 왔느냐? 털도 안 난 것이 날기부터 하려는구나. 오늘은 내가 갈 길이 멀어 한 수도 접어주지 않을란다."

감동은 칼을 거꾸로 쥐고 허리 아래로 느슨히 늘어뜨리고서 침착하게 말하였다. 말에는 농기가 있었으나 표정은 빈틈없이 날카로웠다.

"네가 검법을 가르쳐준 덕분에 배운 것이 있다. 뭔지 알겠는가?"

유수룡이 말하였고, 마감동은 장교 쪽을 슬쩍 보고 나서 답하였다.

"염라대왕이 임진년 도깨비를 알겠느냐?"

"검을 들어 싸우되, 꼭 죽여야 한다는 게다."

마감동은 씁쓸하게 웃었다.

"범이 나비를 먹겠느냐. 양에 차지 않는 고기는 입도 대지 않는다. 오늘도 살아 돌아가 늙은 아비나 봉양하여라."

땔나무 더미 앞에 섰던 장교가 정중하게 말하였다.

"나는 좌포청 포도부장 백섭이란 사람이다. 칼을 약간 쓰기로 몇 수 배워볼까 한다."

마감동은 칼을 늘어뜨린 채로 말하였다.

"원하는 대로……"

백포교는 감동의 칼보다 한 뼘쯤 더 긴 환도요, 유수룡은 늘 쓰던 장검이었으며, 마감동은 예도였다. 군사들 역시 백포교와 규격이 같은 환도였다. 유수룡은 장검을 쌍수로 잡고 몸 정면에 세워들고 있었고, 백포교는 환도를 어깨높이로 수평으로 쳐들었다. 그의 동작과 함께 군사들도 제각기 칼을 잡아 달려들 자세를 취하였다.

감동은 자신의 행동반경을 이미 정하여두고 있었으니 삼간초가의 부엌에서 끝방까지가 좌우요, 솔가지 더미와 부엌의 사이가 전후인 셈이었다. 그 안으로 들어오는 상대를 맞아 싸울지언정 스스로그 밖으로는 뛰쳐나가지 않을 셈이었다. 즉, 헛간 앞의 유수룡은 끝방 앞에 이르면 그의 지경을 범하는 셈이고, 군사들은 땔나무와 나란한 거리, 장교는 부엌 앞에 이르면 그의 영역으로 들어서는 셈인 것이다. 감동은 그들의 공격은 좌우 측면에서 이루어질 것이고, 공격의 중심은 백포교가 될 거라고 여겼다. 수룡의 검의 정도를 자신이 잘 알거니와 그쪽에는 언제나 새로운 상대가 등장할 삽짝문이 있었다. 정면에 마당을 막아서서 벌려 있는 세 군사들은 그의 행동을 교란하거나 압박하기 위한 것이 분명하였다. 유수룡이 칼을 두 손에 쥐고 진전살적(進前殺賊)으로 발을 떼어 나섰고, 군사들은 제각기 금계독립(金鷄獨立)과 맹호은림(猛虎隱林)의 자세를 취하면서, 얼굴 옆으로 비스듬히 칼날을 세우거나 어깨 위로 쳐든 모양으로 마당 가운데로 뛰쳐나왔다.

마감동은 칼을 허리 뒤로 꼬리처럼 늘어뜨려 감추듯 한 요략(撩掠)을 취하여 툇마루 턱이 다리 오금에 닿을 정도로 한발 물러났다. 백포교가 칼을 수평에서 서서히 거두어 정면에 뻗치면서 전기(展旗)를 취하면서 그의 좌측으로 파고들었다. 유수룡이 먼저였고 군사들은 거의 동시였으며, 백포교의 그것은 유수룡과 두어 동작 차이가 나는 급습이었다. 수룡의 동작은 그의 주의를 오른쪽으로 분산시키려는 것이며 군사들은 그의 행동반경을 줄이려는 것이고, 실제 공격은 백포교의 급습에 있었던 것이다. 마감동은 검술의 기본은 물론이려니와 살전을 여러차례 겪은지라 첫 호흡에 그런 점들을 즉각 알아차렸다.

감동은 백포교가 칼을 수평에서 정면으로 거두자마자 앞으로 다가선 군사들의 가운데로 파고들었다. 그는 칼을 아래에서 사선을 그으며 위로 치켜올려 몸을 반쯤 돌리는 은망(銀蟒)을 취하였으니, 칼날이 둥글게 틀어 공격하는 구렁이의 이빨과도 같았다. 이는 적의 공격을 이용하여 적을 막는 법이었다. 감동을 급습하였던 백포교는 제 편인 왼쪽의 군사 측면에 서게 되고, 수룡은 깊숙이 들어와 백포교의 뒤에 있었고, 감동은 오히려 세 군사들 가운데 박혀버렸던 것이다. 가운데 섰던 군사가 허리에서 가슴 위에까지 비스듬하게 칼을 맞고 뒤로 넘겨졌다. 감동은 그 동작에서 연이어 좌익(左翼)이 되어 오른편 끝에 있던 군사의 좌측을 빠져서 다시 집 쪽으로 들어가며, 그의 어깨를 재빨리 찔러 빼고는 툇마루 앞으로 돌아섰다.

셋에 군사 하나를 베었고 다섯에 다른 하나를 찔렀으며 여섯에 돌아섰으니, 유수룡과 백포교와 나머지 군사는 솔가지 더미와 툇마루 사이에 일직선으로 몰려 있었다. 감동은 수룡을 우선 쫓아내느라고 돌아서면서 백사농풍(白蛇弄風)으로 칼을 휘돌리며 그의 가슴에 파고들었고, 수룡은 향우향좌(向右向左) 방적(防賊)하여 칼날을 세워 몸 바깥으로 걷어내느라고 안간힘을 썼다. 수룡이 뒤로 물러나면서 백포교가 감동의 왼쪽 어깨를 바라고 칼을 머리 위로 번쩍 쳐들어 조천(朝天)을 취하여 크게 베었다. 감동은 솥을 쳐들듯 어깨 위로 칼날을 쳐든 거정(擧鼎)으로 막아냈다. 칼날이 부딪는 소리가 나고 엇갈리는 소리도 들렸다. 감동은 처음에 섰던 자리로 빠져나가 섰으며 수룡과 백포교는 서로 바꾸어 섰다.

마감동은 아까보다 훨씬 여유가 있었다. 마음만 먹으면 그들 셋을 단칼에 베어버릴 수도 있었다. 만일 적이 그들뿐이었다면 첫 합에 연이은 동작으로 모조리 베어넘겼을 터이다. 그러나 적은 또 밀려들어올 것이다. 요령 있게 상대하면서 시간을 끌어야 한다고 그는 생각했다. 밤이 되면 이 포위당한 집을 떠나 산으로 달아나 군계를 넘어갈 수 있을지도 몰랐다.

삽짝문 밖에 붙어서서 그들의 대전을 처음부터 보고 있던 최형기는 내심으로 놀라지 않을 수 없었다. 과연 한수 이북에서는 아무도 꺾을 자가 없으리라던 김식을 단칼에 베어버릴 만한 솜씨였다. 최형기가 보기에도 그자는 자기 재간을 충분히 쓰고 있는 것은 아니었다. 마치 개를 놀리는 교활한 살쾡이 같았다. 때로는 그들을 끌어들이고 때로는 내몰고 하면서도 가장 유리한 지점은 그의 차지가 되는 것이다. 잔나비의 목에 끈을 매어두고 당기고 풀어주고 하며 재간을 보이는 저자의 환술자와도 같았다. 최형기는 저도 모르는 사이에 슬그머니 삽짝을 밀고 한 발을 내디뎠다. 쏘는 듯한 시선이 맞부딪쳐왔다. 세 사람을 상대하고 있으면서도 그는 삽짝에 들어선 사람의 동작을 얼어붙게 할 정도로 빈틈없고 찌르는 듯한 눈초리를 던져왔다.

"야이……"

백포교가 칼을 백원출동(白猿出洞)으로 그으면서 몸을 구부정히 앞으로 숙이며 달려들 때, 감동이 흔격(掀擊)으로 그의 허리께로 파고들면서 다리를 구부리고 좌우로 재게 움직여나가는 호보(虎步)의 동작으로 상대의 배를 베었다. 최형기는 그 자리에 얼어붙었다. 참으로 털 하나만큼도 차질이 없는 솜씨였다. 백포교는 감동의 오른편 어깨 근처에서 동작을 멈춘 채로 입을 크게 벌리고 있었다. 그의 손에서 칼이 떨어지고 한쪽 다리가 휘청하였다. 감동은 다시 두 다리를 세우고 제 키로 돌아가 유수룡의 왼쪽으로 빠져나갔다. 감동이 동작을 그쳤던 자리에서 떠나자마자 백포교의 다리가 꺾이면서 앞으로 무너지듯이 엎어졌다. 수룡은 감동에게 자리를 빼앗겨 다시 최형기가 서 있는 방향으로 돌아왔고, 군사는 감히 덤벼들지 못하고 동료들의 시체 뒤에서 멈칫거리고 있었다. 그는 최형기가 들어선 것을 보자 용기가 났는지 아니면 질책을 받을까 두려워해서인지 칼을 곧추 찌르며 달려들었다. 감동은 아예 받지도 않고 몸을 슬쩍 구부려 피하면서 발을 날렵하게 들어올려 오금을 내질렀다. 군사가 에이쿠, 하면서 한쪽으로 몸을 기울이자 그 발을 그대로 뻗어서 위로 차올렸다. 군사는 정확하게 먹통을 맞고 뒤로 벌렁 나자빠졌다. 최형기는 칼을 겨드랑 밑에 찬 채로 한 손에는 등채를 쥐고 앞으로 몇걸음 나섰다.

"대단한 솜씨다."

최형기가 고개를 끄덕이며 말하자, 마감동은 칼을 늘어뜨리고 그를 똑바로 내려다보며 말하였다.

"알아주어 고맙네."

최형기는 유수룡과 군사에게 등채를 휘저어 보였다.

"칼을 거두고 물러가라."

그들은 얼굴이 벌겋게 상기된 채로 숨을 거칠게 내쉬면서 삽짝 앞에까지 물러가서 섰다. 최형기는 감동의 행동은 아랑곳 않고서 그에게 가까이 다가서서 앞으로 넘어진 백포교의 덜미를 잡아 쳐들어보았다. 동공이 크게 열려진 채로 백은 절명하여 있었다. 최형기는 몇 번 혀를 찼다.

"네가 마감동이냐?"

감동은 그자의 복색으로 그가 군사들의 지휘자임을 알아보았고, 눈매로 보아 보통의 상대가 아니리라는 것을 깨닫고 있었다.

"나는 그렇다마는 너는 누구냐?"

최형기는 여유 있게 웃었다.

"양주 사람, 최씨 성 가진 형기라는 사람이다."

저자 무뢰배로 보내온 사람답게 최형기는 그런 식으로 자기를 밝혔다.

"겨우 십 합도 안 되어 감영에서 단병접전에 능하다는 군관을 모조리 베어넘겼군. 이러다간 해서에서 무술을 아는 자의 씨가 마르겠다."

최형기는 여전히 마감동의 몇발짝 앞에서 서성거리며 부하들의 주검을 확인하였다. 상처는 모두 치명적이었고 정확하게 급소를 노리고 있었다.

"어떤가……"

최형기가 고개를 들고 마감동을 똑바로 쳐다보았다.

"칼을 버리고 관군에 항복해라. 네 졸개들은 하나도 남김없이 죽거나 사로잡혔다. 너의 퇴로에 관하여 낱낱이 일러준 것도 바로 투항한 너의 졸개들이다. 나는 상감의 어명을 받잡고 해서 관찰사의 명에 의하여 너희를 잡으러 나온 토포장이다. 내 권한으로 너를 살려줄 수도 있으려니와 위에 아뢰고 무장으로 중용할 수도 있다. 늦게나마 관군에 협력하여 국은에 보답할 길을 찾으라."

마감동은 대답 대신에 먼저 칼을 수두(獸頭)로 곧추세워 대번에 최형기의 목줄을 찌를 듯하였다. 최형기는 실로 얼음이 목젖에 닿는 듯하고 목덜미로부터 등뒤로 한기가 끼치고 지나감을 느꼈다. 그러나 살기에는 원래 고요하고 무거운 것으로 맞서야 하는지라, 최형기는 몸을 흐트러뜨리지 않고 등채를 천천히 들어서 한 뼘쯤의 거리에 곧두세워진 칼끝에 엇갈려 세웠다. 그러고는 가볍게 옆으로 밀어냈고, 힘을 조금 더 주기도 전에 감동은 칼날을 휙 거두어버렸다.

"뒤로 세 걸음 물러가라. 이번에는 베겠다."

마감동이 칼을 내리고 말하였다. 최형기는 그가 말한 대로 하리라는 것을 알았다. 그래서 최형기는 부하들의 넘어진 몸을 넘어서 뒤로 물러났다. 마감동이 다시 말하였다.

"나를 욕되게 하지 마라. 어찌 그대는 내 아우들의 주검을 얘기하면서 내게 목숨을 구걸하라고 말하는가. 그대가 우리를 잡으러 온 토포장이라면 의당 구월산 활빈도의 수령인 나와 겨루어야 할 것이다. 또한 그대가 주인으로 섬기는 양반들은 우리가 알기로는 우리 같은 천민의 적이니 네가 받았다는 가엾은 권한이 무슨 소용이 있겠느냐. 나는 굶주리고 핍박받은 백성들을 대신하여 일어난 군사의 장수이다. 이미 작은 활빈행으로 평생의 직분을 세워 심지를 굳혔으니, 은혜란 너희들께 입은 것이 아니라 강산에 즐비한 약한 백성들로부터 입은 것이다. 내가 피를 뿌려 땅 위에 쓰러질지라도 저들에게 입은 은혜를 다 갚지 못할 것이다. 죽기로 마음을 정하였으니 사로잡으려 애쓰지 마라. 검에 자신이 있으면 어서 칼을 뽑아 앞으로 나서라. 지지재재 대꾸할 흥이 남지 않았다."

최형기는 등채로 한쪽 손바닥을 찰싹찰싹 두드리면서 참을성 있게 그의 얘기를 듣고 있었다. 가엾은 권한이란 말에 이르러는 자부심이 강하고 문벌 없어 언제나 그쪽이 허하던 최형기로서 참기가 어려웠는지 눈까풀이 파르르 떨렸다. 감동의 말이 끝나자 최형기는 한숨을 내쉬었다. 분노를 겉으로 드러내고 싶지 않았던 것이다.

"나는 사사로이 네게 빚을 받을 것이 몇 가지 있다. 네가 송화 수회천에서 죽인 김식은 훈련원에서부터 내 심복 무사였다. 그리고 방금 베어버린 이 사람은 좌포청에서 내가 뽑아온 가장 유능한 포도부장이다. 나는 그들의 식솔들에게 너의 수급을 보여주며 위무할 책임이 있다. 그뿐 아니라 나는 내게로 병장기를 겨누어 대적한 자를 살려둔 적이 없다."

최형기는 등채를 내리고 뒷짐을 지면서 말하였다.

"그럼에도 불구하고 나의 사사로운 빚은 받지 않아도 좋다."

최형기는 눈초리를 싸늘하게 한 채로 빙긋이 찡그려 애써서 웃는 낯을 보였다.

"이봐, 목숨은 귀한 것이다. 네 말의 앞뒤 이치로 보아 너는 과연 포부가 큰 대장부다. 네 뜻의 여하에 따라서 나라에 범한 죄는 물에 씻긴 티끌처럼 사라질 것이다. 논공행상의 덕을 입을 것이다. 너는 도적의 수령이 아니라 전복에 전립 쓰고 호마를 타고 나와 어깨를 나란히 개선하게 된다. 한양에 올라가면 서반(西班)에 너의 환로는 널찍하게 열려 있고, 아늑한 집과 기름진 장토가 내려질 것이며 그럴싸한 집안의 규수를 아내로 맞게 될 것이다. 이야말로 조변성응(鳥變成鷹)이요 어변성룡(魚變成龍)이 아닌가."

"닥쳐라!"

감동이 발을 구르며 말하였다.

"그러면 내 말을 듣겠느냐. 이미 이 나라는 근본부터 썩어서 고약한 냄새가 난다. 사민이 있다 하나 글 읽고 벼슬하거나 전장이 많고 권력 있는 자들만이 나라의 주인이요, 나머지 백성들은 낳고 살고 죽기가 금수보다도 못하다. 임진난리 때에도 병자난리 때에도 약한 백성들에게는 야차와 같이 굴던 것들이 바깥 도적들에게는 기도 못 펴고 꿈쩍도 못 하면서 온 나라를 내주고 말았다. 그러고도 이제껏 조정의 귀하고 높은 자리는 저희끼리 다투어 들어앉고 내려오고 하면서, 입으로만 백성이요 실상은 대롱을 꽂아 고혈을 빼는 먹이로 여길 뿐이다. 어찌 하늘이라 편안하게 머리를 쳐들어 살아갈 수 있으랴. 이제라도 늦지 않았다. 그대가 몇품 벼슬을 지내는가? 고작해야 병수사 자리라도 기다리고 있는가? 그 칼을 뽑아 너를 보낸 자들에게로 돌려라. 네 등뒤에는 팔도의 촌촌마다 피눈물로 포한 맺힌 황민의 믿음이 있다. 이 땅에서 살다 죽어진 수도 없는 백성들의 원혼이 있다. 자, 나와 함께 먼저 해서감영을 들이치자.”

마감동의 눈에는 이상스런 빛이 번뜩이는 것 같았다. 그의 목소리는 차츰 열기를 띠어갔고 마지막 마디에서는 최형기도 알지 못할 어떤 힘이 뜨겁게 느껴지는 것이었다. 최형기는 그러한 열기가 도대체 산간의 명화적에 지나지 않는 이런 자의 어디에서 솟아나오는지 이해할 수가 없었다.

“한 줌도 못 되는 서적(鼠賊)의 무리로서 말이 매우 방자하다. 내가 찾는 것은……”

최형기는 그의 약을 올리려는 어조로 말하였다.

“너희들의 두령으로 알려진 장길산이다. 네 따위야 그자의 손아래 졸개에 지나지 않는다. 그는 누구의 종자인지도 알 수 없는 광대 창우배의 자식이다. 너 같은 검의 고수가 기껏 창우의 졸개란 말인가. 더구나 그는 구월산이 어육이 되고 있는데도 쥐처럼 숨어서 나오지도 않는구나.”

“내게 욕을 보이되 우리 성님께는 그럴 수 없다. 우리 성님을 만나지 않은 것을 천행으로 알아라. 내가 너를 베지 못한다면 너는 길산이 성님께 죽을 것이다. 백성이 무서운 것을 알라. 지금은 한 줌에 지나지 않되 멀지 않아 질풍이 되어 뒤덮을 것이다.”

마감동은 조금도 어조가 변하지 않았다. 눈빛만이 더욱 번뜩일 뿐이었다.

“정말 죽기로써 싸우겠는가?”

최형기가 뒷짐을 풀고 단호하게 물었다. 마감동이 고개를 끄덕여

보였다.

"그대가 대장부라면 나를 더이상 조롱하지 마라."

"총포를 쏘아서 너를 상하게 하여 사로잡을 수도 있다."

마감동이 그 말에 처음으로 진노하여 부르짖었다.

"이런 오입쟁이 같은 자식."

무뢰배들의 욕 중에서도 기부(妓夫)와 오입장을 빗댄 욕이란 계집에게나 사내 구실할 놈이라는 소리로 가장 듣지 못할 소리였다.

"내 이미 뜻한 대로 살기를 원했거늘 죽음이 무슨 상관이랴, 차라리 자진할 것이다."

감동이 칼을 획 돌려 쥐어 스스로를 찌르려 할 때 형기가 얼른 손을 들어 말하였다.

"기다려라! 구태여 스스로 죽을 필요가 있겠느냐. 내 칼에 죽는 것이 더욱 대장부다울 것이다."

"나와 겨루겠는가?"

"이미 말했다."

하고 나서 최형기는 그에게서 등을 돌리고 샅짝을 향하여 걸었다.

"저 동네 공터에서 겨루자."

그러나 마감동은 따르지 않고 말하였다.

"우리 중에 누군가가 쓰러질 때까지 아무도 끼여들지 않고, 내가 네 칼을 맞기 전에는 함부로 총포나 활 따위를 쏘지 않겠다고 약속해라."

최형기는 어쩐지 가슴이 두근거리고 침이 말랐다. 오랜만의 살전이었던 것이다. 훈련원 마당에서 목검으로 대련을 하던 것과도 달랐고 검을 모르는 자들을 좌충우돌 베어넘기던 것과도 달랐다. 그는 침을 꿀꺽 삼키며 답하였다.

"약속한다. 사내로서 약속하겠다."

마감동은 천천히 그의 뒤를 따랐다. 그가 삽짝을 나서자마자 유수룡과 군사들 둘이 등뒤를 노리고 달려들었다. 마감동은 허리를 굽신하면서 칼을 피하고 몸을 돌려서 위에서 아래로 그어내렸다. 앞섰던 군사의 벙거지 차양이 두 쪽으로 베어지고 얼결에 쳐든 그의 칼날에 부딪쳐 쇳소리가 울렸다.

"물러서라."

최형기가 엄하게 명하자 군사들은 주춤주춤 마감동의 주위에서 물러났다.

"내가 상대할 동안 아무도 끼여들어서는 안 된다."

그는 앞장서 걸으면서 기패관에게 외쳐 물었다.

"조밥이 다 되었는가?"

기패관이 얼른 알아듣고 대답했다.

"끓는 중입니다만 대전하고 나서 드십시오."

최형기는 등뒤에서 환도를 든 채로 따라오는 감동에게 중얼거렸다.

"조밥의 뜸이 들기 전에 너를 베어넘기련다."

이제 마감동은 아무 말도 없었다. 그의 바짓가랑이는 벌겋게 젖었고 상투는 느슨해져 사방으로 흐트러졌으나 피로한 기색은 보이질 않았다. 마감동은 토포장이란 자를 죽일 수 있다 할지라도 자신은 살아나갈 방도가 없다는 것을 새삼 실감하였다. 그는 처음에 군계를 빠져나갈 수도 있으리라던 헛된 기대를 아예 끊어버리기로 작정하였다.

공터에는 두 그루의 소나무와 느티나무가 길 옆에 서 있었다. 마을길은 서남쪽의 동구에서부터 구불거리며 그대로 계속되어 있으나 집을 뒤로 물려 지어서 자연스럽게 너른 마당이 된 셈이었다. 동제를 지내거나 마을의 크고 작은 모임이 여기서 이루어졌을 것이다. 마당의 네 귀에 집이 한 채씩 있었는데, 서남향이나 동남향으로 지었으되 길가 쪽에는 방문을 내고 툇마루를 붙인 집도 있었다.

최형기가 앞장섰고 그의 몇발짝 뒤에 마감동이 따랐다.

그들의 양옆에는 유수룡과 군졸 십여 명이 병장기를 빼어들고 따라갔다. 땅 위에는 드문드문 발자국으로 다져진 곳도 있었지만 눈이 발목까지 빠지도록 쌓여 있었다. 마을은 골짜기에 따라서 서남방으로부터 동북방으로 비스듬히 뻗어 있었다. 서쪽에는 봉황산 줄기가 꼬리처럼 흘러가고 있었으며 개천을 건너 일직선으로 막아선 버들고개의 능선이 보였다. 두 산줄기는 큰샘 근처에서 매우 가까워졌다가 구월산에 이르러는 십여 리쯤 멀어지고, 다시 장연 쪽으로 빠지면서 아예 들판을 가운데 끼고 성큼 물러나게 되어 있었다.

버들고개는 안악과 장연의 군계를 가르는 울타리와도 같았다. 봉황산 산줄기 위로 기울어가는 해가 달랑 매달려 있었고, 햇빛은 빈터의 절반쯤에 눈부시게 내려앉았다. 눈을 하얗게 덮어쓴 소나무가 북쪽 귀퉁이에 있는 집의 삽짝 옆에 서 있었으며 그늘은 빈터의 동북쪽 윗부분에 드리워져 있었다. 그리고 소나무보다도 훨씬 크고 우람한 느티나무는 개천을 등지고 있는 오른편의 두 집 사이에 있었는데 기다랗게 늘어난 나무 그림자가 얼어붙은 개천 위에 떨어져 있었다.

최형기는 앞장서서 가다가 가운데서 주위를 한번 둘러보고 발로 땅을 몇번 차보더니 돌아섰다. 그가 멈추는 데 따라서 마감동도 섰다. 군졸들은 두 사람을 가운데 두고 좌우의 집 사이를 메우고 일렬로 늘어섰다. 최형기는 전립과 전복을 벗었고 군졸이 재빨리 달려와서 받아갔다. 그는 목화를 신은 것만 다를 뿐 마감동과 마찬가지로 상하의 바람이었다. 마감동은 앞으로 내딛는 발의 일직선으로 칼을 늘어뜨리고 최형기의 정면을 조용히 응시하고 있었다. 그들은 예도와 단검으로 맞섰다. 최형기의 왜단도는 마감동의 칼보다 두 뼘쯤 짧아 보였다. 최형기는 팔을 앞으로 쳐들고 짧은 칼날을 이빨처럼 세워들고 끝에 시선을 주었다.

두 사람이 빈터에 당도하자마자 뇌리에 새긴 것은 바로 흰눈의 젖은 부분과 깊숙한 부분이며 다져진 곳, 그리고 빈터에 비낀 저녁햇살의 방향, 나무 두 그루가 만들어낸 그늘, 마당의 넓이 따위였다. 최형기는 소나무 앞에 마을의 동북쪽 길을 등에 지고 서 있었으며 마감동은 느티나무를 오른쪽에 두고 빈터의 가운데 서 있었다. 최형기는 발꿈치를 들고 몇번 무릎을 달싹여보았고, 마감동은 내려뜨린 칼의 끝을 미세하게 간들거리고 있었다. 마감동이 동작을 그쳤을 때, 갑자기 상반신을 낮게 숙인 채로 최형기가 제비처럼 두 팔을 뒤로 숙이고 날쌘 동작으로 스치며 다가섰다. 호흡을 가눌 사이도 없이 형기가 감동의 왼편을 치며 지나갔다. 다만 햇빛에 반사된 칼날이 번득였고, 직선으로 내리그으며 떨어진 최형기의 칼이 밑에서 밖으로 밀어내는 마감동의 칼날에 부딪쳐 미끄러지는 소리가 짧게 들려왔다. 최형기는 연이은 동작으로 마감동의 오금을 뒷발로 차면서 돌아섰다. 마감동은 주춤하면서 오른쪽 다리가 꺾여 하마터면 넘어질 뻔하였고, 최형기의 칼이 어김없이 위에서 아래로 그의 어깨를 뻐개려는 듯이 날아왔다. 마감동은 옆으로 상체를 굽혀 피하면서 적을 보기 위해 몸을 돌리면서 서너 발짝 멀찍이 물러났다. 나직한 웃음소리가 들렸다. 최형기는 다시 공격하지 않고 짧은 칼을 옆으로 약간 벌린 손끝에 느슨하게 쥐고 몇번 홑뿌려 보였다.

"어떠냐…… 비도(非刀)는 내게 통하지 않을걸."

그는 빙긋이 웃으면서 빈터의 왼쪽 가녘으로 천천히 우회하기 시작했다.

"방금 쓴 검은 비연착충(飛燕捉蟲)이란 것이다. 나는 한번 취한 검은 다시 쓰지 않으니 잘 새겨두어라."

마감동은 대꾸하지 않고 천천히 움직여가는 최형기를 바라보았다. 그는 물론 최형기가 무더리의 사근다리에서 죽은 김식과는 비교가 안 될 고수임을 느낄 수 있었다. 최형기는 서로 마주 서는 첫 순간에 칼을 고르고 호흡을 맞출 틈도 없이 정확하게 마감동의 옆구리를 베었다. 그가 손가락 한 마디 길이만큼 다가섰더라도 감동의 내장을 줄줄 흘러나오게 했을 것이다. 마감동의 두툼한 솜배자는 갈빗대 근처에서 허리까지 찢어졌고 저고리까지 베어져, 칼끝에 긁힌 살은 쓰리고 피에 젖었다. 대개 검으로 거룰 적에는 서로 마주 서서 눈싸움이라도 하다가 얼핏 주고받은 눈짓에 의하여 약속이나 한 듯이 치고 막고 하는 법인데, 최형기는 마감동의 칼을 관찰하기는커녕 아예 무시한 채로 기격(奇擊)으로 나왔다. 제비가 땅 위를 스칠 듯 날아가다가 선회하여 급히 내리꽂으며 나비를 잡아채는 듯한 동작이었다. 이를테면 그쪽에서 딴전을 피워 공격을 않으려는 듯하다가 일시에 돌변하여 덮치는 것이다. 최형기는 이미 김식과 같은 격식 갖춘 검기(劍技)의 단계를 넘어서 있었다. 최형기의 불의의 응변(應變)은 마감동의 왼쪽 옆구리를 급습한 직후부터 시작되고 있었다. 마감동이 왼쪽에 칼날을 의식하면서 몸을 트는 것과 동시에 최형기는 그의 뒤로 빠져나가면서 다리를 베려고 연결된 동작으로 칼을 그었던 것이다. 단칼에 베고 떨어지고 다시 틈을 노리는 게 아니라 접전했을 때에 끊임없이 틈을 만들어 예측하지 못할 공격을 가하는 것이었다. 이를테면 한 호흡 속에 전혀 다른 공격을 연거푸 해내는 것이다. 마감동이 보통의 검객이었다면 옆구리는 요행히 피했다 하더라도 불시에 날아드는 칼에 다리를 잘렸을 터였다. 마감동이 저도 모르는 결에 안에서 밖으로 밀어낸 칼날에 최형기의 칼은 미끄러져나갔고, 그는 다시 연이어서 등을 돌려대고 서로 떨어져가는 자세에서 발뒤꿈치를 들어 마감동의 다리 오금을 내질렀다. 처음에 다짜고짜 파고들었을 적부터 떨어져나갈 때까지 최형기는 세 번의 전혀 다른 공세를 취하였고, 그중에 두 번 성과를 얻었다.

마감동은 움직이지 않았다. 그는 최형기가 계속해서 몰아쳐오리라는 것을 알았다. 그는 절대로 맞받아 공격하지 않을 작정이었다. 최형기가 나오면 마감동은 물러나고 뛰어들면 뛰어 물러나고 내려치면 뒷걸음질치고 우회하면 질러서 피할 생각이었다. 최형기는 이를테면 먹이를 앞에 둔 굶주린 범과도 같았다. 그의 검은 능숙하고 힘이 있으며 자신에 넘쳐 있었다. 마감동은 최형기를 기필코 베어넘기고 싶었다. 또한 부상을 입고 사로잡혀서도 안 된다고 생각하였다. 그를 베어넘기고 나면 군졸들은 자기를 살려두지 않을 것이다. 녹림에 숨은 이름 없는 자가 조정에서 보낸 두 명의 고수를 베고 죽었다면 또한 구월산 활빈도의 힘을 백성들에게 알려주게 될 것이다. 토포는 이루어졌으되 토포장은 녹림 화적당에게 살해되었다는 것처럼 좋은 소식이 있겠는가. 마감동의 마음은 처음보다 훨씬 침착해졌다. 대개 칼을 아는 자는 그 칼날 속에서 상대방의 기량은 물론이요 습성을 짐작하게 마련이었다. 어떤 검법에서든 그 검을 쓰는 자의 냄새가 나는 것이다. 최형기의 화려하고 기민한 기격의 검술은 마치 동남풍에 나부끼는 깃발과도 같았다. 손톱만 한 틈이나 흐트러짐도 놓치지 않고 파고들 것이었다. 포효와 도약을 자신 있게 해내면서 먹이를 던지고 몰고 놓아주고 어르는 호랑이처럼 최형기의 검은 일시에 몰아쳐서 혼을 빼놓는 그런 식이었다. 거기에 활발한 동작의 신명까지 붙어 실로 춤추는 듯하였다. 우선 신명을 죽이고 그가 전혀 낯선 이상스런 것과 마주친 느낌을 주어야 한다고 감동은 생각하였다. 가령 범이 길 위에서 남생이를 만났다. 먹을 것인가 하고 건드려보니 머리가 쑥 들어가버리고 다리도 움츠려버린다. 범은 도대체 알 수 없는 그 딱딱한 남생이의 껍질을 이리저리 건드려보고 기다리기도 하다가, 먹기에 적당치 않으리라 여겨져 돌아선다. 돌아서자마자 남생이는 긴 목을 빼내어 범의 꼬리를 문다. 범은 혼비백산하여 달아난다. 또는 범도 이미 알고 있는 고슴도치가 될 수도 있었다. 고슴도치의 가시는 어떻게 해볼 도리가 없어서 여러 번 실패해본 범인지라 그냥 슬그머니 피하여 가버린다. 가시 때문에 물지도 건드리지도 못한다는 것을 범은 알고 있었기 때문이다. 그가 아는 것이 그의 약점이다. 그 약한 곳이나 방도로써만 적을 대한다. 적은 지치고 싫증이 나버리고, 드디어 결정적인 기회가 생길 것이다. 태공망(太公望)이 『육도(六韜)』에 쓰기를, 사나운 새가 다른 새를 쳐서 잡을 때에는 낮게 날아 날개를 충분히 펴지 아니하고(鷙鳥將擊 卑飛斂翼) 맹수가 뛰어 덤빌 때에는 귀를 늘어뜨려 엎드리고(猛獸將搏 弭耳俯伏) 약함을 보여 적으로 하여금 방심하게 하면서 공격한다 하였다. 최형기가 마당의 왼쪽 가녘으로 움직여가는 것은 유리한 공격점을 갖추기 위한 것이라고 마감동은 생각하고 있었다. 앞장서서 그를 빈터로 끌고 갔던 최형기가 돌아서자마자 그를 치고 등뒤로 지나갔고 감동은 마당 한복판에 서 있게 되었으며, 거기 최형기는 다시 얘기를 걸면서 서남쪽의 집 앞을 슬슬 지나고 있었다. 그것은 바로 정확하게 서향이 되는 봉황산을 똑바로 등뒤에 짊어지는 자리에 서기 위한 것이었다. 그는 역광을 타고 마감동에게로 쏟아져들어오려는 것이다.

최형기는 첫 합이 이루어졌을 때 마감동은 과연 김식을 벨 만하였구나라고 스스로 감탄하였다. 사실 첫 합에서의 그의 급습은 기선을 잡으려는 것이지 검으로는 매우 비겁한 짓이었다. 애초에 같은 고수끼리 그런 검을 쓰는 일은 위험이 더욱 큰 것이다. 최형기는 비연착충세를 쓰면서 이것이 공격 중에 일어난 자세가 아니라 느닷없이 취하였기 때문에 방어동작을 유념하면서 조심스럽게 나아갔던 터였다. 그 동작은 허장성세라고 하여도 과언이 아니었다. 최형기의 첫번 동작보다는 그 다음이 더욱 중요하였고 공격의 실(實)은 그곳에 있었다. 최형기는 그의 칼날이 밖으로 퉁겨져나왔을 때 놀랐다. 이러한 연달은 기격은 훈련원 습련 시에 그가 즐겨 쓰던 법이었다. 대개는 첫 합에 대련이 끝나고 말던 것이다. 마감동은 검에서 가장 중요한 마음의 기를 잡아 쓸 줄 아는 자가 아닌가. 그러나 세 번째로 그가 물러서면서 감동의 다리 오금을 뒷발꿈치로 내질렀을 때, 최형기는 상대가 살전은 많이 겪어 칼을 무념으로 쓰는 데는 능할지 몰라도 잇따른 응변의 기술에는 서투르다는 것을 깨달았다. 이런 상대에게는 사이를 많이 둔 공격보다는 현란하고 그침 없는 공격으로 미세한 기예를 써서 실수하도록 해야겠다고 최형기는 판단하였다. 최형기는 자기의 기다란 그림자가 마감동의 몸을 어루만지며 지나가 눈 위에 미끄러져나가는 모양을 보자 바로 공격점에 두 다리를 붙였다는 것을 알았다.

최형기는 짜른 칼을 얼굴 정면으로 비스듬히 내밀고 두 발걸음에 솟구쳐 뛰었다. 칼은 탄복(坦腹)이요, 도약은 창룡출수(蒼龍出水)였다. 그는 마감동의 한발 못 미쳐 떨어지며 한쪽 무릎을 구부리고 다른

다리는 뒤로 뻗쳐 자세를 낮추며 감동의 허리를 베려고 하는 것이었다.

그러나 마감동은 그 자리에서 최형기의 칼을 막거나 받으려 하지 않았다. 빈터에는 동작하며 내지른 최형기의 외마디 기합소리가 울려퍼지고 있었다. 참으로 우스꽝스럽게도 최형기가 허공에 솟구치자마자 마감동은 부모의 매를 피하는 겁쟁이 아이처럼 주르르 소나무 있는 데로 달아나버렸던 것이다. 최형기는 칼을 휘두를 필요도 없게 되었다. 그는 어이가 없어져서 짧은 순간 마감동과의 거리를 눈대중하여보았다. 아직은 그가 공격할 수 있는 거리였다. 마감동은 예도를 잔뜩 세워들고 긴장해서 그를 기다리고 있었다. 최형기는 칼을 머리 위로 치켜들어 표두(豹頭)를 취하고 감동의 두개골을 내리치며 뛰어들었다. 감동은 뒤로 크게 몇발짝 물러났고, 칼을 찔러들어가자 소나무 뒤로 피하였다. 구경하고 섰던 군졸들이 그 꼴을 보고는 맥도 빠지고 우스워져서,

"자식이 똥 마려운 게로군."

"저런 것이 어찌 화적의 수괴 노릇을 하였을꼬."

주고받기도 하였으며, 어떤 자는 아예 크게 외쳤다.

"그만 칼을 거두시지요. 소인이 단 세 합에 목을 베겠습니다."

최형기는 칼을 내리고 뒷걸음으로 물러났다.

"가운데로 나와서 싸우자. 꽁무니를 빼려면 관군에 투항해라."

최형기는 마당의 가운데로 나섰고, 마감동은 아직 안심이 안 된다는 듯이 조심스런 걸음으로 소나무 밑을 떠났다. 그는 짜른 칼을 굽힌 팔에 세워들고 측면으로 서 있었으니, 전혀 공격할 자세라기보다는 우선 막아내기에 급급한 자세였다.

마감동은 우선 최형기의 무예의 신명을 죽이는 데 성공하였고, 그

의 화려한 동작의 연결을 토막토막 끊어놓은 것이다. 최형기가 숨기고 있는 응변의 기교는 무예 동작의 연결 가운데서 나오는 법이었으니, 마감동의 받아주는 동작이 없으면 제풀에 투박한 헛손질이 되고 마는 것이다. 감동은 그를 베어버릴 수 있는 지점을 두 군데에다 정하고 있었다. 최형기가 그의 다채로운 기교를 펼칠 수 있으려면 그는 이 빈터를 떠나서는 안 될 것이다. 그가 익힌 무예는 훈련원 마당이나 진영의 습련장처럼 땅이 평평하고 널찍한 곳에서 자유롭게 익힌 것이었다. 그에게서 종횡무진할 터를 빼앗으면 그의 칼은 매우 무디고 둔하게 변할지도 모른다. 몰아넣는 게 아니라 짐짓 패하여 허겁지겁 달아나 유인하여 바짝 끌어들여서 돌연 공세를 취하면 그는 무력해질 것이다. 그 장소란 느티나무 아래의 비탈이었다. 거기서 미끄러지면 눈이 허벅지에까지 차오르는 눈밭이고 바로 몇걸음 아래 얼어붙은 시내가 있었다. 눈밭이 그의 마지막 구덩이가 될 것이었다. 그 다음 장소는 소나무 그림자가 드리워진 동북쪽 마을의 길 가운데였다. 길을 벗어난 빈터의 땅에 내려앉은 눈들은 발목을 덮을 만큼 쌓여 있어서 디딜 적마다 뽀드득거리는 부드러운 소리가 들렸다. 그래서 거의 미끄럽지 않았다. 그리고 길이 되어 있는 곳은 사람이 많이 다녀서 다져지기는 하였으나 역시 표면이 울퉁불퉁한 채로 녹고 얼고 하여 미끄럽지 않았다. 그 길의 위쪽에는 소나무 그늘에 언제나 가려져 있어서 다져진 채로 미끄러운 빙판이 되어 있었던 것이다. 최형기를 그곳에 끌어들여 발밑을 불안하게 해주고는 역습하는 방도도 있었다. 마감동은 몇번 더 최형기의 신명을 맥빠지게 할 작정이었다. 그리고 나서 그의 공격의 예기(銳氣)를 꺾어줄 필요가 있었다.

최형기는 그를 정면공격해서는 별로 소득이 없으리라고 생각했다. 역시 저쪽에서 노리는 것은 단칼에 베는 일일 것이다. 그는 자신의 단처를 잘 알고 여러 합으로 부딪쳐 싸우기보다는 자기의 동작이 흐트러져 허점이 보일 찰나를 노리려는 게 아닌가. 좌우 포청의 포도관이나 젊은 낭관들이 일세의 검객이라 혀를 차는 최형기로서도 마감동의 재간의 깊이나 수준을 짐작하지 못하는 것이 안타까운 노릇이었다. 최형기는 마감동이 한 번도 검법을 제대로 쓴 적 없고 아예 칼을 휘두르지도 않았던 데에 생각이 미치자 의심하는 마음이 벌컥 일어났다. 좋다, 그에게 공격하도록 해주자. 그에게 허를 내보여 그의 칼날이 어느 만큼이나 되는가 가늠해보자. 최형기는 아까보다는 동작이 훨씬 신중해졌다. 그는 마감동에게 직선으로 달려들지 않고 칼을 천천히 휘돌리며 한 발 두 발 다가섰다. 그는 하반신을 드러내면서 수두(獸頭)를 취하여 단검으로 마감동의 가슴을 찌르며 달려들었다. 상대는 옆으로 몸을 비키며 그의 허리나 배를 베거나 찌를 것이며, 아니면 은망으로 구렁이처럼 그의 측면으로 피해나가면서 목이나 어깨를 종 또는 횡으로 벨 것이다. 그때에 최형기는 자신의 장기인 기격을 할 생각이었다. 수두로 허를 보이며 달려들어서는 그의 동작이 나오자마자 무릎을 바짝 구부려 쭈그리고 찰싹 붙어 양각(羊角)으로 아랫배를 찌를 셈이었다. 연이어 다리를 넣어 딴죽을 걸면서 그의 칼을 머리 위로 걷어내어, 다른 다리로 낭심을 차올리면서 앞으로 숙이는 상대의 목덜미를 위에서 아래로 내려칠 작정이었다.

그러나 이번에도 마감동은 찔러들어가는 최형기의 칼끝을 옆으로 두어 걸음 성큼 뛰어서 비켜났다. 그는 최형기가 다시 가까워지는 게 두렵다는 듯이 뒷걸음질로 미리 멀찍하게 물러났다. 최형기는 자기도 모르게 짜증이 솟구쳤다. 혹시 김식은 실수하여 뒤를 당한 게 아니었을까.

최형기는 의심을 하면서 마감동의 신통찮은 동작에 이끌려들어갔다. 의외로 검의 기본이 되어 있지 않은 자일지도 몰랐다. 최형기 자신도 모원의(茅元儀)의 말을 기억하지 못하였다. 즉 단병접전에서 조급하게 이기려 하는 자는 실패가 많고, 적을 무서워할 줄 아는 자는 강하며, 나만 한 재간이 없다고 자만하면 반드시 패한다. 적을 공격하기 전에 자신을 살피고 적의 속임수는 역으로 이용하며, 강건한 적은 느긋하게 다룬다. 특히 검의 대결은 사람과 사람의 마음의 부딪침이니 기예를 다투기 전에 먼저 그 마음을 다스려야 할 것이다. 최형기는 돌아볼 사이도 없이 마감동에게로 육박해 들어갔다. 마감동은 당황한 얼굴로 칼을 쳐들어 측면을 가리우듯 하면서 돌아보았다.

최형기는 응익(鷹翼)으로 날아들어가듯 하면서 날개로 참새를 후려치는 매같이 칼을 수평으로 그었다. 칼이 이미 앞으로 나가는데 최형기는 심장이 덜컥 내려앉는 듯하였다. 발이 허청하였던 것이다. 그의 몸이 중심을 잃고 앞으로 쏠리는 듯할 적에 불에 타는 듯한 충격이 앞으로 지나갔고 그는 반사적으로 다리를 뻗으며 나자빠졌다. 이번에는 숙이는 머리 위로 싸늘한 칼바람이 쌩 하고 지나갔다. 소나무 그늘 아래의 빙판으로 최형기를 끌어들이는 데 성공한 마감동은 그가 들어서자마자 몸을 돌리면서 좌요격(左腰擊)하였고, 이어서 다른 발을 떼어 반대로 돌면서 후일격(後一擊)하였던 것이다. 최형기는 앉은 자세에서 그대로 다리를 굽혀 재주를 넘었고, 마감동은 으레 대련에서 그랬듯이 검을 거두고 기다리지 않고서 냉혹하게 내려찍었다. 방금 최형기가 누웠던 자리에서 얼음 조각들이 튀어올랐다.

유수룡은 손을 흔들었다. 궁수들이 얼른 전통에서 살을 뽑아 활에 메기고 시위를 한껏 당겼고, 유군들은 칼을 뽑았다. 그러나 최형기가 빙판을 벗어나서 허리를 굽신하더니 날렵하게 뛰어 일어났다.

마감동은 몇발짝 움직였을 뿐 그에게 더이상 접근하지 않았다. 최형기는 온몸이 갑자기 땀으로 젖은 듯하였다. 무섭고도 정확한 칼솜씨였다. 그는 가슴 아래를 내려다보았다. 옷이 베어져서 너덜거리고 있었는데 자상을 입었는지 하반신이 축축했다. 최형기는 미간이 좁아졌고 이마에 밴 땀을 소매로 쓱 닦았다. 그는 이 싸움에서 처음으로 바짝 긴장했다. 최형기는 칼 쥔 손을 바꾸어 바지춤에다 손바닥의 땀을 닦고 나서 칼을 고쳐잡았다. 마감동은 다시 몇발짝 움직이더니 마당 가운데로 들어오지는 않고 천천히 가녘을 오른쪽으로 돌았다. 느티나무 있는 쪽에 그가 이르면 서쪽의 지는 해를 정통으로 받게 되어 있었다. 최형기도 신중한 동작으로 그를 따라 몸을 돌렸다.

마감동이 막 느티나무께에 이르렀을 때 최형기는 맨 처음처럼 벌레를 쪼려는 제비같이 낮은 자세로 달려들었다. 마감동은 옆으로 비켜났고 최형기는 변형시켜서 마감동의 옆구리에 칼을 꽂았다. 그러나 감동은 그 칼날을 제 허리 아래로 끌어올린 예도의 칼로 막고 밀었다. 두 사람은 거친 숨을 쉬며 잠깐 동안 붙어서서 칼을 밀어냈다. 마감동은 발을 들어올려 무릎으로 옆구리를 지르는 최형기의 동작을 다른 팔로 막고는 힘껏 밀어냈다. 최형기는 비탈에서 주르르 미끄러져서 마감동이 바라던 바로 그 눈밭에 깊숙이 빠지고 말았다.

최형기는 가까스로 일어나면서 마감동의 칼을 막기 위해 위를 바라다보았다. 두 무릎은 재빨리 움직일 수가 없게 눈 속에 파묻혀 있었다. 마감동은 곧 먹이를 삼키려는 백사(白蛇)처럼 입을 활짝 벌리고 달려들었다. 최형기는 위를 바라보았으나, 바로 역광이 똑바로 눈에 들어와 그의 거뭇한 몸짓만 떠오를 뿐이었다. 그때 마감동의 몸이 멈칫, 하면서 잠깐 기울었다. 최형기는 그 틈을 놓치지 않고 단칼에 검은 형체를 가로 그었다. 사람의 살을 베는 약간 묵지근하고 말랑한 무게가 손아귀에 실려왔고 붉은 반점들이 칼끝에서 뿌리쳐져서 눈밭 위에 흐트러졌다. 마감동의 몸은 빈 자루처럼 풀썩 꺾여서 넘어져왔다. 그의 어깨 옆을 지나서 마감동은 눈 위에 처박혔다. 최형기는 칼을 허공에 치켜든 채로 옆에 쓰러진 자를 내려다보았다.

"내가…… 졌다."

최형기는 얼결에 그렇게 중얼거렸다. 마감동의 등에는 화살이 반나마 깊숙하게 박혀 있었던 것이다. 그의 위기를 보고 궁수가 재빨리 화살을 날려 마감동의 등을 꿰었던 것이다. 그때가 바로 마감동이 주춤하면서 하반신을 내보인 순간이었다. 그냥 내버려두었더라면 최형기는 위로부터 직도로 내려치는 감동의 칼날에 어깨가 잘려나가며 쓰러졌을 터였다.

최형기는 바싹 말라붙은 입술을 핥았다. 그러고는 하늘을 올려다보았다. 이 싸움에서 그는 너무도 많은 것을 배웠던 것이다. 그는 시신을 다시 내려다보고는 갑자기 두려워졌다. 어디서 이런 자들이 생겨나는 것일까. 그는 어디서 이렇게 훌륭한 재간과 싸우는 궁량을 배우고 터득했던 것일까. 실로 그의 검술은 춤에 지나지 않았다. 달리 말하자면 최형기는 검술에서는 이겼으나 싸움에서는 참패했던 것이다.

최형기는 허청거리며 비탈을 올라갔다. 군졸들이 달려와 그를 끌어올렸다. 유수룡이 앞장서며 말하였다.

"수급을 제가 베겠습니다."

최형기는 찡그린 얼굴로 그를 돌아보았다.

"시신이 있으니 따로이 수급은 벨 필요가 없다. 산협의 매복을 풀도록 하고 모두 여기서 쉴 준비를 하여라."

최형기는 찢어진 옷자락에 감동의 피가 묻은 칼을 닦고 나서 칼집에 넣었다.

"시신을 어찌할까요."

기패관 하나가 물어왔고, 최형기가 말하였다.

"감영에까지 끌고 간다. 화살을 뽑고 촌가에서 섬을 내어 싸서 묶어두도록 해라."

최형기는 빈터의 끝에 있는 집의 툇마루에 가서 털썩 걸터앉았다. 빈터에는 방금 그들이 남긴 발자국들이 어지럽게 찍혀 있었다. 그는 물끄러미 그 흔적들을 내려다보았다. 이번 토포는 실패였다. 구월산 인근 사읍을 벌집 쑤신 듯 만들어놓고 산협의 두 촌락을 초토화시키고서, 민심은 얻지도 못하고 원망이 하늘까지 쌓이게 된 것이 아닌가. 최형기는 기진맥진해서 아득한 한양을 머리에 떠올렸다. 그에게는 마지막 기회였던 것이다.

군사들은 마감동의 몸을 뒤집었다. 최형기에게서 입은 상처는 매우 깊어서 출혈이 계속되고 있었다. 군사들은 그러나 그 끔찍한 상처보다도 강렬하게 쏘는 듯한 눈빛 때문에 가슴이 섬뜩하였다. 그 두 눈은 아직도 타오르는 듯이 크게 뜨고 허공을 노려보고 있었다.

—4권에 계속